WÖRTERBUCH

FRANZÖSISCH
Französisch – Deutsch
Deutsch – Französisch

Buch und Zeit Verlagsgesellschaft mbH • Köln

© 2003 Genehmigte Sonderausgabe
Alle Rechte vorbehalten. Nachdruck, auch auszugsweise,
nur mit ausdrücklicher Genehmigung des Verlages gestattet.
Produktion: Wolfram Friedrich
Umschlaggestaltung: Inga Koch
ISBN 3-8166-0508-7

Inhaltsverzeichnis

Hinweise zur Benutzung des Wörterbuchs

• Damit das gesuchte Wort schnell und problemlos aufgefunden werden kann, sind die fettgedruckten Stichwörter streng alphabetisch geordnet. Wortzusammensetzungen (z.B. *Lichtbild*) sind deshalb als eigene Stichworteinträge an der entsprechenden Stelle im Alphabet zu finden. Getrennt geschriebene und durch Bindestrich getrennte Stichwörter werden behandelt, als würden sie zusammengeschrieben.

• Der Stichwortangabe folgt jeweils in eckigen Klammern die dazugehörige Aussprache. Die Lautschrift richtet sich nach der international gebräuchlichen Phonetik. Eine Übersicht über die Lautschriftzeichen befindet sich auf Seite VI. Deutsche Ausspracheangaben enthalten vor der zu betonenden Silbe ein Betonungszeichen (ˈ), die französischen Wörter werden fast immer auf der letzten Silbe betont.

• Innerhalb eines Stichworteintrages wird das fettgedruckte Stichwort nicht wiederholt, sondern durch eine Tilde (~) ersetzt.

• Bedeutungsgleiche (synonyme) Übersetzungen werden durch Komma voneinander getrennt. Nicht bedeutungsgleiche Übersetzungen werden entsprechend der Häufigkeit ihrer Verwendung durchnumeriert und mit Strichpunkt abgetrennt.

• Nach Stichwort und Lautschrift steht die Wortart des Stichwortes. Sie ist kursiv gedruckt, ihre Bedeutung wird auf Seite V erläutert. Gibt es für ein Stichwort mehrere Bedeutungen mit unterschiedlichen Wortarten, so werden diese durch Strichpunkt voneinander getrennt aufgeführt.

• Gehört ein Stichwort einem bestimmten Fachgebiet oder einer bestimmten Sprachebene (z.B. bildliche oder Umgangssprache) an, wird dies in abgekürzter Form angegeben. Die dabei verwendeten Abkürzungen werden auf Seite V aufgeschlüsselt.

• Zur Ergänzung des Wörterbuchs befinden sich im Anhang praktische, alphabetisch gegliederte Kurzgrammatiken für beide Sprachen. Außerdem sind die wichtigsten unregelmäßigen französischen und deutschen Verben aufgelistet. So lassen sich grundlegende grammatikalische Probleme für jeden Benutzer leicht lösen - egal, ob er Deutsch oder Französisch spricht.

• Gebräuchliche Abkürzungen beider Sprachen sowie Maße und Gewichte finden sich auf den Seiten 436 bis 439.

Im Text verwendete Abkürzungen

adj	Adjektiv	*JUR*	Recht
adv	Adverb	*konj*	Konjunktion
AGR	Landwirtschaft	*LING*	Linguistik
ANAT	Anatomie	*LIT*	Literatur
ARCH	Architektur	*m*	männlich
art	Artikel	*MATH*	Mathematik
ART	Kunst	*MED*	Medizin
ASTR	Astronomie	*MET*	Metallurgie
BIO	Biologie	*METEO*	Meteorologie
BOT	Botanik	*MIL*	Militär
CHEM	Chemie	*MIN*	Bergbau/Mineralogie
CINE	Film	*MUS*	Musik
dem	demonstrativ	*n*	Neutrum
ECO	Wirtschaft	*NAUT*	Schiffahrt
etw	etwas	*num*	Zahlwort
f	weiblich	*PHIL*	Philosophie
fam	umgangssprachlich	*PHYS*	Physik
fig	bildlich	*pl*	Plural
FIN	Finanzwelt	*POL*	Politik
FOTO	Fotografie	*pref*	Präfix
GAST	Gastronomie	*prep*	Präposition
gen	Genitiv	*pron*	Pronomen
GEO	Geographie	*PSYCH*	Psychologie
GEOL	Geologie	*qc*	quelque chose
GRAMM	Grammatik	*qn*	quelqun
HIST	Geschichte	*REL*	Religion
INFORM	Informatik	*TECH*	Technik
interj	Interjektion	*TEL*	Kommunikationswesen
jdm	jemandem	*THEAT*	Theater
jdn	jemanden	*v*	Verb
jds	jemandes	*ZOOL*	Zoologie
jmd	jemand		

Lautschrift

Konsonanten

baigner	b	Ball	désigner	ɲ		
dent	d	dort	doping	ŋ	angeln, links
fruit, photo	f	fliehen, vor	petit	p	Post
galant, langue	g	geben	rue	R	
girafe, jouer	ʒ	Journal	savoir, cecité	s	besser, naß
fille, réveil	j	jeder, Million	choix, schéma	ʃ	schwierig
couper, qui	k	Kamm, Chor	tête, thème	t	treten, Pfad
lettre	l	Lob	vanité, wagon	v	weben, Vase
médicin	m	Maus	toit, louer	w	
nommer	n	nehmen	oser, zone	z	Hose

Vokale

arbre	a		propre, aurore	ɔ	von
diable, plâtre	ɑ		deux	ø	ökonomisch
été, aller	e	egal	neuf	œ	völlig
être, lait	ɛ	hätte, fett	bout	u	Zunge
me, retard	ə	Menge	suer, lui	ɥ	
image, dynamique	i		but, retenue	y	Stück
oser, baume	o	Moral			

Nasale

tante, mentir	ã	Orange	un	œ̃	
bronzer	ɔ̃		câlin, thym	ɛ̃	Cousin

Französisch - Deutsch

A

à [a] *prep* 1. *(local)* an; 2. *(local)* in; 3. *(local)* nach; 4. *(temporal)* um; 5. *(temporal)* an; 6. bei; ~ *cette occasion* bei dieser Gelegenheit; 7. zu; ~ *saisir dans toute son étendue* überschaubar; 8. mit

abaissant [abesã] *adj* herabsetzend, erniedrigend

abaissement [abesmã] *m* Senkung *f*, Abnahme *f*

abaisser [abese] *v* 1. herabsetzen; 2. *(fig)* ducken, erniedrigen; 3. erniedrigen; 4. s'~ sich herablassen

abandon [abãdõ] *m* 1. Abtretung *f*, Verzicht *m*; 2. Hingabe *f*; 3. Vernachlässigung *f*; *laissé à l'~* verwahrlost

abandonner [abãdone] *v* 1. verlassen; 2. preisgeben, aufgeben; 3. vernachlässigen; 4. s'~ à sich hingeben; s'~ à *son imagination* phantasieren

abat-jour [abaʒuʀ] *m* Lampenschirm *m*

abats [aba] *m/pl GAST* Innereien *pl*

abattant [abatã] *m (table)* Klappe *f*

abattement [abatmã] *m* Niedergeschlagenheit *f*

abattoir [abatwaʀ] *m* Schlachthof *m*

abattre [abatʀ(ə)] *v* 1. zerstören; 2. abschlagen; 3. *(bâtiment)* abreißen, umreißen; 4. *(animaux)* ausschlachten, schlachten; 5. *(arbre)* fällen; 6. *(avion)* abschießen; ~ *d'un coup de feu* abschießen

abbaye [abei] *f* Abtei *f*

abbé/abbesse [abe/abɛs] *m/f* Abt/Äbtissin *m/f*

abeille [abɛj] *f* Biene *f*

aberrant [abɛʀã] *adj* abweichend

aberration [abɛʀasjõ] *f* 1. Verirrung *f*; 2. Abweichung *f*

abêtissement [abetismã] *m* Verdummung *f*

abîme [abim] *m* Abgrund *m*

abîmer [abime] *v* 1. verderben, beschädigen; 2. strapazieren; 3. ~ *qc* kaputtmachen, lädieren; 4. s'~ kaputtgehen; 5. s'~ *dans* versinken

abolir [abɔliʀ] *v* 1. abschaffen; 2. *(fig)* umstoßen

abolition [abɔlisjõ] *f* 1. Abschaffung *f*, Aufhebung *f*; 2. *ECO* Tilgung *f*

abominable [abɔminabl(ə)] *adj* ekelhaft, scheußlich

abondance [abõdãs] *f* Überfluß *m*

abondant [abõdã] *adj* reichlich, üppig

abonné [abɔne] *m* Abonnent *m*

abonnement [abɔnmã] *m* Abonnement *n*

abonner [abɔne] *v* s'~ à *qc* etw abonnieren; *être abonné à (fig)* abonniert sein auf

abord [abɔʀ] *m* Zugang *m*; *d'un ~ facile (fig)* zugänglich

abordable [abɔʀdabl(ə)] *adj* 1. zugänglich; 2. erschwinglich

aborder [abɔʀde] *v* 1. *(bateau)* landen, anlegen; 2. ~ *qn* ansprechen; 3. *(fig: un sujet)* anschneiden

aboutir [abutiʀ] *v* grenzen; ~ à führen zu

aboyer [abwaje] *v* bellen

abrégé [abʀeʒe] *m* 1. Auszug *m*; 2. Abriß *m*

abréger [abʀeʒe] *v* abkürzen, verkürzen

abreuver [abʀœve] *v* 1. *(animaux)* tränken; 2. s'~ *(animaux)* saufen

abréviation [abʀevjasjõ] *f* Abkürzung *f*

abri [abʀi] *m* 1. Zuflucht *f*; 2. Unterkunft *f*, Unterschlupf *m*; à l'~ geschützt

abricot [abʀiko] *m* Aprikose *f*

abrupt [abʀypt] *adj* 1. abrupt, jäh; 2. steil

absence [apsãs] *f* 1. Abwesenheit *f*; 2. *JUR* Mangel *m*; ~ *d'appétit* Appetitlosigkeit *f*; ~ *de retenue/modération* Maßlosigkeit *f*

absent [apsã] *adj* abwesend

absolu [apsɔly] *adj* unbedingt, absolut

absolument [apsɔlymã] *adv* 1. unbedingt, absolut; ~ *pas* überhaupt nicht; 2. durchaus

absolutisme [apsɔlytizm] *m* Absolutismus *m*

absorber [apsɔʀbe] *v* 1. aufsaugen; 2. ~ *qc* schlucken, zu sich nehmen; 3. s'~ *dans qc* sich versenken

abstenir [apstəniʀ] *v* s'~ *de* sich enthalten

abstinence [apstinãs] *f* 1. Abstinenz *f*; 2. *(aliments, boissons)* Enthaltsamkeit *f*; *faire* ~ fasten

abstrait [apstʀɛ] *adj* abstrakt

absurde [apsyʀd(ə)] *adj* unsinnig, absurd

absurdité [apsyʀdite] *f* Absurdität *f*, Sinnlosigkeit *f*

abus [aby] *m* Mißbrauch *m;* ~ *de pouvoir* Amtsmißbrauch *m;* ~ *d'alcool* Alkoholmißbrauch *m*

abuser [abyze] *v 1.* trügen; *2.* ~ *qn* täuschen; *3.* ~ *de* mißbrauchen; *4. (fig)* ~ *de* überschreiten

académique [akademik] *adj* akademisch

accablé [akable] *adj 1.* ~ *de soucis* sorgenvoll; *2. (fig)* niedergeschlagen

accabler [akable] *v 1.* überhäufen; *2.* erdrücken; *3.* bedrücken; *4. (fig)* belasten; ~ *de travail* überlasten; *5. JUR* belasten

accalmie [akalmi] *f (vent)* Flaute *f*

accéder [aksede] *v* ~ *à* erreichen

accélération [akseleʀasjɔ̃] *f* Beschleunigung *f*

accélérer [akselere] *v* beschleunigen

accent [aksɑ̃] *m* Akzent *m,* Betonung *f*

accentuer [aksɑ̃tye] *v 1.* betonen; *2.* verstärken

acceptable [akseptabl(ə)] *adj* annehmbar

acceptation [akseptasjɔ̃] *f 1. (réception)* Annahme *f; 2.* Zusage *f*

accepter [aksepte] *v 1.* annehmen, nehmen; *2.* bejahen, billigen; *3.* zusagen; *4.* hinnehmen

acception [aksepsjɔ̃] *f* Sinn *m,* Bedeutung *f*

accès [aksɛ] *m 1.* Zugang *m,* Zutritt *m; route d'~* Einfahrt *f; 2.* Betreten *n; 3. MED* Anfall *m; 4.* Anwandlung *f; 5. INFORM* Zugriff *m*

accessible [aksesibl(ə)] *adj 1.* erreichbar, zugänglich; *2. (prix)* erschwinglich

accessoire [akseswaʀ] *1. m* Zubehör *n; 2. adj* beiläufig, nebensächlich

accessoires [akseswaʀ] *m/pl* Accessoires *pl*

accident [aksidɑ̃] *m 1.* Zufall *m; 2.* Unfall *m;* ~ *de voiture* Autounfall *m;* ~ *du travail* Arbeitsunfall *m*

accidenté [aksidɑ̃te] *adj* hügelig

acclamer [aklame] *v* bejubeln

acclimater [aklimate] *v 1. s'~* sich akklimatisieren; *2. s'~* sich einleben

accommodant [akɔmɔdɑ̃] *adj 1.* gefügig; *2.* verträglich; *3. (fig)* nachgiebig

accommodement [akɔmɔdmɑ̃] *m ECO* Abfindung *f*

accommoder [akɔmɔde] *v GAST* zubereiten

accompagnateur [akɔ̃paɲatœʀ] *m 1.* Begleiter *m; 2. (carnion)* Beifahrer *m*

accompagner [akɔ̃paɲe] *v* begleiten; *s'~ de* mit sich bringen

accomplir [akɔ̃pliʀ] *v 1. (exécuter)* ausführen; *2.* vollbringen, vollziehen; *3. (réaliser)* durchführen; *4. (devoir)* erfüllen; *5. s'~* Erfüllung finden

accomplissement [akɔ̃plismɑ̃] *m 1.* Vollendung *f; 2. (devoir)* Erfüllung *f*

accord [akɔʀ] *m 1.* Abmachung *f,* Vereinbarung *f; 2.* Übereinstimmung *f,* Zustimmung *f; être d'~ sur* übereinstimmen/ sich einig sein; *en* ~ einträchtig; *D'~!* Einverstanden! *3. POL* Vertrag *m; 4.* ~ *de musique* Akkord *m*

accordéon [akɔʀdeɔ̃] *m* Akkordeon *n,* Ziehharmonika *f*

accorder [akɔʀde] *v 1.* gewähren, schenken; *2.* gestatten, bewilligen; ~ *qc à qn* jdm etw gönnen/zubilligen; *3. (instrument)* stimmen; *4. (fig: concilier)* abstimmen; *5. s'~ avec qn* mit jdm auskommen; *6. s'~ qc* sich etw gönnen; *7. s'~ (avec)* harmonieren

accostage [akɔstaʒ] *m (bateau)* Landung *f*

accoster [akɔste] *v 1.(bateau)* anlegen; *2.* ~ *qn* sich an jdn heranmachen, sich jdm nähern

accouchement [akuʃmɑ̃] *m* Entbindung *f;* ~ *avant terme* Frühgeburt *f*

accoucher [akuʃe] *v 1.* entbinden; *2.* ~ *de* gebären

accoudoir [akudwaʀ] *m (fauteuil)* Lehne *f*

accouplement [akupləmɑ̃] *m* Paarung *f*

accourir [akuʀiʀ] *v* herbeieilen; ~ *au secours de qn* jdm zu Hilfe eilen

accroc [akʀo] *m* Riß *m*

accrocher [akʀoʃe] *v 1. (tableau, manteau)* hängen, aufhängen; *2. (avec la voiture)* anfahren; *3. s'~ à* sich festhalten

accroissement [akʀwasmɑ̃] *m 1.* Steigerung *f; 2. ECO* Zuwachs *m; 3.* Vermehrung *f,* Zunahme *f*

accroître [akʀwatʀ(ə)] *v 1.* vergrößern; *2.* steigern; *3. s'~ à* wachsen

accueil [akœj] *m 1. (réception)* Empfang *m; 2.* ~ *d'urgence* Notaufnahme *f*

accueillir [akœjiʀ] *v 1. (recevoir)* aufnehmen, empfangen; *2. (objets)* entgegennehmen; *3. (fig: réfugiés)* auffangen

accumulateur [akymylatœʀ] *m* Akku *m*

accumulation [akymylasjɔ̃] *f* Anhäufung *f,* Ansammlung *f*

accumuler [akymyle] *v 1.* anhäufen; *2. s'~* sich ansammeln

accusatif [akyzatif] *m* Akkusativ *m*

accusation [akyzasjɔ̃] *f* 1. Anschuldigung *f*, Beschuldigung *f*; 2. (plainte) Anklage *f*

accusé [akyze] 1. *adj* angeklagt; 2. *m* Angeklagte *m/f*

accuser [akyze] *v* 1. (porter plainte) anklagen; ~ de bezichtigen; 2. JUR belasten; 3. ~ qn de qc jdn anschuldigen, jdn beschuldigen

acerbe [asɛrb(ə)] *adj (fig)* herb

acharné [aʃarne] *adj* 1. (lutte) erbittert; 2. ~ à versessen auf

acharnement [aʃarnəmã] *m* 1. Beharrlichkeit *f*; avec ~ hartnäckig; 2. Erbitterung *f*; 3. Ausdauer *f*

achat [aʃa] *m* 1. Kauf *m*; faire des ~s einkaufen; ~ en gros Großeinkauf *m*; ~ au comptant Barkauf *m*; ~ d'occasion Gelegenheitskauf *m*; 2. Ankauf *m*, Einkauf *m*; 3. Anschaffung *f*

acheter [aʃte] *v* 1. kaufen; 2. abkaufen, ankaufen

acheteur [aʃtœr] *m* Käufer *m*

achevé [aʃve] *adj (terminé)* fertig

achèvement [aʃɛvmã] *m* 1. Vollendung *f*; 2. (construction) Ausbau *m*

achever [aʃve] *v* 1. (terminer) abschließen; ~ de payer abbezahlen; 2. ~ qc etw fertigmachen; 3. s'~ zu einem Ende kommen

acide [asid] 1. *adj* sauer; 2. *m* Säure *f*

acidité [asidite] *f* 1. (goût) Säuregrad *m*; 2. CHEM Säuregehalt *m*

acier [asje] *m* Stahl *m*; ~ inoxydable Edelstahl *m*

acompte [akɔ̃t] *m* 1. Anzahlung *f*; 2. ECO Abschlagssumme *f*; 3. ECO Rate *f*; 4. (prêt) Vorschuß *m*

à-coup [aku] *m* Ruck *m*; par ~s ruckweise

acoustique [akustik] 1. *f* Akustik *f*; 2. ~ *adj* akustisch

acquéreur [akerœr] *m* Käufer *m*

acquérir [akerir] *v* erwerben

acquisition [akizisjɔ̃] *f* 1. Ankauf *m*, Anschaffung *f*; 2. Errungenschaft *f*

acquittement [akitmã] *m* 1. (absolution) JUR Freispruch *m*; 2. ECO Tilgung *f*

acquitter [akite] *v* 1. zahlen; 2. (facture) quittieren; 3. (argent) abführen; 4. (dette) tilgen; 5. losprechen

acrimonie [akrimɔni] *f* Bitterkeit *f*

acrobate [akrɔbat] *m* Akrobat *m*

acte [akt(ə)] *m* 1. Tat *f*, Akt *m*; 2. ~ officiel Amtshandlung *f*; 3. ~ d'honneur Ehrung *f*;

4. Urkunde *f*; 5. (dossier) Akte *f*; 6. ~ irréfléchi/irrationnel Kurzschluß *m*; 7. THEAT Akt *m*; 8. MED Akt *m*; 9. JUR Akt *m*

acteur/trice [aktœr/tris] *m/f* Schauspieler(in) *m/f*, Darsteller *m*

actif [aktif] *adj* 1. aktiv, tätig; population active erwerbstätige Bevölkerung; 2. eifrig; 3. (efficace) wirksam; 4. *m* ECO Aktiva *pl*

action [aksjɔ̃] *f* 1. (acte) Tat *f*, Handlung *f*; 2. FIN Aktie *f*; 3. ~ militaire Einsatz *m*

activer [aktive] *v* 1. beleben; 2. beschleunigen

activité [aktivite] *f* 1. (occupation) Tätigkeit *f*; 2. Aktivität *f*, Betätigung *f*

actualiser [aktualize] *v* aktualisieren

actualités [aktualite] *f/pl (TV)* Tagesschau *f*

actuel [aktuɛl] *adj* 1. gegenwärtig; 2. aktuell

actuellement [aktuɛlmã] *adv* derzeit

adage [adaʒ] *m* Sprichwort *n*

adaptateur [adaptatœr] *m* Adapter *m*

adaptation [adaptasjɔ̃] *f* 1. Anpassung *f*; 2. ~ cinématographique Verfilmung *f*

adapter [adapte] *v* 1. (fig) anpassen; 2. s'~ sich anpassen; 3. s'~ à zusammenpassen

additif [aditif] *m* 1. Beigabe *f*; 2. Nachtrag *m*; 3. CHEM Zusatz *m*

addition [adisjɔ̃] *f* Addition *f*

additionner [adisjɔne] *v* 1. zusammenzählen, addieren; 2. ~ à (liquide) beimischen

adduction [adyksjɔ̃] *f* Zuleitung *f*

adepte [adɛpt(ə)] *m* Eingeweihte(r) *m/f*

adéquat [adekwa] *adj* passend

adhérent [aderã] *m* 1. (club) Mitglied *n*; 2. Anhänger *m*

adhérer [adere] *v* 1. (coller) kleben, haften; 2. ~ à beitreten

adhésif [adezif] *adj* klebrig

adieux [adjø] *m/pl* Abschied *m*

adjectif [adʒɛktif] *m* Adjektiv *n*

adjoint [adʒwɛ̃] 1. *adj* stellvertretend; 2. *m* Gehilfe *m*

adjuger [adʒyʒe] *v* zuerkennen

admettre [admɛtr(ə)] *v* 1. annehmen; 2. zugeben, zugestehen; 3. ~ dans jdn einlassen; 4. (proposition) eingehen auf

administration [administrasjɔ̃] *f* Verwaltung *f*; ~ municipale Stadtverwaltung *f*

administrer [administre] *v (gérer)* verwalten

admirable [admirabl(ə)] *adj* bewundernswert

admirateur [admiratœr] *m* Verehrer *m*
admirer [admire] *v* bewundern
admissible [admisibl(ə)] *adj* 1. zulässig;
2. gültig; 3. annehmbar
admission [admisjɔ̃] *f* 1. Annahme *f*; 2.
Aufnahme *f*
adolescence [adɔlesãs] *f* Jugendzeit *f*
adolescent(e) [adɔlesã(ãt)] *m/f* Jugendliche *m/f*
adopter [adɔpte] *v* 1. *(enfant)* adoptieren;
2. annehmen; ~ *l'avis de qn* sich jdm/einer
Meinung anschließen; 3. *(une loi)* verabschieden
adoption [adɔpsjɔ̃] *f* 1. Adoption *f*; 2. *(~
d'une loi)* Verabschiedung *f*
adorable [adɔrabl(ə)] *adj* entzückend
adoration [adɔrasjɔ̃] *f* Anbetung *f*, Verehrung *f*
adorer [adɔre] *v* 1. *REL* anbeten; 2. verehren; 3. vergöttern
adosser [adose] *v* 1. *(appuyer)* lehnen; 2. ~
à (construction) anbauen; 3. *s'~ à (contre)*
sich anlehnen
adoucir [adusir] *v* 1. mildern; 2. *(eau)*
enthärten
adresse [adrɛs] *f* 1. Adresse *f*, Anschrift
f; 2. Anlaufstelle *f*; 3. Geschicklichkeit *f*
adresser [adrese] *v* 1. ~ *qc à qn* etw an jdn
adressieren; 2. einsenden; 3. *s'~ à* sich wenden an, sich richten an; 4. *s'~ à qn* jdn ansprechen, an jdn herantreten
adroit [adrwa] *adj* geschickt, gewandt
adulte [adylt] 1. *adj* groß, erwachsen; 2.
m/f Erwachsene *m/f*
adultère [adyltɛr] *m* Ehebruch *m*
advenir [advənir] *v* geschehen
adverbe [advɛrb(ə)] *m* Adverb *n*
adversaire [advɛrsɛr] *m* Feind *m*
adverse [advɛrs] *adj* gegnerisch
adversité [advɛrsite] *f* 1. Unglück *n*; 2.
Mißgeschick *n*
aération [aerasjɔ̃] *f* Belüftung *f*, Lüftung
f
aérer [aere] *v* lüften
aérodynamique [aerɔdinamik] *adj*
stromlinienförmig, windschnittig
aéronautique [aerɔnotik] *f* Flugwesen *n*
aéroport [aerɔpɔr] *m* Flughafen *m*
aérosol [aerɔsɔl] *m* Spray *n*
affaiblir [afeblir] *v* 1. abschwächen; 2. entkräften
affaiblissement [afeblismã] *m* 1. Abschwächung *f*; 2. *(de valeur)* Abnahme *f*

affaire [afɛr] *f* 1. Angelegenheit *f*, Sache
f; 2. Vorfall *m*, Affäre *f*; 3. ~ *conclue* Abschluß *m*; 4. ~ *commerciale* Geschäft *n*
affairé [afɛre] *adj* geschäftig
affamé [afame] *adj* hungrig
affectation [afɛktasjɔ̃] *f* 1. Bestimmung
f; 2. Verstellung *f*
affecté [afɛkte] *adj* 1. affektiert; 2. *(fig)*
theatralisch; 3. *être ~ par* betroffen sein von
affecter [afɛkte] *v* 1. *(toucher)* angreifen;
2. ~ *à* bestimmen; 3. einweisen; ~ *à une fonction* in eine Arbeit einweisen
affection [afɛksjɔ̃] *f* 1. Krankheit *f*; 2.
(sentiment) Zuwendung *f*
affectionner [afɛksjɔne] *v* liebhaben
affectueux [afɛktyø] *adj* liebevoll, zärtlich
affermir [afɛrmir] *v* *s'~* sich festigen
affichage [afiʃaʒ] *m* 1. Aushang *m*; 2.
TECH Display *n*
affiche [afiʃ] *f* 1. Plakat *n*, Anschlag *m*,
Aushang *m*; 2. ~ *lumineuse* Leuchtanzeige *f*
afficher [afiʃe] *v* anschlagen, aushängen
affiler [afile] *v* schleifen
affiliation [afiljasjɔ̃] *f* 1. Mitgliedschaft
f; 2. Aufnahme *f*
affiner [afine] *v* veredeln
affirmation [afirmasjɔ̃] *f* Behauptung *f*
affirmer/-se [afirme] *v* 1. behaupten; 2. *(assurer)* versichern, bekräftigen
affligé [afliʒe] *adj* 1. betrübt; 2. *être ~* trauern
affluence [aflyãs] *f* 1. Andrang *m*, Zulauf
m; 2. Zufluß *m*
affluent [aflyã] *m* Nebenfluß *m*
afflux [afly] *m* Zulauf *m*
affranchir [afrãʃir] *v* freimachen, frankieren; ~ *une lettre* einen Brief freimachen
affranchissement [afrãsismã] *m* Porto
n
affréter [afrete] *v* *(navire)* verfrachten
affreux/-se [afrø/øz] *adj* abscheulich,
gräßlich, häßlich, fürchterlich
affronter [afrɔ̃te] *v* 1. entgegengehen; 2.
trotzen, die Stirn bieten
afin [afɛ̃] 1. *prep* ~ *de* damit, um...zu; 2.
konj ~ *que* damit
africain [afrikɛ̃] *adj* afrikanisch
Afrique [afrik] *f* Afrika *n*
agaçant [agasã] *adj* ärgerlich
agacer [agase] *v* 1. ~ *qn* ärgern, reizen; 2.
(taquiner) necken
âge [aʒ] *m* 1. Alter *n*; *d'un ~ avancé* betagt;
à l'~ tendre blutjung; ~ *ingrat* Flegeljahre *pl*; ~

d'or Glanzzeit *f; jeune* ~ Jugendzeit *f;* ~ *minimum* Mindestalter *n; en* ~ *d'être scolarisé* schulplichtig; *2.* Zeitalter *n*
agence [aȝɑ̃s] *f* Agentur *f;* ~ *générale* Generalvertretung *f;* ~ *commerciale* Geschäftsstelle *f;* ~ *matrimoniale* Heiratsvermittlung *f;* ~ *de publicité* Werbeagentur *f*
agenda [aȝɛ̃da] *m 1.* Notizbuch *n; 2.* Kalender *m,* Terminkalender *m;* ~ *de poche* Taschenkalender *m*
agenouiller [aȝnuje] *v s'~* knien
agent [aȝɑ̃] *m 1.* Agent *m;* ~ *secret* Geheimagent *m;* ~ *d'assurance* Versicherungsagent *m; 2.* Makler *m;* ~ *de change* Börsenmakler *m;* ~ *immobilier* Immobilienmakler *m; 3.* ~ *de douane* Grenzbeamte *m; 4.* ~ *de police* Polizist *m; 5.* ~ *technique* Techniker *m*
agglomération [aglɔmerasjɔ̃] *f* Ortschaft *f,* Siedlung *f*
aggravation [agravasjɔ̃] *f 1.* Verschärfung *f; 2.* Verschlechterung *f*
aggraver [agrave] *v 1.* verschärfen; *2.* ~ *qc* verschlimmern, verschlechtern; *3. s'~* sich zuspitzen
agile [aȝil] *adj 1.* behende; *2.* beweglich
agir [aȝir] *v 1. (faire qc)* handeln, tun; *2.* verfahren, vorgehen; *3. s'~ de* sich handeln um
agitation [aȝitasjɔ̃] *f 1.* Hektik *f,* Treiben *n; 2.* Aufregung *f; 3. (nervosité)* Unruhe *f; 4.* Welle *f; 5.* ~ *continuelle* Rastlosigkeit *f*
agité [aȝite] *adj 1.* aufgeregt, hektisch; *2. (mer)* bewegt
agiter [aȝite] *v 1. (mouvoir)* bewegen; *2. (secouer)* schütteln, rütteln; *3.* umrühren; *4. (drapeau)* schwenken; *5. s'~* zappeln
agneau [aɲo] *m* Lamm *n*
agonie [agɔni] *f* Todeskampf *m*
agoraphobie [agɔrafɔbi] *f 1.* Agoraphobie *f; 2. (fam)* Platzangst *f*
agrafe [agraf] *f* Büroklammer *f*
agrafer [agrafe] *v* anheften
agrandir [agrɑ̃dir] *v* vergrößern
agrandissement [agrɑ̃dismɑ̃] *m* Vergrößerung *f*
agréable [agreabl(ə)] *adj 1.* angenehm, gemütlich; *2.* wohlig, wohltuend
agrément [agremɑ̃] *m 1.* Billigung *f; 2.* Annehmlichkeit *f*
agressif [agresif] *adj* aggressiv
agression [agresjɔ̃] *f 1.* Überfall *m,* Angriff *m; 2.* Aggression *f*

agressivité [agresivite] *f* Aggressivität *f*
agricole [agrikɔl] *adj* landwirtschaftlich
agriculteur [agrikyltœr] *m* Landwirt *m*
agriculture [agrikyltyr] *f* Landwirtschaft *f*
aguicher [agiʃe] *v* anlocken
ah! [a] *interj* ach!
aide [ed] *f 1.* Hilfe *f; à l'~* Hilfe! ~ *-mémoire* Merkblatt *n;* ~ *sociale* Sozialhilfe *f; 2. (assistance)* Förderung *f,* Fürsorge *f; 3.* Aushilfe *f; 4. (argent)* Zuschuß *m; 5. m/f* Gehilfe *m;* ~ *soignant* Krankenpfleger *m*
aider [ede] *v 1.* helfen; *2.* ~ *qn* jdm behilflich sein; *3.* fördern, jdm Vorschub leisten
aïeul [ajœl] *m* Ahne *m*
aigle [ɛgl(ə)] *m* Adler *m*
aigre [ɛgr(ə)] *adj 1.* sauer; ~ *-doux* süßsauer; *2. (fig)* bitter; *d'un ton* ~ mit bitterem Ton
aigreur [ɛgrœr] *f 1.* Säure *f; 2. (fig)* Verbitterung *f*
aigri [egri] *adj* verbittert
aigu(ë) [egy] *adj 1. (maladie)* akut; *2. (voix)* schrill
aiguille [eguij] *f 1.* Nadel *f; 2.* ~ *de montre* Uhrzeiger *m*
aiguillonner [eguijɔne] *v* anfachen
aiguiser [egize] *v 1.* schärfen, schleifen; *2. (rendre pointu)* spitzen
ail [aj] *m* Knoblauch *m*
aile [ɛl] *f 1.* Flügel *m;* ~ *annexe* Seitenflügel *m; 2. (voiture)* Kotflügel *m*
ailleurs [ajœr] *adv* woanders
aimable [ɛmabl(ə)] *adj* freundlich, lieb
aimant [ɛmɑ̃] *m* Magnet *m*
aimer [ɛme] *v* lieben, liebhaben
aîné(e) [ene] *m/f* Erstgeborene *m/f*
ainsi [ɛ̃si] *1. adv* so; ~ *nommé* sogenannt; *conj 2.* somit, daher, folglich; *3.* ~ *que* sowie
air [ɛr] *m 1.* Luft *f; 2.* Aussehen *n; avoir l'~* aussehen; *3.* Miene *f; 4.* Anschein *m,* Schein *m; avoir l'~ de* den Anschein haben; *se donner des* ~*s* sich aufspielen; *5.* Melodie *f*
airbus [ɛrbys] *m* Airbus *m*
aire [ɛr] *f 1.* Estrich *m; 2.* ~ *de repos* Rastplatz *m; 3.* ~ *de décollage* Rollfeld *n*
aisance [ɛzɑ̃s] *f 1.* Leichtigkeit *f; 2.* Wohlstand *m*
aise [ɛz] *f* Behaglichkeit *f; à son* ~ gemächlich; *mal à l'~* unbehaglich
aisé [ɛze] *adj 1.* vermögend; *2.* glatt; *3. (fig)* flüssig
aisselle [ɛsɛl] *f* Achsel *f*

ajourner [aʒuʀne] v 1. verschieben; 2. ECO stunden
ajouter [aʒute] v 1. anfügen, beilegen; 2. hinzufügen, addieren; 3. nachtragen, ergänzen; 4. s'- à dazukommen
ajuster [aʒyste] v 1. TECH abrichten; 2. (adapter) justieren
alarme [alaʀm] f Alarm m; niveau d'- Alarmstufe f
alarmer [alaʀme] v alarmieren
album [albɔm] m Album/Alben n/pl
albumine [albymin] f Eiweiß n
alcalin [alkalɛ̃] adj alkalisch
alcool [alkɔl] m 1. Alkohol m; 2. Branntwein m; 3. - à brûler Brennspiritus m
alcoolique [alkɔlik] m Alkoholiker m, Trinker m
alcoolisé [alkɔlize] adj alkoholisch; non - alkoholfrei
aldéhyde [aldeid] m - formique Formaldehyd n
alentours [alɛ̃tuʀ] m/pl Umgebung f
alerte [alɛʀt] adj 1. flink; 2. munter; 3. rege; 4. f Alarm m; - d'incendie Feueralarm m; - aérienne Fliegeralarm m
alerter [alɛʀte] v alarmieren
algèbre [alʒɛbʀ(ə)] f Algebra f
Algérie [alʒeʀi] f Algerien n
algue [alg(ə)] f Alge f
alibi [alibi] m Alibi n
aliénation [aljenasjɔ̃] f 1. (fig) Entfremdung f; 2. - mentale Geisteskrankheit f
aliéné [aljene] 1. adj MED geistesgestört; 2. m/f Irre(r) f/m
aliéner [aljene] v veräußern
aligné [aliɲe] adj gerade
aligner [aliɲe] v begradigen
aliment [alimɑ̃] m Speise f, Nahrungsmittel n
alimentation [alimɑ̃tasjɔ̃] f Ernährung f, Verpflegung f
alimenter [alimɑ̃te] v s'- sich ernähren
alité [alite] adj bettlägerig
allaiter [alete] v stillen
allécher [aleʃe] v anlocken
allée [ale] f Allee f
alléger [aleʒe] v mildern, erleichtern
allègre [alɛgʀ(ə)] adj munter
Allemagne [almaɲ] f Deutschland n
allemand [almɑ̃] adj deutsch
Allemand [almɑ̃] m Deutsche m/f
aller [ale] v 1. gehen, laufen; - à l'école die Schule besuchen; 2. - à fahren; 3. - (en

avion) à fliegen; 4. - à cheval reiten; 5. - chercher qn jdn (ab-)holen; 6. - ensemble zusammengehören; 7. (s'étendre) reichen, sich erstrecken; 8. y - de sich handeln um; 9. - bien (vêtements) passen; 10. s'en - vergehen; 11. s'en - weggehen; 12. m Hinfahrt f; - et retour Hin- und Rückreise f
allergie [alɛʀʒi] f Allergie f
allergique [alɛʀʒik] adj allergisch
alliage [aljaʒ] m 1. MIN Legierung f; 2. - léger Leichtmetall n
alliance [aljɑ̃s] f 1. POL Bund m; 2. Ehering m
allié [alje] adj verwandt
allier [alje] v s'- à/avec sich verbünden mit
allô [alo] interj (téléphone) hallo
allocation [alɔkasjɔ̃] f Zulage f
allocution [alɔkysjɔ̃] f 1. Anrede f; 2. - d'ouverture Eröffnung f
allongé [alɔ̃ʒe] adj länglich
allongement [alɔ̃ʒmɑ̃] m 1. Verlängerung f; 2. Ausdehnung f, Dehnung f
allonger [alɔ̃ʒe] v 1. verlängern; 2. (temporel) ausdehnen; 3. s'- sich hinlegen
allons! [alɔ̃] interj los! na!
allouer [alwe] v - à zuweisen
allumage [alymaʒ] m (voiture) Zündung f
allumer [alyme] v 1. anzünden, anbrennen; 2. einschalten, anschalten, anstellen; - la lumière das Licht einschalten; - la télévision den Fernseher anstellen/anmachen; 3. (voiture) zünden; 4. s'- (lumière) angehen
allumette [alymɛt] f Streichholz n
allure [alyʀ] f 1. Tempo n; 2. Gestalt f
allusion [alyzjɔ̃] f Anspielung f, Andeutung f
alluvion [alyvjɔ̃] f Anschwemmung f
alors [alɔʀ] adv 1. da, damals; 2. dann; 3. konj - que während
alouette [alwɛt] f Lerche f
alpage [alpaʒ] m (herbage) Alm f
Alpes [alp] f/pl Alpen pl
alphabet [alfabɛ] m Alphabet n
alpin [alpɛ̃] adj alpin
alpiniste [alpinist(ə)] m Bergsteiger m
Alsace [alzas] f Elsaß n
altération [alteʀasjɔ̃] f Veränderung f
altercation [altɛʀkasjɔ̃] f Wortwechsel m
altérer [alteʀe] v 1. verändern; 2. (fig) verdrehen
alternance [altɛʀnɑ̃s] f Abwechslung f
alternatif [altɛʀnatif] adj alternativ, abwechselnd

alternative [altɛrnativ] *f* Alternative *f*
altier [altje] *adj* stolz
altitude [altityd] *f* Höhe *f*
altruisme [altruism] *m* Selbstlosigkeit *f*
altruiste [altruist] 1. *m* selbstloser
Mensch; 2. *adj* selbstlos
aluminium [alyminjɔm] *m* Aluminium *n*
amalgame [amalgam] *m* Amalgam *n*
amande [amɑ̃d] *f* Mandel *f*
amanite [amanit] *f* ~ *tue-mouches* Fliegenpilz *m*
amant/e [amɑ̃/t] *m/f* Geliebte(r) *f/m*,
Liebhaber(in) *m/f*
amarre [amar] *f* Tau *n*
amarrer [amare] *v* fixieren
amas [amɑ] *m* Haufen *m*, Ansammlung *f*
amasser [amase] *v* anhäufen, häufen
amateur [amatœr] *m* 1. Laie *m*; 2. Amateur *m*; 3. Dilettant *m*; 4. *adj* dilettantisch,
laienhaft
ambassade [ɑ̃basad] *f* Botschaft *f*
ambassadeur [ɑ̃basadœr] *m* Botschafter
m
ambiance [ɑ̃bjɑ̃s] *f* Stimmung *f*
ambigu [ɑ̃bigy] *adj* 1. doppeldeutig, zweideutig; 2. mehrdeutig
ambitieux [ɑ̃bisjø] *adj* ehrgeizig
ambition [ɑ̃bisjɔ̃] *f* 1. Ehrgeiz *m*; 2. Bestreben *n*
ambulance [ɑ̃bylɑ̃s] *f* Krankenwagen *m*
ambulancier [ɑ̃bylɑ̃sje] *m* Sanitäter *m*
ambulant [ɑ̃bylɑ̃] *adj* ambulant
ambulatoire [ɑ̃bylatwar] *adj* ambulant
âme [ɑm] *f* 1. Geist *m*; 2. Gemüt *n*, Seele
f; 3. Psyche *f*
amélioration [ameljɔrasjɔ̃] *f* Besserung
f, Verbesserung *f*
améliorer [ameljɔre] *v* 1. *(réparer)* verbessern; 2. ausbessern
aménagement [amenaʒmɑ̃] *m* 1. Einrichtung *f*; 2. *(architecture)* Gestaltung *f*
aménager [amenaʒe] *v* 1. einrichten, gestalten; 2. herrichten
amende [amɑ̃d] *f* Geldstrafe *f*, Bußgeld
n
amenée [amne] *f* TECH Zufuhr *f*; ~
d'eau Wasserzufuhr *f*
amener [amne] *v* 1. bringen, mitbringen;
2. herbeiführen; 3. herbringen; 4. ~ *qn à faire
qc* jdn veranlassen zu
amer [amɛr] *adj* 1. bitter, herb; 2. *(personne)* verbittert; 3. *m* Magenbitter *m*
américain [amerikɛ̃] *adj* amerikanisch

Amérique [amerik] *f* Amerika *n*; ~ *latine*
Lateinamerika *n*
amertume [amɛrtym] *f* Bitterkeit *f*
ameublement [amœbləmɑ̃] *m* Ausstattung *f*
ami(e) [ami] *m/f* Freund(in) *m/f*, Bekann-
te(r) *f/m*; *petit* ~ Freund *m*
amidonner [amidɔne] *v* stärken
amiral [amiral] *m* Admiral *m*
amitié [amitje] *f* Freundschaft *f*; ~ *intime*
Freundschaft *f*
amnistie [amnisti] *f* Amnestie *f*
amnistier [amnistje] *v* begnadigen
amocher [amɔʃe] *v* kaputtmachen
amoindrir [amwɛ̃drir] *v* 1. verkleinern;
2. *(réduire)* mindern; 3. *s'~* *(fig)* schrumpfen
amollir [amɔlir] *v* aufweichen
amonceler [amɔ̃sle] *v* *(empiler)* auftür-
men
amoncellement [amɔ̃sɛlmɑ̃] *m* Häufung *f*
amont [amɔ̃] *adv* *en* ~ *(fleuve, rivière)* fluß-
aufwärts
amorce [amɔrs] *f* Köder *m*
amorphe [amɔrf(ə)] *adj* träge
amortir [amɔrtir] *v* 1. dämpfen; 2. abschwächen; 3. ECO abschreiben
amortissement [amɔrtismɑ̃] *m* 1. ECO
Abzahlung *f*; 2. ECO Abbuchung *f*; 3.
(choc) TECH Dämpfung *f*
amour [amur] *m* Liebe *f*
amourette [amurɛt] *f* *(fam)* Liebschaft *f*
amoureux [amurø/øz] 1. *adj* verliebt; *faire qc en cinq* ~ etw im Handumdrehen machen; 2. *m* *(amant)* Liebhaber *m*
amour-propre [amurprɔpr] *m*
Selbstachtung *f*
amovible [amɔvibl(ə)] *adj* abnehmbar
ampère [ɑ̃pɛr] *m* Ampere *f*
amphithéâtre [ɑ̃fiteatr(ə)] *m* Amphitheater *n*
ample [ɑ̃pl(ə)] *adj* breit, weit
ampleur [ɑ̃plœr] *f* 1. Weite *f*, Breite *f*; 2.
Umfang *m*, Ausmaß *n*
ampoule [ɑ̃pul] *f* 1. MED Blase *f*; 2. *(-
électrique)* Glühbirne *f*; 3. MED Ampulle *f*
amputer [ɑ̃pyte] *v* amputieren
amulette [amylɛt] *f* Amulett *n*
amusement [amysmɑ̃] *m* 1. Vergnügen
n, Unterhaltung *f*; 2. Aufheiterung *f*
amuser [amyze] *v* 1. belustigen, erheitern;
2. *(fig)* zerstreuen; 3. *s'~* sich vergnügen, sich
amüsieren

an [ã] *m* Jahr *n; nouvel ~* Neujahr *n; dans un~* in einem Jahr; *tous les ~s* jedes Jahr

anabolisant [anabɔlizã] *m* Anabolikum/Anabolika *n/pl*

anachronisme [anakʀɔnism(ə)] *m* Anachronismus *m*

analogie [analɔʒi] *f* Analogie *f*

analogue [analɔg] *adj* analog

analphabète [analfabɛt] *m* Analphabet *m*

analyse [analiz] *f* Analyse *f*, Studie *f*

analyser [analize] *v 1.* analysieren; *2.* zerlegen

anarchique [anaʀʃik] *adj 1.* gesetzlos; *2.* chaotisch

anarchiste [anaʀʃist] *m* Anarchist *m*

anatomie [anatɔmi] *f* Körperbau *m*, Anatomie *f*

ancêtre [ãsɛtʀ(ə)] *m* Ahne *m*, Vorfahr *m*

anchois [ã ʃwa] *m* Sardelle *f*

ancien [ãsjɛ̃] *adj 1. (vieux)* alt; *2.* altertümlich; *3.* ehemalig, früher

ancre [ãkʀ(ə)] *f* Anker *m*

âne [ɑn] *m 1.* Esel *m; 2. (fig)* Dummkopf *m*

anéantir [aneãtiʀ] *v 1.* vernichten; *2.* ruinieren

anéantissement [aneãtismã] *m 1.* Vernichtung *f; 2.* Vereitelung *f*

anecdote [anɛkdɔt] *f* Anekdote *f*

anémie [anemi] *f* Anämie *f*

anémique [anemik] *adj* blutarm

anémone [anemɔn] *f* Anemone *f*

âneries [ɑnʀi] *f/pl (fig)* Käse *m*, Unsinn *m*

anesthésie [anɛstezi] *f* Anästhesie *f*

anesthésiste [anɛstezist] *m* Anästhesist *m*

ange [ãʒ] *m* Engel *m; être aux ~s (fam)* überglücklich; *~ gardien* Schutzengel *m*

angine [ãʒin] *f* Angina *f*

Anglais [ãglɛ] *m* Engländer *m*

anglais [ãglɛ] *adj* englisch

angle [ãgl(ə)] *m 1.* Ecke *f; 2.* Kante *f; 3.* Seite *f; 4.* MATH Winkel *m; ~ visuel* Blickwinkel *m*

Angleterre [ãglətɛʀ] *f* England *n*, Großbritannien *n*

Anglo-Saxon [ãglɔsaksɔ̃] *m* Angelsachse *m*

angoissant [ãgwasã] *adj 1.* beklemmend; *2.* unheimlich

angoisse [ãgwas] *f* Angst *f; ~ existentielle* Existenzangst *f; ~ mortelle* Todesangst *f*

angoissé [ãgwase] *adj* angsterfüllt

anguille [ãgij] *f* Aal *m*

anguleux [ãgylø] *adj* eckig

animal [animal] *1. adj* animalisch; *2. m* Tier *n; ~ domestique* Haustier *n; ~ en peluche* Plüschtier *n*

animateur [animatœʀ] *m* Animateur *m*

animation [animasjɔ̃] *f* Belebung *f*

animer [anime] *v 1.* beleben; *2. (fig)* ankurbeln; *3. (fig)* anfeuern

anneau [ano] *m* Ring *m*

année [ane] *f 1.* Jahr *n; ~ civile* Kalenderjahr *n; ~ bissextile* Schaltjahr *n; ~ scolaire* Schuljahr *n; ~ de référence* Vergleichsjahr *n; ~ dernière* Vorjahr *n; 2. nouvelle ~* Jahreswechsel *m; 3.* Jahrgang *m*

annexe [anɛks(ə)] *f 1.* Anhang *n; 2.* Nachtrag *m*

annexer [anɛkse] *v 1.* einverleiben; *2. (document)* beifügen; *~ à* angliedern

annexion [anɛksjɔ̃] *f* Annexion *f*

annihiler [aniile] *v* vernichten

anniversaire [anivɛʀsɛʀ] *m* Geburtstag *m*

annonce [anɔ̃s] *f 1.* Meldung *f*, Ankündigung *f; 2. (presse)* Anzeige *f; 3.* Ansage *f*

annoncer [anɔ̃se] *v 1.* ankündigen, melden; *2.* anmelden; *3. (dans un journal)* inserieren; *4.* ansagen

Annonciation [anɔ̃sjasjɔ̃] *f* REL Verkündigung *f*

annotation [anɔtasjɔ̃] *f 1.* Bemerkung *f*, Anmerkung *f; 2. ~ officielle* Amtsvermerk *m*

annuel [anɥɛl] *adj* jährlich, alljährlich

annulaire [anylɛʀ] *m* Ringfinger *m*

annuler [anyle] *v 1.* annullieren, streichen; *2. (abonnement)* abbestellen; *3.* stornieren; *4.* lösen; *5.* INFORM löschen

anomalie [anɔmali] *f 1.* Anomalie *f*, Abnormität *f*

anonyme [anɔnim] *adj* anonym, namenlos

anorak [anɔrak] *m* Anorak *m*, Windjacke *f*

anormal [anɔʀmal] *adj* abnorm, abnormal

ANPE [anpe] *f (Agence Nationale Pour L'Emploi)* Arbeitsamt *n*

anse [ãs] *f* Henkel *m*

antécédents [ãtesedã] *m/pl* JUR Vorstrafe *f*

antenne [ãtɛn] *f* Antenne *f; ~ de télévision* Fernsehantenne *f; ~ parabolique* Parabolantenne *f*

antérieur [ãterjœʀ] *adj* vorhergehend, vorherig

anti- [ãti] *adj (préfixe)* feindlich

antialcoolique [ãtialkɔlik] *adj* antialkoholisch

antiautoritaire [ãtiotɔʀitɛʀ] *adj* antiautoritär

antibiotique [ãtibjɔtik] *m MED* Antibiotikum/Antibiotika *n/pl*

anticipé [ãtisipe] *adj* 1. voreilig; 2. vorzeitig

anticiper [ãtisipe] *v* 1. vorwegnehmen; 2. *(événement)* vorgreifen

anticorps [ãtikɔʀ] *m* Antikörper *m*

antidater [ãtidate] *v* vordatieren

antidérapant [ãtiderapã] *adj* griffig

antidote [ãtidɔt] *m* Gegenmittel *n*

antilope [ãtilɔp] *f* Antilope *f*

antipathie [ãtipati] *f* Antipathie *f*, Widerwille *m*

antipathique [ãtipatik] *adj* unsympathisch

antique [ãtik] *adj* 1. altertümlich, althergebracht; 2. antik

Antiquité [ãtikite] *f* Altertum *n*, Antike *f*

antiquités [ãtikite] *f/pl* Antiquitäten *pl*, Altertümer *pl*

antirouille [ãtiʀuj] *adj* nichtrostend

anus [anys] *m* After *m*

anxiété [ãksjete] *f* 1. Angstgefühl *n*; 2. *(inquiétude)* Unruhe *f*

anxieux/-euse [ãksjø/øz] *adj* 1. bange; 2. *(soucieux)* unruhig

aorte [aɔʀt] *f* Aorta *f*

août [u] *m* August *m*

apaisant [apɛzã] *adj* schmerzlindernd

apaiser [apɛze] *v* 1. lindern; 2. besänftigen; 3. *- un besoin* ein Bedürfnis stillen

apathique [apatik] *adj* apathisch

apatride [apatʀid] *adj* 1. heimatlos; 2. staatenlos

apercevoir [apɛʀsəvwaʀ] *v* 1. *- qc* etw merken, etw wahrnehmen; 2. *s'- de qc* etw bemerken, etw merken

aperçu [apɛʀsy] *m* 1. *(fig)* Einblick *m*; 2. Vorschau *f*

apesanteur [apəzãtœʀ] *f* Schwerelosigkeit *f*

apiculteur [apikyltœʀ] *m* Imker *m*

aplanir [aplaniʀ] *v* 1. ebnen; 2. *(litige)* schlichten

aplatir [aplatiʀ] *v* 1. ebnen; 2. abflachen

apogée [apɔʒe] *m* 1. *(fig)* Höhepunkt *m*; 2. *(fig)* Glanzzeit *f*

apoplexie [apɔplɛksi] *f* Gehirnschlag *m*

apostolique [apɔstɔlik] *adj* päpstlich

apostrophe [apɔstʀɔf] *f* Apostroph *m*

apparaître [apaʀɛtʀ(ə)] *v* 1. erscheinen, auftreten; 3. *(maladie)* ausbrechen

apparat [apaʀa] *m* Prunk *m*

appareil [apaʀɛj] *m* 1. Apparat *m*, Gerät *n*, Maschine *f*; *- photo* Fotoapparat *m*; *- ménager* Haushaltsgerät *n*; *- auditif* Hörgerät *n*; *- électrique* Elektrogerät *n*; 2. *(avion)* Flugzeug *n*; 3. *- automatique* Automat *m*; 4. *- téléphonique* Fernsprecher *m*; 5. *ANAT* Organe *pl*

appareiller [apaʀɛje] *v* 1. *(bateau)* auslaufen; 2. paaren

apparence [apaʀãs] *f* 1. Anschein *m*, Schein *m*; 2. *(fig)* Gestalt *f*

apparences [apaʀãs] *f/pl* Äußere *n*

apparent [apaʀã] *adj* 1. offenbar, scheinbar; 2. vordergründig

apparenté [apaʀãte] *adj* verwandt

apparition [apaʀisjɔ̃] *f* 1. Auftritt *m; faire son -* erscheinen/entstehen/aufkommen; 2. Erscheinung *f;* Ausbruch *m*

appartenir [apaʀtəniʀ] *v - à* gehören zu, zählen zu

appât [apa] *m* 1. Köder *m*; 2. *(fig)* Lockvogel *m*

appâter [apate] *v (fig)* locken

appauvrissement [apovʀismã] *m* Verarmung *f*

appel [apɛl] *m* 1. Ruf *m*; 2. Aufruf *m*, Ausruf *m*; 3. *- à* Ruf nach *m*, Anforderung *f*; 4. *- téléphonique* Telefonanruf *m*; 5. *JUR* Berufung *f*; 6. *MIL* Appell *m*

appeler [aple] *v* 1. anrufen, rufen, aufrufen; 2. *(au téléphone)* anrufen, telefonieren; 3. *- sous les drapeaux MIL* einberufen; 4. *s'- * sich nennen, heißen

appellation [apɛlasjɔ̃] *f* Name *m*

appendice [apɛ̃dis] *m* 1. Anhang *m*; 2. *ANAT* Blinddarm *m*

appesantir [apəzãtiʀ] *v s'- sur* lasten auf

appétissant [apetisã] *adj* lecker

appétit [apeti] *m* Appetit *m*

applaudir [aplodiʀ] *v* (Beifall) klatschen, applaudieren

applaudissements [aplodismã] *m/pl* Beifall *m*, Applaus *m*

application [aplikasjɔ̃] *f* 1. Anwendung *f*; 2. Fleiß *m*

appliquer [aplike] *v* 1. anwenden; 2. auftragen; *- une couche de peinture* bestreichen/ etw anstreichen

apporter [apɔʀte] *v* 1. bringen; 2. herbeischaffen, herbringen; 3. herantragen; 4. etw bringen; 5. einbringen

apposer [apoze] *v (annexer)* anfügen

appréciable [apʀesjabl] *adj* nennenswert
appréciation [apʀesjasjɔ̃] *f 1.* Wertung
f, Beurteilung *f; 2.* Ermessen *n*
apprécier [apʀesje] *v 1.* beurteilen, werten; *2.* ermessen; *3.* mögen
appréhender [apʀeɑ̃de] *v 1. (interpeller qn)* ergreifen; *2.* ~ *qn* JUR jdn verhaften; *3.* fürchten
apprendre [apʀɑ̃dʀ(ə)] *v 1.* lernen; ~ *un métier* einen Beruf erlernen; *2.* ~ *qc à qn* lehren, beibringen; *3.* ~ *une nouvelle* etw erfahren; *4.* ~ *à connaître qn* jdn kennenlernen
apprenti [apʀɑ̃ti] *m* Lehrling *m*, Auszubildender *m*
apprentissage [apʀɑ̃tisaʒ] *m* Lehre *f*
apprêter [apʀete] *v 1. (préparer)* zubereiten; *2. (bateau)* klarmachen
apprivoiser [apʀivwaze] *v* zähmen, bezähmen
approbation [apʀɔbasjɔ̃] *f 1.* Genehmigung *f; 2.* Beifall *m*
approchant [apʀɔʃɑ̃] *adj* annähernd
approcher [apʀɔʃe] *v 1.* s'~ sich nähern, sich annähern; *2.* s'~ *(nuit)* nahen, herankommen; *3.* s'~ *de* herkommen, näher kommen an
approfondir [apʀɔfɔ̃diʀ] *v* vertiefen
appropriation [apʀɔpʀiasjɔ̃] *f* Aneignung *f*
approprié [apʀɔpʀije] *adj 1.* geeignet; *2.* ~ *à* zweckmäßig; *3.* sachgemäß
approprier [apʀɔpʀije] *v 1. (fig)* anpassen; *2.* s'~ sich aneignen
approuver [apʀuve] *v 1.* billigen, gutheißen; *2.* ~ *qc* etw zustimmen
approvisionner [apʀɔvizjɔne] *v* versorgen
approximatif [apʀɔksimatif] *adj* annähernd, ungefähr
appui [apɥi] *m 1.* Stütze *f*, Anhalt *m; 2. (fig)* Rückhalt *m*, Unterstützung *f*
appui(e)-tête [apɥitɛt] *m* Kopfstütze *f*
appuyer [apɥije] *v 1.* drücken; *2.* ~ *contre (échelle)* anlegen; *3.* aufstützen; *4.* lehnen; *5. (demande)* befürworten; *6.* unterstützen; *7.* s'~ sich stützen, sich halten, sich auflehnen; s'~ *contre* sich anlehnen; *8.* s'~ lehnen
âpre [ɑpʀ(ə)] *adj 1. (goût)* herb; *2.* barsch; *3.* ~ *à* gierig
après [apʀɛ] *prep 1. (temporel)* nach; ~ *cela* danach; ~ *quoi* danach; *2.* hinter; ~ *coup* nachträglich; *3. adv* ~ *cela (temporel)* danach; *4. konj* ~ *que* nachdem

après-demain [apʀɛdəmɛ̃] *adv* übermorgen
après-guerre [apʀegɛʀ] *m* Nachkriegszeit *f*
aptitude [aptityd] *f 1.* Fähigkeit *f; 2.* Anlage *f; 3.* ~ *à* Befähigung *f*
aquarelle [akwaʀɛl] *f* Aquarell *n*
Arabie [aʀabi] *f* Arabien *n*; ~ *Saoudite* Saudi-Arabien *n*
araignée [aʀɛɲe] *f* Spinne *f*; *avoir une* ~ *au plafond (fig)* spinnen
arbitraire [aʀbitʀɛʀ] *adj 1.* beliebig, willkürlich; *2.* eigenmächtig; *3. m* Willkür *f*
arbitre [aʀbitʀ(ə)] *m* Schiedsrichter *m*
arbre [aʀbʀ(ə)] *m* Baum *m*; ~ *de Noël* Christbaum *m*; ~ *de mai* Maibaum *m*; ~ *généalogique* Stammbaum *m*; ~ *à feuilles* Laubbaum *m*; ~ *fruitier* Obstbaum *m*
arbuste [aʀbyst(ə)] *m* Strauch *m*
arc [aʀk] *m* Bogen *m*; ~ *de triomphe* Triumphbogen
arcades [aʀkad] *f/pl* Bogengang *m*
arc-en-ciel [aʀkɑ̃sjɛl] *m* Regenbogen *m*
archéologue [aʀkeɔlɔg] *m* Archäologe *m*
archet [aʀʃɛ] *m* Geigenbogen *m*
archevêque [aʀʃəvɛk] *m* Erzbischof *m*
architecte [aʀʃitɛkt(ə)] *m* Architekt *m*; ~ *décorateur* Innenarchitekt *m*
architecture [aʀʃitɛktyʀ] *f* Architektur *f*
archives [aʀʃiv] *f/pl* Archiv *n*
ardent [aʀdɑ̃] *adj 1.* heftig, leidenschaftlich; *2.* hitzig; *3.* glühend
ardeur [aʀdœʀ] *f 1. (fig)* Glut *f; 2.* Hitze *f*
ardu [aʀdy] *adj* schwer
arène [aʀɛn] *f* Arena *f*; *se jeter dans l'*~ den Kampf aufnehmen
arête [aʀɛt] *f 1. (montagne)* Grat *m; 2. (poisson)* Gräte *f; 3.* Kante *f*
argent [aʀʒɑ̃] *m 1.* Geld *n*; ~ *liquide* Bargeld; ~ *de poche* Taschengeld *n; toucher de l'*~ Geld erhalten; *2.* Silber *n; en* ~ silbern
argenté [aʀʒɑ̃te] *adj* silbern
argenter [aʀʒɑ̃te] *v* versilbern
argile [aʀʒil] *f* Ton *m*, Lehm *m*
argument [aʀgymɑ̃] *m 1.* Argument *n; 2.* Beweis *m*, Beweismittel *n*
aride [aʀid] *adj 1.* öde; *2.* trocken
ariette [aʀjɛt] *f* Arie *f*
aristocratie [aʀistɔkʀasi] *f* Aristokratie *f*
arithmétique [aʀitmetik] *f* Arithmetik *f*
arme [aʀm] *f* Waffe *f*; *force des* ~*s* Waffengewalt; ~ *nucléaire* Atomwaffe *f;* ~ *à feu* Schußwaffe *f*

armée [aʀme] f 1. Armee f, Heer n; ~ du salut Heilsarmee f; 2. Militär n; 3. ~ fédérale Bundeswehr f; 4. ~ de l'air Luftwaffe f
armement [aʀməmã] m 1. Bewaffnung f; 2. MIL Rüstung f; 3. Reederei f
armer [aʀme] v 1. bewaffnen; 2. s'~ de sich wappnen
armistice [aʀmistis] f Waffenstillstand m
armoire [aʀmwaʀ] f Kleiderschrank m, Schrank m; ~ suspendue Hängeschrank m
armoiries [aʀmwaʀi] f/pl Wappen n
armure [aʀmyʀ] f (d'un chevalier) (Ritter-) Rüstung f
aromatique [aʀɔmatik] adj 1. würzig; 2. aromatisch
arôme [aʀom] m Aroma n
arpenter [aʀpɑ̃te] v vermessen
arpète [aʀpɛt] m (fam) Lehrling m
arquer [aʀke] v biegen
arracher [aʀa∫e] v 1. aufreißen, herausreißen, entreißen; 2. losreißen; 3. raufen; 4. s'~ à sich losreißen
arrangement [aʀɑ̃ʒmã] m 1. Verständigung f; faire un ~ arrangieren; 2. Arrangement n, Übereinkommen n; 3. JUR Abmachung f; 4. (artistique) Gestaltung f
arranger [aʀɑ̃ʒe] v 1. arrangieren; L'affaire est arrangée. Die Sache ist erledigt. Cela s'arrangera! Das wird schon wieder werden! 2. richten, herrichten; 3. (organiser) veranstalten, ausrichten; 4. ~ (qn) jdm passen, jdm recht sein; 5. (artistique) gestalten
arrestation [aʀɛstasjõ] f Verhaftung f
arrêt [aʀɛ] m 1. Haltestelle f; 2. ~ de bus) Station f, (Bus-)Haltestelle f; 3. Anhalter m; 4. (suspension) Einstellung f; 5. Stillstand m; ~ du cœur Herzstillstand m; 6. JUR Bescheid m; 7. JUR Spruch m
arrêté [aʀete] m 1. Beschluß m; 2. (loi) Erlaß m
arrêter [aʀete] v 1. (cesser) aufhören, etw lassen; 2. abstellen, abschalten, ausschalten; 3. (négociations) abbrechen, unterbrechen; 4. (terminer) einstellen; 5. (donner un ordre) erlassen; 6. festsetzen; 7. verhaften, gefangennehmen, festnehmen; 8. s'~ anhalten, einhalten; 9. s'~ de fonctionner ausfallen
arrière [aʀjɛʀ] adj hintere(r,s); à l'~ hinten; en ~ rückwärts, zurück
arriéré [aʀjeʀe] adj zurückgeblieben
arrière-cour [aʀjɛʀkuʀ] f (Hinter-)Hof m
arrière-goût [aʀjɛʀgu] m Beigeschmack m

arrière-grands-parents [aʀjɛʀgrã parã] m/pl Urgroßeltern f
arrière-plan [aʀjɛʀplã] m Hintergrund m
arrières [aʀjɛʀ] m/pl SPORT Abwehr f
arrière-saison [aʀjɛʀsezõ] f Nachsaison f
arrivé [aʀive] adj ~ à échéance fällig
arrivée [aʀive] f 1. Ankunft f; 2. Anfahrt f, Anflug m; 3. heure d' ~ Ankunftszeit f; 4. (train) Einfahrt f, Ankunft f; 5. ~ subite du froid Kälteeinbruch m; 6. ~ au pouvoir Machtübernahme f; 7. Zufluß m
arriver [aʀive] v 1. ankommen, kommen; 2. (lettre) eingehen, ankommen; 3. herankommen; 4. ~ brusquement (personne) hineinplatzen; 5. entstehen; 6. geschehen, passieren, vorkommen; Ça peut ~. Das kann vorkommen. Cela peut ~ à tout le monde. Das kann jedem passieren. être sur le point d'~ bevorstehen; 7. ~ à qn widerfahren; Il m'est arrivé un malheur. Mir ist ein Unglück widerfahren. 8. (événement) eintreten, sich ereignen
arrogance [aʀɔgɑ̃s] f 1. Anmaßung f; 2. Arroganz f, Hochmut m
arrogant [aʀɔgɑ̃] adj arrogant, hochmütig
arrondir [aʀõdiʀ] v 1. abrunden; 2. ~ au chiffre supérieur aufrunden
arrondissement [aʀõdismã] m 1. Bezirk m; 2. POL Landkreis m
arroser [aʀoze] v 1. spritzen, abspritzen; 2. (fleurs) gießen, bewässern
arrosoir [aʀozwaʀ] m Gießkanne f
arsenal [aʀsənal] m Arsenal n
arsenic [aʀsənik] m Arsen n
art [aʀ] m 1. Kunst f; avec ~ meisterhaft; ~ culinaire Küche f; ~ de persuader Überredungskunst f; 2. ~ de la navigation Nautik f
artère [aʀtɛʀ] f 1. ANAT Arterie f; 2. ~ aorte Aorta f; 3. Verkehrsader f
artichaut [aʀti∫o] m Artischocke f
article [aʀtikl] m 1. Artikel m; ~ de consommation courante Bedarfsartikel m; ~ d'importation Importartikel m; ~ de luxe Luxusartikel m; ~ de sport Sportartikel m; 2. Ware f; ~ fabriqué Fabrikat n; 4. GRAMM Artikel m; 5. (presse) Bericht, Zeitungsartikel; ~ de journal Zeitungsartikel m; ~ documentaire Tatsachenbericht m; 6. ~ nécrologique Nachruf m
articles [aʀtikl(ə)] m/pl 1. ~ de cuir Lederwaren pl; 2. ~ de papéterie Schreibwaren pl; 3. ~ de toilette Toilettenartikel pl

articulation [aʀtikylasjɔ̃] *f ANAT* Gelenk *n;* ~ *de la hanche* Hüftgelenk *n*

articulé [aʀtikyle] *adj* gelenkig

articuler [aʀtikyle] *v (dire)* hervorbringen

artifice [aʀtifis] *m* 1. List *f;* 2. Trick *m*

artificiel [aʀtifisjɛl] *adj* künstlich, gekünstelt

artillerie [aʀtijʀi] *f* Artillerie *f; pièce d'*-Geschütz *n*

artisan [aʀtizã] *m* Handwerker *m*

artisanat [aʀtizana] *m* Handwerk *n*

artiste [aʀtist] *m* 1. Künstler *m;* 2. Artist *m*

artistique [aʀtistik] *adj* künstlerisch

arts [aʀ] *m/pl* - *décoratifs* Kunstgewerbe *n*

as [as] *m* 1. Meister *m*, Könner *m;* 2. *SPORT* As *n;* 3. As *n*

ascenseur [asãsœʀ] *m* Lift *m*, Fahrstuhl *m*, Aufzug *m*

ascension [asãsjɔ̃] *f (montagne)* Aufstieg *m; faire l'*- *de* besteigen

Ascension [asãsjɔ̃] *f* - *de Jésus-Christ* Christi Himmelfahrt *f*

aseptique [asɛptik] *adj* keimfrei

Asie [azi] *f* Asien *n*

asile [azil] *m* 1. Asyl *n;* 2. Obdachlosenasyl *n;* 3. - *de vieillards (fam)* Altersheim *n;* 4. Zuflucht *f*, Hort *m;* 5. Burgfriede *m*

asocial [asɔsjal] *adj* asozial

aspect [aspɛ] *m* 1. Gesichtspunkt *m*, Aspekt *m;* 2. *(visage)* Aussehen *n;* 3. Anblick *m;* 4. *(fig)* Seite *f*

asperge [aspɛʀʒ(ə)] *f* Spargel *m*

asperger [aspɛʀʒe] *v* abspritzen

aspérité [asperite] *f* Unebenheit *f*

asphalte [asfalt(ə)] *m* Asphalt *m*

aspirateur [aspiʀatœʀ] *m* Staubsauger *m; passer l'*- abstauben, staubsaugen

aspiration [aspiʀasjɔ̃] *f* 1. Sehnsucht *f;* 2. - *à l'unité* Einheitsbestrebung *f*

aspirer [aspiʀe] *v* 1. einatmen; 2. *TECH* ansaugen; 3. - *la poussière* absaugen; 4. - *à* trachten nach etw; 5. - *à qc* etw anstreben

aspirine [aspiʀin] *f* Aspirin *n*

assaillant [asajã] *m* Angreifer *m*

assaillir [asajiʀ] *v* angreifen

assainir [asɛniʀ] *v* sanieren

assainissement [asɛnismã] *m* Sanierung *f; mesures d'*- Sanierungsmaßnahmen *pl*

assaisonné [asɛzɔne] *adj* würzig

assaisonnement [asɛzɔnmã] *m* Würze *f*

assaisonner [asɛzɔne] *v* anmachen, würzen; ~ *la salade* den Salat anmachen

assassin [asasɛ̃] *m* Mörder *m*

assassinat [asasina] *m* Mord *m*, Ermordung *f*

assassiner [asasine] *v* umbringen, ermorden

assaut [aso] *m* Ansturm *m*

assécher [aseʃe] *v* 1. austrocknen; 2. entwässern; 3. trockenlegen

assemblage [asãblaʒ] *m* 1. Gefüge *n;* 2. Montage *f;* 3. *TECH* Verbund *m;* 4. Zusammenbau *m*

assemblée [asãble] *f* 1. Versammlung *f;* - *des concitoyens* Bürgerversammlung *f;* - *générale* Hauptversammlung *f;* 2. *(fig)* Kollegium *n;* 3. - *plénière* Plenum *n;* 4. Zusammenkunft *f*

assembler [asãble] *v* 1. sammeln; 2. kombinieren, zusammenstellen; 3. versammeln

assentiment [asãtimã] *m* Einwilligung *f*

asseoir [aswaʀ] *v s'*- sich (hin-)setzen

assermenter [asɛʀmãte] *v* - *qn* vereidigen

assez [ase] *adv* 1. genug; 2. hinlänglich

assidu [asidy] *adj* 1. fleißig; 2. beharrlich

assiduité [asiduite] *f* 1. Fleiß *m*, Lerneifer *m;* 2. Pünktlichkeit *f*

assiéger [asjeʒe] *v* bestürmen

assiette [asjɛt] *f* 1. Teller *m;* - *plate* (flacher) Teller *m;* - *à soupe* Suppenteller *m;* 2. - *de charcuterie* Wurstplatte *f*

assigner [asiɲe] *v* 1. *JUR* zitieren; - *qn en justice* jdn anzeigen; 2. *FIN* anweisen

assimilation [asimilasjɔ̃] *f* 1. Angleichung *f;* 2. Gleichstellung *f*

assimiler [asimile] *v* 1. angleichen; 2. *(fig)* verarbeiten

assis [asi] *adj être* - *(dans, sur)* sitzen

assistance [asistãs] *f* 1. Hilfe *f*, Unterstützung *f;* - *aux personnes sinistrées* (Katastrophen-)Hilfe *f;* 2. Beistand *m;* 3. Fürsorge *f;* 4. - *maternelle* Mutterschutz *m;* 5. - *publique* Wohlfahrt *f;* 6. Publikum *n*

assistant [asistã] *m* 1. Assistent *m;* 2. Gehilfe *m*, Helfer *m*

assister [asiste] *v* 1. helfen; 2. unterstützen; 3. - *à* miterleben; *ne pas* - *à* fernbleiben, wegbleiben

association [asɔsjasjɔ̃] *f* 1. Verband *m*, Vereinigung *f;* - *centrale* Spitzenverband *m;* 2. - *syndicale* Gewerkschaft *f;* 3. - *d'étudiants* Burschenschaft *f;* 4. Verein *m;* - *sportive* Sportverein *m;* 5. Zusammenschluß *m;* 6. Partnerschaft *f;* 7. Gesellschaft *f*

associé [asɔsje] m 1. Mitinhaber m; 2.
ECO (Geschäfts-)Partner; 3. ECO Gesell-
schafter m
associer [asɔsje] v 1. verbinden, zusammenfügen; 2. vereinen; 3. - à (fig) verknüpfen; 4. s'- à/avec sich zusammenschließen;
5. s'- à teilnehmen; 6. s'- ECO einsteigen
assoiffé [aswafe] adj durstig
assombrir [asɔ̃bRiR] v 1. verdunkeln, abdunkeln; 2. (fig) trüben
Assomption [asɔ̃psjɔ̃] f l'- REL (Mariä)Himmelfahrt f
assortiment [asɔRtimɑ̃] m Sortiment n
assourdir [asuRdiR] v dämpfen
assumer [asyme] v 1. (tâche) bewältigen;
2. (devoir) erfüllen
assurance [asyRɑ̃s] f 1. (sûreté) Sicherheit f, Gewißheit f; 2. Versicherung f; ~
contre le vol Diebstahlversicherung f; - mo-
bilière Hausratversicherung f; - passager
Insassenversicherung f; - auto(mobile)
Kraftfahrzeugversicherung f; - maladie
Krankenversicherung f; - obligatoire
Pflichtversicherung f; ~ défense juridique
Rechtsschutzversicherung f; - vieillesse Rentenversicherung f; - sociale Sozialversicherung f; - multirisques limitée Teilkaskover-
sicherung f; - tous risques Vollkaskoversi-
cherung f
assurance-vie [asyRɑ̃svi] f Lebensversicherung f
assuré [asyRe] m Versicherungsnehmer m
assurément [asyRemɑ̃] adv 1. gewiß; 2.
allerdings
assurer [asyRe] v 1. - qn contre qc jdn versichern; 2. sichern; 3. - par écrit verbriefen;
4. zusichern; 5. s'- (de) sich vergewissern; 6.
s'- de qc sichergehen
asthme [asm(ə)] m Bronchialasthma n
asticot [astiko] m Made f
astiquer [astike] v scheuern, schrubben
astre [astR(ə)] m Gestirn n
astreignant [astREɲɑ̃] adj bindend
astrologie [astRɔlɔʒi] f Astrologie f
astronaute [astRɔnot] m Astronaut m,
Raumfahrer m
astronomie [astRɔnɔmi] f Astronomie f
astucieux [astysjø] adj 1. hinterlistig, listig; 2. raffiniert, schlau
atelier [atəlje] m 1. Werkstatt f; - de réparation Reparaturwerkstatt f; 2. - de serrure-
rie Schlosserei f; 3. - de composition Setze-
rei f; 4. Atelier n

athéisme [ateism] m Atheismus m
athlète [atlɛt] m Athlet m
athlétisme [atletism] m Leichtathletik f
Atlantique [atlɑ̃tik] m Atlantik m
atlas [atlas] m Atlas m
atmosphère [atmɔsfɛR] f 1. Luft f; 2.
PHYS Atmosphäre f; 3. Stimmung f; -
d'orage Gewitterstimmung f; ~ orageuse
(fig) Gewitterstimmung f; 4. - au travail Betriebsklima n
atome [atom] m Atom n
atomique [atɔmik] adj atomar
atours [atuR] m/pl (Zier-)Putz m
atout [atu] m (fig) Trumpf m
âtre [atR(ə)] m Herd m
atrocité [atRɔsite] f Greuel m
atrophie [atRɔfi] f Verkrüppelung f
atrophier [atRɔfje] v 1. s'- verkümmern; 2.
s'- MED absterben
attaché [ataʃe] 1. m - (-case) (Akten-)Ta-
sche; 2. adj anhänglich; 3. être - à hängen,
gern haben
attache [ataʃ] f 1. Aufhänger m; 2. Befestigung f; 3. - de bureau (Büro-)Klammer f
attacher [ataʃe] v 1. binden, anbinden, anmachen an; 2. anschlagen; 3. (relier) anschließen; 4. anschnallen; ~ sa ceinture sich
anschnallen; 5. anbringen, befestigen; - de
l'intérêt à qc einer Sache Interesse entgegenbringen; 6. knüpfen, binden; - ensemble zu-
sammenbinden; 7. fesseln
attaquant [atakɑ̃] m Angreifer m
attaque [atak] f 1. Angriff m; ~ aérienne
Luftangriff m; 2. Ansturm m; 3. Überfall m;
Anfechtung f
attaquer [atake] v 1. angreifen, anfechten;
2. anfallen, überfallen; 3. - par surprise MIL
überrumpeln; 4. (rouille) angreifen
atteindre [atɛ̃dR(ə)] v 1. erreichen, gelangen zu; 2. treffen; 3. (but) erlangen
atteint [atɛ̃] adj 1. être - par MED eine
Krankheit haben; 2. - du sida MED aidsinfi-
ziert; 3. - de surdité gehörlos
atteinte [atɛ̃t] f 1. Angriff m; 2. - (à) (fig)
Verletzung f
atteler [atle] v (bêtes) bespannen
attenant [atnɑ̃] adj angrenzend; être - à
grenzen
attendant [atɑ̃dɑ̃] adv en - indessen, inzwischen
attendre [atɑ̃dR(ə)] v 1. - qn/qc warten,
abwarten; 2. erwarten; 3. faire - qn jdn hinhalten; 4. s'- à erwarten, rechnen mit

attendrir [atãdRiR] v (fig) bewegen
attendrissement [atãdRismã] m Rührung f
attentat [atãta] m 1. Attentat n, Anschlag m; ~ à la bombe Bombenattentat n; ~ à la vie Mordanschlag m; 2. ~ à la liberté individuelle JUR Freiheitsberaubung f
attente [atãt] f Erwartung f; être dans la file d'~ anstehen; plein d'~ erwartungsvoll
attentif/-ve [atãtif/-iv] adj 1. aufmerksam, achtsam; 2. wachsam
attention [atãsjõ] f 1. Aufmerksamkeit f; 2. Achtsamkeit f; faire ~ à achtgeben/aufpassen auf/ beachten; ~! Achtung! Vorsicht! 3. Wachsamkeit f
attentionné [atãsjone] adj 1. rücksichtsvoll; 2. sorgsam
atténuer [atenɥe] v 1. abmildern; 2. (valeur) mindern; 3. verharmlosen
atterrir [ateRiR] v (avion) landen
atterrissage [ateRisaʒ] m (avion) Landung f; ~ forcé Notlandung f
attestation [atɛstasjõ] f 1. Bescheinigung f; ~ de séjour Aufenthaltsbescheinigung f; 2. Beglaubigung f; 3. ~ médicale Attest n
attester [atɛste] v 1. bescheinigen; 2. beglaubigen; 3. JUR bezeugen
attirant [atiRã] adj verlockend
attirer [atiRe] v 1. anlocken, verlocken; 2. (fig) anziehen, locken; 3. ~ sur lenken auf; ~ l'attention/les regards sur die Aufmerksamkeit/den Blick lenken auf; 4. ~ l'attention de qn sur qc verweisen auf
attitude [atityd] f 1. Haltung f; 2. Verhalten n; ~ au volant Fahrverhalten n; 3. ~ conciliante Kompromißbereitschaft f
attractif [atRaktif] adj attraktiv
attraction [atRaksjõ] f 1. Attraktion f; 2. ~ terrestre Erdanziehung f
attrait [atRɛ] m 1. Reiz m; 2. Verlockung f
attraper [atRape] v 1. abfangen, erreichen; ~ le train den Zug erreichen; 2. auffangen; 3. (saisir) mit der Hand ergreifen
attrayant [atRɛjã] adj 1. interessant; 2. attraktiv
attribuer [atRibɥe] v 1. ~ à anrechnen; 2. ~ à qn/qc beimessen; 3. ~ à zuweisen, zuordnen
attribution [atRibysjõ] f 1. Zuweisung f; 2. Zuteilung f; 3. (prix) Verleihung f
attristé [atRiste] adj être ~ betrübt sein
attroupement [atRupmã] m (fig:gens) Knäuel n, Anlauf m

au/ à le [o,alə] art dem
aubade [obad] f Ständchen n
aubaine [obɛn] f Glücksfall m
aube [ob] f Sonnenaufgang m, Morgendämmerung f
auberge [obɛRʒ(ə)] f 1. Wirtshaus n, Gaststätte f; 2. ~ de jeunesse Jugendherberge f
aubergiste [obɛRʒist(ə)] m Wirt m
aucun [okœ̃] pron 1. keiner; 2. niemand
aucunement [okynmã] adv keinesfalls
audace [odas] f 1. Kühnheit f; 2. Mut m
audacieux/-euse [odasjø/-jøz] adj wagemutig, kühn
audible [odibl(ə)] adj hörbar
audience [odjãs] f 1. Audienz f; 2. JUR Termin m; 3. JUR Gerichtsverhandlung f
auditeur [oditœR] m 1. Hörer m, Zuhörer m; 2. Wirtschaftsprüfer m
audition [odisjõ] f JUR Anhörung f, Verhör n
auditoire [oditwaR] m Publikum n
auge [oʒ] f 1. Mulde f; 2. Trog m
augmentation [ɔgmãtasjõ] f 1. Anstieg m, Erhöhung f; ~ de salaire Gehaltserhöhung f; 2. (progression) Steigerung f; 3. Vermehrung f, Zunahme f; 4. Verstärkung f; 5. (prix) Aufschlag m; 6. ~ de la population Bevölkerungszuwachs m
augmenter [ɔgmãte] v 1. zunehmen; 2. wachsen; 3. vermehren; 4. (élever) anheben, heraufsetzen; 5. (relever) steigern; 6. (prix) erhöhen; 7. (fig) verstärken
augure [ɔgyR] m Omen n; être de bon ~ Glück verkünden
aujourd'hui [oʒuRdɥi] adv heute
aulne [on] m Erle f
aumône [omon] f Almosen pl
auparavant [opaRavã] adv vorher
auprès [opRɛ] 1. prep ~ de bei; 2. adv (local) bei; être ~ d'une personne bei einer Person stehen
aurore [ɔRɔR] f Morgengrauen n
ausculter [ɔskylte] v untersuchen
aussi [osi] adv 1. gleich; 2. so, genauso; konj 3. ~ longtemps que solange; 4. ~ bien...que sowohl...als auch; 5. ~ souvent que sooft
aussitôt [osito] adv sofort
austère [ɔstɛR] adj streng
austérité [ɔsterite] f mesure d'~ (fig) Sparmaßnahme f
austral [ɔstRal] adj südlich

Australie [ɔstʀali] f Australien n

autant [otɑ̃] 1. adv so; konj 2. ~ que soviel; 3. pour ~ que soweit

autel [ɔtɛl] m Altar m

auteur [otœʀ] m 1. Autor m, Verfasser m, Dichter m; 2. Schöpfer m, Urheber m; 3. ~ dramatique Dramaturg m; 4. ~ d'une découverte Entdecker m; 5. ~ d'un acte Täter m; ~ d'un attentat Attentäter m; 6. Verursacher m

authenticité [ɔtɑ̃tisite] f 1. Echtheit f; 2. Glaubhaftigkeit f

authentifier [ɔtɑ̃tifje] v JUR beurkunden

authentique [ɔtɑ̃tik] adj 1. echt, authentisch; 2. original; 3. urkundlich; 4. JUR rechtsgültig

auto [ɔto] f (voiture) Auto n; faire de l'~-stopp trampen; ~-stoppeur Tramper m

autobus [ɔtɔbys] m Bus m, Omnibus m

autocollant [ɔtɔkɔlɑ̃] 1. m Aufkleber m; 2. adj selbstklebend

autocratie [ɔtɔkʀasi] f 1. Alleinherrschaft f; 2. Gewaltherrschaft f

autocritique [ɔtɔkʀitik] f Selbstkritik f

autocuiseur [ɔtɔkɥizœʀ] m Dampfkochtopf m

autodétermination [ɔtɔdetɛʀminɑ̃sjɔ̃] f Selbstbestimmung f

autodidacte [ɔtɔdidakt] m Autodidakt m

auto-école [ɔtɔekɔl] f Fahrschule f

autogène [ɔtɔʒɛn] adj autogen

autographe [ɔtɔgʀaf] m Autogramm n

automation [ɔtɔmasjɔ̃] f TECH Automation f

automatique [ɔtɔmatik] adj automatisch

automatisme [ɔtɔmatism] m Automatik f

automnal [ɔtɔmnal] adj herbstlich

automne [otɔn] m Herbst m

automobile [ɔtɔmɔbil] f Auto n

automobiliste [ɔtɔmɔbilist] m Fahrer m, Autofahrer m

autonome [ɔtɔnɔm] adj 1. selbständig, autonom; 2. unabhängig

autonomie [ɔtɔnɔmi] f 1. Selbständigkeit f; 2. Unabhängigkeit f; gagner son ~ (fig) sich abnabeln

autopsie [ɔtɔpsi] f Autopsie f, Obduktion f; pratiquer une ~ jdn obduzieren

autoradio [ɔtɔʀadjo] f Autoradio n

autorisation [ɔtɔʀizasjɔ̃] f 1. Erlaubnis f, Genehmigung f; ~ de sortie Ausreisegenehmigung f; ~ d'importation Einfuhrgenehmigung f; 2. Befugnis f; 3. Berechtigung f;

4. Ermächtigung f; 5. Zulassung f; 6. ~ d'exercer une activité Gewerbeschein m

autorisé [ɔtɔʀize] adj 1. zulässig; 2. ~ à (être en droit de) berechtigt; non ~ à unbefugt

autoriser [ɔtɔʀize] v 1. billigen; 2. erlauben; 3. ~ à berechtigen; 4. ~ à ermächtigen

autoritaire [ɔtɔʀitɛʀ] adj 1. autoritär; 2. eigenmächtig; 3. gebieterisch

autorité [ɔtɔʀite] f 1. Macht f; 2. Herrschaft f; 3. Autorität f, Gewalt f; 4. (personne) Kapazität f; 5. MIL Befehlsgewalt f; 6. f/(pl) Obrigkeit f; ~ judiciaire(s) Justizbehörde f

autorités [ɔtɔʀite] f/pl Behörde f; ~ de surveillance Aufsichtsbehörde f

autoroute [ɔtɔʀut] f Autobahn f

autour [otuʀ] prep ~ de (local) um, herum, umher

autre [otʀ(ə)] adj 1. andere(r,s); 2. weiter, sonstig; 3. pron l'~ andere(r,s)

autrefois [otʀəfwa] adv 1. einmal, früher; 2. ehemals, einst

autrement [otʀəmɑ̃] 1. konj oder; 2. adv andernfalls, ansonsten

Autriche [otʀiʃ] f Österreich n

autrichien [otʀiʃjɛ̃] adj österreichisch

autrui [otʀɥi] pron ein anderer m

aval [aval] adv en ~ abwärts

avalanche [avalɑ̃ʃ] f Lawine f

avaler [avale] v 1. schlucken, hinunterschlucken; 2. ~ qc etw verschlucken; 3. ~ de travers sich verschlucken

avance [avɑ̃s] f 1. (argent) Vorschuß m; 2. ~ sur compte courant Überziehungskredit m; 3. Annäherungsversuch m; faire des ~ sich anbiedern; 4. (fig) Vorsprung m; 5. adv en ~ (temp) voraus

avancé [avɑ̃se] adj 1. fortschrittlich; 2. fortgeschritten

avancement [avɑ̃smɑ̃] m (promotion) Beförderung f; avoir de l'~ aufsteigen

avancer [avɑ̃se] v 1. (montre) vorgehen; 2. vorziehen; 3. (argent) auslegen; 4. fortschreiten; 5. (dans) vorankommen, vorwärtskommen; 6. vordringen; 7. (rendez-vous) vorverlegen; 8. faire ~ forcieren, vorantreiben; 9. faire ~ (profession) befördern; 10. s'~ vortreten

avant [avɑ̃] prep 1. (temp) vor, vorher; en ~ vorwärts; ~ terme vorzeitig; 2. ~ de bevor; adv 3. zuvor; 4. ~ tout (particulièrement) besonders; 5. en ~ hervor; konj 6. ~ que bevor;

7. ~ *même que* noch bevor; 8. *interj* en ~ ! *(marche)* los!

avantage [avɑ̃taʒ] *m* 1. Vorteil *m;* 2. Vorzug *m;* 3. Begünstigung *f,* Vergünstigung *f;* 4. *(fig)* Plus *n;* 5. *(fig)* Vorsprung *m*

avantager [avɑ̃taʒe] *v* 1. bevorzugen; 2. begünstigen

avantageux/-se [avɑ̃taʒø/øz] *adj* 1. *(prix)* preiswert, preisgünstig; 2. vorteilhaft

avant-bras [avɑ̃bʀa] *m* ANAT Unterarm *m*

avant-coureur [avɑ̃kuʀœʀ] *m* Vorreiter *m*

avant-dernier/ière [avɑ̃dɛʀnje/jɛʀ] *adj* vorletzte(r,s)

avant-guerre [avɑ̃gɛʀ] *f* Vorkriegszeit *f*

avant-propos [avɑ̃pʀɔpo] *m* Vorwort *n*

avant-saison [avɑ̃sɛzɔ̃] *f* Vorsaison *f*

avare [avaʀ] 1. *adj* geizig, kleinlich; ~ *de* karg mit; ~ *de paroles* wortkarg; 2. *m* Geizkragen *m*

avaricieux [avaʀisjø] *adj* geizig

avarie [avaʀi] *f* 1. *(bateau)* Beschädigung *f;* 2. Maschinenschaden *m,* Schaden *m;* ~ *de moteur* Motorschaden *m*

avec [avɛk] *prep* 1. mit; 2. nebst

avenir [avniʀ] *m* Zukunft *f;* à l'~ künftig

Avent [avɑ̃] *m* Advent *m*

aventure [avɑ̃tyʀ] *f* 1. Abenteuer *f;* à l'~ (aufs) Geratewohl; 2. Wagnis *n*

aventureux [avɑ̃tyʀø] *adj* 1. abenteuerlich; 2. abenteuerlustig

aventurisme [avɑ̃tyʀism]*m*Abenteuerlust *f*

avérer [aveʀe] *v* 1. s'~ sich bewahrheiten; 2. s'~ *(fig)* sich entpuppen

averse [avɛʀs(ə)] *f (pluie)* Wolkenbruch *m,* Regenguß *m,* Schauer *m,* Platzregen *m;* ~ *d'orage* Gewitterschauer *m*

aversion [avɛʀsjɔ̃] *f* 1. Abneigung *f;* 2. Abscheu *m;* 3. Widerwille *m*

avertir [avɛʀtiʀ] *v* 1. mahnen, warnen; 2. *(informer)* melden; 3. ~ *qn* jdn verwarnen

avertissement [avɛʀtismɑ̃] *m* 1. Mahnung *f,* Warnung *f;* 2. Verwarnung *f;* 3. Vorwarnung *f;* 4. *(fig:exhortation)* Lehre *f*

avertisseur [avɛʀtisœʀ] *m* 1. *(voiture)* Hupe *f;* ~ *lumineux (voiture)* Lichthupe *f;* 2. ~ *d'incendie* Feuermelder *m*

aveu [avø] *m* 1. Bekenntnis *n;* 2. Eingeständnis *n;* 3. Zugeständnis *n;* 4. JUR Geständnis *n*

aveugle [avœgl(ə)] 1. *adj* blind; 2. *m/f* Blinde *m/f*

aveuglement [avœglɑ̃mɑ̃] *m (fig)* Blindheit *f*

aveugler [avœgle] *v (lumière)* blenden

aviateur [avjatœʀ] *m* Pilot *m*

aviation [avjɑsjɔ̃] *f* Luftfahrt *f,* Flugwesen *n*

avide [avid] *adj* ~ *de* gierig; ~ *d'argent* geldgierig; ~ *de plaisirs* vergnügungssüchtig; ~ *d'apprendre* wißbegierig

avidement [avidmɑ̃] *adv* gierig

avidité [avidite] *f* 1. Gier *f;* 2. Habgier *f*

avilir [aviliʀ] *v* 1. erniedrigen; 2. *(fig)* entwerten

avion [avjɔ̃] *m* Flugzeug *n;* ~ à réaction Düsenflugzeug *n;* ~ *de ligne* Verkehrsflugzeug *n*

avis [avi] *m* 1. Ansicht *f;* 2. Meinung *f;* être d'~ que meinen; faire changer d'~ jdn abbringen von; jdn herumbekommen; jdn umstimmen; être de l'~ de qn sich anschließen; 3. Gutachten *n;* 4. ~ *au public* Bekanntmachung *f;* 5. ~ *d'imposition* Steuerbescheid *m;* 6. ~ *de décès (journal)* Todesanzeige *f;* 7. Urteil *n*

avisé [avize] *adj* weise

aviser [avize] *v* mitteilen

avocat [avɔka] *m* Anwalt *m,* Rechtsanwalt *m*

avoir [avwaʀ] 1. *v* haben; *m* 2. Habe *f;* 3. Kassenbestand *m;* 4. ECO Guthaben *n*

avortement [avɔʀtəmɑ̃] *m* Abtreibung *f;* la loi sur l'~ Abtreibungsparagraph

avorter [avɔʀte] *v* abtreiben

avouer [avwe] *v* 1. gestehen, eingestehen; 2. bekennen, zugeben; ~ *sa faute* seinen Fehler zugeben

avril [avʀil] *m* April *m*

axe [aks] *m* 1. Achse *f;* ~ *de rotation* Drehachse *f;* ~ *des abscisses* MATH X-Achse *f;* 2. ~ *routier* Verkehrsader *f*

azote [azɔt] *m* Stickstoff *m*

B

babiller [babije] *v (enfant)* plappern
babiole [babjɔl] *f (fam)* Lappalie *f*
bâbord [babɔʀ] *m* Backbord *n*
babysitter [bebisitɛʀ] *f/m* Babysitter *m*
bac [bak] *m* 1. Trog *m;* 2. Fähre *f;* 3. ~ à glace Kühlfach *n;* 4. ~ à sable Sandkasten *m*
baccalauréat [bakalɔʀea] *m* Abitur *n*
bâche [baʃ] *f* Plane *f*
bachelier [baʃəlje] *m* Abiturient *m*
bachoter [baʃɔte] *v (fam)* pauken
bacille [basil] *m* Bazillus *m*
bâclé [bakle] *adj* 1. flüchtig; 2. *(travail)* schlampig; 3. stümperhaft
bâcler [bakle] *v* pfuschen
bactérie [bakteʀi] *f* Bakterie *f*
badaud [bado] *m* Schaulustige *m/f*
badinage [badinaʒ] *m* Getändel *n*
bâfrer [bafʀe] *v se ~ (fam)* fressen
bagage [bagaʒ] *m* Gepäck *n;* ~ à main Handgepäck *n*
bagarre [bagaʀ] *f* 1. *(fam)* Gezanke *n;* 2. Schlägerei *f*
bagatelle [bagatɛl] *f* 1. Bagatelle *f;* 2. Nebensache *f*
bagnole [baɲɔl] *f (fam:voiture)* Kiste *f*
bague [bag] *f* Ring *m;* ~ à cacheter Siegelring *m*
baguette [bagɛt] *f* 1. Leiste *f;* 2. *(rameau)* Rute *f*
bahut [bay] *m* Truhe *f*
baie [bɛ] *f* 1. Bucht *f;* 2. BOT Beere *f*
baigner [beɲe] *v se ~* baden
baignoire [beɲwaʀ] *f* 1. Badewanne *f;* 2. THEAT Loge *f*
bail [baj] *m* 1. Mietvertrag *m;* 2. *(cession)* Pacht *f*
bâiller [baje] *v* gähnen
bailleur [bajœʀ] *m* Verpächter *m*
bain [bɛ̃] *m* Bad *n; prendre un ~* ein Bad nehmen, baden; ~ de boue Moorbad *n;* ~ moussant Schaumbad *n*
bains-douches [bɛ̃duʃ] *m/pl* Badeanstalt *f*
baisemain [bɛzmɛ̃] *m* Handkuß *m*
baiser [bɛze] *m* Kuß *m;* ~ d'adieu(x) Abschiedskuß *m*
baisse [bɛs] *f* 1. Verminderung *f;* en ~ rückläufig; 2. *(déduction)* Abbau *m;* 3. ~ de

température Abkühlung *f;* 4. ECO Senkung *f;* 5. Rückgang *m;* ~ démographique Bevölkerungsrückgang *m;* ~ des prix Preisrückgang *m*
baisser [bɛse] *v* 1. senken; ~ la tête den Kopf senken; 2. *(sens actif)* herunterdrükken; 3. sinken, zurückgehen; 4. *(affaiblir)* nachlassen; 5. ECO abflauen; 6. *(mer)* abebben; 7. *(à)* niederlassen, herunterlassen; 8. faire ~ (les prix) drücken; 9. se ~ sich bücken, sich neigen
bal [bal] *m* Ball *m;* ~ masqué/costumé Maskenball *m*
balader [balade] *v se ~* bummeln
balai [balɛ] *m* (Kehr-) besen *m*
balance [balɑ̃s] *f* 1. Waage *f;* ~ hydrostatique Wasserwaage; 2. ECO Ausgleich *m;* 3. FIN Bilanz *f*
balancer [balɑ̃se] *v* 1. ins Gleichgewicht bringen; 2. *(osciller)* pendeln; 3. se ~ schaukeln; 4. se ~ balancieren
balancier [balɑ̃sje] *m* Pendel *n*
balançoire [balɑ̃swaʀ] *f* 1. Schaukel *f;* 2. Wippe *f*
balayer [baleje] *v* 1. fegen; 2. kehren
balbutier [balbysje] *v* 1. lallen; 2. stottern
baleine [balɛn] *f* Wal *m*
balise [baliz] *f* Boje *f*
ballade [balad] *f (littérature)* Ballade *f*
ballast [balast] *m* Ballast *m*
balle [bal] *f* 1. Ball *m;* 2. Kugel *f;* ~ à blanc Platzpatrone *f;* 3. ECO Ballen *m*
ballet [balɛ] *m* Ballett *n*
ballon [balɔ̃] *m* 1. Ballon *m;* 2. Luftballon *m;* 3. Trinkglas *n*
ballot [balo] *m* ECO Ballen *m*
ballotage [balotaʒ] *m* Stichwahl *f*
balourd [baluʀ] *adj* plump
Baltique [baltik] *f* mer ~ Ostsee *f*
balustrade [balystrad] *f* 1. Brüstung *f;* 2. Geländer *n;* 3. ARCH Balustrade *f*
bambou [bɑ̃bu] *m* Bambus *m*
banal [banal] *adj* 1. banal; 2. *(fig)* platt
banalité [banalite] *f* Gemeinplatz *m*
banc [bɑ̃] *m* 1. Bank *f;* ~ de sable Sandbank *f;* 2. ZOOL (Fisch-)Schwarm *m*
bandage [bɑ̃daʒ] *m* 1. MED Bandage *f;* 2. MED Binde *f;* 3. MED Verband *m*

bande [bãd] *f* 1. *MED* Binde *f*, Verband *m*; 2. Band *n*, Streifen *m*; ~ magnétique Tonband *n*; ~ adhésive Klebeband *n*; ~ perforée Lochstreifen *m*; 3. *(animaux)* Rudel *n*; 4. *(personnes)* Schwarm *m*; par ~s scharenweise; 5. ~ d'arrêt d'urgence Standspur *f*
bandé [bãde] *adj* gespannt
bande-annonce [bãdanõs] *f CINE* Vorschau *f*
bandeau [bãdo] *m MED* Binde *f*
bandes [bãd] *f/pl* ~ dessinées Comics *pl*
bandit [bãdi] *m* 1. Bandit *m*; 2. Gangster *m*
banlieue [bãljø] *f* Vorort *m*
bannière [banjɛʀ] *f* Banner *n*
banque [bãk] *f* 1. *FIN* Bank *f*; ~ centrale d'Allemagne Deutsche Bundesbank *f*; ~ d'émission Notenbank *f*; ~ mondiale Weltbank *f*; 2. ~ centrale de virement Girozentrale *f*
banqueroute [bãkʀut] *f* 1. Pleite *f*; 2. *FIN* Bankrott *m*; 3. *JUR* Konkurs *m*
banquet [bãkɛ] *m* 1. Festessen *n*; faire un ~ tafeln; 2. Mahl *n*
banquette [bãkɛt] *f* 1. Bankett *n*; 2. ~ de fenêtre Fensterbrett *n*
banquier [bãkje] *m* Bankier *m*
baptême [batɛm] *m* Taufe *f*
baptiser [batize] *v* taufen
baquet [bakɛ] *m* Kübel *m*
bar [baʀ] *m* 1. Kneipe *f*; 2. Bar *f*
baragouiner [baʀagwine] *v* radebrechen
baraque [baʀak] *f* Baracke *f*
baratiner [baʀatine] *v* ~ qn *(fam:draguer)* anmachen
barbare [baʀbaʀ] *adj* 1. barbarisch; 2. unmenschlich; 3. *(fig)* roh
barbe [baʀb] *f* Bart *m*; faire la ~ rasieren
barboter [baʀbɔte] *v* 1. *(dans l'eau)* plätschern; 2. *(fam)* klauen
barbu [baʀby] *adj* bärtig
barder [baʀde] *v GAST* spicken
barème [baʀɛm] *m (prix)* Skala *f*
baril [baʀi(l)] *m (~ de pétrole brut)* Faß *n*; ~ de poudre Pulverfaß *n*
barillet [baʀijɛ] *m (arme)* Magazin *n*
bariolé [baʀjɔle] *adj* bunt
barir [baʀiʀ] *v (éléphant)* trompeten
bariton [baʀitõ] *m* Bariton *m*
barium [baʀjɔm] *m* Barium *n*
barman [baʀman] *m* Barkeeper *m*
baromètre [baʀɔmɛtʀ(ə)] *m* Barometer *n*
baroque [baʀɔk] *adj* barock

barque [baʀk] *f* 1. Boot *n*; 2. Kahn *m*
barrage [baʀaʒ] *m* 1. Absperrung *f*, Sperre *f*; 2. Damm *m*; 3. ~ photoélectrique Lichtschranke *f*
barre [baʀ] *f* 1. *(chocolat)* Riegel *m*; 2. Latte *f*; 3. ~ de remorquage Abschleppstange *f*; 4. *(bateau)* (Steuer-)Ruder *n*; 5. Schranke *f*
barré [baʀe] *adj (interdiction)* gesperrt
barrer [baʀe] *v* 1. ~ qc etw (durch-)streichen; 2. *(fermer)* absperren; 3. sperren; 4. versperren
barrette [baʀɛt] *f (cheveux)* (Haar-)Spange *f*
barricade [baʀikad] *f* Barrikade *f*
barricader [baʀikade] *v* 1. verbarrikadieren; 2. versperren
barrière [baʀjɛʀ] *f* 1. Schranke *f*; ~ de passage à niveau Eisenbahnschranke *f*; ~ optique Lichtschranke *f*; 2. Barriere *f*; 3. *(dispositif)* Sperre *f*
barrique [baʀik] *f* Faß *n*
bas/basse [ba/bas] *adj* 1. nieder; niedrig; être tombé ~ *(fig)* auf einem Tiefpunkt angelangt sein; mettre qn plus ~ que terre jdn zerreißen; 2. leise; à voix ~ leise; parler tout ~ ganz leise sprechen; 4. *(peu)* gering; 5. *(température)* tief; 6. *(étendus d'eau)* seicht; eaux ~ses *f/pl* Ebbe *f*; mer ~se *f* Ebbe *f*; 7. niederträchtig; 8. unter; 9. adv en ~ unten; 10. prep en ~ de unterhalb; *m* 11. Unterteil *n*; 12. Strumpf *m*
basalte [bazalt] *m* Basalt *m*
bas-côté [bakote] *m* Seitenstreifen *m*
bascule [baskyl] *f* 1. Waage *f*; 2. Wippe *f*
basculer [baskyle] *v* 1. (um-)kippen; 2. faire ~ kippen
base [baz] *f* 1. Grundlage *f*; 2. Grundfläche *f*; 3. Basis *f*; 4. Stützpunkt *m*; prendre pour ~ zugrunde legen; être à la ~ de qc zugrunde liegen; 5. *(fig)* Fundament *n*; 6. *CHEM* Base *f*
baser [baze] *v* se ~ sur basieren auf
basse [bas] *f* Baß *m*
bassesse [basɛs] *f* 1. Gemeinheit *f*; 2. Niedertracht *f*
basset [basɛ] *m* Dackel *m*
bassin [basɛ̃] *m* 1. (Schwimm-)Becken *n*, Bassin *n*; 2. ~ de construction *NAUT* Dock *n*; 3. ~ méditerranéen Mittelmeerraum *m*; 4. *ANAT* Becken *n*; 5. ~ d'un fleuve Einzugsgebiet *n*

bastingage [bastɛ̃gaʒ] *m* Reling *f*
bas-ventre [bavɑ̃tʀ] *m* Unterleib *m*
bataille [bataj] *f 1.* Kampf *m; 2.* Schlacht *f*
batailleur [batajœʀ] *1. adj* kämpferisch; *2. m* Raufbold *m*
bâtard [batɑʀ] *m* Bastard *m*
bateau [bato] *m 1.* Boot *n*, Schiff *n; ~ de pêche* Fischerboot *n; ~ à moteur* Motorboot *n; 2. ~ à vapeur* Dampfer *m*
bateleur [batlœʀ] *m* Gaukler *m*
bâti [bati] *m* Gestell *n*
bâtiment [batimɑ̃] *m 1.* Gebäude *n; 2. (maison)* Haus *n; 3. industrie du ~* Baugewerbe *n; 4. ~ neuf* Neubau *m*
bâtir [batiʀ] *v 1.* bebauen, erbauen; *2. (théorie)* aufbauen
bâtisseur [batisœʀ] *m* Erbauer *m*
bâton [batɔ̃] *m 1. (baguette)* Stock *m; 2. (baguette)* Stab *m; 3.* Knüppel *m*, Prügel *m*
battement [batmɑ̃] *m 1.* Schlagen *n; 2. (main)* Klatschen *n; 3. (cil)* Zucken *n; 4. ~ de cœur* Herzklopfen *n*
batterie [batʀi] *f 1. TECH* Akku *m; 2. TECH* Batterie *f; 3. MUS* Schlagzeug *n*
batteur [batœʀ] *m 1.* Schneebesen *m; 2.* Schläger *m*
battre [batʀ(ə)] *v 1.* schlagen; *(œufs)* verquirlen; *3. (grain)* dreschen; *4. (monnaie)* prägen; *5. (cœur)* klopfen; *6. (fig)* besiegen, schlagen; *7. se ~* sich schlagen; *8. se ~ (avec)* kämpfen; *9. se ~* prügeln
battu [baty] *adj ~ par les vents* windgepeitscht
battue [baty] *f* Treibjagd *f*
baume [bom] *m* Balsam *m*
bavard [bavaʀ] *adj 1.* geschwätzig; *2.* redselig
bavardage [bavaʀdaʒ] *m 1.* Geplauder *n; 2.* Gerede *n*
bavarder [bavaʀde] *v 1.* plaudern; *2.* schwatzen; *3. ~ avec qn de qc* sich mit jdm über etw unterhalten; *4.* plappern
bavarois [bavaʀwa] *adj* bayerisch
Bavière [bavjɛʀ] *f* Bayern *n*
bavoir [bavwaʀ] *m* Lätzchen *n*
béant [beɑ̃] *adj être ~* klaffend
béatifier [beatifje] *v* seligsprechen
béatitude [beatityd] *f* Seligkeit *f*
beau/bel/belle [bo/bɛl] *adj* schön, stattlich; *Il est bel homme.* Er ist ein stattlicher Mann.
beaucoup [boku] *adv 1. ~ (de)* viel(e); *Merci ~* Danke sehr. *Cela ne durera pas ~.* Es

dauert nicht lange. *2. pas ~* wenig; *3. de ~* weitaus
beau-fils [bofis] *m* Schwiegersohn *m*
beau-frère [bofʀɛʀ] *m* Schwager *m*
beau-père [bopɛʀ] *m 1.* Schwiegervater *m; 2.* Stiefvater *m*
beauté [bote] *f* Schönheit *f*
beaux-parents [bopaʀɑ̃] *m/pl* Schwiegereltern *pl*
bébé [bebe] *m* Baby *n*
bec [bɛk] *m* Schnabel *m*
bécane [bekan] *f (fam)* Fahrrad *n*
bêche [bɛʃ] *f* Spaten *m*
bêcher [bɛʃe] *v* umgraben
bécoter [bekɔte] *v se ~ (fam)* knutschen
becqueter [bɛkte] *v* picken
bedaine [bədɛn] *f* Ranzen *m*
béer [bee] *v* klaffen
beffroi [befʀwa] *m* Glockenturm *m*
bégayer [begeje] *v 1.* stottern; *2.* lallen
béguin [begɛ̃] *m (fig/ fam)* Liebschaft *f*
beige [bɛʒ] *adj* beige
bêler [bɛle] *v (animal)* meckern
belge [bɛlʒ(ə)] *adj* belgisch
Belgique [bɛlʒik] *f* Belgien *n*
bélier [belje] *m ZOOL* Bock *m*
belle-fille [bɛlfij] *f* Schwiegertochter *f*
belle-mère [bɛlmɛʀ] *f 1.* Schwiegermutter *f; 2.* Stiefmutter *f*
belle-sœur [bɛlsœʀ] *f* Schwägerin *f*
bellqueux/-euse [bɛlikø/øz] *adj 1.* streitlustig; *2.* kriegerisch
bénédiction [benediksjɔ̃] *f 1.* Einweihung *f; 2. REL* Segen *m; 3. ~ nuptiale (église)* Trauung *f*
bénéfice [benefis] *m 1.* Vorteil *m; 2. ECO* Gewinn *m; ~ brut* Bruttogewinn *m; 3. ECO* Ausbeute *f*
bénéficier [benefisje] *v* profitieren, Nutzen ziehen
Benelux [benelyks] *m* Beneluxstaaten *pl*
benêt [bənɛ] *m* Dummkopf *m*
bénévole [benevɔl] *adj 1.* freiwillig; *2.* unbezahlt
bénin [benɛ̃] *adj 1.* harmlos; *2. MED* gutartig
bénir [beniʀ] *v 1.* segnen; *2.* einweihen
benjamin [bɛ̃ʒamɛ̃] *m* Nesthäkchen *n*
béquille [bekij] *f* Krücke *f*
berceau [bɛʀso] *m* Wiege *f*
bercer [bɛʀse] *v* wiegen; *se ~ de faux espoirs* sich in falschen Hoffnungen wiegen
béret [beʀɛ] *m ~ basque* Baskenmütze *f*

berge [bɛʀʒ(ə)] f 1. Flußufer n; 2. Uferböschung f
berger [bɛʀʒe] m 1. Hirt m, Schäfer m; 2. - allemand Schäferhund m
berline [bɛʀlin] f Limousine f
bernard-l'ermite [bɛʀnaʀlɛʀmit] m Einsiedlerkrebs m
berner [bɛʀne] v 1. anschwindeln; 2. (fam) leimen
besoin [bəzwɛ̃] m 1. Bedürfnis n; avoir ~ de beaucoup d' attention viel Aufmerksamkeit erfordern; ~ de se faire valoir Geltungsbedürfnis; ~ de se mettre en valeur Geltungsbedürfnis; avoir ~ de bedürfen, benötigen, brauchen; 2. (manque) Not f; en cas de ~ notfalls; s'il en est ~ nötigenfalls/falls erforderlich; Il n'est pas ~ de dire... Es ist überflüssig zu sagen, daß ... 3. ~ de compensation Nachholbedarf m
bestial [bɛstjal] adj bestialisch
bêta [beta] m Einfaltspinsel m
bétail [betaj] m Vieh n
bête [bɛt] adj 1. dumm; 2. (fam) blöd, dämlich, doof; être ~ comme un âne sehr dumm sein; être ~ comme ses pieds dümmer sein als die Polizei erlaubt; être ~ à manger du foin dumm wie Bohnenstroh sein/strohdumm sein; v 2. Tier n; chercher la petite ~ immer ein Haar in der Suppe finden; regarder qn comme une ~ curieuse jdn anstarren; 3. ~ féroce Bestie f, Biest n; 4. ~ à bon Dieu Marienkäfer m
bêtise [betiz] f Dummheit f
bétonner [betɔne] v betonieren
betterave [betʀav] f ~ sucrière Zuckerrübe f
beugler [bøgle] v brüllen
beurre [bœʀ] m Butter f; C'est du ~. Nichts leichter als das./ Das ist ein Kinderspiel.
beurrier [bœʀje] m Butterdose f
biais [bjɛ] m 1. Umweg m; trouver un ~ ein Mittel/einen Ausweg finden; 2. Schräge f; en ~ schräg
bibelots [biblo] m/pl Nippes m
Bible [bibl(ə)] f Bibel f
bibliographie [biblijɔgʀafi] f Bibliographie f
bibliothécaire [biblijɔtekɛʀ] m Bibliothekar m
bibliothèque [biblijɔtɛk] f 1. Bibliothek f, Bücherei f; ~ de prêt Leihbibliothek f; 2. Bücherschrank m

biblique [biblik] adj biblisch
bichon [biʃɔ̃] m Schoßhündchen n
bicyclette [bisiklɛt] f Fahrrad n, Rad n
bidon [bidɔ̃] m 1. Kanister m; 2. Kanne f
bidule [bidyl] f Ding n
bien [bjɛ̃] adv 1. gut; ~ aimer mögen; ~ rangé ordentlich; ~ entendu wohlgemerkt; ~ connu altbekannt; ~ élevé artig; ~ entretenu gepflegt; ~ intentionné à l'égard de wohlgesinnt; ~ marcher klappen; ~ cuit gar; 2. wohl; vouloir du ~ à qn jdm wohlwollen; 3. viel, sehr; ~ sûr! Sicherlich! ~ des fois oft; 4. recht; C'est ~ fait pour lui. Das geschieht ihm recht. tant ~ que mal so recht wie schlecht; 5. schon; On verra ~! Wir werden schon sehen! 6. konj ~ que obwohl, obgleich, trotzdem; m 7. Wohl n; mener à ~ zu einem glücklichen Ende führen; ~ public Gemeinwohl n; 8. (propriété) Gut/Güter n; 9. Habe f; 10. ~ foncier Grundstück n; 11. ~(s) immobilier(s) Immobilien pl
bien-aimé/-ée [bjɛ̃neme] m/f Geliebte(r) f/m
bien-être [bjɛ̃nɛtʀ] m Wohlstand m
bienfait [bjɛ̃fɛ] m Wohltat f
bienfaiteur/-trice [bjɛ̃fɛtœʀ/tʀis] m/f 1. Förderer m; 2. Wohltäter m
bienheureux [bjɛ̃nœʀø] adj 1. glückselig; 2. REL selig
bientôt [bjɛ̃to] adv bald
bienveillance [bjɛ̃vejɑ̃s] f 1. Entgegenkommen n; 2. Wohlwollen n
bienveillant [bjɛ̃vejɑ̃] adj gnädig, wohlwollend
bienvenu [bjɛ̃vny] adj willkommen
bière [bjɛʀ] f 1. Sarg m; 2. (boisson) Bier n; Ce n'est pas de la petite ~. Das ist keine Kleinigkeit. ~ en tonneau Faßbier n; ~ blanche Weißbier n
biffer [bife] v (durch-)streichen
bifteck [biftɛk] m Beefsteak n
bifurcation [bifyʀkasjɔ̃] f Abzweigung f
bifurquer [bifyʀke] v (tourner) abzweigen
bigamie [bigami] f Bigamie f
bigoudi [bigudi] m Lockenwickler m
bijou [biʒu] m 1. Juwel n; 2. Schmuck m; ~ en or Goldschmuck m
bijoutier [biʒutje] m Juwelier m
bilan [bilɑ̃] m 1. Fazit n; 2. (fig) Bilanz f; 3. ECO Abschluß m; ~ de clôture d'exercice Abschlußbilanz; ~ de fin d'année Jahresabschluß; dresser un/le ~ bilanzieren

bilatéral [bilateral] *adj* bilateral

bile [bil] *f* ANAT Galle *f; se faire de la ~ (fam)* sich Sorgen machen

bilingue [bilɛ̃g] *adj* zweisprachig

bille [bij] *f (jeu)* Kugel *f; reprendre ses ~s* nicht mehr mitmachen/aussteigen

billet [bijɛ] *m* 1. *(d'entrée)* (Eintritts-)Karte *f; ~ gratuit* Freikarte; *~ de cinéma* Kinokarte; 2. *(train)* Fahrkarte *f*, Fahrschein *m; ~ de chemin de fer* Bahnfahrkarte; *~ aller et retour* Rückfahrkarte; 3. *(petite lettre)* Zettel *m*, Nachricht *f; ~ doux* Liebesbrief; 4. Schein *m; ~ de banque* Geldschein/Banknote; *~ de loterie* (Lotterie-)Los; *~ non gagnant* Niete

billion [biljɔ̃] *m* Billion *f*

billot [bijo] *m* Block *m*, Klotz *m*

binaire [binɛr] *adj* binär

biochimie [biɔʃimi] *f* Biochemie *f*

biodynamique [biɔdinamik] *adj* biodynamisch

biographie [biɔgrafi] *f* Biographie *f*

biologie [biɔlɔʒi] *f* Biologie *f*

biologique [biɔlɔʒik] *adj* biologisch

biophysique [biɔfizik] *f* Biophysik *f*

biorythme [biɔritm] *m* Biorhythmus *m*

biotechnologie [biɔtɛknɔlɔʒi] *f* Biotechnologie *f*

biotope [biɔtɔp] *m* Biotop *n*

bisaïeux [bizajø] *m/pl* Urgroßeltern *m*

biscotte [biskɔt] *f* Zwieback *m*

biscuit [biskɥi] *m* Biskuit *m*, Keks *m*

bise [biz] *f* Kuß *m*

bisexuel [bisɛksɥel] *adj* bisexuell

bistouri [bisturi] *m (chirurgie)* Messer *n*

bistro(t) [bistro] *m* Kneipe *f*

bitumer [bityme] *v* asphaltieren

bizarre [bizar] *adj* 1. eigenartig, seltsam, komisch; 2. sonderlich; 3. wunderlich

bizzarerie [bizarɔri] *f* Besonderheit *f*

blafard [blafar] *adj* 1. bleich; 2. fahl

blague [blag] *f* Spaß *m*, Witz *m*

blagueur [blagœr] *m* Spaßvogel *m*

blâme [blam] *m* 1. Tadel *m;* 2. Verweis *m*

blâmer [blame] *v* rügen

blanc/che [blɑ̃/ɑ̃ʃ] *adj* 1. ride leer; *en ~* blanko; 2. weiß; *regarder qn dans le ~ des yeux* jdm tief in die Augen blicken; *passer du ~ au noir* von einem Extrem ins andere fallen; *être ~ comme neige* völlig unschuldig sein; *être ~ comme un linge* blaß wie ein Leintuch/leichenblaß sein; 3. sauber, rein; 4. *m - d'œuf* Eiweiß *n*

blanc-bec [blɑ̃bɛk] *m* Grünschnabel *m*

blanchir [blɑ̃ʃir] *v* 1. abkochen; 2. *(couleur)* bleichen; 3. *(fig:vieillir)* ergrauen

blasé [blaze] *adj* übersättigt

blason [blazɔ̃] *m* Wappen *n*

blasphémer [blasfeme] *v (~ le nom de Dieu)* lästern

blé [ble] *m* Weizen *m*

blême [blɛm] *adj* 1. blaß; 2. bleich; *~ de peur* schreckensbleich

blêmir [blemir] *v* verblassen

blesser [blɛse] *v* 1. verletzen; 2. *(personne)* verwunden; 3. beschädigen; 4. *(fig)* kränken, verletzen, beleidigen

blessure [blɛsyr] *f* 1. Verletzung *f*, Wunde *f;* 2. *(chose)* Beschädigung *f*

blet [blɛ] *adj (fruits)* matschig

bleu [blø] *m* 1. *adj* blau; 2. *m* blauer Fleck *m*

blindé [blɛ̃de] 1. *m* MIL Panzer *m;* 2. *adj* gepanzert

bloc [blɔk] *m* 1. Block *m; ~-notes* Notizblock; *~ de papier à lettre* Briefblock; Klotz *m; ~ de bois* Holzklotz; *en ~* pauschal; *faire ~* zusammenhalten; 3. *(fam)* Knast *m*

blocage [blɔkaʒ] *m* Absperrung *f*

blockhaus [blɔkos] *m* Bunker *m*

blocus [blɔkys] *m* Blockade *f*

blond [blɔ̃] *adj* blond; *~ cendré* aschblond

bloquer [blɔke] *v* 1. *(fermer)* absperren; 2. blockieren; 3. *(compte)* sperren

blouse [bluz] *f* 1. Kittel *m;* 2. Bluse *f*

blouson [bluzɔ̃] *m* Jacke *f*

bluffer [blœfe] *v* schwindeln

bob [bɔb] *m (-sleight)* Bob *m*

bobine [bɔbin] *f* Spule *f*

bock [bɔk] *m (~ à bière)* Bierkrug *m*

bœuf [bœf] *m* 1. ZOOL Ochse *m;* 2. Rind *n;* 3. Rindfleisch *m*

boire [bwar] *v* 1. trinken; *~ un coup (fam)* einen zu sich nehmen; *~ à petites gorgées* nippen; *~ avec bruit* schlürfen; 2. *(animal)* saufen

bois [bwa] *m* 1. Holz *n; ~ de chauffage* Brennholz; *~ de construction* Bauholz; *~ précieux* Edelholz; *en/de ~* hölzern; *Je touche du ~!* Toi, toi, toi! 2. Wald *m; ~ feuillu* Laubwald; 3. Geweih *n*

boiserie [bwazri] *f* Täfelung *f*

boisson [bwasɔ̃] *f* Getränk *n*

boîte [bwat] *f* 1. Schachtel *f*, Kasten *m*, Kiste *f; ~ en carton* Pappschachtel; *~ à ordures* Mülleimer; *~ à lettre* Briefkasten; *~ postale* Postfach; *~ de pansements* Verbandka-

sten; 2. Dose *f*; ~ de conserve Konserven-
dose/Büchse; 3. *(fam)* Diskothek; 4. *TECH*
Gehäuse *n*

boiter [bwate] *v* hinken, humpeln

boiteux [bwatø] *adj* lahm, hinkend

boîtier [bwatje] *m* Gehäuse *n*

bol [bɔl] *m* Napf *m*, Schale *f*

bombarder [bɔ̃baʀde] *v* bombardieren

bombe [bɔ̃b] *f* Bombe *f*; *faire l'effet
d'une* ~ wie eine Bombe einschlagen; *~ atomique* Atombombe *f*

bombé [bɔ̃be] *adj* bauchig

bomber [bɔ̃be] *v* ~ le torse sich brüsten

bon/-ne [bɔ̃/bɔn] *adj* 1. gut; *être* ~ gut
schmecken; *C'est* ~ *à savoir.* Das muß man
sich merken. *de bonne heure* früh; ~
marché preiswert/billig; ~ *pour la santé* gesund; ~ *point* Pluspunkt; ~ *à rien* Nichtsnutz;
-ne foi Arglosigkeit; *-ne volonté* Bereitwilligkeit; *-ne humeur* Fröhlichkeit; 2. richtig;
3. tüchtig; 4. gutherzig; 5. *m* Gutschein *m*,
Schein *m*; ~ *du Trésor* Schatzbrief; ~ *de
livraison* Lieferschein; ~ *de commande* Be-
stellschein; ~ *de caisse* Kassenbon

bonbon [bɔ̃bɔ̃] *m* 1. Bonbon *n*; 2. ~ *au
chocolat* Praline *f*

bond [bɔ̃] *m* Sprung *m*

bondir [bɔ̃diʀ] *v* 1. hüpfen; 2. springen

bonheur [bɔnœʀ] *m* 1. *(état)* Glück *n*; *au
petit* ~ auf gut Glück/aufs Geratewohl; *par* ~
glücklicherweise; 2. Heil *n*

bonhomme [bɔnɔm] 1. *adj* gutmütig; *m*
2. ~ *de neige* Schneemann *m*; 3. ~ *de Noël*
Weihnachtsmann *m*

bonjour [bɔ̃ʒuʀ] *m* guten Tag

bonne [bɔn] *f* 1. *(à tout faire)* Hausmädchen *n*; 2. ~ *d'enfants* Kindermädchen *n*

bonnet [bɔnɛ] *m* 1. Mütze *f*; *un gros* ~
(fig) ein hohes Tier; 2. Haube *f*; ~ *de bain*
Badekappe *f*; 3. Kappe *f*; *prendre sous son*
~ etw auf seine Kappe nehmen

bonté [bɔ̃te] *f* Güte *f*

bonze [bɔ̃z] *m (fam)* Bonze *m*

bord [bɔʀ] *m* 1. Rand *m*; *au* ~ *de* am Rande;
2. Bord *m*; *à* ~ an Bord; 3. Borte *f*; 4. ~ *de la
rivière* Flußufer *n*

bordure [bɔʀdyʀ] *f* 1. Rand *m*; 2. Bord *m*,
Kante *f*; 3. ~ *de trottoir* Bordstein *m*; 4. Borte *f*; 5. Umrandung *f*

borné [bɔʀne] *adj* 1. borniert; 2. engstirnig, kleinlich

borne [bɔʀn] *f* 1. Grenzstein *m*; 2. ~ *militaire* Meilenstein *m*

borner [bɔʀne] *v* 1. begrenzen; 2. *se* ~ *à*
sich beschränken auf

bornes [bɔʀn] *f/pl (fig)* Schranken *pl*,
Grenzen *pl*

bosse [bɔs] *f* 1. Buckel *m*; 2. *MED* Beule
f

bosser [bɔse] *v (fam: étudiant)* büffeln,
austüfteln; ~ *comme un nègre* wie ein Ochse
schuften

botanique [bɔtanik] 1. *f* Botanik *f*; 2. *adj*
botanisch

botte [bɔt] *f* 1. Bündel *n*; 2. Stiefel *m*; ~ *en
caoutchouc* Gummistiefel *m*

bouc [buk] *m ZOOL* Bock *m*; ~ *émissaire*
Sündenbock *m*

bouche [buʃ] *f* 1. Mund *m*; *être dans
toutes les* ~s in aller Munde sein; *ne pas ouvrir la* ~ den Mund nicht aufmachen/kein Wort
reden; *Ne parle pas la* ~ *pleine!* Sprich nicht
mit vollem Mund! *rester* ~ *bée* verdutzt
schauen/ mit offenem Mund dastehen; 2.
Mündung *f*

bouchée [buʃe] *f* 1. Bissen *m*; 2. Happen
m; 3. ~ *à la reine* Königinpastete *f*

boucher [buʃe] *v* 1. verstopfen, zustopfen;
2. *(vue)* versperren; *se* ~ *les yeux devant qc*
die Augen verschließen vor etw/zuhalten

boucher-charcutier [buʃeʃaʀkytje] *m*
Metzger *m*

boucherie-charcuterie [buʃriʃaʀkytri]
f Metzgerei *f*

bouche-trou [buʃtru] *m* Lückenbüßer
m

bouchon [buʃɔ̃] *m* 1. *(de liège)* Korken *m*;
sentir le ~ nach Korken schmecken; 2. Ver-
schlußkappe *f*, Stöpsel *m*; 3. *(voiture)* Stau *m*

boucle [bukl] *f* 1. *(cheveux)* Locke *f*; *faire des* ~s sich locken; 2. ~ *d'oreille* Ohrring
m; 3. Schlaufe *f*; 4. Schleife *f*

bouclé [bukle] *adj* lockig

boucler [bukle] *v (cheveux)* sich locken;
se ~ *dans sa chambre* sich in seinem Zimmer einschließen; *Boucle-la!* Halt die Klappe!

bouclier [buklije] *m* 1. Schild *n*; 2. *(fig)*
Schutz *m*

bouder [bude] *v* trotzen, schmollen

boue [bu] *f* 1. Schmutz *m*, Dreck *m*;
traîner qc/qn dans la ~ etw/jdn in den
Schmutz ziehen; 2. Schlamm *m*

bouée [bwe] *f* 1. Boje *f*; 2. ~ *de sauvetage* Rettungsring *m*

boueux [bwø] *adj* matschig, schlammig

bouffée [bufe] *f 1.* Hauch *m*, Dunst *m*; *-s de fumée* Qualm; *2. (fig)* Anfall *m*; *~ de fièvre* Fieberanfall *m*
bouffer [bufe] *v (fam)* fressen
bouffon [bufõ] *1. m* Narr *m*; *2. adj* skurril
bougeoir [buʒwaʀ] *m 1.* Kerzenständer *m*; *2.* Leuchter *m*
bouger [buʒe] *v 1.* sich rühren; *ne pas ~* nichts unternehmen/sich nicht rühren; *2.* sich bewegen, sich regen; *Ça bouge.* Es gerät in Bewegung./ Es rührt sich. *3.* rücken; *faire ~ qc* etw bewegen
bougie [buʒi] *f* Kerze *f*
bougonner [bugɔne] *v 1.* brummen; *2.* murren; *3. (fig)* knurren
bouillabaisse [bujabɛs] *f (en Provence)* GAST Fischsuppe *f*
bouillant [bujã] *adj* kochend
bouilli [buji] *m* Suppenfleisch *n*
bouillie [buji] *f* Brei *m*; *~ d'avoine* Haferbrei *m*
bouillir [bujiʀ] *v (intransitif)* kochen, sieden; *faire ~ ab-/aufkochen*
bouillon [bujõ] *m* Brühe *f*, Bouillon *f*; *~ de viande* Fleischbrühe; *~ de poule* Hühnerbrühe/-suppe
bouillonner [bujɔne] *v 1.* brodeln; *2.* sprudeln
bouillotte [bujɔt] *f* Wärmflasche *f*
boulanger [bulãʒe] *m* Bäcker *m*
boulangerie [bulãʒʀi] *f* Bäckerei *f*
boule [bul] *f* Kugel *f*; *avoir une ~ dans la gorge* einen Kloß im Hals haben
bouledogue [buldɔg] *m* Dogge *f*, Bulldogge *f*
boulette [bulɛt] *f 1.* Kügelchen *n*; *2. ~ de viande hachée* Frikadelle *f*; *3.* GAST Knödel *m*
bouleversant [bulvɛʀsã] *adj 1. (fig)* ergreifend; *2.* erschütternd; *3.* herzergreifend
bouleversé [bulvɛʀse] *adj 1.* verstört; *2. (fam)* durcheinander
bouleverser [bulvɛʀse] *v 1.* umstürzen; *2.* verwüsten; *3.* wühlen
boulon [bulõ] *m TECH* Bolzen *m*
bouquet [bukɛ] *m* Strauß *m*; *~ de la mariée* Brautstrauß
bouquetin [buktɛ̃] *m* Steinbock *m*
bourbe [buʀb] *f* Morast *m*
bourdonnement [buʀdɔnmã] *m* Brummen *n*; *~ d'oreilles* Ohrensausen
bourdonner [buʀdɔne] *v 1.* brummen; *2.* summen

bourgeois [buʀʒwa] *adj 1.* bürgerlich; *2. petit ~* spießig
bourgeoisie [buʀʒwazi] *f* Bürgertum *n*; *de la petite ~* kleinbürgerlich
bourgeon [buʀʒõ] *m BOT* Knospe *f*
bourgmestre [buʀgmɛstʀ] *m premier ~ (Allemagne)* Oberbürgermeister *m*
Bourgogne [buʀgɔɲ] *f la ~* Burgund *n*
bourguignon [buʀgiɲõ] *adj* burgundisch
bourré [buʀe] *adj* überfüllt; *être ~* gesteckt/gerammelt voll sein
bourrée [buʀe] *f (danse en Auvergne)* Tanz *m*
bourrer [buʀe] *v* stopfen, füllen; *se ~ de qc* sich mit etw vollstopfen/ sich den Bauch vollschlagen
bourru [buʀy] *adj (fig)* schroff
bourse [buʀs(ə)] *f 1.* Beutel *m*, Börse *f*, Geldbörse *f*, Portemonnaie *n*; *2. ~ d'études* Stipendium *n*
Bourse [buʀs(ə)] *f FIN* Börse *f*; *~ des devises* Devisenbörse; *~ des valeurs* Effektenbörse; *~ des marchandises* Warenbörse
bousculade [buskylad] *f (fam)* Gedränge *n*
bousculer [buskyle] *v* drängen
boussole [busɔl] *f* Kompaß *m*
bout [bu] *m 1.* Ende *n*, Spitze *f*; *~ du doigt* Fingerspitze; *2. (chaussure)* Kappe *f*; *3. prep au ~ de (temp)* nach; *adv 4. par petits ~s* scheibchenweise; *5. au ~ du compte* letztlich
boutade [butad] *f 1.* Geistesblitz *m*; *2. (fig)* Seitenhieb *m*
bouteille [butɛj] *f* Flasche *f*; *~ thermos* Thermosflasche *f*; *~ à gaz* Gasflasche *f*; *~ consignée* Pfandflasche *f*
boutique [butik] *f 1. (magasin)* Geschäft *n*; *2.* Laden *m*, Bude *f*
bouton [butõ] *m 1.* Knopf *m*, Drehknopf *m*; *~ de manchette* Manschettenknopf *m*; *~-pression (sur vêtement)* Druckknopf *m*; *2. BOT* Knospe *f*; *~ d'or* Butterblume *f*; *3. petit ~* Pickel *m*
boutonner [butɔne] *v* knöpfen
bouture [butyʀ] *f* Ableger *m*
bovin [bɔvɛ̃] *m* Rind *n*
boxe [bɔks] *m match de ~* Boxkampf *m*
boxer [bɔkse] *v* boxen
boxer [bɔksɛʀ] *m ZOOL* Boxer *m*
boxeur [bɔksœʀ] *m SPORT* Boxer *m*
boyaux [bwajo] *m/pl* Gedärm *n*
boycottage [bɔjkɔtaʒ] *m* Boykott *m*

boycotter [bɔjkɔte] v boykottieren
bracelet [bRaslɛ] m Armband n
braderie [bRadRi] f Straßenverkauf m
braguette [bRagɛt] f Hosenschlitz m
braille [bRaj] m Blindenschrift f
braise [bRɛz] f (feu) Glut f
brancard [bRɑ̃kaR] m Tragbahre f
branche [bRɑ̃ʃ] f 1. Ast m, Zweig m; 2.
ECO Branche f; 3. Fachbereich m
branchement [bRɑ̃ʃmɑ̃] m ~ sur le sec
teur Netzanschluß m
brancher [bRɑ̃ʃe] v (allumer) einschalten
brandir [bRɑ̃diR] v schwenken
branlant [bRɑ̃lɑ̃] adj 1. (chose) klapperig;
2. wackelig
branler [bRɑ̃le] v 1. wanken; 2. (chose)
wackeln
bras [bRa] m 1. ANAT Arm m; ~ dessus, ~
dessous Arm in Arm/untergehakt; avoir
qn/qc sur les ~ jdn/etw auf dem Hals haben;
se croiser les ~ die Hände in den Schoß le
gen; 2. Armlehne f
brasse [bRas] f (natation) Brustschwim
men n
brasser [bRase] v (bière) brauen
brasserie [bRasRi] f Brauerei f
brasseur [bRasœR] m Bierbrauer m
brave [bRav] adj 1. tapfer, mutig; 2. brav,
bieder; 3. gut
braver [bRave] v 1. trotzen; 2. entgegenge
hen
bravo [bRavo] interj bravo
bravoure [bRavuR] f Tapferkeit f
break [bRɛk] m Kombiwagen m
brebis [bRəbi] f Schaf n
brèche [bRɛʃ] f Lücke f; être toujours
sur la ~ ständig auf Achse sein
bref/brève [bRɛf/bRɛv] adj 1. (style) bün
dig; 2. (coup d'œil) flüchtig; 3. (temp) kurz;
Soyez ~! Fassen Sie sich kurz! pour être ~ um
es kurz zu machen
breloque [bRəlɔk] f 1. (bijou) Anhänger
m; 2. (fam) Anhängsel n
Brésil [bRezil] m Brasilien n
brésilien [bReziljɛ̃] adj brasilianisch
bretelle [bRətɛl] f 1. (vêtements) Träger
m; ~s Hosenträger m; 2. Zubringerstraße f;
3. ~ d'accès Auffahrt f
breuvage [bRœvaʒ] m Getränk n
brevet [bRəvɛ] m (~ d'invention) Patent n
breveter [bRəvte] v patentieren
bribe [bRib] f (langue étrangère) Brocken
m

bric-à-brac [bRikabRak] m Plunder m,
Trödel m
bricoler [bRikɔle] v basteln
bride [bRid] f 1. (chaussures) Schuhrie
men m; laisser la ~ sur le cou de qn jdm
freie Hand lassen; 2. Zügel m
brièvement [bRijɛvmɑ̃] adv (bref) flüch
tig
brièveté [bRijɛvte] f (temp) Kürze f
brigand [bRigɑ̃] m Räuber m
briguer [bRige] v 1. intrigieren; 2. sich be
werben
brillant [bRijɑ̃] adj 1. blank; 2. brillant,
glänzend, glorreich; ~e performance Glanz
leistung; 3. m (diamant) Brillant m
briller [bRije] v 1. blinken, glänzen; ~ par
son absence durch Abwesenheit glänzen; 2.
leuchten, scheinen; 3. (fig) strahlen; 4. faire ~
polieren
brin [bRɛ̃] m 1. BOT Halm m; ~ de paille
Strohhalm m; 2. (fam) Bißchen n
briquet [bRikɛ] m Feuerzeug n
briquette [bRikɛt] f (charbon) Brikett n
brisant [bRizɑ̃] m 1. Brandung f; 2. Klip
pe f
brise [bRiz] f Brise f
brisé [bRize] adj entzwei; être ~ de fatigue
wie gerädert/völlig erledigt sein
briser [bRize] v 1. brechen, zerbrechen; 2.
einschlagen; 3. zerschellen; 4. se ~ entzwei
gehen; 5. se ~ splittern; 6. se ~ zerspringen
britannique [bRitanik] adj britisch
broc [bRo] m Krug m
brocanteur [bRɔkɑ̃tœR] m Altwarenhänd
ler m, Trödler m
broche [bRɔʃ] f 1. (cuisine) Spieß m; ~ à
rôtir Bratspieß; 2. Brosche f, Anstecknadel f
brochet [bRɔʃɛ] m Hecht m
brochette [bRɔʃɛt] f Spieß m
brochure [bRɔʃyR] f Broschüre f
broder [bRode] v sticken
bronche [bRɔ̃ʃ] f Bronchie f
bronchite [bRɔ̃ʃit] f Bronchitis f
bronzage [bRɔ̃zaʒ] m Bräune f
bronzé [bRɔ̃ze] adj braun, sonnengebräunt
bronze [bRɔ̃z] m Bronze f
bronzer [bRɔ̃ze] v bräunen
brosse [bRɔs] f 1. Bürste f; ~ à dents
Zahnbürste f; ~ à cheveux Haarbürste f; 2.
Pinsel m
brosser [bRɔse] v 1. (dents) putzen; 2. bür
sten
brouette [bRuɛt] f Schubkarre f

brouhaha [bʀuaa] m Trubel m
brouillard [bʀujaʀ] m Nebel m
brouille [bʀuj] f (dispute) Krach m
brouillé [bʀuje] adj 1. uneinig; 2. verfeindet; 3. zwiespältig
brouiller [bʀuje] v 1. (œufs) verquirlen; 2. (liquide) trüben; 3. se ~ sich entzweien
brouillon [bʀujɔ̃] m Konzept n
broussailles [bʀusaj] f/pl Gestrüpp n
brousse [bʀus] f ~ tropicale Busch m
broyer [bʀwaje] v 1. mahlen; 2. zerkleinern; 3. zerreiben
bru [bʀy] f Schwiegertochter f
brugnon [bʀynɔ̃] m Nektarine f
bruiner [bʀɥine] v nieseln
bruire [bʀɥiʀ] v (ruisseau) rauschen
bruit [bʀɥi] m 1. Geräusch n; 2. Krach m, Lärm m; mesures contre le ~ Lärmschutzmaßnahme f; faire du ~ (fig) Aufsehen erregen; 3. (fig) Gerücht n
brûlant [bʀylã] adj 1. brennend; 2. heiß; 3. (fig) akut
brûler [bʀyle] v 1. brennen, verbrennen; 2. abbrennen; ~ ses vaisseaux alle Brücken hinter sich abbrechen; 3. anbrennen; 4. (fig) glühen
brûlure [bʀylyʀ] f 1. MED Brandwunde f; 2. MED Verbrennung f
brume [bʀym] f Nebel m
brumeux [bʀymø] adj diesig, nebelig
brun [bʀœ̃] adj 1. (couleur) braun; 2. (cheveux) brünett
brusque [bʀysk] adj 1. plötzlich; 2. brüsk; 3. jäh; 4. unvermittelt; ~ changement (d'avis) Absprung m; 5. (fig) schroff
brusquer [bʀyske] v brüskieren
brusquerie [bʀyskəʀi] f Barschheit f; avec ~ schroff
brut [bʀy] 1. m Erdöl n; adj 2. roh; 3. brutto
brutal [bʀytal] adj 1. brutal, gewalttätig; 2. brüsk
brutaliser [bʀytalize] v mißhandeln
brutalité [bʀytalite] f Brutalität f
brute [bʀyt] f 1. Bestie f; 2. (personne) Biest n
Bruxelles [bʀysɛl] m Brüssel m
bruyamment [bʀɥijamã] adv laut
bruyant [bʀɥijã] adj 1. laut; 2. geräuschvoll
bûche [byʃ] f Klotz m

bûcheron [byʃʀɔ̃] m Holzfäller m
bûchette [byʃɛt] f (jeu) (Spiel-)Klotz m
budget [bydʒɛ] m 1. Etat m, Haushalt m; 2. ECO Budget n
buée [bɥe] f Beschlag m
buffet [byfɛ] m 1. Schrank m; 2. Büfett n
buffle [byfl(ə)] m Büffel m
buisson [bɥisɔ̃] m 1. Strauch m; 2. Busch m; 3. Gebüsch n
buissonnier [bɥisɔnje] adj (fig) faire l'école buissonnière die Schule schwänzen
bulbe [bylb(ə)] m Knolle f
bulle [byl] f Blase f
bulletin [byltɛ̃] m Zettel m, Bericht m; ~ d'information Nachrichten; ~ météorologique Wetterbericht; ~ officiel (B.O.) Amtsblatt; ~ de paie Lohnstreifen; ~ de vote Stimmzettel
bungalow [bœ̃galo] m Bungalow m
bunker [bunkɛʀ] m Bunker m
bureau [byʀo] m 1. Büro n, Geschäftsstelle f; ~ des objets trouvés Fundbüro; ~ de poste Postamt/Post; ~ de change Wechselstube; ~ de renseignements Auskunft; ~ des télécommunications Fernmeldeamt; ~ des contributions directes Finanzamt; ~ de l'aide sociale Sozialamt; ~ des déclarations Meldebehörde; ~ de l'état civil Standesamt; ~ de vote Wahllokal; 2. Schreibtisch m
bureaucratie [byʀokʀasi] f 1. (fam) Amtsschimmel m; 2. Bürokratie f
bureaucratique [byʀokʀatik] adj bürokratisch
burin [byʀɛ̃] m Meißel m
bus [bys] m Bus m
buste [byst(ə)] m 1. Büste f; 2. ANAT Oberkörper m
but [byt] m 1. Ziel n; avoir pour ~ bezwecken; poursuivre un ~ ein Ziel verfolgen; 2. (foot) Tor n; 3. (fig) Zweck m; ~ absolu Selbstzweck m
butane [bytan] m Butan n
buté [byte] adj 1. eigensinnig; 2. trotzig
butée [byte] f TECH Anschlag m
butin [bytɛ̃] m Beute f
butoir [bytwaʀ] m (porte/fenêtre) Anschlag m
butte [byt] f Hügel m, Anhöhe f
buvable [byvabl(ə)] adj trinkbar
buvette [byvɛt] f Imbißstube
buveur [byvœʀ] m Trinker m

C

cabane [kaban] f 1. Hütte f; 2. (fam) Knast m; 3. ~ de jardin Laube f

cabillau(d) [kabijo] m Kabeljau m

cabine [kabin] f Kabine f; ~ téléphonique Telefonzelle; ~ d'essayage Umkleid-kabine

cabinet [kabinɛ] m 1. (avocat,médecin) Praxis f; 2. ~ de consultation (médecin) Sprechzimmer n; 3. POL Kabinett n; 4. m/pl ~ (de toilette) Klosett n

câble [kabl(ə)] m 1. Draht m, Kabel n; ~ électrique Leitung; ~ de jonction/raccordement Verbindungskabel; 2. Seil n; ~ de remorquage Abschleppseil

câbler [kable] v verkabeln

cacahuète [kakawɛt] f Erdnuß f

cache [kaʃ] f 1. Versteck n; 2. FOTO Blende f

caché [kaʃe] adj 1. être ~ derrière dahinterstecken; 2. verborgen

cache-cache [kaʃkaʃ] m Versteckspiel n

cacher [kaʃe] v 1. verbergen; ~ son jeu sich verstellen; 2. verstecken; On ne peut rien vous ~. Sie merken aber auch alles. 3. verhüllen, verschleiern; 4. verhehlen, verschweigen; 5. unterschlagen; 6. se ~ sich verkriechen

cachet [kaʃɛ] m 1. Stempel m; ~ de la poste Poststempel; 2. Siegel n; 3. MED Tablette f

cacheter [kaʃte] v 1. versiegeln; 2. zukleben

cachette [kaʃɛt] f 1. Unterschlupf m; 2. Versteck n; en ~ heimlich, insgeheim; en ~ de qn hinter jds Rücken

cachottier [kaʃɔtje] m Geheimniskrämer m, Heimlichtuer m

cadavre [kadavʀ(ə)] m Leiche f

cadeau [kado] m 1. Geschenk n; faire un ~ à qn jdm etw schenken/ jdn beschenken; faire ~ de ~ schenken; ~ publicitaire Werbegeschenk; 2. Gabe f

cadenas [kadnɑ] m Sicherheitsschloß n

cadence [kadɑ̃s] f 1. Tempo n; 2. Rhythmus m; 3. MUS Takt m

cadran [kadʀɑ̃] m ~ lumineux Leuchtzifferblatt n

cadre [kadʀ(ə)] m 1. (tableau) Rahmen m, Bilderrahmen m; 2. ~ supérieur Führungskraft f, Manager m; 3. (fig) Rahmen m; rester dans le ~ de la légalité sich im Rahmen der Legalität bewegen

café [kafe] m 1. Kaffee m; ~ filtre Filterkaffee; ~ glacé Eiskaffee; ~ en poudre Pulverkaffee; 2. Lokal n, Café n

caféine [kafein] f Koffein n

cafetière [kaftjɛʀ] f Kaffeekanne f

cage [kaʒ] f 1. Käfig m; 2. ~ d'escalier Treppenhaus n

cagibi [kaʒibi] m 1. Rumpelkammer f; 2. Verschlag m

cahier [kaje] m Heft n

cahoteux [kaotø] adj holperig

cailler [kaje] v 1. (fam) frieren; 2. gerinnen; lait caillé Sauermilch

caillouteux [kajutø] adj steinig

cailloux [kaju] m/pl Kies m

caisse [kɛs] f 1. ~ d'épargne Sparkasse f; ~ d'épargne de construction Bausparkasse; 2. Kasse f; ~ du théâtre Theaterkasse; ~ d'assurance-maladie Krankenkasse; 3. Kiste f, Kasten m; ~ en carton Pappkarton; 4. grosse ~ MUS Pauke f

caissier [kɛsje] m Kassierer m

cajoler [kaʒɔle] v hätscheln, liebkosen

calamité [kalamite] f Plage f, Unglück n

calandre [kalɑ̃dʀ(ə)] f Heißmangel f

calcaire [kalkɛʀ] m Kalkstein m

calcul [kalkyl] m 1. Berechnung f; faire le ~ de errechnen; 2. ~ des coûts Kalkulation f; Il s'est trompé dans ses ~s. Seine Rechnung ist nicht aufgegangen. faire un ~ approximatif de überschlagen; 3. MATH Rechnung f; faire un ~ de fractions bruchrechnen; ~ mental Kopfrechnen

calculateur [kalkylatœʀ] 1. adj (fig) berechnend; 2. m Rechner m; ~ numérique Digitalrechner m

calculatrice [kalkylatʀis] f Rechner m

calculer [kalkyle] v 1. rechnen, berechnen, errechnen; 2. ausrechnen; 3. kalkulieren; 4. ~ approximativement überschlagen; ~ les coûts die Kosten überschlagen

calculette [kalkylɛt] f Taschenrechner m

cale [kal] f 1. Dock n; 2. Keil m

calé [kale] adj eingekeilt; C'est trop ~ pour moi. Das ist mir zu hoch.

calèche [kalɛʃ] f Kutsche f
caleçon [kalsɔ̃] m 1. Unterhose f; 2. - de bain Badehose f
calembour [kalɑ̃buʀ] m (fam) Kalauer m
calendrier [kalɑ̃dʀije] m Kalender m; - mural Wandkalender
caler [cale] v 1. unterlegen, anlehnen; 2. stehenbleiben; 3. TECH verkeilen
calice [kalis] m Kelch m
câlin [kalɛ̃] 1. adj schmusend; 2. m Liebkosung f; faire des -s schmusen
câliner [kaline] v liebkosen, schmusen
calmant [kalmɑ̃] 1. adj schmerzlindernd; 2. m Beruhigungsmittel n
calme [kalm(ə)] m 1. Ruhe f, Stille f; 2. Fassung f; perdre son - die Beherrschung verlieren; Du -! Immer mit der Ruhe! 3. Gelassenheit f; garder son -/être - gelassen sein; 4. (vent) Windstille f, Flaute f; adj 5. geruhsam; 6. (paisible) ruhig; 7. sanft; 8. (sans bruit) still
calmer [kalme] v 1. beruhigen; 2. lindern, besänftigen; 3. abmildern; 4. se - sich beruhigen, sich fassen
calomnie [kalɔmni] f Verleumdung f
calomnier [kalɔmnje] v verleumden
calorie [kalɔʀi] f Kalorie f; pauvre en -s kalorienarm
calotte [kalɔt] f Kappe f
calvados [kalvados] m Apfelschnaps m
camarade [kamaʀad] m 1. Genosse m; 2. Kamerad m; - d'études Kommilitone; - d'école Mitschüler; - de classe Schulfreund; - de jeu Spielkamerad
cambrioler [kɑ̃bʀijɔle] v einbrechen
cambrioleur [kɑ̃bʀijɔlœʀ] m Einbrecher m
camelot [kamlo] m Straßenhändler m
camelote [kamlɔt] f Kitsch m, Ramsch m
caméra [kameʀa] f Kamera f
camion [kamjɔ̃] m Lastwagen m, Lastkraftwagen m
camionnette [kamjɔnɛt] f Lieferwagen m
camomille [kamɔmij] f Kamille f
camoufler [kamufle] v 1. MIL tarnen; 2. vertuschen; 3. verdunkeln
camp [kɑ̃] m (tente) Lager n; - de transit Durchgangslager; - de réfugiés Flüchtlingslager; - de concentration Konzentrationslager; - de prisonniers Gefangenenlager
campagne [kɑ̃paɲ] f 1. Land n; aller à la - aufs Land fahren; 2. Flur f; 3. Kampagne

f; - de publicité Werbekampagne; 4. - électorale Wahlkampf m
camper [kɑ̃pe] v zelten, campen
camping [kɑ̃piŋ] m Camping n; faire du - zelten/campen; matériel de - m Campingausrüstung f
camping-car [kɑ̃piŋkaʀ] m Wohnmobil n
Canada [kanada] m le - Kanada n
canadien [kanadjɛ̃] adj kanadisch
canaille [kanaj] f 1. Gesindel n; 2. (fam) Halunke m
canal [kanal] m 1. Graben m, Kanal m; 2. Meerenge f
canalisation [kanalizasjɔ̃] f 1. Kanalisation f; 2. - d'eau Wasserleitung f
canard [kanaʀ] m 1. Ente f; 2. - mâle Enterich m
canari [kanaʀi] m Kanarienvogel m
cancer [kɑ̃sɛʀ] m Krebs m; - du sein Brustkrebs; - de la peau Hautkrebs
cancérigène [kɑ̃seʀiʒɛn] adj krebserregend
candidat [kɑ̃dida] m Bewerber m, Kandidat m; - à un emploi civil Anwärter; - de l'opposition Gegenkandidat; - à la présidence Präsidentschaftskandidat
candidature [kɑ̃didatyʀ] f Bewerbung f, Kandidatur f; poser sa - à sich bewerben bei; faire acte de -/poser sa - kandidieren
candide [kɑ̃did] adj 1. rein; 2. unschuldig; 3. kindlich
caniche [kaniʃ] m ZOOL Pudel m
caniveau [kanivo] m 1. Gosse f; 2. Rinnstein m
canne [kan] f - à pêche Angelrute f; marcher avec une - am Stock gehen
canoë [kanɔe] m 1. Paddelboot n; faire du - paddeln; 2. Kanu n
canon [kanɔ̃] m 1. MIL Geschütz n, Kanone f; 2. (fusil) Lauf m; 3. (chanson) Kanon m
canot [kano] m Kahn m, Boot n; - pneumatique Schlauchboot; - de sauvetage Rettungsboot; - à rames Ruderboot
cantine [kɑ̃tin] f Kantine f
canular [kanylaʀ] m (fig: journal) Ente f
canule [kanyl] f Kanüle f
caoutchouc [kautʃu] m Gummi m; - mousse Schaumgummi
cap [kap] m 1. Kurs m; 2. GEO Kap n; avoir passé le - über den Berg sein; de pied en - von Kopf bis Fuß/ vom Scheitel bis zur Sohle

capable [kapabl(ə)] *adj 1.* fähig; *- de s'a-dapter* anpassungsfähig; *- de gagner sa vie/ de travailler* erwerbsfähig; *être - de* können, imstande sein; *2.* tüchtig; *- de conduire* fahrtüchtig

capacité [kapasite] *f 1.* Fassungsvermögen *n; 2.* Fähigkeit *f*, Tüchtigkeit *f; - d'adaptation* Anpassungsfähigkeit; *de contracter* Geschäftsfähigkeit; *- juridique* Rechtsfähigkeit; *3.* Können *n; 4.* Kapazität *f; - mémoire* Speicherkapazität

cape [kap] *f* Umhang *m*

capitaine [kapitɛn] *m* Kapitän *m*

capital [kapital] *1. m* Kapital *n; - en action* Aktienkapital; *- propre* Eigenkapital; *- social* Stammkapital; *2. adj* wesentlich, hauptsächlich; *condamner qn à la peine -e* jdn zum Tode verurteilen; *être d'un intérêt -* von größter Bedeutung sein

capitale [kapital] *f* Hauptstadt *f*

capitalisme [kapitalism] *m* Kapitalismus *m*

capitaliste [kapitalist] *1. adj* kapitalistisch; *2. m* Kapitalist *m*

capitonner [kapitone] *v* polstern

capitulation [kapitylasjɔ̃] *f* Kapitulation *f*

capituler [kapityle] *v* kapitulieren

capot [kapo] *m* Haube *f; - de la voiture* Kühlerhaube *f*

capote [kapɔt] *f 1. - anglaise* Kondom *n*, Präservativ *n; 2. (voiture)* Verdeck *n*

câpre [kɑpʀ(ə)] *f* Kaper *f*

capricieux [kapʀisjø] *adj* launenhaft

capsule [kapsyl] *f* Kapsel *f*

captateur [kaptatœʀ] *m - d'héritage* Erbschleicher *m*

capter [kapte] *v (TV/radio)* empfangen

capteur [kaptœʀ] *m 1. TECH* Sensor *m; 2. - solaire* Sonnenkollektor *m*

captif [kaptif] *m* Gefangene *m/f*

captivant [kaptivã] *adj* fesselnd, mitreißend

captivité [kaptivite] *f 1.* Kriegsgefangenschaft *f; 2.* Gefangenschaft *f*

capturer [kaptyʀe] *v 1.* fangen; *2.* gefangennehmen

capuche [kapyʃ] *f* Kapuze *f*

capuchon [kapyʃɔ̃] *m* Kapuze *f*

caqueter [kakte] *v* klatschen

car [kaʀ] *1. konj* denn; *2. m* Bus

caractère [kaʀaktɛʀ] *m 1.* Charakter *m; - facile* verträglicher Charakter; *d'un - ferme* charakterfest; *force de -* Charakterstärke *f; -*

aventureux Abenteuerlichkeit; *- inoffensif* Harmlosigkeit; *2.* Natur *f; être d'un - heureux* ein glückliches Naturell besitzen; *être jeune de -* (im Wesen) jung geblieben sein; *homme de -* willensstarker Mann/starke Persönlichkeit; *3.* Wesen *n; 4.* Schriftart *f; 5. INFORM* Zeichen *n; - spécial* Sonderzeichen; *6. - d'imprimerie* Druckbuchstabe *m*, Type *f*

caractériser [kaʀakteʀize] *v 1.* charakterisieren; *2.* kennzeichnen

caractéristique [kaʀakteʀistik] *adj 1.* typisch; *2.* charakteristisch, bezeichnend; *f 3.* Merkmal *n*, Kennzeichen *n; 4.* Besonderheit *f*

carafe [kaʀaf] *f* Karaffe *f*

carafon [kaʀafɔ̃] *m* Karaffe *f*

carapace [kaʀapas] *f* Panzer *m*

carat [kaʀa] *m* Karat *n*

caravane [kaʀavan] *f 1.* Wohnwagen *m; 2.* Karawane *f*

carboniser [kaʀbɔnize] *v* verkohlen

carburant [kaʀbyʀã] *m (auto)* Brennstoff *m*, Kraftstoff *m*

carburateur [kaʀbyʀatœʀ] *m (Auto)* Vergaser *m*

carcasse [kaʀkas] *f (automobile)* Wrack *n; ma vieille -* meine alten Knochen

carder [kaʀde] *v* krempeln

cardigan [kaʀdigã] *m* (Woll-)Jacke *f*

cardinal [kaʀdinal] *1. adj* hauptsächlich; *2. m* Kardinal *m*

carême [kaʀɛm] *m* Fastenzeit *f; faire - fasten*

carence [kaʀãs] *f - en vitamines* Vitaminmangel *m*

carène [kaʀɛn] *f (bateau)* Rumpf *m*

caresser [kaʀese] *v* streicheln

cargaison [kaʀgɛzɔ̃] *f* Ladung *f*

cargo [kaʀgo] *m* Frachter *m*

caricature [kaʀikatyʀ] *f* Karikatur *f; faire une -* karikieren

caricaturer [kaʀikatyʀe] *v* karikieren

carie [kaʀi] *f* Karies *f*

carillon [kaʀijɔ̃] *m* Glockengeläute *n*

carlingue [kaʀlɛ̃g] *f* Rumpf *m*

carnage [kaʀnaʒ] *m 1.* Blutvergießen *n; 2.* Gemetzel *n*

carnassier [kaʀnasje] *m* Raubtier *n*

carnaval [kaʀnaval] *m* Karneval *m*, Fasching *m*

carnet [kaʀnɛ] *m 1. - de notes* Notizbuch *n; 2. - de chèques* Scheckbuch *n; 3. - de*

vaccination Impfschein *m*; 4. ~ *de rendez-*
-vous Terminkalender *m*
carnivore [karnivɔr] *m* 1. Fleischfresser
m; 2. Raubtier *n*
carotide [karɔtid] *f* Halsschlagader *f*
carotte [karɔt] *f* Karotte *f*
carpe [karp] *f* Karpfen *m*; *bâiller comme*
une ~ mehrmals herzhaft gähnen
carpette [karpɛt] *f (tapis)* Brücke *f*
carré [kare] *m* 1. Quadrat *n*; 2. *(écharpe)*
(Hals-)Tuch *n*; 3. *adj* quadratisch, viereckig
carreau [karo] *m* 1. Platte *f*; *rester sur le* ~
auf der Strecke bleiben; *à ~x* kariert; 2. Fliese *f*; ~ *de faïence* Kachel; 3. ~ *de verre*
Glasscheibe *f*
carrefour [karfur] *m* 1. Kreuzung *f*; 2.
(fig) Kreuzweg *m*
carreler [karle] *v* fliesen
carrément [karemã] *adv* unumwunden,
klipp und klar
carrière [karjɛr] *f* 1. Karriere *f*, Laufbahn *f*; *suivre une* ~ eine Laufbahn einschlagen; 2. Steinbruch *m*
carrosse [karɔs] *m* Kutsche *f*
carrosserie [karɔsri] *f* Karosserie *f*
cartable [kartabl(ə)] *m* 1. *(sac)* Mappe *f*;
2. Schulranzen *m*
carte [kart] *f* 1. Karte *f*; *jouer la* ~ *de qc*
auf etw setzen; *jouer* ~*s sur table* mit offenen
Karten spielen; *donner* ~ *blanche à qn* jdm
freie Hand lassen; ~ *d'abonnement* Dauer-
karte; ~ *d'entrée* Eintrittskarte; ~ *grise* Fahrzeugschein; ~ *de vœux/félicitation(s)* Glück-
wunschkarte; ~ *bancaire* Scheckkarte; ~ *sco-*
laire Schülerausweis; ~ *postale* Ansichtskarte, Postkarte; 2. GEO (Land-)Karte; ~
météo(rologique) Wetterkarte; 3. *(restau-*
rant) Speisekarte *f*; 4. ~ *d'identité* Personalausweis *m*
cartel [kartɛl] *m ECO* Kartell *n*
cartilage [kartilaʒ] *m* Knorpel *m*
carton [kartõ] *m* 1. Karton *m*; 2. Pappe *f*;
~ *ondulé* Wellpappe *f*; 3. Pappkarton *m*
cartouche [kartuʃ] *f* 1. *(arme)* Patrone
f; *à blanc* Platzpatrone *f*; 2. ~ *d'encre*
(Tinten-) Patrone *f*
cas [ka] 1. *m* Fall *m*; *en aucun* ~ auf keinen
Fall/keinesfalls; *C'est le* ~ *ou jamais!* Jetzt
oder nie! *faire grand* ~ *de qn* auf jdn große
Stücke halten; *en tout* ~ jedenfalls; *le* ~
échéant gegebenenfalls; ~ *de conscience*
Gewissensfrage; ~ *exceptionnel* Ausnahmefall; ~ *isolé* Einzelfall; ~ *unique* Einzelfall; ~

où les choses deviennent graves Ernstfall *m*;
~ *limite* Grenzfall; ~ *de force majeure*
Zwangslage; ~ *de décès* Sterbefall; ~ *d'ur-*
gence Notfall; 2. *konj au* ~ *où* falls
casanier [kazanje] *adj* häuslich
cascade [kaskad] *f* Wasserfall *m*
casemate [kazmat] *f* Bunker *m*
caser [kaze] *v* verstauen
caserne [kazɛrn(ə)] *f* Kaserne *f*
casier [kazje] *m* Fach *n*, Ablagefach *n*
casino [kazino] *m* Kasino *n*, Spielbank *f*
casque [kask(ə)] *m* 1. Helm *m*, Sturzhelm
m; 2. Kopfhörer *m*; 3. Trockenhaube *f*
casquer [kaske] *v (fam)* blechen
casquette [kaskɛt] *f* Mütze *f*
cassant [kasã] *adj* 1. zerbrechlich; 2.
brüchig; 3. *(matériel)* spröde
cassé [kase] *adj* 1. *(brisé)* geknickt; 2. *(en*
deux) kaputt, entzwei
casse-croûte [kaskrut] *m* Imbiß *m*,
Schnellimbiß *m*
casse-gueule [kasgœl] *m C'est* ~. Das ist
ja lebensgefährlich/draufgängerisch.
casse-noix/-noisettes [kasnwa/zɛt] *m*
Nußknacker *m*
casse-pieds [kaspje] *m* Quälgeist *m*; *être*
~ lästig/aufdringlich sein
casser [kase] *v* 1. brechen, zerbrechen; *se*
~ *le cou* sich den Genick brechen; *les pieds*
à qn jdm auf die Nerven gehen; 2. einwerfen;
3. ~ *qc* kaputtmachen; 4. *(noix)* knacken; 5.
(dents) herausbrechen; 6. *se* ~ kaputtgehen;
7. *se* ~ *en deux* entzweigehen; 8. *se* ~ *(fig)*
zerbrechen; 9. *se* ~ *le tronc* sich abstrampeln
casserole [kasrɔl] *f* Kochtopf *m*, Topf *m*
casse-tête [kastɛt] *m* Kopfzerbrechen *n*;
être un ~ *pour qn* jdm viel Kopfzerbrechen
bereiten
cassette [kasɛt] *f* Kassette *f*; *mini-* Musikkassette; ~ *vidéo* Videokassette
cassis [kasis] *m (noir)* (schwarze) Johannisbeere *f*
cassure [kasyr] *f* 1. Bruch *m*; 2. Bruchstelle *f*
castrer [kastre] *v* kastrieren
catalogue [katalɔg] *m* 1. Liste *f*; 2. Katalog *m*
cataloguer [katalɔge] *v* katalogisieren
catalyseur [katalizœr] *m* Katalysator *m*
catarrhe [katar] *m* Katarrh *m*
catastrophe [katastrɔf] *f* Katastrophe *f*;
Quelle ~! Was für eine Katastrophe!
catégorie [kategɔri] *f* 1. Gruppe *f*, Klasse *f*; ~ *salariaire* Gehaltsgruppe; 2. Sachgebiet *n*

catégorique [kategɔʀik] adj 1. (décidé) bestimmt; 2. kategorisch
cathédrale [katedʀal] f Dom m, Münster n
catholique [katɔlik] adj 1. katholisch; Ce n'est pas très ~. Das ist nicht ganz astrein./ Da ist etw faul. 2. (religion) römisch-katholisch; 3. m/f Katholik m
cauchemar [koʃmaʀ] m Alptraum m
cause [koz] f 1. JUR Fall m; 2. (motif) Grund m; Quelle en est la ~? Was ist der Grund dafür? ~ de divorce Scheidungsgrund; 3. Ursache f; être la ~ de verursachen, verschulden; 4. Veranlassung f; 5. prep à ~ de über, wegen; à ~ de cela deswegen; à ~ de moi meinetwegen; à ~ de lui seinetwegen
causer [koze] v 1. verursachen; 2. anrichten; 3. bereiten; ~ des dégâts jdm Schaden bereiten/zufügen; 4. bewirken; 5. erzeugen; 6. herbeiführen; 7. (fig) auslösen; 8. plaudern, schwatzen
caustique [kostik] adj beißend
caution [kosjɔ̃] f 1. Gewähr f; 2. Kaution f; 3. Bürgschaft f; 4. (personne) Bürge m
cautionner [kosjone] v se ~ sich verbürgen
cavalier [kavalje] m 1. Kavalier m; 2. Reiter m
cave [kav] f Keller m
caveau [kavo] m Gruft f
caverne [kavɛʀn] f Höhle f
caves [kav] f/pl Kellerei f
caviar [kavjaʀ] m Kaviar m
cavité [kavite] f 1. Höhle f; 2. Hohlraum m
ce [sə] pron 1. es, das, dies; c'est la raison pour laquelle/c'est pour cela que/c'est pour cette raison que darum; ~ soir heute abend; ~ midi heute mittag; 2. ~ qui/que (relatif) was; ~ qui était/durait jusqu'à présent bisherig; ~ qui est imprimé en petits caractères Kleingedruckte n; 3. ~ /cet/cette/ceci dies(e,er,es); cette fois-ci diesmal; 4. ~ /cette,ces jene(r,s)
ceci [səsi] 1. dem pron das; 2. adv à ~ hierbei, hierzu
cécité [sesite] f Blindheit f
céder [sede] v 1. lassen, überlassen; Il ne lui cède en rien. Er steht ihm in nichts nach. 2. ne pas ~ durchhalten, widerstehen; 3. (vendre) überlassen; 4. weichen, nachgeben; 5. (documents) übertragen
ceinture [sɛ̃tyʀ] f 1. Gurt m; faire ~ de sich etw verkneifen; ~ de sécurité Sicher-

heitsgurt m; 2. Gürtel m; se serrer la ~ den Gürtel enger schnallen; 3. (d'une jupe) Bund m
cela [səla] 1. dem pron das; ceci ou ~ dies oder jenes; ~ revient à dire que... Das heißt../ Das läuft darauf hinaus... ~ tient à ce que... Das kommt davon, daß... ~ va tout seul. Das ist ganz einfach./ Das ergibt sich von selbst. adv 2. pour ~ dafür; 3. à ~ (local) dagegen; 4. avec ~ damit; 5. pour ~ deshalb; 6. de ~ daran, daraus; 7. d'après ~ (par la suite) daraufhin; 8. en ~ darin, hiermit
célébration [selebʀasjɔ̃] f Feier f; ~ du mariage Hochzeitsfeier
célèbre [selɛbʀ(ə)] adj berühmt
célébrer [selebʀe] v 1. feiern; 2. REL abhalten; 3. (fête) begehen; 4. REL loben
célébrité [selebʀite] f 1. Berühmtheit f; 2. Prominenz f
céleri [selʀi] m Sellerie m
céleste [selɛst] adj himmlisch
célibat [seliba] m Zölibat n
célibataire [selibatɛʀ] 1. adj (femme/homme) ledig, unverheiratet; 2. m Junggeselle m; 3. m/f Alleinstehende m/f
cellier [selje] m 1. Keller m; 2. Vorratskammer f
cellule [sɛlyl] f 1. BIO Zelle f; ~ germinale Keimzelle; 2. (prison) Zelle f, Gefängniszelle f; 3. ~ solaire Solarzelle f; 4. REL Klause f
cellulose [sɛlyloz] f 1. Zellstoff m; 2. ~ végétale Ballaststoffe pl
celui [səlɥi] pron der derjenige
celui-ci/ celle-ci/ ceux-ci [səlɥisi/sɛlsi/søsi] dem pron 1. das; 2. dies(e,er,es)
celui-là/ celle-là/ ceux-là [səlɥila/sɛlla/søla] pron jene(r,s)
cendre [sɑ̃dʀ(ə)] f Asche f
cendrier [sɑ̃dʀije] m Aschenbecher m, Ascher m
cène [sɛn] f Abendmahl n
censure [sɑ̃syʀ] f Zensur f
centimètre [sɑ̃timɛtʀ(ə)] m Zentimeter m
central [sɑ̃tʀal] 1. adj zentral; 2. m ~ téléphonique Telefonzentrale f
centrale [sɑ̃tʀal] f 1. Zentrale f; 2. ~ électrique Elektrizitätswerk n; 3. ~ nucléaire Atomkraftwerk n; 4. ~ thermique Heizkraftwerk n
centre [sɑ̃tʀ(ə)] m 1. Zentrum/Zentren n; ~ de la ville Innenstadt; ~ d'acceuil pour réfugiés Auffanglager; ~ professionnel Berufsschule; ~ (téléphonique) interurbain

Fernamt; ~ de gymnastique Fitneßcenter; 2.
Mittelpunkt *m*, Mitte *f*; 3. *(fig)* Kern *m*; 4.
Brennpunkt *m*; ~ de gravité Schwerpunkt
centrer [sɑ̃tʀe] *v* zentrieren
cependant [s(ə)pɑ̃dɑ̃] *konj* dennoch, jedoch
céramique [seʀamik] *f* Keramik *f*
cercle [sɛʀkl(ə)] *m* 1. Kreis *m*; ~ polaire
(arctique,antarctique) Polarkreis *m*; 2. Ring
m; 3. *(club)* Klub *m*, Klubhaus *n*; 4. *(société)*
Runde *f*; 5. *(entourage)* Umkreis *m*
cercueil [sɛʀkœj] *m* Sarg *m*
céréales [seʀeal] *f/pl* Getreide *n*, Korn *n*
cérémonial [seʀemɔnjal] *m* 1. Etikette *f*;
2. Förmlichkeit *f*
cérémonie [seʀemɔni] *f* 1. Akt *m*, Zeremonie *f*; ~ officielle Staatsakt *m*; 2. Feier *f*;
3. ~ protocolaire Siegerehrung *f*
cérémonies [seʀemɔni] *f/pl* Umständ-
lichkeit *f*; faire des ~ Umstände machen
cérémonieux [seʀemɔnjø] *adj* feierlich
cerf [sɛʀ] *m* Hirsch *m*
cerise [s(ə)ʀiz] *f* Kirsche *f*
certain [sɛʀtɛ̃] *adj* 1. bestimmt, gewiß; 2.
sicher, zweifellos; 3. manche(r,s)
certes [sɛʀt(ə)] *adv* 1. freilich; 2. *(constatation)* freilich; 3. *konj* zwar
certificat [sɛʀtifika] *m* Bescheinigung *f*; ~
médical Attest; ~ de bonne conduite Füh-
rungszeugnis; ~ de vaccination Impfschein; ~
scolaire Schulzeugnis
certifier [sɛʀtifje] *v* 1. bescheinigen; 2. beglaubigen
certitude [sɛʀtityd] *f* 1. Sicherheit *f*, Bestimmtheit *f*; 2. Gewißheit *f*
cerveau [sɛʀvo] *m* Gehirn *n*, Hirn *n*
cessation [sesasjɔ̃] *f* 1. Unterbrechung
f; 2. ~ d'abonnement *(journal)* Abbestellung
f; 3. *(d'un paiement)* Einstellung *f*; 4. Stillstand *m*; 5. ~ d'activité *(commerce)* Auflösung *f*
cesser [sese] *v* 1. aufhören; 2. einstellen; 3.
~ les activités *(commerce)* auflösen
chacun [ʃakœ̃] *pron* 1. jede(r,s); 2. je
chagrin [ʃagʀɛ̃] *m* 1. Kummer *m*, Gram *f*;
2. *(tristesse)* Leiden *n*; 3. Trübsal *f*
chagriner [ʃagʀine] *v se* ~ sich grämen
chaîne [ʃɛn] *f* 1. Kette *f*; ~ de montagne
Bergkette; 2. Halskette *f*; 3. ~ de montage
Fließband *n*; 4. ~ stéréo Stereoanlage *f*
chaînon [ʃɛnɔ̃] *m* Kettenglied *n*
chair [ʃɛʀ] *f* Fleisch *n*; Ça me donne la ~
de poule. Davon bekomme ich Gänsehaut.

être bien en ~ rundlich/gut beieinander sein
chaire [ʃɛʀ] *f* 1. Lehrstuhl *m*, Professur *f*;
2. Rednerpult *n*; 3. *REL* Kanzel *f*
chaise [ʃɛz] *f* Stuhl *m*; ~ longue Liegestuhl
m, Liege *f*
châle [ʃal] *m* Schal *m*
chalet [ʃalɛ] *m (de montagne)* Berghütte *f*
chaleur [ʃalœʀ] *f* 1. Wärme *f*; grande ~
Hitze; ~ perdue Abwärme *f*; 2. ~ torride
Glut *f*, Hitze *f*; 3. Brunst *f*; en ~ läufig
chaleureux [ʃalœʀø] *adj* warmherzig
Chambre [ʃɑ̃bʀ(ə)] *f* ~ du commerce et
de l'industrie Industrie- und Handelskammer *f*
chambre [ʃɑ̃bʀ(ə)] *f* 1. Zimmer *n*; ~ à
coucher Schlafzimmer; faire ~ à part getrennt schlafen; ~ d'étudiant Bude; ~ pour
deux personnes Doppelzimmer; ~ pour une
personne Einzelzimmer; ~ d'hôte Fremden-
zimmer; ~ d'hôtel Hotelzimmer; ~ noire FO-
TO Dunkelkammer; ~ à provisions Vorratskammer; 2. Stube *f*; 3. *POL* Kammer *f*; ~ des
députés Abgeordnetenhaus
chamois [ʃamwa] *m* Gemse *f*
champ [ʃɑ̃] *m* 1. Acker *m*, Feld *n*; 2. ~
d'activité Betätigungsfeld *n*; laisser le ~ libre
jdm freie Hand lassen; 3. ~ visuel Sichtweite
f
champagne [ʃɑ̃paɲ] *m* Champagner *m*
champêtre [ʃɑ̃pɛtʀ(ə)] *adj* ländlich
champignon [ʃɑ̃piɲɔ̃] *m* 1. *BOT/MED*
Pilz *m*; 2. ~ de Paris Champignon *m*
champion [ʃɑ̃pjɔ̃] *m* 1. Meister *m*, Champion *m*; ~ du monde Weltmeister; 2. As *n*
championnat [ʃɑ̃pjɔna] *m* 1. Kampf *m*,
Wettkampf *m*; ~ d'Europe Europameister-
schaft *f*; 2. Turnier *n*; ~ du monde Weltmeisterschaft *f*
champs [ʃɑ̃] *m/pl* Flur *f*
chance [ʃɑ̃s] *f* 1. Chance *f*; Il y a une ~
sur deux. Die Chancen stehen gleich. C'est
une ~ à courir. Es lohnt, es zu versuchen. ~ de
survie Überlebenschance *f*; 2. Glück *n*;
Bonne ~! Viel Glück! tenter sa ~ sein Glück
versuchen
chanceler [ʃɑ̃sle] *v* schwanken
chancelier [ʃɑ̃səlje] *m* Kanzler *m*; ~ de
l'Allemagne fédérale Bundeskanzler *m*
chandelier [ʃɑ̃dəlje] *m* 1. Kerzenständer
m; 2. Leuchter *m*
chandelle [ʃɑ̃dɛl] *f* Kerze *f*
change [ʃɑ̃ʒ] *m* 1. *(monétaire)* Wechsel *m*,
Geldwechsel *m*; 2. *ECO* Valuta *f*

changeant [ʃãʒã] *adj* 1. veränderlich; 2. sprunghaft; 3. *(variable)* unbeständig

changement [ʃãʒmã] *m* 1. Veränderung *f*, Änderung *f*; ~ *de climat* Klimaveränderung; ~ *de vitesse* Gangschaltung; ~ *de réservation* Umbuchung; *faire son* ~ sich abmelden; 2. Abänderung *f*; 3. Umwandlung *f*, Verwandlung *f*; 4. Wechsel *m*; ~ *de génération* Generationswechsel; ~ *d'équipe* Schichtwechsel; ~ *d'orientation* Kurswechsel; ~ *brusque* Umschwung; 5. JUR Wandlung *f*

changer [ʃãʒe] *v* 1. ~ *qc* ändern, verändern; *Rien n'a changé.* Alles ist beim Alten. ~ *d'idée* seine Ansicht ändern; ~ *de train* umsteigen; *se* ~ sich umziehen; ~ *de vêtements* sich umziehen; ~ *de vitesse* schalten; ~ *de nom* umbenennen; 2. wechseln, auswechseln; ~ *d'adresse* umziehen; 3. umtauschen; 4. tauschen; 5. TECH tauschen; 6. *(fig)* umschlagen; 7. ~ *en* verzaubern in, verwandeln; 8. *(domicile)* verlegen; 9. *(transformer)* verwandeln

chanson [ʃãsõ] *f* Lied *n*; ~ *d'amour* Liebeslied; ~ *populaire* Volkslied

chansonnier [ʃãsɔnje] *m* 1. Liedermacher *m*; 2. THEAT Kabarettist *m*

chant [ʃã] *m* 1. Gesang *m*; 2. Lied *n*; ~ *folklorique* Volkslied; 3. ~ *des oiseaux* Vogelgezwitscher *n*

chantage [ʃãtaʒ] *m* Erpressung *f*

chanter [ʃãte] *v* 1. singen; *Si ça vous chante.* Wenn Sie Lust dazu haben. 2. zwitschern; 3. *(coq)* krähen; 4. *faire* ~ *qn* jdn erpressen; *faire* ~ *qn* jdn unter Druck setzen/erpressen

chanteur [ʃãtœʀ] *m* Sänger *m*; ~ *d'opéra* Opernsänger; ~ *à la mode* Schlagersänger

chantier [ʃãtje] *m* 1. ~ *de construction* Baustelle *f*; 2. ~ *naval* Werft *f*; 3. NAUT Stapel *m*

chaos [kao] *m* Chaos *n*

chaotique [kaɔtik] *adj* chaotisch

chapeau [ʃapo] *m* Hut *m*

chapelain [ʃaplɛ̃] *m* Kaplan *m*

chapelle [ʃapɛl] *f* Kapelle *f*

chaperon [ʃap(ə)ʀõ] *m* Anstandsdame *f*

chapiteau [ʃapito] *m* *(cirque)* Zelt *n*, Zirkuszelt *n*

chapitre [ʃapitʀ(ə)] *m* Kapitel *n*

chaque [ʃak] 1. *adj* jede(r,s); ~ *semaine* wöchentlich; ~ *soir* allabendlich; ~ *trimestre* vierteljährlich; ~ *fois* jeweils; 2. *prep* je

char [ʃaʀ] *m* ~ *d'assaut* Tank *m*, Panzer *m*

charade [ʃaʀad] *f* Silbenrätsel *n*

charbon [ʃaʀbõ] *m* 1. Kohle *f*; ~ *de bois* Holzkohle *f*; 2. Steinkohle *f*

charcuterie [ʃaʀkytʀi] *f* Wurstwaren *pl*

charge [ʃaʀʒ(ə)] *f* 1. Ladung *f*; *prendre en* ~ übernehmen; ~ *électrique* elektrische Ladung *f*; 2. Last *f*; 3. *(tâche)* Auftrag *m*; 4. *(emploi)* Stellung *f*; 5. ~ *d'âmes* Seelsorge *f*

chargement [ʃaʀʒəmã] *m* 1. Ladung *f*; 2. Verladung *f*; ~ *à bord* Verschiffung *f*; 3. *(marchandise)* Fracht *f*

charger [ʃaʀʒe] *v* 1. laden, beladen; 2. *(camion)* aufladen; 3. verladen; 4. verfrachten; ~ *à bord* verschiffen; 5. *(tâche)* auftragen; ~ *qn d'une tâche* jdm eine Aufgabe auftragen; 6. beauftragen; 7. *se* ~ *de* besorgen, ausführen

charges [ʃaʀʒ(ə)] *f/pl* 1. Lasten *pl*; 2. ~ *sociales* Sozialabgaben *pl*; 3. ~ *fiscales* *(impôt)* Steuern *f/pl*; 4. JUR Belastung *f*

chariot [ʃaʀjo] *m* Leiterwagen *m*, Wagen *m*

charité [ʃaʀite] *f* 1. Barmherzigkeit *f*; 2. Nächstenliebe *f*

charlatan [ʃaʀlatã] *m* 1. Pfuscher *m*, Quacksalber *m*; 2. Scharlatan *m*

charme [ʃaʀm] *m* 1. Anmut *f*, Reiz *m*; *faire du* ~ *à qn* kokettieren; 2. *(fig)* Zauber *m*; 3. Liebreiz *m*

charmer [ʃaʀme] *v* 1. bezaubern; 2. erfreuen

charpente [ʃaʀpãt] *f* ~ *osseuse* Knochenbau *m*

charrue [ʃaʀy] *f* Pflug *m*

charter [ʃaʀtɛʀ] *m* Charterflug *m*

chas [ʃa] *m* Nadelöhr *n*

chasse [ʃas] *f* 1. Jagd *f*; 2. ~ *d'eau* Spülung *f*, Toilettenspülung *f*

chasser [ʃase] *v* 1. jagen; 2. verdrängen; 3. verjagen, verscheuchen

chasseur [ʃasœʀ] *m* Jäger *m*

chat [ʃa] 1. *m (mâle)* Kater *m*; *appeler un* ~ *un* ~ das Kind beim Namen nennen; *Il n'y a pas un* ~. Es ist kein Mensch da. *avoir d'autres* ~*s à fouetter* andere Sorgen haben; *écrire comme un* ~ eine krakelige Schrift haben/schlecht schreiben; 2. *m/f* Katze *f*

châtaigne [ʃatɛɲ] *f* 1. BOT Eßkastanie *f*; 2. BOT Kastanie *f*

château [ʃato] *m* 1. Burg *f*; *s'écrouler comme un* ~ *de cartes* wie ein Kartenhaus zusammenstürzen; 2. ~ *fort* Burg *f*, Ritterburg *f*; 3. Schloß *n*; *bâtir des* ~*x en Espagne* Luftschlösser bauen

châtier [ʃatje] v strafen
châtiment [ʃatimã] m Bestrafung f,
Strafe f
chatouilleux [ʃatujø] adj kitzelig
châtrer [ʃatʀe] v 1. ZOOL verstümmeln; 2.
MED kastrieren
chaud [ʃo] adj 1. heiß; 2. warm; 3. heißblütig; ne faire ni ~ ni froid (fam) jdn kaltlassen
chaudière [ʃodjɛʀ] f Heizkessel m, Kessel m; ~ à vapeur Dampfkessel m
chaudron [ʃodʀõ] m (cuisine) Kessel m;
~ de sorcière (fig) Hexenkessel m
chauffage [ʃofaʒ] m Heizung f; ~ central
Zentralheizung f; ~ à distance Fernheizung
f; ~ au gaz Gasheizung f
chauffard [ʃofaʀ] m Geisterfahrer m
chauffe-eau [ʃofo] m 1. Warmwasserbe-
reiter m; 2. ~ électrique Boiler m
chauffer [ʃofe] v 1. heizen; 2. beheizen; 3.
wärmen; 4. faire ~ erhitzen
chaufferie [ʃofʀi] f Heizkeller m
chauffeur [ʃofœʀ] m 1. Chauffeur m, Fahrer m; 2. Kraftfahrer m
chaume [ʃom] m Stroh n
chaussée [ʃose] f Fahrbahn f
chaussette [ʃosɛt] f Socke f, Strumpf m
chausson [ʃosõ] m Hausschuh m
chaussure [ʃosyʀ] f Schuh m
chaussures [ʃosyʀ] f/pl 1. ~ vernies
Lackschuh m; 2. ~ à pointes Spikes pl
chauve [ʃov] adj kahl, glatzköpfig
chauvinisme [ʃovinism] m Chauvinismus m
chaux [ʃo] f Kalk m
chavirer [ʃaviʀe] v kentern
cheddite [ʃedit] f Dynamit n
chef [ʃɛf] m 1. Chef m, Führer m; être ~ de
file federführend sein; faire qc de son propre ~ etw auf eigene Faust machen; 2. Oberhaupt n; 3. (supérieur) Leiter m; ~ de vente
Verkaufsleiter m; 4. Anführer m
chef-d'œuvre [ʃedœvʀ(ə)] m Meisterstück n
chef-lieu [ʃefljø] m Kreisstadt f
cheik [ʃɛk] m Scheich m
chemin [ʃəmɛ̃] m 1. Weg m; faire son ~
seinen Weg machen; en ~ unterwegs; ~ faisant unterwegs; ~ de fer Eisenbahn f; ~ pié-
tonnier Fußweg; ~ de table Läufer m; ~ de
promenade Spazierweg; indiquer le ~ à qn jdn
zurechtweisen; ~ de croix Kreuzweg; 2. Gehweg m; 3. (étroit) Pfad m

cheminée [ʃəmine] f 1. Kamin m,
Schornstein m; 2. ~ d'usine Schlot m
chemins [ʃəmɛ̃] m/pl ~ de fer allemands
Bundesbahn f
chemise [ʃəmiz] f 1. Hemd n; 2. (filles)
Unterhemd n; 3. Sammelmappe f
chemisier [ʃəmizje] m Bluse f, Hemd-
bluse f
chêne [ʃɛn] m Eiche f
chéneau [ʃeno] m Rinne f
chenille [ʃənij] f TECH/ZOOL Raupe f
chèque [ʃɛk] m Scheck m; ~ de voyage
Reisescheck; ~ postale Postscheck; ~ barré
Verrechnungsscheck; ~ bancaire Bankanwei-
sung; ~ non-barré Barscheck; ~ en blanc
Blankoscheck; par ~ bargeldlos
cher [ʃɛʀ] adj kostspielig, teuer
chercher [ʃɛʀʃe] v 1. forschen; 2. suchen; ~
querelle à qn Streit mit jdm suchen; ~ à égaler qn jdm nacheifern; ~ la petite bête nörgeln
chercheur [ʃɛʀ ʃœʀ] m Forscher m
chéri [ʃeri] m/f Schatz m, Liebling m
chérir [ʃeʀiʀ] v lieben
cheval [ʃaval] m 1. ZOOL Pferd n; ~ de
course Rennpferd; ~ à bascule Schaukel-
pferd; ~ de bataille (fig) Steckenpferd; ~ blanc
Schimmel; 2. ~ d'arçons SPORT Bock m
chevalet [ʃavalɛ] m (peinture) Staffelei f
chevalier [ʃavalje] m 1. Ritter m, 2. ~ d'industrie Hochstapler m
chevauchée [ʃavoʃe] f Ritt m
chevelu [ʃavly] adj behaart
cheveu [ʃavø] m Haar n; s'arracher les ~x
sich die Haare raufen; couper les ~x en quatre Haarspalterei betreiben; se faire des ~x
(blancs) sich Sorgen machen/sich graue Haare wachsen lassen; venir comme un ~ sur la
soupe passen wie die Faust aufs Auge; Il s'en
faut d'un ~. Es hängt am seidenen Faden.
d'un ~ um Haaresbreite; aux ~x gris grauhaarig
cheville [ʃavij] f 1. TECH Bolzen m; 2.
TECH Dübel m; 3. TECH Nagel m; 4. ANAT
Knöchel m; ne pas arriver à la ~ de qn jdm
nicht das Wasser reichen können
chevreuil [ʃavʀœj] m Reh n
chewing-gum [ʃwiŋɡɔm] m Kaugummi
m
chez [ʃe] prep 1. bei; 2. ~ soi nach Hause,
zu Hause; 3. ~ soi Daheim n
chic [ʃik] adj 1. (élégant) flott, schick;
avec ~ schick; 2. schnittig

chicane [ʃikan] f 1. Nörgelei f; 2. Schikane f; faire des ~s schikanieren
chicaner [ʃikane] v 1. nörgeln; 2. schikanieren
chiche [ʃiʃ] adj kleinlich
chien/chienne [ʃjɛ̃/ʃjɛn] m/f Hund/Hündin m/f; Il ne faut pas être ~. Man sollte nicht zu kleinlich sein. ~ d'aveugle Blindenhund; ~ de berger Hirtenhund; ~ de garde Wachhund
chiffon [ʃifɔ̃] m 1. Tuch n; parler ~s von Mode reden; 2. Lumpen m, Lappen m
chiffonner [ʃifɔne] v 1. zerdrücken; 2. zerknittern; 3. se ~ knittern
chiffrage [ʃifraʒ] m ~ statistique Erfassung f
chiffre [ʃifr] m 1. Zahl f, Ziffer f; 2. (code secret) Chiffre f; 3. ~ d'affaires Geschäftsumsatz m
chiffrer [ʃifre] v 1. chiffrieren, verschlüsseln; 2. ~ statistiquement (statistisch) erfassen
chimère [ʃimɛr] f 1. Phantasie f; 2. Wunschtraum m
chimique [ʃimik] adj chemisch
chimiste [ʃimist] m 1. Chemiker m; 2. Laborant m
Chine [ʃin] f China n
chinois [ʃinwa] adj chinesisch; C'est du ~ pour moi. Das sind böhmische Dörfer für mich.
chiot [ʃjo] m Welpe m
chips [ʃips] f/pl Kartoffelchips pl
chirurgie [ʃiryrʒi] f Chirurgie f
chirurgien [ʃiryrʒjɛ̃] m Chirurg m
chlore [klɔr] m Chlor n
choc [ʃɔk] m 1. (coup) Schlag m, Stoß m; ~ retour Rückschlag; 2. Aufprall m; 3. Erschütterung f; 4. Zusammenstoß m; 5. (fig) Erschütterung f; 6. MED Trauma n
chocolat [ʃɔkɔla] m Schokolade f; une tablette de ~ eine Tafel Schokolade
chœur [kœr] m Chor m
choisir [ʃwazir] v 1. auswählen; C'est à vous de ~. Die Entscheidung liegt bei Ihnen. 2. wählen, auswählen; 3. heraussuchen
choix [ʃwa] m 1. Auswahl f, Wahl f; Je n'ai pas le ~. Ich habe keine Wahl. de premier ~ erstklassig; 2. (possibilités) Palette f, Wahlmöglichkeiten pl; au ~ wahlweise; avoir le ~ offenstehen
cholérique [kɔlerik] 1. adj cholerisch; 2. m Choleriker m

chômage [ʃomaʒ] m Arbeitslosigkeit f; au ~ arbeitslos; ~ partiel Kurzarbeit
chope [ʃɔp] f (de bière) Bierkrug m
choquant [ʃɔkɑ̃] adj unanständig
choquer [ʃɔke] v 1. schockieren; 2. mißfallen; 3. ~ qn (fam) anecken
chorégraphie [kɔregrafi] f Choreographie f
chose [ʃoz] f 1. Ding n, Sache f, Gegenstand m: laisser aller les ~s den Dingen ihren Lauf lassen; la même ~ einerlei; avoir l'air tout ~ ganz durcheinander aussehen; ~ principale Hauptsache f; 2. ~ sainte/sacrée Heiligtum n
chou [ʃu] m Kraut n, Kohl m; ~ de Bruxelles Rosenkohl; ~ frisé Wirsing
choucroute [ʃukrut] f Sauerkraut n
chouette [ʃwɛt] 1. adj (fam) famos, prima; 2. f Eule f
chou-fleur [ʃuflœr] m Blumenkohl m
chou-rave [ʃurav] m Kohlrabi m
choyer [ʃwaje] v verwöhnen
chrétien [kretjɛ̃] 1. adj christlich; 2. m Christ m
Christ [krist] m Christus/gén:Christi m
chrome [krom] m Chrom n
chronique [krɔnik] f 1. Chronik f; 2. ~ locale Lokalnachrichten pl; 3. adj chronisch
chronologique [krɔnɔlɔʒik] adj chronologisch
chronomètre [krɔnɔmɛtr] m Stoppuhr f
chuchoter [ʃyʃɔte] v 1. flüstern, hauchen; 2. lispeln; 3. munkeln; On chuchote que.. Es wird gemunkelt,daß..
chute [ʃyt] f 1. Sturz m, Fall m; ~ de pierres Steinschlag; ~ de température Temperatursturz; 2. Absturz m; 3. (effondrement) Untergang m, Zerfall m, Verfall m, Fall m
chuter [ʃyte] v 1. (fig) fallen; 2. (prix) sinken
ci [si] adv (lieu) hier
cibiste [sibist] m (radio, amateur) Funker m
ciblé [sible] adj gezielt
ciboulette [sibulɛt] f Schnittlauch m
cicatrice [sikatris] f Narbe f
cicatriser [sikatrize] v 1. vernarben; 2. se ~ verheilen, heilen
ci-dessus [sidəsy] adj mentionné ~ vorhergehend
ciel [sjɛl] m Himmel m, Firmament n; C'est le ~ qui t'envoie. Dich schickt der Himmel. remuer ~ et terre Himmel und Hölle in Bewegung setzen

cierge [sjɛʀʒ] *m* Kerze *f*
cieux [sjø] *m/pl* Himmel *m*
cigale [sigal] *f* Grille *f*
cigarette [sigaʀɛt] *f* Zigarette *f*
cigogne [sigɔɲ] *f* Storch *m*
ci-inclus [siɛ̃kly] *adv* anbei, beiliegend
ci-joint [siʒwɛ̃] *adj* beiliegend, anbei
cil [sil] *m* Wimper *f*, Augenwimper *f*
cime [sim] *f* GEO Gipfel *m*, Spitze *f*
ciment [simɑ̃] *m* Zement *m*
cimenter [simɑ̃te] *v* 1. zementieren; 2. *(fig)* kitten
cimetière [simtjɛʀ] *m* Friedhof *m*
cinéma [sinema] *m* Filmbranche *f*, Kino *n*; *C'est du ~*. Das ist doch nur Theater.
cinglant [sɛ̃glɑ̃] *adj (fig)* beißend
cintre [sɛ̃tʀ] *m* 1. Bügel *m*; 2. ARCH Bogen *m*
cirage [siʀaʒ] *m* Schuhcreme *f*
circonférence [siʀkɔ̃feʀɑ̃s] *f* Umfang *m*
circonscription [siʀkɔ̃skʀipsjɔ̃] *f* 1. *(administration)* Kreis *m*, Bezirk *m*; 2. *(électorale)* Wahlkreis *m*
circonspect [siʀkɔ̃spɛ] *adj* 1. bedächtig; 2. umsichtig
circonstance [siʀkɔ̃stɑ̃s] *f* 1. Gegebenheit *f*; *de ~* angebracht; 2. Umstand *m*
circonstances [siʀkɔ̃stɑ̃s] *f/pl* 1. Lage *f*; 2. Umstände *pl*; *dans ces ~* unter diesen Umständen; *~ concomitantes* Begleitumstände; 2. Sachverhalt *m*
circuit [siʀkɥi] *m* 1. Rundfahrt *f*; 2. *(voiture)* Rennbahn *f*, Autorennbahn *f*; 3. Stromkreis *m*; 4. *(fig)* Kreislauf *m*
circulaire [siʀkylɛʀ] *f* 1. *(ordre)* Anordnung *f*; 2. Rundschreiben *n*
circulation [siʀkylasjɔ̃] *f* Verkehr *m*, Straßenverkehr *m*; *~ réservée aux riverains* Anliegerverkehr; *libre ~* Freizügigkeit; *~ en sens inverse* Gegenverkehr; *~ à droite* Rechtsverkehr; *~ sanguine* Kreislauf
circuler [siʀkyle] *v* 1. kursieren; 2. *faire ~* durchgeben; 3. *(sang)* pulsieren
cire [siʀ] *f* Wachs *n*
cirque [siʀk] *m* Zirkus *m*
ciseau [sizo] *m* Meißel *m*
ciseaux [sizo] *m/pl* Schere *f*
citation [sitasjɔ̃] *f* Zitat *n*
cité [site] *f* 1. *(petite agglomération)* Siedlung *f*; 2. Altstadt *f*; 3. *adj - ci-dessus* obengenannt
citer [site] *v* 1. *(citation)* anführen, zitieren; 2. JUR vorladen

citerne [sitɛʀn] *f* 1. Tank *m*; 2. Zisterne *f*
citoyen [sitwajɛ̃] *m* 1. Bürger *m*; 2. Staatsbürger *m*, Staatsangehöriger *m*
citron [sitʀɔ̃] *m* Zitrone *f*
citronnade [sitʀɔnad] *f* Zitronenlimonade *f*
citrouille [sitʀuj] *f* Kürbis *m*
civil [sivil] *adj* 1. manierlich; 2. zivil; 3. *(légal)* bürgerlich
civilisation [sivilizasjɔ̃] *f* 1. Kultur *f*; 2. Zivilisation *f*
civilité [sivilite] *f* Umgangsformen *pl*
clair [klɛʀ] *adj* 1. licht, hell; 2. *(liquide)* klar; 3. durchsichtig; 4. eindeutig; 5. deutlich, klar; *parler ~* sich klar ausdrücken; *~ comme de l'eau de roche* glasklar; 6. anschaulich, übersichtlich; 7. einleuchtend; 8. *(son)* hell; 9. blank; 10. *(temps)* heiter; 11. *m ~ de lune* Mondschein *m*
clairière [klɛʀjɛʀ] *f (forêt)* Lichtung *f*
clairsemé [klɛʀsəme] *adj* 1. *(chose)* dünn; 2. *(pas dense)* licht
clairvoyant [klɛʀvwajɑ̃] *adj (fig)* weitsichtig
clan [klɑ̃] *m* Sippe *f*
clandestin [klɑ̃dɛstɛ̃] *adj* heimlich
clapet [klapɛ] *m* 1. Klappe *f*; 2. TECH Ventil *n*
clapoter [klapɔte] *v* plätschern
claque [klak] *f* Ohrfeige *f*
claquer [klake] *v* 1. *(bruit)* klatschen; 2. klappern, knallen; *~ des dents* bibbern
clarification [klaʀifikasjɔ̃] *f* Klärung *f*
clarifier [klaʀifje] *v* klären
clarinette [klaʀinɛt] *f* Klarinette *f*
clarté [klaʀte] *f* 1. Licht *n*, Schein *m*; 2. Helligkeit *f*; 3. *(liquide)* Klarheit *f*; 4. Deutlichkeit *f*; 5. Eindeutigkeit *f*
classe [klas] *f* 1. *(catégorie)* Klasse *f*; *~ scolaire* Klasse; *~ économique* Touristenklasse; 2. *(qualité)* Rang *m*; 3. *(fig)* Format *n*; 4. *(placement)* Stand *m*; *être conscient de sa ~* klassenbewußt sein; *~ moyenne* Mittelklasse; 5. MIL Jahrgang *m*; *~ d'âge* Altersklasse; 6. Unterrichtsstunde *f*; *heure de ~* Unterrichtsstunde; *passer dans la ~ supérieure (école)* Klasse
classement [klasmɑ̃] *m* 1. Ordnung *f*; 2. Ablage *f*; 3. Einteilung *f*, Klassifikation *f*; 4. Plazierung *f*; 5. SPORT Wertung *f*
classer [klase] *v* 1. ordnen, sortieren; 2. aussortieren; 3. einordnen, einstufen; 4. zuordnen; 5. *(des documents)* ablegen

classeur [klasœʀ] *m* 1. Sammelmappe *f;* 2. Hefter *m,* Ordner *m*
classification [klasifikasjɔ̃] *f* 1. Gliederung *f,* Klassifikation *f;* 2. Unterteilung *f*
classifier [klasifje] *v* unterteilen
classique [klasik] *adj* 1. humanistisch; 2. zeitlos, klassisch; 3. *f (style)* Klassik *f; musique* ~ Klassik; 4. *m* Klassiker *m*
clause [kloz] *f* Klausel *f;* ~ *de la nation la plus favorisée* Meistbegünstigungsklausel *f*
clavecin [klavsɛ̃] *m* Cembalo *n*
clavicule [klavikyl] *f* Schlüsselbein *n*
clavier [klavje] *m* Tastatur *f*
clé/clef [kle] *f* 1. Schlüssel *m;* ~ *de contact (voiture)* Zündschlüssel *m;* 2. Türschlüssel *m*
clémence [klemɑ̃s] *f* 1. Gnade *f; avec* ~ gnädig; 2. Milde *f*
clergé [klɛʀʒe] *m* Klerus *m*
cliché [kliʃe] *m* 1. Klischee *n;* 2. FOTO Aufnahme *f*
client [klijɑ̃] *m* 1. Gast *m;* 2. Kunde *m,* Klient *m;* ~ *régulier* Stammkunde
clientèle [klijɑ̃tɛl] *f* Kundschaft *f*
cligner [kliɲe] *v* ~ *des yeux* blinzeln, zwinkern
clignotant [kliɲotɑ̃] 1. *m (voiture)* Blinker *m;* 2. *adj feu* ~ Blinklicht *n*
clignoter [kliɲote] *v* 1. blinzeln; 2. TECH blinken
climat [klima] *m* Klima *n;* ~ *de travail* Betriebsklima; ~ *montagnard* Gebirgsklima
climatiseur [klimatizœʀ] *m* Klimaanlage *f*
clinique [klinik] 1. *f* Klinik *f;* 2. *adj* klinisch
cliqueter [klikte] *v (son)* klirren
clochard [kloʃaʀ] *m (fam)* Gammler *m*
cloche [kloʃ] *f* Glocke *f*
clocher [kloʃe] *m* 1. Glockenturm *m;* 2. ~ *d'église* Kirchturm *m,* Turm *m*
clochette [kloʃɛt] *f* Glockenblume *f*
cloison [klwazɔ̃] *f* 1. Wand *f;* 2. Verschlag *m*
cloître [klwatʀ] *m* Kreuzgang *m*
clopiner [klopine] *v* humpeln
cloque [klok] *f* Blase *f*
clore [klɔʀ] *v* schließen
cloro-fluoro-carbone (C.F.C.) [klɔʀoflyɔʀokaʀbɔn] *m* Fluorchlorkohlenwasserstoff *m*
clos [klo] *adj* geschlossen
clôture [klotyʀ] *f* 1. Schluß *m; heure de* ~ Sperrstunde; 2. *(balance commerciale)* Ab-

schluß *m;* ~ *de l'exercice* Jahresabschluß; 3. Zaun *m;* 4. Umfassung *f,* Einzäunung *f;* 5. Schranke *f*
clôturer [klotyʀe] *v* umzäunen
clou [klu] *m* 1. Clou *m;* 2. TECH Nagel *m;* ~ *sans tête* Stift; *maigre comme un* ~ klapperdürr; 3. ~ *de girofle* Nelke *f*
clouer [klue] *v* 1. *(fixer)* anschlagen; 2. nageln; 3. ~ *au pilori* anprangern
club [klœb] *m* 1. Verein *m,* Klub *m;* ~ *sportif* Sportverein; 2. Klubhaus *n;* 3. ~ *de golf* Golfschläger *m*
coaguler [koagyle] *v se* ~ gerinnen
coaliser [koalize] *v se* ~ à/avec sich verbünden
coalition [koalisjɔ̃] *f* POL Koalition *f*
coasser [koase] *v* quaken
cocaïne [kokain] *f* Kokain *n*
cocasse [kokas] *adj* drollig
cocher [koʃe] *m* Kutscher *m*
cochon [koʃɔ̃] *m* 1. ZOOL Schwein *n;* 2. *(fam)* Sau *f;* 3. *petit* ~ *(fam)* Schmutzfink *m;* 4. *(fig)* Ferkel *n;* ~ *de lait* Spanferkel
cocktail [koktɛl] *m* Cocktail *m*
cocon [kokɔ̃] *m* ZOOL Puppe *f*
cocotte-minute [kokotminyt] *f* Dampfkochtopf *m*
code [kod] *m* 1. Kennziffer *f,* Code *m;* ~ *barres* Strichcode; 2. JUR Gesetzbuch *n;* ~ *civil* bürgerliches Gesetzbuch; ~ *pénal* Strafgesetzbuch; 3. ~ *de la route* Straßenverkehrsordnung *f;* 4. *(fig)* Schlüssel *m*
coder [kode] *v* verschlüsseln, kodieren
codes [kod] *m/pl* Abblendlicht *n*
cœur [kœʀ] *m* 1. ANAT Herz *n; en avoir gros sur le* ~ großen Kummer haben; *écouter son* ~ seinem Herzen folgen; *Le* ~ *n'y est pas. Er ist mit den Gedanken ganz woanders. soulever le* ~ Ekel erregen; à ~ *ouvert* freimütig; *de bon* ~ freudig; *J'ai mal au* ~. Mir wird übel. 2. *(fig: essentiel)* Kern *m;* 3. Mittelpunkt *m;* 4. *adv par* ~ auswendig
coffre [kofʀ] *m* 1. *(de voiture)* Kofferraum *m;* 2. Kasten *m;* 3. Truhe *f*
coffre-fort [kofʀfɔʀ] *m* Safe *m,* Tresor *m*
cogérer [koʒeʀe] *v* mitbestimmen
cogner [koɲe] *v* 1. anstoßen, stoßen; 2. *(moteur)* klopfen; 3. *(battre)* schlagen
cognition [koɲisjɔ̃] *f* Erkenntnis *f*
cohérent [koeʀɑ̃] *adj* einheitlich
cohésion [koezjɔ̃] *f* Zusammenhalt *m*
cohue [koy] *f* Gedränge *n*
coiffe [kwaf] *f* Haube *f*

coiffer [kwafe] v frisieren
coiffeur/coiffeuse [kwafœʀ/øz] m/f Friseur/Friseuse m/f
coiffure [kwafyʀ] f Frisur f
coin [kwɛ̃] m 1. Ecke f; petit ~ Abort; ~ repas Eßecke; du ~ hiesig; 2. Keil m; 3. (fig) Winkel m; 4. petit ~ Plätzchen n
coincer [kwɛ̃se] v se~ klemmen, festsitzen
coïncider [kɔɛ̃side] v 1. ~ avec (être égal à) übereinstimmen; 2. ~ avec (temp) zusammenfallen
col [kɔl] m 1. Kragen m; 2. (montagne) Paß m; 3. (bouteille) Hals m
colère [kɔlɛʀ] f 1. Wut f, Ärger m; passer sa ~ sur qn seinen Zorn auslassen; laisser éclater sa ~ seinen Zorn auslassen; en ~ zornig, wild, wütend
colérique [kɔleʀik] adj jähzornig
colibacille [kɔlibasil] m Kolibakterie f
colique [kɔlik] f Kolik f
colis [kɔli] m 1. Paket n; ~ postal Paket; 2. ECO Stückgut n; 3. ~ exprès Expreßgut n
collaboration [kɔlabɔʀasjɔ̃] f 1. Mitarbeit f, Mitwirkung f; 2. Zusammenarbeit f
collaborer [kɔlabɔʀe] v 1. ~ à teilnehmen; 2. mitarbeiten
collant [kɔlɑ̃] adj 1. (vêtement) anliegend, hauteng; 2. klebrig
collants [kɔlɑ̃] m/pl Strumpfhose f
collation [kɔlasjɔ̃] f Imbiß m
colle [kɔl] f Klebstoff m, Leim m; avoir une ~ (école) nachsitzen
collecte [kɔlɛkt] f 1. Sammlung f; 2. (impôts) Erhebung f; 3. ~ des ordures ménagères Müllabfuhr f
collecter [kɔlɛkte] v sammeln
collection [kɔlɛksjɔ̃] f Sammlung f, Kollektion f
collège [kɔlɛʒ] m Oberschule f
collègue [kɔlɛg] m Kollege m
coller [kɔle] v 1. kleben, haften; ~ contre ankleben; 2. (fixer) kleben, heften; 3. verkleben; 4. zukleben; 5. (fig: réussir) klappen
collet [kɔlɛ] m Schlinge f
collier [kɔlje] m Halsband n, Halskette f; ~ de perles Perlenkette
colline [kɔlin] f Hügel m, Anhöhe f
collision [kɔlizjɔ̃] f 1. Kollision f; ~ de front Frontalzusammenstoß m; 2. Aufprall m
colombe [kɔlɔ̃b] f Taube f
colon [kɔlɔ̃] m Siedler m
colonialisme [kɔlɔnjalism] m Kolonialismus m

colonie [kɔlɔni] f Ansiedlung f
colonisation [kɔlɔnizasjɔ̃] f Ansiedlung f
colonne [kɔlɔn] f 1. Säule f; ~ d'affichage Litfaßsäule; ~ vertébrale Wirbelsäule; 2. (journal) Kolumne f, Spalte f
coloré [kɔlɔʀe] adj farbig
colorer [kɔlɔʀe] v färben, tönen
colossal [kɔlɔsal] adj 1. riesig, gigantisch; 2. (énorme) mächtig
colporter [kɔlpɔʀte] v 1. ausplaudern; 2. hausieren
colporteur [kɔlpɔʀtœʀ] m Hausierer m
combat [kɔ̃ba] m 1. Kampf m; ~ de boxe Boxkampf; 2. MIL Gefecht n
combattre [kɔ̃batʀ] v 1. kämpfen; 2. anfechten; 3. bekämpfen; 4. ~ pour verfechten
combien [kɔ̃bjɛ̃] konj wie; adv 2. wieviel; 3. ~ de wie viele
combinaison [kɔ̃binɛzɔ̃] f 1. CHEM Verbindung f; 2. Kombination f; 3. Overall m; 4. ~ de ski Skianzug m; 5. ~ de plongée Taucheranzug m
combine [kɔ̃bin] f (fig) Masche f
combiner [kɔ̃bine] v (relier) kombinieren
comble [kɔ̃bl] m 1. Dachstuhl m; 2. (fig) Gipfel m; 3. adj voll
combler [kɔ̃ble] v 1. ausfüllen; 2. (souhait) erfüllen; Vous me comblez! Sie verwöhnen mich!
combles [kɔ̃bl] m/pl Dachboden m
combustible [kɔ̃bystibl] 1. adj brennbar; m 2. Brennstoff m, Kraftstoff m; 3. TECH Brennelement n
comédie [kɔmedi] f 1. Komödie f; 2. THEAT Lustspiel n; 3. (fig) Theater n
comédien/-ne [kɔmedjɛ̃/jɛn] m/f Komödiant(in) m/f
comédon [kɔmedɔ̃] m Mitesser m
comestible [kɔmɛstibl] adj 1. eßbar; 2. genießbar
comète [kɔmɛt] m Komet m
comique [kɔmik] m 1. Komik f; ~ de situation Situationskomik; 2. Komiker m; adj 3. (drôle) komisch, drollig; 4. närrisch
comité [kɔmite] m 1. Komitee n; ~ d'entreprise Betriebsrat; ~ des bourses de valeurs Börsenbehörde; 2. Kommission f; 3. ~ directeur Präsidium m
commandant [kɔmɑ̃dɑ̃] m 1. MIL Befehlshaber m; 2. ~ de bord (avion) Kapitän m
commande [kɔmɑ̃d] f 1. Anforderung f, Bestellung f; passer une seconde ~ nach-

bestellen; ~ *préalable* Vorbestellung; 2. *(passation de commande)* Buchung *f*; 3. *TECH* Betätigung *f*

commandement [kɔmɑ̃dmɑ̃] *m 1.* Führung *f*; 2. Befehlsgewalt *f*; 3. Gebot *n*

commander [kɔmɑ̃de] *v 1.* bestellen; ~ *d'avance* vorbestellen; 2. *(donner un ordre)* anordnen; 3. kommandieren, befehlen

comme [kɔm] *konj 1.* als; 2. da; 3. wie; *adv 4.* wie; ~ *vous voudrez.* Wie Sie wollen. 5. ~ *suit* folgendermaßen

commencement [kɔmɑ̃smɑ̃] *m 1.* Anfang *m*, Beginn *m*; *C'est le ~ de la fin.* Das ist der Anfang vom Ende. *Il y a un ~ à tout.* Es ist noch kein Meister vom Himmel gefallen. 2. Anbruch *m*; 3. Enstehung *f*

commencer [kɔmɑ̃se] *v 1.* anfangen, beginnen, etw angehen; *Ça commence bien.* Das fängt ja gut an. ~ *à beginnen zu*; ~ *à (projet)* anlaufen; ~ *à poindre* anbrechen; 2. aufnehmen; ~ *une liaison* eine Verbindung aufnehmen/eingehen; ~ *à être* werden

comment [kɔmɑ̃] *adv 1.* wie; 2. ~ *cela?* wieso? 3. *(question)* bitte?

commentaire [kɔmɑ̃tɛr] *m 1.* Erläuterung *f*; 2. Kommentar *m*

commenter [kɔmɑ̃te] *v* kommentieren

commérage [kɔmeraʒ] *m (fam)* Klatsch *m*

commerçant [kɔmɛrsɑ̃] *m 1.* Händler *m*, Kaufmann *m*; 2. *ECO* Geschäftsmann *m*

commerce [kɔmɛrs] *m 1. (magasin)* Geschäft *n*; ~ *des devises* Devisengeschäft; ~ *d'exportation* Exportwirtschaft; ~ *spécialisé* Fachgeschäft; ~ *de* ~ kaufmännisch; 2. *ECO* Handel *m*; ~ *intermédiaire* Zwischenhandel; ~ *extérieur* Außenhandel; ~ *intérieur* Binnenhandel; ~ *de détail* Einzelhandel; ~ *de/en gros* Großhandel; ~ *mondial* Welthandel; *faire du* ~ handeln; 3. *ECO* Gewerbe *n*

commercial [kɔmɛrsjal] *adj 1.* geschäftlich; 2. kaufmännisch; 3. kommerziell

commettre [kɔmɛtr] *v 1. (crime)* begehen; ~ *un impair* sich danebenbenehmen; *se ~ avec qn* sich mit/auf jdm/jdn einlassen; 2. verüben; ~ *un péché* sündigen; ~ *un délit* ein Verbrechen begehen

commissaire [kɔmisɛr] *m 1.* Kommissar *m*; 2. ~ *aux comptes* Wirtschaftsprüfer *m*

commissariat [kɔmisarja] *m* ~ *de police* Polizeirevier *n*

commission [kɔmisjɔ̃] *f 1.* Provision *f*; 2. *(comité)* Ausschuß *m*, Kommission *f*; ~

d'examen Prüfungsausschuß; ~ *parlementaire* Parlamentsausschuß; ~ *d'enquête* Untersuchungsausschuß; 3. *(commande)* Kommission *f*

commode [kɔmɔd] *1. f* Kommode *f*; *adj 2. (confortable)* bequem; 3. wohnlich

commodité [kɔmɔdite] *f 1.* Bequemlichkeit *f*; 2. Annehmlichkeit *f*

commun [kɔmœ̃] *adj 1.* allgemein; 2. gemeinsam; 3. *(habituel)* gewöhnlich; 4. *adv en ~* gemeinsam, miteinander

communal [kɔmynal] *adj* kommunal

communauté [kɔmynote] *f 1.* Allgemeinheit *f*; 2. Gemeinschaft *f*; ~ *économique* Wirtschaftsgemeinschaft; 3. *(un appartement)* Wohngemeinschaft *f*

commune [kɔmyn] *f* Gemeinde *f*

communicatif [kɔmynikatif] *adj* gesprächig, mitteilsam

communication [kɔmynikasjɔ̃] *f 1.* Mitteilung *f*, Verlautbarung *f*; 2. Kommunikation *f*; 3. Telefongespräch *n*; ~ *interurbaine* Ferngespräch; ~ *locale/urbaine* Ortsgespräch

communion [kɔmynjɔ̃] *f* Kommunion *f*; *première* ~ Erstkommunion

communiqué [kɔmynike] *m* Ansage *f*

communiquer [kɔmynike] *v 1.* mitteilen; 2. bekanntgeben; 3. kommunizieren

communisme [kɔmynism] *m* Kommunismus *m*

communiste [kɔmynist] *1. m* Kommunist *m*; 2. *adj* kommunistisch

commutateur [kɔmytatœr] *m* Lichtschalter *m*

commuter [kɔmyte] *v* umschalten

compact [kɔ̃pakt] *adj 1.* dicht, kompakt; 2. dichtgedrängt; 3. derb

compagnie [kɔ̃paɲi] *f 1.* Gesellschaft *f*; ~ *de transport en commun* Busunternehmen; ~ *aérienne* Fluggesellschaft; 2. *THEAT* Truppe *f*; 3. *ECO* Gesellschaft *f*; 4. ~ *républicaine de sécurité (C.R.S.) MIL* Bereitschaftspolizei *f*

compagnon [kɔ̃paɲɔ̃] *m 1.* Lebensgefährte *m*; 2. Begleitung *f*; ~ *d'infortune* Leidensgefährte; ~ *de voyage* Mitreisender; 3. Kamerad *m*; 4. Geselle *m*

comparable [kɔparabl] *adj* vergleichbar

comparaison [kɔparɛzɔ̃] *f* Vergleich *m*

comparer [kɔpare] *v* vergleichen

compartiment [kɔ̃partimɑ̃] *m* Abteil *n*, Zugabteil *n*; ~ *fumeurs* Raucherabteil

compas [kɔ̃pa] *m* Kompaß *m*
compassion [kɔ̃pasjɔ̃] *f* Mitleid *n*
compatibilité [kɔ̃patibilite] *f* 1. Kompatibilität *f*; 2. - *écologique* Umweltverträglichkeit *f*
compatissant [kɔ̃patisã] *adj* 1. mitfühlend; 2. mitleidig
compatriote [kɔ̃patʀijɔt] *m* Landsmann *m*
compensation [kɔ̃pãsasjɔ̃] *f* 1. Ersatzbefriedigung *f*; 2. Gegenleistung *f*; 3. Kompensation *f*; 4. - *de salaire* Lohnausgleich *m*
compenser [kɔ̃pãse] *v* 1. wiedergutmachen, wettmachen; 2. *(fig)* ausgleichen
compétent [kɔ̃petã] *adj* 1. kompetent; 2. *(pour)* zuständig, sachkundig; 3. befugt
compétition [kɔ̃petisjɔ̃] *f* 1. Wettbewerb *m*, Wettkampf *m*; 2. Konkurrenz *f*; 3. SPORT Turnier *n*
complaisance [kɔ̃plɛzãs] *f* 1. Gefallen *m*; 2. Gefälligkeit *f*; 3. Bereitwilligkeit *f*
complaisant [kɔ̃plɛzã] *adj* 1. zuvorkommend; 2. gnädig, wohlwollend
complément [kɔ̃plemã] *m* 1. Beigabe *f*; 2. Ergänzung *f*; 3. - *d'objet* GRAMM Objekt *n*
complet [kɔ̃plɛ] *adj* 1. ganz; 2. völlig, vollständig; 3. restlos, komplett; 4. vollzählig; 5. *(réservations)* ausgebucht
complètement [kɔ̃plɛtmã] *adv* 1. restlos, vollständig; 2. völlig, vollkommen
compléter [kɔ̃plete] *v* 1. ergänzen; 2. nachfüllen; 3. *(ajouter)* nachtragen; 4. vervollständigen
complexe [kɔ̃plɛks] *adj* 1. hintergründig; 2. vielseitig; 3. *m* Komplex *m*; - *d'infériorité* Minderwertigkeitskomplex
complication [kɔ̃plikasjɔ̃] *f* 1. Komplikation *f*; 2. *(fig)* Verwicklung *f*
complice [kɔ̃plis] *m* 1. Helfershelfer *m*, Komplize *m*; 2. Mittäter *m*; 3. *adj* mitschuldig
compliment [kɔ̃plimã] *m* Kompliment *n*; *Mes* -*s!* Respekt!/Mein Kompliment!
complimenter [kɔ̃plimãte] *v* - *qn* jdn beglückwünschen zu
compliqué [kɔ̃plike] *adj* 1. kompliziert; *peu* - unkompliziert; 2. umständlich
complot [kɔ̃plo] *m* Komplott *n*
comportement [kɔ̃pɔʀtmã] *m* Benehmen *n*; - *de l'automobiliste* Fahrverhalten
comporter [kɔ̃pɔʀte] *v* 1. *(contenir)* umfassen; 2. *se* - sich betragen; 3. *se* - sich verhalten

composant [kɔ̃pozã] *m* Bestandteil *m*
composante [kɔ̃pozãt] *f* Komponente *f*
composer [kɔ̃poze] *v* 1. aufstellen; 2. zusammenstellen; 3. *(rédiger)* verfassen; 4. aufsetzen; 5. - *des vers* dichten; 6. *(texte)* setzen; *être composé de* zusammengesetzt sein aus; 7. *(numéro)* wählen; 8. MUS komponieren; 9. *se* - *de* bestehen aus
compositeur [kɔ̃pozitœʀ] *m* Komponist *m*
composition [kɔ̃pozisjɔ̃] *f* 1. Verfassung *f*; 2. Aufsatz *m*; 3. Aufstellung *f*; 4. Komposition *f*, Zusammenstellung *f*; 5. Satz *m*; 6. MUS Komposition *f*
composter [kɔ̃pɔste] *v* *(billet)* knipsen, entwerten
compote [kɔ̃pɔt] *f* 1. Mus *n*; 2. Kompott *n*
compréhensible [kɔ̃pʀeãsibl] *adj* 1. begreiflich, verständlich; 2. verständig
compréhensif [kɔ̃pʀeãsif] *adj* 1. aufgeschlossen; 2. einsichtig; 3. verständnisvoll
compréhension [kɔ̃pʀeãsjɔ̃] *f* 1. Verständnis *n*; 2. *(fig)* Einsicht *f*
comprendre [kɔ̃pʀãdʀ(ə)] *v* 1. begreifen, verstehen, erfassen; *Cela se comprend.* Das versteht sich. *mal* - mißverstehen; *faire* - klarmachen; *faire* - *qc à qn* jdm etw nahebringen; - *les sentiments de qn* nachempfinden; 2. durchschauen; *Je n'y comprends rien.* Ich werde nicht klug daraus./ Ich verstehe nichts. 3. *(fig:reconnaître)* einsehen; 4. *(fam)* kapieren; 5. *(fam:suivre)* mitkommen; 6. *(fig)* schalten; 7. *(contenir)* umfassen; 8. *(fig)* einschließen
comprimé [kɔ̃pʀime] *m* Tablette *f*
comprimer [kɔ̃pʀime] *v* 1. pressen; 2. TECH verdichten
compris [kɔ̃pʀi] *adj* inbegriffen; *y* - einschließlich
compromettre [kɔ̃pʀɔmɛtʀ(ə)] *v* kompromittieren
compromis [kɔ̃pʀɔmi] *m* 1. Kompromiß *m*, Mittelweg *m*; 2. JUR Vergleich *m*
comptabiliser [kɔ̃tabilize] *v* verbuchen, buchen
comptabilité [kɔ̃tabilite] *f* 1. *(service)* Buchhaltung *f*; 2. ECO Buchführung *f*
comptable [kɔ̃tabl(ə)] *m* Buchhalter *m*
compte [kɔ̃t] *m* 1. Konto *n*; *pour mon* - was mich betrifft; *ne pas tenir* - *de* nicht beachten; *porter au* - *de* anrechnen; *à son* - freiberuflich; - *bancaire* Bankkonto; - *cou-*

rant Girokonto; ~ *bloqué* Sperrkonto; 2. ECO Rechnung *f*; *prendre qc à son* ~ etw auf seine Kappe nehmen; *avoir un* ~ *à régler avec qn* mit jdm ein Hühnchen zu rupfen haben; *en fin de* ~ am Ende; 3. ~ *rendu* Bericht *m*

compter [kɔ̃te] *v* 1. rechnen, zählen; 2. ~ *un à un* aufzählen; 3. ~ *parmi* (fig) darunterfallen; 4. ~ *faire qc* beabsichtigen

compte-tours [kɔ̃ttur] *m* (voiture) Tachometer *m*

compteur [kɔ̃tœr] *m* 1. (voiture) Tachometer *m*; 2. ~ *à gaz* Gaszähler *m*; 3. ~ *kilométrique* (voiture) Kilometerzähler *m*; 4. ~ *électrique* Stromzähler *m*

comptoir [kɔ̃twar] *m* Ladentisch *m*

comte [kɔ̃t] *m* Graf *m*

concéder [kɔ̃sede] *v* 1. zubilligen; 2. zugestehen

concentration [kɔ̃sɑ̃trasjɔ̃] *f* 1. Dichte *f*; 2. Konzentration *f*; 3. ~ *urbaine* Ballungsgebiet *n*; 4. (fig) Sammlung *f*

concentrer [kɔ̃sɑ̃tre] *v* 1. konzentrieren; 2. se ~ sich konzentrieren; 3. se ~ sich zusammennehmen

concept [kɔ̃sɛpt] *m* Begriff *m*

conception [kɔ̃sɛpsjɔ̃] *f* 1. (idée) Idee *f*, Anschauung *f*; ~ *de la vie/de l'existence* Lebensanschauung; 2. Konstruktion *f*; 3. BIO Empfängnis *f*

concernant [kɔ̃sɛrnɑ̃] *prep* 1. bezüglich; 2. (fig: de) über

concerner [kɔ̃sɛrne] *v* 1. betreffen, angehen; 2. anbelangen

concert [kɔ̃sɛr] *m* Konzert *n*

concession [kɔ̃sesjɔ̃] *f* 1. Konzession *f*; 2. Zugeständnis *n*

concevable [kɔ̃svabl] *adj* 1. begreiflich; 2. denkbar; 3. erdenklich

concevoir [kɔ̃səvwar] *v* 1. verstehen, erfassen; 2. konzipieren; 3. konstruieren

concierge [kɔ̃sjɛrʒ] *m* 1. Hausmeister *m*; *C'est une vraie* ~. Sie ist eine Klatschbase/geschwätzig. 2. Pförtner *m*, Portier *m*

conciliant [kɔ̃siljɑ̃] *adj* 1. versöhnlich; 2. (nature) verträglich; 3. (fig) nachgiebig

conciliation [kɔ̃siljasjɔ̃] *f* 1. Einigung *f*; 2. JUR Sühne *f*; 3. JUR Vergleich *m*

concilier [kɔ̃silje] *v* (fig) versöhnen

concis [kɔ̃si] *adj* 1. bündig; 2. knapp

concitoyen [kɔ̃sitwajɛ̃] *m* Mitbürger *m*

concluant [kɔ̃klyɑ̃] *adj* 1. beweiskräftig; 2. schlüssig; 3. (arguments) schlagkräftig

conclure [kɔ̃klyr] *v* 1. (fig: tirer) entnehmen; 2. schließen, schlußfolgern; *On peut en* ~... Daraus kann man schließen... *pour* ~ abschließend; ~ *un marché* einen Vertrag schließen; 3. (fig) ableiten; 4. (contrat) abschließen

conclusion [kɔ̃klysjɔ̃] *f* 1. (fin) Abschluß *m*; ~ *d'un contrat* Abschluß *m*; ~ *de contrat* Vertragsabschluß *m*; 2. Schlußfolgerung *f*; ~ *erronée* Trugschluß

concombre [kɔ̃kɔ̃br(ə)] *m* Gurke *f*

concomitant [kɔ̃kɔmitɑ̃] *adj* gleichzeitig

concordant [kɔ̃kɔrdɑ̃] *adj* übereinstimmend

concorde [kɔ̃kɔrd] *f* Einigkeit *f*

concorder [kɔ̃kɔrde] *v* 1. zusammentreffen; 2. ~ *avec* übereinstimmen; 3. ~ *avec* zutreffen

concourir [kɔ̃kurir] *v* konkurrieren

concours [kɔ̃kur] *m* 1. Wettbewerb *m*; 2. Wettkampf *m*; 3. Beihilfe *f*; 4. Mitwirkung *f*

concret [kɔ̃krɛ] *adj* 1. konkret; 2. real

concrétiser [kɔ̃kretize] *v* veranschaulichen

concubinage [kɔ̃kybinaʒ] *m* wilde Ehe *f*

concurrence [kɔ̃kyrɑ̃s] *f* 1. Wettbewerb *m*; 2. ECO Konkurrenz *f*

concurrent [kɔ̃kyrɑ̃] *m* 1. Gegenspieler *m*; 2. Konkurrent *m*, Rivale *m*; 3. Wettkämpfer *m*

condamnation [kɔ̃danasjɔ̃] *f* Verurteilung *f*

condamné [kɔ̃dane] *m* 1. JUR Verurteilte *m*; 2. ~ *à la réclusion* Strafgefangene *m*

condamner [kɔ̃dane] *v* 1. (juger) richten; 2. ~ (qn à qc) verurteilen

condenser [kɔ̃dɑ̃se] *v* (fig) verdichten

condescendre [kɔ̃desɑ̃dr(ə)] *v* (à) sich herablassen zu

condiment [kɔ̃dimɑ̃] *m* Gewürze *pl*

condition [kɔ̃disjɔ̃] *f* 1. (situation) Lage *f*; 2. Zustand *m*; 3. Bedingung *f*, Kondition *f*; 4. Voraussetzung *f*; *à* ~ *(que)* vorausgesetzt (daß); 5. (matériel) Beschaffenheit *f*; 6. (placement) Rang *m*, Stand *m*; 7. (physique) Leistungsfähigkeit *f*

conditionnement [kɔ̃disjɔnmɑ̃] *m* 1. Aufmachung *f*; 2. Verpackung *f*

conditions [kɔ̃disjɔ̃] *f/pl* 1. (circonstance) Verhältnis *n*; ~ *météorologiques* Wetter; ~ *de vie* Lebensumstände; ~ *de visibilité* Sichtverhältnisse; ~ *générales* Geschäftsbedingungen; ~ de livraison Lieferbedingungen; ~ de paiement Zahlungsbedingungen; 2. Umstände pl

condoléances [kɔ̃dɔleɑ̃s] f/pl 1. Beileid n; 2. (lors d'un décès) Anteilnahme f

conducteur [kɔ̃dyktœʀ] m 1. Fahrer m, (Fahrzeug-)Führer m; ~ de machine Lokomotivführer; ~ de train Zugführer; 2. TECH Leiter m; 3. Anführer m; 4. adj TECH leitend

conduire [kɔ̃dɥiʀ] v 1. (voiture) fahren, steuern; 2. lenken, leiten; 3. dirigieren; 4. TECH leiten; 5. ~ à führen zu; 6. herumführen; 7. (mener) anführen; ~ à travers durchführen; 8. se ~ sich verhalten, sich benehmen; se ~ mal sich danebenbenehmen

conduit/conduite [kɔ̃dɥi] m/f (tuyau) Leitung f; ~ d'eau Wasserleitung f

conduite [kɔ̃dɥit] f 1. Haltung f, Betragen n; 2. Steuerung f; 3. Verhalten n

cône [kon] m Kegel m

confection [kɔ̃fɛksjɔ̃] f 1. Anfertigung f, Fertigung f; 2. Konfektion f

confectionner [kɔ̃fɛksjɔne] v anfertigen

confédération [kɔ̃federasjɔ̃] f 1. Gewerkschaftsbund m; 2. POL Konföderation f

conférence [kɔ̃feʀɑ̃s] f 1. Konferenz f; ~ de presse Pressekonferenz; ~ de paix Friedenskonferenz; ~ de désarmement Abrüstungsverhandlungen; 2. Vortrag m

conférer [kɔ̃feʀe] v 1. erteilen; 2. zuerkennen

confesser [kɔ̃fɛse] v 1. gestehen; 2. REL beichten

confession [kɔ̃fɛsjɔ̃] f 1. Beichte f; 2. Bekenntnis n

confiance [kɔ̃fjɑ̃s] f 1. Vertrauen n; avoir ~ en vertrauen; inspirer ~ Vertrauen erwecken; ~ en soi Selbstvertrauen; faire ~ à überlassen; 2. Zutrauen n; 3. Zuversicht f

confiant [kɔ̃fjɑ̃] adj 1. vertrauensvoll; 2. zutraulich; 3. zuversichtlich

confidentiel [kɔ̃fidɑ̃sjɛl] adj 1. privat; 2. geheim; 3. vertraulich

confier [kɔ̃fje] v ~ qc à qn anvertrauen

confirmation [kɔ̃fiʀmasjɔ̃] f 1. Bestätigung f; ~ de commande Auftragsbestätigung; ~ d'ordre Auftragsbestätigung; 2. REL Konfirmation f

confirmer [kɔ̃fiʀme] v 1. bestätigen; 2. bekräftigen; 3. se ~ sich bewähren; 4. se ~ sich bewahrheiten

confiscation [kɔ̃fiskasjɔ̃] f Beschlagnahme f, Einzug m

confiserie [kɔ̃fizʀi] f Konfekt n

confisquer [kɔ̃fiske] v beschlagnahmen, einziehen

confiture [kɔ̃fityʀ] f Marmelade f, Konfitüre f

conflit [kɔ̃fli] m 1. Konflikt m; ~ de conscience Gewissenskonflikt; 2. (fig) Kollision f

confluer [kɔ̃flye] v (fleuve) zusammenfließen

confondre [kɔ̃fɔ̃dʀ] v 1. verwechseln; 2. (fig) verwirren; 3. (fig) durcheinanderwerfen; 4. se ~ sich überschneiden, zusammentreffen

conforme [kɔ̃fɔʀm] adj übereinstimmend, angemessen; ~ à loi gesetzlich; ~ aux usages sittlich; ~ au règlement ordnungsgemäß; ~ à l'original originalgetreu; ~ au(x) devoir(s) pflichtgemäß; ~ aux prévisions planmäßig

conformément [kɔ̃fɔʀmemɑ̃] 1. adv ~ à cela danach, dementsprechend; 2. prep ~ à laut

confort [kɔ̃fɔʀ] m 1. Bequemlichkeit f, Behaglichkeit f; 2. Komfort m

confortable [kɔ̃fɔʀtabl] adj 1. bequem, behaglich; 2. komfortabel; 3. wohnlich

confrère [kɔ̃fʀɛʀ] m (métier) Kollege m

confrontation [kɔ̃fʀɔ̃tasjɔ̃] f Konfrontation f, Gegenüberstellung f

confronter [kɔ̃fʀɔ̃te] v 1. gegenüberstellen, konfrontieren; 2. se ~ à sich auseinandersetzen mit

confus [kɔ̃fy] adj 1. verwirrt, verworren; 2. undeutlich, unübersichtlich; 3. (question) ungeklärt, unklar; 4. verlegen; 5. (fig) betreten

confusion [kɔ̃fyzjɔ̃] f 1. Durcheinander n; 2. Verlegenheit f; 3. Verwirrung f; 4. Unklarheit f; 5. Verwechslung f

congé [kɔ̃ʒe] m 1. Urlaub m; prendre ~ sich verabschieden; ~s annuels Betriebsferien; ~ de formation Bildungsurlaub; jour de ~ Feiertag; 2. Abschied m

congédier [kɔ̃ʒedje] v 1. ~ qn jdm kündigen; 2. beurlauben

congélateur [kɔ̃ʒelatœʀ] m 1. Gefrierfach n; 2. Tiefkühltruhe f

congeler [kɔ̃ʒle] v (aliments) einfrieren

congénital [kɔ̃ʒenital] adj angeboren

congrès [kɔ̃gʀɛ] m Kongreß m, Tagung f

conjecture [kɔ̃ʒɛktyʀ] f Vermutung f

conjoint [kɔ̃ʒwɛ̃] m Ehepartner m
conjugal [kɔ̃ʒygal] adj ehelich
conjurer [kɔ̃ʒyʀe] v beschwören
connaissance [kɔnɛsɑ̃s] f 1. Kenntnis f; faire la ~ de qn jdn kennenlernen; ~s préliminaires Vorkenntnisse; 2. Wissen n; en toute ~ de wissentlich; 3. Erkenntnis f; 4. Bewußtsein n; 5. Bekanntschaft f
connaisseur [kɔnɛsœʀ] m 1. Kenner m; 2. (amateur) Liebhaber m
connaître [kɔnɛtʀ] v 1. kennen; ~ de nom dem Namen nach kennen; 2. wissen; 3. verstehen; ne rien y ~ nichts davon verstehen; 4. sich bewußt sein
connecter [kɔnɛkte] v ~ à anschließen
connu [kɔny] adj 1. bekannt; ~ depuis longtemps altbekannt; 2. namhaft
conquérir [kɔ̃keʀiʀ] v erobern
conquête [kɔ̃kɛt] f 1. Eroberung f; 2. (de la science) Errungenschaft f
conscience [kɔ̃sjɑ̃s] f 1. Bewußtsein n; ~ du devoir Pflichtbewußtsein; ~ de soi Selbstbewußtsein; perdre ~ das Bewußtsein verlieren; prendre ~ de qc sich bewußt werden; 2. Gewissen n; cas de ~ Gewissensfrage; 3. Gewissenhaftigkeit f; 4. Wissen n
consciencieux [kɔ̃sjɑ̃sjø] adj 1. gewissenhaft; 2. pflichtbewußt
conscient [kɔ̃sjɑ̃] adj bewußt
conseil [kɔ̃sɛj] m 1. Rat m, Ratschlag m; 2. Rat m, Versammlung f; ~ des prud'hommes Arbeitsgericht; ~ de surveillance Aufsichtsrat; ~ d'administration Verwaltungsrat; ~ fédéral Bundesrat; ~ de l'Europe Europarat; 3. Beirat m; 4. Ratgeber m
conseiller [kɔ̃seje] m 1. (titre) Rat m; ~ municipal Stadtrat; 2. Berater m, Ratgeber m; ~ fiscal Steuerberater; v 3. raten, beraten; 4. anraten
consentement [kɔ̃sɑ̃tmɑ̃] m 1. Bewilligung f, Einwilligung f; 2. Zustimmung f
consentir [kɔ̃sɑ̃tiʀ] v 1. genehmigen; 2. zustimmen; 3. ~ à bewilligen, einwilligen
conséquence [kɔ̃sekɑ̃s] f 1. (répercussion) Folge f; 2. (impact) Konsequenz f; en ~ darauf, dadurch
conséquent [kɔ̃sekɑ̃] adj 1. folgerichtig; par ~ folglich; 2. konsequent
conservateur [kɔ̃sɛʀvatœʀ] 1. adj konservativ; 2. m Konservierungsmittel n
conservation [kɔ̃sɛʀvasjɔ̃] f Erhaltung f, Bewahrung f
conserve [kɔ̃sɛʀv] f Dose f, Konserve f

conserver [kɔ̃sɛʀve] v 1. (garder) bewahren, erhalten; 2. behalten; 3. wahren; ~ un secret ein Geheimnis wahren; 4. hüten; 5. se ~ sich halten
considérable [kɔ̃sideʀabl] adj 1. bedeutend; 2. beträchtlich; 3. wesentlich
considération [kɔ̃sideʀasjɔ̃] f 1. Anbetracht m; 2. (personne) Ansehen n, Achtung f; haute ~ Hochachtung; 3. Betrachtung f; 4. Erwägung f; 5. Rücksicht f; prendre en ~ berücksichtigen; 6. (réflexion) Überlegung f
considérer [kɔ̃sideʀe] v 1. betrachten, ansehen; 2. überlegen, erwägen; 3. berücksichtigen
consigne [kɔ̃siɲ] f 1. Anweisung f; 2. Vorschrift f; 3. Gepäckaufbewahrung f; 4. Flaschenpfand n; 5. Stubenarrest m
consigner [kɔ̃siɲe] v ~ qc etw hinterlegen
consistance [kɔ̃sistɑ̃s] f Dickflüssigkeit f, Festigkeit f; sans ~ (personne) haltlos
consistant [kɔ̃sistɑ̃] adj 1. fest; 2. deftig
consolant [kɔ̃sɔlɑ̃] adj tröstlich
consolation [kɔ̃sɔlasjɔ̃] f Trost m
console [kɔ̃sɔl] f Konsole f
consoler [kɔ̃sɔle] v 1. trösten; 2. ~ qn vertrösten; 3. (fig) aufrichten
consolider [kɔ̃sɔlide] v 1. befestigen, stärken; 2. (renforcer) festigen; 3. (fig) untermauern; 4. se ~ sich festigen
consommateur [kɔ̃sɔmatœʀ] m 1. (restaurant) Gast m; 2. Konsument m, Verbraucher m; 3. ECO Endverbraucher m
consommation [kɔ̃sɔmasjɔ̃] f 1. Verbrauch m; ~ d'énergie Energieverbrauch; ~ en électricité Stromverbrauch; ~ en masse Massenverbrauch; 2. Konsum m; société de ~ Konsumgesellschaft; 3. Verzehr m
consommer [kɔ̃sɔme] v 1. verbrauchen, konsumieren; 2. verzehren; 3. (épuiser) verzehren, aufbrauchen
conspirer [kɔ̃spiʀe] v ~ contre qn sich verschwören
constamment [kɔ̃stamɑ̃] adv 1. immer, wieder; 2. (fam) andauernd
constance [kɔ̃stɑ̃s] f Standhaftigkeit f
constant [kɔ̃stɑ̃] adj 1. standhaft; 2. konstant; 3. beständig; 4. andauernd
constatation [kɔ̃statasjɔ̃] f 1. Feststellung f, Bestätigung f; 2. ~ documentaire Beurkundung f
constater [kɔ̃state] v feststellen
constellation [kɔ̃stɛlasjɔ̃] f 1. Konstellation f; 2. Sternbild n

consternation [kɔ̃stɛʀnasjɔ̃] f Bestürzung f

constipation [kɔ̃stipasjɔ̃] f Darmverstopfung f

constipé [kɔ̃stipe] adj verstopft

constituant [kɔ̃stituɑ̃] adj bildend, verfassungsgebend; assemblée -e verfassungsgebende Versammlung

constitution [kɔ̃stitysjɔ̃] f 1. Körperbau m; 2. POL Grundgesetz n; 3. - d'un capital Vermögensbildung f

constructeur [kɔ̃stʀyktœʀ] m Erbauer m

construction [kɔ̃stʀyksjɔ̃] f 1. Erbauung f, Bauen n; 2. (bâtiment) Bau m; - ancienne Altbau; - annexe (édifice) Anbau; - aéronautique Flugzeugbau; - mécanique Maschinenbau; nouvelle - Neubau; - navale Schiffsbau; - des routes Straßenbau; - souterraine Tiefbau; - de logement Wohnungsbau; 3. Konstruktion f

construire [kɔ̃stʀɥiʀ] v 1. bauen; 2. - sur bebauen; 3. - une cloison (aménager) einziehen; 4. konstruieren; 5. (fig) aufbauen

consul [kɔ̃syl] m Konsul m

consulat [kɔ̃syla] m Konsulat n; - général Generalkonsulat n

consultant [kɔ̃syltɑ̃] m Berater m

consultation [kɔ̃syltasjɔ̃] f 1. Sprechstunde f; 2. Befragung f; 3. Rücksprache f; 4. - pédagogique Erziehungsberatung f

consulter [kɔ̃sylte] v 1. (médecin) aufsuchen; 2. konsultieren; 3. - qn au sujet de qc jdn befragen; 4. (livre) nachschlagen

consumer [kɔ̃syme] v 1. verbrennen; 2. auszehren; 3. se - en brûlant verglühen; 4. se - sich verzehren

contact [kɔ̃takt] m 1. Kontakt m; avoir le - facile kontaktfreudig sein; 2. Berührung f

contacts [kɔ̃takt] m/pl (fig) Anschluß m

contagieux [kɔ̃taʒjø] adj 1. ansteckend; 2. (infectueux) übertragbar

contagion [kɔ̃taʒjɔ̃] f Ansteckung f

contamination [kɔ̃taminasjɔ̃] f 1. Kontamination f; 2. Verseuchung f

contaminé [kɔ̃tamine] adj - par la radioactivité strahlenverseucht

contaminer [kɔ̃tamine] v 1. verseuchen; 2. MED anstecken

conte [kɔ̃t] m 1. (histoire) Geschichte f; 2. Erzählung f; 3. (- de fées) Märchen n

contemplation [kɔ̃tɑ̃plasjɔ̃] f 1. (considération) Betrachtung f; 2. Beschaulichkeit f

contempler [kɔ̃tɑ̃ple] v 1. anschauen; 2. schauen

contemporain [kɔ̃tɑ̃pɔʀɛ̃] 1. adj zeitgenössisch; 2. m Zeitgenosse m

contenance [kɔ̃tnɑ̃s] f 1. Gehalt n; 2. Fassung f; 3. Fassungsvermögen n; 4. (maîtrise de soi) Haltung f

conteneur [kɔ̃tnœʀ] m 1. Behälter m; 2. Container m

contenir [kɔ̃tniʀ] v 1. enthalten, beinhalten; 2. umfassen; La bouteille contient un litre. Die Flasche faßt einen Liter. 3. (fig) bergen; 4. (fig) einschließen

content [kɔ̃tɑ̃] adj 1. froh; 2. zufrieden

contenter [kɔ̃tɑ̃te] v 1. befriedigen; 2. se - de sich abfinden mit, sich begnügen mit

contenu [kɔ̃tny] m 1. Gehalt m; 2. Inhalt m

contestable [kɔ̃tɛstabl] adj 1. anfechtbar; 2. fragwürdig; 3. strittig

contestation [kɔ̃tɛstasjɔ̃] f 1. Streit m; 2. Beanstandung f

contester [kɔ̃tɛste] v 1. anfechten; 2. beanstanden; 3. - qc à qn jdm etw abstreiten; 4. JUR aberkennen

contexte [kɔ̃tɛkst] m 1. Kontext m, Zusammenhang m; 2. Umfeld n

contigu [kɔ̃tigy] adj aneinandergrenzend

continent [kɔ̃tinɑ̃] m 1. Festland n; 2. Kontinent m, Erdteil m

contingent [kɔ̃tɛ̃ʒɑ̃] m 1. Kontingent n; 2. Quote f

continu [kɔ̃tiny] adj 1. dauernd; 2. durchgehend; 3. fortlaufend, kontinuierlich

continuation [kɔ̃tinɥasjɔ̃] f Fortdauer f

continuel [kɔ̃tinɥɛl] adj 1. ständig; 2. andauernd, anhaltend; 3. unaufhörlich

continuer [kɔ̃tinɥe] v 1. fortsetzen; - à dormir weiterschlafen; - à exister fortbestehen; - de faire qc fortfahren etw zu tun; - le travail weiterarbeiten; 2. weitergehen; 3. weitermachen; 4. - dans verharren

contour [kɔ̃tuʀ] m 1. Kontur f; 2. Umriß m

contourner [kɔ̃tuʀne] v umgehen

contraceptif [kɔ̃tʀasɛptif] 1. adj empfängnisverhütend; 2. m Verhütungsmittel n

contraception [kɔ̃tʀasɛpsjɔ̃] f Verhütung f

contractant [kɔ̃tʀaktɑ̃] m 1. (Vertrags-) Partner m; 2. JUR Kontrahent m

contractuel [kɔ̃tʀaktɥɛl] adj vertraglich

contradiction [kɔ̃tʀadiksjɔ̃] *f 1.* Gegensatz *m; 2.* Gegensätzlichkeit *f; 3.* Widerspruch *m*
contradictoire [kɔ̃tʀadiktwaʀ] *adj 1.* gegensätzlich; *2.* widersprüchlich
contraindre [kɔ̃tʀɛ̃dʀ] *v* - *qn à faire qc* jdn zu etw zwingen
contrainte [kɔ̃tʀɛ̃t] *f 1.* Zwang *m; 2.* Nötigung *f*
contraire [kɔ̃tʀɛʀ] *adj 1. (inverse)* entgegengesetzt, gegenläufig; *dans le cas* - andernfalls; - *à la constitution* verfassungswidrig; *2.* gegensätzlich, konträr; *m 3.* Gegenteil *n; Les* -s *s'attirent.* Gegensätze ziehen sich an. *au* - dagegen, hingegen; *4.* Gegensatz *m*
contrarié [kɔ̃tʀaʀje] *adj (fig)* verstimmt
contrarier [kɔ̃tʀaʀje] *v* - *qn* jdn ärgern
contrariété [kɔ̃tʀaʀjete] *f 1.* Ärger *m; 2.* Unannehmlichkeit *f*
contraste [kɔ̃tʀast] *m* Gegensatz *m*, Kontrast *m*
contrasté [kɔ̃tʀaste] *adj* kontrastreich
contrat [kɔ̃tʀa] *m 1.* JUR Vertrag *m;* - *de mariage* Ehevertrag; - *de vente* Kaufvertrag; - *de location* Mietvertrag; - *d'exclusivité* Exklusivvertrag; - *de société* Gesellschaftsvertrag; *2.* ECO Geschäft *n*
contravention [kɔ̃tʀavɑ̃sjɔ̃] *f (fig)* Überschreitung *f*, Übertretung *f*
contre [kɔ̃tʀ] *1. m* Kontra *n; prep 2. (local)* an, am, vor, bei; *3. (local)* gegen; *nager à* -*courant* gegen den Strom schwimmen; - *quoi* wogegen; *4. (opposition)* gegen, entgegen, wider; *5. konj par* - dagegen, hingegen
contrebande [kɔ̃tʀəbɑ̃d] *f* Schmuggel *m; faire de la* - schmuggeln
contrebandier [kɔ̃tʀəbɑ̃dje] *m* Schmuggler *m*
contrecarrer [kɔ̃tʀəkaʀe] *v 1.* verhindern; *2.* vereiteln
contrecœur [kɔ̃tʀəkœʀ] *adv à* - ungern
contrecoup [kɔ̃tʀəku] *m* Rückschlag *m*
contredire [kɔ̃tʀədiʀ] *v* widersprechen
contrée [kɔ̃tʀe] *f 1. (paysage)* Gegend *f; 2.* Landschaft *f; 3.* - *sauvage* Wildnis *f*
contre-espionnage [kɔ̃tʀɛspjɔnaʒ] *m* Abwehr *f*, Geheimdienst *m*
contrefaçon [kɔ̃tʀəfasɔ̃] *f 1.* Fälschung *f; 2. (copie)* Nachdruck *m; 3.* Verfälschung *f*
contrefaire [kɔ̃tʀəfɛʀ] *v 1.* fälschen; *2.* imitieren; *3.* verfälschen

contre-indication [kɔ̃tʀɛ̃dikasjɔ̃] *f* Gegenanzeige *f*
contre-jour [kɔ̃tʀəʒuʀ] *m* Gegenlicht *n*
contre-mesure [kɔ̃tʀəmzyʀ] *f* Gegenmaßnahme *f*
contre-offre [kɔ̃tʀɔfʀ] *f* Gegenangebot *n*
contrepoids [kɔ̃tʀəpwa] *m 1.* Gegengewicht *n; 2. (fig)* Ausgleich *m*
contrer [kɔ̃tʀe] *v* kontern
contresigner [kɔ̃tʀəsiɲe] *v* gegenzeichnen
contrevenir [kɔ̃tʀəvəniʀ] *v* - *à (fig)* überschreiten; - *à une loi* ein Gesetz übertreten
contrevent [kɔ̃tʀəvɑ̃] *m* Fensterladen *m*
contribuable [kɔ̃tʀibɥabl] *m* Steuerzahler *m*
contribuer [kɔ̃tʀibɥe] *v 1.* - *à* beitragen; *2.* - *à* mitwirken
contribution [kɔ̃tʀibysjɔ̃] *f 1.* Beitrag *m;* - *aux frais* Unkostenbeitrag *m; 2. (impôts)* Abgabe *f*
contrit [kɔ̃tʀi] *adj* zerknirscht
contrôle [kɔ̃tʀol] *m 1.* Kontrolle *f;* - *radar* Radarkontrolle; - *des naissances* Geburtenkontrolle; - *douanier* Zollkontrolle; - *de la comptabilité* Buchprüfung; - *des changes* Devisenbewirtschaftung; - *des armements* Rüstungskontrolle; *2.* Prüfung *f*, Inspektion *f; 3.* Aufsicht *f*, Überwachung *f; 4.* Steuerung *f*
contrôler [kɔ̃tʀole] *v 1.* nachprüfen, nachsehen; *2.* prüfen, überprüfen; *3. (examiner)* überholen; *4.* überwachen, beaufsichtigen; *5.* kontrollieren; *6. INFORM* steuern
contrôleur [kɔ̃tʀolœʀ] *m 1.* Kontrolleur *m; 2.* Prüfer *m; 3.* - *du train* Eisenbahnschaffner *m*, Schaffner *m; 4.* - *du ciel* Fluglotse *m*
contrordre [kɔ̃tʀɔʀdʀ] *f* Abbestellung *f*
controverse [kɔ̃tʀɔvɛʀs] *f* Kontroverse *f*
controverser [kɔ̃tʀɔvɛʀse] *v* bestreiten
contusion [kɔ̃tyzjɔ̃] *f 1.* Prellung *f; 2.* Quetschung *f*
convaincant [kɔ̃vɛ̃kɑ̃] *adj* überzeugend
convaincre [kɔ̃vɛ̃kʀ] *v 1.* überreden; *2. (fig)* bekehren; *3.* - *qn de qc* überzeugen; *4.* - *qn* jdn herumbekommen; *5.* - *de (attribuer la faute)* überführen
convalescence [kɔ̃valesɑ̃s] *f* Genesung *f*
convenable [kɔ̃vnabl] *adj 1.* angemessen, passend; *2.* anständig, schicklich; *3.* hochanständig

convenance [kɔ̃vnɑ̃s] *f* Angemessenheit *f*, Anstand *m*
convenir [kɔ̃vniʀ] *v 1.* passen, recht sein; *Cela me convient.* Das ist mir recht. *~ de qc avec qn* etw verabreden; *~ à* zusagen; *2.* passen, angemessen sein; *~ à* sich eignen zu; *3. ~ de* vereinbaren, abmachen
convention [kɔ̃vɑ̃sjɔ̃] *f 1.* Übereinkommen *n*, Vereinbarung *f*; *2.* Abkommen *n*, Abmachung *f*; *~ commerciale* Handelsabkommen; *3.* Übereinkunft *f*; *4. (mœurs)* Konvention *f*; *5.* Pakt *m*; *~ collective* Tarifvertrag; *~ préalable* Vorvertrag; *6.* POL Konvention *f*
conventionnel [kɔ̃vɑ̃sjɔnɛl] *adj* konventionell
conversation [kɔ̃vɛʀsasjɔ̃] *f 1. (entretien)* Gespräch *n*, Unterredung *f*; *~ téléphonique* Telefongespräch; *2.* Rede *f*; *3.* Besprechung *f*
conversion [kɔ̃vɛʀsjɔ̃] *f 1.* Verwandlung *f*; *2.* REL Bekehrung *f*; *3.* Umrechnung *f*
convertir [kɔ̃vɛʀtiʀ] *v 1.* verwandeln, umwandeln; *2.* REL bekehren; *3.* FIN konvertieren; *4. ~ en (transformer)* umsetzen, umrechnen
conviction [kɔ̃viksjɔ̃] *f 1.* Überzeugung *f*; *2.* Gesinnung *f*; *3. pièce à ~* JUR Beweisstück *n*
convivial [kɔ̃vivjal] *adj* gastfreundlich
convocation [kɔ̃vɔkasjɔ̃] *f 1.* Einberufung *f*; *2.* JUR Ladung *f*
convoi [kɔ̃vwa] *m* Kolonne *f*
convoiter [kɔ̃vwate] *v* liebäugeln
convoitise [kɔ̃vwatiz] *f* Begehrlichkeit *f*
convoquer [kɔ̃vɔke] *v* einberufen
convulsif [kɔ̃vylsif] *adj* krampfhaft
convulsion [kɔ̃vylsjɔ̃] *f* Krampf *m*
coopérant [kɔɔpeʀɑ̃] *m* Entwicklungshelfer *m*
coopération [kɔɔpeʀasjɔ̃] *f* Mitwirkung *f*, Entwicklungshilfe *f*
coopérative [kɔɔpeʀativ] *f* Genossenschaft *f*
coopérer [kɔɔpeʀe] *v* mitarbeiten, zusammenarbeiten
coordination [kɔɔʀdinasjɔ̃] *f 1.* Koordination *f*; *2.* Zuordnung *f*
coordonner [kɔɔʀdɔne] *v* koordinieren
copain [kɔpɛ̃] *m 1. (fam)* Kumpel *m*, Freund *m*; *Ils ne sont pas ~~.* Sie sind nicht gerade dicke Freunde. *2. petit ~ (fam)* Freund *m*

copeau [kɔpo] *m* Span *m*
copie [kɔpi] *f 1.* Kopie *f*, Durchschlag *m*; *~ pirate* Raubkopie *f*; *2.* Abbildung *f*; *3.* Nachahmung *f*; *4.* Abschrift *f*; *5. mauvaise ~ (fam)* Abklatsch *m*
copier [kɔpje] *v 1.* kopieren; *2.* nachahmen, nachmachen; *3.* abschreiben; *4.* nachbilden; *5. ~ sur un autre* spicken
copieux [kɔpjø] *adj 1.* ausgiebig; *2.* reichlich
copilote [kɔpilɔt] *m* Kopilot *m*
copropriétaire [kɔpʀɔpʀijetɛʀ] *m* Mitinhaber *m*
coq [kɔk] *m* Hahn *m*; *vivre comme un ~ en pâte* wie Gott in Frankreich leben; *~ de village (fam)* Hahn im Korb; *sauter du ~ à l'âne* vom Hundertsten ins Tausendste kommen
coq-à-l'âne [kɔkalan] *m* Gedankensprung *m*
coque [kɔk] *f* Rumpf *m*
coquelicot [kɔkliko] *m* Mohn *m*
coqueluche [kɔklyʃ] *f* Keuchhusten *m*
coquet [kɔkɛ] *adj 1.* eitel; *2.* nett; *3.* kokett
coquetier [kɔktje] *m* Eierbecher *m*
coquetterie [kɔkɛtʀi] *f* Eitelkeit *f*
coquillage [kɔkijaʒ] *m* Muschel *f*
coquille [kɔkij] *f 1.* Muschel *f*; *2. ~ d'œuf* Eierschale *f*; *3.* ZOOL Haus *n*; *~ d'escargot* Schneckenhaus; *4.* Druckfehler *m*
coquin [kɔkɛ̃] *adj 1.* schelmisch; *2.* spitzbübisch; *m 3.* Schelm *m*, Spitzbube *m*; *4.* Schurke *m*
cor [kɔʀ] *m 1.* MUS Horn *n*; *2.* MED Hühnerauge *n*
corail/-aux [kɔʀaj/ʀo] *m/pl* Koralle *f*
corbeau [kɔʀbo] *m* Rabe *m*
corbeille [kɔʀbɛj] *f* Korb *m*; *~ papier(s)* Papierkorb *m*
corbillard [kɔʀbijaʀ] *m* Leichenwagen *m*
cordage [kɔʀdaʒ] *m* Tau *n*
corde [kɔʀd] *f* Seil *n*, Strick *m*; *avoir plus d'une ~ à son arc* vielseitig begabt sein; *mettre la ~ au cou* sich ins Verderben stürzen; *toucher la ~ sensible* den wunden Punkt berühren; *~ à sauter* Springseil
cordeau [kɔʀdo] *m* Leine *f*
cordelière [kɔʀdəljɛʀ] *f* Schnur *f*
cordial [kɔʀdjal] *adj 1.* herzlich; *2.* innig; *3.* treuherzig
cordon [kɔʀdɔ̃] *m 1.* Schnur *f*; *2.* Kordel *f*; *3.* Strang *m*; *4. ~ de chaussure* Schuhband *n*; *5. ~ ombilical* Nabelschnur *f*

cordonnier [kɔrdɔnje] *m* Schuster *m*, Schuhmacher *m*
coriace [kɔrjas] *adj* zäh
coricide [kɔrisid] *m* Hühneraugenpflaster *n*
corne [kɔrn] *f* 1. *(matière)* Horn *n*; 2. ZOOL Horn *n*
cornée [kɔrne] *f (œil)* Hornhaut *f*
corneille [kɔrnɛj] *f* Krähe *f*
corner [kɔrne] *v (klaxonner)* hupen, tuten
cornet [kɔrnɛ] *m* Tüte *f*; ~ *de glace* (Eis-) Tüte *f*
corniche [kɔrniʃ] *f* Sims *n*
cornichon [kɔrniʃɔ̃] *m* 1. Gewürzgurke *f*; 2. ~ *au vinaigre* Essiggurke *f*; ~ *confit dans du vinaigre* Essiggurke *f*
cornue [kɔrny] *f* Retorte *f*
corporation [kɔrpɔrasjɔ̃] *f* 1. Innung *f*; 2. Körperschaft *f*
corporel [kɔrpɔrɛl] *adj* körperlich
corps [kɔr] *m* 1. Leib *m*, Körper *m*; à ~ perdu kopfüber; ~ à ~ Mann gegen Mann; ~ et âme mit Leib und Seele; ~ et biens mit Mann und Maus; 2. ~ d'un mort Leiche *f*; 3. Körperschaft *f*; 4. ~ à ~ Handgemenge *n*; 5. ~ de métier Innung *f*; 6. ~ professoral Kollegium *n*
corpulent [kɔrpylã] *adj* dick, beleibt
correct [kɔrɛkt] *adj* 1. korrekt; 2. fehlerlos; 3. richtig; 4. anständig
correction [kɔrɛksjɔ̃] *f* 1. Korrektur *f*, Verbesserung *f*; 2. Korrektheit *f*; 3. Richtigkeit *f*
correspondance [kɔrɛspɔ̃dãs] *f* 1. Briefwechsel *m*; 2. Korrespondenz *f*, Schriftverkehr *m*; être en ~ (avec) mit jdm korrespondieren; ~ commerciale Handelskorrespondenz; 3. Berichterstattung *f*; 4. (train) Verbindung *f*, Zuganschluß *m*; 5. (avion) Anschlußflug *m*; ~ aérienne Flugverbindung
correspondant [kɔrɛspɔ̃dã] *adj* 1. dementsprechend; 2. übereinstimmend; 3. entsprechend; 4. ~(à) einschlägig; *m* 5. Korrespondent *m*; 6. TEL Teilnehmer *m*
correspondre [kɔrɛspɔ̃dR] *v* 1. ~ à entsprechen; 2. ~ (avec) korrespondieren
corrida [kɔrida] *f* Stierkampf *m*
corriger [kɔriʒe] *v* 1. strafen; 2. (rectifier) verbessern, berichtigen; 3. korrigieren
corroder [kɔrɔde] *v* beizen
corrompre [kɔrɔ̃pR] *v* 1. bestechen; 2. (fam) schmieren; 3. (fig) verderben

corruption [kɔrypsjɔ̃] *f* 1. Korruption *f*, Bestechung *f*; 2. Verderben *n*
corsage [kɔrsaʒ] *m* Bluse *f*
corset [kɔrsɛ] *m* Korsett *n*
cortège [kɔrtɛʒ] *m* 1. Umzug *m*, Festzug *m*; 2. Zug *m*; 3. Gefolge *n*
corvée [kɔrve] *f (peine)* Schinderei *f*; *C'est une ~.* Das ist eine lästige Angelegenheit.
cosmétique [kɔsmetik] 1. *adj* kosmetisch; 2. *f* Kosmetik *f*
cosmique [kɔsmik] *adj* kosmisch
cosmonaute [kɔsmɔnot] *m* Astronaut *m*, Raumfahrer *m*
cosmos [kɔsmɔs] *m* Weltall *n*, Kosmos *m*
cosse [kɔs] *f* Hülse *f*
costume [kɔstym] *m* 1. Anzug *m*; 2. Kostüm *n*; 3. ~ folklorique Tracht *f*
côte [kot] *f* 1. Küste *f*; ~ rocheuse Felsenküste *f*; 2. ANAT Rippe *f*
côté [kote] 1. *m (fig: aspect)* Seite *f*; ~ positif Plus; ~ intérieur Innenseite; d'un autre ~ andererseits, anderweitig; de l'autre ~ jenseits, drüben, hinüber; *adv* 2. de ~ schief, schräg; de ce ~-ci her, herüber; d'un seul ~ einseitig; du ~ gauche links; de tous ~s allseits; mettre de ~ aufheben; des deux ~s beidseitig; de ce ~ diesseits; de mon ~ meinerseits; du ~ de seitens; 3. à ~ nebenher, nebenan; à ~ de neben; ~ à ~ nebeneinander
cote [kɔt] *f (dossier)* Aktenzeichen *n*
côtelette [kotlɛt] *f* 1. Kotelett *n*; 2. Rippe *f*
cotisation [kɔtizasjɔ̃] *f* 1. Mitgliedsbeitrag *m*; 2. Umlage *f*
coton [kɔtɔ̃] *m* 1. Baumwolle *f*; 2. ~ hydrophile Watte *f*
cou [ku] *m* 1. Genick *n*; 2. Hals *m*; sauter au ~ de qn jdm um den Hals fallen
couard [kwar] *adj* feig
couardise [kwardiz] *f* Feigheit *f*
couche [kuʃ] *f* 1. Lage *f*; 2. Lager *n*; 3. Belag *m*, Schicht *f*; ~ d'ozone Ozonschicht; ~ sociale Gesellschaftsschicht; 4. Unterlage *f*; 5. Windel *f*
coucher [kuʃe] 1. *m (soleil/lune)* Untergang *m*; ~ de soleil Sonnenuntergang, Abendrot; *v* 2. schlafen, ins Bett bringen; ~ ensemble miteinander schlafen; 3. se ~ sich hinlegen; 4. se ~ soleil/lune untergehen
couchette [kuʃɛt] *f* 1. Koje *f*; 2. Liege *f*
coucou [kuku] *m* 1. Kuckucksuhr *f*; 2. ZOOL Kuckuck *m*

coude [kud] *m* 1. Knick *m;* 2. Krümmung *f;* 3. *ANAT* Ell(en)bogen *m;* ~ à ~ in Tuchfühlung

coudre [kudʀ] *v* 1. nähen; 2. ~ *(un bouton)* à annähen

couler [kule] *v* 1. fließen, laufen; 2. sinken, versenken; 3. rieseln, rinnen; 4. auslaufen

couleur [kulœʀ] *f* 1. Farbe *f; de toutes les* ~s bunt; *en* ~ farbig; *de* ~ *naturelle* naturfarben; ~ *des cheveux* Haarfarbe; ~ *à l'huile* Ölfarbe; *aux* ~s *gaies/vives* farbenfroh; 2. *(fam: TV)* Farbfernseher *m*

coulisse [kulis] *f* Kulisse *f*

couloir [kulwaʀ] *m* Korridor *m*, Gang *m*

coup [ku] *m* 1. Schlag *m;* 2. Stoß *m; après* ~ zu spät/nachträglich; *tenir le* ~ durchhalten; ~ *de téléphone* Telefonanruf; *du premier* ~ auf Anhieb; ~ *au but* Treffer; *en être à son* ~ *d'essai* noch Anfänger sein; ~ *d'Etat* Staatsstreich; ~ *d'Etat militaire* Militärputsch; ~ *d'œil* Blick; ~ *de canon* Böllerschuß; ~ *de chaleur* Hitzschlag; ~ *de chance* Glücksfall; ~ *de couteau* Messerstich; ~ *de feu* Schuß; ~ *de froid* Kälteeinbruch; ~ *de main* Handstreich; ~ *de pied* Fußtritt; ~ *de pinceau* (Pinsel-) Strich; ~ *de soleil* Sonnenbrand; ~ *de destin* Schicksalsschlag; ~ *franc* Strafstoß; 3. Hieb *m*

coupable [kupabl] 1. *adj* schuldig; 2. *m* Täter *m*

coupant [kupɑ̃] *adj* scharf; ~ *comme un rasoir* messerscharf

coupe [kup] *f* 1. Schale *f;* ~ *de glace* Eisbecher; 2. Pokal *m;* 3. Kelch *m;* 4. Schnitt *m;* ~ *fil* Drahtzange; ~ *transversale* Querschnitt; ~ *de cheveux* Haarschnitt; ~ *d'ongle* Nagelschere; 5. Schnittfläche *f;* 6. *TECH* Profil *n*

couper [kupe] *v* 1. schneiden, abschneiden; ~ *en deux* halbieren; ~ *la route à qn* jdm den Weg abschneiden; ~ *les ponts* aussteigen; 2. ~ *qc* abschalten; 3. *(eau)* abstellen; 4. *(chemin)* versperren; 5. kappen; 6. *TEL* unterbrechen; 7. verdünnen; 8. *(vin)* panschen

couple [kupl] *m* 1. Paar *n;* ~ *d'amoureux* Liebespaar; 2. Ehepaar *n;* 3. *(fig)* Gespann *n;* ~ *de rotation* Drehmoment

coupole [kupɔl] *f* Kuppel *f*

coupure [kupyʀ] *f* 1. Schnitt *m;* ~ *de journal* Zeitungsausschnitt; 2. *MED* Schnittwunde *f*

cour [kuʀ] *f* 1. Hof *m*, Königshof *m; faire la* ~ *à qn* mit jdm anbändeln; 2. ~ *de justice* Gericht *n;* ~ *d'assises* Schwurgericht

courage [kuʀaʒ] *m* 1. Mut *m; prendre son* ~ *à deux mains* sich ein Herz fassen; *perdre* ~ verzagen; ~ *civique* Zivilcourage; 2. Tapferkeit *f*

courageux [kuʀaʒø] *adj* 1. tapfer; 2. beherzt; 3. mutig

courant [kuʀɑ̃] *m* 1. *(fleuve)* Strom *m;* ~ *d'air* Luftzug; 2. Strömung *f;* 3. *TECH* Betriebsstrom *m;* ~ *de haute tension* Starkstrom; ~ *électrique* Strom; *adj* 4. gängig; *C'est* ~. Das kommt häufig vor. 5. gebräuchlich; 6. geläufig; 7. laufend; 8. weitverbreitet; 9. *(langue)* flüssig

courbature [kuʀbatyʀ] *f* Muskelkater *m*

courbe [kuʀb] *f* 1. Kurve *f;* 2. Biegung *f,* Krümmung *f;* 3. Bogen *m*

courber [kuʀbe] *v* 1. biegen, beugen; ~ *en dedans* einbiegen; ~ *l'échine* sich ducken; 2. krümmen; 3. *se* ~ sich beugen, sich bücken

courbette [kuʀbɛt] *f* Verbeugung *f*

courbure [kuʀbyʀ] *f* Krümmung *f*

coureur [kuʀœʀ] *m* 1. Läufer *m;* 2. ~ *automobile* Rennfahrer *m;* 3. ~ *de jupons* Schürzenjäger *m*

courir [kuʀiʀ] *v* 1. laufen, rennen; ~ *après* hinterherlaufen; 2. ~ *le monde (voyager)* herumkommen; 3. *(rumeur)* kursieren; *Il court un bruit.* Es geht ein Gerücht.

couronne [kuʀɔn] *f* 1. Kranz *m;* 2. Krone *f*

couronné [kuʀɔne] *adj* 1. ~ *de succès* erfolgreich; 2. preisgekrönt

couronnement [kuʀɔnmɑ̃] *m* Krönung *f*

couronner [kuʀɔne] *v* krönen

courrier [kuʀje] *m* 1. Briefwechsel *m*, Post *f;* ~ *aérien* Luftpost; ~ *des lecteurs* Leserbrief; 2. Schreiben *n;* 3. Kurier *m*

courroie [kuʀwa] *f* 1. Gurt *m;* 2. Riemen *m*

courroux [kuʀu] *m LIT* Zorn *m*

cours [kuʀ] *m* 1. Stunde *f,* Unterrichtsstunde *f;* 2. Unterricht *m;* 3. *(université)* Vorlesung *f; suivre les* ~ Vorlesungen hören; 4. Kurs *m*, Kursus *m;* ~ *du soir* Abendkurs; ~ *de base* Einführungskurs; ~ *par correspondance* Fernkurs; ~ *de danse* Tanzkurs; 5. Lehrgang *m;* 6. *(la marche des choses)* Gang *m*, Verlauf *m;* ~ *d'un fleuve/d'une rivière* Flußlauf; 7. Umrechnungskurs *m;* ~ *d'une action* Aktienkurs; ~ *de la Bourse* Börsenkurs; ~ *des changes* Devisenkurs; ~ *des devises* Sortenkurs; ~ *du change* Wechselkurs

course [kuʀs] *f* 1. *(taxi)* Fahrt *f;* 2. *(compétition)* Rennen *n;* ~ *automobiles* Autorennen; ~ *de chevaux* Pferderennen; ~ *de ski* Skirennen; 3. Lauf *m;* ~ *de fond* Dauerlauf; ~ *de haies* Hürdenlauf; ~ *de relais* Staffellauf; 4. Besorgung *f,* Kauf *m; faire des* ~s einkaufen

court [kuʀ] 1. *adj* kurz; *être à* ~ *d'argent* knapp bei Kasse sein; *couper* ~ abbrechen; 2. *m* Tennisplatz *m*

court-circuit [kuʀsiʀkųi] *m TECH* Kurzschluß *m*

courtier [kuʀtje] *m* Makler *m*

courtois [kuʀtwa] *adj* höflich, verbindlich

courtoisie [kuʀtwazi] *f* Höflichkeit *f; manque de* ~ Unhöflichkeit *f*

couru [kuʀy] *adj* begehrt

cousin [kuzɛ̃] *m* Vetter *m,* Cousin *m*

cousine [kuzin] *f* Kusine *f*

coussin [kusɛ̃] *m* 1. Kissen *n;* ~ *électrique* Heizkissen *n;* 2. Polster *n*

coussinet [kusinɛ] *m TECH* Lager *n*

cousu [kuzy] *adj;* ~ *de fil blanc* *(fig)* fadenscheinig

coût [ku] *m* Kosten *pl,* Ausgaben *pl;* ~ *de la construction* Baukosten *pl;* ~ *de la vie* Lebenshaltungskosten *pl*

couteau [kuto] *m* Messer *n; être à* ~x *tirés avec qn* sich spinnefeind sein; ~ *pliant* Klappmesser *m*

coûter [kute] *v (prix)* kosten; ~ *la vie à qn* jdn das Leben kosten; *Coûte que coûte.* Koste es, was es wolle. *Il en coûte.* Es kostet Überwindung.

coûteux [kutø] *adj* 1. kostspielig, teuer; 2. aufwendig

coutume [kutym] *f* 1. Brauch/Bräuche *m/pl;* 2. Gepflogenheit *f;* 3. Konvention *f*

couture [kutyʀ] *f* Naht *f*

couturier [kutyʀje] *m* 1. Schneider *m;* 2. Modeschöpfer *m*

couvée [kuve] *f* Brut *f*

couvent [kuvɑ̃] *m (pour femmes) REL* Kloster *n*

couver [kuve] *v* 1. aushecken; 2. brüten

couvercle [kuvɛʀkl] *m* Deckel *m*

couvert [kuvɛʀ] 1. *adj* bewölkt, wolkig; *m* 2. Gedeck *n;* 3. Besteck *n,* Eßbesteck *n;* 4. *(fig: abri)* Deckung *f*

couverture [kuvɛʀtyʀ] *f* 1. Bettdecke *f;* 2. Zudecke *f;* 3. *(chèque)* Deckung *f;* 4. ~ *d'assurance* Versicherungsschutz *m;* 5. Bucheinband *m,* Deckblatt *n*

couveuse [kuvøz] *f* Brutkasten *m*

couvre-feu [kuvʀəfø] *m* Sperrstunde *f*

couvreur [kuvʀœʀ] *m* Dachdecker *m*

couvrir [kuvʀiʀ] *v* 1. bedecken, decken; ~ *qn (fig)* decken; *se* ~ *contre un risque* sich absichern; *se* ~ *de ridicule* sich blamieren; 2. zudecken, abdecken; 3. verdecken; 4. beziehen, überziehen; 5. verhängen, verschleiern; ~ *qc d'un voile* etw verschleiern

crabe [kʀab] *m* 1. Krabbe *f;* 2. Krebs *m*

crachat [kʀaʃa] *m* Spucke *f*

cracher [kʀaʃe] *v* 1. spucken; 2. ausspeien, speien; *C'est son père tout craché.* Er ist seinem Vater wie aus dem Gesicht geschnitten.

craie [kʀɛ] *f* 1. Kreide *f;* 2. *GEOL* Kreide *f*

craindre [kʀɛ̃dʀ] *v* befürchten, fürchten

crainte [kʀɛ̃t] *f* 1. Befürchtung *f;* 2. Furcht *f,* Angst *f;* 3. Ängstlichkeit *f*

craintif [kʀɛ̃tif] *adj* ängstlich, furchtsam

crampe [kʀɑ̃p] *f* Krampf *m*

cran [kʀɑ̃] *m* Kerbe *f*

crâne [kʀan] *m* 1. Schädel *m;* 2. ~ *dénudé* Glatze *f*

crâneur [kʀɑnœʀ] *m (fam)* Angeber *m,* Prahlhans *m*

crapaud [kʀapo] *m* Kröte *f*

crapule [kʀapyl] *f* Schurke *m*

craquelé [kʀakle] *adj* rissig

craquer [kʀake] *v* knacken, knarren; *plein à* ~ brechend voll

craqueter [kʀakte] *v (papier)* knistern

crasseux [kʀasø] *adj (fig)* schmierig

crassier [kʀasje] *m* Schutthalde *f*

cravache [kʀavaʃ] *f* Peitsche *f*

cravate [kʀavat] *f* Krawatte *f,* Schlips *m*

crawl [kʀol] *m* nager le ~ kraulen

crayon [kʀɛjɔ̃] *m* 1. Bleistift *m;* 2. ~ *de couleur* Buntstift *m*

créance [kʀeɑ̃s] *f* 1. Gutschrift *f;* 2. Ausstand *m*

créancier [kʀeɑ̃sje] *m* Gläubiger *m*

créateur [kʀeatœʀ] 1. *adj* schöpferisch; 2. *m (fondateur)* Gründer *m,* Schöpfer *m;* ~ *de mode* Modeschöpfer

créatif [kʀeatif] *adj* kreativ

création [kʀeasjɔ̃] *f* 1. Schöpfung *f;* 2. *(fondation)* Errichtung *f,* Gründung *f;* 3. Stiftung *f;* 4. *(marché)* Erschließung *f*

créature [kʀeatyʀ] *f* Wesen *n,* Geschöpf *n*

crèche [kʀɛʃ] *f* 1. *(enfants)* Hort *m,* Kinderhort *m;* 2. *REL* Krippe *f*

crédibilité [kʀedibilite] *f* Glaubhaftigkeit *f*, Glaubwürdigkeit *f*

crédible [kʀedibl] *adj* glaubhaft

crédit [kʀedi] *m 1.* Guthaben *n; porter au ~* gutschreiben; *~ disponible* Dispositionskredit; *2.* Gutschrift *f*

créditer [kʀedite] *v* gutschreiben

créditeur [kʀeditœʀ] *m* Gläubiger *m*

crédule [kʀedyl] *adj* leichtgläubig

créer [kʀee] *v 1.* gründen, errichten; *2.* schaffen; *3. (produire)* hervorbringen; *4.* stiften

crémation [kʀemasjɔ̃] *f* Feuerbestattung *f*

crème [kʀɛm] *f 1.* Creme *f; enduire de ~/passer de la ~* eincremen; *~ renversée* Pudding; *~ glacée* Speiseeis; *2. GAST* Füllung *f; 3. GAST* Rahm *m*, Sahne *f; ~ Chantilly* Schlagsahne

crémeux [kʀemø] *adj* sahnig

crêpe [kʀɛp] *f* Pfannkuchen *m*

crépi [kʀepi] *m 1.* Putz *m; 2.* Verputz *m*

crépiter [kʀepite] *v (feu)* knistern

crépuscule [kʀepyskyl] *m* Abendrot *n*

cresson [kʀesɔ̃] *m BOT* Kresse *f*

crête [kʀɛt] *f 1. (montagne)* Grat *m*, Bergkamm *m; 2. ~ blanche* Schaumkrone *f*

crétin [kʀetɛ̃] *m (fam)* Trottel *m*

creuser [kʀøze] *v 1.* graben; *se ~ la tête* sich den Kopf zerbrechen; *2. ~ le sol* wühlen, graben; *3.* ausschachten; *~ sa tombe* sich sein eigenes Grab schaufeln

creuset [kʀøzɛ] *m (fig)* Schmelztiegel *m*

creux [kʀø] *m 1.* Höhle *f; ~ de l'aisselle* Achselhöhle *f; 2.* Niederung *f; 3. ~ de la vague (fig)* Talsohle *f; adj 4.* hohl; *5. (fig: sans teneur)* hohl; *6.* leer, brüchig

crevaison [kʀəvɛzɔ̃] *f* Reifenpanne *f*

crevasse [kʀəvas] *f 1.* Felsspalte *f; 2.* Kluft *f*, Riß *m; 3. (glacier)* Gletscherspalte *f*

crevé [kʀəve] *adj (fam:fatigué)* kaputt, erschöpft

crever [kʀəve] *v 1.* platzen; *C'est à ~ de rire.* Das ist zum Totlachen. *2.* bersten; *3. (animaux)* eingehen; *~ de chaleur* vor Hitze umkommen/vergehen

crevette [kʀəvɛt] *f 1.* Garnele *f; 2.* Krabbe *f*

cri [kʀi] *m 1.* Schrei *m*, Ruf *m; grand ~* Aufschrei *m; 2.* Aufruf *m; 3.* Ausruf *m*

criard [kʀijaʀ] *adj* grell

crible [kʀibl] *m* Sieb *n*

cric [kʀik] *m TECH* Wagenheber *m*

crier [kʀije] *v 1.* ausrufen. rufen; *2.* schreien; *3. ~ qc à qn* zurufen

crime [kʀim] *m 1.* Verbrechen *n*, Straftat *f; ~ monstrueux* Untat; *~ sexuel* Sexualverbrechen; *~ capital* Kapitalverbrechen; *2.* Ermordung *f; 3.* Missetat *f*

criminalité [kʀiminalite] *f* Kriminalität *f; ~ économique* Wirtschaftskriminalität *f*

criminel [kʀiminɛl] *1. adj* kriminell, verbrecherisch; *m 2.* Missetäter *m; 3.* Verbrecher *m; grand ~* Gewaltverbrecher; *~ de guerre* Kriegsverbrecher; *4.* Kriminelle *m/f*

crin [kʀɛ̃] *m* Haar *n*

cris [kʀi] *m/pl 1.* Geschrei *n; 2. ~ de joie* Jubel *m*

crise [kʀiz] *f 1.* Krise *f; ~ d'identité* Identitätskrise; *foyer de ~* Krisenherd; *~ gouvernementale* Regierungskrise; *~ économique* Wirtschaftskrise; *2. MED* Anfall *m; ~ cardiaque* Herzanfall; *~ de nerfs* Nervenzusammenbruch

crispant [kʀispɑ̃] *adj 1.* aufregend; *2.* aufreizend

crisper [kʀispe] *v se ~* sich verkrampfen

crisser [kʀise] *v* knirschen

cristal [kʀistal] *m* Kristall *m*

cristallin [kʀistalɛ̃] *adj (son)* gläsern

critère [kʀitɛʀ] *m 1.* Kriterium *n; 2. (fig)* Maßstab *m*

critique [kʀitik] *f 1.* Kritik *f; 2.* Nörgelei *f; ~ mesquine* Haarspalterei; *3. m* Kritiker *m; 4. adj (situation)* bedenklich, kritisch

critiquer [kʀitike] *v* kritisieren, bemängeln

critiques [kʀitik] *f/pl* Beanstandung *f*

crochet [kʀɔʃɛ] *m 1.* Haken *m; vivre aux ~s de qn* jdm auf der Tasche liegen; *2.* Abstecher *m; 3.* Häkelnadel *f; faire du ~* häkeln; *4. ~ à venin* Giftzahn *m; 5. ~ à la mâchoire SPORT* Kinnhaken *m*

crocodile [kʀɔkɔdil] *m* Krokodil *m*

croire [kʀwaʀ] *v 1.* glauben; *J'aime à ~...* Ich möchte fast glauben/Ich hege die Hoffnung ... *ne pas en ~ ses yeux/ses oreilles* seinen Augen/Ohren nicht trauen; *~ en Dieu* an Gott glauben; *~ qn capable de qc* jdm etw abkaufen; *~ qn capable de qc* jdm etw zutrauen; *donner à ~* vermuten lassen; *~ fermement* felsenfest glauben; *~ en soi* Selbstvertrauen haben; *Je le crois honnête.* Ich halte ihn für ehrlich. *2. (opinion)* meinen; *3.* erachten; *4. se ~* sich einbilden

croisade [kʀwazad] *f* Kreuzzug *m*

croisement [kʀwazmɑ̃] *m* 1. Überschneidung *f*, Kreuzung *f*; 2. *BIO* Kreuzung *f*

croiser [kʀwaze] *v* 1. *BIO* kreuzen; 2. *(bras,jambes)* verschränken; 3. *NAUT* kreuzen; 4. *se* ~ sich überschneiden, sich kreuzen

croiseur [kʀwazœʀ] *m* Kreuzer *m*

croisière [kʀwazjεʀ] *f* 1. Jungfernfahrt *f*; 2. Kreuzfahrt *f*

croissance [kʀwasɑ̃s] *f* 1. Wachstum *n*; 2. Wuchs *m*; 3. *ECO* Zuwachs *m*

croissant [kʀwasɑ̃] 1. *m GAST* Hörnchen *n*; *adj* 2. steigend; 3. wachsend

croître [kʀwatʀ] *v* 1. wachsen; 2. steigern; 3. heranwachsen; 4. aufwachsen

croix [kʀwa] *f* Kreuz *n*; faire une ~ sur qc etw in den Wind schreiben; faire son signe de ~ sich bekreuzigen; ~ gammée Hakenkreuz

crosse [kʀɔs] *f (fusil)* Kolben *m*

crotale [kʀɔtal] *m* Klapperschlange *f*

crotté [kʀɔte] *adj* dreckig

crottin [kʀɔtε̃] *m (de cheval)* Mist *m*

croustillant [kʀustijɑ̃] *adj* knusprig

croûte [kʀut] *f* 1. Brotkruste *f*; 2. Rinde *f*, Kruste *f*

croyable [kʀwajabl] *adj* glaubhaft

croyance [kʀwajɑ̃s] *f* Glaube *m*

croyant [kʀwajɑ̃] 1. *adj* gläubig; 2. *m* Gläubige *m/f*

cru [kʀy] *adj* 1. roh; 2. grell; 3. *m (vin)* Auslese *f*

cruauté [kʀyote] *f* 1. Grausamkeit *f*; 2. Unbarmherzigkeit *f*; 3. ~ envers les animaux Tierquälerei *f*

cruche [kʀyʃ] *f* Krug *m*

cruchon [kʀyʃɔ̃] *m* Krug *m*

crucifix [kʀysifi] *m* Kruzifix *n*

crucifixion [kʀysifiksjɔ̃] *f* Kreuzigung *f*

crue [kʀy] *f* Hochwasser *n*

cruel [kʀyεl] *adj* 1. grausam; 2. qualvoll; 3. unbarmherzig, gnadenlos

cube [kyb] *m* Würfel *m*

cueillette [kœjεt] *f (activité)* Ernte *f*

cueillir [kœjiʀ] *v* 1. pflücken; 2. auflesen

cuiller/cuillère [kɥijεʀ] *f* Löffel *m*; ~ en bois Kochlöffel *m*; ~ à soupe Suppenlöffel *m*; petite ~ Teelöffel *m*; ~ à café Kaffeelöffel *m*; ~ à soupe Eßlöffel *m*

cuir [kɥiʀ] *m* Leder *n*

cuirasse [kɥiʀas] *f* Panzer *m*

cuirasser [kɥiʀase] *v se* ~ contre sich wappnen gegen

cuire [kɥiʀ] *v* 1. *(blessure)* brennen; 2. faire ~ kochen, garen; 3. faire ~ à l'étuvée dünsten; 4. ~ à point (au four) durchbraten; 5. ~ complètement durchbraten

cuirs [kɥiʀ] *m/pl* Lederwaren *pl*

cuisant [kɥizɑ̃] *adj* 1. qualvoll; 2. schmerzlich

cuisine [kɥizin] *f* 1. *(pièce)* Küche *f*; faire la ~ kochen; 2. *(art culinaire)* Küche *f*

cuisiner [kɥizine] *v (préparer)* kochen

cuisinier/ère [kɥizinje] *m/f* Koch/Köchin *m/f*

cuisinière [kɥizinjεʀ] *f* ~ à gaz Gasherd *m*, Herd *m*

cuisse [kɥis] *f* 1. *GAST* Keule *f*; 2. *ANAT* Oberschenkel *m*; 3. *ANAT* Schenkel *m*

cuivre [kɥivʀ] *m* 1. *CHEM* Kupfer *n*; 2. ~ jaune Messing *n*

cul [ky] *m (fam)* Arsch *m*

culbute [kylbyt] *f* Purzelbaum *m*; faire une ~ purzeln

culbuter [kylbyte] *v* 1. kippen; 2. purzeln

culinaire [kylinεʀ] *adj* kulinarisch

culot [kylo] *m* 1. *(fam)* Unverschämtheit *f*; 2. Fassung *f*

culotte [kylɔt] *f* 1. Hose *f*; 2. Schlüpfer *m*

culpabilité [kylpabilite] *f* 1. Verschulden *n*; 2. *JUR* Schuld *f*

culte [kylt] *m* 1. Kult *m*; 2. *REL* Gottesdienst *m*

cultivateur [kyltivatœʀ] *m* Landwirt *m*

cultivé [kyltive] *adj* gebildet, kultiviert

cultiver [kyltive] *v* 1. *AGR* anbauen; 2. kultivieren; 3. züchten; 4. *(fig)* ausbauen; 5. se ~ sich bilden

culture [kyltyʀ] *f* 1. Kultur *f*; 2. ~ générale Allgemeinbildung *f*; 3. Zucht *f*; 4. *AGR* Anbau *m*; 5. *BIO* Kultur *f*

culturel [kyltyʀεl] *adj* kulturell

cumin [kymε̃] *m* Kümmel *m*

cumul [kymyl] *m JUR* Anhäufung *f*

cumulard [kymylaʀ] *m (fam)* Doppelverdiener *m*

cupide [kypid] *adj* 1. gierig; 2. habgierig

cupidité [kypidite] *f* Habgier *f*

curable [kyʀabl] *adj* heilbar

curatelle [kyʀatεl] *f* Vormundschaft *f*

curateur/trice [kyʀatœʀ/tʀis] *m/f* Vormund *m*

cure [kyʀ] *f* 1. *MED* Kur *f*; ~ d'amaigrissement Abmagerungskur; ~ radicale Radikalkur; ~ de désintoxication Entziehungskur; 2. *REL* Pfarramt *n*

curé [kyʀe] *m* Pfarrer *m*
cure-dents [kyʀdã] *m* Zahnstocher *m*
curieux [kyʀjø] *adj* 1. eigenartig, sonderbar; 2. neugierig; 3. wissensdurstig; 4. originell, kurios; 5. *m* Schaulustige *m/f*
curiosité [kyʀjozite] *f* 1. Neugier *f*; 2. Seltenheit *f*; 3. Sehenswürdigkeit *f*
curriculum [kyʀikylɔm] *m* ~ *vitae* Lebenslauf *m*
cuve [kyv] *f* Wanne *f*
cuvette [kyvɛt] *f* Waschbecken *n*
cybernétique [sibɛʀnetik] *f* Kybernetik *f*
cyclamen [siklamɛn] *m* Alpenveilchen *n*

cycle [sikl] *m* 1. Zyklus *m*; 2. *(fig)* Kreislauf *m*
cyclique [siklik] *adj* periodisch
cycliste [siklist] *m* Radfahrer *m*
cyclomoteur [siklɔmɔtœʀ] *m* Moped *n*
cygne [siɲ] *m* Schwan *m*
cylindre [silɛ̃dʀ] *m* 1. Zylinder *m*; 2. *(à vapeur) TECH* Dampfwalze *f*
cylindrée [silɛ̃dʀe] *f* petite ~ Kleinwagen *m*
cynique [sinik] *adj* zynisch
cynisme [sinism] *m* Zynismus *m*
cyprès [sipʀɛ] *m* Zypresse *f*

D

dactylo [daktilo] *f* Schreibkraft *f*
dalle [dal] *f* 1. Platte *f*, Fliese *f*; 2. ~ de verre Glasbaustein *m*
daller [dale] *v* fliesen
dame [dam] *f* Dame *f*; *grande* ~ Dame *f*
Danemark [danmaʀk] *m* Dänemark *n*
danger [dɑ̃ʒe] *m* 1. Gefahr *f*, Not *f*; 2. ~ pour Gefährdung *f*
dangereux [dɑ̃ʒʀø] *adj* gefährlich
dans [dɑ̃] *prep* 1. *(temporel)* in, innerhalb; ~ le cas où falls; ~ la plupart des cas meist; ~ la matinée vormittags; ~ le cas contraire andernfalls; ~ le meilleur des cas/ ~ le cas le plus favorable bestenfalls; ~ le pire des cas schlimmstenfalls; ~ le temps ehemals; ~ l'espoir que... in der Hoffnung, daß... ~ les plus brefs délais schnellstens; 2. *(spatial)* in, im; ~ les conditions normales normalerweise; ~ la pratique praktisch; ~ cette mesure soweit; ~ une certaine mesure einigermaßen; ~ la mesure où insofern, sofern; ~ le cadre du métier berufsbedingt; ~ le cadre de ses obligations professionnelles dienstlich; ~ le sens de la longueur längs; ~ le contenu inhaltlich; 3. zu
danse [dɑ̃s] *f* Tanz *m*
danser [dɑ̃se] *v* tanzen
Danube [danyb] *m* Donau *f*
dard [daʀ] *m* ZOOL Stachel *m*
date [dat] *f* 1. Datum/Daten *n*; ~ de naissance Geburtsdatum *n*; ~ de péremption Verfallsdatum *n*; 2. Termin *m*
dater [date] *v* ~ de datieren
dauphin [dofɛ̃] *m* ZOOL Delphin *m*
davantage [davɑ̃taʒ] *adv* mehr
de [də] 1. *prep* aus, bei, von; 2. *konj* ~ plus de *(comparatif)* als
dé [de] *m* 1. Würfel *m*; 2. ~ à coudre Fingerhut *m*
déballer [debale] *v* auspacken
débarras [debaʀa] *m* 1. Abstellkammer *f*, Rumpelkammer *f*; 2. Verschlag *m*
débarrasser [debaʀase] *v* 1. aufräumen, abräumen; 2. se ~ de qn jdn abschütteln, jdn loswerden; 3. se ~ de entsorgen
débat [deba] *m* 1. Debatte *f*, Streitgespräch *n*; meneur du ~/ des ~s Diskussionsleiter; 2. Erörterung *f*; 3. POL Debatte *f*

débat(s) [deba] *m/pl* 1. ~ public(s) Podiumsdiskussion *f*; 2. JUR Verhandlung *f*; ~ judiciaires Gerichtsverhandlung *f*
débattre [debatʀ] *v* 1. ~ de *(affaires,sujet)* abhandeln; 2. ~ de debattieren; 3. ~ de erörtern; 4. se ~ *(fig)* mit sich ringen; se ~ comme un beau diable wie wild um sich schlagen
débauché [deboʃe] 1. *adj* wüst; 2. *m* Wüstling *m*
débauche [deboʃ] *f* JUR Unzucht *f*
débaucher [deboʃe] *v* ECO abwerben
débilité [debilite] *f* ~ mentale Schwachsinn *m*
débit [debi] *m* 1. Fördermenge *f*; 2. ECO Abbuchung *f*; 3. ECO Abgang *m*; 4. ECO Soll *n*; 5. ~ de boissons Ausschank *m*
débiter [debite] *v* 1. *(un compte)* abbuchen; 2. ~ des racontars/des mensonges Lügen auftischen
débiteur [debitœʀ] *m* Schuldner *m*
déblayer [debleje] *v* abräumen
déblocage [deblɔkaʒ] *m* Freigabe *f*
déboire [debwaʀ] *m* Enttäuschung *f*
déboîter [debwate] *v* 1. MED verrenken; 2. ausscheren
débonnaire [debɔnɛʀ] *adj* gutmütig
débordement [debɔʀdmɑ̃] *m* *(fig)* Überschwang *m*
déborder [debɔʀde] *v* ausströmen
débosseler [debɔsle] *v* ausbeulen
débouché [debuʃe] *m* 1. ECO Absatz *m*; 2. ECO Absatzmarkt *m*
déboucher [debuʃe] *v* 1. öffnen; 2. herauskommen; 3. ~ dans münden
déboucler [debukle] *v* abschnallen
debout [dəbu] *adj* aufrecht; ne plus tenir ~ sich nicht mehr auf den Beinen halten können; dormir ~ zum Umfallen müde sein; être ~ *(aufrecht)* stehen
débraillé [debʀaje] *adj* 1. unordentlich; 2. schlampig
débrayer [debʀeje] *v* kuppeln
débris [debʀi] *m* 1. Überrest *m*; 2. ~ de verre Scherbenhaufen *m*
débrouiller [debʀuje] *v* 1. savoir se ~ sich behelfen, sich zu helfen wissen; 2. se ~ *(fam)* sich durchboxen

début [deby] *m 1.* Anfang *m,* Beginn *m;* *n'en être qu'à ses -s* noch am Anfang stehen/in den Kinderschuhen stecken; *dès le ~* von Anfang an ; *par le ~* vorn(e); *du ~* anfänglich; *2.* Anfangsstadium/Anfangsstadien *n/pl; 3. (premier essai)* Anlauf *m; 4.* Ansatz *m; 5.* Auftakt *m; 6.* Debüt *n; 7. (nuit)* Einbruch *m*
débutant [debytã] *m 1.* Anfänger *m; 2.* Neuling *m*
débuter [debyte] *v* anfangen
deçà [dəsa] *adv en ~* diesseits
décaféiné [dekafeine] *adj* koffeinfrei
décalage [dekalaʒ] *m* Diskrepanz *f*
décaler [dekale] *v* verschieben
décanter [dekãte] *v* klären
décaper [dekape] *v* beizen
décapsuleur [dekapsylœʀ] *m* Flaschenöffner *m,* Öffner *m*
décédé [desede] *adj* tot
déceler [desle] *v* enthüllen, aufdecken
décélération [deseleʀasjõ] *f* Verlangsamung *f*
décembre [desãbʀ] *m* Dezember *m*
décennie [deseni] *f* Jahrzehnt *n*
décent [desã] *adj* dezent
déception [desɛpsjõ] *f* Enttäuschung *f*
décerner [desɛʀne] *v 1.* verleihen; *2. ~ un prix/une récompense* prämieren
décès [desɛ] *m 1.* Tod *m; 2.* Todesfall *m*
décevoir [desvwaʀ] *v* enttäuschen
déchaîné [deʃene] *adj 1.* wütend; *2. (fig)* zügellos
déchaîner [deʃene] *v se ~* (sich aus-) toben
décharge [deʃaʀʒ] *f 1.* Entlastung *f; 2. (fig)* Erleichterung *f; 3. ~ publique* Mülldeponie *f; 4. ~ électrique* Schlag *m*
décharger [deʃaʀʒe] *v 1.* entlasten; *2.* abladen, entladen; *se ~ de* (sich) abladen; *3. (camion/bateau)* Fracht löschen; *4.* abfeuern; *5. (fig)* entladen; *6. (de tout soupçon)* entlasten
déchéance [deʃeãs] *f 1.* Verkommenheit *f; 2. JUR* Aberkennung *f*
déchet [deʃɛ] *m* Ausschuß *m*
déchets [deʃɛ] *m/pl* Abfall *m; ~ atomiques* Atomabfall ; *~ toxiques* Giftmüll ; *~ speciaux* Sondermüll ; *~ encombrants* Sperrmüll
déchiffrable [deʃifʀabl] *adj* leserlich
déchiffrer [deʃifʀe] *v 1.* lesen; *2.* enträtseln; *3.* entziffern
déchiqueter [deʃikte] *v* zerreißen
déchirer [deʃiʀe] *v* reißen, zerreißen
déchirure [deʃiʀyʀ] *f (vêtements/papiers)* Riß *m*

décibel [desibɛl] *m* Dezibel *n*
décidé [deside] *adj 1.* bestimmt, entschieden; *2.* entschlossen, schlüssig; *J'y suis ~.* Ich bin fest dazu entschlossen.
décider [deside] *v 1.* beschließen, entscheiden; *~ par jugements* urteilen; *2. se ~* sich entschließen; *se ~ pour le moindre mal* sich für das geringere Übel entscheiden
décimal [desimal] *adj* dezimal
décimer [desime] *v* dezimieren
décisif [desizif] *adj* ausschlaggebend, entscheidend
décision [desizjõ] *f 1.* Entscheidung *f,* Entschluß *m; mauvaise ~* Fehlentscheidung; *~ préliminaire/préalable* Vorentscheidung; *2.* Beschluß *m; ~ majoritaire* Mehrheitsbeschluß; *3.* Bestimmtheit *f,* Entschiedenheit *f; 4. JUR* Urteil *n; ~ arbitrale* Schiedsspruch
déclaration [deklaʀasjõ] *f 1.* Erklärung *f; ~ d'intention* Absichtserklärung; *~ de perte* Verlustanzeige; *~ en douane* Zollerklärung; *~ gouvernementale* Regierungserklärung; *~ d'importation* Einfuhrerklärung; *2.* Aussage *f; 3.* Anmeldung *f; 4. ~ de départ* Abmeldung *f*
déclaré [deklaʀe] *adj* eingetragen
déclarer [deklaʀe] *v 1.* erklären; *2.* aussagen; *3.* aussprechen; *4.* anmelden; *~ son domicile* sich (amtlich) anmelden; *~ son départ* sich abmelden; *5. ~ au fisc* versteuern
déclencher [deklãʃe] *v 1.* auslösen; *2. se ~* ausrasten, sich ausklinken
déclencheur [deklãʃœʀ] *m FOTO* Auslöser *m; ~ de flash* Blitzauslöser *m*
déclin [deklɛ̃] *m 1.* Niedergang *m; 2. ECO* Abschwung *m; 3. (fig)* Abstieg *m*
décliner [dekline] *v 1.* ablehnen; *2. GRAMM* deklinieren; *3. ~ son identité* sich ausweisen; *4.* untergehen; *5. (fig)* abschlagen
décollage [dekolaʒ] *m 1.* Abflug *m; 2. (avion)* Start *m*
décoller [dekole] *v (avion)* abfliegen, abheben
décolleté [dekolte] *m (robe)* Dekolleté *n*
décolorer [dekoloʀe] *v* entfärben
décommander [dekomãde] *v* abbestellen; *~ l'invitation de (fig)* jdn ausladen
décomposer [dekõpoze] *v 1. CHEM* abbauen; *2.* zerlegen; *3. se ~* verfaulen
décomposition [dekõpozisjõ] *f 1.* Zerfall *m; 2. CHEM* Abbau *m*
déconcertant [dekõsɛʀtã] *adj 1.* unberechenbar; *2.* verblüffend

déconnecter [dekɔnɛkte] *v (fig/fam)* ausschalten

déconner [dekɔne] *v (fam)* ausflippen

déconseiller [dekõseje] *v* abraten

décontaminer [dekõtamine] *v* dekontaminieren

décontenancer [dekõtnãse] *v* aus der Fassung bringen

décontracter [dekõtrakte] *v se* ~ sich entspannen

décor [dekɔr] *m* 1. Dekor *n*; 2. *(fig)* Rahmen *m*

décor(s) [dekɔr] *m/(pl) THEAT* Bühnenbild *n*

décoration [dekɔrasjõ] *f* 1. Auszeichnung *f*, Ehrung *f*; 2. *(distinction)* Orden *m*; ~ *pour services rendus* Verdienstorden; 3. Dekoration *f*, Verzierung *f*

décorer [dekɔre] *v* 1. ~ *qn* auszeichnen; 2. ausschmücken, dekorieren

découcher [dekuʃe] *v (fam)* auswärts schlafen

découdre [dekudr] *v* 1. abtrennen; 2. auftrennen

découper [dekupe] *v* 1. ausschneiden; 2. ~ *la viande* tranchieren

découragement [dekuraʒmã] *m* 1. Demoralisierung *f*; 2. Niedergeschlagenheit *f*

décourager [dekuraʒe] *v* 1. entmutigen; 2. *se* ~ verzagen

décousu [dekuzy] *adj* zusammenhangslos

découvert [dekuvɛr] *adj* 1. bloß, nackt; 2. ungedeckt; 3. *m* ~ *autorisé* Überziehungskredit *m*

découverte [dekuvɛrt] *f* 1. Entdeckung *f*; 2. Erfindung *f*; 3. Erkenntnis *f*; 4. *(fig)* Enthüllung *f*

découvrir [dekuvrir] *v* 1. entdecken; 2. erfinden; 3. herausfinden; ~ *le pot-aux-roses* dahinterkommen; 4. kennenlernen; 5. offenbaren; ~ *son jeu* seine Karten auf den Tisch legen/eine Sache offen angehen

décret [dekrɛ] *m* 1. Beschluß *m*; 2. Erlaß *m*, Verordnung *f*; 3. *JUR* Dekret *n*

décréter [dekrete] *v* beschließen

décrire [dekrir] *v* 1. beschreiben; 2. darstellen, beschreiben; 3. ~ *des cercles* kreisen

décrocher [dekrɔʃe] *v* 1. ~ *qc* etw abhängen; 2. *(fig)* abschalten

déçu [desy] *adj* enttäuscht

dédaigner [dedeɲe] *v* 1. mißachten, verachten; *Ce n'est pas à* ~. Das ist nicht zu verachten. 2. verschmähen

dédaigneux [dedɛɲø] *adj* 1. herablassend, verächtlich; 2. herabsetzend

dédain [dedɛ̃] *m* 1. Achtlosigkeit *f*, Mißachtung *f*; 2. Geringschätzung *f*

dedans [d(ə)dã] *adv* 1. hinein; 2. *en* ~ herein; 3. *au/en* ~ innen

dédire [dedir] *v* 1. *se* ~ *de* etw widerrufen; 2. *se* ~ abschwören; 3. *se* ~ sich lossagen

dédommagement [dedɔmaʒmã] *m* 1. Entgelt *n*, Entschädigung *f*; 2. *ECO* Abfindung *f*

dédommager [dedɔmaʒe] *v* 1. entschädigen; 2. *(remplacer)* ersetzen; 3. *JUR* abfinden

dédouanement [dedwanmã] *m* 1. *(douane)* Abfertigung *f*; 2. Verzollung *f*

dédouaner [dedwane] *v* 1. *(douane)* abfertigen; 2. verzollen

déductible [dedyktibl] *adj (impôts)* absetzbar

déduction [dedyksjõ] *f* 1. *ECO* Abrechnung *f*; 2. *ECO* Abbuchung *f*; 3. *(impôts)* Absetzung *f*

déduire [deduir] *v* 1. einbehalten; 2. abrechnen; 3. *ECO* abschreiben; 4. *(remise)* abziehen; 5. *(impôts)* absetzen; 6. schließen, ableiten

défaillance [defajãs] *f* 1. Schwäche *f*; 2. *MED* Schwächeanfall *m*; 3. Versagen *n*

défaillant [defajã] *adj JUR* säumig

défaire [defɛr] *v* 1. auseinandernehmen; 2. *se* ~ *de (fig)* etw ablegen

défaut [defo] *m* 1. Fehler *m*; *être en* ~ einen Fehler begehen; 2. Makel *m*; 3. *(manque)* Mangel *m*; *à* ~ *de* mangels

défaveur [defavœr] *f* Mißkredit *m*

défavoriser [defavɔrize] *v* benachteiligen

défection [defɛksjõ] *f MIL* Abfall *m*, Überlaufen (zum Feind) *n*

défectueux [defɛktɥø] *adj* 1. defekt; 2. fehlerhaft, schadhaft; 3. mangelhaft

défendre [defãdr] *v* 1. ~ *contre* beschützen, schützen; 2. verteidigen; 3. ~ *à qn de faire qc* jdm etw verbieten; 4. *se* ~ *contre* sich wehren gegen

défendu [defãdy] *adj* verboten, unerlaubt

défense [defãs] *f* 1. Verbot *n*, Sperre *f*; ~ *de stationner* Parkverbot; 2. Verteidigung *f*, Wahrung *f*; ~ *de la nature* Naturschutz; ~ *antiaérienne* Flugabwehr; 3. *SPORT* Abwehr *f*; 4. *légitime* ~ Notwehr *f*

défenseur [defãsœr] *m* 1. Vertreter *m*; 2. Verfechter *m*; 3. Beschützer *m*

défensif [defɑsif] *adj* defensiv
défensive [defɑsiv] *f* Defensive *f*
déférent [defeRɑ̃] *adj* nachgiebig
défi [defi] *m* Herausforderung *f; relever un*
~ eine Herausforderung annehmen
défiance [defjɑ̃s] *f* Mißtrauen *n*
défiant [defjɑ̃] *adj* 1. *~ toute concurrence*
konkurrenzlos; 2. mißtrauisch
déficience [defisjɑ̃s] *f - immunitaire* Immunschwäche *f*
déficient [defisjɑ̃] *adj* zurückgeblieben
déficit [defisit] *m* Verlust *m*, Defizit *n*
défier [defje] *v* 1. *se - de* etw mißtrauen; 2.
(bouder) trotzen
défigurer [defigyRe] *v* 1. verschandeln; 2.
verunstalten
défilé [defile] *m* 1. *(cortège)* Umzug *m*,
Zug *m;* 2. Parade *f;* 3. *(montagne)* Paß *m*
définir [definiR] *v* bestimmen, definieren
définitif [definitif] *adj* endgültig
déflorer [defloRe] *v* entjungfern
défoncer [defɔ̃se] *v* 1. aufstoßen; 2. knakken, aufbrechen
déformation [defɔRmasjɔ̃] *f* 1. Deformation *f*, Verformung *f;* 2. Mißbildung *f*
déformer [defɔRme] *v* 1. deformieren.
verunstalten; 2. verbiegen; 3. verformen; 4.
(fig) verdrehen
défouler [defule] *v* 1. *se -* sich abreagieren;
2. *se -* sich austoben
défunt [defœ̃] 1. *adj* tot; 2. *m/f* Verstorbene *m/f,* Tote *m*
dégagé [degaʒe] *adj (temps)* klar, wolkenlos; *être - de tout souci* jeder Sorge enthoben sein
dégagement [degaʒmɑ̃] *m* 1. Freimachen *n;* 2. *(promesse)* Entbinden *n;* 3. *(responsabilité)* Entlastung *f*
dégager [degaʒe] *v* 1. freimachen; 2. *(responsabilité)* ablehnen; 3. *- de la vapeur*
dampfen; *Le temps se dégage.* Der Himmel
hellt sich auf.
dégâts [dega] *m/pl* 1. *- causés par l'incendie* Brandschaden *m;* 2. *- matériels* Sachbeschädigung *f*
dégeler [deʒle] *v* tauen, abtauen
dégénérer [deʒeneRe] *v* 1. ausarten; 2. *se -*
degenerieren
dégivrer [deʒivRe] *v (frigidaire)* abtauen
dégonflé [degɔ̃fle] *m (fam)* Drückeberger
m, Feigling *m*
dégonfler [degɔ̃fle] *v* 1. *se -* die Luft ablassen; 2. *se - (fam)* kneifen, sich drücken

dégoût [degu] *m* 1. Ekel *m;* 2. Überdruß *m*
dégoûtant [degutɑ̃] *adj* 1. schmutzig; 2.
abstoßend, widerlich; 3. unappetitlich
dégoûter [degute] *v* 1. anwidern; 2. *(fam)*
anekeln; *être dégoûté par* sich ekeln
dégradant [degRadɑ̃] *adj* 1. entwürdigend; 2. erniedrigend
dégradation [degRadasjɔ̃] *f* 1. *(bâtiment)* Verfall *m;* 2. Verschlimmerung *f*
dégrader [degRade] *v* 1. *(couleur)* abstufen; 2. *(abaisser)* herabsetzen; 3. *se -* sich
verschlechtern; 4. *se - (bâtiment)* verfallen
dégrafer [degRafe] *v* abhaken
degré [dəgRe] *m* 1. Grad *m; ~ celsius* Celsiusgrad; *~ de longitude* Längengrad; *~ de latitude* Breitengrad; *d'un haut ~* hochgradig; 2.
(mesure) Grad *m;* 3. *(phase)* Stufe *f; ~ d'alarme* Alarmstufe; *premier ~* Vorstufe; 4.
Phase *f*
dégringoler [degRɛ̃gɔle] *v (fam)* purzeln
déguerpir [degɛRpiR] *v (fig)* türmen
déguiser [degize] *v* 1. *se -* sich maskieren;
2. verklappen; 3. verkleiden
dégustation [degystasjɔ̃] *f* Kostprobe *f*
déguster [degyste] *v* probieren, kosten
dehors [dəɔR] *adv* 1. draußen; *aller -* hinausgehen/nach draußen gehen; *ficher qn -*
jdn rausschmeißen; *rester en -* sich nicht einmischen; 2. *au - außen;* 3. *prep en - de*
außerhalb; 4. *m/pl* Äußere *n*
déjà [deʒa] *adv* 1. bereits; *Comment s'appelle-t-il - ?* Wie heißt er doch gleich? 2.
schon
déjeuner [deʒœne] *m* 1. *petit - Frühstück*
n; prendre son petit - frühstücken; 2. Mittagessen *n*
delà [dəla] *prep au ~ de* jenseits, über; *l'au-*
- Jenseits n
délabrement [delabRəmɑ̃] *m* Verfall *m*
délai [delɛ] *m* 1. *(date)* Termin *m;* 2. *(laps*
de temps) Frist *f; - de garantie* Gewährleistungsfrist; *- probatoire* Bewährungsfrist; *-*
de circulation Laufzeit; *- de presciption*
Verjährungsfrist; 3. Verzug *m*
délaisser [delese] *v* verlassen
délassant [delasɑ̃] *adj* entspannend
délayer [deleje] *v* 1. *(remuer)* rühren; 2.
verdünnen
délégation [delegasjɔ̃] *f* Delegation *f*
déléguer [delege] *v* 1. beauftragen, delegieren; 2. abordnen
délibération [deliberasjɔ̃] *f* Beratung *f,*
Beschluß *m*

délibérer [delibeʀe] v 1. ~ sur (discuter) beraten; 2. sich beraten; 3. (assemblée) tagen

délicat [delika] adj 1. empfindlich, schwächlich; 2. schwach; 3. zart, fein; 4. delikat; 5. heikel; 6. rücksichtsvoll

délicatesse [delikatɛs] f (fig:sentiment) Zartheit f, Feinheit f; avec ~ taktvoll

délice [delis] m Hochgenuß m

délicieux [delisjø] adj 1. (très bon) köstlich; 2. delikat; 3. lecker, schmackhaft

délier [delje] v losbinden, anbinden

délimitation [delimitasjõ] f Abgrenzung f, Begrenzung f

délimiter [delimite] v 1. abgrenzen; 2. SPORT abstecken

délinquance [delẽkãs] f ~ juvénile Jugendkriminalität f

délinquant [delẽkã] m Delinquent m, Verbrecher m; ~ sexuel Triebtäter

délirant [deliʀã] adj (fig) phantastisch, wahnsinnig

délire [deliʀ] m Delirium n

délirer [deliʀe] v phantasieren

délit [deli] m 1. (crime) Verbrechen n; en flagrant ~ in flagranti; 2. Missetat f; 3. JUR Delikt n; ~ de fuite Fahrerflucht

délivrance [delivʀãs] f 1. Entbindung f; 2. Erlösung f; 3. Rettung f

délivré [delivʀe] adj 1. ~ sur ordonnance rezeptpflichtig; 2. être ~ de qc einer Sache ledig sein

délivrer [delivʀe] v 1. befreien; 2. erlösen; 3. ausstellen; 4. ~ de (responsabilité) entheben

déloyal [delwajal] adj 1. treulos; 2. unehrlich; 3. unfair, unlauter

deltaplane [dɛltaplan] m Drachenflieger m

déluge [delyʒ] m REL Sintflut f

déluré [delyʀe] adj keß

demain [dəmẽ] adv morgen; Ce n'est pas pour ~. So schnell geht das nicht.

demande [dəmãd] f 1. Bitte f; 2. (commande) Anforderung f; 3. ECO Nachfrage f; l'offre et la ~ Angebot und Nachfrage; 4. Antrag m; ~ d'admission Aufnahmeantrag m; ~ en mariage Heiratsantrag m; 5. Gesuch n; ~ d'emploi Stellengesuch n; 6. ~ d'information ECO Anfrage f; 7. ~ par écrit POL Eingabe f; 8. Verlangen n

demander [dəmãde] v 1. ~ de bitten; 2. fragen; ~ après qn nach jdm fragen; 3. ~ qn suchen, verlangen; Il ne demande que ça.

Darauf wartet er nur. On vous demande. Sie werden verlangt. Je n'en demande pas plus. Mehr verlange ich ja gar nicht. 4. (prier) begehren; 5. beantragen; 6. erfordern; 7. ~ pardon à qn sich entschuldigen; 8. ~ trop à qn jdn überfordern, zuviel verlangen von jdm

demandeur [dəmãdœʀ] m 1. Antragsteller m; 2. ~ d'asile Asylbewerber m

démangeaison(s) [demãʒɛzõ] f/pl Juckreiz m

démanger [demãʒe] v jucken

démaquiller [demakije] v se ~ sich abschminken

démarche [demaʀʃ] f 1. Maßnahme f; 2. (fig) Schritt m

démarrage [demaʀaʒ] m 1. (début) Anlauf m; 2. (fig) Start m

démarrer [demaʀe] v 1. abfahren; 2. (voiture) anfahren, losfahren; 3. (voiture,moto) anspringen; 4. (commencer) anlaufen; 5. faire ~ ECO anheizen

démarreur [demaʀœʀ] m Anlasser m

démasquer [demaske] v 1. demaskieren; 2. (fig) entlarven; 3. (fig) enthüllen

démêlé [demɛle] m Auseinandersetzung f

déménagement [demenaʒmã] m Umzug m, Wohnungswechsel m

déménager [demenaʒe] v 1. umziehen; 2. ausziehen

démence [demãs] f Irrsinn m

démener [demne] v se ~ sich abplagen

dément [demã] adj 1. irre; 2. wahnsinnig

démenti [demãti] m Dementi n

démentir [demãtiʀ] v 1. leugnen; 2. widerrufen, dementieren

démesure [deməzyʀ] f 1. Maßlosigkeit f; 2. Übermaß n

démesuré [deməzyʀe] adj 1. maßlos; 2. übermäßig; 3. unmäßig

démettre [demɛtʀ] v 1. se ~ sich etw ausrenken; 2. ~ de (fonction) entheben

démeubler [demœble] v (pièce) ausräumen

demeurant [dəmœʀã] adv ~ à wohnhaft (in); au ~ im übrigen

demeure [dəmœʀ] f 1. Wohnsitz m, Bleibe f, 2. JUR Verzug m

demeurer [dəmœʀe] v 1. wohnen; 2. dableiben

demi [dəmi] adj halb; ~-fini halbfertig; faire ~-tour umkehren

demi-bas [dəmiba] m Kniestrumpf m

demi-cercle [dəmisɛrkl] *m* Halbkreis *m*
démilitarisation [demilitarizasjõ] *f* Abrüstung *f*
demi-lune [dəmilyn] *f* Halbmond *m*
demi-pension [dəmipãsjõ] *f* Halbpension *f*
demi-sommeil [dəmisɔmɛj] *m* Halbschlaf *m*
démission [demisjõ] *f 1.* Austritt *m; 2. (emploi)* Kündigung *f; 3. (fonction, volontairement)* Rücktritt *m; 4. (ministre)* Abdankung *f*
démissionner [demisjɔne] *v 1.* kündigen; *2. (ministre)* abdanken; *3. (fig)* niederlegen; *4.* zurücktreten, seinen Rücktritt erklären
démobilisation [demɔbilizasjõ] *f* MIL Demobilisierung *f*
démobiliser [demɔbilize] *v* demobilisieren
démocrate [demɔkrat] *m* Demokrat *m*
démocratie [demɔkrasi] *f* Demokratie *f; - de base* Basisdemokratie *f*
démocratique [demɔkratik] *adj* demokratisch
démocratiser [demɔkratize] *v* demokratisieren
démodé [demode] *adj* altmodisch, unmodern
demoiselle [dəmwazɛl] *f 1.* Fräulein *n; 2. ~ d'honneur* Brautjungfer *f; 3. ZOOL* Libelle *f*
démolir [demɔlir] *v 1.* zerstören; *2. (bâtiment)* abreißen, demolieren
démolition [demɔlisjõ] *f 1.* Zerstörung *f; 2. (bâtiment)* Abriß *m,* Abbruch *m*
démon [demõ] *m* Teufel *m,* Dämon *m*
démonétisation [demɔnetizasjõ] *f* Entwertung *f*
démonétiser [demɔnetize] *v* entwerten
démoniaque [demɔnjak] *adj* dämonisch
démonstratif [demõstratif] *adj* demonstrativ
démonstration [demõstrasjõ] *f 1.* Beweis *m; 2.* Vorführung *f; 3. (explication)* Demonstration *f*
démontable [demõtabl] *adj* abnehmbar
démontage [demõtaʒ] *m 1.* Abbau *m,* Demontage *f; 2.* Ausbau *m*
démonté [demõte] *adj* fassungslos
démonter [demõte] *v 1.* abbauen, demontieren; *2.* abmontieren; *3. (moteur)* ausbauen; *4.* auseinandernehmen; *5.* zerlegen; *6. TECH* abnehmen

démontrable [demõtrabl] *adj* nachweisbar
démontrer [demõtre] *v 1.* demonstrieren; *2.* nachweisen
démoralisant [demɔralizã] *adj* entmutigend
démoralisation [demɔralizasjõ] *f* Demoralisierung *f*
démoraliser [demɔralize] *v* entmutigen
démultiplication [demyltiplikasjõ] *f TECH* Übersetzungsverhältnis *n*
démuni [demyni] *adj* mittellos
dénaturé [denatyre] *adj* unnatürlich
dénaturer [denatyre] *v* verfälschen
dénier [denje] *v 1.* leugnen; *2.* versagen; *3. - qc à qn* abstreiten
dénigrement [denigrəmã] *m* Verleumdung *f*
dénigrer [denigre] *v 1.* verleumden; *2. (fig)* anschwärzen; *3. (fig)* entwerten
dénombrer [denõbre] *v* zählen
dénominateur [denɔminatœr] *m* Nenner *m; - commun* gemeinsamer Nenner *m*
dénomination [denɔminasjõ] *f* Name *m*
dénommé [denɔme] *adj 1.* namens; *2.* sogenannt
dénoncer [denõse] *v 1.* kündigen; *2.* denunzieren; *3.* verraten
dénonciateur [denõsjatœr] *m* Denunziant *m*
dénouer [denwe] *v 1.* aufknoten; *2. (finir)* lösen
denrée [dãre] *f 1.* Ware *f; 2.* Nahrungsmittel *n*
denrées [dãre] *f/pl - alimentaires* Eßwaren *pl,* Lebensmittel *pl*
dense [dãs] *adj* dicht
densité [dãsite] *f* Dichte *f; - de la population* Bevölkerungsdichte *f; - du trafic* Verkehrsaufkommen *n*
dent [dã] *f 1. ANAT* Zahn *m; - de sagesse* Weisheitszahn *m; avoir la - dure* eine böse Zunge haben; *avoir une - contre qn* etw gegen jdn haben; *se laver les -s* sich die Zähne putzen; *mal aux -s* Zahnschmerzen; *2.* Zacke *f*
dentelé [dãtle] *adj* gezackt
dentelle [dãtɛl] *f* Spitze *f*
dentelure [dãtlyr] *f* Zacke *f*
dentier [dãtje] *m* Gebiß *n*
dentifrice [dãtifris] *m* Zahnpasta *f,* Zahncreme *f*
dentiste [dãtist] *m* Zahnarzt *m*

denture [dɑ̃tyʀ] *f ANAT* Gebiß *n*

dénudé [denyde] *adj 1. (vide)* kahl; *2.* nackt

dénuement [denymɑ̃] *m* Mangel *m*

dénutrition [denytʀisjɔ̃] *f* Unterernährung *f*

déodorant [deɔdɔʀɑ̃] *m* Deodorant *n*

dépannage [depanaʒ] *m 1.* Reparatur *f; 2.* Pannenhilfe *f*

dépanner [depane] *v 1.* reparieren; *2. (voiture)* schleppen, abschleppen

dépanneuse [depanøz] *f* Abschleppwagen *m*

dépareillé [depaʀeje] *adj* vereinzelt

dépareiller [depaʀeje] *v* trennen

départ [depaʀ] *m 1.* Abfahrt *f,* Abreise *f,* Abflug *m,* Abmarsch *m; heure du ~* Abfahrtszeit *f; être sur le ~* reisefertig sein; *prendre le ~* starten; *2. (d'un pays)* Ausreise *f; 3. SPORT* Start *m; 4.* Abschied *m*

département [depaʀtmɑ̃] *m 1.* Abteilung *f; 2.* Bereich *m,* Fachbereich *m*

dépasser [depase] *v 1.* überholen; *2.* übertreffen; *~ ses forces* sich überanstrengen; *Cela dépasse mes possibilités.* Das übersteigt meine Möglichkeiten. *3. (fig)* überragen, überschreiten; *4.* hinausragen

dépêcher [depeʃe] *v se ~* sich beeilen, (sich) eilen

dépendance [depɑ̃dɑ̃s] *f 1.* Abhängigkeit *f; 2. MED* Sucht *f*

dépendant [depɑ̃dɑ̃] *adj ~ de* abhängig

dépendre [depɑ̃dʀ] *v 1. ~ de qn* von jdm abhängen; *2. ~ de* angewiesen sein auf; *3. ~ de* zusammenhangen

dépense [depɑ̃s] *f 1.* Ausgabe *f; 2.* Aufwand *m,* Einsatz *m; ~ d'énergie* Kraftaufwand *m*

dépenser [depɑ̃se] *v 1.* ausgeben; *2.* verausgaben; *3. se ~* sich austoben

dépenses [depɑ̃s] *f/pl* Kosten *pl,* Unkosten *pl*

dépensier [depɑ̃sje] *adj* verschwenderisch

déperdition [depɛʀdisjɔ̃] *f MED* Abgang *m*

dépérir [depeʀiʀ] *v 1. (plantes)* eingehen; *2.* verkommen; *3.* verkümmern

dépeupler [depœple] *v se ~* veröden

dépilatoire [depilatwaʀ] *m* Enthaarungsmittel *n*

dépistage [depistaʒ] *m ~ des maladies cancéreuses* Krebsvorsorge *f*

dépister [depiste] *v* entdecken

dépit [depi] *1. m* Verdruß *m; 2. prep en ~ de* trotz

déplacé [deplase] *adj 1.* unpassend; *2.* unangebracht

déplacement [deplasmɑ̃] *m 1.* Verlagerung *f; 2. (fonctionnaire)* Versetzung *f; 3.* Verdrängung *f; 4.* Geschäftsreise *f*

déplacer [deplase] *v 1.* verschieben, verrücken; *2.* versetzen; *3.* verlagern, verstellen; *4.* verdrängen; *5. se ~* sich fortbewegen

déplaire [deplɛʀ] *v* mißfallen

déplaisir [deplɛziʀ] *m* Mißfallen *n*

dépliant [deplijɑ̃] *m 1. ~ des horaires* Fahrplan *m; 2.* Prospekt *m,* Faltblatt *n*

déploiement [deplwamɑ̃] *m 1.* Entfaltung *f; 2.* Entwicklung *f; 3. ~ de forces* Kraftaufwand *m*

déplorable [deplɔʀabl] *adj* bedauernswert

déplorer [deplɔʀe] *v 1.* bedauern; *2. ~ qc* etw beklagen

déployer [deplwaje] *v 1. ~ qc* etw ausbreiten; *2.* entwickeln

déporter [depɔʀte] *v* deportieren

dépose [depoz] *f* Ausbau *m*

déposer [depoze] *v 1.* etw hinlegen; *2.* hinstellen; *3.* absetzen; *4.* ausbauen; *5.* deponieren; *6.* einbringen; *7. (document)* einreichen; *8. ~ qc* etw hinterlegen; *9. ~ une plainte* klagen; *10. se ~ CHEM* sich absetzen

déposition [depozisjɔ̃] *f JUR* Aussage *f*

déposséder [deposede] *v* enteignen

dépossession [deposesjɔ̃] *f ~ du pouvoir* Entmachtung *f*

dépôt [depo] *m 1.* Niederlegen *n; 2. (marchandises)* Lager *n; 3. ECO* Einlage *f; ~ à la caisse d'épargne* Spareinlage *f; ~ de bilan* Konkursanmeldung *f; banque de ~* Depositenbank *f; 4.* Depot *n; ~ définitif des déchets atomiques* Endlagerung *f; 5.* Magazin *n; 6. MED* Ablagerung *f; 7.* Verwahrung *f*

dépouillé [depuje] *adj (vide)* kahl

dépouiller [depuje] *v 1.* plündern, ausrauben; *2.* häuten

dépourvu [depuʀvy] *adj 1.* mittellos; *être pris au ~* überrascht werden; *2. ~ d'imagination* phantasielos; *3. ~ de formes (fig)* formlos

dépoussiérer [depusjeʀe] *v* abstauben

dépravé [depʀave] *adj 1.* wüst; *2. (fig)* verdorben

dépréciation [depʀesjasjɔ̃] *f 1.* Abwertung *f; 2. ~ monétaire* Geldentwertung *f*

déprécier [depʀesje] v 1. (valeur) verringern; 2. abwerten; 3. (fig) entwerten

dépressif [depʀesif] adj depressiv

dépression [depʀesjɔ̃] f 1. Depression f; 2. ~ nerveuse Nervenzusammenbruch m; 3. Niederung f; 4. GEO Senkung f; 5. TECH Unterdruck m

déprimant [depʀimɑ̃] adj deprimierend

déprimé [depʀime] adj depressiv

dépuceler [depysle] v entjungfern

depuis [depɥi] adv 1. (temps) von…her; 2. ~ longtemps längst, schon lange; 3. schon; 4. prep seit; ~ ce temps-là seitdem; 5. konj ~ que seit, seitdem

députation [depytasjɔ̃] f Abordnung f

député [depyte] m Abgeordnete m/f

déraciner [deʀasine] v 1. BOT entwurzeln; 2. ~ qn (fig) entwurzeln

dérailler [deʀaje] v 1. (train) entgleisen; 2. (fig) phantasieren

déraison [deʀezɔ̃] f Unvernunft f

déraisonnable [deʀezɔnabl] adj unvernünftig, töricht

dérangement [deʀɑ̃ʒmɑ̃] m Störung f

déranger [deʀɑ̃ʒe] v 1. stören; 2. verrücken, verstellen

dérapant [deʀapɑ̃] adj (fam) glitschig

déraper [deʀape] v 1. ausrutschen; 2. schleudern

derechef [dəʀəʃɛf] adv wiederum

déréglé [deʀegle] adj unregelmäßig

dérèglement [deʀɛɡləmɑ̃] m Unregelmäßigkeit f

dérider [deʀide] v glätten

dérision [deʀizjɔ̃] f 1. Hohn m; 2. Spott m

dérive [deʀiv] f Abweichung f; à la ~ heruntergekommen

dermatologue [dɛʀmatɔlɔɡ] m Dermatologe m

dernier [dɛʀnje] adj 1. letzte(r,s); le ~ cri der neueste Schrei; traiter qn comme le ~ des ~s jdn wie den letzten Dreck behandeln; marcher le ~ als letzter gehen; dernière demeure letzte Ruhestätte f; ~s sacrements Sterbesakramente pl; 2. jüngste(r,s); ~-né Nesthäkchen n; 3. vorig; 4. unterste

dernièrement [dɛʀnjɛʀmɑ̃] adv kürzlich, neulich

dérobé [deʀobe] adj verstohlen

dérobée [deʀobe] adv à la ~ (fam) heimlich

dérober [deʀobe] v 1. (voler) rauben, stehlen; 2. se ~ (fam) kneifen, sich drücken; 3. se ~ (sol) nachgeben

déroulement [deʀulmɑ̃] m 1. (fig) Entwicklung f; 2. Verlauf m, Ablauf m

dérouler [deʀule] v 1. ablaufen; 2. abwickeln; 3. se ~ sich abspielen

derrière [dɛʀjɛʀ] adv 1. hinten; 2. là ~ dahinter; 3. prep hinter; 4. m (fam) Hintern m, Po m

dès [dɛ] adv 1. ~ lors (ensuite) darauf; 2. ~ que possible baldmöglichst; 3. konj ~ que sobald

désaccord [dezakɔʀ] m 1. Mißklang m; 2. Meinungsverschiedenheit f; 3. Uneinigkeit f

désaccordé [dezakɔʀde] adj MUS verstimmt

désaffecter [dezafɛkte] v außer Betrieb setzen

désagréable [dezaɡʀeabl] adj 1. peinlich, unangenehm; 2. unerfreulich

désagrément [dezaɡʀemɑ̃] m Unannehmlichkeit f

désaltérer [dezalteʀe] v se ~ sich erfrischen

désapprobation [dezapʀobasjɔ̃] f Mißbilligung f

désapprouver [dezapʀuve] v mißbilligen, tadeln

désarçonné [dezaʀsɔne] adj verwirrt

désarçonner [dezaʀsɔne] v ~ qn verunsichern

désarmant [dezaʀmɑ̃] adj entwaffnend

désarmé [dezaʀme] adj wehrlos

désarmement [dezaʀməmɑ̃] m Abrüstung f

désarmer [dezaʀme] v 1. entwaffnen; 2. abrüsten

désarroi [dezaʀwa] m Verwirrung f

désastre [dezastʀ] m 1. Katastrophe f; 2. Unheil n

désavantage [dezavɑ̃taʒ] m Nachteil m

désavantageux [dezavɑ̃taʒø] adj 1. nachteilig; 2. ungünstig; 3. unvorteilhaft

désavouer [dezavwe] v 1. leugnen, verleugnen; 2. mißbilligen

descendance [desɑ̃dɑ̃s] f Nachkommenschaft f

descendant [desɑ̃dɑ̃] m Nachfahre m, Nachkomme m

descendre [desɑ̃dʀ] v 1. ~ de abstammen, stammen von; 2. (de voiture) aussteigen; 3. hinuntergehen; 4. (fig) niederlassen, herunterlassen; 5. senken; 6. (dans un hôtel) absteigen, einkehren

descente [desãt] f Abfahrt f, Abstieg m; - de lit Bettvorleger m; - en radeau Floßfahrt f
description [dɛskripsjõ] f 1. Beschreibung f, Darstellung f; 2. Schilderung f
désemparé [dezãpare] adj 1. fassungslos; 2. NAUT bewegungsunfähig
désenchantement [dezãʃãtmã] m 1. Entzauberung f; 2. (fig) Ernüchterung f
déséquilibre [dezekilibr] m 1. Mißverhältnis n; 2. Unausgeglichenheit f, 3. MED Gleichgewichtsstörung f
déséquilibré [dezekilibre] adj unausgeglichen, einseitig
désert [dezɛr] 1. adj öde, wüst; m 2. Wüste f; 3. Wildnis f
déserter [dezɛrte] v 1. überlaufen; 2. MIL desertieren
déserteur [dezɛrtœr] m 1. Ausreißer m; 2. Überläufer m, Deserteur m
désertion [dezɛrsjõ] f 1. - des campagnes Landflucht f; 2. MIL Fahnenflucht f
désespérant [dezɛsperã] adj trostlos
désespéré [dezɛspere] adj 1. verzweifelt; 2. hoffnungslos
désespérer [dezɛspere] v 1. - de verzweifeln; C'est à -! Es ist zum Verzweifeln!/ Man könnte verzweifeln! 2. se - verzweifeln
désespoir [desɛspwar] m 1. Hoffnungslosigkeit f; 2. Trostlosigkeit f; 3. Verzweiflung f; avec - verzweifelt
déshabiller [dezabije] v 1. entkleiden; 2. se - sich freimachen, sich entkleiden
déshabituer [dezabitɥe] v se - de qc sich etw abgewöhnen
désherbage [dezɛrbaʒ] m Unkrautvertilgung f
désherber [dezɛrbe] v jäten
déshériter [dezerite] v enterben
déshonneur [dezɔnœr] m Schande f
déshonorer [dezɔnɔre] v entehren
déshydrater [dezidrate] v das Wasser entziehen
désignation [deziɲasjõ] f Bezeichnung f
désigner [deziɲe] v 1. zeigen; 2. bezeichnen, kennzeichnen
désinfectant [dezɛ̃fɛktã] m Desinfektionsmittel n
désinfecter [dezɛ̃fɛkte] v 1. desinfizieren; 2. entseuchen
désintégration [dezɛ̃tegrasjõ] f PHYS Zerfall m
désintéressé [dezɛ̃terese] adj 1. uninteressiert; 2. selbstlos

désintéressement [dezɛ̃terɛsmã] m Gleichgültigkeit f
désintérêt [dezɛ̃terɛ] m Desinteresse n
désintoxication [dezɛ̃tɔksikasjõ] f MED Entzug m
désinvolte [dezɛ̃vɔlt] adj ungezwungen
désinvolture [dezɛ̃vɔltyr] f Ungezwungenheit f
désir [dezir] m 1. Lust f; 2. Wunsch m; prendre ses -s pour des réalités sich etw vormachen; éprouver un - einen Wunsch hegen/verspüren; - profond Herzenswunsch m; 3. Begierde f; 4. Gelüste pl
désiré [dezire] adj 1. erwünscht; 2. umkämpft
désirer [dezire] v 1. wünschen; 2. begehren; 3. erwünschen
désireux [dezirø] adj 1. très - de begierig; 2. - de savoir wißbegierig
désistement [dezistəmã] m (au profit de qn) Abtretung f
désister [deziste] v se - de qc verzichten auf
désobéissance [dezɔbeisãs] f Ungehorsam m
désobéissant [dezɔbeisã] adj unfolgsam
désobligeant [dezɔbliʒã] adj unfreundlich
désœuvré [dezœvre] adj 1. müßig; 2. untätig
désœuvrement [dezœvrəmã] m Müßiggang m
désolant [dezɔlã] adj trostlos
désolation [dezɔlasjõ] f 1. Verwüstung f; 2. Trostlosigkeit f
désolé [dezɔle] adj öde, traurig; être - trübt sein; Je suis -. Es tut mir leid.
désordonné [dezɔrdɔne] adj 1. unordentlich; 2. liederlich
désordre [dezɔrdr] m 1. Durcheinander n, Unordnung f; 2. Verwirrung f
désorienté [dezɔrjãte] adj verwirrt
désormais [dezɔrmɛ] adv künftig, nunmehr
despotique [dɛspɔtik] adj herrisch
desséché [deseʃe] adj dürr, trocken
dessein [desɛ] m 1. Plan m; 2. Vorsatz m
desserrage [deseraʒ] m Lösung f
desserrer [desere] v 1. lösen; 2. aufschließen; ne pas - les dents den Mund nicht aufmachen
dessert [desɛr] m 1. Dessert n, Nachspeise f, Nachtisch m; 2. Süßspeise f

desservir [desɛRviR] v abdecken, abräumen

dessin [desɛ̃] m 1. Muster n; 2. Zeichnung f; 3. Gebilde n; 4. ~ animé Trickfilm m

dessinateur [desinatœR] m Graphiker m

dessiner [desine] v 1. zeichnen, aufzeichnen; 2. (plan) entwerfen

dessous [dǝsu] adv 1. (local) darunter; avoir le ~ den kürzeren ziehen; au ~ de unterhalb; 2. unten; m 3. Unterseite f; 4. Untersetzer m; 5. Unterteil n; 6. m/pl (fig) Hintergrund m; connaître le ~ des cartes die Hintergründe kennen

dessus [dǝsy] 1. adv (local) darüber; 2. m Oberteil n; avoir le ~ im Vorteil sein

destin [destɛ̃] m 1. Schicksal n, Los n; On n'échappe pas à son ~. Seinem Schicksal kann man nicht entgehen. 2. Geschick n; prendre son ~ en main sein Geschick selbst in die Hand nehmen

destinataire [destinatɛR] m 1. (lettre) Empfänger m; 2. Adressat m

destination [destinasjɔ̃] f (but) Bestimmung f

destinée [destine] f Geschick n

destiner [destine] v ~ à bestimmen

destituer [destitɥe] v 1. (licencier) absetzen; 2. (fonction) entheben

destitution [destitysjɔ̃] f (licenciement) Absetzung f

destructeur [destRyktœR] adj destruktiv, vernichtend

destruction [destRyksjɔ̃] f Vernichtung f, Zerstörung f

désuni [dezyni] adj 1. zwiespältig; 2. uneinig

désunion [dezynjɔ̃] f 1. Uneinigkeit f, Zwiespalt m; 2. Zerrissenheit f

désunir [dezyniR] v se ~ sich entzweien

détachable [detaʃabl] adj abnehmbar

détacher [detaʃe] v 1. losbinden; 2. lösen; 3. (séparer) trennen; 4. ~ de ablösen von, entbinden; 5. abmachen, abnehmen; 6. abreißen, losreißen; 7. abtrennen; 8. se ~ abspringen, sich lösen; 9. se ~ de sich abheben von; 10. se ~ de qn sich abwenden von jdm

détail [detaj] m 1. Einzelheit f; en ~ ausführlich; au ~ stückweise; 2. Ausschnitt m, Detail n; entrer dans les ~s ins Detail gehen; se perdre dans les ~s sich verzetteln

détaillant [detajã] m Einzelhändler m

détaillé [detaje] adj 1. ausführlich, detailliert; 2. gründlich

détaler [detale] v davonlaufen

détecteur [detɛktœR] m Detektor m

détective [detɛktiv] m Detektiv m

déteindre [detɛ̃dR] v abfärben

détendre [detãdR] v 1. auflockern; 2. se ~ sich entspannen

détendu [detãdy] adj (atmosphère) locker

détenir [detniR] v 1. besitzen; 2. (titre) innehaben

détente [detãt] f 1. Erholung f; 2. (repos) Ruhe f; 3. Entspannung f; 4. POL Entspannung f; 5. (arme) Abzug m

détenteur [detãtœR] m Inhaber m

détention [detãsjɔ̃] f 1. Gewahrsam m; 2. JUR Haft f; 3. MIL Gefangenschaft f

détenu [detny] m Gefangene m/f

détergent [detɛRʒã] m Reinigungsmittel n

détérioration [deterjɔRasjɔ̃] f (fig) Verstümmelung f

détériorer [deterjɔRe] v 1. verschlechtern; 2. beschädigen; ~ qc etw kaputtmachen

déterminant [detɛRminã] adj 1. ausschlaggebend; 2. entscheidend

détermination [detɛRminasjɔ̃] f 1. (décision) Bestimmtheit f, Entschiedenheit f; 2. Bestimmung f; 3. Entschluß m

déterminé [detɛRmine] adj entschieden

déterminer [detɛRmine] v 1. bestimmen; 2. ermitteln, entscheiden; 3. se ~ sich entschließen

déterrer [detɛRe] v ausgraben

détester [detɛste] v hassen, verabscheuen

détonation [detɔnasjɔ̃] f 1. Explosion f; 2. Knall m

détoner [detɔne] v knallen

détour [detuR] m Umweg m

détournement [detuRnǝmã] m 1. Entführung f; 2. Unterschlagung f

détourner [detuRne] v 1. abbiegen; 2. ablenken; 3. ~ de abbringen von; 4. (rivière) ableiten; 5. (circulation) umleiten; 6. (un avion) entführen; 7. (danger) abwehren; 8. abwenden; se ~ de sich abwenden von; 9. veruntreuen; 10. ~ des fonds (fam) abzweigen; 11. (impôts) hinterziehen

détremper [detRãpe] v aufweichen

détresse [detRɛs] f 1. Verzweiflung f; 2. (danger) Not f; 3. Hilflosigkeit f; 4. Jammer m

détroit [detRwa] m Meerenge f

détruire [detRɥiR] v 1. vernichten, zerstören; 2. ausrotten; 3. ruinieren

dettes [dɛt] f/pl Schulden pl

deuil [dœj] *m* 1. Trauer *f*; *être en ~* trauern; *faire son ~ de qc (fig)* begraben; 2. Trauerfall *m*

deutsche mark [dɔitʃmaRk] *m* D-Mark *f*

deux [dø] *num* zwei; *en ~* entzwei; *~ pas* Katzensprung; *~ à ~* paarweise; *~ fois* zweimal

deux-places [døplas] *f (voiture)* Zweisitzer *m*

deux-points [døpwɛ̃] *m/pl* Doppelpunkt *m*

dévaliser [devalize] *v* plündern, ausrauben

dévaluation [devalɥasjɔ̃] *f* 1. *FIN* Abwertung *f*; 2. *ECO* Entwertung *f*

dévaluer [devalɥe] *v* abwerten, entwerten

devancer [dəvãse] *v* 1. vorangehen; 2. *~ qn* jdm zuvorkommen

devant [dəvã] *prep* 1. *(local)* vor; *avoir du temps ~ soi* genügend Zeit vor sich haben; 2. *au ~ de (local)* entgegen; 3. *adv (local)* voraus, vorbei, vorn(e), davor

dévastation [devastasjɔ̃] *f* Verwüstung *f*

dévaster [devaste] *v* verwüsten

déveine [devɛn] *f* Pech *n*

développement [devlɔpmã] *m* 1. Entwicklung *f*; 2. *(relations)* Ausbau *m*; 3. *(croissance)* Wachstum *n*

développer [devlɔpe] *v* 1. entwickeln; 2. *se ~* verlaufen, sich entwickeln

devenir [dəvniR] *v* werden; *~ aveugle* erblinden; *~ fou* durchdrehen

déverser [devɛRse] *v* ausströmen

déversoir [devɛRswaR] *m* Wehr *n*

dévêtir [devetiR] *v* entkleiden

déviation [devjasjɔ̃] *f* Umleitung *f*

deviner [dəvine] *v* 1. raten, erraten; *Devinez!* Raten Sie! 2. lösen; 3. durchschauen; 4. rätseln; 5. herausbekommen, herausfinden

devinette [dəvinɛt] *f* Quiz *n*

devis [dəvi] *m* Kostenvoranschlag *m*

devise [dəviz] *f* 1. Währung *f*, Valuta *f*; *~ du pays* Landeswährung *f*; 2. Devise *f*, Leitspruch *m*; 3. Parole *f*, Wahlspruch *m*

dévisser [devise] *v* abschrauben

dévoiler [devwale] *v* 1. aufdecken, enthüllen, offenbaren; 3. *(fig)* enthüllen, lüften; *~ un secret* ein Geheimnis lüften

devoir [dəvwaR] *v* 1. *~ qc à qn* schulden; *Qu'est-ce que je vous dois?* Was bin ich Ihnen schuldig? 2. *~ à* verdanken; 3. müssen, sollen; *m* 4. Pflicht *f*; *faire son ~* seine Pflicht erfüllen; *~ de réserve* Schweigepflicht; 5. *(tâche)* Aufgabe *f*; 6. Schulaufgabe *f*

dévorer [devɔRe] *v* fressen, verschlingen

dévot [devo] *adj* fromm

dévotion [devosjɔ̃] *f* Frömmigkeit *f*

dévoué [devwe] *adj* ergeben

dévouement [devumã] *m* 1. Ergebenheit *f*; 2. Opferbereitschaft *f*; 3. Treue *f*

dévouer [devwe] *v* 1. *se ~* sich aufopfern; 2. *se ~ (fig)* sich opfern

dextérité [dɛksteRite] *f* Fingerfertigkeit *f*

dia(positive) [dja(pozitiv)] *f* Diapositiv *n*

diabète [djabɛt] *m* Diabetes *m*

diabétique [djabetik] *m* Diabetiker *m*

diable [djabl] *m* Teufel *m*; *Allez au ~!* Scheren Sie sich zum Teufel! *avoir le ~ au corps* den Teufel im Leib haben; *Le ~ s'en mêle.* Hier hat der Teufel seine Hand im Spiel.

diabolique [djabɔlik] *adj* teuflisch

diacre [djakR] *m* Diakon *m*

diagnostique [djagnɔstik] *m* Diagnose *f*, Befund *m*

diagnostiquer [djagnɔstike] *v* diagnostizieren

diagonal [djagɔnal] *adj* diagonal

diagonale [djagɔnal] *f* 1. Diagonale *f*; *en ~* diagonal, schräg; 2. Schräge *f*

dialecte [djalɛkt] *m* Dialekt *m*

dialectique [djalɛktik] *adj* dialektisch

dialogue [djalɔg] *m* 1. Zwiesprache *f*; 2. Dialog *m*, Gespräch *n*

diamant [djamã] *m* Diamant *m*

diamètre [djamɛtR] *m* Durchmesser *m*

diaphragme [djafRagm] *m* 1. *ANAT* Zwerchfell *n*; 2. *FOTO* Blende *f*

diarrhée [djaRe] *f* Durchfall *m*

dictateur [diktatœR] *m* Diktator *m*

dictatorial [diktatɔRjal] *adj* diktatorisch

dictature [diktatyR] *f* 1. Alleinherrschaft *f*, Diktatur *f*; *~ militaire* Militärdiktatur *f*; 2. Gewaltherrschaft *f*

dictée [dikte] *f* Diktat *n*

dicter [dikte] *v* diktieren

dictionnaire [diksjɔnɛR] *m* Lexikon/Lexika *n/pl*, Wörterbuch *n*; *~ illustré* Bildwörterbuch *n*; *~ universel* Universallexikon *n*

dicton [diktɔ̃] *m* Sprichwort *n*

diète [djɛt] *f* Diät *f*, Schonkost *f*; *faire ~* hungern; 2. *~ fédérale POL* Bundestag *m*; 3. *~ parlementaire POL* Landtag *m*

Dieu [djø] *m* Gott *m*; *Mon ~!* Mein Gott/ Ach Gott! *~ vous aide!* Gott helfe Ihnen! *ne craindre ni ~ ni diable* vor nichts zurückschrecken; *~ seul le sait.* Das wissen die Götter. *~ soit loué!* Gottlob!

diffamation [difamasjɔ̃] f Verleumdung f

diffamer [difame] v 1. entehren; 2. verleumden

différence [difeRɑ̃s] f 1. Unterschied m, Differenz f; faire la - unterscheiden; - d'âge Altersunterschied; 2. Verschiedenheit f; 3. (écart) Spanne f; 4. Diskrepanz f; 5. (cours) Abschlag m

différencier [difeRɑ̃sje] v unterscheiden, differenzieren

différend [difeRɑ̃] m Streit m

différent [difeRɑ̃] adj 1. unterschiedlich; 2. verschieden, anders

différer [difeRe] v 1. - de abweichen von; 2. aufschieben; 3. (impôts) stunden

difficile [difisil] adj 1. schwierig; - à dire schwer zu sagen; Cela m'est -. Das ist schwer für mich. faire le/la - wählerisch sein; une tâche - eine schwierige Aufgabe; 2. hart; 3. wählerisch

difficulté [difikylte] f 1. Schwierigkeit f; 2. Mühe f; avec - mühsam

difforme [difɔRm] adj mißgebildet

diffuser [difyze] v (radio /tv) senden, übertragen

diffusion [difyzjɔ̃] f 1. (radio/tv) Übertragung f; - par satellite Satellitenübertragung f; 2. Verbreitung f

digérer [diʒeRe] v 1. verdauen; 2. verarbeiten

digeste [diʒɛst] adj verdaulich, verträglich

digestibilité [diʒɛstibilite] f Verdaulichkeit f

digestible [diʒɛstibl] adj bekömmlich

digestif [diʒɛstif] m Magenbitter m, Verdauungsschnaps m

digestion [diʒɛstjɔ̃] f Verdauung f

digne [diɲ] adj - de wert, würdig; - de confiance zuverlässig; - d'être vu sehenswert

dignitaire [diɲitɛR] m Würdenträger m

dignité [diɲite] f Würde f; - humaine Menschenwürde f

digue [dig] f Damm m, Deich m; - de retenue Staudamm m

dilapidation [dilapidasjɔ̃] f Vergeudung f

dilapider [dilapide] v verschwenden

dilatation [dilatasjɔ̃] f Dehnung f, Erweiterung f

dilemme [dilɛm] m Dilemma n

dilettante [diletɑ̃t] 1. m Dilettant m; 2. adj dilettantisch

diligence [diliʒɑ̃s] f Kutsche f

diluant [dilɥɑ̃] m Verdünnungsmittel n

diluer [dilɥe] v verdünnen

dilution [dilysjɔ̃] f Verdünnung f

dimanche [dimɑ̃ʃ] m Sonntag m; le sonntags; - de Pâques Ostersonntag m; - des Rameaux Palmsonntag m

dimension [dimɑ̃sjɔ̃] f 1. (mesure) Maß n; 2. Ausmaß n, Dimension f; à trois -s dreidimensional

diminuer [diminɥe] v 1. herabsetzen; 2. verkleinern, verringern; 3. kürzen; - une jupe einen Rock kürzen; 4. (réduire) mindern; - les prix verbilligen; 5. schmälern; 6. nachlassen; 7. (fig) schrumpfen; Les bénéfices diminuent. Die Gewinne schrumpfen. 8. (baisser) zurückgehen, sinken; 9. ECO abflauen; 10. MED abklingen

diminution [diminysjɔ̃] f 1. Verkleinerung f, Verminderung f; 2. Rückgang m; - de prix Preisrückgang; - de la population Bevölkerungsrückgang; 3. Abnahme f; 4. Abbau m; 5. (homme) Erniedrigung f; 6. (cours) Abschlag m

dindon [dɛ̃dɔ̃] m Truthahn m

dîner [dine] m 1. Abendessen n; 2. - d'adieu (fig) Henkersmahlzeit f

diocèse [djɔsɛz] m Diözese f

diode [djɔd] f Diode f

diphtérie [difteri] f Diphtherie f

diplomate [diplɔmat] m Diplomat m

diplomatie [diplɔmasi] f Diplomatie f

diplomatique [diplɔmatik] adj diplomatisch

diplôme [diplom] m 1. Diplom n, Zeugnis n; - de fin d'études Abschluß m, Abschlußzeugnis n; - de bachelier Reifezeugnis n; 2. - d'honneur Ehrenurkunde f

dire [diR] v 1. sagen, reden; C'est beaucoup -. Das will viel sagen. C'est bien le cas de le -. Das kann man wohl sagen. Il n'y a pas à -. Das ist nicht zu bestreiten. C'est tout -. Das sagt alles. Comment dirais-je? Wie soll ich sagen? Dis donc! Sag doch mal! Qu'on se le dise! Weitersagen! Qui dit mieux? Wer bietet mehr? Quoiqu'on dise. Was man auch immer sagen mag. Trotz allem. Cela ne me dit rien. Das sagt mir nichts./ Das reizt mich nicht. Comment ça se dit en français? Wie heißt das auf französisch? C'est dit une fois pour toutes. Das gilt ein für allemal. pour ainsi - gewissermaßen, sozusagen; 2. erzählen; 3. - au revoir à sich verabschieden; 4. besagen; 5. ~ des bêtises quatschen; 6. ~ du mal de qn jdn schlechtmachen, anschwärzen; 7. ~ vous à qn jdn siezen; 8. vorbringen; 9. ~ une prière beten

direct [diʀɛkt] *adj* 1. direkt; 2. unmittelbar

directeur [diʀɛktœʀ] *m* 1. Direktor *m*, Präsident *m*; ~ *général* Generaldirektor; ~ *de banque* Bankdirektor; 2. Leiter *m*; ~ *de section* Abteilungsleiter; ~ *d'institution* Anstaltsleiter; ~ *du chœur* Chorleiter; ~ *des ventes* Verkaufsleiter; ~ *de conscience* Beichtvater; 3. *(école)* Rektor *m*; 4. *adj* leitend

direction [diʀɛksjɔ̃] *f* 1. *prendre la* ~ die Führung übernehmen; *avoir la* ~ *de* vorstehen; 2. ~ *générale* Hauptverwaltung *f*; 3. Direktion *f*; 4. Richtung *f*; *changer de* ~ die Richtung ändern; *dans toutes les* ~ in alle Richtungen; 5. *(voiture)* Lenkung *f*; ~ *assistée (voiture)* Servolenkung *f*

directives [diʀɛktiv] *f/pl (ordre)* Anweisung *f*

directoire [diʀɛktwaʀ] *m* 1. Direktorium *n*; 2. *ECO* Vorstand *m*

dirigeant [diʀiʒɑ̃] 1. *adj* leitend; *m* 2. *(chef)* Führer *m*; 3. Machthaber *m*; 4. Manager *m*

diriger [diʀiʒe] *v* 1. lenken, steuern, leiten; ~ *vers/sur* richten; *se* ~ *vers* strömen; 2. leiten, vorstehen; 3. *(concert)* dirigieren

discernement [disɛʀnəmɑ̃] *m* 1. Zurechnungsfähigkeit *f*; 2. Urteilsvermögen *n*

disciple [disipl] *m* 1. *PHIL* Schüler *m*; 2. *REL* Jünger *m*

discipline [disiplin] *f* 1. Fach *n*; 2. Disziplin *f*

discipliner [disipline] *v* disziplinieren, bändigen

discordance [diskɔʀdɑ̃s] *f* Mißstimmung *f*

discorde [diskɔʀd] *f* 1. Mißstimmung *f*; 2. Unvereinbarkeit *f*

discothèque [diskɔtɛk] *f* Diskothek *f*

discours [diskuʀ] *m* 1. Rede *f*; *tenir un* ~ eine Rede halten; ~ *inaugural* Eröffnungsrede *f*; 2. Anrede *f*

discrédit [diskʀedi] *m* 1. Mißkredit *m*; 2. Verruf *m*

discréditer [diskʀedite] *v* ~ *qn* jdn blamieren

discret [diskʀɛ] *adj* 1. bescheiden; 2. taktvoll; 3. verschwiegen; 4. zurückhaltend, diskret; 5. unauffällig

discrétion [diskʀesjɔ̃] *f* 1. Diskretion *f*, Zurückhaltung *f*; 2. Takt *m*; 3. Verschwiegenheit *f*; 4. Bescheidenheit *f*

discrimination [diskʀiminasjɔ̃] *f* ~ *raciale* Rassendiskriminierung *f*

discriminer [diskʀimine] *v* diskriminieren

disculpation [diskylpasjɔ̃] *f* Rechtfertigung *f*

disculper [diskylpe] *v* entlasten

discussion [diskysjɔ̃] *f* 1. Diskussion *f*; 2. Erörterung *f*; 3. Gespräch *n*; 4. Streitgespräch *n*; *Pas de* ~! Keine Widerrede!

discutable [diskytabl] *adj* anfechtbar, diskutabel

discuter [diskyte] *v* 1. ~ *avec qn de qc* sich unterhalten; 2. diskutieren, besprechen; *Cela peut se* ~. Darüber läßt sich reden. ~ *de* erörtern

disgrâce [disgʀas] *f* Ungnade *f*

disloquer [dislɔke] *v se* ~ auseinandergehen

disparaître [dispaʀɛtʀ] *v* 1. verschwinden; 2. *(fig:personne)* untertauchen; 3. *(espèce animale/végétale)* aussterben; 4. *faire* ~ unterschlagen; 5. *faire* ~ beheben; 6. *faire* ~ *(fig:doute)* niederschlagen

disparité [dispaʀite] *f* 1. Andersartigkeit *f*; 2. Ungleichheit *f*

disparition [dispaʀisjɔ̃] *f* Verschwinden *n*; *être en voie de* ~ aussterben, vom Aussterben bedroht sein

disparu [dispaʀy] 1. *adv* weg; 2. *adj* verschollen

dispense [dispɑ̃s] *f* Befreiung *f*

dispenser [dispɑ̃se] *v* ~ *de* erlassen

disperser [dispɛʀse] *v* 1. verstreuen, zerstreuen; 2. *PHYS* streuen

disponibilité [dispɔnibilite] *f* Verfügbarkeit *f*

disponible [dispɔnibl] *adj* 1. verfügbar; 2. greifbar

disposé [dispoze] *adv* 1. *être* ~ *à* bereit sein, gewillt sein zu; 2. *bien/mal* ~ gut/schlecht aufgelegt/gelaunt

disposer [dispoze] *v* 1. arrangieren; 2. aufstellen; 3. disponieren; 4. ~ *de* verfügen über; 5. *se* ~ *à* sich anschicken

dispositif [dispozitif] *m* 1. Vorrichtung *f*; 2. ~ *antivol* Diebstahlsicherung *f*; 3. ~ *de sécurité TECH* Sicherung *f*; 4. ~ *d'ouverture des portes* Türöffner *m*; 5. ~ *d'irrigation* Bewässerungsanlage *f*

disposition [dispozisjɔ̃] f 1. Anordnung f, Bestimmung f; 2. Verfügung f; 3. Vorkehrung f; prendre d'autres -s umdisponieren; 4. Verfassung f; 5. - naturelle Veranlagung f; 6. Bereitschaft f

disproportion [disprɔpɔrsjɔ̃] f Mißverhältnis n

dispute [dispyt] f Wortwechsel m, Streit m

disputer [dispyte] v 1. streiten; 2. SPORT austragen; 3. se - avec qn sich mit jdm streiten

disque [disk] m 1. Platte f, Schallplatte f; changer de - eine andere Platte auflegen/ das Thema wechseln; 2. Scheibe f; 3. ANAT Bandscheibe f; 4. - dur INFORM Festplatte f

disquette [diskɛt] f Diskette f

disséminer [disemine] v zerstreuen

disséquer [diseke] v MED sezieren

dissertation [disɛrtasjɔ̃] f 1. Abhandlung f; 2. Aufsatz m

dissident [disidã] 1. adj andersdenkend; m 2. POL Dissident m; 3. Andersdenkende m/f

dissimulation [disimylasjɔ̃] f 1. Verheimlichung f; 2. (fig) Verdunkelung f

dissimuler [disimyle] v 1. verbergen, verstecken; 2. verdecken; 3. verhehlen; 4. verschleiern; 5. - qc (fig) zurückhalten

dissiper [disipe] v 1. beseitigen; 2. se - zerrinnen

dissonance [disɔnãs] f Mißklang m

dissoudre [disudr] v 1. (poudre) auflösen; 2. lösen; 3. aufheben

dissuader [disɥade] v abraten, abhalten von

dissuasion [disɥazjɔ̃] f Meinungsverschiedenheit f

distance [distãs] f Entfernung f, Distanz f; prendre ses -s sich distanzieren; - de freinage Bremsweg

distant [distã] adj 1. entfernt; 2. (fig.) zurückhaltend

distiller [distile] v 1. (eau-de-vie) brennen; 2. destillieren

distinct [distɛ̃] adj 1. deutlich; 2. verschieden

distinction [distɛ̃ksjɔ̃] f 1. Unterschied m; 2. Auszeichnung f

distingué [distɛ̃ge] adj vornehm, fein

distinguer [distɛ̃ge] v 1. unterscheiden, auseinanderhalten; 2. (l'un de l'autre) differenzieren; 3. se - sich abzeichnen

distraction [distraksjɔ̃] f 1. Zerstreutheit f; 2. Ablenkung f

distraire [distrɛr] v 1. - de ablenken, 2. (fig) zerstreuen; 3. se - sich unterhalten, sich vergnügen

distrait [distrɛ] adj 1. abgelenkt; 2. geistesabwesend

distrayant [distrɛjã] adj unterhaltend

distribuer [distribɥe] v 1. austeilen, verteilen; 2. (colis postaux) austragen; - le courrier zustellen; 3. verbreiten; 4. spenden

distributeur [distribytœr] m 1. (journaux) Verteiler m; 2. Filmverleiher m; 3. - automatique de billets Geldautomat m; 4. - de boissons Getränkeautomat m

distribution [distribysjɔ̃] f 1. Verteilung f, Austeilung f; - de cadeaux Bescherung; 2. Verbreitung f; 3. ECO Absatz m; 4. Zustellung f

district [distrik] m 1. Amtsbezirk m, Bezirk m; - frontalier Grenzbezirk; 2. POL Landkreis m

divaguer [divage] v (fig) abschweifen

divan [divã] m Sofa n, Liege f

divergence [divɛrʒãs] f - d'opinions Meinungsverschiedenheit f

diverger [divɛrʒe] v auseinandergehen

divers [divɛr] adj 1. unterschiedlich, divers; 2. vielfach

diversifier [divɛrsifje] v abwechseln

diversité [divɛrsite] f Verschiedenheit f

divertir [divɛrtir] v 1. (distraire) unterhalten, belustigen; 2. (fig) zerstreuen, ablenken; 3. (fig) veruntreuen; 4. se - sich zerstreuen

divertissant [divɛrtisã] adj unterhaltend

divertissement [divɛrtismã] m (distraction) Unterhaltung f

dividende [dividãd] m Dividende f; toucher un - eine Dividende ausschütten

divin [divɛ̃] adj 1. REL göttlich; 2. (fig) himmlisch

diviser [divize] v 1. teilen, einteilen; - en sous-parties untergliedern; 2. MATH dividieren; 3. se - sich entzweien

divisible [divizibl] adj teilbar

division [divizjɔ̃] f 1. Abteilung f, Einteilung f; 2. (classe) Klasse f; 3. (compartiment) Station f; 4. MIL Division f; 5. MATH Division f; 6. Uneinigkeit f, Zerrissenheit f

divorce [divɔrs] m (Ehe-)scheidung f

divorcé [divɔrse] adj geschieden

divulgation [divylgasjɔ̃] f 1. Verbreitung f; 2. Verlautbarung f

divulguer [divylge] v 1. verbreiten; 2. *(secret)* preisgeben, enthüllen
docile [dɔsil] adj folgsam, fügsam
dock [dɔk] m Dock n
docker [dɔkɛʀ] m Hafenarbeiter m
docteur [dɔktœʀ] m Doktor m
doctorat [dɔktɔʀa] m Dissertation f, Doktorarbeit f; *passer son ~* promovieren
document [dɔkymã] m 1. Urkunde f; 2. Unterlage f
documentaire [dɔkymãtɛʀ] 1. adj dokumentarisch; 2. m *CINE* Dokumentarfilm m
documentation [dɔkymãtasjõ] f Material n
documenter [dɔkymãte] v dokumentieren
dodu [dɔdy] adj dicklich
dogmatique [dɔgmatik] adj dogmatisch
dogme [dɔgm] m Dogma/Dogmen n
dogue [dɔg] m Bulle m
doigt [dwa] m 1. Finger m; *ne pas lever le petit ~* keinen Finger rühren/krumm machen; *Tu a mis le ~ dessus.* Du hast den Nagel auf den Kopf getroffen. *s'en mordre les ~s* es bitter bereuen; *se mettre le ~ dans l'œil* sich irren; 2. *~ de pied* Zehe f
doigté [dwate] m *(fig)* Fingerspitzengefühl n
dolent [dɔlã] adj wehleidig
dollar [dɔlaʀ] m Dollar m
Dolomites [dɔlɔmit] f/pl Dolomiten pl
domaine [dɔmɛn] m 1. *(fig)* Bereich m, Sachgebiet n; *~ d'application* Geltungsbereich; 2. Gut n, Domäne f; *~ skiable* Skigebiet; *~ viticole* Weingut; 3. *~ de l'Etat* Staatseigentum n
domaines [dɔmɛn] m/pl Ländereien pl
dôme [dom] m *ARCH* Kuppel f
domestique [dɔmɛstik] 1. m Dienstbote m; 2. m/f Hausangestellte(r) m/f; 3. adj häuslich
domestiquer [dɔmɛstike] v zähmen
domicile [dɔmisil] m Wohnort m, Wohnsitz m
domicilié [dɔmisilje] adj *~ à* seßhaft, wohnhaft
dominant [dɔminã] adj 1. dominant; 2. herausragend
domination [dɔminasjõ] f 1. Herrschaft f; 2. *POL* Beherrschung f
dominer [dɔmine] v 1. beherrschen; 2. *(fig)* überragen; 3. *se ~* sich beherrschen
dommage [dɔmaʒ] m 1. Beschädigung f, Schaden m; *~ corporel* Personenschaden; *~*

intégral Totalschaden; 2. *C'est ~.*Schade! *C'est bien ~.* Das ist sehr schade.
dommages [dɔmaʒ] m/pl *~ et intérêts* Schadenersatz m
dompter [dõte] v 1. bändigen, zähmen; 2. überwältigen
dompteur [dõtœʀ] m Dompteur m
don [dõ] m 1. Spende f; *faire un ~* spenden; 2. *(donation)* Stiftung f; 3. Begabung f, Talent n; *~ du ciel* Gottesgabe; *~ des langues* Sprachbegabung; 4. *~ pour* Veranlagung f
donateur [dɔnatœʀ] m 1. Erblasser m; 2. Spender m, Stifter m
donation [dɔnasjõ] f *(entre vifs)* JUR Schenkung f; *faire une ~ (cadeau)* stiften
donc [dõk] konj 1. also; 2. folglich
données [dɔne] f/pl Daten pl, Angabe f; *~ de référence* ECO Eckdaten pl
donner [dɔne] v 1. geben, reichen; *se ~ de la peine* sich anstrengen; *~ un coup de main à qn* jdm behilflich sein; *~ un coup de fer* bügeln; *~ congé à qn* jdm kündigen; *~ un coup de pied à qn* jdn treten; *~ des cours* jdn unterrichten; *~ en sous-location* untervermieten; *~ en location* vermieten; *~ sa parole* zusagen; *~ son accord à zustimmen; se ~ du mal* sich abmühen; *se ~ de la peine* sich abmühen; *~ des instructions* jdn anleiten; *~ le coup d'envoi* anpfeifen; *se ~ de l'importance* sich aufspielen; *~ du bon temps* sich ausleben; *~ des arguments* begründen; *~ une note (école)* benoten; *~ des coups de poing* boxen; *~ une instruction* einweisen; *~ son consentement* einwilligen; *~ une gifle à qn* jdn ohrfeigen; *~ à manger à* speisen; *~ lieu à* veranlassen; *~ en gage* verpfänden; *~ l'impression de* den Eindruck erwecken; *~ tort* JUR belasten; *~ la préférence à* vorziehen; 2. erteilen; *~ l'ordre* den Befehl erteilen; *~ des directives* anweisen; *~ le pouvoir à* ermächtigen; *~ du courage* ermutigen; *~ un avertissement* verwarnen; *~ procuration* bevollmächtigen; 3. spenden; 4. abgeben; *me demande ce que ça va ~* Ich frage mich, was daraus werden soll. 5. hergeben; *ne plus savoir où ~ de la tête* nicht mehr wissen, wo einem der Kopf steht; *~ par testament* vermachen; 6. *(un exemple/citation)* anführen; 7. *THEAT* aufführen
donneur [dɔnœʀ] m 1. *~ d'organes* Organspender m; 2. *~ d'ordre* Auftraggeber m; 3. *~ de sang* Blutspender m
dont [dõ] pron *(génitif)* dessen

dopage [dɔpaʒ] *m* Doping *n*

doping [dɔpiŋ] *m* Doping *n*

doré [dɔʀe] *adj* golden, vergoldet

dorénavant [dɔʀenavɑ̃] *adv* von nun an. künftig

dorer [dɔʀe] *v* vergolden

dorloter [dɔʀlɔte] *v* verwöhnen

dormeur [dɔʀmœʀ] *m grand* - Langschläfer *m*

dormir [dɔʀmiʀ] *v* 1. schlafen; *ne pas - de la nuit* die ganze Nacht nicht schlafen; *- comme un loir/une marmotte* wie ein Murmeltier schlafen; 2. ausschlafen; *- tout son saoûl* ausschlafen

dos [do] *m* 1. ANAT Rücken *m; tourner le - à qc* einer Sache den Rücken kehren; *mettre qc sur le -* de qn etw auf jdm abwälzen; *avoir plein le - de qc* etw satt haben; *- de la main* Handrücken; 2. Rückenlehne *f*

dosage [dozaʒ] *m* Dosierung *f*

dose [doz] *f* Dosis/Dosen *f*

doser [doze] *v* dosieren

dossier [dɔsje] *m* 1. Aktenmappe *f*, Mappe *f;* 2. *(collection)* Sammelmappe *f;* 3. Akte *f;* 4. Rückenlehne *f*

dot [dɔt] *f* Aussteuer *f*, Mitgift *f*

dotation [dɔtasjɔ̃] *f* Dotation *f*

doter [dɔte] *v* dotieren

douane [dwan] *f (administrations)* Zoll *m; payer la -* verzollen; *payer des droits de -* verzollen

douanier [dwanje] *m* Zollbeamte *m*

double [dubl] *adj* 1. zweifach; 2. doppelt; *- résolution* Doppelbeschluß; *m* 3. Abschrift *f;* 4. Doppel *n*, Duplikat *n; - fenêtre* Doppelfenster; 5. *(tennis)* Doppel *n;* 6. Doppelgänger *m*

doubler [duble] *v* 1. *(dépasser)* überholen; 2. SPORT überrunden; 3. verdoppeln; 4. CINE synchronisieren

doublure [dublyʀ] *f* 1. Futter; 2. FILM Double *n*, Doppelgänger *m*

doucement [dusmɑ̃] *adv* 1. sanft, sacht; 2. leise; 3. *(fig)* weich

doucereux [dusʀø] *adj (fig)* schleimig

doucette [dusɛt] *f* Feldsalat *m*

douceur [dusœʀ] *f* Sanftmut *f*

douche [duʃ] *f* Dusche *f*, Brause *f*

doucher [duʃe] *v* se - sich brausen, sich duschen

doué [dwe] *adj* begabt, talentiert

douille [duj] *f* 1. *(ampoule électrique)* Fassung *f;* 2. *(armes)* Hülse *f*

douillet [dujɛ] *adj* 1. *(confortable)* mollig; 2. schmerzempfindlich

douleur [dulœʀ] *f* 1. Schmerz *m*, Leid *n;* 2. *- musculaire* Muskelkater *m;* 3. Pein *f*

douleurs [dulœʀ] *f/pl (maux)* Beschwerden *pl*, Schmerzen *pl*

douloureux [duluʀø] *adj* 1. schmerzhaft; 2. schmerzlich, bitter

doute [dut] *m* Zweifel *m*, Ungewißheit *f*

douter [dute] *v* 1. *- de* zweifeln; 2. *- de* bezweifeln; 3. *se - de* vermuten

douteux/-se [dutø/øz] *adj* 1. zweifelhaft, unsicher; 2. verdächtig

doux/-ce [du/us] *adj* 1. *(tranquille)* süß; 2. sanft, zart; 3. sanft, gutherzig; *être - comme un agneau/un mouton* lammfromm sein; *filer -* klein beigeben; 4. *(tiède)* lau; 5. *(temps)* mild; 6. weich; 7. zahm

douzaine [duzɛn] *f* Dutzend *n*

douze [duz] *num* zwölf

doyen [dwajɛ̃] *m* 1. Dekan *m;* 2. Senior *m*

dragon [dʀagɔ̃] *m* Drache *m*

drague [dʀag] *f* Bagger *m*

draguer [dʀage] *v - qn (fam:causer)* anmachen

drainer [dʀene] *v* 1. *(marais)* entwässern; 2. *(terre)* trockenlegen

dramatique [dʀamatik] *adj* dramatisch

dramatiser [dʀamatize] *v* dramatisieren

dramaturge [dʀamatuʀʒ] *m* Dramaturg *m*

drame [dʀam] *m* LIT Drama/Dramen *n; faire un - de qc* dramatisieren

drap [dʀa] *m* Laken *n; - de lit* Bettlaken *n; se mettre dans de beaux -s* sich in die Tinte setzen

drapeau [dʀapo] *m* 1. Fahne *f;* 2. Flagge *f*

drastique [dʀastik] *adj* drastisch

dressage [dʀesaʒ] *m (animal)* Dressur *f*

dresser [dʀese] *v* 1. *(monter)* aufrichten, erheben; *se -* sich erheben; 2. aufrichten, aufstellen; *- un bilan* eine Bilanz aufstellen; *- la liste de qc* auflisten; 3. *(bâtir)* bauen, errichten; 4. *- la table* decken; 5. dressieren

drogue [dʀɔg] *f* Droge *f* Rauschgift *n*

drogué [dʀɔge] 1. *adj* drogensüchtig, rauschgiftsüchtig; 2. *m* Fixer *m*

droguerie [dʀɔgʀi] *f* Drogerie *f*

droit [dʀwa] *adj* 1. gerade; *- comme un I* kerzengerade; 2. aufrecht; 3. rechtschaffen, ehrlich; *m* 4. Berechtigung *f*, Recht *n; avoir le - können; - à* Anrecht auf; *être en - de* befugt sein; *- de vivre* Existenzberechtigung; *-*

d'intervention Mitspracherecht; ~ *international* Völkerrecht; ~ *de souscription (action)* Aktienbezugsrecht; ~ *de vente exclusive* Alleinverkaufsrecht; ~ *d'asile* Asylrecht; ~ *de manifester* Demonstrationsrecht; ~ *de succession* JUR Erbrecht; ~ *coutumier* JUR Gewohnheitsrecht; ~ *de garde* Sorgerecht; ~ *de vote* Stimmrecht, Wahlrecht; ~ *pénal* Strafrecht; ~ *d'auteur* JUR Urheberrecht; ~ *de préemption* Vorkaufsrecht; ~ *civil* JUR Zivilrecht; 5. Jura *n;* 6. Gebühr *f*

droite [dʀwat] *f (ligne)* Gerade *f*

droitier [dʀwatje] *m* Rechtshänder *m*

droits [dʀwa] *m/pl* 1. ~ *de prêt* Leihgebühr *f;* 2. ~ *de l'Homme* Menschenrechte *pl*

drôle [dʀol] *adj* 1. komisch, spaßig; 2. heiter, witzig; 3. komisch, seltsam; ~ *de type m* Kauz *m*

duc [dyk] *m* 1. Herzog *m;* 2. grand ~ ZOOL Uhu *m*

duel [dɥɛl] *m* Duell *n,* Zweikampf *m*

dûment [dymɑ̃] *adv* ordnungsgemäß

dune [dyn] *f* Düne *f*

duo [dɥo] *m* Duett *n*

duper [dype] *v* 1. *(fam)* leimen; 2. überlisten, täuschen

duperie [dypʀi] *f* 1. *(mensonge)* Schwindel *m;* 2. Täuschung *f*

duplicata [dyplikata] *m* Duplikat *n*

duquel [dykɛl] *pron (génitif)* dessen

dur [dyʀ] *adj* 1. hart; 2. schwierig, schwer; 3. zäh; 4. hartherzig; 5. *(fig)* unnachgiebig, streng; 6. ~ *d'oreille* schwerhörig

durabilité [dyʀabilite] *f* Haltbarkeit *f*

durable [dyʀabl] *adj* 1. beständig; 2. dauerhaft

durant [dyʀɑ̃] *prep* während; *sa vie* ~ sein Leben lang

durcir [dyʀsiʀ] *v* verhärten

durcissement [dyʀsismɑ̃] *m* Verhärtung *f*

durée [dyʀe] *f* 1. Dauer *f,* Beständigkeit *f; à* ~ *déterminée* befristet; *de courte* ~ kurzzeitig; ~ *de vie* Lebensdauer; ~ *de validité* Laufzeit; ~ *du travail* Arbeitszeit; 2. Andauer *f*

durer [dyʀe] *v* 1. dauern; 2. andauern, anhalten

dureté [dyʀte] *f* 1. Härte; 2. ~ *de cœur* Lieblosigkeit *f*

durillon [dyʀijɔ̃] *m* Hornhaut *f*

duvet [dyvɛ] *m* Daune *f,* Bettfeder *f*

dynamique [dinamik] 1. *f* Dynamik *f; adj* 2. dynamisch; 3. schwungvoll

dynamisme [dinamism] *m (fig)* Schwung *m*

dynamitage [dinamitaʒ] *m* Sprengung *f*

dynamite [dinamit] *f* Dynamit *n*

dynamo [dinamo] *f* 1. Dynamo *m;* 2. Generator *m*

E

eau [o] *f* Wasser *n; Il y a de quoi se jeter à l'-!* Es ist zum Verzweifeln! *faire venir l'- à la bouche* jdm den Mund wässerig machen; *nager entre deux -x* es mit niemandem verderben wollen/geschickt lavieren; ~ *minérale* Mineralwasser *n; ~ de source* Quellwasser *n; ~ salée* Salzwasser *n; ~ douce* Süßwasser *n; ~ potable* Trinkwasser *n; ~ bénite* Weihwasser *n*

eau-de-vie [odəvi] *f* Schnaps *m*

eaux [o] *f/pl* 1. Gewässer *n; ~ continentales* Binnengewässer *n; ~ usées* Abwasser *n;* 3. *~ et forêts* Forstwesen *n*

ébahi [ebai] *adj* entgeistert

ébahissement [ebaismã] *m* Verwunderung *f*

ébauche [eboʃ] *f* 1. Entwurf *m;* 2. Skizze *f;* 3. Umriß *m*

ébaucher [eboʃe] *v* 1. entwerfen; 2. *(fig)* umreißen

ébéniste [ebenist] *m* Tischler *m*

éblouir [ebluiʀ] *v* 1. *(lumière)* blenden; 2. *(fig)* blenden, täuschen

éblouissant [ebluisã] *adj* 1. blendend; 2. *(fig)* blendend, bezaubernd

éblouissement [ebluismã] *m* Schwindel *m; avoir des -s (yeux)* flimmern

éboulement [ebulmã] *m* 1. Einsturz *m;* 2. Erdrutsch *m*

ébranlé [ebrãle] *adj être ~* wanken

ébrécher [ebreʃe] *v* abbrechen; *s'~ une dent* sich ein Stück von einem Zahn ausbrechen

ébruiter [ebruite] *v* 1. ausplaudern; 2. *s'~* herauskommen, bekannt werden

ébullition [ebylisjõ] *f* Sieden *n; en ~* kochend; *porter à ~* zum Kochen bringen, sieden; *point d'~* Siedepunkt *m*

écaille [ekaj] *f* (Fisch-)Schuppe *f*

écart [ekaʀ] *m* 1. Abstand *m; à l'~* abseits; 2. Abweichung *f;* 3. *(fig)* Seitensprung *m*

écarter [ekaʀte] *v* 1. beseitigen, entfernen; 2. wegnehmen; 3. ~ *de* ablenken von; 4. ausscheiden, ausschließen; 5. abwenden, verhüten; 6. *(doute)* ausräumen; 7. *(fig)* niederschlagen; 8. *s'~ du sujet* abschweifen; *s'~ du droit chemin* vom rechten Weg abkommen/ auf Abwege geraten

ecclésiastique [eklezjastik] 1. *adj* kirchlich; 2. *m* REL Geistliche *m*

échafaudage [eʃafodaʒ] *m* (Bau-)Gerüst *n*

échafauder [eʃafode] *v (fig)* aufbauen

échange [eʃãʒ] *m* 1. Austausch *m; ~ culturel* Kulturaustausch *m; ~ d'opinions/de vues* Meinungsaustausch *m; ~ scolaire* Schüleraustausch *m;* 2. Tausch *m;* 3. Umtausch *m*

échanger [eʃãʒe] *v* 1. austauschen; *s'~* abwechseln; ~ *contre* tauschen; 2. auswechseln; 3. eintauschen; ~ *son cheval contre un aveugle* vom Regen in die Traufe kommen

échantillon [eʃãtijõ] *m* Muster *n*, Probe *f; ~ pris au hasard* Stichprobe *f*

échappatoire [eʃapatwaʀ] *m* Ausweg *m*

échapper [eʃape] *v* 1. entfallen; ~ *à qn (fig)* entfallen; 2. *laisser ~* fallen lassen; ~ *à entfliehen; s'~* entfliehen; 3. ~ *à* entgehen; ~ *à qc* um etw herumkommen

écharpe [eʃaʀp] *f* 1. Schal *m;* 2. (Hals-)Tuch *n*

échauffer [eʃofe] *v* 1. erhitzen; 2. *s'~* sich ereifern

échéance [eʃeãs] *f* 1. ECO Fälligkeit *f; à courte ~* kurzfristig; *à longue ~* langfristig; 2. Verfall *m*

échec [eʃɛk] *m* 1. Mißerfolg *m; ~s m/pl* Schach *n;* 2. *(fam)* Schlappe *f*

échelle [eʃɛl] *f* 1. Leiter *f; ~ à incendie* Feuerleiter; 2. Maßstab *m; ~ fluviale* Pegel *m;* 3. Skala *f; à l'~ du monde* weltweit; *à l'~* maßstabsgerecht

échelon [eʃlõ] *m* 1. Stufe *f;* 2. Dienstgrad *m*

échelonnement [eʃlɔnmã] *m* 1. Abstufung *f;* 2. Staffelung *f*

échelonner [eʃlɔne] *v* abstufen, staffeln

échevelé [eʃavle] *adj* mit zerzaustem Haar; *(fig)* wild, ausgelassen

échevin [eʃvɛ̃] *m* JUR Schöffe *m*

écho [eko] *m* Echo *n*, Widerhall *m*

échographie [ekografi] *f* Ultraschalluntersuchung *f*

échouer [eʃwe] *v* 1. mißlingen; 2. ~ *à un examen* durchfallen; 3. versagen; 4. *(fig)* scheitern; 5. *(plans)* sich zerschlagen; *s'~* stranden

éclair [eklɛʀ] *m* Blitz *m; faire des ~s* blitzen; *avec la rapidité de l'~* blitzschnell

éclairage [eklɛʀaʒ] *m 1.* Beleuchtung *f; - des rues* Straßenbeleuchtung *f; 2. (fig)* Licht *n; - aux bougies/chandelles* Kerzenlicht *n*
éclairci [eklɛʀsi] *adj (peu épaix)* licht; *non ~* ungeklärt, unklar
éclaircie [eklɛʀsi] *f* Aufheiterung *f*
éclaircir [eklɛʀsiʀ] *v 1.* aufhellen; *2.* erklären, verdeutlichen; *3.* erläutern; *4.* klarstellen
éclaircissement [eklɛʀsismã] *m* Erläuterung *f*
éclaircissements [eklɛʀsismã] *m/pl* Aufklärung *f, demander des ~* Aufschluß verlangen
éclairer [eklɛʀe] *v 1.* beleuchten; *2.* aufklären; *s'- (fig: visage)* aufleuchten; *~ de ses rayons* bestrahlen; *3.* erleuchten; *4.* leuchten; *5.* scheinen, leuchten
éclat [ekla] *m 1.* Glanz *m; 2.* Splitter *m; - de verre* Scherbe; *- de génie* Geistesblitz *m*
éclatant [eklatã] *adj 1.* hell; *2. (fig)* blendend, bezaubernd; *3. (teint)* blühend; *4.* glänzend
éclatement [eklatmã] *m* Knall *m*
éclater [eklate] *v 1.* platzen; *2.* bersten; *3.* knallen; *4.* ausbrechen; *5. (fig)* springen
éclipse [eklips] *f 1. ~ de lune* Mondfinsternis *f; 2. - de soleil* Sonnenfinsternis *f*
éclopé [eklɔpe] *adj* gehbehindert
éclore [eklɔʀ] *v 1.* aufblühen; *faire ~* ausbrüten; *2. ZOOL* schlüpfen
écluse [eklyz] *f* Schleuse *f*
écœurant [ekœʀã] *adj* widerlich
école [ekɔl] *f* Schule *f; faire ~* Schule machen/sich durchsetzen; *faire l' ~ buissonnière* die Schule schwänzen; *- professionnelle* Berufsschule; *- supérieure spécialisée* Fachhochschule; *- primaire* Grundschule; *- privée/libre* Privatschule; *- préparatoire* Vorschule; *- laïque* öffentliche Schule
écolier [ekɔlje] *m* Schüler *m*
écologie [ekɔlɔʒi] *f 1.* Ökologie *f; 2.* Umweltschutz *m*
écologique [ekɔlɔʒik] *adj 1.* ökologisch; *2.* umweltfreundlich
économe [ekɔnɔm] *adj* sparsam
économie [ekɔnɔmi] *f 1. ECO* Wirtschaft *f; - nationale* Volkswirtschaft; *- d'entreprise* Betriebswirtschaft; *- intérieure* Binnenwirtschaft; *- énergétique* Energiewirtschaft; *- de marché* Marktwirtschaft; *- dirigée* Planwirtschaft; *- mondiale* Weltwirtschaft; *2.* Ersparnis *f; - de temps* Zeiter-

sparnis; *faire l'-~ de qc* einsparen; *3.* Sparsamkeit *f; avec ~* sparsam
économique [ekɔnɔmik] *adj 1.* sparsam; *2.* wirtschaftlich
économiser [ekɔnɔmize] *v 1.* sparen; *2.* ersparen; *3.* haushalten, sparsam sein; *- ses forces* mit seinen Kräften haushalten
écorce [ekɔʀs] *f* Rinde *f*
écorché [ekɔʀ ʃe] *adj* wund
écorcher [ekɔʀ ʃe] *v* häuten
écorchure [ekɔʀ ʃyʀ] *f MED* Abschürfung *f*
écorner [ekɔʀne] *v* die Hörner abstoßen
Ecossais [ekɔsɛ] *m* Schotte *m*
Ecosse [ekɔs] *f* Schottland *n*
écoulé [ekule] *adv (temporal)* vorbei
écoulement [ekulmã] *m 1.* Abfluß *m; 2.* Verkauf *m; 3.* Ablauf *m; 4. (de marchandises)* Abgang *m; 5. MED* Ausfluß *m; 6. ECO* Vertrieb *m*
écouler [ekule] *v 1.* verkaufen; *2. (délai)* ablaufen; *3. s'- fließen; 4. s'- (temps)* vergehen; *5. s'- ablaufen, abfließen, rieseln; s'- goutte à goutte* sickern; *6. s'- (temps)* zerrinnen
écourter [ekuʀte] *v 1.* abkürzen; *2.* kürzen
écouter [ekute] *v 1. (conseil)* beachten; *2.* zuhören; *- qn* jdn anhören; *3.* hören
écouteur [ekutœʀ] *m TEL* Hörer *m; -s m/pl* Kopfhörer *m*
écran [ekʀã] *m 1.* Blende *f; 2. FOTO* Filter *m; 3. (d'ordinateur)* Bildschirm *m; 4. CINE* Leinwand *f*
écrasant [ekʀazã] *adj* erdrückend
écrasement [ekʀazmã] *m 1.* Erdrücken *n; 2.* Vernichtung *f*
écraser [ekʀaze] *v 1.* zerdrücken; *2.* zerquetschen; *3.* erdrücken; *4.* mahlen; *5.* überfahren; *- qn (fig)* jdn fertigmachen; *6. INFORM* überschreiben
écrémer [ekʀeme] *v (crème)* abschöpfen
écrevisse [ekʀəvis] *f* Krebs *m*
écrire [ekʀiʀ] *v 1.* schreiben; *2.* anschreiben; *3.* verfassen
écrit [ekʀi] *m 1.* Schrift *f; 2.* Schreiben *n; 3.* Schriftstück *n; 4. adj* schriftlich; *- à la main* handschriftlich; *5. adv par -* schriftlich
écriture [ekʀityʀ] *f 1.* Schrift *f; 2.* Handschrift *f*
écrivain [ekʀivɛ̃] *m 1.* Dichter *m; 2.* Schriftsteller *m*
écrou [ekʀu] *m* Mutter *f*
écroulement [ekʀulmã] *m 1.* Einsturz *m; 2.* Verfall *m*

écrouler [ekʀule] *v s'-* einstürzen
écueil [ekœj] *m 1.* Klippe *f; 2. (fig)* Klippe *f*
écuelle [ekɥɛl] *f 1.* Schüssel *f; 2.* Napf *m*
écume [ekym] *f* Schaum *m*
écumer [ekyme] *v* schäumen
écureuil [ekyʀœj] *m* Eichhörnchen *n*
écurie [ekyʀi] *f (chevaux)* Stall *m*
écusson [ekysɔ̃] *m* (Wappen-)Schild *m*
eczéma [ɛgzema] *m* Ekzem *n*
éden [edɛn] *m* Eden *n*
édifice [edifis] *m 1.* Bau *m; 2.* Gebäude *n; 3.* Bauwerk *n; - principal* Hauptgebäude *n*
édifier [edifje] *v 1.* bauen; *2. (fig)* aufbauen
éditer [edite] *v* herausgeben, herausbringen
éditeur [editœʀ] *m* Herausgeber *m*, Verleger *m*
édition [edisjɔ̃] *f 1.* Auflage *f; 2.* Ausgabe *f; 3.* Verlagswesen *n; maison d'-* Verlag; *première -* Erstauflage *f*
éditorial [editɔʀjal] *m* Leitartikel *m*
éducateur [edykatœʀ] *m* Erzieher *m*
éducation [edykɑsjɔ̃] *f 1.* Ausbildung *f; 2.* Erziehung *f; 3.* Zucht *f; - scolaire* (Schul-)Bildung *f; - sexuelle* Sexualerziehung *f*
éduquer [edyke] *v* erziehen
effacé [ɛfase] *adj 1.* unaufdringlich; *2.* ausgewischt
effacer [ɛfase] *v 1.* wischen, auslöschen; *2. INFORM* löschen; *3.* radieren, ausradieren; *4. ECO* tilgen; *5. s'- (bruit)* abklingen; *6. s'- (souvenirs)* verblassen
effaré [ɛfaʀe] *adj* verstört
effaroucher [ɛfaʀuʃe] *v* verscheuchen
effectif [ɛfɛktif] *1. m* Belegschaft *f; adj; 2.* real; *3.* wirklich, tatsächlich
effectuer [ɛfɛktɥe] *v 1.* verwirklichen; *2.* bewerkstelligen; *3.* vollbringen
effervescence [ɛfɛʀvesɑ̃s] *f* Aufbrausen *n*
effet [ɛfɛ] *m 1.* Wirkung *f*, Effekt *m; faire son -* seine Wirkung tun/wirken; *en -* denn; *couper ses -s à qn* jdn um seine Wirkung bringen; *2.* Auswirkung *f; - secondaire* Nebenwirkung *f; - de serre* Treibhauseffekt *m*
effets [ɛfɛ] *m/pl 1. (vêtements)* Bekleidungsstück *n; 2. - de lumières* Farbenspiel *n*
efficace [efikas] *adj 1.* wirksam; *2.* wirkungsvoll
efficacité [efikasite] *f* Wirksamkeit *f*
efficient [efisjɑ̃] *adj* leistungsfähig

effilé [efile] *adj* schmal
effiloché [efilɔʃe] *adj* ausgefranst
effondrement [efɔ̃dʀəmɑ̃] *m 1.* Einbruch *m*, Einsturz *m; 2.* Zusammenbruch *m; - de la Bourse* Börsenkrach *m*
effondrer [efɔ̃dʀe] *v s'-* einstürzen, zusammenbrechen
efforcer [efɔʀse] *v s'- de* sich anstrengen, sich bemühen
effort [efɔʀ] *m 1.* Mühe *f; 2.* Anspannung *f; faire des -s* sich anstrengen: *faire des -s pour* sich bemühen; *faire un - sur soi-même* sich überwinden
effraction [efʀaksjɔ̃] *f 1.* Aufbruch *m; 2.* Einbruch *m; à l'épreuve de l'-* einbruchsicher
effrangé [efʀɑ̃ʒe] *adj* ausgefranst
effrayant [efʀɛjɑ̃] *adj 1.* schrecklich; *2.* erschreckend
effrayer [efʀɛje] *v* erschrecken
effréné [efʀene] *adj (fig)* zügellos
effriter [efʀite] *v s'-* abbröckeln
effroi [efʀwa] *m* Entsetzen *n*, Grauen *n*
effronté [efʀɔ̃te] *1. adj* frech; *2. m (fam)* Frechdachs *m*
effroyable [efʀwajablə] *adj* entsetzlich
effusion [efyzjɔ̃] *f - de sang* Blutvergießen *n*
égaiement [egɛmɑ̃] *m* Aufheiterung *f*
égal [egal] *adj 1.* egal; *2.* gleich; *3.* ebenbürtig; *traiter qn d'- à -* jdn wie seinesgleichen behandeln
également [egalmɑ̃] *adv* gleichfalls
égaler [egale] *v - qn (fig)* an jdn herankommen
égaliser [egalize] *v 1.* angleichen; *2. SPORT* ausgleichen; *3.* planieren
égalité [egalite] *f* Gleichheit *f*, Ausgleich *m; - des droits* Gleichberechtigung *f*
égard [egaʀ] *m* Rücksicht *f; avec de nombreux -s* rücksichtsvoll; *à l'- de* hinsichtlich
égarement [egaʀmɑ̃] *m* Verirrung *f*
égarer [egaʀe] *v 1.* irreführen; *2.* verlegen, verlieren; *3. s'-* sich verlaufen, verirren
égayer [egɛje] *v* aufheitern
église [egliz] *f* Kirche *f*
égocentrique [egɔsɑ̃tʀik] *adj* ichbezogen
égoïsme [egɔism] *m* Selbstsucht *f*, Egoismus *m*
égoïste [egɔist] *1. m* Egoist *m; adj 2.* egoistisch; *3.* selbstsüchtig
égouts [egu] *m/pl 1.* Abwasserkanal *m; 2.* Kanalisation *f*

égoutter [egute] v abtropfen lassen

égratignure [egʀatiɲyʀ] f Schramme f

Egypte [eʒipt] f Ägypten n

Egyptien [eʒipsjɛ̃] m Ägypter m

égyptien [eʒipsjɛ̃] adj ägyptisch

eh bien! [ebjɛ̃] interj na!

éhonté [eɔ̃te] adj 1. schamlos; 2. unverschämt

eh oui! [ewi] interj ach!

éjaculation [eʒakylasjɔ̃] f Ejakulation f

élaboration [elabɔʀasjɔ̃] f Ausarbeitung f

élaborer [elabɔʀe] v ausarbeiten

élan [elɑ̃] m 1. ZOOL Elch m; 2. Anlauf m; 3. (fig) Schwung m; ~ créatif Schaffensdrang m; 4. Auftrieb m

élargir [elaʀʒiʀ] v 1. erweitern, verbreitern; 2. (chaussure) breittreten; 3. ausdehnen

élargissement [elaʀʒismɑ̃] m 1. Dehnung f; 2. Verbreiterung f; 3. (fig) Ausbau m; ~ du champ de connaissances Bewußtseinserweiterung f

élasticité [elastisite] f Dehnbarkeit f

élastique [elastik] adj 1. dehnbar; 2. elastisch

électeur/trice [elɛktœʀ/tʀis] m/f Wähler(in) m/f

élection [elɛksjɔ̃] f Wahl f; ~s législatives Parlamentswahlen; ~s municipales/communales Kommunalwahlen

électoral [elɛktɔʀal] adj Wahl-; liste ~e Wählerliste f; urne ~e Wahlurne f

électricien [elɛktʀisjɛ̃] m Elektriker m

électricité [elɛktʀisite] f Elektrizität f

électrique [elɛktʀik] adj elektrisch

électrode [elɛktʀɔd] f Elektrode f

électrolyse [elɛktʀɔliz] f Elektrolyse f

électroménager [elɛktʀɔmenaʒe] adj appareil ~ m elektrisches Haushaltsgerät n

électron [elɛktʀɔ̃] m Elektron n

électronique [elɛktʀɔnik] 1. f Elektronik f; 2. adj elektronisch

électrophone [elɛktʀɔfɔn] m Schallplattenspieler m

élégamment [elegamɑ̃] adv schick

élégance [elegɑ̃s] f Eleganz f

élégant [elegɑ̃] adj 1. elegant, schick; 2. (fig) geschmackvoll

élément [elemɑ̃] m 1. Element n; 2. Glied n, Bestandteil m; ~ de structure Bauelement n

élémentaire [elemɑ̃tɛʀ] adj elementar

éléphant [elefɑ̃] m Elefant m; être comme un ~ dans un magasin de porcelaine sich wie ein Elefant im Porzellanladen benehmen

élevage [elvaʒ] m (Tier-)Zucht f; ~ de volaille Geflügelfarm f

élévation [elevasjɔ̃] f 1. (montagne) Erhebung f; 2. (fig) Erhöhung f

élevé [elve] adj hoch

élève [elɛv] m/f Schüler(in) m/f; ~ de classe terminale Abiturient m; noter un ~ (école) zensieren

élever [elve] v 1. erheben, hochheben; 2. erhöhen; 3. (enfant) aufziehen, erziehen; 4. errichten; 5. aufrichten; 6. (animaux) züchten; 7. s'~ à betragen; 8. s'~ erheben, lodern

éleveur [elvœʀ] m (Tier-)Züchter m

elfe [ɛlf] m Elfe f

éligible [eliʒiblə] adj wählbar

élimination [eliminasjɔ̃] f 1. Entfernung f; ~ des eaux usées Abwasserbeseitigung f; 2. ~ de déchets atomiques Entsorgung f

éliminatoires [eliminatwaʀ] m/pl Ausscheidungskampf m

éliminer [elimine] v 1. SPORT ausscheiden; ~ qn jdn ausschließen; 2. beseitigen; 3. entfernen; 4. (fig) ausschalten

élire [eliʀ] v wählen

élite [elit] f Elite f

élitiste [elitist] adj elitär

elle [ɛl] pron sie

elles [ɛl] pron sie

éloge [elɔʒ] m Lob n; faire l'~ de loben

éloignement [elwaɲmɑ̃] m Entfernung f

éloigner [elwaɲe] v 1. s'~ sich entfernen, weggehen; 2. beseitigen, entfernen

éloquence [elɔkɑ̃s] f Beredsamkeit f

éloquent [elɔkɑ̃] adj 1. redegewandt; 2. vielsagend

élu [ely] adj gewählt

élucider [elyside] v 1. aufhellen; 2. (situation) klären

Elysée [elize] m palais de l'~ Elyséepalast m

émail/émaux [emaj/emo] m/pl 1. Email n; 2. TECH Glasur f

émailler [emaje] v TECH glasieren

émancipation [emɑ̃sipasjɔ̃] f Emanzipation f

émanciper [emɑ̃sipe] v 1. s'~ emanzipieren; 2. s'~ (de) freimachen

émaner [emane] v (hervor-)quellen

emballage [ɑ̃balaʒ] m 1. Umhüllung f; 2. Verpackung f; ~ perdu Einwegverpackung f; ~ sous vide Vakuumverpackung f

emballages [ãbalaʒ] *m/pl* - *vides* Leergut *n*

emballer [ãbale] *v* 1. einpacken, verpacken; 2. *s'*- sich ereifern; 3. *s'*- *(cheval)* scheuen

embarcadère [ãbaʀkadɛʀ] *m* Anlegeplatz *m*

embargo [ãbaʀgo] *m* Embargo *n*

embarquement [ãbaʀkmã] *m* 1. Verladung *f*; 2. Verschiffung *f*

embarquer [ãbaʀke] *v* 1. *(bagages)* einladen; 2. laden; 3. verladen; *s'*- *dans* sich einlassen; 4. *(bateau)* verschiffen

embarras [ãbaʀa] *m* 1. Verlegenheit *f*; *mettre dans l'*- in Verlegenheit bringen; 2. Befangenheit *f*; 3. Hilflosigkeit *f*

embarrassant [ãbaʀasã] *adj* 1. peinlich; 2. verfänglich

embarrassé [ãbaʀase] *adj* 1. verlegen; *être* - befangen sein; 2. hilflos

embauche [ãboʃ] *f (effectifs)* Einstellung *f*

embaucher [ãboʃe] *v (effectifs)* einstellen

embaumer [ãbome] *v* duften

embellir [ãbɛliʀ] *v* 1. ausschmücken; 2. verschönern

embêter [ãbete] *v (fam)* behelligen; Ça m'embête drôlement! Das stinkt mir ganz gewaltig./ Das paßt mir gar nicht! Ne m'embête pas avec ça! Laß mich in Ruhe damit! Komm mir nicht damit!

emblème [ãblɛm] *m* Sinnbild *n*, Wahrzeichen *n*

embouchure [ãbuʃyʀ] *f* 1. *(fleuve)* Mündung *f*; 2. Öffnung *f*

embouteillage [ãbutɛjaʒ] *m (circulation)* Stau *m*

embrasement [ãbʀazmã] *m* - *des Alpes* Alpenglühen *n*

embrassement [ãbʀasmã] *m* Umarmung *f*

embrasser [ãbʀase] *v* 1. küssen; 2. umarmen; - *qc* sich bekennen zu; - *d'un coup d'œil* überblicken

embrayage [ãbʀɛjaʒ] *m (voiture)* Kupplung *f*

embrayer [ãbʀɛje] *v (voiture)* schalten

embrouillé [ãbʀuje] *adj* unklar, verworren

embrouillement [ãbʀujmã] *m* Gewirr *n*

embrouiller [ãbʀuje] *v* 1. verwirren; *s'*- *(dans qc)* sich verhaspeln; 3. durcheinanderwerfen

embryon [ãbʀijõ] *m* 1. *BIO* Embryo *m*; 2. *(fig)* Keim *m*

embûche [ãbyʃ] *f* Falle *f*

embuer [ãbɥe] *v s'*- *(vitre)* anlaufen

éméché [emeʃe] *adj* angeheitert

émeraude [emʀod] *f* Smaragd *m*

émerveillé [emɛʀveje] *adj* entzückt

émerveillement [emɛʀvejmã] *m* 1. Bewunderung *f*; 2. Entzücken *n*

émerveiller [emɛʀveje] *v* verwundern

émetteur [emetœʀ] *m (radio/TV)* Sender *m*

émettre [emetʀ] *v* 1. strahlen; 2. *(gaz, cri)* ausstoßen; - *un chèque* ausschreiben

émeute [emøt] *f* 1. *POL* Aufruhr *m*; 2. Meuterei *f*

émietter [emjete] *v* 1. *s'*- abbröckeln; 2. *s'*- krümeln

émigrant [emigʀã] *m* 1. Auswanderer *m*; 2. Emigrant *m*

émigration [emigʀasjõ] *f* Auswanderung *f*

émigrer [emigʀe] *v* auswandern

éminent [eminã] *adj* überragend

émissaire [emisɛʀ] *m* Gesandte/Gesandtin *m/f*

émission [emisjõ] *f* 1. Ausstoßen *n*; 2. *(radio/TV)* Sendung *f*; 3. *(de radiations)* Emission *f*

emmagasinage [ãmagazinaʒ] *m* Lagerung *f*

emmagasiner [ãmagazine] *v* einlagern

emmêler [ãmɛle] *v* 1. verwickeln; 2. *(fig)* verwirren

emménager [ãmenaʒe] *v (logement)* einziehen

emmener [ãmne] *v* 1. wegbringen, fortbringen; 2. *(personne)* mitnehmen; 3. *(criminel)* abführen

emmitoufler [ãmitufle] *v s'*- sich einmummen

émoi [emwa] *m* Unruhe *f*

émotif [emɔtif] *adj* 1. emotional; 2. leicht erregbar

émotion [emɔsjõ] *f* 1. Aufregung *f*; 2. Rührung *f*; 3. *(fig)* Erschütterung *f*

émousser [emuse] *v* abstumpfen

émouvant [emuvã] *adj* 1. erschütternd; 2. herzergreifend; 3. rührend

émouvoir [emuvwaʀ] *v* 1. *s'*- sich aufregen; 2. *(fig)* ergreifen, rühren

empaqueter [ãpakte] *v* (ein-)packen

emparer [ãpaʀe] *v s'*- *de MIL* einnehmen

empêchement [ãpeʃmã] *m* 1. Behinderung *f*; 2. Hindernis *n*

empêcher [ãpɛʃe] v 1. hindern; ~ de verhindern; 2. s'~ de enthalten; 3. ~ qn de faire qc jdm etw verwehren

empereur [ãpRœR] m Kaiser m

empester [ãpɛste] v stinken

empêtrer [ãpɛtRe] v s'~ dans sich verstrikken

emphase [ãfaz] f Pathos n

emphatique [ãfatik] adj hochtrabend

empiètement [ãpjɛtmã] m ~ sur Übergriff m

empiler [ãpile] v stapeln

empire [ãpiR] m 1. Reich n; 2. (pouvoir) Macht f; pas pour un ~ um keinen Preis der Welt

empirer [ãpiRe] v s'~ sich verschlimmern, sich verschlechtern

empiriquement [ãpiRikmã] adv erfahrungsgemäß

emplacement [ãplasmã] m 1. Lage f; 2. Platz m; 3. Standort m

emplir [ãpliR] v füllen

emploi [ãplwa] m 1. Verwendung f; 2. Gebrauch m; 3. Handhabung f; 4. (d'un appareil) Einsatz m; 5. Posten m, Stellung f; ~ de la violence/force Gewaltanwendung f; ~ abusif Mißbrauch m; ~ du temps/horaire Stundenplan m; ~ prévu Verwendungszweck m

employé/e [ãplwaje] m/f Angestellte m/f; ~ de maison Hausangestellter m; ~ de banque Bankangestellter m; ~ des chemins de fer Bahnbeamte m; ~ de commerce Kaufmann m

employer [ãplwaje] v 1. benutzen, verwenden; ~ qn jdn beschäftigen, anstellen; 2. einsetzen; s'~ à beschäftigen

employeur [ãplwajœR] m Arbeitgeber m

empoigner [ãpwaɲe] v packen

empoisonnement [ãpwazɔnmã] m Vergiftung f

empoisonner [ãpwazɔne] v vergiften

emporté [ãpɔRte] adj ungestüm, hitzig

emportement [ãpɔRtmã] m 1. Hitze f; 2. Jähzorn m

emporter [ãpɔRte] v 1. (chose) mitnehmen; 2. wegbringen, wegtragen; s'~ ereifern; l'~ sur siegen über; l'~ sur qn die Oberhand gewinnen über jdn/jdn in den Schatten stellen

empreindre [ãpRɛdR] v (fig) prägen

empreinte [ãpRɛt] f 1. Abdruck m, Eindruck m; 2. Spur f; 3. (fig) Prägung f

empreintes [ãpRɛt] f/pl ~ digitales Fingerabdruck m

empressé [ãpRese] adj 1. geschäftig; 2. dienstbeflissen

empressement [ãpRɛsmã] m 1. Bemühung f; 2. Bereitwilligkeit f

empresser [ãpRese] v s'~ de sich beeilen zu

emprisonnement [ãpRizɔnmã] m 1. JUR Haft f; 2. MIL Gefangenschaft f; ~ à vie lebenslängliche Haft

emprisonner [ãpRizɔne] v 1. einsperren; 2. gefangennehmen

emprunter [ãpRœte] v borgen, leihen; ~ à entnehmen

ému [emy] adj 1. aufgeregt; 2. (fig) gerührt

en [ã] prep 1. (local) in, nach, an, auf; 2. (complément circonstanciel) bei; une montre ~ or eine goldene Uhr; mettre ~ doute in Zweifel ziehen; j'~ viens ich komme von dort; 3. adv (local) davon; 4. ~ sus (de) prep zuzüglich; 5. ~ tant que konj als

encadrer [ãkadRe] v einfassen, einrahmen

encaissé [ãkese] adj 1. eingeengt; 2. kesselförmig

encaisser [ãkese] v 1. einkassieren; ~ un chèque einen Scheck einlösen; 2. einnehmen; 3. (traite) einziehen

encastrer [ãkastRe] v einbauen

encaustique [ãkostik] f Bohnerwachs n

encaustiquer [ãkostike] v 1. wachsen; 2. bohnern

enceinte [ãsɛt] adj 1. schwanger; f 2. Gehege n; 3. Stadtmauer f

encens [ãsã] m Weihrauch m

encerclement [ãsɛRklǝmã] m (clôture) Umfassung f

encercler [ãsɛRkle] v einkreisen

enchaînement [ãʃɛnmã] m Verkettung f

enchaîner [ãʃene] v 1. verketten; 2. (fig: des pensées) aneinanderreihen; s'~ ineinandergreifen

enchanté [ãʃãte] adj 1. entzückt; 2. erfreut, hocherfreut; ~ de faire votre connaissance sehr erfreut, Sie kennenzulernen

enchanter [ãʃãte] v 1. bezaubern, verzaubern; 2. erfreuen

enchanteur [ãʃãtœR] m Zauberer m

enchères [ãʃɛR] f/pl Versteigerung f; vendre aux ~ versteigern; acheter aux ~ ersteigern

enclin [ãklɛ] adj peu ~ à abgeneigt; être ~ à neigen, geneigt sein

enclore [ãkloʀ] *v* umzäunen
enclos [ãklo] *m* Umzäunung *f*
enclume [ãklym] *f TECH* Amboß *m*
encoche [ãkɔʃ] *f 1.* Schnitt *m; 2.* Kerbe *f*
encoller [ãkɔle] *v* leimen
encombrant [ãkõbʀã] *adj* sperrig, unhandlich
encombré [ãkõbʀe] *adj* verstopft
encombrement [ãkõbʀəmã] *m 1.* Stauung *f; 2.* Straßengewirr *n; 3.* Überfüllung *f*
encontre [ãkõtʀ] *prep à l'~ de* zuwider
encorder [ãkɔʀde] *v* anseilen
encore [ãkɔʀ] *adv 1.* noch; *- une fois* nochmals; *2.* wieder; *3. konj - que* obgleich
encouragement [ãkuʀaʒmã] *m 1. (fig)* Anfeuerung *f; 2.* Förderung *f*
encourager [ãkuʀaʒe] *v* aufmuntern, ermutigen
encre [ãkʀ] *f* Tinte *f; Cette affaire a fait couler beaucoup d'~.* Die Zeitungen waren voll davon. *- de Chine* Tusche *f*
encyclopédie [ãsiklɔpedi] *f* Lexikon/Lexika *n,* Enzyklopädie *f*
endetter [ãdɛte] *v* verschulden
endiguer [ãdige] *v* dämmen
endive [ãdiv] *f* Chicorée *m*
endommager [ãdɔmaʒe] *v* beschädigen
endormir [ãdɔʀmiʀ] *v 1. s'~* einschlafen; *Ce n'est pas le moment de s'~!* Das ist nicht der richtige Augenblick, um zu schlafen! *2. MED* betäuben
endroit [ãdʀwa] *m 1. (lieu)* Ort *m,* Platz *m; en quel - wo; - touristique* Ausflugsort *m; 2. (lieu)* Fleck *m*
enduire [ãdɥiʀ] *v* bestreichen; *- de crépi (mur)* verputzen
enduit [ãdɥi] *m 1.* Belag *m; 2.* Putz *m*
endurance [ãdyʀãs] *f 1.* Ausdauer *f; 2.* Belastbarkeit *f; 3.* Widerstandsfähigkeit *f*
endurant [ãdyʀã] *adj* ausdauernd
endurcir [ãdyʀsiʀ] *v* abhärten
endurer [ãdyʀe] *v* ertragen
énergie [enɛʀʒi] *f 1.* Energie *f; - nucléaire* Kernenergie *f; - solaire* Sonnenenergie *f; 2.* Kraft *f; 3. (fig)* Schwung *m*
énergique [enɛʀʒik] *adj 1.* energisch; *2.* tatkräftig; *3.* nachdrücklich
énervant [enɛʀvã] *adj* aufregend
énerver [enɛʀve] *v* reizen, irritieren; *s'~* sich aufregen, sich erregen; *- qn* jdn aufregen
enfance [ãfãs] *f* Kindheit *f*
enfant [ãfã] *m* Kind *n; Ne fais pas l'~!* Sei nicht kindisch! *avoir l'air bon -* gutmütig aus-

sehen; *- adoptif* Adoptivkind *n; - gâté* verwöhntes Kind *n; - en nourrice* Pflegekind *n; - prodige* Wunderkind *n*
enfanter [ãfãte] *v* gebären
enfantin [ãfãtɛ̃] *adj 1.* kindisch; *2.* kindlich
enfer [ãfɛʀ] *m* Hölle *f*
enfermer [ãfɛʀme] *v* einschließen, einsperren
enfiler [ãfile] *v* überziehen; *- une aiguille* einfädeln
enfin [ãfɛ̃] *adv 1.* endlich, schließlich; *2.* zuletzt
enflammer [ãflame] *v* anzünden; *s'~* sich entzünden, zünden
enfler [ãfle] *v 1.* anschwellen; *2.* aufbauschen
enflure [ãflyʀ] *f* Beule *f*
enfoncer [ãfõse] *v* einschlagen; *s'~* versinken
enfouir [ãfwiʀ] *v* vergraben
enfreindre [ãfʀɛ̃dʀ] *v* übertreten
enfuir [ãfɥiʀ] *v 1. s'~* entfliehen, fliehen; *2. s'~* entkommen; *3. s'~* flüchten; *4. s'~ (temps)* verfliegen
engageant [ãgaʒã] *adj* verführerisch
engagement [ãgaʒmã] *m 1.* Verpflichtung *f,* Verbindlichkeit *f; prendre un - eine* Verpflichtung eingehen; *2.* Einstellung *f; 3.* Versprechen *n,* Versprechung *f; 4.* Engagement *n; 5.* Zusage *f*
engager [ãgaʒe] *v 1.* einstellen; *2.* verpflichten; *Cela n'engage à rien.* Das verpflichtet zu nichts. *s'~ dans* sich einlassen; *- qn* engagieren; *- qn dans (fig)* verwickeln; *- son argent (fig)* hineinstecken
engendrer [ãʒãdʀe] *v (produire)* hervorbringen
engin [ãʒɛ̃] *m* Gerät *n; - explosif* Sprengkörper *m*
engloutir [ãglutiʀ] *v* hinunterschlucken
engourdi [ãguʀdi] *adj (doigts)* klamm
engourdir [ãguʀdiʀ] *v (fig)* abstumpfen
engrais [ãgʀɛ] *m* Dünger *m; mettre de l'~* düngen
engraisser [ãgʀese] *v* mästen
engrenage [ãgʀənaʒ] *m TECH* Getriebe *n*
engrenages [ãgʀənaʒ] *m/pl* Triebwerk *n*
engrener [ãgʀəne] *v s'~ (fig)* ineinandergreifen
engueuler [ãgœle] *v 1. (fam)* anbrüllen; *- qn* jdn anschreien; *2. (fam)* beschimpfen
enguirlander [ãgiʀlãde] *v* anbrüllen

énigmatique [enigmatik] *adj* rätselhaft
énigme [enigm] *f* Rätsel *n; se trouver devant une ~* vor einem Rätsel stehen; *le mot de l'~* des Rätsels Lösung
enivrement [ãnivrəmã] *m* 1. Rausch *m*, Begeisterungsrausch *m;* 2. Trunkenheit *f*
enivrer [ãnivre] *v s'~* betrinken
enjambée [ãʒãbe] *f* Schritt *m*
enjeu [ãʒø] *m* Einsatz *m*
enjoliver [ãʒolive] *v* verzieren
enjoliveur [ãʒolivœʀ] *m (voiture)* Radkappe *f*
enjolivure [ãʒolivyʀ] *f* Verschönerung *f*
enjoué [ãʒwe] *adj* lustig
enjouement [ãʒumã] *m* Heiterkeit *f*
enlacer [ãlase] *v* umarmen
enlaidir [ãlɛdiʀ] *v* verunstalten
enlèvement [ãlɛvmã] *m* Entführung *f; ~ des ordures ménagères* Abfallbeseitigung *f*
enlever [ãlve] *v* 1. abziehen, entfernen; 2. *(vêtements)* ausziehen; 3. *(personne)* entführen; 4. wegnehmen; 5. *(dégâts)* beheben; 6. beseitigen; *~ le voile (monument)* enthüllen; 7. räumen
ennemi [ɛnmi] 1. *m* Feind *m*, Gegner *m; C'est son pire ~.* Das ist sein ärgster Feind. *~ juré* Todfeind *m;* 2. *adj* feindlich, gegnerisch
ennui [ãnɥi] *m* 1. Langeweile *f; mourir d'~* vor Langeweile umkommen; 2. Verdruß *m*
ennuis [ãnɥi] *m/pl* Unannehmlichkeit *f; avoir des ~s d'argent* in Geldschwierigkeiten sein
ennuyant [ãnɥijã] *adj* langweilig
ennuyer [ãnɥije] *v* 1. *s'~* langweilen; 2. *s'~* sich sehnen nach
ennuyeux [ãnɥijø] *adj* 1. langweilig; 2. verdrießlich; 3. *(fig)* öde
énoncer [enõse] *v* vorbringen, ausdrücken
énorme [enɔʀm] *adj* 1. unermeßlich; 2. riesengroß; 3. riesig; 4. gewaltig
enquête [ãkɛt] *f* 1. Umfrage *f;* 2. Erhebung *f;* 3. Ermittlung *f*
enquêter [ãkɛte] *v* 1. nachgehen, erforschen; 2. untersuchen
enraciner [ãʀasine] *v s'~* wurzeln
enragé [ãʀaʒe] *adj* rasend
enregistrement [ãʀəʒistʀəmã] *m* 1. Eintrag *m;* 2. Einschreibung *f;* 3. Aufzeichnung *f; ~ des bagages* Gepäckannahme *f*
enregistrer [ãʀəʒistʀe] *v* 1. verzeichnen; 2. *(douane)* abfertigen; 3. *(noter)* aufzeichnen; 4. *(passager d'un vol)* einchecken; 5. registrieren; 6. eintragen, buchen

enrhumer [ãʀyme] *v s'~* sich erkälten
enrichir [ãʀiʒiʀ] *v* 1. reich machen; 2. *(minéral)* anreichern
enroué [ãʀwe] *adj* heiser
enrouler [ãʀule] *v* wickeln
ensanglanté [ãsãglãte] *adj* blutig
enseignant [ãsɛɲã] *m (école primaire)* Lehrer *m*
enseigne [ãsɛɲ] *f* Schild *n; ~ d'imprimeur* Impressum *n*
enseignement [ãsɛɲmã] *m* 1. Unterricht *m; l'~ supérieur* Hochschulwesen *n;* 2. Lehre *f*, Lehrsatz *m*
enseigner [ãsɛɲe] *v* lehren, unterrichten
ensemble [ãsãbl] *m* 1. Ganze *n;* 2. Gesamtheit *f;* 3. *(vêtements)* Kombination *f;* 4. ARCH Komplex *m;* 5. *adv* miteinander, zusammen
enserré [ãsɛʀe] *adj* eng
ensevelir [ãsəvliʀ] *v* vergraben
ensoleillé [ãsoleje] *adj* sonnig, heiter
ensommeillé [ãsɔmeje] *adj* schläfrig
ensorceler [ãsɔʀsəle] *v* verzaubern
ensuite [ãsɥit] *adv* 1. dann; 2. *(temp)* darauf, anschließend
ensuivre [ãsɥivʀ] *v s'~* erfolgen
entaille [ãtaj] *f* 1. Schnitt *m; faire une ~ dans* anschneiden; 2. Kerbe *f;* 3. MED Schnittwunde *f*
entamer [ãtame] *v* 1. anbrechen; 2. *(fig: affaire)* einfädeln; 3. *(commencer)* einleiten
entasser [ãtase] *v* anhäufen, häufen
entendement [ãtãdmã] *m* Verstand *m*
entendre [ãtãdʀ] *v* 1. hören; *se faire ~* sich Gehör verschaffen: *On ne s'entend pas parler.* Man hört sein eigenes Wort nicht. *J'en ai entendu parler.* Ich habe davon gehört. *Qu'entendez-vous par là?* Was verstehen Sie darunter? Was meinen Sie damit? *s'~ avec qn* auskommen; *s'~ avec* sich verständigen mit; *s'~ (bien/mal)* vertragen; 2. JUR vernehmen; *s'~* einigen
entendu [ãtãdy] *adj* 1. einverstanden; *C'est ~!* Abgemacht! 2. verständnisvoll
entente [ãtãt] *f* 1. Verständigung *f;* 2. Einvernehmen *n; ~ des peuples* Völkerverständigung *f*
enterrement [ãtɛʀmã] *m* Beerdigung *f*, Begräbnis *n*
enterrer [ãtɛʀe] *v* 1. beerdigen, begraben; 2. *(mort)* bestatten; 3. *(chose)* vergraben
entêté [ãtete] 1. *m* Dickkopf *m; adj* 2. eigensinnig, eigenwillig; 3. störrisch; 4. trotzig

en-tête [ãtɛt] *m (lettre)* Briefkopf *m*
entêtement [ãtɛtmã] *m* 1. Eigensinn *m;*
2. Hartnäckigkeit *f;* 3. Starrsinn *m*
enthousiasme [ãtuzjasm] *m* Begeisterung *f*
enthousiasmer [ãtuzjasme] *v* 1. ~ *qn* jdn begeistern; 2. *s'- pour* schwärmen
enthousiaste [ãtuzjast] *adj* 1. lebhaft, begeistert; 2. schwärmerisch
entier [ãtje] *adj* 1. ganz, voll; 2. heil
entièrement [ãtjɛrmã] *adv* ganz und gar
entonnoir [ãtɔnwar] *m* Trichter *m*
entorse [ãtɔrs] *f* Verstauchung *f*
entourage [ãturaʒ] *m* Umgebung *f*
entourer [ãture] *v ~ de* umgeben, umkreisen
entracte [ãtrakt] *m* 1. Zwischenakt *m;* 2. *THEAT* Pause *f*
entrailles [ãtraj] *f/pl* Eingeweide *n*
entrain [ãtrɛ̃] *m* Fröhlichkeit *f*, Munterkeit *f; avec ~* schwungvoll; *plein d'- tempe-* ramentvoll
entraînant [ãtrɛnã] *adj* hinreißend
entraînement [ãtrɛnmã] *m* 1. Begeisterung *f;* 2. Übung *f;* 3. Training *n;* 4. *TECH* Antrieb *m*
entraîner [ãtrɛne] *v* 1. üben, trainieren; *Cela nous ~ait trop loin.* Das würde zu weit führen. 2. drillen; 3. *s'-* trainieren, üben
entraîneur [ãtrɛnœr] *m* Trainer *m*
entraver [ãtrave] *v* 1. hindern; 2. unterbinden
entre [ãtr] *prep* zwischen
entrebâiller [ãtrəbaje] *v (porte)* anlehnen
entrée [ãtre] *f* 1. Eingang *m,* Einfahrt *f; ~ principale* Haupteingang *m;* 2. *(accès)* Zugang *m,* Zutritt *m;* 3. *(parti,club)* Eintritt *m;* 4. Diele *f,* Flur *m;* 5. *GAST* Vorspeise *f;* 6. *(dans un pays)* Einreise *f;* 7. *(autobus)* Einstieg *m; ~ dans (une pièce)* Eintritt *m; faire son ~* seinen Einzug halten; 8. *(marchandises)* Zugang *m;* 9. *~ en fonctions* Amtsantritt *m; ~ en vigueur* Inkrafttreten *n*
entrelacement [ãtrəlasmã] *m* Verflechtung *f*
entrelacer [ãtrəlase] *v* einflechten
entremêler [ãtrəmɛle] *v* einflechten
entremise [ãtrəmiz] *f* Vermittlung *f*
entreposer [ãtrəpoze] *v* einlagern, speichern
entrepôt [ãtrəpo] *m* 1. Depot *n,* Lager *n;* 2. Speicher *m*

entreprendre [ãtrəprãdr] *v* 1. unternehmen; 2. *(faire)* vornehmen
entrepreneur [ãtrəprənœr] *m* Unternehmer *m*
entreprise [ãtrəpriz] *f* 1. Unternehmung *f;* 2. Unternehmen *n,* Firma *f*
entrer [ãtre] *v* 1. eintreten; *faire ~* einlassen, hereinlassen; *~ en collision avec* zusammenstoßen; 2. hereinkommen; *~ à (parti politique)* beitreten; *~ dans* betreten, hineingehen; *(dans un pays)* einreisen; 3. *(données)* eingeben; 4. *~ en scène* auftreten
entre-temps [ãtrətã] *adv* zwischendurch, inzwischen, mittlerweile
entretenir [ãtrətənir] *v* 1. pflegen; 2. unterhalten; *s'- avec qn de qc* sich unterhalten; 3. *(machine)* warten
entretien [ãtrətjɛ̃] *m* 1. Pflege *f;* 2. Unterhaltung *f,* Unterredung *f,* Besprechung *f, premier ~* Vorstellungstermin *m;* 3. Erhaltung *f,* Instandhaltung *f;* 4. *TECH* Wartung *f,* Unterhalt *m*
entrouvrir [ãtruvrir] *v (porte)* anlehnen
énumérer [enymere] *v* aufzählen
envahir [ãvair] *v* 1. überfallen; *envahi par (foule)* überlaufen; 2. überwuchern; 3. *MIL* einfallen
enveloppe [ãvlɔp] *f* 1. Schutzhülle *f;* Umschlag *m,* Briefumschlag *m,* Kuvert *n;* 2. Kapsel *f;* 3. Umhüllung *f*
enveloppement [ãvlɔpmã] *m MED* Packung *f*
envelopper [ãvlɔpe] *v* 1. bedecken; 2. einwickeln; *~ de* umwickeln; *~ de* überziehen, verkleiden; 3. *(couvrir)* verdecken
envenimé [ãvnime] *adj (fig)* giftig
envergure [ãvɛrgyr] *f* 1. Spannweite *f;* 2. *(fig)* Format *n*
envers [ãvɛr] 1. *prep* gegen; 2. *m* Kehrseite *f; à l'-* links
enviable [ãvjablə] *adj* beneidenswert
envie [ãvi] *f* 1. Neid *m,* Mißgunst *f;* 2. Lust *f,* Gelüste *pl; Je n'en ai pas ~.* Ich habe keine Lust dazu/kein Verlangen danach. *avoir ~ de* mögen; 3. *~ de vomir* Übelkeit *f*
envier [ãvje] *v* 1. beneiden; 2. *~ qc à qn* jdm etw mißgönnen
envieux [ãvjø] *adj* neidisch, mißgünstig
environ [ãvirɔ̃] *adv* rund, etwa, circa
environnement [ãvirɔnmã] *m* Umwelt *f; nuisible pour l'-* umweltfeindlich
environs [ãvirɔ̃] *m/pl* 1. Umgebung *f;* 2. Gegend *f*

envisager [ɑ̃vizaʒe] v planen
envoi [ɑ̃vwa] m 1. Versand m; 2. Lieferung f; 3. (courrier) Sendung f
envoyé/e [ɑ̃vwaje] m/f Abgesandte(r) m/f
envoyer [ɑ̃vwaje] v 1. schicken, senden, abschicken; ~ un télégramme telegrafieren; 2. ~ au diable verfluchen; 3. ~ par le fond (bateau) versenken
enzyme [ɑ̃zim] m Enzym n
épais [epɛ] adj 1. dick; 2. peu ~ dünn; 3. (chose) tief
épanouir [epanwiʀ] v 1. s'~ sich öffnen, aufblühen; 2. s'~ aufleben; 3. s'~ (fig) aufleuchten
épargne [epaʀɲ] f 1. Sparsamkeit f, Ersparnis f; 2. mesure d'~ Sparmaßnahme f
épargner [epaʀɲe] v 1. sparen, ersparen; s'~ des ennuis sich Ärger ersparen; 2. verschonen
éparpiller [epaʀpije] v 1. streuen; 2. zerstreuen
épars [epaʀ] adj zerstreut
épatant [epatɑ̃] adj (fam) fabelhaft, famos
épaule [epol] f Schulter f; Il a la tête sur les ~s. Ihn kann so leicht nichts erschüttern. haussement d'~s Achselzucken n
épaulette [epolɛt] f Schulterpolster n
épave [epav] f NAUT Wrack n
épée [epe] f 1. Klinge f; C'est un coup d'~ dans l'eau. Das ist ein Schlag ins Wasser. 2. Degen m, Schwert n
épeler [eple] v buchstabieren
éphémère [efemɛʀ] adj vorübergehend, kurzlebig
épi [epi] m 1. Ähre f; 2. ~ de maïs Maiskolben m
épice [epis] f Würze f
épicé [epise] adj würzig, scharf
épicentre [episɑ̃tʀ] m Epizentrum n
épicer [epise] v würzen
épicerie [episʀi] f Lebensmittelgeschäft n
épidémie [epidemi] f Epidemie f, Seuche f
épier [epje] v auflauern, belauschen; ~ qn jdm nachspionieren
épilepsie [epilɛpsi] f Epilepsie f
épiler [epile] v enthaaren
épilogue [epilɔg] m Nachspiel n
épinard [epinaʀ] m Spinat m
épine [epin] f Dorn m, Stachel m
épineux [epinø] adj 1. dornig; 2. (fig) heikel

épingle [epɛ̃gl] f Nadel f; tirer son ~ du jeu sich geschickt aus der Affäre ziehen; ~ de cravate Anstecknadel f; ~ à cheveux Haarspange f; ~ de sûreté Sicherheitsnadel f
épingler [epɛ̃gle] v heften, befestigen
épisode [epizɔd] m Episode f
éplucher [eplyʃe] v schälen
épluchure [eplyʃyʀ] f Schale f
éponge [epɔ̃ʒ] f Schwamm m; Passons l'~! Schwamm drüber!
époque [epɔk] f Zeitabschnitt m, Zeit f, Epoche f; à l'~ damals; de cette ~ damalig; ~ classique Klassik f; ~ de l'Avent Adventszeit f; ~ glaciaire Eiszeit f
épouse [epuz] f Ehefrau f
épouser [epuze] v 1. ~ qn heiraten; 2. ~ la cause de qn für jdn eintreten; 3. ~ la forme die Gestalt annehmen
épousseter [epuste] v abstauben
épouvantable [epuvɑ̃tablə] adj fürchterlich, schrecklich
épouvante [epuvɑ̃t] f Entsetzen n, Schrecken m
épouvanter [epuvɑ̃te] v erschrecken
époux/-se [epu/uz] m/f 1. Ehemann/Ehefrau m/f, Gemahl/Gemahlin m/f; m/pl 2. nouveaux ~ Brautpaar n; 3. Ehepaar n
éprendre [epʀɑ̃dʀ] v s'~ de sich in jdn verlieben; être épris verliebt sein
épreuve [epʀœv] f 1. Probe f, Prüfung f; ~ de force Machtprobe f; ~ de maître Meisterprüfung f; 2. Heimsuchung f, Korrektur f, Druck m; à l'~ des balles kugelsicher; à toute ~ zuverlässig
éprouver [epʀuve] v 1. probieren, versuchen; 2. (fig) empfinden; ~ de la gêne sich genieren; 3. (fig) mitnehmen, strapazieren
éprouvette [epʀuvɛt] f 1. Meßbecher m; 2. Reagenzglas n; 3. bébé-~ Retorte f
épuisé [epɥize] adj 1. (fam) erschöpft, abgespannt; 2. (fam) fertig; 3. (livre) vergriffen
épuisement [epɥizmɑ̃] m 1. Erschöpfung f; 2. MIN Abbau m
épuiser [epɥize] v 1. s'~ ausgehen; Ma patience commence à s'~. Meine Geduld geht allmählich zu Ende. 2. ausschöpfen; 3. (fig) mitnehmen
épuration [epyʀasjɔ̃] f 1. Klärung f; 2. (fig) Säuberung f
épurer [epyʀe] v klären
équation [ekwasjɔ̃] f Gleichung f
équilibre [ekilibʀ] m 1. Gleichgewicht n; 2. Ausgeglichenheit f; 3. ECO Ausgleich m

équilibrer [ekilibʀe] v 1. ins Gleichgewicht bringen; 2. *(comptes)* ausgleichen

équipage [ekipaʒ] m Mannschaft f, Besatzung f

équipe [ekip] f 1. Gruppe f; *faire - avec qn* mit jdm zusammen/im Team arbeiten; 2. Belegschaft f; 3. (Arbeits-)Schicht f; *- de nuit* Nachtschicht f; 4. SPORT Mannschaft f; *- nationale* Nationalmannschaft f; *- olympique* Olympiamannschaft f

équiper [ekipe] v 1. ausrüsten, ausstatten, versehen; 2. installieren

équitable [ekitablə] adj gerecht

équitation [ekitasjɔ̃] f *faire de l'-* reiten

équivalent [ekivalɑ̃] m Gegenwert m

équivoque [ekivɔk] adj 1. zweideutig; 2. verdächtig

érafler [eʀafle] v abschürfen

éraflure [eʀaflyʀ] f Abschürfung f

ère [ɛʀ] f *- glaciaire* Eiszeit f

éreinter [eʀɛ̃te] v s'~ sich abhetzen

ergonomie [ɛʀgɔnɔmi] f Ergonomie f

ergoter [ɛʀgɔte] v nörgeln

ergoteur [ɛʀgɔtœʀ] adj rechthaberisch

ermitage [ɛʀmitaʒ] m Einsiedelei f

ermite [ɛʀmit] m Einsiedler m

érotique [eʀɔtik] adj erotisch

érotisme [eʀɔtism] m Erotik f

erratum [eʀatɔm] m Druckfehler m

errer [eʀe] v irren, umherirren

erreur [eʀœʀ] f 1. Fehler m; *Il n'y a pas d'-.* Ganz ohne jeden Zweifel. *être dans l'-* sich irren; *faire - sur* sich täuschen; *induire en -* irreführen; *- de raisonnement* Denkfehler m; *- de décision* Fehlentscheidung f; 2. Irrtum m; *par -* irrtümlich; *- judiciaire* Justizirrtum m; 3. Versehen n; 4. Verwechslung f

erroné [eʀɔne] adj 1. falsch; 2. fehlerhaft; 3. irrtümlich

ersatz [eʀzats] m Ersatz m

érudit [eʀydi] 1. adj gelehrt; 2. m Gelehrte m/f

éruption [eʀypsjɔ̃] f 1. Ausbruch m; *- volcanique* Vulkanausbruch m; 2. MED Ausschlag m

escabeau [ɛskabo] m Hocker m

escalader [ɛskalade] v klettern

escale [ɛskal] f Zwischenlandung f

escalier [ɛskalje] m Treppe f; *- roulant* Rolltreppe f

escalope [ɛskalɔp] f Schnitzel n

escapade [ɛskapad] f Eskapade f

escargot [ɛskaʀgo] m Schnecke f

escarpé [ɛskaʀpe] adj steil, abschüssig

esclavage [ɛsklavaʒ] m Knechtschaft f, Sklaverei f

esclave [ɛsklav] m Sklave m

escompte [ɛskɔ̃t] m Skonto n/m; *accorder un ~* einen Rabatt gewähren

escorte [ɛskɔʀt] f 1. Gefolge n, Geleit n; 2. Geleitschutz m

escrime [ɛskʀim] f Fechten n

escroc [ɛskʀo] m Betrüger m, Gauner m

Eskimo [ɛskimo] m Eskimo m

ésotérisme [ezoteʀism] n Esoterik f

espace [ɛspas] m Raum m, Platz m; *en/dans l'-* de binnen; *- libre* Platz m; *- vert* Grünanlage f; *- vide* Hohlraum m; *- cosmique* Weltraum m

Espagne [ɛspaɲ] f Spanien n

Espagnol [ɛspaɲɔl] m Spanier m

espagnol [ɛspaɲɔl] adj spanisch

espalier [ɛspalje] m Sprossenwand f

espèce [ɛspɛs] f 1. Art f, Sorte f; *d'une autre ~* andersartig; 2. Gattung f; 3. *- dégénérée* Abart f

espèces [ɛspɛs] f/pl ECO Bargeld n

espérance [ɛspeʀɑ̃s] f 1. Hoffnung f; 2. *- de vie* Lebenserwartung f

espérer [ɛspeʀe] v 1. hoffen; *il faut - que* hoffentlich; *espérons que* hoffentlich; 2. erhoffen

espion [ɛspjɔ̃] m Spion m, Spitzel m

espionnage [ɛspjɔnaʒ] m Spionage f

espionner [ɛspjɔne] v 1. TEL abhorchen, lauschen; 2. auskundschaften, ausspionieren

espoir [ɛspwaʀ] m 1. Erwartung f; 2. Hoffnung f; *C'est sans ~.* Das ist hoffnungslos. *plein d'-* erwartungsvoll; 3. Zuversicht f

esprit [ɛspʀi] m Geist m, Seele f; *Cela ne me serait même pas venu à l'-.* Das wäre mir nicht einmal im Traum eingefallen. *large d'-* großzügig; *- de sacrifice* Aufopferungsbereitschaft f; *- de compromis* Kompromißbereitschaft f; *- sportif* Sportsgeist m; *avec ~* witzig; *paresseux d'-* denkfaul

Esquimau [ɛskimo] m Eskimo m

esquisse [ɛskis] f Entwurf m

esquisser [ɛskise] v 1. entwerfen; 2. (fig) umreißen

essai [esɛ] m 1. Probe f, Versuch m; *à titre d'-* versuchsweise/auf Probe; 2. *(de bon fonctionnement)* Probefahrt f; 3. Essay n/m

essaim [esɛ̃] m *(abeilles)* Schwarm m, Bienenschwarm m

essayer [eseje] v 1. probieren, versuchen, testen, erproben; 2. anprobieren
essence [esɑ̃s] f 1. Benzin n, Kraftstoff m; prendre de l'- tanken; 2. Extrakt m
essentiel [esɑ̃sjɛl] 1. m Hauptsache f; adj 2. hauptsächlich; 3. wesentlich, wichtig
esseulé [esœle] adj verlassen
essieu [esjø] m Achse f
essor [esɔr] m 1. Aufstieg m; 2. (fig) Aufschwung m
essorer [esɔre] v schleudern
essoufflé [esufle] adj atemlos
essuie-main [esɥimɛ̃] m Handtuch n
essuyer [esɥije] v 1. abwischen, wischen; 2. (défaite) erleiden; - un refus einen Korb bekommen; 3. (vaisselle) abtrocknen, austrocknen; 4. abputzen
est [ɛst] m Osten m; de l'- östlich
Est [ɛst] m POL Osten m
estampe [estɑ̃p] f - à l'eau-forte Radierung f
estamper [estɑ̃pe] v (monnaie) prägen
esthéticienne [estetisjɛn] f Kosmetikerin f
esthétique [estetik] f Kosmetik f
estimation [estimasjɔ̃] f 1. Bewertung f; 2. Hochrechnung f
estime [estim] f 1. - pour Wertschätzung f, (Hoch-)Achtung f; 2. Schätzung f; avoir de l'- pour qn für jdm Achtung haben
estimer [estime] v 1. schätzen, abschätzen; 2. schätzen, achten; 3. veranschlagen
estival [estival] adj sommerlich
estomac [estɔma] m Magen m; rester sur l'- schwer im Magen liegen; avoir les talons dans l'- einen Bärenhunger haben; maux d'- Magenschmerzen
estourbir [esturbir] v (fam: tuer) killen
estrade [estrad] f 1. Podest n; 2. Tribüne f
estragon [estragɔ̃] m Estragon m
estropié [estrɔpje] 1. m Krüppel m; 2. adj verkrüppelt
estuaire [estɥɛr] f Flußmündung f
et [e] konj und
étable [etabl] f Stall m
établi [etabli] 1. m Werkbank f; 2. adj seßhaft
établir [etablir] v 1. stiften, gründen; 2. (acte) ausfertigen; 3. festsetzen, feststellen; 4. s'- beziehen, sich niederlassen; 5. - un procès-verbal protokollieren; - le bilan bilanzieren

établissement [etablismɑ̃] m 1. Bau m, Errichtung f; 2. Einrichtung f; 3. (documents) Ausstellung f; 4. Niederlassung f; 5. Gründung f; 6. Anstalt f, Schule f; - secondaire Oberschule f
étage [etaʒ] m 1. Stock m, Etage f; 2. - mansardé Dachgeschoß n
étager [etaʒe] v abstufen, staffeln
étagère [etaʒɛr] f Regal n, Bücherregal n
étalage [etalaʒ] m 1. Auslage f, Schaufenster n; 2. Schau f
étaler [etale] v 1. etw ausbreiten; 2. (marchandise) auslegen
étalon [etalɔ̃] m ZOOL Hengst m
étalonner [etalɔne] v TECH eichen
étanche [etɑ̃ʃ] adj dicht, undurchlässig
étanchéifier [etɑ̃ʃeifje] v abdichten
étanchéité [etɑ̃ʃeite] f Dichte f
étang [etɑ̃] m Teich m, Weiher m
étant [etɑ̃] konj - donné que da
étape [etap] f Etappe f; brûler les -s rasch vorwärtskommen; par - etappenweise
état [eta] m 1. Lage f, Situation f; - d'alerte Alarmbereitschaft; - général Allgemeinzustand; --major de crise Krisenstab; d'urgence Notlage; - des routes Straßenverhältnisse; 2. Zustand m; - exceptionnel Ausnahmezustand; - permanent Dauerzustand; - mental Geisteszustand; - de santé Gesundheitszustand; - naturel Naturzustand; - second Trance; 3. Stand m; 4. Status m
Etat [eta] m Staat m; - de l'Eglise Kirchenstaat; - limitrophe Nachbarstaat; - social Sozialstaat
étatique [etatik] adj staatlich
Etats-Unis [etazyni] m/pl Vereinigte Staaten pl
étau [eto] m Schraubstock m
étayer [eteje] v 1. aufstützen; 2. (fig) untermauern
été [ete] m Sommer m; horaire d'- Sommerzeit; - de la Saint-Martin Altweibersommer; plein - Hochsommer
éteindre [etɛ̃dr] v 1. ausmachen; 2. (lumière) ausschalten, löschen; 3. (feu) löschen; 4. s'- erlöschen, abbrennen; 5. s'- BOT absterben
étendage [etɑ̃daʒ] m Gestell n
étendard [etɑ̃dar] m Fahne f
étendre [etɑ̃dr] v 1. ausstrecken, ausweiten; 2. s'- hinlegen; 3. s'- hinziehen; 4. verbreiten; 5. etw ausbreiten, ausdehnen

étendu [etɑ̃dy] *adj* breit, ausgedehnt, umfangreich, großflächig

étendue [etɑ̃dy] *f 1.* Ausdehnung *f*, Weite *f*; *2. (fig)* Umfang *m*

éternel [etɛʀnɛl] *adj* ewig

éterniser [etɛʀnize] *v* verewigen

éternité [etɛʀnite] *f* Ewigkeit *f*

éternuer [etɛʀnɥe] *v* niesen

étêter [etɛte] *v* kappen

éther [etɛʀ] *m* Äther *m*

éthique [etik] *1. f* Ethik *f*; *2. adj* ethisch

ethnique [ɛtnik] *adj* ethnisch

étinceler [etɛ̃sle] *v 1.* funkeln, glitzern; *2. (fig)* sprühen

étincelle [etɛ̃sɛl] *f* Funke *m*

étiqueter [etikte] *v* auszeichnen, etikettieren

étiquette [etikɛt] *f 1.* Etikett *n*, Preisschild *n*; *2.* Anhänger *m*, Schild *n*; *3. - autocollante* Aufkleber *m*; *4. (fig)* Etikette *f*

étirer [etiʀe] *v 1.* verlängern, verdünnen; *2.* dehnen, strecken; *3. s'-* sich recken

étoffe [etɔf] *f* (Textil-)Stoff *m*

étoffé [etɔfe] *adj* reich ausgestattet

étoile [etwal] *f 1. ASTR* Gestirn *n; 2.* Stern *m; - du berger* Abendstern; *3.- filante* Sternschnuppe *f; 4.- - de mer ZOOL* Seestern *m; 5. (fig)* Schicksal *n; 6.* Star *m*

étoilé [etwale] *adj* sternenklar

étonnant [etɔnɑ̃] *adj 1.* erstaunlich; *2.* verwunderlich, wunderlich; *Ce n'est pas -.* Das ist kein Wunder.

étonner [etɔne] *v 1.* verwundern; *2. s'- (de)* staunen; *3. s'-* de sich wundern

étouffer [etufe] *v 1.* ersticken; *2. etw* unterdrücken; *3.* erdrücken; *4. (feu)* löschen; *5.(bruit)* dämpfen, verringern

étourderie [etuʀdəʀi] *f 1.* Leichtsinn *m; 2.* Gedankenlosigkeit *f*

étourdi [etuʀdi] *adj 1.* unbesonnen, leichtfertig; *2.* kopflos

étourdissant [etuʀdisɑ̃] *adj* schwindelerregend

étrange [etʀɑ̃ʒ] *adj 1.* sonderbar, seltsam, merkwürdig; *2.* eigentümlich; *- et inquiétant* unheimlich

étranger [etʀɑ̃ʒe] *1. m* Ausland *n; 2. m/f* Ausländer *m*, Fremder *m; adj 3.* ausländisch; *les Affaires étrangères* Außenpolitik; *4.* fremd, unbekannt; *5. (à la localité)* ortsfremd; *6. - à* unbeteiligt; *être - à qc* von etw nichts verstehen

étrangeté [etʀɑ̃ʒte] *f* Seltsamkeit *f*

étrangler [etʀɑ̃gle] *v* erdrosseln, würgen

être [ɛtʀ] *v 1.* sein; *Vous n'y êtes pas du tout.* Sie liegen völlig falsch. *Ça y est!* Da haben wir die Bescherung! *- à plaindre* zu tadeln sein; *Cela est encore à faire.* Das ist noch zu tun. *- d'un parti* einer Partei angehören. *Je suis d'avis que...* Ich bin der Meinung, daß... *- pour qc* für etw sein; *- sans le sou* keinen Pfennig haben; *N'est-ce pas?* Nicht wahr? *2.* stehen, sich befinden; *m 3.* Wesen *n*, Lebewesen *n; 4.* Dasein *n; - absent* ausstehen, noch fehlen; *- là* dasein; *Je n'y suis pour rien.* Ich habe nichts damit zu tun./ Ich kann nichts dafür.

étroit [etʀwa] *adj 1.* knapp, eng; *2.* beschränkt; *3. - d'esprit* kleinlich

étroitesse [etʀwatɛs] *f 1.* Enge *f; 2.* Beschränktheit *f; - d'esprit (fig)* Borniertheit *f*

étude [etyd] *f 1.* Lernen *n; faire des -s* studieren; *2.* Studie *f*, Untersuchung *f; 3.* Essay *m/n; 4. (avocat)* Praxis/Praxen *f; 5. - des comportements PSYCH* Verhaltensforschung *f*

études [etyd] *f/pl 1.* Studium *n; 2. - de marché* Marktforschung *f*

étudiant [etydjɑ̃] *m* Student *m; - en médecine* Medizinstudent

étudier [etydje] *v 1.* lernen, studieren; *2.* üben; *3.* untersuchen

étui [etɥi] *m 1.* Etui *n*, Tasche *f; 2.* Kapsel *f*

étuvée [etyve] *f faire cuire à l'-* dämpfen

eucharistie [økaʀisti] *f* Eucharistie *f*

eurochèque [øʀɔʃɛk] *m* Euroscheck *m*

Europe [øʀɔp] *f* Europa *n; - centrale* Mitteleuropa *n; - orientale/de l'est* Osteuropa *n; - de l'ouest* Westeuropa *n; - occidentale* Westeuropa *n*

européen [øʀɔpeɛ̃] *adj* europäisch

Européen/-ne [øʀɔpeɛ̃/ɛn] *m/f* Europäer *m*

eux/elles [ø/ɛl] *pron* sie; *à - ihnen; Je pense à -.* Ich denke an sie.

évacuer [evakɥe] *v 1.* abtransportieren, evakuieren; *2.* leeren, räumen; *3. MED* abführen; *4. (eau)* ablassen

évader [evade] *v s'-* ausbrechen, entfliehen

évaluer [evalɥe] *v 1.* schätzen, abschätzen; *2.* bewerten

évangélique [evɑ̃ʒelik] *adj* evangelisch

Evangile [evɑ̃ʒil] *m* Evangelium *n*

évanouir [evanwiʀ] *v 1. s'-* zerrinnen; *2. s'-* ohnmächtig werden

évanouissement [evanwismã] *m* Bewußtlosigkeit *f*, Ohnmacht *f*

évaporer [evapɔʀe] *v 1. s'-* verdampfen, verdunsten; *2. s'- (odeur)* verfliegen

évasif [evazif] *adj* ausweichend

évasion [evazjɔ̃] *f* Ausbruch *m*, Flucht *f*

éveillé [eveje] *adj 1.* lebhaft, munter; *2.* wach

éveiller [eveje] *v s'-* erwachen

événement [evɛnmã] *m 1.* Ereignis *n*, Vorfall *m; 2. (dont on a été témoin)* Erlebnis *n*

évente [evãte] *adj 1.* windig; *2. (boisson)* abgestanden

éventrer [evãtʀe] *v* aufbrechen

éventualité [evãtɥalite] *f* Möglichkeit *f*

éventuel [evãtɥɛl] *adj* eventuell, etwaig

éventuellement [evãtɥɛlmã] *adv* möglicherweise, eventuell

évêque [evɛk] *m* Bischof *m*

éviction [eviksjɔ̃] *f (fig)* Verdrängung *f*

évidemment [evidamã] *adv* natürlich, offensichtlich

évidence [evidãs] *f* Selbstverständlichkeit *f*

évident [evidã] *adj* klar, offensichtlich

évier [evje] *m* Spülbecken *n*

évincer [evɛ̃se] *v (fig)* verdrängen

évitable [evitabl] *adj* vermeidbar

évitement [evitmã] *m voie d'-* Überholgleis *n*

éviter [evite] *v 1.* meiden; *2. - de* vermeiden, ausweichen; *pour - toute équivoque* um Mißverständnissen vorzubeugen; *3.* ersparen

évocateur [evɔkatœʀ] *adj* vielsagend

évoluer [evɔlɥe] *v (fig)* sich entwickeln

évolution [evɔlysjɔ̃] *f 1.* Entwicklung *f*, Evolution *f; 2. mauvaise -* Fehlentwicklung *f; 3. (maladie)* Verlauf *m*

évoquer [evɔke] *v 1.* aufrufen; *2.* heraufbeschwören

exact [ɛgzakt] *adj 1.* genau, exakt; *2.* richtig, treffend; *3. très -* haargenau

exactement [ɛgzaktəmã] *adv* genau

exactitude [ɛgzaktityd] *f 1.* Genauigkeit *f*, Exaktheit *f; 2.* Richtigkeit *f*

exagération [ɛgzaʒeʀasjɔ̃] *f* Übertreibung *f*

exagérer [ɛgzaʒeʀe] *v 1.* übertreiben; *2. (histoire)* aufbauschen

exaltation [ɛgzaltasjɔ̃] *f* Begeisterung *f*

exalté [ɛgzalte] *adj* überschwenglich

exalter [ɛgzalte] *v 1.* preisen, rühmen; *2.* erregen; *3. s'- (fig)* sich erhitzen

examen [ɛgzamɛ̃] *m 1.* Examen *n*, Prüfung *f; - de fin d'études* Abschlußprüfung; *2.* Untersuchung *f; - médical* Untersuchung; *3.* Erforschung *f; 4.* Überprüfung *f*

examinateur [ɛgzaminatœʀ] *m* Prüfer *m*

examiner [ɛgzamine] *v 1.* prüfen; *2.* untersuchen; *3. MED* untersuchen; *4.* durchgehen, nachsehen; *5.* erwägen

excavatrice [ɛkskavatʀis] *f* Bagger *m*

excaver [ɛkskave] *v* ausschachten

excédent [ɛksedã] *m 1.* Überschuß *m*, Plus *n; 2.* Überzahl *f; 3. - de poids* Übergewicht *n*

excédentaire [ɛksedãtɛʀ] *adj* überschüssig

Excellence [ɛksɛlãs] *f Votre -* Hochwürden *m*

excellent [ɛksɛlã] *adj 1.* ausgezeichnet, erstklassig; *2.* köstlich

excentrique [ɛksãtʀik] *adj* exzentrisch

excepter [ɛksɛpte] *v (fig)* ausnehmen

exception [ɛksɛpsjɔ̃] *f 1.* Ausnahme *f; - faite de* abgesehen von; *2.* Ausnahmefall *m; 3.* Einwand *m*

exceptionnel [ɛksɛpsjɔnɛl] *adj* außerordentlich, einmalig

exceptionnellement [ɛksɛpsjɔnɛlmã] *adv* ausnahmsweise

excès [ɛksɛ] *m 1.* Übermaß *n; manger avec -* übermäßig essen; *tomber d'un - dans un autre* von einem Extrem ins andere fallen; *2.* Ausschreitung *f; 3.* Exzeß *m; 4. - de vitesse* Geschwindigkeitsüberschreitung *f; 5. - de travail* Überarbeitung *f; 6. - de zèle* Übereifer *m*

excessif/-ve [ɛksɛsif/ iv] *adj* übermäßig

excitable [ɛksitabl] *adj* reizbar

excitation [ɛksitasjɔ̃] *f 1.* Anregung *f*, Erregung *f; 2.* Reiz *m*

exciter [ɛksite] *v 1.* erregen, aufregen; *2. s'-* sich erregen, sich aufregen; *3. (fig)* anfeuern; *4.* aufhetzen

exclure [ɛksklyʀ] *v 1. - qn* ausschließen, ausstoßen; *2.* verbannen, ausklammern; *3. s'-* sich absondern

exclusif [ɛksklyzif] *adj* ausschließlich, exklusiv

exclusion [ɛksklyzjɔ̃] *f* Ausschluß *m*

exclusivement [ɛksklyzivmã] *adv* ausschließlich, nur

excommunier [ɛkskɔmynje] v exkommunizieren

excrément [ɛkskremɑ̃] m Kot m

excroissance [ɛkskrwasɑ̃s] f Auswuchs m

excursion [ɛkskyrsjɔ̃] f 1. Exkursion f, Ausflug m; 2. ~ à bicyclette Radtour f

excusable [ɛkskyzabl] adj entschuldbar, verzeihlich

excuse [ɛkskyz] f Entschuldigung f, Verzeihung f; faire des ~s sich entschuldigen

excuser [ɛkskyze] v 1. ~ entschuldigen, verzeihen; excuse-moi! Verzeihung! 2. s'~ sich entschuldigen

exécutable [ɛgzekytabl] adj durchführbar

exécuter [ɛgzekyte] v 1. ausführen, durchführen; 2. (ordre) befolgen; 3. ~ qn hinrichten; 4. JUR vollstrecken

exécutif [ɛgzekytif] m POL Exekutive f

exécution [ɛgzekysjɔ̃] f 1. Ausführung f, Durchführung f; 2. (commande) Erledigung f; 3. ~ de qn Hinrichtung f; 4. parfaite ~ Vollendung f; 6. JUR Vollstreckung f

exécutoire [ɛgzekytwar] adj rechtskräftig

exemplaire [ɛgzɑ̃plɛr] m 1. Exemplar n; 2. Ausfertigung f; en double ~ in doppelter Ausführung; 3. ~ unique Einzelstück n; 4. adj mustergültig, vorbildlich

exemple [ɛgzɑ̃pl] m Beispiel n, Exempel n, Vorbild n; par ~ beispielsweise; ~ favori (fig) Paradebeispiel n

exempter [ɛgzɑ̃te] v 1. befreien; 2. ~ de (libérer) erlassen

exemption [ɛgzɑ̃psjɔ̃] f Erlaß m

exercer [ɛgzɛrse] v 1. ausüben, verüben, praktizieren; 2. ECO betreiben; 3. s'~ (sich) üben; 4. (fonction) verwalten; 5. (un métier) wirken, tätig sein; 6. ~ une pression sur drücken; 7. ~ un effet sur sich auswirken auf; 8. ~ une activité betätigen; 9. ~ un chantage sur qn erpressen

exercice [ɛgzɛrsis] m 1. Übung f; 2. Ausübung f; 3. ~ d'une fonction publique Amtshandlung f; 4. ~ imposé Pflichtübung f; 5. ECO Geschäftsjahr n

exhalaison [ɛgzalezɔ̃] f Dunst m

exhausser [ɛgzose] v (vœux) erfüllen

exhibition [ɛgzibisjɔ̃] f 1. Vorführung f; 2. SPORT Schaulaufen n

exhibitionniste [ɛgzibisjɔnist] m Exhibitionist m

exhorter [ɛgzɔrte] v 1. ~ à auffordern; 2. ~ à ermahnen

exigeant [ɛgziʒɑ̃] adj anspruchsvoll

exigence [ɛgziʒɑ̃s] f Forderung f, Anforderung f

exiger [ɛgziʒe] v 1. anfordern, fordern; 2. ~ qc de qn zumuten; 3. ~ que bestehen auf; 4. erfordern, verlangen

exil [ɛgzil] m Verbannung f, Exil n

exiler [ɛgzile] v (du pays) verweisen

existence [ɛgzistɑ̃s] f 1. Leben n, Dasein n; 2. Bestand m

exister [ɛgziste] v sein, bestehen

exode [ɛgzɔd] m 1. Exodus m, Auszug m; 2. ~ rural Landflucht f

exonérer [ɛgzɔnere] v 1. (impôts) entlasten; 2. ECO befreien

exorbitant [ɛgzɔrbitɑ̃] adj unerschwinglich

exorcisme [ɛgzɔrsism] m Geisterbeschwörung f

exotique [ɛgzɔtik] adj exotisch

expansible [ɛkspɑ̃sibl] adj dehnbar

expansion [ɛkspɑ̃sjɔ̃] f 1. Expansion f, Ausdehnung f; 2. ECO Aufschwung m

expansionnisme [ɛkspɑ̃sjɔnism] m Expansionsbestrebungen pl

expatrier [ɛkspatrije] v ausweisen

expédient [ɛkspedjɑ̃] m 1. (aide) Mittel n; 2. Behelf m

expédier [ɛkspedje] v 1. (envoyer) abschicken, schicken; 2. (courrier) aufgeben; 3. erledigen; 4. ~ en fret verfrachten; 5. ~ par bateau verschiffen

expéditeur [ɛkspeditœr] m Absender m

expédition [ɛkspedisjɔ̃] f 1. Absendung f, Verschickung f; 2. Versand m; 3. (affaires courantes) Erledigung f; 4. ~ par bateau Verschiffung f

expérience [ɛksperjɑ̃s] f 1. Erfahrung f, Praxis f; faire l'~ de qc etw erproben; par ~ erfahrungsgemäß; 2. Versuch m, Experiment n; ~ sur les animaux Tierversuch m; 3. ~ vécue Erlebnis n; 4. ~ de la vie Lebenserfahrung f

expérimentation [ɛksperimɑ̃tasjɔ̃] f Erprobung f

expérimenter [ɛksperimɑ̃te] v erproben, experimentieren

expert [ɛkspɛr] m 1. Experte m, Kenner m; 2. JUR Gutachter m; adj 3. ~ en sachkundig; 4. ~ dans versiert

expertise [ɛkspɛrtiz] f Expertise f, Gutachten n

expertiser [ɛkspɛʀtize] v begutachten
expiation [ɛkspjasjɔ̃] f Sühne f
expier [ɛkspje] v büßen
expirer [ɛkspiʀe] v 1. ausatmen; 2. sterben; 3. (délai) ablaufen
explicable [ɛksplikabl] adj erklärbar
explication [ɛksplikasjɔ̃] f 1. Erklärung f, Erläuterung f; 2. Auseinandersetzung f
explicite [ɛksplisit] adj ausdrücklich
expliquer [ɛksplike] v 1. (souligner) erklären, verdeutlichen, erläutern; 2. deuten; 3. darlegen; 4. s'- sich aussprechen, sich auseinandersetzen
exploit [ɛksplwa] m Heldentat f
exploitation [ɛksplwatasjɔ̃] f 1. Ausnutzung f; 2. Auswertung f; 3. ECO Betrieb m; 4. - abusive Raubbau m
exploiter [ɛksplwate] v 1. ausnützen, ausbeuten; 2. auswerten; 3. nutzen; 4. (champs) bewirtschaften, anbauen
explorateur [ɛksplɔʀatœʀ] m Entdecker m
exploration [ɛksplɔʀasjɔ̃] f 1. Erforschung f; 2. MIL Aufklärung f
explorer [ɛksplɔʀe] v erforschen
exploser [ɛksploze] v 1. explodieren; 2. zerspringen
explosif [ɛksplozif] 1. adj explosiv; 2. m Sprengkörper m, Sprengstoff m
explosion [ɛksplosjɔ̃] f Explosion f
exportation [ɛkspɔʀtasjɔ̃] f Ausfuhr f
exporter [ɛkspɔʀte] v ausführen
exposé [ɛkspoze] m 1. Darlegung f; 2. Bericht m, Vortrag m
exposer [ɛkspoze] v 1. darlegen, schildern; 2. - aux yeux ausstellen, auslegen, aussetzen; - à un danger einer Gefahr aussetzen; 3. (pellicule) belichten; 4. (fig) vortragen
exposition [ɛkspozisjɔ̃] f 1. (marchandises) Ausstellung f; 2. - aux rayons Bestrahlung f; 3. Darlegung f, Schilderung f; 4. - d'œuvres d'art Kunstausstellung f; 5. - aux radiations Strahlenbelastung f
exprès [ɛkspʀɛ] adv 1. absichtlich; 2. extra; 3. adj ausdrücklich; 4. m Eilbote m
express [ɛkspʀɛs] m Schnellzug m
expressif [ɛkspʀɛsif] adj ausdrucksvoll
expression [ɛkspʀɛsjɔ̃] f Ausdruck m
exprimer [ɛkspʀime] v 1. äußern, aussprechen; 2. (jus) auspressen; 3. ausdrücken
exproprier [ɛkspʀɔpʀije] v enteignen
expulser [ɛkspylse] v 1. (chasser) ver-

stoßen, vertreiben; 2. - qn d'un pays abschieben, ausweisen
expulsion [ɛkspylsjɔ̃] f Ausweisung f, Abschiebung f
exquis [ɛkski] adj köstlich
extase [ɛkstaz] f Ekstase f
extensible [ɛkstɑ̃sibl] adj 1. dehnbar; 2. (table) ausziehbar
extension [ɛkstɑ̃sjɔ̃] f 1. Dehnung f, Ausdehnung f; 2. Erweiterung f
exténué [ɛkstenɥe] adj erschöpft
extérieur [ɛksteʀjœʀ] adj 1. äußerlich; à l'- de außerhalb; à l'- draußen; 2. äußere(r,s); 3. m Äußere n
extérioriser [ɛksteʀjɔʀize] v ausdrücken
exterminer [ɛkstɛʀmine] v 1. (détruire) vertilgen; 2. (fig) ausrotten
externe [ɛkstɛʀn] adj 1. äußerlich; 2. äußere(r,s), extern
extincteur [ɛkstɛ̃ktœʀ] m Feuerlöscher m
extorquer [ɛkstɔʀke] v 1. erzwingen; 2. - qc à qn erpressen
extorsion [ɛkstɔʀsjɔ̃] f Erpressung f
extraction [ɛkstʀaksjɔ̃] f (mine) Förderung f
extrader [ɛkstʀade] v 1. ausweisen; 2. JUR ausliefern
extradition [ɛkstʀadisjɔ̃] f 1. Ausweisung f; 2. JUR Auslieferung f
extraire [ɛkstʀɛʀ] v 1. auspressen; 2. aussondern; 3. MIN gewinnen, fördern
extrait [ɛkstʀɛ] m 1. Extrakt m; 2. Auszug m, Ausschnitt m; - de compte Kontoauszug m; - de dossier Aktenauszug m; 3. - de baptême Taufschein m
extraordinaire [ɛkstʀaɔʀdinɛʀ] adj außergewöhnlich, seltsam
extravagance [ɛkstʀavagɑ̃s] f Überspanntheit f
extravagant [ɛkstʀavagɑ̃] adj extravagant, überspannt
extrême [ɛkstʀɛm] adj 1. extrem; 2. (fig) hochgradig; 3. maßlos; 4. äußerst
Extrême-Orient [ɛkstʀɛmɔʀjɑ̃] m Fernost m
extrémiste [ɛkstʀemist] 1. adj extremistisch, radikal; 2. m - de droite POL Rechtsextremist m
exubérance [ɛgzybeʀɑ̃s] f Übermut m
exultation [ɛgzyltasjɔ̃] f Jubel m
exulter [ɛgzylte] v jauchzen

F

fable [fabl] *f* 1. Fabel *f*; 2. Märchen *n*

fabricant [fabʀikã] *m* Hersteller *m*, Produzent *m*

fabrication [fabʀikasjõ] *f* 1. Anfertigung *f*, Fertigung *f*; 2. *(production)* Herstellung *f*

fabriquant [fabʀikã] *m* Fabrikant *m*

fabrique [fabʀik] *f* Fabrik *f*, Werk *n*

fabriquer [fabʀike] *v* 1. *(manufacturer)* erzeugen, anfertigen; 2. *(produire)* herstellen

fabuleux [fabylø] *adj* märchenhaft, sagenhaft

fac [fak] *f (fam)* Fakultät *f*

façade [fasad] *f* 1. Fassade *f*, Front *f*; 2. *(fig)* Maske *f*

face [fas] *f* 1. en ~ *(local)* gegenüber; 2. Gesicht *n*; perdre la ~ das Gesicht verlieren; 3. Angesicht *n*; se trouver ~ à ~ avec qn von Angesicht zu Angesicht gegenüberstehen; être en ~ de gegenüberstehen

facétie [faseti] *f* Posse *f*

fâcher [faʃe] *v* 1. se ~ sich ärgern; Il ese fâche pour un rien. Er regt sich wegen jeder Kleinigkeit auf. 2. verärgern

fâcheux [faʃø] *adj* ärgerlich, unangenehm

facile [fasil] *adj* 1. bequem; 2. leicht, simpel, einfach; être ~ comme tout kinderleicht sein; Il est ~ à vivre. Er ist umgänglich./ Mit ihm ist gut auszukommen.

facilité [fasilite] *f* Leichtigkeit *f*

faciliter [fasilite] *v* ermöglichen, erleichtern

façon [fasõ] *f* 1. (Art und) Weise *f*; à la ~ de (Art von); d'une ~ générale allgemein; ~ de penser Denkweise; en aucune ~ keineswegs; de toute ~ sowieso, 2. *(style)* Form *f*; 3. *(fig)* Tour *f*

façonner [fasone] *v* 1. formen; 2. *(travailler qc)* verarbeiten

façons [fasõ] *f/pl* Manieren *pl*

facteur [faktœʀ] *m* 1. Postbote *m*, Briefträger *m*; 2. Faktor *m*; ~ Rhésus Rhesusfaktor *m*

faction [faksjõ] *f* Wache *f*

facture [faktyʀ] *f* Rechnung *f*

facturer [faktyʀe] *v* anrechnen

facultatif/-ve [fakyltatif/iv] *adj* unverbindlich

faculté [fakylte] *f* 1. Fähigkeit *f*; 2. Kön-

nen *n*, Vermögen *n*; 3. ~ d'adaptation Anpassungsfähigkeit *f*; 4. *(université)* Fakultät *f*; 5. *(fig: don)* Gabe *f*; 6. ~ de penser Denkvermögen *n*; 7. ~ visuelle Sehkraft *f*; 8. ~ de juger Urteilsvermögen *n*

fade [fad] *adj* fade, geschmacklos

faiblard [fɛblaʀ] *m (fam)* Schwächling *m*

faible [fɛbl] *adj* 1. gering; 2. *(à voix basse)* leise; 3. schwach, matt; avoir un ~ pour qn eine Schwäche/ein Faible für jdn haben; 4. charakterlos; 5. flau

faiblesse [fɛblɛs] *f* 1. Schwäche *f*; 2. Schwächeanfall *m*

faiblir [fɛbliʀ] *v* 1. schwach werden; 2. nachlassen

faillir [fajiʀ] *v* ~ à qc sich vergehen an

faillite [fajit] *f* Bankrott *m*

faim [fɛ̃] *f* Hunger *m*; manger à sa ~ sich satt essen; ~ dévorante Heißhunger *m*

fainéant [fɛneã] 1. *m* Tunichtgut *m*; 2. *adj* faul, träge

faire [fɛʀ] *v* 1. machen, tun; ~ dodo schlafen/heia machen; ~ faillite scheitern/Pleite machen; ~ son choix seine Wahl treffen; ~ le ménage aufräumen/putzen; ~ la cuisine kochen; ~ une farce einen Jux machen; ~ la paix Frieden schließen; ~ des petits Junge bekommen/werfen; ~ le malade sich krank stellen; ~ jeune jung aussehen; Rien à ~! Nichts zu machen! Faites comme chez vous! Machen Sie es sich bequem! Ce qui est fait est fait. Geschehen ist geschehen. C'en est fait de lui. Es ist um ihn geschehen. être bien fait gut gewachsen sein; Ça ne se fait pas! Das tut man nicht! Vous feriez mieux de vous taire. Sie täten besser daran, den Mund zu halten. 2. schaffen; 3. lassen, veranlassen; 4. *(prix)* ausmachen, sich belaufen auf; 5. *(procéder)* vorgehen; 6. *(fig)* treiben, betreiben

faisable [fəzabl] *adj* möglich, machbar

fait [fɛ] *m* 1. Tatsache *f*; par ce ~ *(conséquence)* dadurch; du ~ de *(fig)* über, wegen; 2. Gegebenheit *f*; 3. Handlung *f*, Tat *f*

falaise [falɛz] *f* Klippe *f*, Steilküste *f*

falloir [falwaʀ] *v* müssen; Il me faut... Ich brauche... Il me faut partir. Ich muß weggehen. comme il faut einwandfrei

falsification [falsifikasjõ] f 1. Fälschung f; 2. (de documents) Urkundenfälschung f

falsifier [falsifje] v fälschen, verfälschen

fameux [famø] adj 1. GAST berühmt; 2. famos, prima

familiariser [familjarize] v se - avec sich gewöhnen an

familiarité [familjarite] f Vertrautheit f

familier [familje] adj 1. üblich; 2. vertraulich, vertraut

famille [famij] f 1. Familie f; 2. Verwandtschaft f

famine [famin] f Hungersnot f

fan [fan] m Fan m

fanatique [fanatik] 1. m Fanatiker m; 2. adj fanatisch

fanatiser [fanatize] v aufhetzen

faner [fane] v se - welken, verblühen

fanfare [fãfar] f Blaskapelle f

fanfaron [fãfarõ] m (fam) Angeber m

fanfaronner [fãfarɔne] v (fam) angeben

fanfreluches [fãfrəlyʃ] f/pl Firlefanz m

fantaisie [fãtɛzi] f 1. Einbildung f; 2. Phantasie f

fantastique [fãtastik] adj 1. phantastisch; 2. (fig) traumhaft

fantomatique [fãtɔmatik] adj gespenstisch, schemenhaft

fantôme [fãtom] m (spectre) Geist m, Gespenst n, Phantom n

faramineux [faraminø] adj kolossal

farce [fars] f 1. Jux m, Schabernack m; 2. Posse f; 3. GAST Füllung f

fard [far] m 1. Schminke f; piquer un - rot werden; 2. - à paupières Lidschatten m

fardeau [fardo] m 1. Last f; 2. (moral) Belastung f, Druck m

farder [farde] v 1. schminken; 2. se - sich schminken

farfouiller [farfuje] v aufwühlen

farine [farin] f Mehl n

farineux [farinø] adj mehlig

farouche [faruʃ] adj (fig) spröde, abweisend

fascination [fasinasjõ] f Faszination f

fasciner [fasine] v 1. bezaubern; 2. (fig: tromper) blenden

fascisme [faʃism] m Faschismus m

fasciste [faʃist] adj faschistisch

faséyer [fazeje] v (voile) flattern

faste [fast] m Luxus m

fastueux [fastɥø] adj luxuriös

fatal [fatal] adj 1. unvermeidlich; 2. schicksalhaft, verhängnisvoll

fatalité [fatalite] f Verhängnis n

fatigant [fatigã] adj 1. anstrengend, ermüdend; 2. langweilig

fatigue [fatig] f 1. Ermüdung f; 2. Müdigkeit f; 3. Strapaze f; 4. Überarbeitung f; 5. grande - Übermüdung f

fatigué [fatige] adj müde, abgespannt; Il ne s'est pas trop -. Er hat sich keine große Mühe gegeben.

fatiguer [fatige] v 1. se - ermüden; 2. TECH beanspruchen; 3. strapazieren

fatras [fatra] m Plunder m

faubourg [fobur] m Vorort m, Vorstadt f

faucher [foʃe] v 1. mähen; être fauché pleite sein; 2. (fam) klauen

faufiler [fofile] v se - pour passer devant sich vordrängen

faune [fon] f Fauna f

fausse-monnaie [fosmɔnɛ] f Falschgeld n

fausser [fose] v verbiegen, verfälschen

fausseté [foste] f Unaufrichtigkeit f

faute [fot] f 1. Mißgriff m; 2. Fehler m; - d'inattention Flüchtigkeitsfehler m; - de calcul Rechenfehler m; - capitale Kardinalfehler m; Sans -! Bestimmt! Sicher! 3. Verschulden n; A qui la -? Wer ist schuld daran? Ce n'est pas de ma -. Das ist nicht meine Schuld./ Ich kann nichts dafür. 4. JUR Vergehen n; 5. (morale) Verfehlung f; - de mangels; - d'impression Druckfehler m

fauteuil [fotœj] m 1. Sessel m; 2. - roulant Rollstuhl m

fautif [fotif] adj être - schuldig

faux/fausse [fo/os] adj 1. (pas vrai) falsch; - pas Fehltritt; - frais Nebenkosten; - en écriture Urkundenfälschung; - contact Wackelkontakt; fausse couche f Abort m; fausse déposition f Falschaussage f; fausse route f Abweg m; 2. schief; 3. fälschlich; 4. (bijou) unecht

faveur [favœr] f 1. Gunst f; 2. Vergünstigung f; en - de zugunsten

favorable [favɔrabl] adj 1. günstig; 2. wohlwollend; 3. - à l'environnement umweltfreundlich

favori [favɔri] m Favorit m

favoriser [favɔrize] v 1. bevorzugen, begünstigen; 2. - qc Vorschub leisten

fax [faks] m Fax n

fayot [fajo] m (légume sec) Bohne f

fébrile [febril] *adj MED* hitzig
fécond [fekõ] *adj* fruchtbar
féconder [fekõde] *v* 1. *BIO* befruchten; 2. *(fleur)* bestäuben
fécondité [fekõdite] *f* Fruchtbarkeit *f*
fédéral [federal] *adj* 1. Bundes-; 2. föderativ
fédération [federasjõ] *f* 1. *(union)* Verband *m;* 2. *POL* Bund *m;* 3. *POL* Föderation *f*
fée [fe] *f* Fee *f*
féerique [ferik] *adj* 1. märchenhaft; 2. *(fig)* zauberhaft
feignant [fɛɲã] 1. *adj (paresseux)* faul; 2. *m* Faulenzer *m,* Faulpelz *m*
feindre [fẽdʀ] *v* 1. fingieren; 2. heucheln; 3. simulieren, vortäuschen
feinte [fɛ̃t] *f* Vortäuschung *f*
fêlé [fele] *adj* gesprungen
félicitation(s) [felisitasjõ] *f/(pl)* Gratulation *f*
félicité [felisite] *f* 1. Heil *n;* 2. Seligkeit *f*
féliciter [felisite] *v* 1. gratulieren; 2. ~ *qn pour/de/au sujet de* beglückwünschen
fêlure [felyʀ] *f* 1. Knacks *m;* 2. Ritze *f*
femelle [fəmɛl] *adj* weiblich
féminin [feminẽ] *adj* weiblich, feminin
féministe [feminist] *f* 1. *(fam)* Emanze *f;* 2. Feministin *f,* Frauenrechtlerin *f*
femme [fam] *f* 1. Frau *f; Elle est très ~.* Sie ist sehr weiblich. *prendre pour ~* zur Frau nehmen/heiraten; 2. ~ *légère* Dirne *f;* 3. ~ *au foyer* Hausfrau *f;* 4. ~ *de ménage* Putzfrau *f;* 5. ~ *de lettres* Schriftstellerin *f*
fendre [fãdʀ] *v* 1. aufschneiden, aufspalten; 2. hacken
fenêtre [fənɛtʀ] *f* Fenster *n; jeter (l'argent) par les ~s (fam)* Geld verpulvern
fenouil [fənuj] *m* Fenchel *m,* Dill *m*
fente [fãt] *f* 1. *(coupe)* Einschnitt *m;* 2. Schlitz *m,* Spalt *m*
fer [fɛʀ] *m* 1. Eisen *n; en ~* eisern, aus Eisen; *en ~ forgé* schmiedeeisern; 2. ~ *blanc* Blech *n;* 3. ~ *à repasser* Bügeleisen *n*
fermage [fɛʀmaʒ] *m* Pacht *f*
ferme [fɛʀm] *f* 1. Bauernhof *m,* Hof *m;* ~ *avicole* Geflügelfarm *f;* 2. Dachstuhl *m; adj* 3. *(dur)* fest, hart; 4. *(contrat)* bindend
fermentation [fɛʀmãtasjõ] *f* Gärung *f*
fermenter [fɛʀmãte] *v* gären
fermer [fɛʀme] *v* 1. zubinden; 2. schließen, zumachen; ~ *à clé* zuschließen; 3. *(terminer)* beschließen, schließen

fermeté [fɛʀməte] *f* Standhaftigkeit *f; avec ~* nachdrücklich
fermeture [fɛʀmətyʀ] *f* 1. Verschluß *m;* 2. Reißverschluß *m;* 3. ~ *des bureaux (heure)* Büroschluß *m*
fermier [fɛʀmje] *m* Pächter *m*
fermoir [fɛʀmwaʀ] *m* 1. *(bijou)* Verschluß *m;* 2. *(agrafe)* Spange *f*
féroce [feʀɔs] *adj* grausam
férocité [feʀɔsite] *f* Grausamkeit *f*
ferraille [feʀaj] *f* Alteisen *n*
ferry-boat [feʀebot] *m* Fähre *f*
fertile [fɛʀtil] *adj (terre)* fruchtbar
fertilité [fɛʀtilite] *f* Fruchtbarkeit *f*
fervent [fɛʀvã] *adj* 1. *(fig)* glühend; 2. inbrünstig
ferveur [fɛʀvœʀ] *f* 1. Inbrunst *f;* 2. *(fig)* Glut *f*
fesses [fɛs] *f/pl (fam)* Hintern *m,* Po *m*
festin [festẽ] *m* Mahl *n*
festival [festival] *m* 1. Festival *n;* 2. ~ *du cinéma* Filmfestspiele *pl*
festoyer [festwaje] *v* tafeln
fête [fɛt] *f* 1. Fest *n,* Feier *f; faire la ~ à* jdn feiern; ~ *de famille* Familienfest; ~ *champêtre* Gartenfest; ~ *d'anniversaire* Geburtstagsfest; ~ *commémorative* Gedenkfeier; ~ *des mères* Muttertag; 2. Veranstaltung *f*
fêter [fɛte] *v* ein Fest begehen, feiern
fétiche [fetiʃ] *m* Maskottchen *n*
fétide [fetid] *adj* übelriechend
fétus [fetys] *m* Fötus *m*
feu [fø] *m* 1. Feuer *n; Avez-vous du ~? Haben Sie Feuer? Il n'y a pas le ~ à la maison.* Es brennt ja nicht./ Es eilt nicht. ~ *d'arrêt* Bremslicht; ~ *d'artifice* Feuerwerk; ~ *de camp* Lagerfeuer; ~ *de position* Standlicht; 2. Leidenschaft *f; dans le ~ de l'action* im Eifer des Gefechts; 3. *(fig)* Glut *f;* 4. ~ *rouge* Ampel *f; donner le ~ vert* grünes Licht geben
feuillage [fœjaʒ] *m* Laub *n*
feuille [fœj] *f* Blatt *n;* ~ *de papier* Papierbogen; ~ *transparente* Folie; ~ *de placage* Furnier; ~ *de maladie* Krankenschein; ~ *d'aluminium* Aluminiumfolie; ~ *de soins* Behandlungsblatt; ~ *de trèfle* Kleeblatt
feuilles [fœj] *f/pl* Laub *n*
feuilleter [fœjte] *v* blättern, durchblättern
feuillu [fœjy] *m* Laubbaum *m*
feutre [føtʀ] *m* 1. Filz *m;* 2. *(crayon)* Filzstift *m*

feutrer [føtʀe] v verfilzen
feux [fø] m/pl ~ de détresse Warnblinkanlage f
février [fevʀije] m Februar m
fi [fi] interj faire ~ de verschmähen
fiabilité [fjabilite] f Zuverlässigkeit f
fiable [fjabl] adj verläßlich
fiacre [fjakʀ] m Kutsche f
fiançailles [fijɑ̃saj] f/pl Verlobung f
fiancé [fijɑ̃se] 1. m Bräutigam m; 2. m/f Verlobte(r) m/f
fiancer [fijɑ̃se] v se ~ à/avec sich verloben mit
fibre [fibʀ] f 1. Faser f; 2. (fig: caractère) Ader f; 3. ~ végétale Bast m; 4. ~ synthétique Chemiefaser f
ficeler [fisle] v schnüren; être mal ficelé schlecht gekleidet sein
ficelle [fisɛl] f Bindfaden m; tirer les ~s die Fäden in der Hand haben
fiche [fiʃ] f 1. Karteikarte f; 2. ~ d'état civil Abstammungsurkunde f; 3. ~ de prise de courant Stecker m
fichier [fiʃje] m Datei f, Kartei f
fichu [fiʃy] 1. adj (fam) kaputt, hin; 2. m (foulard) Halstuch n
fidèle [fidɛl] adj 1. treu, zuverlässig; 2. wahrheitsgetreu; 3. REL gläubig; 4. m REL Gläubige m/f
fidélité [fidelite] f Treue f
fier [fjɛʀ] adj 1. ~ de stolz (auf); Il n'y a pas de quoi être ~. Darauf brauchst du dir gar nichts einzubilden.
fier [fje] v se ~ à jdm vertrauen, jdm trauen
fierté [fjɛʀte] f Stolz m
fièvre [fjɛvʀ] f Fieber n
figer [fiʒe] v se ~ gerinnen
figue [fig] f Feige f
figuratif [figyʀatif] adj bildlich
figure [figyʀ] f 1. Gesicht n; 2. Angesicht n; 3. (taille) Gestalt f
figurer [figyʀe] v 1. (fig: signifier) darstellen; 2. se ~ sich etw vorstellen
fil [fil] m 1. Zwirn m; 2. Faden m; donner un coup de ~ à qn jdn anrufen; 3. Garn n; ~ à coudre Nähgarn n; 4. ~ de fer Draht m; ~ de fer barbelé Stacheldraht m; 5. ~ électrique Leitung f; 6. ~ conducteur Leitfaden m; 7. ~ à plomb Lot n
filament [filamɑ̃] m Faden m
filasse [filas] f Bast m
file [fil] f 1. (personnes) Reihe f; 2. Zeile f; 3. ~ indienne Gänsemarsch m

filer [file] v 1. davonlaufen; 2. spinnen
filet [filɛ] m 1. Netz n; 2. ~ d'eau Rinnsal n; 3. GAST Filet n, Lende f
filiale [filjal] f Tochtergesellschaft f
fille [fij] f 1. Mädchen n; 2. Tochter f
filleul [fijœl] m Patenkind n
film [film] m 1. Film m; 2. CINE Film m, Darstellung f; ~ d'aventures Abenteuerfilm m; ~ grand écran Breitwandfilm m; ~ vidéo Videofilm m
filmer [filme] v 1. filmen; 2. CINE verfilmen
filon [filɔ̃] m 1. MIN Ader f; 2. (fig) Masche f
fils [fis] m Sohn m; ~ à papa Sohn von Beruf
filtre [filtʀ] m Filter m/n
filtrer [filtʀe] v filtern, sieben
fin [fɛ̃] f 1. Ende n, Schluß m; mettre ~ à qc einer Sache ein Ende setzen; en ~ de compte schließlich, letztlich; 2. Ausgang m; 3. Zweck m; ~ en soi Selbstzweck m; adj 4. listig, schlau; 5. dünn; 6. fein; 7. (cuisine) delikat; ~e bouche Feinschmecker
final [final] adj abschließend, letzte(r,s)
finale [final] 1. m MUS Finale n; 2. f SPORT Endspiel n, Finale n
financer [finɑ̃se] v finanzieren
finances [finɑ̃s] f/pl 1. Finanzen pl; 2. ~ publiques Staatshaushalt m
financier/-ère [finɑ̃sje/ɛʀ] adj 1. finanziell; 2. wirtschaftlich
finesse [finɛs] f 1. Feinheit f; 2. Scharfsinn m
fini [fini] adj 1. (terminé) fertig; 2. hin; 3. adv (temp) vorbei
finir [finiʀ] v 1. enden, ausgehen, etw fertig machen, etw beenden; 2. (terminer) beschließen, vollenden
finition [finisjɔ̃] f Ausarbeitung f
finlandais [fɛ̃lɑ̃dɛ] adj finnisch
Finlandais [fɛ̃lɑ̃dɛ] m Finne m
Finlande [fɛ̃lɑ̃d] f Finnland n
fioriture [fjɔʀityʀ] f Schnörkel m
firmament [fiʀmamɑ̃] m Firmament n
firme [fiʀm] f Firma f
fisc [fisk] m Fiskus m
fiscal [fiskal] adj steuerlich
fission [fisjɔ̃] f Spaltung f
fissure [fisyʀ] f Ritze f
fixation [fiksasjɔ̃] f 1. Befestigung f; 2. (ski) Bindung f
fixe [fiks] adj 1. (inchangé) fest, gleichbleibend; 2. unbeweglich; 3. m Fixum n

fixer [fikse] v 1. (attacher) anbringen, befestigen; 2. fixieren, starren; 3. ~ les limites abgrenzen; 4. (objectif) abstecken; 5. (date) anberaumen; 6. anheften, heften

flageoler [flaʒole] v (trembler) schlottern

flagrant [flagrã] adj offenkundig

flair [flɛr] m 1. Gespür n; avoir du ~ einen guten Riecher haben; 2. Spürsinn m

flairer [flɛre] v 1. schnüffeln; 2. wittern

flamant [flamã] m ~ rose Flamingo m

flambeau [flãbo] m Fackel f

flamber [flãbe] v 1. lodern; 2. GAST flambieren

flamme [flam] f Flamme f

flan [flã] m Pudding m

flanc [flã] m Abhang m; prêter le ~ à qc sich eine Blöße geben

flancher [flãʃe] v ne pas ~ (fam) durchhalten

flanelle [flanɛl] f Flanell m

flâner [flɑne] v bummeln, schlendern

flaque [flak] f ~ d'eau Lache f, Pfütze f

flash [flaʃ] m Blitzlicht n

flatter [flate] v schmeicheln

flatterie [flatri] f Schmeichelei f

flatteur [flatœr] 1. adj schmeichelhaft; 2. m Schmeichler m

fléau [fleo] m Plage f

flèche [flɛʃ] f Pfeil m

fléchir [fleʃir] v 1. nachgeben; 2. abflauen

flegmatique [flɛgmatik] adj phlegmatisch

flemmard [flɛmar] 1. adj (fam: feignant) faul; 2. m (fam) Faulenzer m, Faulpelz m

flétrir [fletrir] v se ~ welken

fleur [flœr] f 1. Blume f; en ~ blühend; 2. (arbre) Blüte f; 3. ~ de l'âge Glanzzeit f

fleurir [flœrir] v (fleur) blühen

fleuriste [flœrist] m Blumenhändler m, Florist m

fleuve [flœːv] m Strom m, Fluß m

flexibilité [flɛksibilite] f 1. Flexibilität f; 2. Nachgiebigkeit f

flexible [flɛksibl] adj 1. biegsam, schmiegsam; 2. flexibel

flexion [flɛksjõ] f Beugung f

flic [flik] m (péj: policier, gendarme) Bulle m

flirt [flœrt] m Flirt m

flirter [flœrte] v 1. ~ avec qn anbändeln; 2. flirten, turteln

flocon [flokõ] m Flocke f; ~ d'avoine Haferflocke f; ~ de neige Schneeflocke f

Florence [florãs] f Florenz n

florissant [florisã] adj être ~ florieren

flot [flo] m ~ de (fig: quantité) Flut f; remettre qc à ~ etw wieder in Gang bringen

flots [flo] m/pl ~ d'enthousiasme Woge der Begeisterung f

flottant [flotã] adj wankelmütig

flotte [flot] f Flotte f

flotter [flote] v 1. ~ au vent wehen, flattern; 2. schweben; 3. schlottern; 4. treiben

flou [flu] adj FOTO verschwommen

fluctuation [flyktɥasjõ] f Schwankung f

fluctuer [flyktɥe] v schwanken

fluet [flɥɛ] adj 1. (personne) dünn; 2. schmächtig

flûte [flyt] f Flöte f

flux [flyks] m 1. (personnes) Fluß m; 2. Strömung f

foi [fwa] f Glaube m; de mauvaise ~ böswillig

foie [fwa] m Leber f

foin [fwɛ̃] m Heu n

foire [fwar] f 1. Jahrmarkt m, Rummel m; 2. (exposition) Messe f

fois [fwa] f Mal n; faire deux choses à la ~ zwei Dinge gleichzeitig tun; une autre ~ ein andermal; une ~ de plus erneut; pour la première ~ erstmals

folie [foli] f 1. Irrsinn m, Wahnsinn m; 2. ~ des grandeurs Größenwahn m; 3. Sinnlosigkeit f; 4. Torheit f

folklore [folklor] m Folklore f

folklorique [folklorik] adj volkstümlich

foncé [fõse] adj (couleur) dunkel

fonceur [fõsœr] m Draufgänger m

fonction [fõksjõ] f 1. Amt n, Dienststelle f; 2. ~ publique Öffentlicher Dienst m; 3. Funktion f; 4. ~ d'alibi Alibifunktion f

fonctionnaire [fõksjonɛr] m/f 1. Beamte/Beamtin m/f, Staatsbeamte/in m/f

fonctionnel [fõksjonɛl] adj funktional, funktionell

fonctionnement [fõksjonmã] m 1. (machine) Gang m; 2. ~ déficient Unterfunktion f; 3. (activité) Betrieb m

fonctionner [fõksjone] v funktionieren

fond [fõ] m 1. (de la mer) Grund m; aller au ~ des choses den Dingen auf den Grund gehen; à ~ gründlich; 2. Hintergrund m

fondamental [fõdamãtal] adj wesentlich, grundlegend

fondamentaliste [fõdamãtalist] m Fundamentalist m

fondateur [fõdatœr] m 1. (d'une ville) Er-

fondateur [fɔ̃datœr] m 1. (d'une ville) Erbauer m; 2. Gründer m, Stifter m

fondation [fɔ̃dasjɔ̃] f 1. Errichtung f, Gründung f; 2. Stiftung f

fondé [fɔ̃de] adj 1. ~ sur berechtigt; 2. fundiert; 3. non ~ unbegründet; 4. m ~ de pouvoir Bevollmächtigte m/f; ~ général Generalbevollmächtigte m/f

fondement [fɔ̃dəmɑ̃] m 1. Basis f; 2. Grundlage f, Fundament n

fonder [fɔ̃de] v 1. gründen, errichten; 2. se ~ sur basieren auf; 3. (une ville) erbauen; 4. (créer) stiften

fondre [fɔ̃dr] v 1. faire ~ lösen; 2. tauen; 3. ~ sur herabstürzen; 4. se ~ zerrinnen, schmelzen

fonds [fɔ̃] 1. m/pl Kapital n; 2. m ECO Fonds m

fondu [fɔ̃dy] 1. adj (métal, liquide) flüssig; 2. m Farbabstufung f

fondue [fɔ̃dy] f Fondue n

fontaine [fɔ̃tɛn] f 1. Brunnen m; 2. Quelle f

fonte [fɔ̃t] f Gußeisen n

foot [fut] m (fam) Fußball m

football [futbol] m match de ~ Fußballspiel n

forain [fɔrɛ̃] m Schausteller m

force [fɔrs] f 1. Gewalt f; 2. Kraft f; être à bout de ~ am Ende seiner Kraft sein; 3. (pouvoir) Macht f; par la ~ des choses zwangsläufig; 4. Wucht f

forcené [fɔrsəne] m Amokläufer m

forcer [fɔrse] v 1. se ~ à sich zwingen zu; 2. ~ qn à faire qc jdn zwingen; 3. (fam: briser) knacken

forer [fɔre] v drillen

forêt [fɔre] f Forst m, Wald m; ~ tropicale Regenwald m; ~ vierge Urwald m; ~ de feuillus Laubwald m; ~ de conifères Nadelwald m

forfait [fɔrfɛ] m 1. Untat f, Missetat f; 2. Pauschalvertrag m

forge [fɔrʒ] f Schmiede f

forger [fɔrʒe] v 1. schmieden; 2. (fig) prägen

forgeron [fɔrʒərɔ̃] m Schmied m

formaliste [fɔrmalist] adj pedantisch

formalité [fɔrmalite] f 1. Formalität f; 2. Förmlichkeit f

format [fɔrma] m Format n

formation [fɔrmasjɔ̃] f 1. Ausbildung f; ~ professionnelle Berufsausbildung; 2. Schulung f; 3. GEO Gebilde n; 4. Formation f; 5. (réalisation) Bildung f, Gestaltgebung f

forme [fɔrm] f 1. Form f; 2. (style) Form f; en bonne et due ~ förmlich; 3. Gestalt f, Figur f; en pleine ~ kerngesund

formel [fɔrmɛl] adj 1. ausdrücklich; 2. formal; 3. formell; 4. JUR eidesstattlich

former [fɔrme] v 1. ausbilden; 2. (créer) bilden, gestalten

formidable [fɔrmidabl] adj 1. fabelhaft; 2. (fam: superbe) toll

formulaire [fɔrmylɛr] m Formular n, Vordruck m

formule [fɔrmyl] f Formel f; ~ toute faite Floskel f

formuler [fɔrmyle] v formulieren

fort [fɔr] adj 1. (énorme) gewaltig; 2. heftig; 3. kräftig; C'est plus ~ que moi. Da kann ich nicht widerstehen. 4. (vif) lebhaft; 5. (épices) scharf; 6. (très) sehr; 7. penetrant; 8. adv laut

fortification [fɔrtifikasjɔ̃] f Befestigung f

fortifier [fɔrtifje] v verstärken

fortuit [fɔrtɥi] adj zufällig

fortune [fɔrtyn] f 1. Glück n; 2. Schicksal n; 3. (hasard) Zufall m; 4. (richesse) Reichtum m; 5. (propriété) Vermögen n

fortuné [fɔrtyne] adj begütert, vermögend

forum [fɔrɔm] m (fig) Forum n

fosse [fos] f 1. Grube f; 2. Schacht m; 3. ~ septique Sickergrube f

fossé [fose] m 1. Graben m; 2. Kluft f

fossile [fosil] adj fossil

fossilisé [fosilize] adj 1. fossil; 2. GEOL versteinert

fou/folle [fu/fol] m/f 1. Narr m; 2. ~ furieux Amokläufer m; 3. Irre(r) m/f; adj 4. irre, toll, verrückt; 5. närrisch; 6. toll, verrückt; être ~ à lier komplett verrückt sein; 7. töricht

foudre [fudr] f Blitz m; coup de ~ Liebe auf den ersten Blick

fouet [fwe] m 1. Peitsche f; 2. Schneebesen m

fouetter [fwete] v auspeitschen, peitschen

fougère [fuʒɛr] f Farn m

fougue [fug] f Brunst f

fougueux [fugø] adj 1. heißblütig; 2. (fig) stürmisch

fouille [fuj] f JUR Hausdurchsuchung f

fouiller [fuje] v wühlen, graben

fouilles [fuj] f/pl Ausgrabung f

fouiner [fwine] *v (fig)* schnüffeln
fouineur [fwinœʀ] *m* Schnüffler *m*
foulard [fulaʀ] *m* Halstuch *n*, Kopftuch *n*
foule [ful] *f* 1. Menge *f*; 2. Volk *n*; *se mêler à la* ~ sich unters Volk mischen; 3. Ansammlung *f*; 4. Gedränge *n*, Masse *f*
foulée [fule] *f* Fährte *f*
fouler [fule] *v* verstauchen
foulure [fulyʀ] *f* Verstauchung *f*
four [fuʀ] *m* 1. (Back-)Ofen *m*; 2. ~ à micro -ondes Mikrowellenherd *m*; 3. petit ~ (biscuit) Plätzchen *n*
fourbe [fuʀb] *adj* betrügerisch
fourbi [fuʀbi] *m (fam)* Kram *m*
fourche [fuʀʃ] *f (bicyclette)* Gabel *f*
fourchette [fuʀʃɛt] *f* 1. (couvert) Gabel *f*; 2. ECO Bandbreite *f*
fourgon [fuʀgɔ̃] *m* ~ *funéraire* Leichenwagen *m*
fourgonnette [fuʀgɔnɛt] *f* Lieferwagen *m*
fourmi [fuʀmi] *f* Ameise *f*
fourmilière [fuʀmiljɛʀ] *f* Ameisenhaufen *m*
fourneau [fuʀno] *m* 1. Heizofen *m*; 2. (cuisinière) Herd *m*
fournir [fuʀniʀ] *v* 1. liefern, beliefern; 2. versorgen
fournisseur [fuʀnisœʀ] *m* Lieferant *m*
fourniture [fuʀnityʀ] *f* 1. Lieferung *f*; 2. Versorgung *f*, Belieferung *f*
fourrage [fuʀaʒ] *m* Futter *n*
fourré [fuʀe] *m* Dickicht *n*, Gestrüpp *n*
fourreau [fuʀo] *m* (Messer-)Scheide *f*
fourreur [fuʀœʀ] *m* Kürschner *m*
fourrière [fuʀjɛʀ] *f* Tierheim *n*
fourrure [fuʀyʀ] *f* 1. Pelz *m*; 2. Fell *n*
foyer [fwaje] *m* 1. Brennpunkt *m*; 2. Heim *n*; ~ *du troisième âge* Altersheim *n*; 3. Herd *m*; 4. Obdachlosenasyl *n*
fracasser [fʀakase] *v* zerschlagen
fraction [fʀaksjɔ̃] *f* 1. Bruchteil *m*; 2. MATH Bruch *m*; 3. POL Fraktion *f*
fracture [fʀaktyʀ] *f* Fraktur *f*, Knochenbruch *m*
fragile [fʀaʒil] *adj* 1. empfindlich, zerbrechlich; 2. zart; 3. anfällig; 4. (personne) klapperig; 5. schwächlich, gebrechlich
fragilité [fʀaʒilite] *f* 1. Schwäche *f*; 2. Anfälligkeit *f*; 3. Labilität *f*
fragment [fʀagmɑ̃] *m* 1. Brocken *m*; 2. Fragment *n*
frais [fʀɛ] *m/pl* 1. Unkosten *pl*; ~ *de transport* Transportkosten; 2. (argent) Auslage *f*; 3. (coûts) Aufwand *m*; 4. (de dossiers) Bearbeitungsgebühr *f*
frais / fraîche [fʀɛ/fʀɛʃ] *adj* 1. frisch; *être* ~ *comme la rosée* taufrisch sein; 2. (froid) kühl
fraise [fʀɛz] *f* Erdbeere *f*
framboise [fʀɑ̃bwaz] *f* Himbeere *f*
franc [fʀɑ̃] *adj* 1. freimütig, offenherzig; 2. aufrichtig; *Soyons* ~! Seien wir ehrlich!
Français [fʀɑ̃sɛ] *m* Franzose *m*
français [fʀɑ̃sɛ] *adj* französisch
France [fʀɑ̃s] *f* Frankreich *n*
franchir [fʀɑ̃ʃiʀ] *v* 1. passieren; 2. überqueren; 3. (traverser) überschreiten; 4. überspringen; 5. (fig) überbrücken
franchise [fʀɑ̃ʃiz] *f* Aufrichtigkeit *f*
franchissement [fʀɑ̃ʃismɑ̃] *m* 1. Übergang *m*; 2. (traversée) Überschreitung *f*; 3. (fig) Überbrückung *f*
franc-tireur [fʀɑ̃tiʀœʀ] *m* Heckenschütze *m*
frange [fʀɑ̃ʒ] *f (coiffure)* Pony *m*
frappant [fʀapɑ̃] *adj* prägnant
frappe [fʀap] *f* 1. (machine à écrire) Anschlag *m*; 2. (monnaie) Prägung *f*
frappé [fʀape] *adj* eisgekühlt
frapper [fʀape] *v* 1. (battre) schlagen, hauen; ~ *comme un sourd* blindlings drauflos schlagen; 2. stoßen, anstoßen; 3. klopfen; 4. (monnaie) prägen; 5. auffallen
frasque [fʀask] *f (fig)* Seitensprung *m*
fraternel [fʀatɛʀnɛl] *adj* brüderlich
frauder [fʀode] *v* schmuggeln
fraudeur [fʀodœʀ] *m* Schmuggler *m*
frauduleux [fʀodylø] *adj* (choses) betrügerisch
frayer [fʀeje] *v* 1. anbahnen; 2. (fig: la voie) ebnen
frayeur [fʀejœʀ] *f* Schreck *m*
fredonner [fʀədɔne] *v* brummen, summen
frein [fʀɛ̃] *m* Bremse *f*; *ronger son* ~ seinen Ärger in sich hineinfressen; ~ *à main (voiture)* Handbremse *f*; ~ *de secours* Notbremse *f*
freiner [fʀene] *v* 1. bremsen; 2. hemmen; 3. verzögern
frelater [fʀəlate] *v (bière, vin)* panschen
frêle [fʀɛl] *adj* schwach
frelon [fʀəlɔ̃] *m* Hornisse *f*
frémir [fʀemiʀ] *v* zittern
frêne [fʀɛn] *m* Esche *f*
frénésie [fʀenezi] *f* Tobsuchtsanfall *m*
frénétique [fʀenetik] *adj* rasend

fréquence [fʀekãs] *f 1.* Häufigkeit *f; 2. TECH* Frequenz *f*
fréquent [fʀekã] *adj* häufig
fréquenter [fʀekãte] *v 1. (école)* besuchen; *2. (avoir des relations avec)* umgehen
frère [fʀɛʀ] *m 1.* Bruder *m; 2. REL* Ordensbruder *m*
frère(s) [fʀɛʀ] *m/(pl)* - *et sœur(s)* Geschwister *pl*
fresque [fʀɛsk] *f* Wandgemälde *n*
fret [fʀɛ] *m 1.* Ladung *f; 2.* - *aérien* Luftfracht *f; 3. (prix)* Fracht *f*
frétiller [fʀetije] *v 1. (chien)* wedeln; *2.* zappeln
friable [fʀijabl] *adj (fig)* mürbe
friandise [fʀijãdiz] *f 1.* Leckerbissen *m; 2.* Schleckerei *f*, Süßigkeit *f*
frictionner [fʀiksjone] *v* reiben
frigidaire [fʀiʒidɛʀ] *m* Eisschrank *m*, Kühlschrank *m*
fringues [fʀɛ̃g] *f/pl* Klamotten *pl*
friper [fʀipe] *v se* - knittern, zerknittern
friperie [fʀipʀi] *f* Trödel *m*
fripon [fʀipɔ̃] *1. m* Schalk *m; 2. adj* schelmisch
fripouille [fʀipuj] *m* Schuft *m*
frire [fʀiʀ] *v faire* - braten
friser [fʀize] *v 1. (cheveux)* locken; *2. (fig)* grenzen
frisson [fʀisɔ̃] *m* Schauer *m*, Frösteln *n*
frissonner [fʀisone] *v* zittern
frites [fʀit] *f/pl (pommes -)* Pommes frites *pl*
friture [fʀityʀ] *f* Bratfisch *m*
frivole [fʀivɔl] *adj (fig: étourdi)* lose
frivolité [fʀivɔlite] *f* Leichtfertigkeit *f*
froc [fʀɔk] *m REL* Kutte *f*
froid [fʀwa] *adj 1.* kalt, kühl; *Il fait un* - *de canard.* Es ist hundekalt. *prendre* - sich erkälten; *garder la tête* -*e* einen kühlen Kopf bewahren; *avoir* - frieren; *laisser* - *(qn)* jdn kaltlassen; *2. (physique)* gefühllos; *3.* unpersönlich; *4. (fig)* kalt; *5. m* Kälte *f*
froideur [fʀwadœʀ] *f 1.* Kälte *f; 2.* Lieblosigkeit *f; avec* - lieblos
froisser [fʀwase] *v 1. se* - knittern, verknittern; *2.* kränken; *3. (fig: offenser)* verletzen
fromage [fʀɔmaʒ] *m 1. GAST* Käse *m;* - *de chèvre* Ziegenkäse *m; 2.* - *blanc* Quark *m*
froment [fʀɔmã] *m* Weizen *m*
front [fʀɔ̃] *m 1. MIL* Front *f; 2. ANAT* Stirn *f*
frontière [fʀɔ̃tjɛʀ] *f* Grenze *f*

fronton [fʀɔ̃tɔ̃] *m* Giebel *m*
frotter [fʀɔte] *v 1.* reiben; *2.* wischen; *3.* scheuern, schrubben
froussard [fʀusaʀ] *m* Angsthase *m*
fruit [fʀɥi] *m* Frucht *f*, Obst *n;* -*s à pépins* Kernobst *n*
fruité [fʀɥite] *adj* fruchtig
fruits [fʀɥi] *m/pl 1.* - *secs* Backobst *n; 2.* - *de mer* Meeresfrüchte *pl; 3.* -*à noyau* Steinobst *n*
frusques [fʀysk] *m/pl (fam)* Habseligkeiten *pl*
frustration [fʀystʀasjɔ̃] *f* Frustration *f*
fuel [fjul] *m* Heizöl *n*
fugitif [fyʒitif] *1. m* Flüchtling *m; 2. adj* flüchtig, fliehend
fuir [fɥiʀ] *v 1.* fliehen, flüchten; *2. (liquide)* auslaufen; *3. faire* - verscheuchen
fuite [fɥit] *f* Flucht *f; prendre la* - fliehen
fulminer [fylmine] *v* toben
fumée [fyme] *f 1.* Rauch *m; 2.* Qualm *m*
fumer [fyme] *v 1.* rauchen; *2.* - *comme un pompier (fam)* qualmen; *3.* räuchern
fumeur [fymœʀ] *m* Raucher *m; grand* - Kettenraucher *m*
fumeux [fymø] *adj* rauchig
fumier [fymje] *m (cheval)* Mist *m*
funeste [fynɛst] *adj* verhängnisvoll
funiculaire [fynikylɛʀ] *m* Seilbahn *f*
fureur [fyʀœʀ] *f* Wut *f*
furibond [fyʀibɔ̃] *adj* rabiat
furieux/-se [fyʀjø/øz] *adj 1.* rasend, wütend; *2.* zornig; *3. (fig)* wild
furtif/-ve [fyʀtif/iv] *adj 1.* schleichend; *2.* verstohlen
fusée [fyze] *f* Rakete *f;* - *éclairante* Leuchtrakete *f*
fusible [fyzibl] *m* Sicherung *f*
fusil [fyzi] *m* Büchse *f*, Gewehr *n*
fusillade [fyzijad] *f* Schießerei *f*
fusiller [fyzije] *v* erschießen
fusion [fyzjɔ̃] *f 1. (nucléaire)* Fusion *f; 2.* Vereinigung *f*, Zusammenschluß *m*
fusionner [fyzjone] *v 1.* vereinen; *2.* - *avec* verschmelzen, sich zusammenschließen
fût [fy] *m (récipient)* Tonne *f*
futé [fyte] *adj* keß
futile [fytil] *adj 1.* eitel; *2.* geringfügig
futilité [fytilite] *f 1.* Eitelkeit *f; 2.* Kleinigkeit *f; 3.* Nichtigkeit *f*
futur [fytyʀ] *1. m GRAMM* Zukunft *f; 2. adj* zukünftig, künftig
fuyant [fɥijã] *adj (regard)* flüchtig

G

gâcher [gaʃe] v pfuschen
gâcheur [gaʃœʀ] m Pfuscher m
gaffer [gafe] v sich danebenbenehmen
gag [gag] m Gag m
gage [gaʒ] m Pfand n
gager [gaʒe] v wetten
gages [gaʒ] m/pl Gage f
gagnant [gaɲɑ̃] 1. adj gewinnend; 2. m
Gewinner m, Sieger m
gagne-pain [gaɲpɛ̃] m Erwerb m
gagner [gaɲe] v 1. gewinnen, siegen; - sur
tous les tableaux überall Erfolge verbuchen
können; 2. - de l'argent en plus/à côté da-
zuverdienen; 3. erwerben; manque à - Ver-
dienstausfall; 4. gewinnen; - qn à une cause
jdn für eine Sache gewinnen; 5. - qn à ses
idées herumbekommen; 6. (argent) verdienen; - gros viel Geld verdienen
gai [ge] adj 1. lustig, fröhlich; 2. angeheitert
gaieté [gete] f Fröhlichkeit f
gain [gɛ̃] m 1. Verdienst m; 2. (jeu) Gewinn
m; 3. Profit m
gaine [gɛn] f 1. Hüfthalter m; 2. (couteau)
Scheide f; 3. TECH Mantel m
galant [galɑ̃] adj 1. galant; 2. ritterlich
galaxie [galaksi] f Milchstraße f
galerie [galʀi] f 1. Galerie f; 2. (porte
-ski.../voiture) Dachständer m
galet [galɛ] m Kieselstein m
galette [galɛt] f - suédoise Knäckebrot n
galon [galɔ̃] m Borte f
galop [galo] m Galopp m
gamelle [gamɛl] f Kochgeschirr n
gamin [gamɛ̃] 1. m Straßenjunge m, Bengel m, Lausbub m; 2. adj jungenhaft
gamine [gamin] f Mädchen n
gamme [gam] f Tonleiter f
ganglion [gɑ̃glijɔ̃] m Knoten m
gangster [gɑ̃gstɛʀ] m Gangster m
gant [gɑ̃] m Handschuh m
garage [gaʀaʒ] m 1. Autowerkstatt f; 2. Garage f; 3. - sur plusieurs niveaux Parkhaus m
garagiste [gaʀaʒist] m Automechaniker m
garant [gaʀɑ̃] m Bürge m
garanti [gaʀɑ̃ti] adj todsicher
garantie [gaʀɑ̃ti] f 1. Garantie f, Gewähr
f; 2.(gage) Pfand n; 3. Bürgschaft f; 4. Kaution f

garantir [gaʀɑ̃tiʀ] v 1. garantieren; 2.
schützen; 3. versichern; 4. sicherstellen
garce [gaʀs] f (fam) Nutte f
garçon [gaʀsɔ̃] m 1. Bursche m, Junge m;
2. (de café/restaurant) Kellner m, Ober m; -
d'étage (hôtel) Etagenkellner m; 3. - d'honneur Brautführer m; 4. jeune - Knabe m; 5. -
de courses Laufbursche m
garde [gaʀd] 1. m Wache f; - forestier
Förster; - du corps Leibwächter; f 2. Bewachung f; 3. Gewahrsam m; 4. Obhut f;
prendre - à aufpassen; 5. (boxe) Deckung f
garde-boue [gaʀdbu] m (voiture)
Kotflügel m
garde-malade [gaʀdmalad] m Krankenpfleger m
garde-manger [gaʀdmɑ̃ʒe] m
Speisekammer f
garder [gaʀde] v 1. bewachen, hüten; 2.
überwachen; 3. aufbewahren; 4. behalten; 5.
anbehalten; 6. (fig) beibehalten; 7. (fig) bewahren; 8. se - de sich enthalten
garderie [gaʀdəʀi] f Kinderhort m
garde-robe [gaʀdəʀob] f Garderobe f
gardien [gaʀdjɛ̃] m 1. Aufseher m, Wächter m; - de nuit Nachtwächter m; 2. - de la
paix Polizist m; 3. - de but Torwart m
gare [gaʀ] f Bahnhof m; - centrale Hauptbahnhof m; hall de - Bahnhofshalle; - routière Busbahnhof m; - des marchandises
Güterbahnhof m
garer [gaʀe] v 1. (garage) abstellen; 2. rangieren; 3. se - parken
gargouiller [gaʀguje] v 1. plätschern; 2.
(fig: estomac) knurren
garni [gaʀni] adj 1. besetzt; 2. möbliert
garnir [gaʀniʀ] v 1. garnieren; 2. (couvrir)
verkleiden
garnison [gaʀnizɔ̃] f Besatzung f
garnissage [gaʀnisaʒ] m (matériel) Futter
n
garniture [gaʀnityʀ] f 1. Garnitur f; 2.
Zubehör n; 3. GAST Beilage f; 4. (pain)
Brotbelag m; 5. Bezug m
gasole [gazol] m Dieselöl n
gaspillage [gaspijaʒ] m Verschwendung
f; - d'argent Geldverschwendung f; - de
temps Zeitverschwendung f

gaspiller [gaspije] v verschwenden
gastronomie [gastronɔmi] f Gastronomie f
gâté [gate] adj 1. faul; 2. verwöhnt
gâteau [gato] m 1. Kuchen m, Torte f; partager le ~ den Gewinn teilen; 2. ~ sec /biscuit Keks m; 3. petit ~ Plätzchen n
gâter [gate] v 1. se ~ verderben, schlecht werden; 2. verwöhnen
gauche [goʃ] adj 1. ungeschickt, unbeholfen; 2. linke(r,s); à ~ links; se lever du pied ~ mit dem linken Fuß zuerst aufstehen
gaucher [goʃe] m Linkshänder m
gaufre [gofʀ] f Waffel f
gaule [gol] f Angelrute f
gaver [gave] v mästen
gaz [gaz] m Gas n; ~ d'échappement Abgas; ~ intestinaux Blähung; ~ butane Butangas; ~ rare Edelgas; ~ biologique Biogas; ~ naturel Erdgas; ~ liquide Flüssiggas; ~ toxique Giftgas; ~ carbonique Kohlendioxid; ~ hilarant Lachgas; ~ lacrymogène Tränengas
gazelle [gazɛl] f Gazelle f
gazon [gazõ] m Rasen m
gazouiller [gazuje] v zwitschern
géant [ʒeã] 1. adj riesig; 2. m Riese m; ~ de l'édition Verlagsriese
geindre [ʒɛ̃dʀ] v ächzen
gel [ʒɛl] m 1. Frost m; 2. Gel n
gelé [ʒəle] adj (froid) frostig; être ~ jusqu'aux os ganz durchgefroren sein
gelée [ʒəle] f Frost m; ~ nocturne/matinale Nachtfrost m
geler [ʒəle] v 1. (personne) erfrieren; On se gèle ici. Man kommt hier vor Kälte um. 2. (personne) frieren; 3. (plante) erfrieren, zufrieren; 4. (négociations) einfrieren
gémir [ʒemiʀ] v 1. (personne) ächzen, seufzen; 2. lamentieren
gênant [ʒɛnã] adj 1. lästig; C'est ~. Das ist lästig/ärgerlich. 2. peinlich; 3. störend
gencive [ʒãsiv] f Zahnfleisch n
gendre [ʒãdʀ] m Schwiegersohn m
gêne [ʒɛn] f 1. Störung f; 2. Verlegenheit f; être sans ~ keine Hemmungen kennen; 3. Bedrängnis f; 4. Behinderung f
gêné [ʒene] adj unbehaglich, verlegen; être ~ sich genieren; être ~ befangen sein
gène [ʒɛn] m Gen n
gêner [ʒene] v 1. hindern; 2. stören
général [ʒeneʀal] adj 1. allgemein; en ~ allgemein, überhaupt; 2. durchgängig; 3. m General m

généralisation [ʒeneʀalizasjõ] f Verallgemeinerung f
généraliser [ʒeneʀalize] v verallgemeinern; Il ne faut pas ~. Man darf nicht verallgemeinern.
généralité [ʒeneʀalite] f Allgemeinheit f
générateur [ʒeneʀatœʀ] m 1. Generator m; 2. (centrale atomique) Dampfkessel m
génération [ʒeneʀasjõ] f 1. Generation f; 2. nouvelle ~ Nachwuchs m
généreux [ʒeneʀø] adj 1. großzügig, großmütig; 2. (vin) edel
genêt [ʒənɛ] m Ginster m
génétique [ʒenetik] adj genetisch
génial [ʒenjal] adj 1. genial; 2. (fam) irre
génie [ʒeni] m 1. Genialität f; 2. Genie n; Ce n'est pas un ~. Er ist keine große Leuchte.
genièvre [ʒənjɛvʀ] m Wacholderbeere f
genou [ʒənu] m Knie n; mettre à ~x in die Knie zwingen; être sur les ~x todmüde/erschlagen sein; être à ~ knien
genre [ʒãʀ] m 1. Art f, Gattung f; Ce n'est pas mon ~. Das ist nicht meine Art./ So was mag ich nicht. de ce ~ derartig; d'un nouveau ~ neuartig; 2. ~ humain Menschheit f
gens [ʒã] m/pl 1. Leute pl; 2. Volk n; 3. ~ d'ici Einheimische m/f; 4. ~ de maison Hausangestellte(r) m/f; 5. petites ~ Fußvolk n
gentiane [ʒãsjan] f Enzian m
gentil [ʒãti] adj 1. brav; 2. lieb, nett
gentillesse [ʒãtijɛs] f Liebenswürdigkeit f
gentiment [ʒãtimã] adv nett
géographe [ʒeogʀaf] m Geograph m
géographie [ʒeogʀafi] f Erdkunde f
geôle [ʒol] f Kerker m
géométrique [ʒeometʀik] adj geometrisch
gérant [ʒeʀã] m 1. Verwalter m; 2. ECO Geschäftsführer m
gérer [ʒeʀe] v verwalten
germanophone [ʒɛʀmanofɔn] adj deutschsprachig
germe [ʒɛʀm] m Keim m
germer [ʒɛʀme] v keimen
geste [ʒɛst] m 1. Gebärde f; 2. Geste f; 3. Wink m; ~ de la main Handbewegung f
gesticuler [ʒɛstikyle] v gestikulieren
gestion [ʒɛstjõ] f 1. Verwaltung f; 2. mauvaise ~ Mißwirtschaft f; 3. (entreprise) Betriebsführung f

gibet [ʒibɛ] *m* Galgen *m*
gibier [ʒibje] *m* Wild *n*
gifle [ʒifl] *f* Ohrfeige *f*
gifler [ʒifle] *v* ~qn ohrfeigen
gigantesque [ʒigãtɛsk] *adj* riesig
gigot [ʒigo] *m* Keule *f*
gilet [ʒilɛ] *m* Weste *f; ~ de sauvetage* Schwimmweste *f*
girafe [ʒiʀaf] *f* Giraffe *f*
girolle [ʒiʀɔl] *f* Pfifferling *m*
giron [ʒiʀõ] *m* Schoß *m*
gîte [ʒit] *m* Unterkunft *f*, Quartier *n*
givre [ʒivʀ] *m* Rauhreif *m*
glacant [glasã] *adj (fig)* frostig
glace [glas] *f* 1. *GAST* Eis *n; 2.* Spiegel *m*
glacé [glase] *adj* 1. eisgekühlt; 2. eisig; 3. *(froid)* eiskalt; *être ~* durchgefroren sein
glacial [glasjal] *adj* 1. klirrend; 2. *(fig)* eisig, eiskalt; 3. *(fig)* frostig
glaciation [glasjasjõ] *f* Eiszeit *f*
glacier [glasje] *m* Gletscher *m*
glacière [glasjɛʀ] *f* Eisschrank *m*
glaçon [glasõ] *m* 1. Eisscholle *f*, Eiszapfen *m; 2.* Eiswürfel *m*
glaïeul [glajœl] *m* Gladiole *f*
glaire [glɛʀ] *f* Schleim *m*
glaireux [glɛʀø] *adj* schleimig
glaise [glɛz] *f* Lehm *m*
gland [glã] *m* Eichel *f*
glande [glãd] *f* Drüse *f*
glaner [glane] *v* auflesen
glapir [glapiʀ] *v* 1. jaulen; 2. kläffen
glissant [glisã] *adj* glatt, rutschig
glissement [glismã] *m* ~ *de terrain* Erdrutsch *m*
glisser [glise] *v* 1. ausrutschen; 2. *faire ~* schieben; 3. gleiten; ~ *qc à l'oreille de qn* jdm etw zuflüstern; 4. *se ~* sich schleichen
glissière [glisjɛʀ] *f* ~ *de sécurité* Leitplanke *f*
global [glɔbal] *adj* global, pauschal
globe [glɔb] *m* Globus/Globen *m*
globe-trotter [glɔbtʀɔtɛʀ] *m* Weltenbummler *m*
gloire [glwaʀ] *f* Ruhm *m*, Glanz *m*
glorieux [glɔʀjø] *adj* glorreich
glorification [glɔʀifikasjõ] *f* Verherrlichung *f*
glorifier [glɔʀifje] *v* 1. rühmen; 2. verherrlichen
glose [gloz] *f (journal)* Glosse *f*
glossaire [glɔsɛʀ] *m* Glossar *n*
glouteron [glutʀõ] *m* Klette *f*

glu [gly] *f* Klebstoff *m*, Leim *m*
gluant [glyã] *adj* 1. klebrig; 2. zähflüssig
glucose [glykoz] *m* Traubenzucker *m*
gobelet [gɔblɛ] *m* Becher *m; ~ gradue* Meßbecher *m; ~ en carton* Pappbecher *m*
gober [gɔbe] *v* 1. *(fig)* schnappen; 2. *(fam)* anbeißen
godiller [gɔdije] *v (ski)* wedeln
golf [gɔlf] *m* Golf *n*
golfe [gɔlf] *m GEO* Golf *m*
gomme [gɔm] *f* Radiergummi *m*
gommer [gɔme] *v* ausradieren, radieren
gond [gõ] *m (porte)* Türangel *f*
gondole [gõdɔle] *f* Gondel *f*
gonfler [gõfle] *v* 1. aufblasen; 2. aufpumpen; 3. *MED* anschwellen
gonfleur [gõflœʀ] *m* Luftpumpe *f*
gorge [gɔʀʒ] *f* 1. Schlucht *f; 2. GEO* Klamm *f; 3. ANAT* Hals *m*, Kehle *f; rester dans la ~* jdm im Hals steckenbleiben; *à ~ déployée* lauthals
gorgée [gɔʀʒe] *f* Schluck *m*
gosier [gozje] *m* 1. Hals *m*, Kehle *f; 2.* Rachen *m*
gosse [gɔs] *m (enfant)* Knirps *m*
goudron [gudʀõ] *m* Teer *m*
goudronner [gudʀɔne] *v* teeren
gouffre [gufʀ] *m* Abgrund *m*
goujat [guʒa] *m* Flegel *m*
goulot [gulo] *m* Engpaß *m*
gourdin [guʀdɛ̃] *m* Knüppel *m*
gourmandises [guʀmãdiz] *f/pl* Leckerbissen *m*
gourmet [guʀmɛ] *m* Feinschmecker *m*
gousse [gus] *f* 1. *(vanille)* Schote *f; 2. (ail)* Zehe *f*
goût [gu] *m* 1. Geschmack *m; C'est à mon ~. Das ist ganz nach meinem Geschmack. ~ du beau* Sinn für Schönes; *bon ~* geschmackvoll; *de mauvais ~* geschmacklos, taktlos; *au ~ du jour* modisch; 2. Liebhaberei *f; 3. ~ des plaisirs* Vergnügungssucht *f; vétu sans ~* geschmacklos gekleidet
goûter [gute] *v* 1. *(essayer)* kosten, probieren; 2. abschmecken
goutte [gut] *f* 1. Tropfen *m; n'y voir ~* nicht die Hand vor den Augen sehen; *se ressembler comme deux ~s d'eau* sich wie ein Ei dem anderen gleichen; *~s pour le nez* Nasentropfen; 2. *MED* Gicht *f*
goutter [gute] *v* tropfen
gouttière [gutjɛʀ] *f* Dachrinne *f*
gouvernail [guvɛʀnaj] *m* Steuerruder *n*

gouvernement [guvɛʀnəmɑ̃] *m* 1. Regierung *f*; ~ *de coalition* Koalitionsregierung *f*; (~ *du pays*) Landesregierung *f*; 2. Führung *f*

gouvernemental [guvɛʀnəmɑ̃tal] *adj* staatlich

gouverner [guvɛʀne] *v* 1. herrschen, regieren; 2. steuern

grâce [gʀɑs] *f* 1. Gunst *f*; *être dans les bonnes ~s de qn* jds Gunst genießen; 2. *JUR* Gnade *f*; *Fais-moi ~ de cela!* Verschone mich damit! *de mauvaise ~* unwillig; ~ *à* indem, dadurch, daß; 3. *JUR* Begnadigung *f*; 4. Anmut *f*, Grazie *f*

grâcier [gʀɑsje] *v* begnadigen

gracieusement [gʀasjøzmɑ̃] *adv* graziös

gracieux [gʀasjø] *adj* 1. graziös, anmutig; *à titre ~* umsonst/gratis; 2. lieblich

gradation [gʀadasjɔ̃] *f* Abstufung *f*

grade [gʀad] *m* 1. Grad *m*; 2. *(titre)* Würde *f*; 3. *MIL* Dienstgrad *m*

gradé [gʀade] *adj* graduiert

gradué [gʀadɥe] *adj* graduiert

graduer [gʀadɥe] *v* einteilen

graffiti [gʀafiti] *m/pl* Graffiti *pl*

grain [gʀɛ̃] *m* 1. Korn *n*; *n'avoir pas un ~ de bon sens* keinen Funken gesunden Menschenverstand haben; 2.*(raisin)* Beere *f*; 3. Bö *f*; 4. ~ *de sable* Sandkorn *n*; 5. ~ *de café* Kaffeebohne *f*

graine [gʀɛn] *f* mauvaise ~ Gesindel *n*

graisse [gʀɛs] *f* Fett *n*; *pauvre en ~* fettarm; ~ *de rôti* Bratenfett *n*; ~ *végétale* Pflanzenfett *n*

graisser [gʀese] *v* 1. braten; 2. ölen, fetten

graisseux [gʀesø] *adj* schmierig

grammaire [gʀamɛʀ] *f* Grammatik *f*

gramme [gʀam] *m* Gramm *n*

grand [gʀɑ̃] *adj* 1. groß; 2. weit, beträchtlich; ~ *comme un mouchoir de poche* winzigklein sein; *au ~ jamais* nie und nimmer; *à ~ peine* mit Mühe und Not; *au ~ jour* am hellen Tag; *faire ~ cas de qc* großen Wert auf eine Sache legen; *ouvrir de ~s yeux* große Augen machen; *pas ~chose* nichts Besonderes; ~*e personne* Erwachsene(r); ~*e surface* Großmarkt; ~*e ville* Großstadt; 3. lang

Grande-Bretagne [gʀɑ̃dbʀətaɲ] *f* Großbritannien *n*

grandeur [gʀɑ̃dœʀ] *f* 1. Größe *f*; 2. *POL* Hoheit *f*

grandiose [gʀɑ̃djoz] *adj* großartig

grandir [gʀɑ̃diʀ] *v* 1. wachsen; 2. aufwachsen; 3. *(tempête)* heraufziehen

grandissant [gʀɑ̃disɑ̃] *adj* wachsend

grand-mère [gʀɑ̃mɛʀ] *f* Oma *f*, Großmutter *f*

grand-père [gʀɑ̃pɛʀ] *m* Opa *m*, Großvater *m*

grand-rue [gʀɑ̃ʀy] *f* Hauptstrasse *f*

grands-parents [gʀɑ̃paʀɑ̃] *m/pl* Großeltern *pl*

grange [gʀɑ̃ʒ] *f* Scheune *f*

granuleux [gʀanylø] *adj* körnig

graphique [gʀafik] 1. *adj* graphisch; 2. *m* Graphik *f*

grappe [gʀap] *f* Traube *f*

gras [gʀɑ] *adj* fett; *être ~ comme un cochon* dick und fett sein/sehr fett sein

gratte-ciel [gʀatsjɛl] *m* Wolkenkratzer *m*

gratter [gʀate] *v* 1. jucken; 2. kratzen

gratuit [gʀatɥi] *adj* 1. gratis, kostenlos, frei, gebührenfrei; 2. unentgeltlich, umsonst

gratuité [gʀatɥite] *f* *(des transports en commun)* Nulltarif *m*

gratuitement [gʀatɥitmɑ̃] *adv* umsonst

grave [gʀav] *adj* 1. böse, schlimm, ernst, schwer; 2. wichtig, gravierend; *Ce n'est pas ~.* Das ist nicht schlimm. 3. würdig

gravide [gʀavid] *adj* trächtig

gravir [gʀaviʀ] *v* steigen, besteigen

gravité [gʀavite] *f* Ernst *m*

gravure [gʀavyʀ] *f* Stich *m*

gré [gʀe] *m* Belieben *n*; *de ~ ou de force* im guten oder im bösen; *de plein ~* freiwillig; *de bon ~* gerne/bereitwillig; *de ~ à ~* freihändig

Grec/-que [gʀɛk] *m/f* Grieche/-in *m/f*

grec/grecque [gʀɛk] *adj* griechisch

Grèce [gʀɛs] *f* Griechenland *n*

gredin [gʀədɛ̃] *m* Schuft *m*

greffe [gʀɛf] *f* Transplantation *f*

grêle [gʀɛl] 1. *adj* dürr; 2. *f* Hagel *m*

grêler [gʀele] *v* hageln

grelotter [gʀəlɔte] *v* bibbern

grenade [gʀənad] *f* Granate *f*

grenier [gʀənje] *m* 1. Speicher *m*, Dachboden *m*; 2. ~ *à blé* Silo *n*

grenouille [gʀənuj] *f* Frosch *m*

grève [gʀɛv] *f* 1. Streik *m*; *être en ~* streiken; *faire la ~* streiken; ~ *générale* Generalstreik *m*; ~ *de la faim* Hungerstreik *m*; ~ *sur le tas* Sitzstreik *m*; 2. *ECO* Ausstand *m*; ~ *perlée* Bummelstreik *m*

gribouiller [gʀibuje] *v* schmieren

griffe [gʀif] f Kralle f; montrer les ~s die Krallen zeigen

griffonner [gʀifɔne] v schmieren, kritzeln

grignoter [gʀiɲɔte] v knabbern

gril [gʀi] m Bratrost m, Grill m

grillage [gʀijaʒ] m 1. Gitter n; 2. ~ métallique Maschendraht m

grillager [gʀijaʒe] v vergittern

grille [gʀij] f Gitter n

grille-pain [gʀijpɛ̃] m Toaster m

griller [gʀije] v rösten, grillen

grillon [gʀijɔ̃] m Grille f

grimace [gʀimas] f Grimasse f

grimacer [gʀimase] v (fam) grinsen

grimper [gʀɛ̃pe] v 1. klettern; 2. ranken

grincer [gʀɛ̃se] v knirschen, quietschen

griotte [gʀijɔt] f Sauerkirsche f

grippe [gʀip] f Grippe f; prendre qn en ~ jdn nicht leiden können

gris [gʀi] adj 1.(couleur) grau; 2. (pluvieux) trüb; 3. finster; faire ~e mine finster blicken

griserie [gʀizʀi] f 1. (enthousiasme) Rausch m; 2. Schwips m

grisonner [gʀizɔne] v (fig: vieillir) ergrauen

grive [gʀiv] f Drossel f

grogner [gʀɔɲe] v 1. (chien) knurren; 2. (fig) meckern, nörgeln; 3. (fig) meutern

groin [gʀwɛ̃] m Rüssel m

gronder [gʀɔ̃de] v 1. knurren; 2. donnern, grollen; 3. schimpfen; 4. (tempête) toben

gros [gʀo] adj 1. dick, fett; être ~ comme un moineau schmächtig/mickrig sein; être ~ comme un camion ganz offensichtlich/klar sein; Il y a ~ à parier. Man könnte wetten. Voici en ~ de quoi il s'agit. Es handelt sich im großen darum. 2. (rude) grob, derb

gros(-)plan [gʀoplɑ̃] m FOTO Nahaufnahme f

groseille [gʀozɛj] f 1. Johannisbeere f; 2. ~ à maquereau Stachelbeere f

grossesse [gʀosɛs] f Schwangerschaft f

grosseur [gʀosœʀ] f Größe f

grossier [gʀosje] adj 1. grob, rauh; 2. (chose) plump, klobig; 3. flegelhaft; 4. (fig) roh, gewöhnlich

grossir [gʀosiʀ] v 1. vergrößern; 2. (poids) zunehmen; 3. anschwellen lassen

grossiste [gʀosist] m ECO Großhändler m

grotesque [gʀɔtɛsk] adj grotesk

grotte [gʀɔt] f Tropfsteinhöhle f

groupe [gʀup] m 1. Gruppe f; 2. ECO Konzern m; 3. ~ de travail Arbeitsgemeinschaft f; 4. ~ parlementaire Fraktion f; 5. ~ marginal Randgruppe f; 6. ~ de voyageurs Reisegesellschaft f

groupement [gʀupmɑ̃] m Gliederung f

grouper [gʀupe] v 1. gruppieren, zusammenstellen; 2. versammeln

grue [gʀy] f 1. Kran m; 2. ZOOL Kranich m

guenilles [gənij] f/pl Lumpen pl

guépard [gepaʀ] m Gepard m

guêpe [gɛp] f Wespe f

guère [gɛʀ] adv ne... ~ kaum

guérir [geʀiʀ] v 1. heilen; 2. (fig) erlösen

guérison [geʀizɔ̃] f Genesung f, Heilung f; être en voie de ~ abklingen

guérissable [geʀisabl] adj heilbar

guerre [gɛʀ] f Krieg m; mutilé de ~ kriegsversehrt; ~ nucléaire Atomkrieg m; ~ civile Bürgerkrieg m; ~ mondiale Weltkrieg m

guerrier [gɛʀje] 1. m Krieger m; 2. adj angriffslustig, kriegerisch

guetter [gete] v auflauern

gueule [gœl] f 1. (bête) Maul n, Schnauze f; 2. (fam: personne) Maul n; 3. (fusil) Mündung f; 4. ~ de bois (fam) Kater m

gueule-de-loup [gœldəlu] f Löwenzahn m

gueux [gø] adj ruppig

guichet [giʃɛ] m 1. Schalter m; 2. ~ automatique Bankautomat m

guide [gid] m 1. Reiseführer m, Fremdenführer m; 2. touristique (livre) Reiseführer m; 3. ~ de montagne Bergführer m

guider [gide] v 1. führen; 2. (fig) leiten

guides [gid] f/pl Zügel m

guidon [gidɔ̃] m (bicyclette) Lenkstange f

guillemets [gijmɛ] m/pl Anführungszeichen n

guilleret [gijʀɛ] adj angeheitert

guirlande [giʀlɑ̃d] f Girlande f

guitare [gitaʀ] f Gitarre f

guitariste [gitaʀist] m Gitarrist m

gymnase [ʒimnaz] m Turnhalle f

gymnastique [ʒimnastik] f 1. SPORT Gymnastik f; faire de la ~ turnen; 2. ~ au sol Bodenturnen n

gynécologue [ʒinekɔlɔg] m Frauenarzt m, Gynäkologe m

gypse [ʒips] m Gips m

H

habile [abil] *adj* 1. geschickt; 2. routiniert
habileté [abilte] *f* 1. Geschicklichkeit *f*; 2.
- *des doigts* Fingerfertigkeit *f*
habiliter [abilite] *v* ~ *à* ermächtigen zu
habillement [abijmã] *m* Kleidung *f*
habiller [abije] *v* 1. ~ *de* bekleiden; 2. ~ *qn*
jdn ankleiden; 3. *s'*~ sich ankleiden
habit [abi] *m* 1. Kleidung *f*; 2. Frack *m*
habitant [abitã] *m* 1. Bewohner *m*; 2. (*d'u-
ne maison*) Hausbewohner *m*
habitants [abitã] *m/pl* 1. - *de la campagne* Landbevölkerung *f*; 2. *premiers* ~ Ureinwohner *pl*
habitat [abita] *m* Siedlungsgebiet *n*
habitation [abitasjõ] *f* 1. Wohnung *f*; 2.
Heim *n*
habiter [abite] *v* wohnen, leben, bewohnen
habitude [abityd] *f* 1. Gewohnheit *f*; *perdre l'*~ *de* sich abgewöhnen; *par* ~ gewohnheitsmäßig; *avoir l'*~ *de* gewohnt sein; 2. Sitte
f; *d'*~ gewöhnlich
habitué [abitɥe] *m* Stammkunde *m*
habituel [abitɥel] *adj* gewöhnlich, üblich
habituer [abitɥe] *v* 1. *s'*~ (*à qc*) gewöhnen,
angewöhnen; *J'y suis habitué.* Ich bin es gewohnt. *s'*~ *à qc* sich etw angewöhnen; 2. *s'*~
(*à*) sich einleben
hache [aʃ] *f* Axt *f*, Beil *n*
hacher [aʃe] *v* GAST wiegen
hachoir [aʃwaʀ] *m* ~ *à viande* Fleischwolf
m
hagard [agaʀ] *adj* verstört
haie [ɛ] *f* 1. BOT Hecke *f*; 2. SPORT Hürde *f*
haillons [ajõ] *m/pl* Lumpen *pl*
haine [ɛn] *f* Haß *m*; ~ *raciale* Rassenhaß *m*
haineux [ɛnø] *adj* gehässig
haïr [aiʀ] *v* hassen
hâle [ɑl] *m* Bräune *f*
haleine [alɛn] *f* Atem *m*; *de longue* ~ lang-
atmig; *hors d'*~ atemlos
haletant [altã] *adj* keuchend
haleter [alte] *v* keuchen
hall [ol] *m* Halle *f*
hallucination [alysinasjõ] *f* Halluzinati-
on *f*
halogène [alɔʒɛn] *m* Halogen *n*
halte! [alt] *interj* halt!

hamac [amak] *m* Hängematte *f*
hameçon [amsõ] *m* Angelhaken *m*
hamster [amstɛʀ] *m* Hamster *m*
hanche [ãʃ] *f* Hüfte *f*
hand-ball [ãdbal] *m* Handball *m*
handicap [ãdikap] *m* 1. Handikap *n*; 2.
MED Behinderung *f*
handicapé [ãdikape] *m* Behinderte(r)
m/f; ~ *physique* Körperbehinderte *m/f*; ~
moteur m Gehbehinderte *m/f*
hangar [ãgaʀ] *m* (*bâtiment*) Schuppen *m*
hanneton [antõ] *m* 1. Maikäfer *m*; 2. - *de
la Saint-Jean* Junikäfer *m*
hanter [ãte] *v* spuken
happer [ape] *v* (*mordre*) schnappen
haras [aʀa] *m* Gestüt *n*
hardi [aʀdi] *adj* 1. beherzt; 2. kühn
hardiesse [aʀdjɛs] *f* Mut *m*
hareng [aʀã] *m* Hering *m*
hargne [aʀɲ] *f* Gehässigkeit *f*
haricot [aʀiko] *m* Bohne *f*
harmonica [aʀmɔnika] *m* Mundharmonika *f*
harmonie [aʀmɔni] *f* 1. Einklang *m*, Harmonie *f*; *être en* ~ *avec* in Einklang stehen
mit; 2. Ausgeglichenheit *f*
harmonieux [aʀmɔnjø] *adj* harmonisch
harmoniser [aʀmɔnize] *v* 1. harmonisie-
ren; 2. *s'*~ *avec* zusammenpassen
harpe [aʀp] *f* Harfe *f*
harpon [aʀpõ] *m* Harpune *f*
hasard [azaʀ] *m* Zufall *m*; *à tout* ~ auf alle
Fälle; *ne rien laisser au* ~ nichts dem Zufall
überlassen; *par* ~ zufällig; *au* ~ planlos, wahllos
hasardeux [azaʀdø] *adj* gewagt
hâte [ɑt] *f* Eile *f*; *en toute* ~ eiligst
hâter [ɑte] *v* beschleunigen
hausse [os] *f* (*prix*) Aufschlag *m*
hausser [ose] *v* 1. heben, heraufsetzen; 2.
(*prix*) erhöhen
haut [o] *adj* 1. hoch; *être* ~ *comme trois
pommes* ein Dreikäsehoch sein; *tomber de*
~ aus allen Wolken fallen; *les* ~*s et les bas*
die Höhen und Tiefen; *L'ordre vient d'en* ~.
Der Befehl kommt von oben. 2. *en* ~ herauf,
hinauf; 3. *du* ~ herunter; 4. (*fig*) laut; 5. *m* ~
de forme Zylinder *m*

hautain [otɛ̃] *adj* stolz.
haut-allemand [otalmã] *m* Hochdeutsch *n*
hauteur [otœʀ] *f* 1. Höhe *f*; *être à la - de qc* einer Sache gewachsen sein; 2. Anhöhe *f*; 3. *(niveau)* Niveau *n*
haut-parleur [oparlœʀ] *m* Lautsprecher *m*
hé [e] *interj* hallo
hebdomadaire [ɛbdɔmadɛʀ] 1. *adj* wöchentlich; 2. *m* Wochenblatt *n*
hébergement [ebɛʀʒamã] *m* Unterkunft *f*
héberger [ebɛʀʒe] *v* 1. unterbringen; 2. bewirten
hébété [ebete] *adj* entgeistert
hébétude [ebetyd] *f* Stumpfsinn *m*
hébraïque [ebraik] *adj* hebräisch
hectare [ɛktaʀ] *m* Hektar *n/m*
hélas! [elas] *interj* ach! leider!
hélice [elis] *f* Propeller *m*
hélicoptère [elikɔptɛʀ] *m* Hubschrauber *m*
helvétique [ɛlvetik] *adj* schweizerisch
hématome [ematom] *m* Bluterguß *m*
hémisphère [emisfɛʀ] *f* 1. Halbkugel *f*; 2. *ASTR* Hemisphäre *f*
hémophile [emɔfil] *m* Bluter *m*
hémorragie [emɔraʒi] *f* 1. Blutung *f*; 2. Bluterguß *m*
herbe [ɛʀb] *f* 1. Gras *n*; *couper l'- sous le pied de qn* jdm den Rang ablaufen; 2. *mauvaise -* Unkraut *n*
herbes [ɛʀb] *f/pl* Kräuter *pl*
héréditaire [eʀeditɛʀ] *adj* erblich, vererblich
hérédité [eʀedite] *f BIO* Vererbung *f*
hérétique [eʀetik] 1. *m* Ketzer *m*; 2. *adj* ketzerisch
hérisson [eʀisɔ̃] *m* Igel *m*
héritage [eʀitaʒ] *m* Erbe *n*
hériter [eʀite] *v - de qc* jdn beerben
héritier [eʀitje] *m* 1. Erbe *m*; *- unique* Alleinerbe *m*; 2. *- du trône* Thronfolger *m*
hermétique [ɛʀmetik] *adj* 1. dicht; 2. hermetisch; 3. luftdicht
héroïne [eʀɔin] *f CHEM* Heroin *n*
héroïsme [eʀɔism] *m* Heldenmut *m*
héros [eʀo] *m* Held *m*
hésitant [ezitã] *adj* 1. unentschlossen, zögernd; 2. *(fig)* holperig
hésitation [ezitasjɔ̃] *f* Zögern *n*
hésiter [ezite] *v* zögern, zaudern; *N'hésitez plus!* Zögern Sie nicht länger!

hétérodoxe [eteʀɔdɔks] *adj* andersgläubig
heure [œʀ] *f* 1. Stunde *f*; *Avez-vous l'-?* Wissen Sie, wie spät es ist? *l'- H* die Stunde X; *à l'-* pünktlich; 2. Uhrzeit *f*; *de bonne -* beizeiten/frühzeitig; *à toute -* jederzeit; *pendant des -s* stundenlang; 3. *- de fermeture des magasins* Ladenschluß *m*; 4. *- locale* Ortszeit *f*; 5. *- supplémentaire* Überstunde *f*
heureux [œʀø] *adj* 1. froh; 2. glücklich; 3. selig; *être - sich freuen*; *être - comme un roi* überglücklich sein/sich freuen wie ein Schneekönig; *être - comme un poisson dans l'eau* munter sein wie ein Fisch im Wasser; *être - comme pas un* selig wie kaum einer sein
heurter [œʀte] *v* 1. anstoßen; *- de front* vor den Kopf stoßen; 2. *se - à* mit jdm aneinandergeraten ; 3. *(un obstacle)* anfahren
hexagonal [ɛgzagɔnal] *adj* sechseckig
hibou [ibu] *m* Eule *f*
hier [jɛʀ] *adv* gestern; *- soir* gestern abend; *- à midi* gestern mittag
hiérarchie [jeʀaʀʃi] *f* Hierarchie *f*
hiérarchiser [jeʀaʀʃize] *v* einstufen
hippodrome [ipɔdʀom] *m* Rennbahn *f*
hirondelle [iʀɔdɛl] *f* Schwalbe *f*
hisser [ise] *v* hissen
histoire [istwaʀ] *f* 1. Geschichte *f*; *- contemporaine* Zeitgeschichte *f*; 2. Erzählung *f*, Geschichte *f*; *C'est une autre -.* Das steht auf einem anderen Blatt. *C'est toute une -.* Das ist eine lange Geschichte. 3. *- drôle* Witz *m*; 4. *- de l'art* Kunstgeschichte *f*
histoires [istwaʀ] *f/pl* Flausen *pl*; *faire des - à qn* jdm Unannehmlichkeiten machen
historien [istɔʀjɛ̃] *m* Historiker *m*
historique [istɔʀik] *adj* geschichtlich
hiver [ivɛʀ] *m* Winter *m*
hivernal [ivɛʀnal] *adj* winterlich
hiverner [ivɛʀne] *v* überwintern
ho [o] *interj* hallo
hockey [ɔkɛ] *m - sur glace* Eishockey *n*
holà! [ɔla] *interj* hallo!
holding [ɔldiŋ] *m* Dachgesellschaft *f*
hold up [ɔldœp] *m* Banküberfall *m*
Hollandais [ɔlãdɛ] *m* Holländer *m*, Niederländer *m*
hollandais [ɔlãdɛ] *adj* holländisch, niederländisch
Hollande [ɔlãd] *f la -* Holland *n*
homard [ɔmaʀ] *m* Hummer *m*
homélie [ɔmeli] *f* Moralpredigt *f*

homéopathie [ɔmeɔpati] f Homöopathie f

homicide [ɔmisid] m - *volontaire* Tötung mit Vorbedacht f

hommage [ɔmaʒ] m 1. Ehrung f. 2. Huldigung f

homme [ɔm] m 1. Mann m; 2. *jeune* - Bursche m, junger Mann m; 3. Mensch m; L'- *est la mesure de toute chose.* Der Mensch ist das Maß aller Dinge. - *terre à terre* Banause m; - *de lettres* Schriftsteller m ; - *du métier* Fachmann m; - *d'habitudes* Gewohnheitsmensch m; - *de loi* Jurist m; - *au femmes* Schürzenjäger m; - *d'Etat* Staatsmann m; - *d' affaires* Geschäftsmann; - *de paille (fig)* Strohmann m; - *politique* Politiker m; - *au pouvoir* Machthaber m

homogène [ɔmɔʒɛn] adj einheitlich

homologue [ɔmɔlɔg] m Gegenstück n

homosexualité [ɔmɔsɛksɥalite] f Homosexualität f

homosexuel [ɔmɔsɛksɥɛl] adj 1. homosexuell; 2. *(fam)* schwul

Hongrie [ɔ̃gri] f Ungarn n

honnête [ɔnɛt] adj ehrlich, rechtschaffen

honnêteté [ɔnɛtte] f Redlichkeit f

honneur [ɔnœr] m Ehre f; *pour l'-* ehrenamtlich; *faire - à (payer)* honorieren; *faire - à (fig:obligation)* nachkommen

honni [ɔni] adj verpönt

honorabilité [ɔnɔrabilite] f Ehrbarkeit f

honorable [ɔnɔrabl] adj 1. ehrbar, ehrenhaft; 2. ehrenvoll

honoraires [ɔnɔrɛr] m/pl Honorar n

honorer [ɔnɔre] v 1. ehren, verehren; 2. *(payer)* honorieren

honorifique [ɔnɔrifik] adj ehrenamtlich

honte [ɔ̃t] f 1. Schande f; *avoir -* sich schämen; 2. Scham f

honteux [ɔ̃tø] adj schändlich

hôpital [ɔpital] m 1. Krankenhaus n, Hospital n; *faire entre à l'-* einliefern; 2. MIL Lazarett n

hoquet [ɔkɛ] m Schluckauf m

horaire [ɔrɛr] m 1. Stundenplan m; 2. Fahrplan m; *d'après l'-* fahrplanmäßig

horizon [ɔrizɔ̃] m Horizont m

horizontal [ɔrizɔtal] adj waagrecht, horizontal

horloge [ɔrlɔʒ] f Uhr f; - *solaire* Sonnenuhr f

horloger [ɔrlɔʒe] m Uhrmacher m

hormone [ɔrmɔn] f Hormon n

horreur [ɔrœr] f 1. Abscheu m, Greuel n; 2. Entsetzen n; *Quelle -!* Wie schrecklich! *avoir en -* verabscheuen

horrible [ɔribl] adj 1. abscheulich, fürchterlich, schauderhaft, entsetzlich, grauenhaft; 2. schaurig; 3. haarsträubend

hors [ɔr] prep - *de* aus...heraus

hors-d'œuvre [ɔrdœvr] m Vorspeise f

horticulteur [ɔrtikyltœr] m Gärtner m

horticulture [ɔrtikyltyr] f Gartenbau m

hospice [ɔspis] m Altersheim n

hospitalier [ɔspitalje] adj gastfreundlich

hospitaliser [ɔspitalize] v einliefern

hospitalité [ɔspitalite] f Gastfreundschaft f

hostie [ɔsti] f Hostie f

hostile [ɔstil] adj feindselig, feindlich

hostilité [ɔstilite] f Feindschaft f

hôte/hôtesse [ot/otɛs] m/f 1. Gastgeber(in) m/f, Gastwirt m; 2. Gast m

hôtel [otɛl] m 1. Hotel n; 2. - *de ville* Rathaus n

hôtelier [otalje] m 1. Wirt m, Gastwirt m; 2. Hotelier m

hôtellerie [otɛlri] f Gasthaus n

hôtesse [otɛs] f - *de l'air* Stewardeß f

hou! [u] interj pfui!

houblon [ublɔ̃] m Hopfen m

houe [u] f *(outil)* Hacke f

houille [uj] f Steinkohle f

houleux [ulø] adj *(mer)* bewegt

houppe [up] f Quaste f

hourra! [ura] interj hurra!

huée [ɥe] f Buhruf m

huer [ɥe] v *(théâtre)* zischen

huile [ɥil] f 1. Speiseöl n; 2. ART Ölgemälde n; 3. - *végétale* Pflanzenöl n; 4. - *de table* Speiseöl n; 5. - *de baleine* Tran m; - *de foie de morue* Lebertran m; 6. - *d'olive* Olivenöl n

huiler [ɥile] v ölen

huissier [ɥisje] m *(de justice)* Gerichtsvollzieher m

huit [ɥit] 1. *num* acht; - *cents* achthundert; - *fois* achtmal; 2. m *grand* - Achterbahn f

huitième [ɥitjɛm] 1. adj achte(r,s); 2. m Achtel n

huître [ɥitr] f Auster f

hulotte [ylɔt] f Kauz m

humain [ymɛ̃] adj menschlich, human

humanisme [ymanism] m Humanismus m

humaniste [ymanist] *adj* humanistisch
humanité [ymanite] *f* 1. Humanität *f*, Menschlichkeit *f*; 2. Menschheit *f*
humble [œ̃bl] *adj* demütig
humecter [ymɛkte] *v* anfeuchten
humeur [ymœʀ] *f* 1. Laune *f*; *de bonne/mauvaise* - gut/schlecht aufgelegt sein; 2. - *sombre* Schwermut *f*; 3. *mauvaise* - Verstimmung *f*
humide [ymid] *adj* feucht
humidité [ymidite] *f* Feuchtigkeit *f*, Nässe *f*; - *de l'air* Luftfeuchtigkeit *f*
humiliant [ymiljã] *adj* ehrenrührig
humiliation [ymiljasjõ] *f* Demütigung *f*
humilier [ymilje] *v* demütigen, erniedrigen, ducken
humilité [ymilite] *f* Demut *f*
humoristique [ymɔristik] *adj* humoristisch
humour [ymuʀ] *m* Humor *m*; - *macabre* Galgenhumor *m*
hurlements [yʀləmã] *m/pl* Gebrüll *n*
hurler [yʀle] *v* 1. brüllen; 2. *(sirène)* heulen
hutte [yt] *f (chalet)* Hütte *f*
hybride [ibʀid] *m* Mischling *m*

hydroptère [idʀɔptɛʀ] *m* Tragflächenboot *n*
hyène [jɛn] *f* Hyäne *f*
hygiène [iʒjɛn] *f* 1. Hygiene *f*; 2. - *corporelle* Körperpflege *f*
hygiénique [iʒjenik] *adj* hygienisch
hymne [imn] *m* Hymne *f*; - *national* Nationalhymne *f*
hyperémotivité [ipeʀemɔtivite] *f* Überempfindlichkeit *f*
hypersensibilité [ipeʀsãsibilite] *f* Überempfindlichkeit *f*
hypnose [ipnoz] *f* Hypnose *f*
hypnotiser [ipnɔtize] *v* hypnotisieren
hypocrisie [ipɔkʀizi] *f* 1. Heuchelei *f*; 2. Scheinheiligkeit *f*
hypocrite [ipɔkʀit] 1. *m* Heuchler *m*; 2. - *adj* scheinheilig; *être* - heucheln
hypothèque [ipotɛk] *f* Hypothek *f*
hypothéquer [ipoteke] *v* 1. JUR verpfänden; 2. *(maison)* belasten
hypothèse [ipotɛz] *f* 1. Hypothese *f*; 2. Voraussetzung *f*
hypothétique [ipotetik] *adj* hypothetisch
hystérie [isteʀi] *f* Hysterie *f*
hystérique [isteʀik] *adj* hysterisch

I

iceberg [ajsbɛrg] *m* Eisberg *m*
ici [isi] *adv* 1. hier; 2. par ~ herüber, hierher; 3. d' ~ là *(temp)* dazwischen; 4. d' ~ hiesig
ici-bas [isiba] *m* Diesseits *n*
idéal [ideal] 1. *adj* ideal; 2. *m* Vorbild *n*, Ideal *n*
idéalisation [idealizasjɔ̃] *f (fig)* Schönfärberei *f*
idéalisme [idealism] *m* Idealismus *m*
idéaliste [idealist] 1. *m* Idealist *m*; 2. *adj* idealistisch
idée [ide] *f* 1. Gedanke *m*, Idee *f*, Einfall *m*; *n'avoir pas la moindre ~ de qc* nicht die leiseste Ahnung von etw haben; *On n'a pas ~ de cela!* Das ist ja unerhört! 2. *(pensée)* Vorstellung *f; Quelle ~!* Wo denken Sie hin! *Was für eine Vorstellung! changer d'~* seine Meinung ändern: *plein de bonnes ~s* einfallsreich; 3. *~ préconçue* Voreingenommenheit *f; ~ saugrenue (fam)* Schnapsidee *f*
identification [idɑ̃tifikasjɔ̃] *f* Identifikation *f*
identifier [idɑ̃tifje] *v* identifizieren
identique [idɑ̃tik] *adj* gleich, identisch
identité [idɑ̃tite] *f* 1. Identität *f*; 2. Personalien *pl; pièce d'~ f* Ausweis *m*
idéologie [ideɔlɔʒi] *f* Ideologie *f*
idiot [idjo] 1. *m* Idiot *m*, Tropf *m; adj* 2. dumm; *prendre qn pour ~* jdn für dumm verkaufen/ jdn für einen Idioten halten; 3. *(fam)* blöd, dämlich; 4. idiotisch
idiotie [idjɔsi] *f* Blödsinn *m*
idolâtrer [idɔlatre] *v* vergöttern
idolâtrie [idɔlatri] *f* Götzendienst *m*
idole [idɔl] *f* 1. Götze *m*; 2. Idol *n*, Kultfigur *f*; 3. Abgott *m*
idylle [idil] *f* Idyll *n*
if [if] *m* Eibe *f*
ignare [iɲar] *adj* unwissend
ignoble [iɲɔbl] *adj* schändlich
ignorance [iɲɔrɑ̃s] *f* 1. Bildungslücke *f*, Unwissenheit *f*; 2. Ignoranz *f*
ignorant [iɲɔrɑ̃] *adj* unwissend
ignoré [iɲɔre] *adj* 1. unbekannt; 2. unbeachtet
ignorer [iɲɔre] *v* 1. ignorieren; 2. *(fig: qn)* jdn schneiden

iguane [igwan] *m* Leguan *m*
il [il] *pron* 1. *(personne)* er; 2. es; *~ y a ... (temp)* es ist ... her; *(~ n'y a) pas de quoi (réponse)* bitte
île [il] *f* Insel *f*
illégal [ilegal] *adj* gesetzwidrig, illegal
illégitime [ileʒitim] *adj* 1. unrechtmäßig, illegitim; 2. unehelich
illimité [ilimite] *adj* 1. unbegrenzt, unbeschränkt; 2. uferlos
illogique [ilɔʒik] *adj* unlogisch
illumination [ilyminasjɔ̃] *f* Beleuchtung *f*
illuminer [ilymine] *v* beleuchten
illusion [ilyzjɔ̃] *f* 1. Illusion *f; Ne vous faites pas d'~s!* Machen Sie sich nichts vor! 2. Trugbild *n*; 3. *~ des sens* Sinnestäuschung *f*
illustration [ilystrasjɔ̃] *f* Abbildung *f*
illustre [ilystrə] *adj* berühmt
illustrer [ilystre] *v* illustrieren
îlot [ilo] *m ~ de verdure* Grünanlage *f*
ils [il] *pron* sie
image [imaʒ] *f* 1. Bild *n*; 2. *(de marque)* Image *n*; 5. Gleichnis *n*; 5. Abbild *n*; 6. *~ trompeuse* Trugbild *n*
imaginable [imaʒinabl] *adj* denkbar
imaginaire [imaʒinɛr] *adj (irréel)* eingebildet, imaginär
imagination [imaʒinasjɔ̃] *f* 1. Einbildung *f*; 2. Phantasie *f*
imaginer [imaʒine] *v* 1. erfinden, sich ausdenken; 2. erdichten; 3. *(fig)* sich etw vorstellen; 4. *s'~* sich einbilden
imbécile [ɛ̃besil] *m* Dummkopf *m*, Idiot *m*
imbiber [ɛ̃bibe] *v* 1. tränken; 2. *~ de* imprägnieren
imbuvable [ɛ̃byvabl] *adj* ungenießbar
imitation [imitasjɔ̃] *f* 1. Imitation *f*, Nachahmung *f*; 2. *(fig)* Kopie *f*
imiter [imite] *v* kopieren, nachahmen
immaculé [imakyle] *adj* makellos
immatriculation [imatrikylasjɔ̃] *f* 1. Anmeldung *f*; 2. *(voiture)* Zulassung *f*
immatriculer [imatrikyle] *v* 1. *(université)* einschreiben; 2. *(voiture)* zulassen
immature [imatyr] *adj* unreif
immaturité [imatyrite] *f* Unreife *f*

immédiat [imedja] *adj 1.* unmittelbar, sofortig; *2.* fristlos
immense [imãs] *adj 1.* immens, unermeßlich; *2. (fig)* grenzenlos
immensité [imãsite] *f* Unendlichkeit *f*
immerger [imɛrʒe] *v* untertauchen
immeuble [imœbl] *m 1.* Gebäude *n*, Hochhaus *n; 2.* Immobilie *f*
immigrant [imigrã] *m* Einwanderer *m*
immigration [imigrasjõ] *f* Einwanderung *f*
immigré [imigre] *m* Einwanderer *m*
immigrer [imigre] *v* einwandern
imminent [iminã] *adj* être ~ bevorstehen
immiscer [imise] *v s'- dans* sich einmischen
immobile [imɔbil] *adj 1.* bewegungslos, regungslos; *2.* ruhig, starr
immobilité [imɔbilite] *f* Ruhe *f*
immodéré [imɔdere] *adj* maßlos
immodeste [imɔdɛst] *adj* unbescheiden
immoral [imɔral] *adj* unmoralisch
immortalité [imɔrtalite] *f* Unsterblichkeit *f*
immortel/-lle [imɔrtɛl] *adj 1.* unsterblich; *2. (éternel)* zeitlos
immuable [imɥabl] *adj* unabänderlich
immunisé [imynize] *adj* ~ *contre* immun
immunité [imynite] *f* Immunität *f*
impact [ɛ̃pakt] *m* Aufprall *m*
impair [ɛ̃pɛr] *adj* ungerade; *faire un* ~ eine Ungeschicklichkeit begehen
impardonnable [ɛ̃pardɔnabl] *adj* unverzeihlich
imparfait [ɛ̃parfɛ] *adj* unvollständig
impartial [ɛ̃parsjal] *adj* objektiv, unparteiisch
impartialité [ɛ̃parsjalite] *f 1.* Objektivität *f; 2.* Unbefangenheit *f; en toute* ~ unbefangen
impasse [ɛ̃pas] *f* Sackgasse *f*
impassible [ɛ̃pasibl] *adj* gefühllos
impatience [ɛ̃pasjãs] *f* Ungeduld *f*
impatient [ɛ̃pasjã] *adj 1.* ungeduldig; *2.* ~ *de (fig)* gespannt auf
impeccable [ɛ̃pekabl] *adj* tadellos
impénétrable [ɛ̃penetrabl] *adj* undurchdringlich
impénitent [ɛ̃penitã] *adj* unverbesserlich
impératif/-ve [ɛ̃peratif/iv] *adj* verpflichtend, zwingend
imperceptible [ɛ̃pɛrsɛptibl] *adj 1.* unmerklich; *2.* ~ *à l'œil* unsichtbar

imperfection [ɛ̃pɛrfɛksjõ] *f* Mangel *m*
impérial [ɛ̃perjal] *adj* kaiserlich
impérialisme [ɛ̃perjalism] *m* Imperialismus *m*
impérieux [ɛ̃perjø] *adj* gebieterisch
imperméabilité [ɛ̃pɛrmeabilite] *f* Dichte *f*, Undurchlässigkeit *f*
imperméable [ɛ̃pɛrmeabl] *adj 1.* dicht, undurchlässig; *2.* wasserdicht; *3. m* Regenmantel *m*
impersonnel [ɛ̃pɛrsɔnɛl] *adj* unpersönlich
impertinence [ɛ̃pɛrtinãs] *f* Frechheit *f*
impertinent [ɛ̃pɛrtinã] *adj* dreist
imperturbable [ɛ̃pɛrtyrbabl] *adj* seelenruhig, unerschütterlich
impétueux/-se [ɛ̃petɥø/øz] *adj 1. (fig)* stürmisch; *2.* ungestüm
impétuosité [ɛ̃petɥozite] *f* Heftigkeit *f*
impie [ɛ̃pi] *adj* gottlos
impitoyable [ɛ̃pitwajabl] *adj 1.* erbarmungslos; *2.* unbarmherzig
implanter [ɛ̃plãte] *v s'-* sich breitmachen
implication [ɛ̃plikasjõ] *f* Verwicklung *f*
impliquer [ɛ̃plike] *v - qn dans (fig)* verwickeln, jdn in etw hineinziehen
implorant [ɛ̃plɔrã] *adj* flehentlich
implorer [ɛ̃plɔre] *v 1.* flehen; *2.* ~ *qn de faire qc* anflehen
impoli [ɛ̃pɔli] *adj 1.* unhöflich; *2.* patzig
impopulaire [ɛ̃pɔpylɛr] *adj* unbeliebt
importance [ɛ̃pɔrtãs] *f 1.* Bedeutung *f; 2. (valeur)* Wert *m; de peu d'* ~ geringfügig; *3. (estimation)* Geltung *f; 4. (fig)* Größe *f*
important [ɛ̃pɔrtã] *adj 1.* bedeutend, wichtig; *2.* beachtlich; *3.* prominent; *4.* weitreichend; *5.* weitläufig; *6. (fig)* groß
importateur [ɛ̃pɔrtatœr] *m* Importeur *m*
importation [ɛ̃pɔrtasjõ] *f* Import *m*, Einfuhr *f*
importer [ɛ̃pɔrte] *v 1.* importieren, einführen; *2.* wichtig sein; *n' importe ...* irgend; *n' importe comment* irgendwie; *n' importe où* irgendwo; *n' importe quel* irgendein; *n' - quoi* irgend etw; *n' importe qui* irgend jemand
importun [ɛ̃pɔrtœ̃] *adj* lästig
importuner [ɛ̃pɔrtyne] *v* belästigen
imposable [ɛ̃pozabl] *adj* ECO abgabenpflichtig
imposer [ɛ̃poze] *v 1.* ~ *qc à qn* aufdrängen, auflegen; *2.* diktieren, aufzwingen; *3.* besteuern; *4. s'-* sich durchsetzen

imposition [ɛ̃pozisjɔ̃] f Besteuerung f
impossible [ɛ̃pɔsibl] adj unmöglich;
Nous ferons l'~. Wir werden alles Menschenmögliche tun.
impôt [ɛ̃po] m Steuer f, Steuerabgabe f
impotent [ɛpɔtɑ̃] adj 1. bewegungsunfähig; 2. impotent
impôts [ɛ̃po] m/pl 1. ~ locaux Gemeindesteuer f; 2. Lasten pl, Steuern pl
imprécision [ɛ̃pResizjɔ̃] f Ungenauigkeit f
impression [ɛ̃pResjɔ̃] f 1. Eindruck m; faire grande ~ sur beeindrucken; 2. (doute) Gefühl n; 3. Aufdruck m; 4. Druck m
impressionnant [ɛ̃pResjɔnɑ̃] adj 1. eindrucksvoll; 2. imponierend, überwältigend
impressionner [ɛ̃pResjɔne] v 1. beeindrucken; 2. ~ qn imponieren
imprévisible [ɛ̃pRevizibl] adj 1. unabsehbar; 2. unberechenbar
imprévu [ɛ̃pRevy] adj unerwartet
imprimante [ɛ̃pRimɑ̃t] f INFORM Drukker m
imprimé [ɛ̃pRime] m Drucksache f
imprimer [ɛ̃pRime] v 1. ausdrucken, drukken; 2. s'~ dans la mémoire einprägen
imprimerie [ɛ̃pRimRi] f Druckerei f
improbable [ɛ̃pRɔbabl] adj unwahrscheinlich
impropre [ɛ̃pRɔpR] adj 1. ~ à untauglich, ungeeignet; 2. unangemessen
improvisation [ɛ̃pRɔvizasjɔ̃] f Improvisation f
improviser [ɛ̃pRɔvize] v improvisieren
improviste [ɛ̃pRɔvist] adj unangemeldet; à l'~ überraschend
imprudence [ɛ̃pRydɑ̃s] f 1. Fahrlässigkeit f; 2. Leichtsinn m
imprudent [ɛ̃pRydɑ̃] adj 1. leichtsinnig, unvorsichtig; 2. fahrlässig
impudence [ɛ̃pydɑ̃s] f 1. Unverfrorenheit f; 2. Zumutung f
impudent [ɛ̃pydɑ̃] adj schamlos
impuissance [ɛ̃pɥisɑ̃s] f 1. Hilflosigkeit f; 2. MED Impotenz f
impuissant [ɛ̃pɥisɑ̃] adj 1. machtlos, ohnmächtig; 2. MED impotent
impulsion [ɛ̃pylsjɔ̃] f 1. Anreiz m, Anstoß m; 2. Auftrieb m; 3. Drang m; 4. Impuls m
imputation [ɛ̃pytasjɔ̃] f Unterstellung f
imputer [ɛ̃pute] v 1. ~ qc à qn jdm etw aufbürden; 2. ~ la faute à qn beimessen

inabordable [inabɔRdabl] adj 1. unerschwinglich; 2. (peu sociable) unzugänglich
inacceptable [inaksɛptabl] adj unannehmbar
inaccessible [inaksesibl] adj unzugänglich
inactif [inaktif] adj 1. flau; 2. müßig; 3. unwirksam; 4. adv tatenlos
inadéquat [inadekwa] adj unangemessen
inadmissible [inadmisibl] adj unzulässig
inadvertance [inadvɛRtɑ̃s] f Versehen n; par ~ versehentlich
inaltérable [inalteRabl] adj 1. unveränderlich; 2. unverwüstlich
inanimé [inanime] adj leblos
inaperçu [inapɛRsy] adj unbeachtet
inapproprié [inapRɔpRije] adj ~ à ungeeignet
inapte [inapt] adj ~ à unfähig
inattaquable [inatakabl] adj unanfechtbar, unantastbar
inattendu [inatɑ̃dy] adj unerwartet
inattentif/-ve [inatɑ̃tif/iv] adj 1. achtlos; 2. unachtsam, unaufmerksam
inattention [inatɑ̃sjɔ̃] f Achtlosigkeit f
inauguration [inogyRasjɔ̃] f Einweihung f, Eröffnung f
inaugurer [inogyRe] v 1. (commencer) einleiten; 2. einweihen, eröffnen
incalculable [ɛ̃kalkylabl] adj 1. unberechenbar; 2. unzählig
incapable [ɛ̃kapabl] adj ~ de unfähig
incapacité [ɛ̃kapasite] f Unfähigkeit f
incarcération [ɛ̃kaRseRasjɔ̃] f Haft f
incarnation [ɛ̃kaRnasjɔ̃] f Inbegriff m
incarner [ɛ̃kaRne] v verkörpern
incassable [ɛ̃kasabl] adj unzerbrechlich
incendie [ɛ̃sɑ̃di] m 1. Brand m; 2. lutte contre l'~ Brandbekämpfung f; 3. ~ criminel Brandstiftung f
incertain [ɛ̃sɛRtɛ̃] adj 1. zweifelhaft, fraglich; 2. ungewiß, unsicher; 3. zwielichtig
incertitude [ɛ̃sɛRtityd] f 1. Unsicherheit f; 2. Zweifel m, Ungewißheit f
incessant [ɛ̃sesɑ̃] adj kontinuierlich
incident [ɛ̃sidɑ̃] m 1. Zwischenfall m; 2. Vorfall m; 3. ~ technique Betriebsstörung f
incinération [ɛ̃sineRasjɔ̃] f 1. Feuerbestattung f; 2. ~ des ordures ménagères Müllverbrennung f
incision [ɛ̃sizjɔ̃] f (coupure) Einschnitt m
incitation [ɛ̃sitasjɔ̃] f 1. (fig) Anfeuerung f; 2. ~ à Anreiz m, Anregung f

inciter [ɛ̃site] v - à anregen, veranlassen zu
inclinaison [ɛ̃klinɛzɔ̃] f 1. Gefälle n; 2.
Neigung f; 3. (tête, buste) Verneigung f
inclination [ɛ̃klinasjɔ̃] f 1. - pour Zuneigung f; 2. (fig) Neigung f
incliner [ɛ̃kline] v 1. neigen; 2. s'- sich
beugen, sich bücken
inclure [ɛ̃klyʀ] v einschließen
inclus [ɛ̃kly] adj inbegriffen
incognito [ɛ̃kɔɲito] adv inkognito
incohérent [ɛ̃kɔeʀɑ̃] adj zusammenhangslos
incombustible [ɛ̃kɔ̃bystibl] adj feuerfest
incommensurable [ɛ̃kɔmɑ̃syʀabl] adj
unermeßlich
incompatibilité [ɛ̃kɔ̃patibilite] f Unvereinbarkeit f
incompatible [ɛ̃kɔ̃patibl] adj - avec unvereinbar; être - avec widersprechen
incompétence [ɛ̃kɔ̃petɑ̃s] f Inkompetenz
f, Unfähigkeit f
incompétent [ɛ̃kɔ̃petɑ̃] adj 1. - pour ungeeignet, unfähig; 2. JUR unbefugt
incomplet [ɛ̃kɔ̃plɛ] adj unvollständig
incompréhensible [ɛ̃kɔ̃pʀeɑ̃sibl] adj 1.
unverständlich; 2. unbegreiflich, unfaßbar
incompréhensif [ɛ̃kɔ̃pʀeɑ̃sif] adj verständnislos
inconcevable [ɛ̃kɔ̃svabl] adj 1. unbegreiflich; 2. undenkbar, unfaßbar
inconciliable [ɛ̃kɔ̃siljabl] adj - avec unvereinbar
inconfortable [ɛ̃kɔ̃fɔʀtabl] adj unbequem, unbehaglich
incongru [ɛ̃kɔ̃gʀy] adj unangebracht
inconnu [ɛ̃kɔny] adj fremd, unbekannt
inconscient [ɛ̃kɔ̃sjɑ̃] adj 1. ahnungslos;
2. bewußtlos; 3. unbewußt
inconséquence [ɛ̃kɔ̃sekɑ̃s] f Inkonsequenz f
inconsidéré [ɛ̃kɔ̃sideʀe] adj 1. gedanken-
los, leichtfertig; 2. unbedacht
inconsolable [ɛ̃kɔ̃sɔlabl] adj untröstlich
inconstance [ɛ̃kɔ̃stɑ̃s] f Labilität f
inconstant [ɛ̃kɔ̃stɑ̃] adj 1. flatterhaft; 2.
labil; 3. unbeständig
incontestabilité [ɛ̃kɔ̃tɛstabilite] f Unan-
fechtbarkeit f
incontestable [ɛ̃kɔ̃tɛstabl] adj einwandfrei, unanfechtbar
incontrôlé [ɛ̃kɔ̃tʀole] adj unbeherrscht
inconvénient [ɛ̃kɔ̃venjɑ̃] m 1. Mißstand
m; 2. Nachteil m; avoir des -s Nachteile haben

incorporer [ɛ̃kɔʀpɔʀe] v 1. einverleiben;
2. MIL einberufen
incorrect [ɛ̃kɔʀɛkt] adj fehlerhaft
incorrigible [ɛ̃kɔʀiʒibl] adj unbelehrbar,
unverbesserlich
incorruptible [ɛ̃kɔʀyptibl] adj unbestechlich
incrédibilité [ɛ̃kʀedibilite] f Unglaubwürdigkeit f
incriminer [ɛ̃kʀimine] v anklagen
incroyable [ɛ̃kʀwajabl] adj unglaublich
incubation [ɛ̃kybasjɔ̃] f 1. Brut f; 2.
MED Inkubationszeit f
inculpation [ɛ̃kylpasjɔ̃] f Anklage f
inculpé [ɛ̃kylpe] m Angeklagte m/f
inculper [ɛ̃kylpe] v anschuldigen
inculte [ɛ̃kylt] adj 1. ungebildet; 2. (fig) roh
incurable [ɛ̃kyʀabl] adj unheilbar
incurvation [ɛ̃kyʀvasjɔ̃] f Krümmung f
Inde [ɛ̃d] f l'- Indien n
indécent [ɛ̃desɑ̃] adj unanständig
indéchiffrable [ɛ̃deʃifʀabl] adj unleserlich
indécis [ɛ̃desi] adj 1. unentschlossen, wankelmütig; être - schwanken, zaudern; 2. ungewiß; 3. (impur) ungeklärt
indéfini [ɛ̃defini] adj unbestimmt
indéformable [ɛ̃defɔʀmabl] adj formbe-
ständig
indélicat [ɛ̃delika] adj taktlos
indélicatesse [ɛ̃delikatɛs] f 1. Indiskretion f; 2. Taktlosigkeit f
indemne [ɛ̃dɛmn] adj heil
indemnisation [ɛ̃dɛmnizasjɔ̃] f 1. Entschädigung f; 2. ECO Abfindung f
indemniser [ɛ̃dɛmnize] v 1. entschädigen;
2. ersetzen; 3. ECO abfinden
indemnité [ɛ̃dɛmnite] f 1. Entschädigung
f; 2. - parlementaire Diäten pl
indéniable [ɛ̃denjabl] adj unverkennbar
indépendance [ɛ̃depɑ̃dɑ̃s] f Selbständigkeit f, Unabhängigkeit f
indépendant [ɛ̃depɑ̃dɑ̃] adj 1. selbständig, unabhängig; 2. freiberuflich
indescriptible [ɛ̃dɛskʀiptibl] adj unbeschreiblich
indéterminé [ɛ̃detɛʀmine] adj unbestimmt
index [ɛ̃dɛks] m 1. Verzeichnis n; 2. Kennziffer f, Index m; 3. - alphabétique Register
n; 4. ANAT Zeigefinger m
indicateur [ɛ̃dikatœʀ] m - des chemins
de fer Fahrplan m

indicatif [ɛ̃dikatif] *m TEL* Vorwahl *f*
indication [ɛ̃dikasjɔ̃] *f 1.* Angabe *f*, Hinweis *m; ~ des références* Quellenangabe *f; 2.* Zuweisung *f*
indice [ɛ̃dis] *m 1.* Index *m; 2.* Indiz *n; 3. (fig)* Vorzeichen *n*
Indien [ɛ̃djɛ̃] *m 1.* Indianer *m; 2.* Inder *m*
indifférence [ɛ̃difeʀɑ̃s] *1.* Gleichgültigkeit *f*, Lässigkeit *f; avec ~* gleichgültig, teilnahmslos
indifférent [ɛ̃difeʀɑ̃] *adj 1.* egal, gleichgültig; *être ~ à qc* einer Sache gleichgültig gegenüberstehen; *2.* teilnahmslos, unbeteiligt
indigène [ɛ̃diʒɛn] *m 1.* Eingeborene *m/f; 2.* Einheimische *m/f*
indigent [ɛ̃diʒɑ̃] *adj* bedürftig
indigeste [ɛ̃diʒɛst] *adj* schwerverdaulich
indignation [ɛ̃diɲasjɔ̃] *f* Empörung *f*
indigne [ɛ̃diɲ] *adj* unwürdig
indigner [ɛ̃diɲe] *v s'~* sich empören
indiquer [ɛ̃dike] *v 1.* angeben, hinweisen; *2.* kennzeichnen; *3. (du doigt)* deuten auf
indirect [ɛ̃diʀɛkt] *adj* indirekt, mittelbar
indiscipliné [ɛ̃disipline] *adj* disziplinlos
indiscret [ɛ̃diskʀɛ] *adj 1.* neugierig; *2.* indiskret, zudringlich; *3.* unbescheiden
indiscrétion [ɛ̃diskʀesjɔ̃] *f 1.* Indiskretion *f; 2.* Neugier *f*
indiscutable [ɛ̃diskytabl] *adj* unbestreitbar
indispensable [ɛ̃dispɑ̃sabl] *adj* erforderlich, nötig
indisponible [ɛ̃dispɔnibl] *adj* unabkömmlich
indisposé [ɛ̃dispoze] *adj* unwohl
indissoluble [ɛ̃disɔlybl] *adj* unlösbar
individu [ɛ̃dividy] *m 1. (personne)* Mensch *m*, Person *f; 2.* Einzelne *m/f; 3.* Individuum *n*
individualisme [ɛ̃dividɥalism] *m* Individualismus *m*
individuel [ɛ̃dividɥɛl] *adj* persönlich
indolence [ɛ̃dɔlɑ̃s] *f 1.* Lässigkeit *f; 2.* Trägheit *f*
indolent [ɛ̃dɔlɑ̃] *adj* lässig
indomptable [ɛ̃dɔ̃tabl] *adj* unbändig
indubitable [ɛ̃dybitabl] *adj* zweifellos
indulgence [ɛ̃dylʒɑ̃s] *f 1.* Gnade *f; 2.* Milde *f; 3.* Nachsicht *f; avec ~* nachsichtig
indulgent [ɛ̃dylʒɑ̃] *adj 1.* geduldig; *2.* mild; *3.* gnädig, nachsichtig
industrialisation [ɛ̃dystʀijalizasjɔ̃] *f* Industrialisierung *f*

industrie [ɛ̃dystʀi] *f* Industrie *f; ~ agricole* Agrarindustrie; *~ automobile* Autoindustrie; *~ du bâtiment* Bauindustrie; *~ chimique* Chemieindustrie; *~ sidérurgique* Eisenindustrie; *~ lourde* Schwerindustrie; *~ textile* Textilindustrie; *~ du vêtement* Bekleidungsindustrie; *~ minière* Bergbau; *~ d'armement* Rüstungsindustrie
industriel [ɛ̃dystʀijɛl] *m* Industrielle(r) *m/f*
inébranlable [inebʀɑ̃labl] *adj 1.* felsenfest; *2.* unbeweglich
inédit [inedi] *adj* neuartig
ineffaçable [inefasabl] *adj* unvergeßlich
inefficace [inefikas] *adj* unwirksam
inégal [inegal] *adj* ungleichmäßig
inégalité [inegalite] *f* Unebenheit *f*
inéluctable [inelyktabl] *adj 1. JUR* unabdingbar; *2.* unabwendbar
inerte [inɛʀt] *adj* regungslos
inespéré [inɛspeʀe] *adj* unverhofft
inévitable [inevitabl] *adj* unvermeidlich
inexact [inɛgzakt] *adj 1.* ungenau; *2. (temp)* unpünktlich
inexcusable [inɛkskyzabl] *adj* unverzeihlich
inexorable [inɛgzɔʀabl] *adj* unerbittlich
inexplicable [inɛksplikabl] *adj* unerklärlich
inexpressif [inɛkspʀesif] *adj* ausdruckslos
inextricable [inɛkstʀikabl] *adj* verzwickt
infamant [ɛ̃famɑ̃] *adj* ehrenrührig
infâme [ɛ̃fam] *adj 1. (méchant)* gemein; *2.* verrucht
infamie [ɛ̃fami] *f 1.* Schande *f; 2.* Niedertracht *f; 3.* Schandtat *f*
infarctus [ɛ̃faʀktys] *m* Herzinfarkt *m*
infatigable [ɛ̃fatigabl] *adj (fig)* eisern
infatué [ɛ̃fatɥe] *adj* vorlaut
infecter [ɛ̃fɛkte] *v 1. MED* infizieren, anstecken; *2.* verseuchen
infection [ɛ̃fɛksjɔ̃] *f* Verseuchung *f*
inférieur [ɛ̃feʀjœʀ] *adj 1.* minderwertig; *être ~ à* unterliegen, besiegt werden; *2.* untere(r,s)
infernal [ɛ̃fɛʀnal] *adj* teuflisch; *C'est ~!* Das ist nicht zum Aushalten!
infertile [ɛ̃fɛʀtil] *adj* unfruchtbar
infidèle [ɛ̃fidɛl] *adj 1. (foi/parti)* abtrünnig; *2.* treulos, untreu; *être ~* fremdgehen
infidélité [ɛ̃fidelite] *f 1.* Untreue *f; 2. ~ conjugale* Ehebruch *m*

infiltrer [ɛ̃filtʀe] v s'- dans versickern
infime [ɛ̃fim] adj winzig
infini [ɛ̃fini] adj 1. endlos; à l'- endlos; 2. grenzenlos, unendlich; 3. m Unendlichkeit f
infirme [ɛ̃fiʀm] 1. m/f Körperbehinderte m/f; 2. m Krüppel m; 3. adj MED gebrechlich
infirmier [ɛ̃fiʀmje] m 1. Krankenpfleger m, Pfleger m; 2. Sanitäter m
infirmière [ɛ̃fiʀmjɛʀ] f Krankenschwester f
infirmité [ɛ̃fiʀmite] f Gebrechen n
inflammable [ɛ̃flamabl] adj feuergefährlich, brennbar
inflammation [ɛ̃flamasjɔ̃] f Entzündung f
inflation [ɛ̃flasjɔ̃] f Inflation f
inflexibilité [ɛ̃flɛksibilite] f Unbarmherzigkeit f
inflexible [ɛ̃flɛksibl] adj unbeugsam
infliger [ɛ̃fliʒe] v- qc à qn zufügen
influence [ɛ̃flyɑ̃s] f 1. Einfluß m, Macht f; exercer une - sur einen Einfluß ausüben auf; 2. Wirkung f, Auswirkung f
influencer [ɛ̃flyɑ̃se] v 1. beeinflussen; 2. (fig) abfärben
influent [ɛ̃flyɑ̃] adj mächtig, einflußreich
influer [ɛ̃flye] v- sur wirken auf
informaticien [ɛ̃fɔʀmatisjɛ̃] m Informatiker m
information [ɛ̃fɔʀmasjɔ̃] f 1. Auskunft f, Information f; à titre d'- zur Information; 2. Meldung f, Nachricht f; 3. Bescheid m
informations [ɛ̃fɔʀmasjɔ̃] f/pl Nachrichten pl, Tagesschau f
informatique [ɛ̃fɔʀmatik] f Informatik f
informe [ɛ̃fɔʀm] adj formlos
informer [ɛ̃fɔʀme] v 1. informieren; 2. - qn de qc benachrichtigen, verständigen; 3. melden, mitteilen; 4. - de belehren; 5. s'- nachfragen
infortune [ɛ̃fɔʀtyn] f Unglück n
infraction [ɛ̃fʀaksjɔ̃] f 1. Tat f, Straftat f; 2. Übertretung f, Verstoß m; 4. - au Code de la route Verkehrsdelikt n
infrastructure [ɛ̃fʀastʀyktyʀ] f Infrastruktur f
infructueux/-se [ɛ̃fʀyktyø/øz] adj 1. erfolglos; 2. unfruchtbar
infusion [ɛ̃fyzjɔ̃] f Tee m
ingénieur [ɛ̃ʒenjœʀ] m Ingenieur m; - des travaux publics Bauingenieur m
ingénieux [ɛ̃ʒenjø] adj erfinderisch

ingénu [ɛ̃ʒeny] adj 1. arglos; 2. weltfremd
ingénuité [ɛ̃ʒenɥite] f Arglosigkeit f
ingrat [ɛ̃gʀa] adj undankbar
ingrédients [ɛ̃gʀedjɑ̃] m/pl Zutaten pl
inguérissable [ɛ̃geʀisabl] adj unheilbar
inhabité [inabite] adj unbewohnt
inhabituel [inabitɥɛl] adj außergewöhnlich, ungewöhnlich
inhaler [inale] v einatmen
inhibition [inibisjɔ̃] f Barriere f
inhumain [inymɛ̃] adj unmenschlich
inhumation [inymasjɔ̃] f Beerdigung f
inimaginable [inimaʒinabl] adj unvorstellbar
inimitié [inimitje] f Feindschaft f
ininterrompu [inɛ̃teʀɔ̃py] adj andauernd
inique [inik] adj ungerecht
iniquité [inikite] f Ungerechtigkeit f
initial [inisjal] adj ursprünglich, anfänglich
initiale [inisjal] f Anfangsbuchstabe m
initiateur [inisjatœʀ] m Initiator m
initiation [inisjasjɔ̃] f 1. Einarbeitung f; 2. Einweihung f
initiative [inisjativ] f 1. Initiative f; 2. Anstoß m; prendre l'- de anregen
initié [inisje] m 1. Eingeweihte m/f; 2. Insider m
initier [inisje] v 1. einweisen, anleiten; 2. einweihen; 3. - qn à un travail einarbeiten
injection [ɛ̃ʒɛksjɔ̃] f Injektion f
injonction [ɛ̃ʒɔ̃ksjɔ̃] f strikter Befehl m
injure [ɛ̃ʒyʀ] f Beleidigung f
injurier [ɛ̃ʒyʀje] v beleidigen, beschimpfen
injurieux [ɛ̃ʒyʀjø] adj ehrenrührig
injuste [ɛ̃ʒyst] adj ungerecht, unrecht
injustice [ɛ̃ʒystis] f Ungerechtigkeit f
injustifié [ɛ̃ʒystifje] adj ungerechtfertigt
inlassable [ɛ̃lasabl] adj unentwegt
innocence [inɔsɑ̃s] f Unschuld f
innocent [inɔsɑ̃] adj unschuldig, schuldlos
innombrable [inɔ̃bʀabl] adj unzählig
innovateur/-trice [inɔvatœʀ/tʀis] adj innovativ
innovation [inɔvasjɔ̃] f Innovation f
inoccupé [inɔkype] adj 1. (libre) leer, unbesetzt; 2. (place) frei
inoffensif/-ve [inɔfɑ̃sif/iv] adj 1. (anodin) harmlos; 2. gutartig; 3. unschädlich
inondation [inɔ̃dasjɔ̃] f Überschwemmung f, Überflutung f
inonder [inɔ̃de] v 1. durchfluten; 2. überschwemmen
inopérable [inɔpeʀabl] adj inoperabel

inopiné [inɔpine] *adj* unverhofft
inopportun [inɔpɔʀtœ̃] *adj* ungelegen
inoubliable [inublijabl] *adj* unvergeßlich
inouï [inwi] *adj* 1. beispiellos; 2. bodenlos; 3. *(fig)* unerhört
inoxydable [inɔksidabl] *adj* 1. nichtrostend; 2. rostfrei
inquiet [ɛ̃kjɛ] *adj* ängstlich, bange; *être ~ de* besorgt sein
inquiétant [ɛ̃kjetɑ̃] *adj* besorgniserregend, beunruhigend
inquiéter [ɛ̃kjete] *v* 1. beunruhigen; 2. *~ qn* ängstigen; 3. *s'~* beunruhigen; *Il n'y a pas de quoi s'~.* Es besteht kein Grund zur Sorge. 4. *s'~* sich ängstigen
inquiétude [ɛ̃kjetyd] *f* 1. Sorge *f*, Kummer *m*; 2. Befürchtung *f*
insaisissable [ɛ̃sezizabl] *adj* unfaßbar
insatisfaction [ɛ̃satisfaksjɔ̃] *f* Unzufriedenheit *f*
insatisfaisant [ɛ̃satisfɛzɑ̃] *adj* unbefriedigend
insatisfait [ɛ̃satisfɛ] *adj* unzufrieden
inscription [ɛ̃skʀipsjɔ̃] *f* 1. Meldung *f*, Anmeldung *f*; 2. *(monuments)* Überschrift *f*, Inschrift *f*
inscrire [ɛ̃skʀiʀ] *v* 1. melden, anmelden; 2. notieren; 3. verzeichnen, eintragen; 4. *s'- (étudiant)* sich einschreiben, sich eintragen; 5. *s'- à (cours)* belegen
insecte [ɛ̃sɛkt] *m* Insekt *n*
insectes [ɛ̃sɛkt] *m/pl - nuisibles* Ungeziefer *n*
insecticide [ɛ̃sɛktisid] *m* Insektenvertilgungsmittel *f*
insensé [ɛ̃sɑ̃se] *adj* sinnlos, unsinnig
insensibiliser [ɛ̃sɑ̃sibilize] *v MED* betäuben
insensible [ɛ̃sɑ̃sibl] *adj* 1. *(physique)* gefühllos; 2. gleichgültig
inséparable [ɛ̃sepaʀabl] *adj* unzertrennlich
insérer [ɛ̃seʀe] *v* 1. *- dans* angliedern; 2. *(fig)* einflechten
insidieux/-se [ɛ̃sidjø/øz] *adj* verfänglich
insigne [ɛ̃siɲ] *m* Abzeichen *n*
insignifiance [ɛ̃siɲifjɑ̃s] *f* 1. Belanglosigkeit *f*; 2. Geringfügigkeit *f*
insignifiant [ɛ̃siɲifjɑ̃] *adj* 1. leicht, geringfügig; 2. unwichtig, unbedeutend
insipide [ɛ̃sipid] *adj* 1. fade; 2. langweilig
insistance [ɛ̃sistɑ̃s] *f* Betonung *f*, Nachdruck *m*; *avec ~* eindringlich, nachdrücklich

insistant [ɛ̃sistɑ̃] *adj* eindringlich
insister [ɛ̃siste] *v* 1. *- sur* akzentuieren; 2. *- sur* bestehen auf; 3. *- sur (souligner)* betonen
insolation [ɛ̃sɔlasjɔ̃] *f* 1. *MED* Hitzschlag *m*; 2. *MED* Sonnenstich *m*
insolence [ɛ̃sɔlɑ̃s] *f* Frechheit *f*
insolent [ɛ̃sɔlɑ̃] *adj* 1. frech, ungezogen; 2. *(fam)* kaltschnäuzig, keck; 3. *m (fam)* Frechdachs *m*
insoluble [ɛ̃sɔlybl] *adj* unlösbar
insomniaque [ɛ̃sɔmnjak] *adj* schlaflos
insomnie [ɛ̃sɔmni] *f* Schlaflosigkeit *f*
insondable [ɛ̃sɔ̃dabl] *adj* abgründig, grundlos
insonorisé [ɛ̃sɔnɔʀize] *adj* schalldicht
insouciance [ɛ̃susjɑ̃s] *f* 1. Leichtsinn *m*; 2. Sorglosigkeit *f*; *avec ~* sorglos
insouciant [ɛ̃susjɑ̃] *adj* 1. leichtsinnig; 2. sorglos, unbekümmert
insoutenable [ɛ̃sutnabl] *adj (fig)* unhaltbar
inspecter [ɛ̃spɛkte] *v* 1. besichtigen; 2. prüfen
inspecteur [ɛ̃spɛktœʀ] *m* Prüfer *m*
inspection [ɛ̃spɛksjɔ̃] *f* Besichtigung *f*, Inspektion *f*
inspiration [ɛ̃spiʀasjɔ̃] *f (fig)* Eingebung *f*; *suivre son -* seiner Eingebung folgen
inspirer [ɛ̃spiʀe] *v* 1. einatmen; 2. inspirieren
instabilité [ɛ̃stabilite] *f* Labilität *f*, Unausgeglichenheit *f*
instable [ɛ̃stabl] *adj* 1. unbeständig; 2. haltlos; 3. labil, unausgeglichen
installateur [ɛ̃stalatœʀ] *m* Installateur *m*
installation [ɛ̃stalasjɔ̃] *f* 1. *(d'une pièce)* Einrichtung *f*; 2. Aufstellung *f*
installations [ɛ̃stalasjɔ̃] *f/pl - sanitaires* Sanitäranlage *f*
installer [ɛ̃stale] *v* 1. einrichten, einbauen; 2. installieren; 3. *s'-* sich niederlassen; 4. *s'- (dans une maison)* beziehen
instamment [ɛ̃stamɑ̃] *adv* inständig
instant [ɛ̃stɑ̃] *m* Augenblick *m*, Moment *m*; *en un -* im Nu/im Handumdrehen; *pour l'-* augenblicklich, momentan, vorläufig; *à l'- même* soeben
instantané [ɛ̃stɑ̃tane] 1. *adj* augenblicklich; 2. *m FOTO* Schnappschuß *m*
instauration [ɛ̃stɔʀasjɔ̃] *f* Einführung *f*
instaurer [ɛ̃stɔʀe] *v* einführen
instigateur [ɛ̃stigatœʀ] *m* Anstifter *m*; *être l'- de (fig)* dahinterstecken

instinct [ɛstɛ̃] m Instinkt m, Trieb m; ~ de conservation Selbsterhaltungstrieb m

instinctif/-ve [ɛstɛ̃ktif/iv] adj 1. instinktiv, triebhaft; 2. unbewußt

institut [ɛstity] m Institut n; ~ culturel Kulturinstitut n; ~ de sondages d'opinion Meinungsforschungsinstitut n

instituteur [ɛstitytœr] m (école primaire) Lehrer m

institution [ɛstitysjɔ̃] f Anstalt f, Institution f

institutrice [ɛstitytris] f ~ d'école maternelle Kindergärtnerin f

instructif [ɛstryktif] adj lehrreich

instruction [ɛstryksjɔ̃] f 1. Ausbildung f; 2. Vorschrift f; 3. Gebrauchsanweisung f, Angabe f; 4. JUR Ermittlung f

instruire [ɛstryir] v 1. ausbilden, anlernen; 2. s'~ lernen

instruit [ɛstryi] adj gebildet, gelehrt

instrument [ɛstrymã] m 1. Instrument n; ~ de musique Musikinstrument n; ~ à vent Blasinstrument n; 2. Werkzeug n

insuffisance [ɛsyfizãs] f 1. Unzulänglichkeit f; 2. ~ de poids Untergewicht n; 3. ~ cardiaque Herzschlag m

insuffisant [ɛsyfizã] adj 1. ungenügend, mangelhaft; 2. unbefriedigend, unbefriedigt

insulte [ɛsylt] f Beleidigung f

insulter [ɛsylte] v beleidigen, beschimpfen

insupportable [ɛsypɔrtabl] adj unerträglich, unausstehlich

insurger [ɛsyrʒe] v s'~ (contre) sich empören, aufbegehren

intact [ɛtakt] adj heil, unversehrt

intangible [ɛtãʒibl] adj unantastbar

intégral [ɛtegral] adj vollständig, ganz

intégralité [ɛtegralite] f Vollständigkeit f

intégration [ɛtegrasjɔ̃] f Integration f

intègre [ɛtegr] adj rechtschaffen

intégrer [ɛtegre] v 1. integrieren; 2. einverleiben

intellect [ɛtelɛkt] m Intellekt m

intellectuel/-lle [ɛtelɛktyɛl] 1. adj intellektuell; 2. m/f Intellektuelle(r) m/f

intelligence [ɛteliʒãs] f 1. (esprit) Geist m; 2. Intelligenz f, Verstand m

intelligent [ɛteliʒã] adj 1. intelligent, klug; 2. einsichtig, gelehrig

intelligible [ɛteliʒibl] adj allgemeinverständlich

intendance [ɛtãdãs] f Aufsicht f, Verwaltung f

intense [ɛtãs] adj 1. (vif) lebhaft; 2. intensiv; 3. lautstark; 4. (fig) hochgradig

intensif [ɛtãsif] adj intensiv

intensité [ɛtãsite] f Stärke f

intention [ɛtãsjɔ̃] f 1. Absicht f, Vorhaben n; avoir l'~ de beabsichtigen, gedenken, vorhaben; 2. Vorsatz m; 3. Wille m

intentionnel [ɛtãsjɔnel] adj bewußt, absichtlich

interaction [ɛteraksjɔ̃] f Wechselwirkung f

intercaler [ɛterkale] v (personne) einschalten; être intercalé dazwischenliegen

intercepter [ɛtersepte] v abfangen

intercesseur [ɛtersesœr] m Fürsprecher m

interchangeable [ɛter ʃãʒabl] adj austauschbar, auswechselbar

interdiction [ɛterdiksjɔ̃] f Verbot n, Sperre f; ~ de conduire Fahrverbot n; ~ de stationner Halteverbot n; ~ de fumer Rauchverbot n; ~ d'importer Einfuhrverbot n

interdire [ɛterdir] v 1. ~ qc à qn untersagen; 2. ~ à qn de faire qc verbieten; 3. sperren; 4. ~ de séjour abschieben

interdit [ɛterdi] adj 1. verboten, gesperrt; 2. (fig) sprachlos

intéressant [ɛteresã] adj 1. interessant; 2. sehenswert; 3. ansprechend

intéressé [ɛterese] adj 1. interessiert; 2. habgierig; m 3. Interessent m; 4. Beteiligte m/f

intéresser [ɛterese] v 1. interessieren; 2. ~ qn à qc jdn an etw beteiligen; 3. betreffen; 5. (fig) anziehen; 5. s'~ à qc sich für etw interessieren

intérêt [ɛtere] m 1. Interesse n; C'est dans votre propre ~. Das liegt in Ihrem eigenen Interesse. d'~ général gemeinnützig; 2. Vorteil m, Nutzen m

intérieur [ɛterjœr] adj 1. inner(e,er,es); 2. innerlich; 3. inländisch; 4. adv à l'~ drinnen; m 5. Innere n; 6. (du pays) Inland n; 7. Familienleben n

intérim [ɛterim] m Zwischenzeit f

interligne [ɛterliɲ] m Zeilenabstand m

interlocuteur [ɛterlɔkytœr] m Ansprechpartner m, Gesprächspartner m

interloqué [ɛterlɔke] adj (fig) sprachlos

intermède [ɛtermed] m Programmeinlage f

intermédiaire [ɛtermedjer] 1. m Unterhändler m, Vermittler m; 2. adj mittlere(r,s)

interminable [ɛ̃tɛʀminabl] *adj* endlos
intermittent [ɛ̃tɛʀmitɑ̃] *adj* sporadisch
internat [ɛ̃tɛʀna] *m* Internat *n*
international [ɛ̃tɛʀnasjɔnal] *adj* international
interne [ɛ̃tɛʀn] *adj 1.* inner(e,er,es), innerlich; *2.* innerbetrieblich
interner [ɛ̃tɛʀne] *v (hôpital)* einweisen
interpellation [ɛ̃tɛʀpelasjɔ̃] *f* POL Anfrage *f*
interposer [ɛ̃tɛʀpoze] *v s'-* dazwischenkommen, sich einschieben
interprétation [ɛ̃tɛʀpretasjɔ̃] *f 1.* Bewertung *f;2.* Interpretation *f,* Deutung *f*
interprète [ɛ̃tɛʀpʀɛt] *m 1.* Dolmetscher *m; 2.* CINE Darsteller *m*
interpréter [ɛ̃tɛʀpʀete] *v 1.* auslegen, deuten; *2.* auswerten, bewerten; *3.* dolmetschen
interrogateur [ɛ̃tɛʀɔɡatœʀ] *adj* fragend
interrogatoire [ɛ̃tɛʀɔɡatwaʀ] *m 1. (inculpé)* Verhör *n; 2. (témoin)* Vernehmung *f*
interroger [ɛ̃tɛʀɔʒe] *v 1. - qn* ausfragen;.*2.* JUR verhören
interrompre [ɛ̃tɛʀɔ̃pʀ] *v 1.* unterbrechen; *2. (travail)* aussetzen, stillegen
interrupteur [ɛ̃tɛʀyptœʀ] *m* Schalter *m; - électrique* Lichtschalter *m; - à bascule* Kippschalter *m*
interruption [ɛ̃tɛʀypsjɔ̃] *f 1.* Unterbrechung *f; 2. (fig)* Abbruch *m; 3. - volontaire de grossesse* Schwangerschaftsabbruch *m*
intersection [ɛ̃tɛʀseksjɔ̃] *f* Überschneidung *f,* Kreuzung *f*
interstice [ɛ̃tɛʀstis] *f* Zwischenraum *m*
intervalle [ɛ̃tɛʀval] *m 1.* Zwischenraum *m; 2.* Zwischenzeit *f*
intervenir [ɛ̃tɛʀvəniʀ] *v 1.* eingreifen, dazwischentreten; *2.* dazwischenrufen; *3. faire - qn* jdn einschalten; *4. - dans* sich einschalten
intervention [ɛ̃tɛʀvɑ̃sjɔ̃] *f 1.* Eingriff *m; faire une -* dazwischenrufen; *2.* MIL Einsatz *m*
interview [ɛ̃tɛʀvju] *f* Interview *n*
interviewer [ɛ̃tɛʀvjuve] *v* interviewen, befragen
intestin [ɛ̃tɛstɛ̃] *m* Darm *m; gros -* Dickdarm *m; - grêle* Dünndarm *m*
intime [ɛ̃tim] *adj 1.* innig; *2.* vertraulich, intim; *3. (fig)* inner(e,er,es)
intimidation [ɛ̃timidasjɔ̃] *f* Abschreckung *f*
intimidé [ɛ̃timide] *adj* verschüchtert

intimider [ɛ̃timide] *v - qn* abschrecken
intimité [ɛ̃timite] *f 1.* Intimität *f,* Vertraulichkeit *f; 2.* Gemütlichkeit *f*
intituler [ɛ̃tityle] *v* überschreiben
intolérable [ɛ̃tɔleʀabl] *adj* unerträglich, unausstehlich
intolérance [ɛ̃tɔleʀɑ̃s] *f* Intoleranz *f*
intolérant [ɛ̃tɔleʀɑ̃] *adj* intolerant
intonation [ɛ̃tɔnasjɔ̃] *f* Betonung *f*
intoxication [ɛ̃tɔksikasjɔ̃] *f* Vergiftung *f; - par les gaz* Gasvergiftung *f; - par les champignons* Pilzvergiftung *f*
intransigeant [ɛ̃tʀɑ̃siʒɑ̃] *adj* kompromißlos
intrépide [ɛ̃tʀepid] *adj* unerschrocken
intrigue [ɛ̃tʀiɡ] *f* Intrige *f*
intrinsèque [ɛ̃tʀɛ̃sɛk] *adj (fig)* inner(e,er,es)
introduction [ɛ̃tʀɔdyksjɔ̃] *f* Einleitung *f,* Einführung *f*
introduire [ɛ̃tʀɔdɥiʀ] *v 1.* einleiten, einführen; *2. (personne)* einführen
introuvable [ɛ̃tʀuvabl] *adj* unauffindbar
intrus [ɛ̃tʀy] *m* Eindringling *m*
intuitif/-ive [ɛ̃tɥitif/iv] *adj* intuitiv
intuition [ɛ̃tɥisjɔ̃] *f 1.* Intuition *f,* Eingebung *f; 2.* Ahnung *f*
inusable [inyzabl] *adj* unverwüstlich
inutile [inytil] *adj 1.* unnütz, nutzlos; *2.* überflüssig
inutilement [inytilmɑ̃] *adv* umsonst
inutilisable [inytilizabl] *adj* unbrauchbar
inutilité [inytilite] *f* Nutzlosigkeit *f*
invalide [ɛ̃valid] *1. m/f* Invalide *m/f.; 2.* Krüppel *m; adj 3.* schwerbeschädigt; *4.* MIL untauglich
invalidité [ɛ̃validite] *f* Ungültigkeit *f*
invariable [ɛ̃vaʀjabl] *adj* gleichbleibend, unabänderlich
invasion [ɛ̃vazjɔ̃] *f* Invasion *f*
invendable [ɛ̃vɑ̃dabl] *adj* unverkäuflich
inventaire [ɛ̃vɑ̃tɛʀ] *m 1.* Inventar *m; 2.* Verzeichnis *n; 3.* ECO Bestandsaufnahme *f*
inventer [ɛ̃vɑ̃te] *v* erfinden; *- de toutes pièces* erdichten
inventeur [ɛ̃vɑ̃tœʀ] *m* Erfinder *m*
inventif [ɛ̃vɑ̃tif] *adj* erfinderisch
invention [ɛ̃vɑ̃sjɔ̃] *f* Erfindung *f; C'est de son -.* Das hat er erfunden.
inverse [ɛ̃vɛʀs] *adj* umgekehrt
inverser [ɛ̃vɛʀse] *v* umkehren
investi [ɛ̃vɛsti] *adj* être *-* d'une charge (ein Amt) bekleiden

investir [ɛ̃vɛstiʀ] *v 1.* investieren; *2.* umzingeln
investissement [ɛ̃vɛstismɑ̃] *m 1.* Investition *f; 2.* FIN Anlage *f*
investisseur [ɛ̃vɛstisœʀ] *m* Anleger *m*
inviolable [ɛ̃vjɔlabl] *adj* unantastbar
invisible [ɛ̃vizibl] *adj* unsichtbar
invitation [ɛ̃vitasjɔ̃] *f 1.* Einladung *f; 2.* ~ à Ruf *m*, Aufforderung *f*
invité [ɛ̃vite] *m* Besucher *m*, Gast *m;* ~ d'honneur *(officiel)* Ehrengast *m*
inviter [ɛ̃vite] *v 1.* einladen; *2.* ~ à auffordern
involontaire [ɛ̃vɔlɔ̃tɛʀ] *adj 1.* unabsichtlich, unbeabsichtigt; *2.* unbewußt
invraisemblable [ɛ̃vʀɛsɑ̃blabl] *adj* unwahrscheinlich
invulnérable [ɛ̃vylneʀabl] *adj* unverwundbar
iode [jɔd] *m* Jod *n*
Iran [iʀɑ̃] *m l'~* Iran *m*
Iraq [iʀak] *m l'~* Irak *m*
irascible [iʀasibl] *adj* jähzornig
Irlande [iʀlɑ̃d] *f l'~* Irland *n*
ironie [iʀɔni] *f* Ironie *f*
ironique [iʀɔnik] *adj* ironisch, spöttisch
irradiation [iʀadjasjɔ̃] *f* Bestrahlung *f*
irradier [iʀadje] *v 1.* ausstrahlen; *2.* bestrahlen
irréfléchi [iʀefleʃi] *adj* unbedacht
irréflexion [iʀefleksjɔ̃] *f* Gedankenlosigkeit *f*
irrégularité [iʀegylaʀite] *f* Unregelmäßigkeit *f*
irrégulier/-ère [iʀegylje/ɛʀ] *adj 1.* unregelmäßig; *2.* unfair
irrémédiable [iʀemedjabl] *adj* unheilbar
irréprochable [iʀepʀɔʃabl] *adj 1.* einwandfrei, tadellos; *2. (fig)* lupenrein
irrésistible [iʀezistibl] *adj* unaufhaltsam, unwiderstehlich
irrésolu [iʀezɔly] *adj* unschlüssig
irrespectueux [iʀɛspɛktɥø] *adj* respektlos
irresponsabilité [iʀɛspɔ̃sabilite] *f* JUR Unzurechnungsfähigkeit *f*

irresponsable [iʀɛspɔ̃sabl] *adj 1.* unverantwortlich; *2.* JUR unzurechnungsfähig
irrévocable [iʀevɔkabl] *adj 1.* unabänderlich; *2.* unwiderruflich
irrigation [iʀigasjɔ̃] *f* ~ sanguine Durchblutung *f*
irriguer [iʀige] *v* bewässern
irritable [iʀitabl] *adj 1.* reizbar; *2.* hitzig
irritation [iʀitasjɔ̃] *f 1.* Ärger *m*, Entrüstung *f; 2.* Gereiztheit *f*
irrité [iʀite] *adj 1. (fâché)* böse, zornig; *2.* gereizt, verärgert; *3. (fig)* verstimmt
irriter [iʀite] *v 1.* ärgern; *2.* erregen, aufregen; *3.* verärgern
irruption [iʀypsjɔ̃] *f 1.* Ausbruch *m; 2.* Einbruch *m; faire* ~ hereinbrechen
Islam [islam] *m l'~* Islam *m*
islamique [islamik] *adj* islamisch
Islande [islɑ̃d] *f l'~* Island *n*
isolation [izɔlasjɔ̃] *f 1.* Isolation *f*, Isolierung *f; 2.* ~ du bruit Dämpfung *f; 3.* ~ thermique Wärmedämmung *f*
isolé [izɔle] *adj 1.* einzeln, vereinzelt; *le cas* ~ Sonderfall; *2.* abgelegen
isolement [izɔlmɑ̃] *m 1. (séparation)* Absonderung *f; 2.* Einsamkeit *f; 3.* Isolation *f*
isoler [izɔle] *v 1.* abschirmen, isolieren; *2.* s'~ sich absondern; *3. (région)* absperren; *4. (du bruit)* dämpfen; *5.* TECH abscheiden
Israël [isʀaɛl] *m* Israel *n*
issu [isy] *v* être ~ de abstammen von
issue [isy] *f 1.* Ausgang *m;* ~ de secours Notausgang *m; 2.* Ausweg *m; sans* ~ ausweglos/aussichtslos
Italie [itali] *f l'~* Italien *n*
Italien [italjɛ̃] *m* Italiener *m*
italien [italjɛ̃] *adj* italienisch
itinéraire [itineʀɛʀ] *m* Reiseroute *f*
I.V.G. [iveʒe] *f (interruption volontaire de grossesse)* Abtreibung *f*
ivoire [ivwaʀ] *m* Elfenbein *n*
ivre [ivʀ] *adj (fam)* betrunken; *légèrement* ~ beschwipst
ivresse [ivʀɛs] *f 1.* Rausch *m; 2.* JUR Trunkenheit *f*
ivrogne [ivʀɔɲ] *m* Säufer *m*, Trinker *m*

J/K/L

jacasser [ʒakase] *v* plappern

jacter [ʒakte] *v (fam)* quasseln

jadis [ʒadis] *adv (passé)* einst

jaillir [ʒajiʀ] *v* 1. sprudeln; 2. sprühen

jalon [ʒalɔ̃] *m (fig)* Meilenstein *m*

jalonner [ʒalɔne] *v (marquer)* abstecken

jalousie [ʒaluzi] *f* 1. Eifersucht *f*; 2. Mißgunst *f*, Neid *m*; 3. Jalousie *f*

jaloux [ʒalu] *adj* neidisch, eifersüchtig; *être ~ comme un tigre* schrecklich eifersüchtig sein

jamais [ʒamɛ] *adv* 1. jemals; 2. niemals, nie; *A tout ~!* Auf immer! *au grand ~* nie und nimmer; *~ de la vie!* Nie im Leben! *Maintenant ou ~!* Jetzt oder nie! 3. je

jambe [ʒɑ̃b] *f* Bein *n*; *n'avoir plus de ~s* vor Müdigkeit umfallen; *donner des ~s* Beine machen; *prendre ses ~s à son cou* die Beine unter den Arm nehmen

jambon [ʒɑ̃bɔ̃] *m* Schinken *m*

jante [ʒɑ̃t] *f* Felge *f*

janvier [ʒɑ̃vje] *m* Januar *m*

Japon [ʒapɔ̃] *m le ~* Japan *n*

japonais [ʒapɔnɛ] *adj* japanisch

jaquette [ʒakɛt] *f* Jackett *n*

jardin [ʒaʀdɛ̃] *m* Garten *m*; *~ d'enfants* Kindergarten *m*; *~ fruitier* Obstgarten *m*; *~ zoologique* Tiergarten *m*

jardinage [ʒaʀdinaʒ] *m* 1. Gartenbau *m*; 2. Gärtnerei *f*

jardinier [ʒaʀdinje] *m* Gärtner *m*

jardinière [ʒaʀdinjɛʀ] *f ~ d'enfants* Kindergärtnerin *f*

jarret [ʒaʀɛ] *m* Kniekehle *f*

jarretière [ʒaʀtjɛʀ] *f* Strumpfband *n*

jaser [ʒaze] *v* 1. klatschen; 2. plappern

jasmin [ʒasmɛ̃] *m* Jasmin *m*

jaune [ʒon] *adj* gelb; *~ d'œuf* Eidotter *m*

jaunir [ʒoniʀ] *v* vergilben

jaunisse [ʒonis] *f* Gelbsucht *f*

javelot [ʒavlo] *m* 1. SPORT Speer *m*; 2. Spieß *m*

je [ʒ(ə)] *pron (+ verbe)* ich

jerrycan [ʒeʀikan] *m ~ d'essence* Benzinkanister *m*

Jésus [ʒezy] *m* Christus/*gén:* Christi *m*

jet [ʒɛ] *m (eau)* Strahl *m*; *~ d'eau* Springbrunnen *m*

jetée [ʒəte] *f* Mole *f*

jeter [ʒəte] *v* 1. werfen, schleudern; *se ~ à la tête de qn* sich jdm an den Hals werfen/ sich jdm aufdrängen; *~son dévolu sur qn* ein Auge auf jdn werfen; 2. *~ à terre* abwerfen, hinunterwerfen, herauswerfen, wegwerfen; 3. *se ~ dans* münden in

jeton [ʒətɔ̃] *m* 1. *(casino)* Chip *m*; 2. *~ de présence* Diäten *pl*

jeu [ʒø] *m* 1. Spiel *n*; *~ de patience* Geduldsspiel *n*; *~ de hasard* Glücksspiel *n*; *~ de cartes* Kartenspiel *n*; 2. *(dés, outils)* Satz *m*; 3. MUS Spiel *n*; *faire entrer en ~* ins Spiel bringen; *jouer le ~* sich an die Spielregeln halten; *avoir beau ~* leichtes Spiel haben; *Le ~ n'en vaut pas la chandelle.* Es lohnt sich nicht.

jeudi [ʒødi] *m* Donnerstag *m*; *le ~* donnerstags

jeun [ʒœ̃] *adv à ~* nüchtern (ohne Essen)

jeune [ʒœn] *adj* 1. jung; *~s et vieux* jung und alt; 2. jugendlich; 3. *trop ~* unreif

jeûner [ʒøne] *v* 1. fasten; 2. *(fig)* hungern

jeunesse [ʒœnɛs] *f* Jugend *f*

Jeux [ʒø] *m/pl ~ Olympiques* Olympische Spiele *f*

joailler [ʒɔaje] *m* Juwelier *m*

jogging [dʒɔgiŋ] *m* 1. Trainingsanzug *m*; 2. Jogging *n*

joie [ʒwa] *f* Freude *f*, Lust *f*; *~ de vivre* Lebensfreude *f*

joindre [ʒwɛ̃dʀ] *v* 1. verbinden; 2. beifügen; 3. *~ les mains* Hände falten; 4. *~ qn* erreichen; *~ les deux bouts* gerade so über die Runden kommen; *Où puis-je le ~?* Wo kann ich ihn erreichen? 5. *(fig)* paaren; 6. *se ~ à qn* sich jdm anschließen

joint [ʒwɛ̃] *m* 1. TECH Dichtung *f*; 2. TECH Gelenk *n*

joli [ʒɔli] *adj* hübsch, nett, niedlich, schön; *~ à croquer* zum Anbeißen hübsch; *très ~* bildhübsch

jonc [ʒɔ̃] *m* Rohr *n*

jonction [ʒɔ̃ksjɔ̃] *f* Verbindung *f*; *~ transversale* Querverbindung *f*

jongler [ʒɔ̃gle] *v* jonglieren

jongleur [ʒɔ̃glœʀ] *m* Jongleur *m*

joue [ʒu] *f* Backe *f*, Wange *f*

jouer [ʒwe] *v* 1. spielen; ~ *un mauvais tour à qn* jdm einen üblen Streich spielen; ~ *le tout pour tout* alles auf eine Karte setzen; *A qui de ~?* Wer ist dran/an der Reihe? ~ *au plus fin avec qn* superklug sein/ein Schlaumeier sein; ~ *de malheur* Pech haben; *Bien joué!* Gut gemacht!/ Gut so! 2. ~ *à* SPORT spielen; 3. ~ *au poker* pokern; 4. ~ *des poings et des pieds pour réussir* sich durchboxen; 5. ~ *des coudes* sich vordrängen; 6. ~ *la comédie (fam)* verstellen; 7. THEAT aufführen; 8. CINE darstellen; 9. MUS spielen; ~ *d'un instrument* ein Instrument spielen
jouet [ʒwe] *m* Spielzeug *n*
joueur [ʒwœr] *m* Spieler *m*
jouir [ʒwir] *v* ~ *de* genießen
jouissance [ʒwisãs] *f* Genuß *m*; *avec ~* genüßlich
jouisseur [ʒwisœr] *m* Genießer *m*
jour [ʒur] *m* 1. Tag *m*; *du ~ au lendemain* von heute auf morgen; *A un des ces ~s!* Bis demnächst!/ Bis bald! *vivre au ~ le ~* von der Hand in den Mund leben/ in den Tag hinein leben/ unbesorgt sein; *donner ses huit ~s à qn* kündigen; *d'un ~ à l'autre* von einem Tag zum anderen; *être comme le ~ et la nuit* wie Tag und Nacht sein/grundverschieden sein; *éclater au grand ~* an den Tag kommen; *voir le ~* das Licht der Welt erblicken; ~ *par ~* Tag für Tag; *par ~* täglich; ~ *de fête* Feiertag *m*; ~ *de l'an* Neujahr *n*; ~ *ouvrable* Werktag *m*; ~ *de repos* Ruhetag *m*; ~ *de la semaine* Wochentag *m*; ~ *des morts* Totensonntag *m*; *un ~* einst; *de nos ~s* heutzutage; *de tous les ~s* alltäglich; 2. Tageslicht *n*; 3. *les vieux ~s* Lebensabend *m*
journal [ʒurnal] *m* 1. Zeitung *f*; ~ *des élèves* Schülerzeitung *f*; 2. Tagebuch *n*; 3. ~ *à sensation* Sensationspresse *f*; 4. ~ *hebdomadaire* Wochenblatt *n*; 5. ~ *télévisé* (TV) Tagesschau *f*
journalier [ʒurnalje] *adj* täglich
journalisme [ʒurnalism] *m* Journalismus *m*
journaliste [ʒurnalist] *m* Journalist *m*; ~ *sportif* Sportreporter *m*
journaux [ʒurno] *m/pl* Presse *f*
journée [ʒurne] *f* Tag *m*; *toute la sainte ~* den langen Tag; *pendant toute la ~* ganztägig; ~*s entières* tagelang; *dans la ~* tagsüber
jovial [ʒɔvjal] *adj* jovial

joyau [ʒwajo] *m* Juwel *n*
joyeux [ʒwajø] *adj* freudig, vergnügt
jubilaire [ʒybilɛr] *m* Jubilar *m*
jubilé [ʒybile] *m* Jubiläum *n*
jubiler [ʒybile] *v* jubeln
judaïque [ʒydaik] *adj* jüdisch
judiciaire [ʒydisjɛr] *adj* gerichtlich
juge [ʒyʒ] *m* 1. Richter *m*; 2. SPORT Kampfrichter *m*
jugement [ʒyʒmã] *m* 1. JUR Urteil *n*, Urteilsspruch *m*; 2. Beurteilung *f*; *porter un ~ sur* beurteilen, urteilen
juger [ʒyʒe] *v* 1. ~ *de* beurteilen; *Jugez-en par vous- même.* Bilden Sie sich ein Urteil./ Überzeugen Sie sich selbst. 2. JUR richten, urteilen; 3. werten
Juif [ʒuif] *m* Jude *m*
juif/-ve [ʒuif/iv] *adj* jüdisch
juillet [ʒuijɛ] *m* Juli *m*
juin [ʒuɛ̃] *m* Juni *m*
jumeau/jumelle [ʒymo/ʒymɛl] *m* Zwilling *m*
jumelage [ʒymlaʒ] *m (entre villes)* Partnerschaft *f*
jumelles [ʒymɛl] *f/pl* Fernglas *n*
jungle [ʒɔ̃gl] *m* Dschungel *m*, Urwald *m*
junior [ʒynjɔr] *m* SPORT Junior *m*
jupe [ʒyp] *f* Rock *m*
jupon [ʒypɔ̃] *m* Unterrock *m*
juré [ʒyre] *m* Geschworene *m/f*
jurer [ʒyre] *v* 1. JUR beschwören; 2. schwören; ~ *ses grands dieux que...* Stein und Bein schwören, daß... *On ne saurait ~ de rien.* Man kann es nicht beschwören. 3. fluchen
juridiction [ʒyridiksjɔ̃] *f* Gerichtsbarkeit *f*
juridique [ʒyridik] *adj* 1. juristisch, rechtlich; 2. JUR gerichtlich
juriste [ʒyrist] *m* Jurist *m*
juron [ʒyrɔ̃] *m* Fluch *m*
jury [ʒyri] *m* 1. JUR Geschworenenbank *f*; 2. Jury *f*, Prüfungsausschuß *m*
jus [ʒy] *m* ~ *de fruits* Saft *m*
jusqu'à [ʒyska] 1. *prep* bis; 2. *konj* ~ *ce que* bis; 3. *adv* ~ *présent* bisher
jusqu'alors [ʒyskalɔr] *adv* bisher
jusqu'ici [ʒyskisi] *adv* bislang
juste [ʒyst] *adj* 1. genau; 2. gerecht; 3. *trop ~* knapp; 4. richtig, recht; *Ce n'est que trop ~.* Das ist nicht mehr als recht und billig. 5. angemessen; *comme de ~* wie es sich gehört/selbstverständlich; 6. treffend; 7. *adv*

gerade; *On a - le temps.* Die Zeit reicht gerade noch./ Wir schaffen es gerade noch.
justement [ʒystmã] *adv 1.* eben; *2.* richtig; *3.* ausgerechnet
justesse [ʒystɛs] *f* Richtigkeit *f; de -* knapp
justice [ʒystis] *f 1.* Gerechtigkeit *f; Ce n'est que -.* Das ist nur gerecht. *En bonne -.* Wenn man gerecht sein will. *2.* Justiz *f,* Gerichtsbarkeit *f; - sommaire* Lynchjustiz *f; 3.* Recht *n*
justifiable [ʒystifjabl] *adj* vertretbar
justification [ʒystifikasjõ] *f* Rechtfertigung *f*
justifier [ʒystifje] *v 1.* begründen, nachweisen; *2.* rechtfertigen
juvénile [ʒyvenil] *adj* jugendlich
kangourou [kãguʀu] *m* Känguruh *n*
karaté [kaʀate] *m* Karate *n*
kayak [kajak] *m* Kajak *m*
kermesse [kɛʀmɛs] *f* Kirchweih *f*
ketchup [kɛtʃœp] *m* Tomatenketchup *n*
kidnapper [kidnape] *v* entführen
kidnappeur [kidnapœʀ] *m* Entführer *m*
kilo(gramme) [kilɔgʀɛm] *m* Kilo(gramm) *m*
kilomètre [kilɔmɛtʀ(ə)] *m* Kilometer *m*
kilomètre-heure [kilɔmɛtʀ(ə)œʀ] *m (km/h)* Stundenkilometer *m*
kilowatt [kilɔwat] *m* Kilowatt *n*
kiosque [kjɔsk(ə)] *m* Kiosk *m; - à journaux* Zeitungskiosk *m*
kirsch [kiʀʃ] *m* Kirschwasser *n*
kitsch [kitʃ] *1. m* Kitsch *m; 2. adj* kitschig
kiwi [kiwi] *m* Kiwi *f*
klaxon [klaksɔn] *m* (Auto-)Hupe *f*
klaxonner [klaksɔne] *v* hupen, tuten
konzern [kõtsɛʀn] *m* Konzern *m*
krach [kʀak] *m - boursier* Börsenkrach *m*
kyste [kist] *m* Zyste *f*
la [la] *1. art* die *f; 2. pron sg* sie
là [la] *adv 1. (local)* da, dort; *par - (local)* dahin, dorthin; *par - (moyen)* dadurch; *de - (local)* daher, dorther; *de - (cause)* davon
là-bas [laba] *adv* dahin, dorthin
labeur [labœʀ] *m* Mühsal *f*
labo(ratoire) [labɔʀatwaʀ] *m* Labor *n*
laborantin [labɔʀãtɛ̃] *m* Laborant *m*
laborieux [labɔʀjø] *adj 1.* emsig; *2.* langwierig; *3.* mühevoll, mühsam
labourage [labuʀaʒ] *m (activité)* Ackerbau *m*
labourer [labuʀe] *v* pflügen

labyrinthe [labiʀɛ̃t] *m* Labyrinth *n*
lac [lak] *m* See *m; - de Constance* Bodensee; *-de Garde* Gardasee; *-Léman* Genfer See
lacer [lase] *v* schnüren
lacet [lasɛ] *m 1.* Schnur *f; 2.* Schuhband *n; 3.* Serpentine *f*
lâche [laʃ] *adj 1.* feig; *2. (peu serré)* locker, lose; *3. m* Feigling *m*
lâcher [laʃe] *v 1.* loslassen; *2. (vapeur)* ablassen; *3. (machine)* versagen
lâcheté [laʃte] *f* Feigheit *f*
laconique [lakɔnik] *adj* wortkarg
lacunaire [lakynɛʀ] *adj* lückenhaft
lacune [lakyn] *f* Lücke *f; sans -* lückenlos
là-dedans [lad(ə)dã] *adv (local)* darin
là-dessous [ladəsu] *adv* darauf, daraufhin, hierauf
là-dessus [ladsy] *adv* darüber
lagon [lagõ] *m* Lagune *f*
lagune [lagyn] *f* Lagune *f*
laïc/laïque [laik] *1. m* Laie *m; 2. adj* weltlich
laid [lɛ] *adj* häßlich, unansehnlich
laideur [lɛdœʀ] *f* Häßlichkeit *f*
lainage [lɛnaʒ] *m* Wolle *f*
laine [lɛn] *f* Wolle *f*
laisse [lɛs] *f* Leine *f,* Hundeleine *f*
laisser [lɛse] *v 1.* lassen; *- à l'abandon* verkommen lassen; *se - descendre* sich herablassen; *se - faire* sich gefallen lassen; *se - prendre (fam)* anbeißen; *se - entraîner dans* sich einlassen auf/mit; *se - aller* sich gehen lassen; *ne pas - les choses aller si loin* die Dinge nicht so weit kommen lassen; *2. (derrière soi)* hinterlassen, zurücklassen; *3.* überlassen
laissez-passer [lɛsepase] *m* Passierschein *m*
lait [lɛ] *m* Milch *f; - caillé* Dickmilch; *- de vache* Kuhmilch; *- écrémé* Magermilch; *- en poudre* Trockenmilch; *- entier* Vollmilch
laitage [lɛtaʒ] *m* Milchspeisen *pl*
laiterie [lɛtʀi] *f* Molkerei *f*
laiton [lɛtõ] *m* Messing *n*
laitue [lɛty] *f (- pommée)* Kopfsalat *m*
lama [lama] *m* Lama *n*
lambeau [lãbo] *m* Lumpen *m*
lambrissage [lãbʀisaʒ] *m* Täfelung *f*
lame [lam] *f 1.* Klinge *f; 2.* Messer *n; 3.* Welle *f,* Woge *f; 4.* Lamelle *f*
lamé [lame] *m* Brokat *m*
lamentable [lamãtabl(ə)] *adj 1.* erbärmlich, jämmerlich; *2.* kläglich, beklagenswert

lamentations [lamãtasjõ] *f/pl* Gejammer *n*

lamenter [lamãte] *v se - (sur)* (be-)jammern

lampadaire [lãpadɛʀ] *m 1.* Laterne *f; 2.* Stehlampe *f*

lampe [lãp(ə)] *f* Lampe *f*, Leuchte *f*, Tischlampe *f; - de poche* Taschenlampe *f; - à rayons ultra(-)violets* Höhensonne *f*

lampion [lãpjõ] *m* Lampion *m*

lance [lãs] *f* Lanze *f*, Speer *m*

lancer [lãse] *v 1.* werfen, schleudern; *2. (ballon)* abspielen; *3. (fig)* ankurbeln; *4. (un produit)* einführen; *5.* starten

landau [lãdo] *m* Kinderwagen *m*

lande(s) [lãd] *f/(pl)* Heide *f*

langage [lãgaʒ] *m 1.* Rede *f*, Redeweise *f; 2. - familier* Umgangssprache *f; 3. - des signes* Taubstummensprache *f*

langer [lãʒe] *v* wickeln

langouste [lãgust(ə)] *f* Languste *f*

langue [lãg] *f 1.* ANAT Zunge *f; ne pas avoir la - dans la poche* nicht auf den Mund gefallen sein; *2.* Sprache *f; - étrangère* Fremdsprache; *- maternelle* Muttersprache; *- de tous les jours* Umgangssprache; *- universelle* Weltsprache; *- latine* romanische Sprache; *- technique* Fachsprache der Technik

languette [lãgɛt] *f TECH* Feder *f*

languir [lãgiʀ] *v* verkümmern

languissant [lãgisã] *adj 1.* lahm; *2.* lustlos

lanterne [lãtɛʀn(ə)] *f 1.* Laterne *f; faire prendre à qn des vessies pour des -s* jdm ein X für ein U vormachen; *2. - rouge (fig)* Schlußlicht *n*

laper [lape] *v* schlürfen

lapin [lapɛ̃] *m* Kaninchen *n; courir comme un - sausen/flitzen; poser un - à qn* jdn versetzen

lapsus [lapsys] *m* Fehler *m; faire un - sich* versprechen/sich verschreiben

laquage [lakaʃ] *m* Lackierung *f*

laque [lak] *f 1.* Haarspray *n; 2.* Lack *m*

laquer [lake] *v* lackieren

larcin [laʀsɛ̃] *m 1.* Diebesgut *n; 2.* Diebstahl *m*

lard [laʀ] *m* Speck *m*

largage [laʀgaʒ] *m* Abwurf *m*

large [laʀʒ(ə)] *adj 1.* breit; *en long et en - lang und breit; 2. (ample)* weit; *ga-gner/prendre le - das* Weite suchen/abhauen; *3.* liberal; *4.* weitgehend

largeur [laʀʒœʀ] *f 1.* Breite *f; 2.* TECH Bandbreite *f*

larme [laʀm] *f* Träne *f; pleurer à chaudes -s* in Tränen zerfließen; *avoir la - facile* nah am Wasser gebaut sein; *verser des -s de crocodile* Krokodilstränen vergießen; *avoir les -s aux yeux* Tränen in den Augen haben

larmoyant [laʀmwajã] *adj* rührselig

larve [laʀv] *f* Larve *f*, Made *f*

larynx [laʀɛ̃ks] *m* Kehlkopf *m*

las [lɑ] *adj 1.* müde; *2.* überdrüssig; *être - de tout* alles satt haben

lasser [lɑse] *v se -* ermüden

lassitude [lɑsityd] *f 1.* Ermüdung *f; 2.* Müdigkeit *f*, Verdrossenheit *f*

latent [latã] *adj* latent

latéral [lateʀal] *adj* seitlich

latin [latɛ̃] *1. m* Latein *n; être au bout de son - mit seiner Weisheit am Ende sein; 2. adj (langue)* romanisch

latitude [latityd] *f (fig)* Spielraum *m*

latte [lat] *f* Latte *f*

lauréat [loʀea] *m* Preisträger *m*

laurier [loʀje] *m* Lorbeer *m*

lavabo [lavabo] *m* Waschbecken *n*

lavage [lavaʒ] *m (activité)* Wäsche *f; - à la main* Handwäsche; *- de cerveau* Gehirnwäsche

lavande [lavãd] *f* Lavendel *m*

lave [lav] *f* Lava *f*

lave-linge [lavlɛ̃ʒ] *m* Waschmaschine *f*

laver [lave] *v 1. - qc* waschen; *2. se - sich* waschen, sich abwaschen; *3. (vaisselle)* abspülen, spülen

laverie [lavʀi] *f 1.* Wäscherei *f; 2.* Waschanlage *f*

laveur [lavœʀ] *m - de vitres* Fensterputzer *m*

lave-vaisselle [lavvesɛl] *m* Geschirrspülmaschine *f*

layette [lɛjɛt] *f* Babywäsche *f*

le [lə] *1. art* der *m; 2. pron* ihn *m*, es *n*

leader [lidœʀ] *m 1.* Führer *m*, Chef *m; 2.* Spitzenreiter *m*

lécher [leʃe] *v* lecken, schlecken; *faire du lèche-vitrines* einen Schaufensterbummel machen

leçon [ləsõ] *f 1.* Unterrichtsstunde *f; faire réciter une - (école)* abhören; *- de conduite* Fahrstunde; *2.* Lehre *f*, Lehrsatz *m; 3.* Lektion *f; faire la - à* jdm eine Lektion erteilen

lecteur [lɛktœʀ] *m 1.* Leser *m; 2.* Lektor *m; 3. - de disques compacts* CD-Spieler *m*
lecture [lɛktyʀ] *f 1.* Lektüre *f; 2.* POL Lesung *f; 3. - de l'Evangile* Lesung *f*
légal [legal] *adj* gesetzlich, legal
légaliser [legalize] *v* legalisieren
légalité [legalite] *f* Legalität *f*
légendaire [leʒɑ̃dɛʀ] *adj 1.* legendär; *2.* sagenhaft
légende [leʒɑ̃d] *f* Legende *f*, Märchen *n*
léger/-ère [leʒe/ɛʀ] *adj 1. (pas lourd)* leicht; *être - comme une plume* federleicht sein; *prendre les choses à la légère* die Dinge auf die leichte Schulter nehmen; *2.* oberflächlich; *3. (liquide)* dünn; *4. (fig)* lokker; *à la légère* flüchtig/oberflächlich/unbedacht
légèreté [leʒɛʀte] *f 1. (d'esprit)* Leichfertigkeit *f; 2.* Leichtigkeit *f*, Ungezwungenheit *f; 3.* Oberflächlichkeit *f*
législateur [leʒislatœʀ] *m* Gesetzgeber *m*
législatif [leʒislatif] *1. adj* gesetzgebend; *2. m (pouvoir)* POL Legislative *f*
législation [leʒislasjɔ̃] *f 1.* Gesetz *n; 2.* Gesetzgebung *f; - sociale* Sozialgesetzgebung *f*
légitimation [leʒitimasjɔ̃] *f* Legitimation *f*
légitime [leʒitim] *adj 1.* gerecht; *2.* gesetzlich, legitim; *3.* ehelich; *un enfant -* ein eheliches Kind
légitimer [leʒitime] *v* legitimieren
legs [lɛg] *m 1.* Überlieferung *f; 2.* Vermächtnis *n*
léguer [lege] *v* vermachen, vererben
légume(s) [legym] *ml(pl)* Gemüse *n*
leitmotiv [lajtmɔtif] *m* Leitmotiv *n*
lent [lɑ̃] *adj 1.* langsam; *être - à comprendre* schwer von Begriff sein; *2.* schleppend
lentille [lɑ̃tij] *f 1.* Brennglas *n; 2.* BOT Linse *f*
lentilles [lɑ̃tij] *f/pl - de contact* Kontaktlinsen *pl*
léopard [leɔpaʀ] *m* Leopard *m*
lequel/laquelle [ləkɛl/lakɛl] *pron 1. (relatif)* der/die, welche(r,s); *2. (interrogatif)* welche(r,s)
les [le] *pron* sie; *- uns - autres* einander
léser [leze] *v - qn* schaden, schädigen
lésion [lezjɔ̃] *f* Trauma *n*
lessive [lesiv] *f 1.* Lauge *f; 2. (laver)* Wäsche *f; 3.* Waschmittel *n; - pour lainages* Feinwaschmittel

leste [lɛst] *adj* behende, flink
lettre [lɛtʀ(ə)] *f 1.* Buchstabe *m; avoir des -s* belesen sein; *prendre qc à la -* etw wörtlich nehmen; *au pied de la -* wortwörtlich; *2.* Brief *m; - recommandée* Einschreibebrief; *- d'amour* Liebesbrief; *- d'adieu* Abschiedsbrief; *- par/en exprès* Eilbrief; *- à la rédaction* Leserbrief; *- de cachet* Steckbrief, *- de voiture* Frachtbrief; *- de gage* Pfandbrief; *- de change* Wechsel; *3.* Schreiben *n; - de candidature* Bewerbungsschreiben; *- de remerciements* Dankschreiben; *- de recommandation* Empfehlungsschreiben; *- de condoléances* Kondolenzschreiben; *- de rappel* Mahnschreiben
lettres [lɛtʀ(ə)] *f/pl* Geisteswissenschaften *pl*
leur [lœʀ] *pron 1. (à eux)* ihnen; *2. (possessif)* ihr(ig)e; *Mes livres sont neufs, les -s sont vieux.* Meine Bücher sind neu, die ihrigen sind alt. *3. adj (possessif)* ihr(e); *- livre* ihr Buch; *-s livres* ihre Bücher
leurre [lœʀ] *m 1.* Köder *m; 2. (fig)* Lockvogel *m*
Levant [ləvɑ̃] *m* Morgenland *n*
levée [ləve] *f 1. (du courrier)* Leerung *f; 2.* TECH Hub *m; 3.* Entfernung *f*, Wegnahme *f*
lever [ləve] *1. m (soleil)* Aufgang *m; v 2.* heben, erheben, aufheben, hochheben; *- le pied (fam)* abhauen; *- les yeux* auf-/hochblicken; *- la consigne* das Verbot aufheben; *- le camp* abziehen; *3. (pâte)* aufgehen; *4. se - sich erheben, aufstehen; *Déjà levé?* Schon auf? *Le jour se lève.* Der Tag bricht an. *Le soleil se lève.* Die Sonne geht auf.
lève-tôt [lɛvto] *m* Frühaufsteher *m*
levier [ləvje] *m* Hebel *m*
lèvre [lɛvʀ(ə)] *f* Lippe *f*
levure [ləvyʀ] *f 1.* Backpulver *n; 2.* Hefe *f*
lexique [lɛksik] *m* Wörterbuch *n*
lézard [lezaʀ] *m* Eidechse *f*
liaison [ljɛzɔ̃] *f 1. (jonction)* Verbindung *f*, Bindung *f; 2. (rapport)* Verhältnis *n*, Beziehung *f; 3. (enchaînement)* Verkettung *f*, Verknüpfung *f*
liant [ljɑ̃] *adj* kontaktfreudig
Liban [libɑ̃] *m* Libanon *m*
libellule [libelyl] *f* Libelle *f*
libéral [libeʀal] *adj* liberal
libération [libeʀasjɔ̃] *f 1.* Befreiung *f; front de -* Freiheitsbewegung; *2.* Freilassung *f*, Entlassung *f*

libérer [libeʀe] v 1. befreien; 2. freilassen, entlassen; 3. (fig) entladen; 4. se ~ sich freimachen, sich befreien

liberté [libɛʀte] f Freiheit f; prendre des ~s (fig) sich Freiheiten herausnehmen; agir en toute ~ (fig) völlig freie Hand haben/ volle Handlungsfreiheit haben; ~ de mouvement Bewegungsfreiheit; ~ de la presse Pressefreiheit; ~ du culte Religionsfreiheit

libertin [libɛʀtɛ̃] 1. adj liederlich; 2. m Wüstling m

libraire [libʀɛʀ] m Buchhändler m

librairie [libʀɛʀi] f Buchhandlung f

libre [libʀ(ə)] adj 1. (indépendant) frei; ~ à vous de... Es steht Ihnen frei... 2. (vide) leer; 3. unbesetzt, frei; Avez-vous une heure de ~? Haben Sie eine Stunde Zeit? Etes-vous ~ ce soir? Sind Sie heute abend frei?/ Haben Sie heute abend Zeit? 4. (gratuit) frei, gratis; 5. (fig) ungezwungen

libre-service [libʀ(ə)sɛʀvis] m Selbstbedienung f

Libye [libi] f Libyen n

licence [lisɑ̃s] f 1. (permission) Konzession f; 2. Lizenz f; 3. ECO Gewerbeschein m

licenciement [lisɑ̃simɑ̃] m Entlassung f, Kündigung f; ~ collectif Massenentlassung f

licencier [lisɑ̃sje] v 1. entlassen, kündigen; 2. verabschieden

licencieux [lisɑ̃sjø] adj 1. ausschweifend; 2. (fig: libertin) lose

lie [li] f (fig) Abschaum m

liège [ljɛʒ] m Kork m

lien [ljɛ̃] m 1. Bindfaden m; 2. (liaison) Bindung f

liens [ljɛ̃] m/pl (fig: personnes) Anschluß m

lier [lje] v 1. binden, verbinden; J'ai les mains liées. Mir sind die Hände gebunden. 2. (ver-)schnüren, (ver-)knüpfen; 3. ~ amitié avec qn mit jdm Freundschaft schließen; être lié à qn mit jdm befreundet sein; se ~ d'amitié avec qn sich mit jdm anfreunden

lierre [ljɛʀ] m Efeu n

lieu [ljø] m 1. Ort m; en temps et ~ zu gegebener Zeit (und gegebenem Ort); se rendre sur les ~x sich an Ort und Stelle begeben; Ce n'est pas le ~ de... Das ist hier nicht der Ort, um... ~ d'excursion Ausflugsort; ~ de destination Bestimmungsort; ~ de repos Erholungsort; ~ de vacances Ferienort; ~ de naissance Geburtsort; ~ du crime Tatort; 2.

Stelle f, Platz m; ~ commun öffentlicher Platz; ~ de rendez-vous Treffpunkt; en ce ~ hier; en premier ~ an erster Stelle/erstens; en dernier ~ zuletzt; 3. Stätte f; ~ commémoratif Gedenkstätte; (ne pas) avoir ~ (nicht) stattfinden; au ~ de anstatt/statt; au ~ que anstatt, daß

lieue [ljø] f Meile f

lieux [ljø] m/pl Örtlichkeiten pl

lièvre [ljɛvʀ(ə)] m Hase m

ligne [liɲ] f 1. Linie f, Strich m; ~ de chemin de fer Bahnlinie; ~ aérienne Luftlinie; ~ de tir (fig) Schußlinie; grandes ~s (fig) Gerüst; en ~ droite geradlinig; 2. Reihe f, Zeile f; lire entre les ~s zwischen den Zeilen lesen; 3. (téléphone) Leitung f; ~ principale Hauptanschluß; 4. (pêche) Angel f

lignée [liɲe] f (noble) Geschlecht n

lignite [liɲit] m Braunkohle f

ligoter [ligɔte] v fesseln

ligue [lig] f Liga f

liguer [lige] v se ~ à avec sich mit jdm verbünden

lilas [lila] 1. adj lila; 2. m BOT Flieder m

lime [lim] f Feile f; ~ à ongles Nagelfeile

limer [lime] v feilen

limitation [limitasjɔ̃] f Einschränkung f, Beschränkung f; ~ de vitesse Tempolimit; ~ des débouchés Absatzbeschränkung; ~ des ventes Absatzbeschränkung; ~ des importations Einfuhr-/Importbeschränkung; ~ des armements Rüstungsbeschränkung

limite [limit] f Grenze f, Grenzbereich m; ~ d'âge Altersgrenze; ~ des neiges éternelles Schneegrenze; ~ de la rédaction Redaktionsschluß

limiter [limite] v einschränken, beschränken; (se) ~ à (sich) beschränken auf

limitrophe [limitʀɔf] adj aneinandergrenzend; être ~ de angrenzen an

limon [limɔ̃] m Schlamm m

limonade [limɔnad] f Limonade f

limousine [limuzin] f Limousine f

limpide [lɛ̃pid] adj 1. (liquide) klar; 2. glasklar

limpidité [lɛ̃pidite] f Klarheit f

lin [lɛ̃] m 1. Leinen n; 2. BOT Flachs m

linéaire [lineɛʀ] adj linear

linge [lɛ̃ʒ] m Wäsche f; ~ pour bébé Babywäsche f; ~ de couleur Buntwäsche f; ~ à laver à la main Handwäsche f

lingerie [lɛ̃ʒʀi] f Unterwäsche f

lingot [lɛ̃go] m (d'or) Barren m

lion [ljɔ̃] *m* Löwe *m*
liquéfier [likefje] *v* 1. verflüssigen; 2. *se* ~ schmelzen, zergehen
liqueur [likœʀ] *f* Likör *m*
liquidation [likidasjɔ̃] *f* 1. Ausverkauf *m;* 2. *ECO* Abwicklung *f;* 3. Endabrechnung *f;* 4. ~ *totale* Räumungsverkauf *m;* 5. *ECO* Abrechnung *f;* 6. *ECO* Abzahlung *f;* 7. *ECO* Liquidation *f*
liquide [likid] 1. *adj* flüssig; *m* 2. Flüssigkeit *f;* 3. ~ *vaisselle* Spülmittel *n*
liquider [likide] *v* 1. *(travail)* erledigen; 2. *(vendre)* abstoßen; 3. *(problème)* bereinigen; 4. *ECO* liquidieren
lire [liʀ] *v* 1. lesen; 2. ~ *sur* ablesen von; 3. *(à haute voix)* vorlesen
lis [lis] *m* Lilie *f*
lisible [lizibl(ə)] *adj* leserlich
lisière [lizjɛʀ] *f* Rand *m,* Kante *f*
lisse [lis] *adj* eben, glatt
lisser [lise] *v* 1. glätten; 2. ~ *les imperfections de la peau* liften
liste [list] *f* 1. Liste *f; faire la* ~ auflisten; ~ *des prix* Preisliste; 2. Verzeichnis *n*
lit [li] *m* 1. Bett *n;* ~ *de plume* Daunenbett; ~ *à deux personnes* Doppelbett; ~ *conjugal* Ehebett; ~ *treillissé* Gitterbett; ~ *pliant* Klappbett; ~ *de camp* Pritsche; ~ *de mort* Totenbett; ~ *de l'ongle* Nagelbett; 2. Lager *n*
litanie [litani] *f (fam)* Litanei *f*
liteau [lito] *m* Leiste *f*
litige [litiʒ] *m* Rechtsstreit *m*
litre [litʀ(ə)] *m* Liter *m*
littéraire [liteʀɛʀ] *adj* literarisch
littéral [liteʀal] *adj* wörtlich
littérature [liteʀatyʀ] *f* Literatur *f;* ~ *spécialisée* Fachliteratur *f;* ~ *triviale* Trivialliteratur *f*
littoral [litɔʀal] *m* Küste *f*
liturgie [lityʀʒi] *f* Liturgie *f*
livrable [livʀabl(ə)] *adj* lieferbar
livraison [livʀɛzɔ̃] *f* 1. Lieferung *f,* Belieferung *f;* 2. *(rendement)* Abgabe *f,* Ablieferung *f;* 3. ~ *des bagages* Gepäckausgabe *f;* 4. ~ *complémentaire* Nachlieferung *f;* 5. Übergabe *f*
livre [livʀ(ə)] *m* 1. Buch *n;* ~ *d'images* Bilderbuch; ~ *de cuisine* Kochbuch; ~ *spécialisé* Sachbuch; ~ *de poche* Taschenbuch; ~ *de prière* Gebetbuch; ~ *de cantiques* Gesangbuch; ~ *de lecture* Lesebuch; *f* 2. *(unité de mesure)* Pfund *n;* 3. ~ *sterling (unité monétaire)* Pfund *n*

livre-album [livʀ(ə)albɔm] *m* Bildband *m*
livrer [livʀe] *v* 1. liefern, abliefern; 2. *(par traîtrise)* verraten; 3. ~ *plus tard* nachliefern; 4. ~ *à la merci de qn* preisgeben; 5. *se* ~ *à* treiben
livret [livʀɛ] *m* 1. ~ *d'épargne (de la poste)* (Post-)Sparbuch *n;* 2. ~ *de famille* Stammbuch *n*
livreur [livʀœʀ] *m* 1. Lieferant *m;* 2. Laufbursche *m*
lobe [lɔb] *m* 1. Lappen *m;* 2. ~ *de l'oreille* Ohrläppchen *n*
local [lɔkal] *adj* 1. einheimisch, heimisch; 2. örtlich, lokal; 3. *m* Lokal *n,* Raum *m*
localité [lɔkalite] *f* Ortschaft *f*
locataire [lɔkatɛʀ] *m* Mieter *m*
location [lɔkasjɔ̃] *f* 1. *(loyer)* Miete *f; prendre en* ~ mieten; 2. Verleih *m,* Vermietung *f;* 3. Vorbestellung *f;* 4. ~ *des places THEAT* Vorverkauf *m*
locaux [lɔko] *m/pl* Räumlichkeiten *pl*
locomotive [lɔkɔmɔtiv] *f* Lokomotive *f*
locution [lɔkysjɔ̃] *f* Redensart *f*
loge [lɔʒ] *f THEAT* Loge *f; être aux premières* ~*s* etw aus nächster Nähe miterleben
logement [lɔʒmã] *m* 1. Wohnung *f,* Quartier *n;* ~ *ancien* Altbauwohnung *f;* 2. ~ *de fortune* Notunterkunft *f*
loger [lɔʒe] *v* 1. unterbringen; 2. *se* ~ unterkommen, Unterkunft finden
logique [lɔʒik] *adj* 1. konsequent, folgerichtig; 2. logisch; *f* 3. Konsequenz *f,* Folgerichtigkeit *f; avec* ~ konsequent; 4. Logik *f*
logis [lɔʒi] *m* 1. Unterkunft *f;* 2. Herberge *f*
logistique [lɔʒistik] *f* Logistik *f*
loi [lwa] *f* Gesetz *n; avoir la* ~ *pour soi* das Recht auf seiner Seite haben; *d'après la* ~ gesetzmäßig; *faire la* ~ den Ton angeben; ~ *sur l'avortement* Abtreibungsgesetz *n;* ~ *fondamentale* Grundgesetz *n;* ~ *sur la protection des jeunes* Jugendschutzgesetz *n*
loin [lwɛ̃] *adv* weit entfernt; *Nous en sommes encore* ~. So weit sind wir noch lange nicht. ~ *de moi cette idée!* Dieser Gedanke liegt mir völlig fern. *de* ~ *en* ~ hin und wieder
lointain [lwɛ̃tɛ̃] *adj* 1. entfernt; 2. *(local)* fern; *m* 3. Ferne *f;* 4. Weite *f*
loisir [lwaziʀ] *m* Muße *f*
loisirs [lwaziʀ] *m/pl* Freizeit *f*
long [lɔ̃] *adj (local)* lang; *être* ~ *comme un jour sans pain* endlos lang sein; *en savoir* ~

sur qc sich gut auskennen; *être - à faire qc* lange brauchen, um etwas zu tun; *le - de entlang; ~ métrage* Spielfilm *m*
longer [lɔ̃ʒe] *v (en voiture)* entlangfahren
longévité [lɔ̃ʒevite] *f* Langlebigkeit *f*
longtemps [lɔ̃tɑ̃] *adv* lange; *Je n'en ai pas pour -.* Ich brauche nicht mehr lange. *il y'a -* schon längst
longuement [lɔ̃gmɑ̃] *adv* lange
longueur [lɔ̃gœʀ] *f* 1. *(local)* Länge *f; en - längs*; 2. Weite *f*, Länge *f; ~ excessive* Überlänge *f*; 3. *~ d'onde* Wellenlänge *f*
longue-vue [lɔ̃gvy] *f* Fernrohr *n*
loquace [lɔkas] *adj* gesprächig
loquet [lɔkɛ] *m* Klinke *f*, Türklinke *f*
lors [lɔʀ] *prep ~ de (temp)* bei
lorsque [lɔʀsk] *konj* 1. *(simultanéité)* als; 2. *(temp)* wenn
lot [lo] *m* 1. *(marchandise)* Posten *m*; 2. *(loterie)* Los *n*; 3. *gros -* Hauptgewinn *m*
loterie [lɔtʀi] *f* Lotterie *f*
lotissement [lɔtismɑ̃] *m* Siedlung *f*
louable [lwabl(ə)] *adj* lobenswert
louage [lwaʒ] *m* Vermietung *f*
louange [lwɑ̃ʒ] *f* Lob *n*
louche [luʃ] *adj* 1. *(fam)* faul; *C'est -!* Da stimmt etw nicht! 2. verrufen; 3. *(fig/personne)* undurchsichtig; 4. *f* Schöpfkelle *f*
loucher [luʃe] *v* schielen
louer [lwe] *v* 1. loben, preisen; *Dieu soit loué!* Gottlob!/ Gott sei Dank! 2. mieten, pachten; 3. vermieten
loueur [lwœʀ] *m* Vermieter *m*
loup [lu] *m* Wolf *m; à pas de -* auf Zehenspitzen; *être connu comme le - blanc* bekannt sein wie ein bunter Hund
loupe [lup] *f* 1. Brennglas *n*; 2. Lupe *f*, Vergrößerungsglas *n*
louper [lupe] *v (fam)* verfehlen
lourd [luʀ] *adj* 1. schwer; *en avoir - sur le cœur* sich etw zu Herzen nehmen; 2. *(temps)* schwül; 3. schwerfällig, unbeholfen
lourdaud [luʀdo] 1. *m (personne)* Klotz *m; adj* 2. *(maladroit)* plump; 3. schwerfällig
loutre [lutʀ(ə)] *f* Otter *m*
loyal [lwajal] *adj* treu, fair; *à la -e* fair
loyauté [lwajote] *f* 1. Fairneß *f*, Loyalität *f*; 2. Offenheit *f*; 3. Redlichkeit *f*, Treue *f*
loyer [lwaje] *m* Miete *f*, Mietzins *m*
lubrifier [lybʀifje] *v* 1. ölen; 2. *TECH* abschmieren

lubrique [lybʀik] *adj* lüstern
lucarne [lykaʀn] *f* Dachfenster *n*
lucidité [lysidite] *f (d'esprit)* Klarheit *f*
luciole [lysjɔl] *f* Glühwürmchen *n*
lucratif [lykʀatif] *adj* ergiebig, gewinnbringend
lueur [lɥœʀ] *f* Schimmer *m; ~ d'espoir* Hoffnungsschimmer
luge [lyʒ] *f* 1. *SPORT* Rodelschlitten *m; faire de la -* rodeln; 2. Schlitten *m*
lugubre [lygybʀ(ə)] *adj* düster
lui [lɥi] *pron* 1. er *m; - seul est coupable.* Nur er ist schuldig. 2. ihm/ihr *m/f; Le courage - manque.* Ihm/Ihr fehlt der Mut. 3. ihn *m*, ihm *m; On a parlé de -.* Man hat über ihn/von ihm gesprochen.
luire [lɥiʀ] *v* leuchten
lumbago/lombago [lɔ̃bago] *m* Hexenschuß *m*
lumière [lymjɛʀ] *f* 1. Licht *n; - de(s) projecteur(s)* Flutlicht; *~ rouge* Rotlicht; *~ infrarouge* Infrarotlicht; 2. Lichtschein *m*; 3. Helligkeit *f*; 4. Leuchte *f*
lumineux [lyminø] *adj (clair)* licht
lunatique [lynatik] *adj* launenhaft
lundi [lœ̃di] *m* Montag *m; le -* montags
lune [lyn] *f* Mond *m; nouvelle -* Neumond; *pleine -* Vollmond; *~ de miel* Flitterwochen *pl*
lunettes [lynɛt] *f/pl* Brille *f; - de soleil* Sonnenbrille; *- de plongée* Taucherbrille; *~ arrière* Heckscheibe *f*
lutin [lytɛ̃] *m* Kobold *m*
lutte [lyt] *f* 1. Kampf *m; - contre qn* Abwehr; 2. *SPORT* Wettkampf *m*, Wettstreit *m; - romaine* Ringkampf *m; - à la corde* Tauziehen
lutter [lyte] *v* 1. kämpfen; *- contre qn* mit jdm kämpfen; *- contre qc* gegen etw ankämpfen; 2. *SPORT* ringen
lutteur [lytœʀ] *m* Kämpfer *m*
luxation [lyksasjɔ̃] *f MED* Verrenkung *f*
luxe [lyks] *m* 1. Luxus *m*; 2. Pracht *f*
luxer [lykse] *v* verrenken
luxueux [lyksɥø] *adj* luxuriös, prunkvoll
luxure [lyksyʀ] *f* Unzucht *f*
luxuriant [lyksyʀjɑ̃] *adj* üppig
lycée [lise] *m* Gymnasium *n*, Oberschule *f*
lynx [lɛ̃ks] *m* Luchs *m*
lyrique [liʀik] *adj* lyrisch
lyrisme [liʀism] *m* Lyrik *f*

M

macabre [makabʀ(ə)] *adj* makaber
macédoine [masedwan] *f* gemischtes Gemüse *n*
mâche [maʃ] *f* Feldsalat *m*
mâcher [maʃe] *v* kauen; *ne pas - ses mots* kein Blatt vor den Mund nehmen
machin [maʃɛ̃] *m (fam)* Ding *n*
machinal [maʃinal] *adj* maschinell
machine [maʃin] *f* Maschine *f; - à écrire* Schreibmaschine; *- à laver* Waschmaschine; *- à café* Kaffeemaschine; *- à coudre* Nähmaschine
machiner [maʃine] *v (fig)* aushecken
mâchoire [maʃwaʀ] *f* Kiefer *m; - supérieure* Oberkiefer; *- inférieure* Unterkiefer
maçon [masɔ̃] *m* Maurer *m*
maçonnerie [masɔnʀi] *f - brute* Rohbau *m*
Madame [madam] *f (allocution)* Frau *f*
Mademoiselle [madmwazɛl] *f* Fräulein *n*
madrier [madʀije] *m* Bohle *f*
magasin [magazɛ̃] *m* 1. Geschäft *n*, Laden *m; grand -* Kaufhaus/Warenhaus; *- d'alimentations de régime* Reformhaus; *- de chaussures* Schuhgeschäft; *- de jouets* Spielwarengeschäft; *- spécialisé* Fachgeschäft; 2. *(marchandises)* Lager *n*
magazine [magazin] *m* Zeitschrift *f*
magicien [maʒisjɛ̃] *m* Zauberer *m*
magie [maʒi] *f* Magie *f*, Zauber *m; faire de la -* zaubern
magistral [maʒistʀal] *adj* 1. herrisch; 2. meisterhaft
magistrat [maʒistʀa] *m* Justizbeamte *m*
magnétique [maɲetik] *adj* magnetisch
magnétophone [maɲetɔfɔn] *m* Tonbandgerät *n; - à cassettes* Kassettenrekorder
magnétoscope [maɲetɔskɔp] *m* Videorecorder *m*
magnificence [maɲifisɑ̃s] *f* 1. Herrlichkeit *f;* 2. Pracht *f*
magnifier [maɲifje] *v* verherrlichen
magnifique [maɲifik] *adj* großartig
mai [mɛ] *m* Mai *m*
maigre [mɛgʀ(ə)] *adj* 1. dürftig, karg, spärlich; 2. *(mince)* mager, dünn; *être - comme un clou* spindeldürr sein

maigreur [mɛgʀœʀ] *f* Dürre *f*
maigrir [mɛgʀiʀ] *v* abnehmen
maille [maj] *f (tricot)* Masche *f; - sautée/filée* Laufmasche; *avoir - à partir avec qn* mit jdm aneinandergeraten/Streit haben; *passer à travers les -s du filet* durch die Maschen gehen/entkommen
maillon [majɔ̃] *m (chaîne)* Glied *n*
maillot [majo] *m* 1. *- de bain* Badeanzug *m;* 2. *- de corps* Unterhemd *n;* 3. Trikot *n*
main [mɛ̃] *f* Hand *f; donner un coup de - à qn* jdm helfen; *passer de - en -* von Hand zu Hand gehen; *J'en mettrais ma - au feu.* Dafür könnte ich meine Hand ins Feuer legen. *faire - basse sur qc* etw rauben; *gagner haut la -* mit Abstand gewinnen; *en venir aux -s* handgreiflich werden/sich prügeln; *à la -* manuell; *fait à la -* handgearbeitet; *en un tour de -* im Handumdrehen
main-d'œuvre [mɛ̃dœvʀ(ə)] *f* Arbeitskraft *f; - étrangère* Gastarbeiter *m*
maint [mɛ̃] *adj* manche(r,s)
maintenance [mɛ̃tnɑ̃s] *f* 1. Instandhaltung *f;* 2. *TECH* Wartung *f*
maintenant [mɛ̃tnɑ̃] *adv* jetzt, nun
maintenir [mɛ̃tniʀ] *v* 1. *se -* sich behaupten; 2. *(fig)* wachhalten
maintien [mɛ̃tjɛ̃] *m* 1. Erhaltung *f;* 2. *(du corps)* Haltung *f*, Körperhaltung *f*
maire [mɛʀ] *m* Bürgermeister *m*
mairie [mɛʀi] *f* Rathaus *n*, Standesamt *n*
mais [mɛ] *konj* aber, sondern
maïs [mais] *m* Mais *m*
maison [mɛzɔ̃] *f* 1. Haus *n; être à la -* zu Hause sein; *aller à la -* nach Hause gehen; *- d'arrêt* Gefängnis; *- de réclusion* Zuchthaus; *- de correction* Jugendstrafanstalt; *- de santé* Privatklinik; *- de repos* Sanatorium; *- de vacances* Ferienhaus; *- de retraite* Altersheim; *- d'enfants* Kinderheim; *- close* Bordell/Freudenhaus; *- individuelle* Einfamilienhaus; *- mitoyenne* Reihenhaus; *- familiale* Elternhaus; *- à colombage* Fachwerkhaus; 2. *ECO* Firma *f; - d'édition* Verlag; *- de vente par correspondance* Versandhaus; *- d'exportation* Exportgeschäft

maître [mɛtʀ(ə)] *m* 1. *(chef, patron)* Herrscher *m*, Gebieter *m*; *être ~ de la situation* Herr der Lage sein/ über der Situation stehen; *être passé ~ en qc* etw vollkommen beherrschen; *~ d'ouvrage* Bauherr; *~ (artisanat)* Meister *m*; *de ~* meisterhaft; *~ d'hôtel* Oberkellner; *~ de conférence* Dozent
maître-nageur [mɛtʀ(ə)naʒœʀ] *m* Bademeister *m*
maîtresse [mɛtʀɛs] *f* Geliebte *f*
maîtrise [mɛtʀiz] *f* 1. Herrschaft *f*; 2. *(fig)* Beherrschung *f*; *~ d'une langue étrangère* Beherrschung einer Fremdsprache; *~ de soi* Selbstbeherrschung
maîtriser [mɛtʀize] *v* 1. meistern; 2. bezwingen, überwältigen; 3. bändigen, zügeln; 4. *se ~* sich beherrschen
majesté [maʒɛste] *f* 1. Herrlichkeit *f*; 2. Majestät *f*; 3. Würde *f*
majestueux [maʒɛstɥø] *adj* majestätisch
majeur [maʒœʀ] *adj* 1. hauptsächlich; 2. mündig, volljährig; 3. *m ANAT* Mittelfinger *m*
majoritaire [maʒɔʀitɛʀ] *adj* mehrheitlich
majorité [maʒɔʀite] *f* 1. Mehrzahl *f*; *en ~* vorwiegend; 2. *JUR* Volljährigkeit *f*
mal [mal] 1. *adv* schlecht; *~ tourner* schiefgehen; *pas ~* nicht schlecht; *Il n'y a pas de ~.* Das macht nichts. *~ à propos* ungelegen/ungehörig; *m* 2. Schaden *m*; *Il ne ferait pas de ~ à une mouche.* Er könnte keiner Fliege etw zuleide tun. *~ lui en prit.* Es war sein Schaden. 3. Schmerz *m*; *~ au ventre* Bauchschmerzen; *~ d'oreilles* Ohrenschmerzen; *~ au cœur* Übelkeit; 4. Übel *n*; *Je n'y vois aucun ~.* Ich finde nichts Schlimmes dabei. 5. Leiden *n*; *~ du pays* Heimweh
malade [malad] 1. *adj* krank; *être ~ comme un chien* sich hundeelend fühlen; *~ à mourir* todkrank sein; *gravement ~* schwerkrank; 2. *m* Patient *m*, Kranke *m/f*; *~ mental* Geisteskranke
maladie [maladi] *f* Krankheit *f*; *~ infantile* Kinderkrankheit; *~ de la civilisation* Zivilisationskrankheit; *~ congénitale* Erbkrankheit; *~ héréditaire* Erbkrankheit; *~ mentale* Geisteskrankheit; *~ vénérienne* Geschlechtskrankheit; *~ contagieuse* Seuche
maladif [maladif] *adj* ungesund
maladresse [maladʀɛs] *f* Ungeschick *n*
maladroit [maladʀwa] *adj* ungeschickt

malaise [malɛz] *m* Unbehagen *n*
malchance [malʃɑ̃s] *f* Unglück *n*
malchanceux/-se [malʃɑ̃sø/øz] 1. *m* Pechvogel *m*; 2. *adj* unglücklich
mâle [mɑl] *adj* männlich
malentendu [malɑ̃tɑ̃dy] *m* Mißverständnis *n*, Irrtum *m*
malfaisant [malfɛzɑ̃] *adj* schädlich
malformation [malfɔʀmasjɔ̃] *f* Mißbildung *f*; *~ cardiaque* Herzfehler
malgré [malgʀe] *prep* trotz; *~ tout* trotzdem; *~ soi* ungern/unfreiwillig
malheur [malœʀ] *m* 1. Unglück *n*; *Un ~ n'arrive jamais seul. Ein Unglück kommt selten allein. par ~* unglücklicherweise; 2. *(misère)* Misere *f*, Übel *n*; 3. Unheil *n*
malheureux/-se [malœʀø/øz] *adj* unglücklich
malhonnête [malɔnɛt] *adj* unehrlich
malice [malis] *f* Heimtücke *f*; *ne pas entendre ~* keine bösen Absichten haben
malicieux [malisjø] *adj* heimtückisch
malin/-igne [malɛ̃/iɲ] *adj* 1. bösartig; 2. heimtückisch, listig; 3. *m (fam)* Schlawiner *m*
malléable [maleabl(ə)] *adj* formbar
malléole [maleɔl] *f* Knöchel *m*
malmener [malməne] *v* 1. schlecht behandeln; 2. *(fig)* mitnehmen
malpropre [malpʀɔpʀ(ə)] *adj* schmutzig
malsain [malsɛ̃] *adj (nuisible)* ungesund
maltraiter [maltʀɛte] *v* mißhandeln
malveillant [malvɛjɑ̃] *adj* böswillig
malversation [malvɛʀsasjɔ̃] *f* Unterschlagung *f*
maman [mamɑ̃] *f (fam)* Mama *f*
mamelon [mamlɔ̃] *m* Brustwarze *f*
mammifère [mamifɛʀ] *m* Säugetier *n*
manager [manadʒœʀ] *m* Manager *m*
manche [mɑ̃ʃ] 1. *f* Ärmel *m*; *branler dans le ~* unsicher sein; *C'est une autre paire de ~s.* Das ist ein anderes Paar Stiefel. 2. *m* Heft *n*, Schaft *m*
Manche [mɑ̃ʃ] *f* Ärmelkanal *m*
manchette [mɑ̃ʃɛt] *f* 1. Schlagzeile *f*; 2. *(chemise)* Manschette *f*
manchot [mɑ̃ʃo] *m* Pinguin *m*
mandant [mɑ̃dɑ̃] *m ECO* Auftraggeber *m*
mandarine [mɑ̃daʀin] *f* Mandarine *f*
mandat [mɑ̃da] *m* 1. *(pouvoir)* Auftrag *m*, Vollmacht *f*; 2. *(paiement)* Anweisung *f*; *~ postal* Postanweisung; 3. *JUR* Mandat *n*; *~ d'arrêt* Steckbrief

mandater [mãdate] v beauftragen
manège [manɛʒ] m Karussell n, Manege f
manette [manɛt] f Hebel m
mangeable [mãʒabl(ə)] adj eßbar
mangeoire [mãʒwaʀ] m Krippe f
manger [mãʒe] v 1. essen, speisen; ~ bruyamment schmatzen; ~ comme un porc wie ein Schwein essen/ sich einsauen; ne ~ que du bout des dents im Essen herumstochern/ widerwillig essen; ~ ses mots Wörter beim Sprechen verschlucken; ne pas ~ à sa faim hungern; 2. (animaux) fressen; 3. m (repas) Essen n
maniable [manjabl(ə)] adj handlich
manie [mani] f 1. Manie f; 2. Tick m; 3. MED Sucht f
maniement [manimã] m Bedienung f
manier [manje] v behandeln, umgehen
manière [manjɛʀ] f 1. Weg m, Weise f; à la ~ de nach Art; de ~ à ce que so, daß; de cette ~ auf diese Weise; de toute ~ auf jeden Fall; faire des ~s Umstände machen; de quelque ~ que ce soit wie dem auch sei; ~ d'agir Handlungsweise/Verhalten; ~ d'être Wesensart; ~ de vivre Lebensweise; ~ de voir Ansicht/Meinung; 2. Manier f
manières [manjɛʀ] f/pl Manieren pl
manifestation [manifɛstasjõ] f 1. Veranstaltung f; ~ sportive Sportveranstaltung; ~ de bienfaisance/charité Wohltätigkeitsveranstaltung; 2. Kundgebung f; 3. POL Demonstration f
manifeste [manifɛst] adj 1. offensichtlich, offenbar; 2. einleuchtend; 3. m POL Manifest n
manifester [manifɛste] v 1. bekunden; 2. se ~ sich offenbaren; 3. POL demonstrieren
manipulation [manipylasjõ] f Manipulation f
manipuler [manipyle] v manipulieren
manivelle [manivɛl] f Kurbel f
mannequin [mankɛ̃] m Modell n
manœuvrable [manœvʀabl(ə)] adj wendig
manœuvre [manœvʀ(ə)] f 1. TECH Bedienung f; 2. Manöver n; 3. m Hilfsarbeiter m
manœuvrer [manœvʀe] v 1. manövrieren; 2. TECH betätigen
manoir [manwaʀ] m Herrensitz m
manque [mãk] m 1. (défaut) Mangel m, Not f; ~ de contenance Fassungslosigkeit; ~

de chaux Kalkmangel m; 2. Knappheit f; 3. MED Entzugserscheinung f; 4. ECO Fehlbetrag m
manquement [mãkmã] m 1. Nichterfüllung f; 2. Verfehlung f; 3. (omission) Versäumnis n; 4. Verstoß m
manquer [mãke] v 1. fehlen; ~ de parole sein Wort brechen; 2. versäumen; Vous n'avez rien manqué. Sie haben nichts versäumt. Je n'y manquerai pas. Sie können sich auf mich verlassen. 3. entgehen; 4. (faire défaut) mangeln; 5. mißglücken; 6. (fam) verfehlen; ~ son coup sein Ziel verfehlen; 7. verpassen; 8. versagen; 9. (fig) abgehen
mansarde [mãsaʀd(ə)] f Mansarde f
manteau [mãto] m (vêtement) Mantel m
manuel [manɥɛl] 1. m Handbuch n; 2. ~ adj manuell
manuscrit [manyskʀi] 1. m Manuskript n, Niederschrift f; 2. adj handschriftlich
maquereau [makʀo] m 1. (fam) Zuhälter m; 2. ZOOL Makrele f
maquette [makɛt] f Modell n
maquillage [makijaʒ] m Schminke f
maquiller [makije] v 1. schminken; 2. se ~ sich schminken; 3. (fig) verschleiern
marais [maʀɛ] m Moor n, Sumpf m
marbre [maʀbʀ(ə)] m Marmor m; être de ~ nicht zu erschüttern sein
marchand [maʀʃã] m Händler m, Kaufmann m; ~ ambulant Hausierer m; ~ de sable Sandmännchen
marchander [maʀʃãde] v handeln
marchandise [maʀʃãdiz] f 1. Ware f, Gut/Güter n/pl; ~s encombrantes Sperrgut; ~s en stock Lagerbestand; 2. ECO Artikel m
marche [maʀʃ] f 1. Lauf m, Betrieb m, Gang m; laisser en ~ anlassen/eingeschaltet lassen; 2. (aller) Gehen n, Gang m; se mettre en ~ aufbrechen; 3. Hergang m, Verlauf m; ~ d'une maladie Krankheitsverlauf; 4. MIL Marsch m; 5. (escalier) Treppenstufe f
marché [maʀʃe] m 1. Markt m; bon ~ billig; 2. ECO Absatz m; ~ des actions Aktienmarkt; ~ des changes Devisenmarkt; ~ intérieur Binnenmarkt; 3. ECO Abschluß f; 4. ECO Geschäft n
marchepied [maʀʃpje] m Trittbrett n
marcher [maʀʃe] v 1. gehen, laufen; ~ à quatre pattes krabbeln; ~ en tête vorangehen; faire ~ (radio, tv) anstellen; ne pas se

laisser ~ sur les pieds sich nicht auf der Nase herumtanzen lassen; *Je ne marche pas. Da mache ich nicht mit. Rien ne marche.* Nichts klappt. 2. marschieren

mardi [maʀdi] *m* Dienstag *m; Il vient toujours le ~.* Er kommt immer dienstags.

mare [maʀ] *f* Pfütze *f,* Tümpel *m*

marécage [maʀekaʒ] *m* Moor *n,* Ried *n*

marée [maʀe] *f* Gezeiten *pl; ~ basse* Ebbe; *~ haute* Flut/Hochwasser; *~ noire* Ölpest

margarine [maʀgaʀin] *f* Margarine *f*

marge [maʀʒ(ə)] *f* 1. Rand *m,* Seitenrand *m;* 2. *(fig)* Spielraum *m; ~ d'appréciation* Ermessensspielraum; *~ d'action* Handlungsspielraum; *~ bénéficiaire/de bénéfice* Gewinnspanne

marginal [maʀʒinal] 1. *adj* Rand-; *notes ~es* Randbemerkungen; 2. *m* Aussteiger *m*

marguerite [maʀgəʀit] *f* Margerite *f*

mari [maʀi] *m* Mann *m,* Ehemann *m; ~ qui se laisse mener par sa femme* Pantoffelheld

mariage [maʀjaʒ] *m* 1. Ehe *f;* 2. Heirat *f,* Hochzeit *f; ~ blanc* Scheinehe; *faire ~ part de ~* Heiratsanzeige

marié [maʀje] 1. *adj* verheiratet; 2. *m/f (le jour des noces)* Bräutigam *m/* Braut *f*

marier [maʀje] *v* 1. verheiraten, trauen; 2. *se ~* heiraten, sich verheiraten

marin [maʀɛ̃] *m* Matrose *m,* Seemann *m*

marine [maʀin] *f* Marine *f*

marionnette [maʀjɔnɛt] *f* Marionette *f*

marjolaine [maʀʒɔlɛn] *f* Majoran *m*

mark [maʀk] *m ~ (allemand)* (Deutsche) Mark *f,* DM *f*

marmelade [maʀməlad] *f* Mus *n*

marmite [maʀmit] *f* großer Kochtopf *m*

marmotte [maʀmɔt] *f* Murmeltier *n*

Maroc [maʀɔk] *m* Marokko *n*

marquage [maʀkaʒ] *m* Kennzeichnung *f*

marque [maʀk] *f* 1. Marke *f;* 2. (Merk-)Mal *n,* Zeichen *n; ~ d'infamie* Schandmal; *~ de naissance* Muttermal; *~ distinctive* Kennzeichen/Merkmal; *~ de fabrication* Warenzeichen

marqué [maʀke] *adj (fig)* ausgeprägt

marquer [maʀke] *v* 1. zeichnen, kennzeichnen; *~ le pas* auf der Stelle treten; 2. vermerken; *~ qn (fig/péj)* abstempeln

marron [maʀɔ̃] *m* Eßkastanie *f; C'est ~! (fam)* Das ist drollig.

mars [maʀs] *m* März *m*

marteau [maʀto] *m* Hammer *m; ~ pneumatique* Preßlufthammer

marteler [maʀtəle] *v* hämmern

martinet [maʀtinɛ] *m* Hammer *m*

martre [maʀtʀ(ə)] *f* Marder *m*

martyr/martyre [maʀtiʀ] *m* Märtyrer *m*

marxisme [maʀksism] *m* Marxismus *m*

masculin [maskylɛ̃] *adj* männlich

masque [mask] *m* Maske *f,* Larve *f; ~ à gaz* Gasmaske

masquer [maske] *v* 1. kaschieren; 2. *se ~* sich maskieren; 3. versperren; *~ la vue* die Aussicht versperren

massacre [masakʀ(ə)] *m* 1. Gemetzel *n,* Massaker *n;* 2. *(fam)* Verschandelung *f*

massage [masaʒ] *m* Massage *f*

masse [mas] *f* 1. Menge *f,* Masse *f; en ~* massenweise/massenhaft; 2. *PHYS* Masse *f*

massepain [maspɛ̃] *m* Marzipan *n*

masser [mase] *v* 1. gruppieren; 2. massieren

masseur [masœʀ] *m* Masseur *m*

massif [masif] 1. *m* Beet *n; adj* 2. *(objet)* klobig; 3. massiv

mass-media [masmedja] *m/pl* Massenmedien *pl*

massue [masy] *f* Keule *f*

mastiquer [mastike] *v* kauen

masturbation [mastyʀbasjɔ̃] *f* Selbstbefriedigung *f*

mât [ma] *m* Mast *m; ~ de drapeau* Fahnenmast

mat [mat] *adj* matt

match [matʃ] *m* 1. *(concours)* Kampf *m,* Wettkampf *m;* 2. *(jeu)* Partie *f;* 3. *SPORT* Spiel *n; ~ international* Länderspiel

matelas [matla] *m* Matratze *f; ~ pneumatique* Luftmatratze

matelot [matlo] *m* Matrose *m*

matériau [mateʀjo] *m* 1. *(matière)* Stoff *m;* 2. Werkstoff *m*

matériaux [mateʀjo] *m/pl* Material *n; ~ de récupération* Altmaterial

matériel [mateʀjɛl] 1. *m* Material *n,* Zeug *n;* 2. *adj* materiell, sachlich

maternel [mateʀnɛl] *adj* mütterlich

maternelle [mateʀnɛl] *f (école)* Kindergarten *m*

maternité [mateʀnite] *f* 1. Mutterschaft *f;* 2. *MED* Entbindungsstation *f*

mathématique [matematik] *adj* mathematisch

mathématiques [matematik] *f/pl* Mathematik *f*

matière [matjɛʀ] *f* 1. Material *n; faire travailler sa ~ grise* seine grauen Zellen anstrengen; 2. Stoff *m*, Materie *f; ~ grasse* Fett; *~ première* Rohstoff; *~s fécales* Kot; 3. Gegenstand *m*, Thema *n;* 4. *(enseignement)* Lehrfach *n*, Unterrichtsfach *n; ~ obligatoire* Pflichtfach; 5. *(domaine)* Sachgebiet *n*

matin [matɛ̃] *m* 1. Morgen *m; de grand ~* in aller Herrgottsfrüh/ am frühen Morgen; *du ~ au soir* von früh bis spät/ von morgens bis abends; *le ~* morgens; 2. Vormittag *m; le ~* vormittags

matinée [matine] *f* 1. Morgen *m; faire la grasse ~* bis in die Puppen schlafen/ sich ordentlich ausschlafen; 2. Vormittag *m*

maturité [matyʀite] *f* Reife *f*

maudire [modiʀ] *v* verdammen

maussade [mosad] *adj* 1. *(temps)* unfreundlich; 2. wehleidig

mauvais [movɛ] *adj* 1. schlecht, schlimm; 2. böse, bösartig; *être ~ comme une teigne* ein Giftzwerg sein; 3. falsch; *prendre par le ~ bout* am falschen Ende anfassen

maximal [maksimal] *adj* maximal

maxime [maksim] *f* Grundsatz *m*

maximum [maksimɔm] *m* Maximum *n*

mayonnaise [majɔnɛz] *f* Mayonnaise *f*

mazout [mazut] *m* Heizöl *n*, Öl *n*

me [mə] *pron* 1. mich; 2. mir

mec [mɛk] *m* *(fam)* Kerl *m*

mécanicien [mekanisjɛ̃] *m* 1. Mechaniker *m; ~ automobile* Automechaniker; *serrurier-~* Maschinenschlosser; 2. Lokomotivführer *m*

mécanique [mekanik] 1. *adj* maschinell, mechanisch; 2. *f* Mechanik *f*

mécanisme [mekanism] *m* 1. Mechanismus *m;* 2. Triebwerk *n;* 3. Vorrichtung *f*

méchanceté [meʃɑ̃ste] *f* Bösartigkeit *f*

méchant [meʃɑ̃] *adj* 1. böse, gemein; 2. boshaft, tückisch; 3. *(mauvais)* schlecht

mèche [mɛʃ] *f* 1. Docht *m; éventer la ~* den Braten/die Lunte riechen; *vendre la ~* aus der Schule plaudern; 2. *TECH* Bohrer *m*

méconnaissable [mekɔnɛsabl(ə)] *adj* unkenntlich

méconnaître [mekɔnɛtʀ(ə)] *v* verkennen

mécontent [mekɔ̃tɑ̃] *adj* unzufrieden

médaille [medaj] *f* Medaille *f; ~ d'or* Goldmedaille

médaillon [medajɔ̃] *m* Medaillon *n*

médecin [medsɛ̃] *m* Arzt *m; ~ conseil* Amtsarzt; *~ d'entreprise* Betriebsarzt; *~ (en) chef* Chefarzt; *~ de famille* Hausarzt; *~ conventionné* Kassenarzt; *~ pour enfants* Kinderarzt

médecine [medsin] *f* Medizin *f; ~ légale* Gerichtsmedizin

médian [medjɑ̃] *adj* mittlere(r,s)

médias [medja] *m/pl* Massenmedien *pl*

médiateur [medjatœʀ] *m* Vermittler *m*

médiation [medjasjɔ̃] *f* Vermittlung *f*

médical [medikal] *adj* medizinisch

médicament [medikamɑ̃] *m* Medikament *n; ~ analgésique* Betäubungsmittel

médicinal [medisinal] *adj* medizinisch

médiéval [medjeval] *adj* mittelalterlich

médiocre [medjɔkʀ(ə)] *adj* 1. mittelmäßig; 2. schlecht; 3. *(école)* mangelhaft

médire [mediʀ] *v ~ de qn* über jdn lästern

méditatif [meditatif] *adj* besinnlich

méditation [meditasjɔ̃] *f* Meditation *f*

méditer [medite] *v* 1. überdenken, überlegen; 2. meditieren

Méditerranée [mediteʀane] *f* Mittelmeer *n*

méduse [medyz] *f* Qualle *f*

méfait [mefɛ] *m* Missetat *f*

méfiance [mefjɑ̃s] *f* Mißtrauen *n*

méfiant [mefjɑ̃] *adj* argwöhnisch

méfier [mefje] *v se ~ de* mißtrauen

mégarde [megaʀd] *f par ~* versehentlich

meilleur [mɛjœʀ] *adj* 1. besser; 2. *le ~* bestmöglich; 3. *le ~ de tous* allerbeste(r,s) ; 4. *le,la ~* beste(r,s); *mes ~s vœux* meine besten Wünsche

mélancolique [melɑ̃kɔlik] *adj* 1. melancholisch, schwermütig; 2. wehmütig

mélange [melɑ̃ʒ] *m* Mischung *f*

mélanger [melɑ̃ʒe] *v* 1. mischen; 2. *~ à* beimischen, untermengen; 3. mixen, anrühren; 4. *(fig)* durcheinanderwerfen; 5. *se ~* sich vermengen

mêler [mɛle] *v* 1. mischen; 2. *se ~ à* sich einschalten in; 3. *se ~ de qc* in etw hineinreden; *Mêlez-vous de ce qui vous regarde.* Kümmern Sie sich um Ihre eigenen Angelegenheiten.

mélèze [melɛz] *m* Lärche *f*

mélodie [melɔdi] *f* Melodie *f*

melon [məlɔ̃] *m* (Honig-)Melone *f*

membre [mɑ̃bʀ(ə)] *m* Mitglied *n*, Glied *n*

même [mɛm] *1. pron le/la ~* der-/ die-/ dasselbe, der/ die/ das gleiche; *2. adj* gleich; *3. adv* sogar, selbst; *de ~* desgleichen/ebenso; *quand ~* trotzdem; *tout de ~* dennoch

mémé [meme] *f* Oma *f*

mémoire [memwaʀ] *f 1.* Gedächtnis *n; garder qc en ~* etw im Gedächtnis behalten; *graver qc dans sa ~* sich etw einprägen; *2.* Andenken *n; 3. (données)* Speicher *m; 4. m* Denkschrift *f*, Aufsatz *m; ~ de fin d'études supérieures* Diplomarbeit

mémorable [memɔʀabl(ə)] *adj* denkwürdig

mémoriser [memɔʀize] *v INFORM* abspeichern

menaçant [mənasɑ̃] *adj* bedrohlich

menace [mənas] *f* Drohung *f*

menacer [mənase] *v* drohen, bedrohen

ménage [menaʒ] *m 1.* Haushalt *m; Le ~ n'est pas encore fait.* Es ist noch nicht aufgeräumt. *2. ~ à trois* Dreiecksverhältnis *n*

ménagement [menaʒmɑ̃] *m* Verschonung *f*

ménager [menaʒe] *v 1.* aussparen; *se ~ une porte de sortie* sich eine Hintertür offenhalten; *~ une surprise à qn* jdm eine Überaschung bereiten; *2. ~ qn* jdn schonen; *3. se ~* sich schonen

ménagère [menaʒɛʀ] *f* Hausfrau *f*

mendiant [mɑ̃djɑ̃] *m* Bettler *m*

mendier [mɑ̃dje] *v* betteln

mener [məne] *v 1.* bringen; *2. ~ à* führen zu; *~ qn à la baguette* jdn nach seiner Pfeife tanzen lassen; *~ à bien* glücklich zu Ende führen; *~ grand train* viel Aufsehen machen/ ein großes Leben führen; *Cela ne vous mène à rien.* Das ist sinnlos./ Das führt zu nichts. *3. (guider)* lenken

meneur [mənœʀ] *m* Anführer *m*

méningite [menɛ̃ʒit] *f* Gehirnhautentzündung *f*

menottes [mənɔt] *f/pl* Handschellen *pl*

mensonge [mɑ̃sɔ̃ʒ] *m* Erfindung *f*, Lüge *f; pieux ~* Notlüge; *~ de circonstance* Notlüge

mensonger/-ère [mɑ̃sɔ̃ʒe/ɛʀ] *adj* trügerisch, unwahr

menstruation [mɑ̃stʀyasjɔ̃] *f* Menstruation *f*

mensualité [mɑ̃syalite] *f* Rate *f*

mensuel [mɑ̃syɛl] *adj* monatlich

mensuration [mɑ̃syʀasjɔ̃] *f* Messen *n*, Messung *f*

mentalité [mɑ̃talite] *f* Denkart *f*

menteur [mɑ̃tœʀ] *m* Lügner *m*

menthe [mɑ̃t] *f* Pfefferminze *f*

mention [mɑ̃sjɔ̃] *f 1.* Hinweis *m*, Erwähnung *f; faire de la ~* erwähnen; *2. (jugement)* Prädikat *n; 3.* Vermerk *m; ~ officielle* Amtsvermerk

mentionner [mɑ̃sjɔne] *v* erwähnen

mentir [mɑ̃tiʀ] *v 1.* lügen, schwindeln; *~ comme un arracheur de dents* lügen wie gedruckt; *2. ~ à qn* jdn belügen, jdn anlügen

menton [mɑ̃tɔ̃] *m* Kinn *n*

menu [məny] *1. adj* klein; *m 2.* Karte *f*, Speisekarte *f; 3.* Menü *n*

menuiserie [mənɥizʀi] *f* Schreinerwerkstatt *f*

menuisier [mənɥizje] *m* Schreiner *m*

méprendre [mepʀɑ̃dʀ(ə)] *v se ~ sur* mißverstehen

mépris [mepʀi] *m 1.* Geringschätzung *f*, Mißachtung *f; 2.* Verachtung *f*

méprisable [mepʀizabl(ə)] *adj* niederträchtig

méprisant [mepʀizɑ̃] *adj* verächtlich

mépriser [mepʀize] *v 1.* mißachten; *2.* verachten

mer [mɛʀ] *f* Meer *n*, See *f; ~ du Nord* Nordsee; *~ Baltique* Ostsee; *~ Adriatique* Adria; *~ Egée* Ägäis; *niveau de la ~* Meeresspiegel; *Ce n'est pas la ~ à boire.* Das ist halb so schlimm./ Das ist nicht die Welt.

merci [mɛʀsi] *interj* danke; *~ d'être venu.* Danke, daß Sie gekommen sind.

mercredi [mɛʀkʀədi] *m* Mittwoch *m; ~ des Cendres* Aschermittwoch

merde [mɛʀd] *f (fam/vulg)* Scheiße *f*

mère [mɛʀ] *f* Mutter *f*

méridional [meʀidjɔnal] *adj* südlich

mérite [meʀit] *m* Verdienst *n; Tout le ~ lui en revient.* Das ist alles sein Verdienst.

mériter [meʀite] *v (louange)* verdienen; *Il l'a bien mérité!* Das geschieht ihm recht.

merle [mɛʀl] *m* Amsel *f*

merveille [mɛʀvɛj] *f* Wunder *n; à ~* großartig; *Il se porte à ~.* Es geht ihm glänzend/ausgezeichnet.

merveilleux/-euse [mɛʀvɛjø/øz] *adj 1.* wunderbar, wundervoll; *2.* fabelhaft, sagenhaft; *3. (fig)* zauberhaft

mésange [mezɑ̃ʒ] *f* Meise *f*

mésaventure [mezavɑ̃tyʀ] *f* Mißgeschick *n*

mesquin [mɛskɛ̃] *adj* kleinlich, engstirnig

message [mesaʒ] m 1. Botschaft f,
Nachricht f; 2. Mitteilung f, Meldung f; 3.
(radiophonique/à la gare) Durchsage f; 4.
radio Funkspruch m
messager [mesaʒe] m Bote m, Kurier m
messe [mɛs] f Messe f; ~ pour les
défunts Totenmesse; ~ solennelle Hochamt
mesurable [məzyrabl(ə)] adj meßbar
mesurage [məzyraʒ] m (processus)
Abmessung f
mesure [məzyr] f 1. (unité de mesure)
Maß n; ~ métrique Metermaß; être en ~ de
imstande sein; prendre des ~s énergiques
durchgreifen; garder la ~ maßhalten; outre-
maßlos; La ~ est comble! Das Maß ist voll!
2. Maßnahme f; ~ préventive Präventiv-
maßnahme; au fur et à ~ nach und nach; 3.
MUS Takt m
mesuré [məzyre] adj mäßig
mesurer [məzyre] v 1. messen; 2. ab-
messen, ausmessen; 3. ermessen; 4. se ~
avec qn (fig) sich messen mit jdm
métabolisme [metabɔlism] m Stoffwechsel m
métal [metal] m Metall n; ~ précieux
Edelmetall; ~ léger Leichtmetall
métallique [metalik] adj metallisch
métamorphose [metamɔrfoz] f Verwandlung f
métaux [meto] m/pl ~ de récupération
Altmetall n
méthode [metɔd] f 1. Methode f; 2.
(procédé) Verfahren n
méticuleux [metikylø] adj peinlich genau
métier [metje] m 1. Beruf m; 2. Handwerk n; connaître son ~ sein Handwerk verstehen; 3. ECO Gewerbe n
métis [metis] m Mischling m
mètre [mɛtr(ə)] m Meter m; ~ cube Kubikmeter; ~ carré Quadratmeter; ~ pliant
Zollstock
métro [metro] m U-Bahn f, Untergrundbahn f
métropole [metrɔpɔl] f Hauptstadt f,
Metropole f
mets [mɛ] m 1. Speise f; ~ préféré Lieblingsspeise; ~ délicat Delikatesse; ~ tout
préparé Fertiggericht; 2. Gang m
mettable [mɛtabl(ə)] adj (mode) tragbar
metteur [mɛtœr] m ~ en scène Regisseur m
mettre [mɛtr] v 1. (lieu) setzen, stellen,
legen, hängen; ~ le couvert den Tisch dek-

ken; ~ son chapeau seinen Hut aufsetzen; ~
la radio das Radio anstellen; ~ bas Junge
zur Welt bringen; ~ fin à qc etw beenden/
ein Ende mit etw machen; ~ une lettre à la
poste einen Brief aufgeben; ~ qc à la disposition de qn jdm etw zur Verfügung stellen; ~ à l'envers auf den Kopf stellen/um-
stülpen; ~ à la porte entlassen; ~ au monde
gebären; ~ au jour ans Licht bringen; ~ au
courant auf dem laufenden halten; ~ de
côté beiseite-/zurücklegen; ~ en ordre ordnen; ~ en marche anlassen; ~ en scène inszenieren; ~ en doute anzweifeln; 2.
(temps) brauchen, verwenden; ~ trois heures pour drei Stunden zu/für etw brauchen;
Le train met huit heures pour aller à
Rouen. Der Zug braucht acht Stunden bis
Rouen. 3. se ~ (se placer) sich setzen, sich
stellen; se ~ debout sich aufrichten/-setzen;
se ~ à qc etw anfangen; se ~ qc dans la
tête sich etw in den Kopf setzen; se ~ d'accord avec qn sich mit jdm einigen; se ~ en
colère zornig/wütend werden; se ~ en marche sich in Bewegung setzen/anfahren; se ~
en avant sich vordrängen; 4. se ~ (s'habiller) sich kleiden, sich anziehen; Il se met
bien. Er kleidet sich gut.
meuble [mœbl(ə)] m Möbelstück n, Möbel pl; ~s par éléments Anbaumöbel; ~s en-
castrés Einbaumöbel; ~s rembourrés/capi-
tonnés Polstermöbel
meublé [mœble] adj möbliert
meubler [mœble] v einrichten, möblieren
meule [mœl] f (fromage) (Käse-)Laib m
meuler [mœle] v TECH schleifen
meunier [mønje] m Müller m
meurtre [mœrtr(ə)] m 1. Mord m; 2. Ermordung f; 3. JUR Totschlag m
meurtrier [mœrtrije] 1. adj mörderisch;
2. m Mörder m
meute [møt] f (de chiens) Meute f
mexicain [mɛksikɛ̃] adj mexikanisch
Mexicain/-aine [mɛksikɛ̃/ɛn] m/f Me-
xikaner/-in m/f
Mexique [mɛksik] m Mexiko n
miauler [mjole] v miauen
miche [miʃ] f Brotlaib m
microbe [mikrɔb] f Bakterie f
microphone [mikrɔfɔn] m Mikrofon n
microscope [mikrɔskɔp] m Mikroskop
n, Vergrößerungsglas n
midi [midi] m Mittag m; le ~ mittags; du
Midi aus dem Süden

miel [mjɛl] *m* Honig *m*, Bienenhonig *m;*
être tout ~ überfreundlich/zuckersüß sein
mien/mienne [mjɛ̃/ɛn] *pron le ~/la ~*
mein(e)
miette [mjɛt] *f* Krümel *m*
mieux [mjø] *adv* besser, li~ber; *Il vaut ~...*
Es ist besser.... *Il va ~.* Es geht ihm besser.
de ~ en ~ immer besser; *aimer ~* lieber mögen; *faire de son ~* sein Bestes tun; *au ~* bestens; *Je ne demande pas ~.* Ich könnte mir
nichts Besseres wünschen.
mignon [miɲɔ̃] *adj* nett, niedlich, süß
migraine [migʀɛn] *f* Kopfschmerzen *pl*
migration [migʀasjɔ̃] *f ~ des peuples*
Völkerwanderung *f*
milieu [miljø] *m* 1. Mitte *f; le juste ~*
der goldene Mittelweg; 2. Umwelt *f;* 3. Milieu *n;* 4. Unterwelt *f*
militaire [militɛʀ] *m* Militär *n*
militant [militɑ̃] 1. *m* Kämpfer *m;* 2. *adj*
kämpferisch
mille [mil] 1. *m* Meile *f; taper dans le ~*
ins Schwarze treffen/ den Nagel auf den
Kopf treffen/ den Kern der Sache treffen;
2. *num* tausend, eintausend; *~ tonnerres!*
(fam) Donnerwetter!
millénaire [milenɛʀ] *m* Jahrtausend *n*
milliard [miljaʀ] *m* Milliarde *f*
millimètre [milimɛtʀ(ə)] *m* Millimeter *m*
million [miljɔ̃] *m* Million *f; ~ de mil-
liards* Billiarde; *~ de millions* Billion
mimique [mimik] *f* Mimik *f*
mimosa [mimoza] *m* Mimose *f*
minable [minabl(ə)] *adj* armselig,
schäbig
mince [mɛ̃s] *adj* 1. dünn; *~ comme un fil*
hauchdünn; 2. schlank, schmal; *~ alors!* So
ein Mist!/ Verdammt noch mal! 3. *(court)*
gering; 4. fein
mine [min] *f* 1. *(apparence)* Erscheinung
f, Aussehen *n;* 2. Miene *f; faire grise ~* ein
finsteres Gesicht machen; 3. MIN Bergwerk
n, Grube *f; ~ de charbon* Kohlenbergwerk;
~ de sel Salzbergwerk; *~ d'argent* Silber-
bergwerk; *~ d'or (fig)* Goldgrube; 4. *(stylo)*
Mine *f*
minerai [minʀɛ] *m* Erz *n; ~ de fer* Eisen-
erz
minéral [mineʀal] *m* Gestein *n*
mineur [minœʀ] 1. *m* Kumpel *m*, Bergmann *m;* 2. *m/f* Minderjährige(r) *m/f;* 3.
adj minderjährig, unmündig
minimal [minimal] *adj* minimal

minime [minim] *adj* 1. klein; 2. minimal
minimiser [minimize] *v* verharmlosen
minimum [minimɔm] 1. *adj* minimal; ~
m 2. Minimum *n; ~ vital* Existenzminimum;
3. *(strict ~)* Mindestmaß *n;* 4. Tiefpunkt *m*
ministère [ministɛʀ] *m* 1. Kabinett *n;* 2.
Ministerium *n; ~ de l'Agriculture* Landwirt-
schaftsministerium; *~ de l'Education nationale* Kultusministerium; *~ de l'Intérieur* Innenministerium; *~ de la Défense* Verteidi-
gungsministerium; *~ de la Justice* Justizministerium; *~ des Affaires culturelles* Kultusministerium; *~ des Affaires étrangères*
Außenministerium; *~ des Transports* Ver-
kehrsministerium
ministre [ministʀ(ə)] *m* Minister *m;* ~
des Affaires étrangères Außenminister *m; ~
des finances* Finanzminister; *~ fédéral*
Bundesminister; *pemier ~* Premierminister
minorité [minɔʀite] *f* Minderheit *f*
minuit [minɥi] *m* Mitternacht *f*
minuscule [minyskyl] *adj* klein, winzig
minute [minyt] *f* Minute *f*
minutieux [minysjø] *adj* 1. peinlich
genau; 2. *(détaillé)* eingehend; 3. penibel
mioche [mjɔʃ] *m (enfant)* Knirps *m*
mirabelle [miʀabɛl] *f* Mirabelle *f*
miracle [miʀakl(ə)] *m* Wunder *n; ~ économique* Wirtschaftswunder
mirage [miʀaʒ] *m* Trugbild *n*
miroir [miʀwaʀ] *m* Spiegel *m*
miroiter [miʀwate] *v* spiegeln; *faire ~ qc
aux yeux de qn* jdm etw vorspiegeln
mise [miz] *f* 1. Setzen *n*, Stellen *n*, Legen *n; ~ en route* Abmarsch; *~ en bière* Auf-
bahrung; *~ en demeure* Aufforderung; *~ en
pratique* Inangriffnahme; *~ en service* In-
betriebnahme; *~ en échec* Vereitelung; *~ en
garde* Verwarnung/Warnung; *~ en mémoire*
Abspeicherung; *~ en scène* Regie; *~ au point*
Regulierung/Einstellung; 2. *(jeu)* Einsatz *m*
miser [mize] *v (risquer)* einsetzen; *~ sur*
tippen auf
misérable [mizeʀabl(ə)] *adj* 1. armselig;
2. miserabel, kümmerlich; *se sentir ~* sich
hundeelend fühlen; 3. *(pauvre)* schäbig; 4.
m Schuft *m*
misère [mizɛʀ] *f* 1. *(pauvreté)* Elend *n*,
Not *f;* 2. Jammer *m*, Elend *n;* 3. Misere *f;
faire des ~s à qn* jdn schikanieren/ jdm das
Leben schwermachen; 4. *interj* weh, wehe
miséricorde [mizeʀikɔʀd] *f* 1. Erbarmen *n;* 2. REL Gnade *f*

mission [misjɔ̃] f *(tâche)* Mission f; ~ *suicide* Himmelfahrtskommando
missionnaire [misjɔnɛʀ] m Missionar m
mitaine [mitɛn] f Fäustling m
mite [mit] f Motte f
mi-temps [mitɑ̃] f SPORT Halbzeit f
mitigé [mitiʒe] adj *(fig)* gemischt
mitrailleuse [mitʀajøz] f Maschinengewehr n
mixte [mikst] adj gemischt
mixture [mikstyʀ] f Mischung f
mobile [mɔbil] adj 1. verstellbar; 2. beweglich, mobil; m 3. Beweggrund m; 4. *(impulsion)* Motiv n
mobilier [mɔbilje] m Möbel pl
mobilisation [mɔbilizasjɔ̃] f 1. *(crédit)* Abruf m; 2. MIL Mobilmachung f
mobilité [mɔbilite] f Mobilität f
moche [mɔʃ] adj *(fam)* mies; C'est ~ de ta part. Das ist nicht sehr nett von dir.
mode [mɔd] 1. f Mode f, Trend m; passé de ~ altmodisch/veraltet; à la ~ modern; m 2. Art f, Weise f; ~ d'emploi Gebrauchsanleitung; ~ de pensée Denkweise; 3. Modus/Modi m/pl; 4. MUS Tonart f; ~ majeur Dur; ~ mineur Moll
modèle [mɔdɛl] m 1. *(exemple)* Modell n, Vorbild n; ~ standard Standardmodell; 2. Muster n, Vorlage f; 3. Leitbild n; 4. Schablone f; 5. Typ m; 6. Wunschbild n
modeler [mɔdle] v formen, modellieren
modération [mɔdeʀasjɔ̃] f Bescheidenheit f
modéré [mɔdeʀe] adj bescheiden
modérer [mɔdeʀe] v 1. abmildern, mildern; 2. mäßigen; 3. se ~ sich mäßigen
moderne [mɔdɛʀn] adj 1. modern, modisch; 2. zeitgemäß
moderniser [mɔdɛʀnize] v 1. modernisieren; 2. TECH umrüsten
modeste [mɔdɛst] adj bescheiden
modestie [mɔdɛsti] f Bescheidenheit f
modification [mɔdifikasjɔ̃] f 1. Veränderung f, Änderung f; ~ de la loi Gesetzesänderung; ~ de la Constitution Verfassungsänderung; 2. *(changement)* Wechsel m
modifier [mɔdifje] v 1. ändern; ~ un texte umschreiben; ~ l'ordre umschichten; 2. verändern, umändern; 3. wechseln
modique [mɔdik] adj 1. *(peu)* gering; 2. niedrig
module [mɔdyl] m 1. Modul n; 2. INFORM Bauelement n

moelle [mwal] f Mark n; ~ osseuse Knochenmark; ~ épinière Rückenmark
moelleux/-se [mwalø/øz] adj weich
mœurs [mœʀ(s)] f/pl 1. *(coutumes)* Sitte f; 2. Lebenswandel m
moi [mwa] pron 1. ich; C'est à ~! Ich bin dran! 2. *(tonique)* mich, mir; C'est à ~. Das gehört mir.
moindre [mwɛ̃dʀ(ə)] adj le,la ~ mindeste(r,s)
moine [mwan] m Mönch m
moineau [mwano] m Spatz m
moins [mwɛ̃] adv weniger, geringer; au ~ mindestens; du ~ wenigstens/immerhin; le ~ am wenigsten; pour le ~ zumindest
mois [mwa] m Monat m; par ~ monatlich; pendant des ~ monatelang
moisi [mwazi] 1. adj schimmlig; 2. m Schimmel m
moisir [mwaziʀ] v verschimmeln
moisissure [mwazisyʀ] f Schimmel m
moisson [mwasɔ̃] f *(activité)* Ernte f
moissonner [mwasɔne] v 1. mähen; 2. ernten
moite [mwat] adj feucht
moitié [mwatje] f Hälfte f; à ~ halb
molaire [mɔlɛʀ] f Backenzahn m
môle [mol] m Mole f
mollet [mɔlɛ] m Wade f
mollir [mɔliʀ] v abflauen
mollusque [mɔlysk] m Muschel f
môme [mom] m *(enfant)* Knirps m
moment [mɔmɑ̃] m 1. Augenblick m, Moment m; à un ~ donné im gegebenen Augenblick; à mes ~s perdus in meinen Mußestunden; pour le ~ momentan; en un ~ im Nu; dans un ~ bald/gleich; à tout ~ ununterbrochen/jederzeit; du ~ que sobald; 2. Weile f; 3. Zeitpunkt m
momentané [mɔmɑ̃tane] adj augenblicklich, momentan
momie [mɔmi] f Mumie f
mon/ma [mɔ̃/ma] adj *(possessif)* mein(e)
monarchie [mɔnaʀʃi] f Monarchie f
monarque [mɔnaʀk] m Monarch m
monastère [mɔnastɛʀ] m Kloster n
mondain [mɔ̃dɛ̃] adj gesellschaftlich, mondän
monde [mɔ̃d] m 1. Welt f; Ainsi va le ~. Das ist der Lauf der Welt. ce ~ Diesseits; de ce ~ irdisch; l'autre ~ Jenseits; 2. Leute pl; avoir du ~ viel Besuch haben

mondial [mɔ̃djal] *adj* weltweit
moniteur [mɔnitœʀ] *m* 1. Lehrer *m*, Betreuer *m*; ~ *d'auto-école* Fahrlehrer; 2. Monitor *m*
monnaie [mɔnɛ] *f* 1. Geld *n*; *petite* ~ Kleingeld/Wechselgeld; *pièce de* ~ Geldstück; ~ *fiduciaire* Papiergeld; 2. Münze *f*; 3. Währung *f*; ~ *nationale* Landeswährung; *C'est* ~ *courante.* Das ist gang und gäbe.
monologue [mɔnɔlɔg] *m* Monolog *m*
monopole [mɔnɔpɔl] *m* Monopol *n*
monotone [mɔnɔtɔn] *adj* 1. eintönig, monoton; 2. *(fig)* öde
monotonie [mɔnɔtɔni] *f* Monotonie *f*
Monseigneur [mɔ̃sɛɲœʀ] *m* Hochwürden *m*
monsieur/messieurs [məsjø/mesjø] *m/pl* Herr(en) *m/pl*
monstre [mɔ̃stʀ(ə)] *m* 1. Scheusal *n*, Ungeheuer *n*; 2. Unmensch *m*
monstrueux [mɔ̃stʀɥø] 1. *adj* haarsträubend; 2. *adv (fam)* kolossal
montage [mɔ̃taʒ] *m* 1. Einbau *m*, Montage *f*; 2. Zusammenbau *m*
montagne [mɔ̃taɲ] *f* 1. Berg *m*; *les* ~*s russes* Achterbahn; 2. Gebirge *n*; ~ *haute* Hochgebirge
montagneux [mɔ̃taɲø] *adj* bergig
montant [mɔ̃tɑ̃] *m* 1. Betrag *m*, Summe *f*; ~ *total* Gesamtbetrag; ~ *partiel* Teilbetrag; 2. *(d'une vente)* Erlös *m*; 3. *(bâtiment)* Pfosten *m*
montée [mɔ̃te] *f* 1. *(augmentation)* Anstieg *m*; 2. *(évolution)* Aufstieg *m*; 3. *(pente)* Steigung *f*, Anstieg *m*
monter [mɔ̃te] *v* 1. aufsteigen, hinaufsteigen, emporsteigen; ~ *à cheval* reiten; 2. steigen; ~ *à la tête* zu Kopf steigen; *être monté contre qn* gegen jdn aufgebracht sein; 3. *(installer)* aufbauen, aufstellen; 4. *(fig)* inszenieren; 5. *se* ~ *à* ausmachen, sich belaufen auf
monteur [mɔ̃tœʀ] *m* 1. Monteur *m*; 2. Cutter *m*
monticule [mɔ̃tikyl] *m* Hügel *m*
montre [mɔ̃tʀ(ə)] *f* Uhr *f*; ~ *à quartz* Quartzuhr
montre-bracelet [mɔ̃tʀəbʀaslɛ] *f* Armbanduhr *f*
montrer [mɔ̃tʀe] *v* 1. zeigen, vorzeigen; ~ *le bout du nez* herausschauen/hervorschauen; ~ *à qn comment faire qc* jdm etw vormachen; 2. hinweisen; 3. *se* ~ erscheinen

monts [mɔ̃] *m/pl* Gebirge *n*; *promettre* ~ *et merveilles* das Blaue vom Himmel herunter versprechen
monture [mɔ̃tyʀ] *f (bijoux)* Fassung *f*; ~ *de lunettes* Brillengestell
monument [mɔnymɑ̃] *m* Denkmal *n*, Monument *n*; ~ *commémoratif* Mahnmal
monumental [mɔnymɑ̃tal] *adj* monumental
moquer [mɔke] *v se* ~ scherzen, verspotten; *se* ~ *de qc* sich über etw lustig machen; *se* ~ *de qn* jdn auslachen/verspotten; *se* ~ *pas mal de qc* sich einen Dreck um etw kümmern; *se* ~ *de qc comme de sa première chemise* sich gar nichts aus etw machen; *Je m'en moque.* Das ist mir völlig egal.
moquerie [mɔkʀi] *f* 1. Gespött *n*; 2. *(dérision)* Hohn *m*; 3. Verspottung *f*
moquette [mɔkɛt] *f* Teppichboden *m*
moqueur [mɔkœʀ] *adj* spöttisch
moral [mɔʀal] *adj* 1. moralisch; 2. *(psychique)* seelisch
morale [mɔʀal] *f* 1. Moral *f*; 2. Ethik *f*; 3. Lehre *f*, Lehrsatz *m*
moralité [mɔʀalite] *f* Moral *f*
morbide [mɔʀbid] *adj (fig)* krankhaft
morceau [mɔʀso] *m* 1. *(part)* Stück *n*, Teil *m*; 2. Bissen *m*, Happen *m*; ~ *de choix* Leckerbissen; 3. Brocken *m*
morcellement [mɔʀsɛlmɑ̃] *m* Teilung *f*
mordant [mɔʀdɑ̃] 1. *m* Bitterkeit *f*; *adj* 2. stachelig; 3. *(fig)* beißend
mordre [mɔʀdʀ(ə)] *v* beißen; ~ *dans* anbeißen/ beißen in
morgue [mɔʀg] *f* Leichenhalle *f*
moribond [mɔʀibɔ̃] *adj* todkrank; *une entreprise* ~*e* eine marode Firma
morne [mɔʀn] *adj* 1. düster, freudlos; 2. *(fig)* dumpf; 3. *(fig)* stumpf
morose [mɔʀoz] *adj* 1. trübsinnig; 2. wehleidig; 3. *(fig)* sauer
morse [mɔʀs] *m* 1. ZOOL Walroß *n*; 2. Morsezeichen *n*
morsure [mɔʀsyʀ] *f* Biß *m*
mort [mɔʀ] *adj* 1. tot, leblos; ~ *de fatigue* todmüde/übermüdet; 2. abgestorben; *m* 3. *(au combat)* Gefallene *m*; 4. Tote *m/f*; 6. *f* Tod *m*; ~ *des arbres* Baumsterben; ~ *des forêts* Waldsterben; ~ *apparente* Scheintod; ~ *d'homme* Totschlag
mortel [mɔʀtɛl] *adj* 1. tödlich; 2. sterblich

mortier [mɔrtje] m Mörtel m
mort-né [mɔrne] adj totgeboren
morue [mɔry] f Kabeljau m; petite - Dorsch
mosaïque [mɔzaik] f Mosaik n
mosquée [mɔske] f Moschee f
mot [mo] m Wort n, Vokabel f; - étranger Fremdwort; - de passe Kennwort; - tendre/doux Kosewort; - d'ordre Parole; - de la fin Pointe; - clé Stichwort; -s croisés Kreuzworträtsel; à ses -s daraufhin; avoir toujours le - pour rire immer zum Scherzen aufgelegt sein; jouer sur les -s Wortklauberei treiben; ne pas souffler - kein Sterbenswörtchen sagen; se donner le - sich absprechen
moteur [mɔtœr] m 1. Motor m; - à combustion interne Verbrennungsmotor; - à injection Einspritzmotor; - hors-bord Außenbordmotor; - d'entraînement (disquettes) Diskettenlaufwerk; 2. Maschine f
motif [mɔtif] m 1. Ursache f; 2. (raison) Anlaß m; 3. Beweggrund m, Grund m
motivation [mɔtivasjɔ̃] f Motivation f
moto(cyclette) [mɔto(siklɛt)] f Motorrad n
motte [mɔt] f Scholle f, Klumpen m; - de terre Erdscholle
mou/molle [mu/mɔl] adj 1. weich; 2. (instable) haltlos; 3. schlaff; 4. träge
mouchard [muʃar] m Spitzel m
mouche [muʃ] f Fliege f; faire la - du coche sich wichtig machen; faire - ins Schwarze treffen
moucher [muʃe] v 1. (nez) putzen; 2. se - sich schneuzen
moucheron [muʃrɔ̃] m Mücke f
mouchoir [muʃwar] m Taschentuch n
moudre [mudr] v mahlen
mouette [mwɛt] f Möwe f
moufle [mufl] f Fäustling m
mouillé [muje] adj naß
mouiller [muje] v 1. anfeuchten, befeuchten; 2. - l'ancre ankern
moulant [mulɑ̃] adj (fam) hauteng
moule [mul] 1. m Gußform f; - à tarte Backform; 2. f Miesmuschel f
moulin [mulɛ̃] m Mühle f; - à café Kaffeemühle; - à poivre Pfeffermühle; - à vent Windmühle
moulure [mulyr] f Leiste f
mourir [murir] v 1. sterben, umkommen; - de froid erfrieren; - de faim verhungern; - de soif verdursten; 2. verenden; 3. (animal/plante) eingehen, aussterben
moussant [musɑ̃] adj schäumend
mousse [mus] f 1. Schaum m; - à raser Rasierschaum; 2. BOT Moos n
mousser [muse] v schäumen
mousseux [musø] m Schaumwein m, Sekt m
moustache [mustaʃ] f Schnurrbart m
moustique [mustik] m Mücke f
moutarde [mutard] f Senf m
mouton [mutɔ̃] m 1. Schaf n; laine de - Schafswolle; 2. Hammel m
mouvement [muvmɑ̃] m 1. (aller) Gang m; 2. Regung f, Bewegung f; - pour la libération de la femme Frauenbewegung; - de libération Freiheitsbewegung; - d'horlogerie Uhrwerk; - politique des citoyens Bürgerinitiative f
mouvementé [muvmɑ̃te] adj unruhig
mouvoir [muvwar] v bewegen
moyen [mwajɛ̃] adj 1. durchschnittlich, mittelmäßig; 2. mittlere(r,s); 3. m Mittel n, Hilfsmittel n; - de défense Abwehr; - de transport Transport-/Beförderungsmittel; - subsidiaire Behelf; - de lutte contre Bekämpfungsmittel; - de pression Druckmittel; - mémotechnique Gedächtnisstütze; -s d'existence Lebensunterhalt; -s de diffusion Massenmedien; -s propres de financement Eigenfinanzierung; trouver - de faire qc Mittel und Wege finden etw zu tun; les grands -s der letzte Ausweg
Moyen Age [mwajɛnaʒ] m Mittelalter n
Moyen-Orient [mwajɛnɔrjɑ̃] m Mittlerer Osten m
moyenâgeux [mwajɛnaʒø] adj mittelalterlich
moyennant [mwajɛnɑ̃] prep mittels
moyenne [mwajɛn] f Durchschnitt m; en - durchschnittlich/im Mittel
mucosité [mykozite] f Schleim m
muet [mɥɛ] adj stumm, sprachlos
mufle [myfl] 1. adj rüpelhaft; - m 2. Lümmel m; 3. Schnauze f
muflier [myflije] m Löwenmaul n
mugir [myʒir] v 1. (bêtes, vent) brüllen; 2. tosen
mule [myl] f Maulesel m
mulet [mylɛ] m Maulesel m
mulot [mylo] m Feldmaus f
multicolore [myltikɔlɔr] adj bunt
multilingue [myltilɛ̃g] adj mehrsprachig

multiple [myltipl] *adj 1.* mehrfach; *2.* vielfach, x-fach
multiplication [myltiplikasjɔ̃] *f 1.* Vermehrung *f*; *2.* Vervielfältigung *f*; *3. MATH* Multiplikation *f*
multiplicité [myltiplisite] *f* Vielfalt *f*
multiplier [myltiplije] *v 1.* vermehren; *2.* vervielfältigen; *3. se ~* sich vermehren, sich fortpflanzen
multitude [myltityd] *f* Menge *f*
municipal [mynisipal] *adj* kommunal
munition [mynisjɔ̃] *f* Munition *f*
muqueux [mykø] *adj* schleimig
mur [myʀ] *m 1.* Mauer *f*; *2.* Wand *f*; *~ extérieur* Außenwand
mûr [myʀ] *adj 1.* reif; *2.* reiflich; *après ~e réflexion* nach reiflicher Überlegung
muraille [myʀaj] *f 1.* Mauer *f*; *2.* Wand *f*
mûre [myʀ] *f ~ sauvage* Brombeere *f*
mûrir [myʀiʀ] *v* reifen
murmure [myʀmyʀ] *m* Geflüster *n*
murmurer [myʀmyʀe] *v* murmeln
musaraigne [myzaʀɛɲ] *f* Feldmaus *f*
musarder [myzaʀde] *v* trödeln
muscade [myskad] *f BOT* Muskatnuß *f*
muscat [myska] *m* Muskat *m*
muscle [myskl] *m* Muskel *m*; *~ abdominal* Bauchmuskel
musclé [myskle] *adj* muskulös
musculature [myskylatyʀ] *f* Muskulatur *f*
musculeux [myskylø] *adj* muskulös
muse [myz] *f* Muse *f*
museau [myzo] *m (bête)* Schnauze *f*, Maul *n*
musée [myze] *m* Museum *n*

muselière [myzəljɛʀ] *f* Maulkorb *m*
musette [myzɛt] *f* Umhängetasche *f*
music-hall [mysikol] *m THEAT* Variété *n*
musical [mysikal] *adj* musikalisch
musicien [myzisjɛ̃] *m* Musiker *m*
musique [myzik] *f* Musik *f*; *faire de la ~* musizieren; *~ de danse* Tanzmusik; *~ légère* Unterhaltungsmusik; *~ de fanfare* Blasmusik
musulman [myzylmɑ̃] *adj* moslemisch
Musulman [myzylmɑ̃] *m* Moslem *m*
mutation [mytasjɔ̃] *f 1.* Veränderung *f*; *2. (fonctionnaire)* Versetzung *f*
muter [myte] *v (fonctionnaire)* versetzen
mutiler [mytile] *v* verstümmeln
mutin [mytɛ̃] *adj* schnippisch
mutiner [mytine] *v se ~* meutern
mutinerie [mytinʀi] *f* Meuterei *f*
mutisme [mytism] *m* Stummheit *f*
mutualité [mytɥalite] *f* Gegenseitigkeit *f*
mutuel [mytɥɛl] *adj* beiderseitig, gegenseitig
mycose [mykoz] *f MED* Pilzerkrankung *f*
myope [mjɔp] *adj MED* kurzsichtig
myosotis [mjozɔtis] *m BOT* Vergißmeinnicht *n*
myrtille [miʀtij] *f BOT* Heidelbeere *f*
mystère [mistɛʀ] *m 1.* Geheimnis *n*, Rätsel *n*; *2.* Mysterium *n*
mystérieux [misteʀjø] *adj* geheimnisvoll, mysteriös
mystique [mistik] *adj* mystisch
mythe [mit] *m* Mythos/Mythen *m/pl*
mythologie [mitɔlɔʒi] *f* Mythologie *f*

N/O

nabot [nabo] *m* Knirps *m*

nacelle [nasɛl] *f* Gondel *f*

nacre [nakʀ(ə)] *f* Perlmutt *n*

nageoire [naʒwaʀ] *f ZOOL* Flosse *f*

nager [naʒe] *v* schwimmen; *être en nage* schwitzen/erhitzt sein

naguère [nagɛʀ] *adv* vorhin

naïf/-ve [naif/iv] *adj* 1. einfältig, leichtgläubig; 2. kindisch

nain [nɛ̃] *m* Zwerg *m*

naissance [nɛsɑ̃s] *f* 1. Geburt *f*; *m faire-part de ~* Geburtsanzeige *f*; *de ~* angeboren; 2. Enstehung *f*; 3. *~ des cheveux* Haaransatz *m*

naître [nɛtʀ] *v* 1. geboren werden, zur Welt kommen; 2. *(fig)* entstehen

naïveté [naivte] *f* 1. Naivität *f*; 2. Natürlichkeit *f*, Unbefangenheit *f*

nanisme [nanism] *m MED* Zwergwuchs *m*

nantir [nɑ̃tiʀ] *v* sicherstellen

nantissement [nɑ̃tismɑ̃] *m ECO* Sicherheit *f*

nappe [nap] *f* (Tisch-)Decke *f*

narcisse [naʀsis] *m BOT* Narzisse *f*

narcose [naʀkoz] *f MED* Narkose *f*

narcotique [naʀkɔtik] *m MED* Betäubungsmittel *n*

narine [naʀin] *f ANAT* Nasenloch *n*

natalité [natalite] *f* Geburtenrate *f*

natation [natasjɔ̃] *f SPORT* Schwimmen *n*

natif [natif] 1. *adj* einheimisch; 2. *m* Eingeborene *m/f*

nation [nasjɔ̃] *f* Volk *n*, Nation *f*

national [nasjɔnal] *adj* 1. national, inländisch; 2. staatlich

national-socialisme [nasjɔnalsɔsjalism(ə)] *m POL* Nationalsozialismus *m*

nationalisation [nasjɔnalizasjɔ̃] *f POL* Verstaatlichung *f*

nationalisme [nasjɔnalism(ə)] *m* Nationalismus *m*

nationalité [nasjɔnalite] *f* Nationalität *f*, Staatsangehörigkeit *f*

Nations unies (ONU) [nasjɔ̃zyni] *f/pl* Vereinte Nationen (UNO) *f/pl*

natte [nat] *f* Zopf *m*

naturalisation [natyʀalizasjɔ̃] *f POL* Einbürgerung *f*

naturaliser [natyʀalize] *v* naturalisieren, einbürgern

naturaliste [natyʀalist(ə)] *m* Naturforscher *m*

nature [natyʀ] *f* 1. Natur *f*; *C'est dans la ~ même de la chose.* Das liegt in der Natur der Sache. 2. Beschaffenheit *f*; 3. Wesen *n*; 4. *mauvaise ~* Bösartigkeit *f*; 5. *~ morte* Stilleben *n*

naturel [natyʀɛl] *adj* 1. natürlich; 2. unbefangen; *m* 3. *(caractère)* Wesen *n*; *d'un bon ~* gutartig; 4. Natürlichkeit *f*; 5. Unbefangenheit *f*

naufrage [nofʀaʒ] *m* 1. Schiffbruch *m*; *faire ~* Schiffbruch erleiden; 2. *(fig)* Untergang *m*

naufragé [nofʀaʒe] *m* Schiffbrüchige *m/f*

nauséabond [nozeabɔ̃] *adj* ekelerregend

nausée [noze] *f* 1. Übelkeit *f*; 2. *(fig)* Ekel *m*

navette [navɛt] *f* 1. *service de ~* Pendelverkehr *m*; 2. *~ spaciale* Raumfähre *f*; 3. *faire la ~ (fig)* pendeln

navigable [navigabl(ə)] *adj* befahrbar

navigateur [navigatœʀ] *m* Seemann *m*

navigation [navigasjɔ̃] *f* 1. Schiffahrt *f*; Navigation *f*; *~ fluviale* Binnenschiffahrt *f*; *~ à vapeur* Dampfschiffahrt *f*; 2. *~ spaciale* Raumfahrt *f*

navire [naviʀ] *m* 1. Schiff *n*; 2. *lancement d'un ~ NAUT* Stapellauf *m*

nazisme [nazism(ə)] *m POL* Nazismus *m*

né [ne] *adj* 1. geboren; 2. *~ à, en* gebürtig in

ne ... pas [nə...pa] *adv* nicht; *~ du tout* gar nicht

néanmoins [neɑ̃mwɛ̃] *adv* dessenungeachtet

néant [neɑ̃] *m* Nichts *n*

nécessaire [nesesɛʀ] 1. *adj* erforderlich, nötig; 2. *m ~ de couture* Nähzeug *n*

nécessairement [nesesɛʀmɑ̃] *adv* notgedrungen

nécessité [nesɛsite] *f* 1. Erfordernis *n*, Bedürfnis *n*; 2. Not *f*; *faire de ~ vertu* aus der Not eine Tugend machen; *~ vitale* Lebensnotwendigkeit; *de première* ~ lebenswichtig; 3. Zwangslage *f*

nécessiter [nesesite] *v* bedürfen, benötigen

nécessiteux [nesesitø] *adj* bedürftig

nécromancie [nekrɔmãsi] *f* Geisterbeschwörung *f*

nécropole [nekrɔpɔl] *f* Totenstadt *f*

nécroser [nekroze] *v se* ~ MED absterben

nectarine [nɛktarin] *f BOT* Nektarine *f*

Néerlandais [neɛrlãdɛ] *m* Niederländer *m*

néerlandais [neɛrlãdɛ] *adj* niederländisch

néfaste [nefast(ə)] *adj* unheilvoll, verhängnisvoll

négatif [negatif] *adj* 1. negativ; 2. abfällig, ablehnend; 3. *m FOTO* Negativ *n*

négation [negasjõ] *f* Verneinung *f*

négligé [negliʒe] *adj* 1. verwahrlost; 2. *(fam)* salopp

négligeable [negliʒabl(ə)] *adj* unbedeutend

négligemment [negliʒamã] *adv* 1. liederlich, nachlässig; 2. sorglos

négligence [negliʒãs] *f* 1. Achtlosigkeit *f*, Nachlässigkeit *f*; *avec négligence* salopp, sorglos; 2. *(omission)* Versäumnis *n*; 3. *JUR* Fahrlässigkeit *f*

négligent [negliʒã] *adj* fahrlässig, nachlässig

négliger [negliʒe] *v* 1. vernachlässigen; 2. versäumen

négoce [negɔs] *m ECO* Handel *m*

négociable [negɔsjabl(ə)] *adj* 1. verkäuflich; 2. marktfähig; 3. *(documents)* übertragbar

négociant [negɔsjã] *m* Kaufmann *m*

négociateur [negɔsjatœr] *m* Verhandlungspartner *m*

négociation [negɔsjasjõ] *f* Verhandlung *f*

négocier [negɔsje] *v* 1. aushandeln, verhandeln; 2. *(affaires/sujet)* abhandeln; 3. *(écouler)* umsetzen

nègre [nɛgr(ə)] *m* Neger *m; parler petit* ~ Kauderwelsch reden

neige [nɛʒ] *f* 1. Schnee *m; blanc comme* ~ schneeweiß; *faire boule de* ~ *(fig)* lawinenartig anwachsen; 2. ~ *poudreuse* Pulverschnee *m*

neiger [neʒe] *v* schneien

neigeux [nɛʒø] *adj* schneebedeckt

nénuphar [nenyfar] *m BOT* Seerose *f*

népotisme [nepɔtism] *m* Vetternwirtschaft *f*

nerf [nɛr] *m* 1. ANAT Nerv *m; Il avait les* ~*s en boule.* Seine Nerven waren zum Zerreißen gespannt. *taper sur les* ~*s de qn* jdm auf die Nerven gehen; *Cela me porte sur les* ~*s.* Das geht mir auf die Nerven. *malade des* ~*s* nervenkrank; *paquet de* ~*s (fig)* Nervenbündel *n*

nerveux [nɛrvø] *adj* nervös

nervosité [nɛrvozite] *f* Nervosität *f*

net [nɛt] *adj* 1. deutlich, klar; 2. rein, sauber

netteté [nɛt(ə)te] *f* 1. Deutlichkeit *f*; 2. Sauberkeit *f*

nettoyage [nɛtwajaʒ] *m* Reinigung *f*, Säuberung *f*

nettoyer [nɛtwaje] *v* putzen, reinigen

neuf [nœf] 1. *adj* neu; *être flambant* ~ funkelnagelneu sein; 2. *num* neun

neurasthénique [nørastenik] *adj* nervenkrank

neurologue [nørɔlɔg] *m* Nervenarzt *m*, Neurologe *m*

neutralité [nøtralite] *f* Neutralität *f*

neutre [nøtr(ə)] *adj* neutral, überparteilich

neutron [nøtrõ] *m PHYS* Neutron *n*

neveu [n(ə)vø] *m* Neffe *m*

névralgie [nevralʒi] *f MED* Neuralgie *f*

névrite [nevrit] *f MED* Nervenentzündung *f*

névrose [nevroz] *f* Neurose *f*

névrosé [nevroze] *adj* neurotisch

nez [ne] *m* Nase *f; avoir le* ~ *retroussé* eine Stupsnase haben; *avoir qn dans le* ~ jdn nicht riechen können; *Tu as le* ~ *dessus.* Es steht vor deiner Nase./ *Du stößt gleich mit der Nase darauf. ne pas fourrer le* ~ *dehors* keinen Fuß vor die Tür setzen; *ne pas voir plus loin que son* ~ einen beschränkten Horizont haben; *se casser le* ~ vor verschlossener Türe stehen

ni ... ni ... [ni...ni] *konj* weder...noch

niais ['njɛ] 1. *adj* albern; 2. *m* Einfaltspinsel *m*

niaiserie [njɛzri] *f* Albernheit *f*

Nice [nis] *f* Nizza *n*

niche [niʃ] *f* 1. Nische *f*; 2. Hundehütte *f*

nicher [niʃe] *v* nisten

nickel [nikɛl] *m CHEM* Nickel *n*

Nicolas [nikɔla] *m (Saint)* Nikolaus *m*
nicotine [nikɔtin] *f* Nikotin *n*
nid [ni] *m* Nest *n; faire son* ~ nisten
nièce [njɛs] *f* Nichte *f*
nier [nje] *v 1.* leugnen. ableugnen; *2.* verneinen
nigaud [nigo/od] *1. adj (fam)* dämlich; *2. m* Einfaltspinsel *m*
nippes [nip] *f/pl (fam)* Habseligkeiten *pl*
Nippon [nipɔ̃] *m* Japaner *m*
nippon [nipɔ̃] *adj* japanisch
nitrate [nitʀat] *m CHEM* Nitrat *n*
niveau [ni'vo] *m 1.* Wasserwaage *f; 2. (fig)* Ebene *f*, Niveau *n; être mis au même* ~ gleichgestellt; *de* ~ waagrecht; *3. (phase)* Stufe *f*, Stadium *n; 4.(liquide)* Pegel *m*
niveler [nivle] *v* planieren
no man's land [nomanslɑd] *m (cordon sanitaire)* Niemandsland *n*
noble [nɔbl(ə)] *adj 1.* adlig; *2.* vornehm; *3. m/f* Adlige *m/f*
nobles [nɔbl(ə)] *m/pl* Adel *m*
noblesse [nɔblɛs] *f* Adel *m*
noce(s) [nɔs] *f/(pl)* Hochzeit *f; n'être pas à la* ~ in einer kritischen Lage sein; *faire la* ~ *(fam)* feiern
noces [nɔs] *f/pl* ~ *d'argent* Silbe.hochzeit *f*
noceur [nɔsœʀ] *m* Wüstling *m*
nocif [nɔsif] *adj* schädlich
nocturne [nɔktyʀn(ə)] *adj* nächtlich
nodosité [nɔdɔzite] *f MED* Knoten *m*
nodule [nɔdyl] *m MED* Knötchen *n*
Noël [nɔɛl] *m* Weihnachten *n; f nuit de* ~ Heiligabend *m; père* ~ Weihnachtsmann *m*
nœud [nø] *m 1.* Knoten *m; faire un* ~ knoten/einen Knoten machen; *2.* ~ *coulant* Schlaufe *f; 3.* ~*papillon* Fliege *f; 4. (ferroviaire/de communication)* Knotenpunkt *m; 5. ANAT* Knöchel *m*
noir [nwaʀ] *adj 1.* schwarz; *être* ~ *comme du charbon* schwarz wie die Nacht/rabenschwarz sein; *être* ~*/faire* ~ *comme dans un four* stockfinster/sehr dunkel sein; *C'est écrit* ~ *sur blanc.* Da steht es schwarz auf weiß. *voir tout en* ~ alles schwarz sehen; *être* ~ *comme du cirage* pechschwarz sein; *broyer du* ~ schwarzen Gedanken nachhängen; *2.* dunkel, finster
Noir/Noire [nwaʀ] *m/f* Schwarze *m/f*, Neger,in *m/f*

noisette [nwazɛt] *f* Haselnuß *f*
noix [nwa] *f 1.* Walnuß *f; 2.* ~ *de coco* Kokosnuß *f*
nom [nɔ̃] *m 1.* Name *m; du même* ~ gleichnamig; *du* ~ *de* namens; *2.* ~ *d'artiste* Künstlername *m; 3. GRAMM* Substantiv *n; 4.* ~ *de famille* Nachname *m; 5.* ~ *de jeune fille* Mädchenname *m; 6.* ~ *propre* Eigenname *m*
nomade [nɔmad] *m* Nomade *m*
nombre [nɔ̃bʀ(ə)] *m 1.* Zahl *f*, Anzahl *f; 2.* Menge *f; en grand* ~ zahlreich; *être du* ~ *dazugehören; d'habitants* Einwohnerzahl *f; 3.* ~ *ordinal* Ordnungszahl *f; 4.* ~ *de tours/minute (moteur)* Drehzahl *f; 5.* ~ *cardinal* Kardinalzahl *f*
nombreux/-ses [nɔ̃bʀø/øz] *1. adj* zahlreich; *2. pron de* ~ viel(e)
nombril [nɔ̃bʀi] *m* Nabel *m*
nominal [nɔminal] *adj 1.* namentlich; *2.* nominell
nominatif/ ve [nɔminatif/iv] *adj* namentlich
nomination [nɔminasjɔ̃] *f* Ernennung *f*
nommé [nɔme] *adj* ~ *ci-dessus* obengenannt
nommément [nɔmemɑ̃] *adv* namentlich
nommer [nɔme] *v 1.* ernennen; *2.* heißen, nennen; *3.* ~ *qn (à un emploi)* bestellen
non [nɔ̃] *adv* nein
non-engagé [nɔ̃-ɑ̃gaʒe] *adj POL* blockfrei
non-fumeur [nɔ̃fymœʀ] *m* Nichtraucher *m*
non-validité [nɔ̃validte] *f* Ungültigkeit *f*
nonchalamment [nɔ̃ʃalamɑ̃] *adv 1.* lässig, nachlässig; *2.* gemächlich
nonchalance [nɔ̃ʃalɑ̃s] *f* Nachlässigkeit *f*
nonchalant [nɔ̃ʃalɑ̃] *adj 1.* nachlässig; *2.* gemächlich
nonne [nɔn] *f REL* Nonne *f*
nonobstant [nɔnɔbstɑ̃] *prep* ungeachtet
nord [nɔʀ] *m* Norden *m; perdre le* ~ den Kopf verlieren; *du* ~ nördlich
normal [nɔʀmal] *adj* normal, üblich
normaliser [nɔʀmalize] *v* normalisieren
norme [nɔʀm(ə)] *f 1.* Norm *f; 2. (fig)* Maßstab *m*
normé [nɔʀme] *adj* genormt

Norvège [nɔʀvɛʒ] *f* Norwegen *n*
nostalgie [nɔstalʒi] *f* 1. Sehnsucht *f*; *avec ~* sehnsuchtsvoll; *avoir la ~ de* sich sehnen nach; 2. Heimweh *n*
nostalgique [nɔstalʒik] *adj* sehnsuchtsvoll
notabilité [nɔtabilite] *f* Ansehen *n*
notabilités [nɔtabilite] *f/pl* Honoratioren *pl*
notable [nɔtabl(ə)] 1. *m être un ~* angesehen sein; 2. *adj* namhaft
notables [nɔtabl(ə)] *m/pl* Prominenz *f*
notaire [nɔtɛʀ] *m JUR* Notar *m*; *par devant ~* notariell
notamment [nɔtamɑ̃] *adv* hauptsächlich, insbesondere
note [nɔt] *f* 1. *(école)* Note *f*, Schulnote *f*, Zensur *f*; 2. Anmerkung *f*, Notiz *f*, Vermerk *m*, Bemerkung *f*; *prendre en ~* aufzeichnen; *prendre ~* anmerken/notieren; *prendre (bonne) ~ de qc* merken; *J'en prends bonne ~.* Ich werde daran denken. 3. Aufzeichnung *f*; 4. Prädikat *n*; 5. *MUS* Note *f*; *dernière ~* Ausklang *m*; 6. *~ marginale* Randbemerkung *f*; 7. *~ de service* Dienstanweisung *f*
noter [nɔte] *v* notieren, schreiben, verzeichnen, aufzeichnen
notice [nɔtis] *f* 1. *(journal)* Notiz *f*; 2. Merkblatt *n*
notifier [nɔtifje] *v* bekanntgeben
notion [nɔsjɔ̃] *f* Begriff *m*, Idee *f*
notoire [nɔtwaʀ] *adj* 1. notorisch; 2. offenkundig
nôtre [notʀ(ə)] *pron le,la ~* unser(e)
Notre Père [notʀ(ə)pɛʀ] *m* Vaterunser *n*
notre/nos [notʀ(ə)/no] *adj* unser(e)
nôtres [notʀ(ə)] *pl les ~* unser(e) .pron.
nouer [nwe] *v* 1. verknoten, verknüpfen; 2. binden, knoten; 3. *(tapis)* knüpfen; 4. *(fig: relation)* knüpfen
nougatine [nugatin] *f GAST* Krokant *m*
nouille [nuj] *f (fam)* Flasche *f*
nouilles [nuj] *f/pl GAST* Nudeln *pl*
nourrice [nuʀis] *f* Amme *f*
nourrir [nuʀiʀ] *v* 1. nähren; 2. *se ~* sich ernähren; 3. *~ qn/qch* speisen, füttern
nourrissant [nuʀisɑ̃] *adj* nahrhaft
nourrisson [nuʀisɔ̃] *m* Säugling *m*
nourriture [nuʀityʀ] *f* 1. Nahrung *f*, Verpflegung *f*; 3. *~ faite-maison* Hausmannskost *f*; 4. *(pour animaux)* Futter *n*
nous [nu] *pron* wir

nouveau/nouvel/nouvelle [nuvo/nuvɛl] 1. *adj* neu; *Qu'y a-t-il de ~?* Was gibt es Neues? *jusqu'à nouvel ordre* bis auf weiteres; 2. *adv de ~* nochmals, wieder; 3. *m* Neuling *m*
nouveauté [nuvote] *f* Neuheit *f*; *haute ~* neueste Mode *f*
nouvelle [nuvɛl] *f* 1. Neuigkeit *f*; 2. Nachricht *f*, Meldung *f*; *pas de ~s* keine Nachricht; *bonnes ~s* gute Nachricht; 3. *(Funk-)* Nachricht *f*; 4. Novelle *f*
novembre [nɔvɑ̃bʀ(ə)] *m* November *m*
novice [nɔvis] *adj* 1. unerfahren; 2. laienhaft; *m* 3. Neuling *m*; 4. Laie *m*
noyau [nwajo] *m* Kern *m*; *~ de l'atome* Atomkern *m*
noyer [nwaje] *v* 1. *se ~* ertrinken; *se ~ dans des détails* sich in Einzelheiten verlieren; 2. überschwemmen
nu [ny] *adj* 1. nackt; *être ~ comme un ver* splitternackt sein; 2. *(sans végétation)* kahl; 3. bloß; *à l'œil ~* mit bloßem Auge; 4. *m ART* Akt *m*
nuage [nɥaʒ] *m* Wolke *f*
nuageux/-se [nɥaʒø/øz] *adj* bewölkt, wolkig
nuance [nɥɑ̃s] *f* Abstufung *f*
nuancer [nɥɑ̃se] *v* abstufen, nuancieren
nucléaire [nykleɛʀ] *adj* 1. atomar; 2. Kernenergie *f*
nue [ny] *f porter qn aux ~s* anhimmeln, vergöttern; *tomber des ~s* aus allen Wolken fallen
nuée [nɥe] *f* 1. Wolke *f*; 2. *(oiseaux)* Schwarm *m*
nuire [nɥiʀ] *v* 1. *~ à qn* schaden; 2. *~ à* beeinträchtigen
nuisible [nɥizibl(ə)] *adj* schädlich
nuit [nɥi] *f* 1. Nacht *f*; *la ~* nachts; *passer la ~* übernachten; *~ de noce(s)* Hochzeitsnacht *f*; 2. *~ tombante* Abenddämmerung *f*; 3. Übernachtung *f*
nul [nyl] 1. *pron* keine, keiner; 2. *adj* nichtig, ungültig
nullement [nylmɑ̃] *adv* keinesfalls
numéro [nymeʀo] *m* 1. Nummer *f*; 2. *~ gagnant* Gewinnzahl *f*; 3. *~ d'immatriculation* Kennzeichen *n*; 4. *~ d'identification* Kennziffer *f*; 5. *~ de compte* Kontonummer *f*; 6. *~ collectif* Sammelnummer *f*; 7. *~ de téléphone* Telefonnummer *f*
numéroter [nymeʀote] *v* numerieren

nuque [nyk] *f* Genick *n*, Nacken *m*
nutritif [nytʀitif] *adj* nahrhaft
nylon [nilɔ̃] *m* Nylon *n*
nymphe [nɛ̃f] *f* Nixe *f*
oasis [ɔazis] *f* Oase *f*
obédience [ɔbedjɑ̃s] *f* Gehorsam *m*
obéir [ɔbeiʀ] *v* 1. gehorchen; 2. befolgen
obéissance [ɔbeisɑ̃s] *f* Gehorsam *m*
obéissant [ɔbeisɑ̃] *adj* gehorsam
objecter [ɔbʒɛkte] *v* 1. *(fig)* einwenden; *Rien à -?* Keine Einwände? 2. *(fig)* entgegenhalten; *On lui objecte sa jeunesse.* Man hält ihm seine Jugend vor.
objectif [ɔbʒɛktif] *adj* 1. nüchtern, sachlich; 2. objektiv; 3. *m FOTO* Objektiv *n*
objection [ɔbʒɛksjɔ̃] *f* 1. Beanstandung *f; faire des -s* etw beanstanden; 2. Einspruch *m*
objectivité [ɔbʒɛktivite] *f* Objektivität *f*
objet [ɔbʒɛ] *m* 1. Gegenstand *m*, Sache *f*, Objekt *n; avoir pour -* bezwecken; *- volé* Diebesgut; *- trouvé* Fund; *- usuel* Gebrauchsgegenstand; *- de valeur* Wertgegenstand; *- du contrat* Vertragsgegenstand; 2. *(lettre)* Betreff *m*
obligation [ɔbligasjɔ̃] *f* 1. Pflicht *f*, Verpflichtung *f; - de déclaration* Anmeldepflicht; *- d'attacher sa ceinture* Anschnallpflicht; *-s militaires* Wehrpflicht; 2. Zwang *m*
obligatoire [ɔbligatwaʀ] *adj* 1. verpflichtend, obligatorisch; 2. zwangsläufig
obliger [ɔbliʒe] *v* verpflichten; *Rien ne vous y oblige.* Nichts zwingt Sie dazu.
oblique [ɔblik] *adj* schief, schräg
oblitérer [ɔbliteʀe] *v (timbre)* abstempeln
obscène [ɔpsɛn] *adj* obszön
obscénités [ɔpsenite] *f/pl* Obszönität *f*
obscur [ɔpskyʀ] *adj* 1. dunkel, finster; 2. *(fig)* unklar, unverständlich
obscurcir [ɔpskyʀsiʀ] *v* verdunkeln
obscurité [ɔpskyʀite] *f* 1. Finsternis *f*, Dunkelheit *f*; 2. *(fig)* Unklarheit *f*
obsèques [ɔpsɛk] *f/pl* Beerdigung *f*
observation [ɔpsɛʀvasjɔ̃] *f* 1. Beobachtung *f*; 2. Einhaltung *f*; 3. Anmerkung *f*
observatoire [ɔpsɛʀvatwaʀ] *m* Sternwarte *f*
observer [ɔpsɛʀve] *v* 1. beobachten; 2. einhalten; 3. *(remarquer)* bemerken; *faire - qc à qn* jdn auf etw aufmerksam machen
obstacle [ɔpstakl] *m* Hindernis *n*
obstétrique [ɔpstetʀik] *f* Geburtshilfe *f*

obstination [ɔpstinasjɔ̃] *f* Eigensinn *m*
obstiné [ɔpstine] *adj* stur, starrköpfig
obtenir [ɔptəniʀ] *v* 1. bekommen, erhalten; *- par la force* erzwingen; 2. *(résultat)* bewerkstelligen; 3. erzielen, erlangen
occasion [ɔkazjɔ̃] *f* Anlaß *m*, Gelegenheit *f; d'- gebraucht; à l'- de anläßlich*
occasionnel [ɔkazjɔnɛl] *adj* gelegentlich
occident [ɔksidɑ̃] *m* Westen *m*
Occident [ɔksidɑ̃] *m* Abendland *n*
occidental [ɔksidɑ̃tal] *adj* westlich
occupant [ɔkypɑ̃] *m - d'une voiture* Fahrzeuginsasse/ Fahrgast *m*
occupation [ɔkypasjɔ̃] *f* 1. *(emploi)* Tätigkeit *f*, Beschäftigung *f*; 2. Besetzung *f*; 3. *(loisirs)* Freizeitbeschäftigung *f*
occupé [ɔkype] *adj* besetzt
occuper [ɔkype] *v* 1. besetzen, einnehmen; 2. *(fig)* beschäftigen, verwenden; *- son temps à qc* seine Zeit für etw verwenden; *- des employés* Angestellte beschäftigen; 3. *s'- de* sich beschäftigen mit, sich befassen mit; 4. *s'- de* sich kümmern um, sorgen für; *Je m'en occupe.* Ich kümmere mich darum.
océan [ɔseɑ̃] *m* Meer *n*, Ozean *m*
octobre [ɔktɔbʀ] *m* Oktober *m*
octogonal [ɔktɔgɔnal] *adj* achteckig
odeur [ɔdœʀ] *f* Geruch *m*, Duft *m; bonne - * Wohlgeruch; *mauvaise -* Gestank
odieux/-se [ɔdjø/øz] *adj* unausstehlich
odorat [ɔdɔʀa] *m* Geruchssinn *m*
œil/yeux [œj/jø] *m/pl* Auge *n; avoir le compas dans l'-* ein gutes Augenmaß haben; *tenir qn à l'-* ein Auge auf jdn haben; *Je m'en bats l'-.* Ich mache mir nichts daraus. *jeter un coup d'- sur qc* einen kurzen Blick auf etw werfen; *faire les yeux doux à qn* mit jdm flirten; *- perçant (fig)* Adlerauge; *- de connaisseur* Kennerblick; *- de perdrix* Hühnerauge
œillet [œjɛ] *m* Nelke *f*
œsophage [ezɔfaʒ] *m* Speiseröhre *f*
œuf [œf] *m* Ei *n; - sur le plat* Spiegelei; *- à la coque* weichgekochtes Ei; *-s brouillés* Rührei; *en forme d'-* eiförmig; *étouffer qc dans l'-* etw im Keim ersticken
œuvre [œvʀ] *f* 1. Werk *n*, Arbeit *f; mettre tout en - pour faire qc* alle Hebel in Bewegung setzen, um etw zu tun; *- de débutant* Erstlingswerk; *- de maître* Meisterstück; *- d'art* Kunstwerk; 2. *LIT* Werk *n; les -s complètes d'un auteur* das vollstän-

dige Werk eines Autors; *3. ARCH* Bauwerk *n; gros* ~ Rohbau

offense [ɔfãs] *f* Beleidigung *f*

offenser [ɔfãse] *v 1.* beleidigen; *sans vous* ~ nichts für ungut; *2.* sündigen

offensive [ɔfãsiv] *f* Offensive *f*

office [ɔfis] *m 1.* Amt *n;* ~ *d'enregistrement du domicile* Einwohnermeldeamt; ~ *de santé* Gesundheitsamt; ~ *de jeunesse* Jugendamt; ~ *des brevets* Patentamt; *2.* Dienst *m;* ~ *religieux* Gottesdienst/Messe; *3.* Büro *n;* ~ *de tourisme* Verkehrsbüro

officiel [ɔfisjɛl] *adj* amtlich, offiziell

officier [ɔfisje] *m 1. MIL* Offizier *m; 2.* Beamter *m;* ~ *de justice* Justizbeamter; ~ *de l'état civil* Standesbeamter

offrande [ɔfrãd] *f* Opfergabe *f*

offre [ɔfr] *f 1.* Angebot *n,* Offerte *f;* ~ *spéciale* Sonderangebot; ~ *d'emploi* Stellenangebot; *2.* Vorschlag *m,* Anerbieten *n*

offrir [ɔfrir] *v 1.* schenken; *2.* anbieten; *3. (fam)* spendieren; *4. s'* ~ *qc* sich etw gönnen

ogive [ɔʒiv] *f* Bogen *m*

oie [wa] *f* Gans *f;* ~ *rôtie* Gänsebraten

oignon [ɔɲɔ̃] *m* Zwiebel *f*

oiseau [wazo] *m* Vogel *m;* ~ *chanteur* Singvogel; *être comme l'*~ *sur la branche* im Ungewissen schweben; *à vol d'*~ aus der Vogelperspektive

oisif [wazif] *adj* müßig

oisiveté [wazivte] *f* Müßiggang *m*

olive [ɔliv] *f* Olive *f*

olympique [ɔlɛ̃pik] *adj* olympisch

ombre [ɔ̃br] *f 1.* Schatten *m; avoir peur de son* ~ Angst vor der eigenen Courage haben; *suivre qn comme son* ~ jdm auf Schritt und Tritt folgen; *2.* Verborgenheit *f*

omelette [ɔmlɛt] *f* Omelett *n*

omettre [ɔmɛtr] *v* versäumen, auslassen

omission [ɔmisjɔ̃] *f* Versäumnis *n*

omnibus [ɔmnibys] *m* Vorstadtzug *m*

omoplate [ɔmɔplat] *f* Schulterblatt *n*

on [ɔ̃] *pron* man, wir; *Alors,* ~ *y va?* Also, gehen wir hin? *Nous,* ~ *n'y peut rien.* Wir können doch nichts dafür.

oncle [ɔ̃kl] *m* Onkel *m*

onde [ɔ̃d] *f PHYS* Welle *f;* ~ *de choc* Schockwelle; ~*s ultra-courtes* Ultrakurzwellen

ondée [ɔ̃de] *f* Platzregen *m*

onéreux [ɔnerø] *adj 1.* kostspielig; *2.* aufwendig

ongle [ɔ̃gl] *m* Fingernagel *m*

onze [ɔ̃z] *num* elf

opaque [ɔpak] *adj* trüb, undurchsichtig

Opéra [ɔpera] *m* Opernhaus *n*

opéra [ɔpera] *m* Oper *f*

opération [ɔperasjɔ̃] *f 1. MED* Operation *f;* ~ *chirurgicale* chirurgischer Eingriff; ~ *de chirurgie esthétique* Schönheitsoperation; *2.* Wirken *n,* Arbeitsgang *m; 3.* Geschäft *n,* Handel *m;* ~ *de bourse* Börsenhandel; ~ *d'exportation* Exportgeschäft; ~ *commerciale* (Handels-)Geschäft

opérer [ɔpere] *v 1.* operieren; *2.* bewirken; ~ *des miracles* Wunder wirken

opérette [ɔperɛt] *f* Operette *f*

opiniâtre [ɔpinjatr] *adj* beharrlich

opinion [ɔpinjɔ̃] *f 1.* Ansicht *f,* Meinung *f; Je suis de votre* ~ Ich bin Ihrer Meinung. *2.* Urteil *n; 3.* Anschauung *f,* Gesinnung *f*

opportun [ɔpɔrtœ̃] *adj 1.* passend; *2.* rechtzeitig

opposé [ɔpoze] *m 1.* Gegenteil *n; à l'*~ entgegen/wider; *2.* Gegensatz *m; adj 3.* entgegengesetzt, gegensätzlich; *4.* gegnerisch

opposer [ɔpoze] *v 1. (fig)* einwerfen; *2. (fig)* entgegenhalten; *3.* gegenüberstellen; *4. s'* ~ *à* sich widersetzen

opposition [ɔpozisjɔ̃] *f 1.* Gegenüberstellung *f; 2. JUR* Einwand *m; 3. POL* Opposition *f; 4.* Widerspruch *m; 5.* Gegensatz *m*

oppresser [ɔprese] *v* bedrücken

oppression [ɔpresjɔ̃] *f 1. (personnes)* Unterdrückung *f; 2. (fig)* Druck *m*

opprimer [ɔprime] *v 1.* ~ *qn* unterdrücken; *2. (fig)* drücken

optimal [ɔptimal] *adj* optimal

optimiste [ɔptimist] *1. m* Optimist *m; 2. adj* optimistisch

optimum [ɔptimɔm] *m* Bestwert *m*

option [ɔpsjɔ̃] *f 1.* Option *f; 2. JUR* Vorkaufsrecht *n*

optique [ɔptik] *1. f* Optik *f; 2. adj* optisch

opulence [ɔpylãs] *f* Wohlstand *m*

or [ɔr] *m* Gold *n; en* ~ golden

orage [ɔraʒ] *m* Gewitter *n,* Unwetter *n*

orageux [ɔraʒø] *adj 1.* gewitt(e)rig; *2. (fig)* stürmisch

oraison [ɔrɛzɔ̃] *f* Gebet *n*

oral [ɔral] *adj* mündlich

orange [ɔrãʒ] *1. f* Apfelsine *f,* Orange *f; 2. adj* orange

orangé [ɔrãʒe] *adj* orange

orateur [ɔratœr] *m* Redner *m*

orbite [ɔrbit] *f* Umlaufbahn *f*
orchestre [ɔrkɛstr] *m 1.* Orchester *n; - symphonique* Sinfonieorchester; *~ philharmonique* Philharmonieorchester; *2.* Musikkapelle *f; - de cuivres* Blaskapelle; *3.* THEAT Parkett *n*
ordinaire [ɔrdinɛr] *adj 1.* gewöhnlich, üblich; *2.* ordentlich
ordinateur [ɔrdinatœr] *m 1.* Elektronenrechner *m; - analogique* Analogrechner; *2.* Computer *m*, EDV-Anlage *f*
ordonnance [ɔrdɔnãs] *f 1.* Anordnung *f*, Verordnung *f; - médicale* Rezept *n*
ordonnateur [ɔrdɔnatœr] *m* Ordner *m*
ordonné [ɔrdɔne] *adj* ordnungsliebend
ordonner [ɔrdɔne] *v 1.* befehlen; *2.* verfügen; *3.* MED verschreiben, verordnen; *4.* ordnen, einrichten; *5. (un prêtre)* weihen
ordre [ɔrdr] *m 1.* Ordnung *f*, Anordnung *f; - de grandeur* Größenordnung; *- de préséance* Rangordnung; *- de succession* Reihenfolge; *- du jour* Tagesordnung; *non conforme à l'-* ordnungswidrig; *de second - zweitrangig; 2.* Befehl *m*, Vorschrift *f; - de démobilisation* Entlassungspapier; *3.* MIL Orden *m; - du mérite* Verdienstorden; *4.* REL Orden *m; 5.* JUR Verfügung *f; 6.* ECO Auftrag *m; ~ permanent* Dauerauftrag
ordures [ɔrdyr] *f/pl* Abfall *m*, Müll *m; ~ nocives* Sondermüll
oreille [ɔrɛj] *f 1.* Ohr *n; 2.* Gehör *n*
oreiller [ɔrɛje] *m* Kopfkissen *n*
oreillons [ɔrɛjõ] *m/pl* Mumps *m*
orfèvre [ɔrfɛvr] *m* Goldschmied *m*
organe [ɔrgan] *m* Organ *n; -s génitaux* Geschlechtsorgane; *-s respiratoires* Atmungsorgane; *-s des sens* Sinnesorgane
organisateur [ɔrganizatœr] *1. m* Organisator *m*, Veranstalter *m; 2. adj* organisatorisch
organisation [ɔrganizasjõ] *f 1.* Veranstaltung *f; 2.* Aufbau *m*, Gliederung *f; 3.* Gestaltung *f; 4.* Organisation *f*
organiser [ɔrganize] *v 1.* organisieren, veranstalten; *2. (temps)* einteilen
organisme [ɔrganism] *m 1.* Organismus/Organismen *m/pl; 2.* Lebewesen *n*
orgasme [ɔrgasm] *m* Orgasmus/Orgasmen *m/pl*
orge [ɔrʒ] *f* Gerste *f*
orgie [ɔrʒi] *f* Orgie *f*
orgue [ɔrg] *m* Orgel *f; ~ de Barbarie* Leierkasten

orgueil [ɔrgœj] *m* Hochmut *m*, Stolz *m; plein d'-* protzig
orgueilleux [ɔrgœjø] *adj* hochmütig; *être - comme un paon* stolz wie ein Pfau sein
Orient [ɔrjã] *m* Morgenland *n*, Orient *m*
orientable [ɔrjãtabl] *adj* drehbar
oriental [ɔrjãtal] *adj 1.* östlich; *2.* orientalisch
orientation [ɔrjãtasjõ] *f 1.* Lage *f; 2.* Richtung *f; 3.* Orientierung *f; ~ nouvelle* Kurswechsel
orienter [ɔrjãte] *v 1.* orientieren; *être orienté vers/à* tendieren zu; *2. s'- sich zurechtfinden
originaire [ɔriʒinɛr] *adj* ursprünglich; *être - de* abstammen von; *- de* gebürtig
original [ɔriʒinal] *adj 1.* apart; *2.* original; *3.* originell; *4. m* Original *n*
originalité [ɔriʒinalite] *f* Originalität *f*
origine [ɔriʒin] *f 1.* Abstammung *f*, Ursprung *m; à l'-* ursprünglich; *d'- allemande* deutschstämmig; *2.* Aufkommen *n; 3. (naissance)* Entstehung *f; 4.* Herkunft *f*
orme [ɔrm] *m* Ulme *f*
ornement [ɔrnəmã] *m* Ornament *n*
orner [ɔrne] *v* ausschmücken
orphelin(e) [ɔrfəlɛ̃/in] *m/f* Waise *m/f; - de père/de mère* Halbwaise
orphelinat [ɔrfəlina] *m* Waisenhaus *n*
orteil [ɔrtɛj] *m* Zehe *f*
orthogonal [ɔrtɔgɔnal] *adj* rechtwinklig
orthographe [ɔrtɔgraf] *f* Orthographie *f*, Rechtschreibung *f*
orthopédiste [ɔrtɔpedist] *m* Orthopäde *m*
ortie [ɔrti] *f* Brennessel *f*
os [ɔs] *m* Knochen *m; être trempé jusqu'au ~* völlig durchnäßt sein/ naß bis auf die Haut sein; *Il y a un ~.* Die Sache hat einen Haken./ An der Sache ist etw faul.
oscillation [ɔsilasjõ] *f* Schwingung *f*
osciller [ɔsile] *v* pendeln
osé [ɔze] *adj* gewagt, verwegen
oser [ɔze] *v* wagen, sich trauen
ossature [ɔsatyr] *f 1.* ANAT Gerippe *n; 2. (fig)* Gerüst *n*
ostentatoire [ɔstãtatwar] *adj* protzig
otage [ɔtaʒ] *m* Geisel *f*
ôter [ote] *v 1.* wegnehmen; *- le droit à qn* jdm das Recht absprechen; *Ote-toi de là que je m'y mette.* Laß mich auf Deinen Platz. *2. (un vêtement)* ablegen, ausziehen
ou [u] *konj* oder; *~ ... - entweder ... oder; - bien* oder auch

où [u] *adv* 1. wo; *d'-* woher; *d'- (causal)* daher; *par ~* wodurch; *~ es-tu?* Wo bist Du? *~ en êtes-vous?* Wie weit sind Sie? *~ voulez-vous en venir?* Worauf wollen Sie hinaus? 2. wohin; *~ vas-tu?* Wohin gehst Du?

oubli [ubli] *m* Vergessenheit *f*

oublier [ublije] *v* 1. vergessen; 2. auslassen; 3. verlernen; *N'oubliez pas de l'appeler!* Denken Sie daran, Ihn anzurufen!

oublieux/-se [ublijø/øz] *adj* vergeßlich

ouest [wɛst] *m* Westen *m*; *à l'~ de* westlich von

oui [wi] *adv* ja; *pour un ~ ou pour un non* bei der geringsten Kleinigkeit

ouïe [wi] *f* Gehör *n*

ouïe(s) [wi] *f/(pl)* ZOOL Kieme *f*

ouragan [uʀagã] *m* 1. Hurrikan *m*; 2. ~ Orkan *m*

ours [uʀs] *m* Bär *m*; *~ brun* Braunbär; *~ blanc* Eisbär

outil [uti] *m* 1. Instrument *n*, Werkzeug *n*; 2. Gerät *n*; *~ à usages multiples* Mehrzweckgerät; 3. Hilfsmittel *n*

outrage [utʀaʒ] *m* Schändung *f*

outrance [utʀãs] *f* Übertreibung *f*

outre [utʀ] *konj* außer, über … hinaus, jenseits; *en ~* außerdem/ferner/übrigens

outré [utʀe] *adj* 1. empört, außer sich; 2. übertrieben

outrecuidance [utʀəkɥidãs] *f* Überheblichkeit *f*

outre-mer [utʀəmɛʀ] *adv* Übersee *f*

outrer [utʀe] *v* übertreiben

outsider [awtsajdœʀ] *m* Außenseiter *m*

ouvert [uvɛʀ] *adj* 1. geöffnet; *être ~* offenstehen; 2. aufgeschlossen; 3. *(fig)* offen

ouverture [uvɛʀtyʀ] *f* 1. Eröffnung *f*; *~ d'exploitation* Betriebseröffnung; *heures d'~s* Öffnungszeiten; *~ de crédit* Kreditaufnahme; *~ du testament* Testamentseröffnung; 2. Loch *n*, Spalt *m*; 3. Auftakt *m*; 4. *(début)* Einleitung *f*; 5. *(d'un nouveau marché)* Erschließung *f*; 6. FOTO Blende *f*

ouvrage [uvʀaʒ] *m* 1. Werk *n*; *~ de référence* Nachschlagewerk; 2. Bauwerk *n*

ouvre-boîtes [uvʀəbwat] *m* Büchsenöffner *m*, Dosenöffner *m*

ouvre-bouteilles [uvʀəbutɛj] *m* Flaschenöffner *m*

ouvrier [uvʀije] *m* Arbeiter *m*; *~ du bâtiment* Bauarbeiter; *~ qualifié/spécialisé* Facharbeiter; *~ aux pièces* Akkordarbeiter

ouvrir [uvʀiʀ] *v* 1. öffnen, aufmachen; *~ la marche* sich an die Spitze stellen; *~ un livre* ein Buch aufschlagen; *~ les yeux à qn* jdm die Augen öffnen; 2. aufschließen, aufsperren, aufziehen; 3. eröffnen; 4. *(un nouveau marché)* erschließen; 5. *s'~* sich öffnen

ovaire [ɔvɛʀ] *m* Eierstock *m*

ovale [ɔval] *adj* oval

overdose [ɔvœʀdoz] *f* Überdosis *f*

ovulation [ɔvylasjõ] *f* Eisprung *m*

oxyder [ɔkside] *v* *s'~* rosten

oxygène [ɔksiʒɛn] *m* Sauerstoff *m*

ozone [ozon] *m* Ozon *n*

P/Q

pacha [paʃa] *m (fig)* Pascha *m*
Pacifique [pasifik] *m (océan)* Pazifik *m*
pacifiste [pasifist] 1. *m* Pazifist *m*; 2. *adj* pazifistisch
pacte [pakt] *m* Pakt *m*, Abkommen *n*
pagaille [pagaj] *f* Durcheinander *n*, Unordnung *f*
paganisme [paganism] *m* Heidentum *n*
pagayer [pageje] *v* paddeln
page [paʒ] *f* 1. *(recto/verso)* Seite *f; être à la* ~ mit der Zeit gehen/ auf dem laufenden sein; *tourner la* ~ einen Strich unter die Vergangenheit ziehen; ~ *de titre* Titelseite; 2. ~ *de garde* Deckblatt *n*; 3. *m* Page *m*
paie [pɛ] *f (rémunération)* Lohn *m*
paiement [pɛmã] *m* 1. Bezahlung *f*, Zahlung *f*; ~ *complémentaire* Nachzahlung; ~ *partiel* Teilzahlung; ~ *d'une pension alimentaire* Unterhaltszahlungen; ~ *des droits de douane* Verzollung; ~ *anticipé* Vorauszahlung; 2. *(dettes)* Abzahlung *f*; 3. Auszahlung *f*, Vergütung *f*; 4. Einzahlung *f*; 5. *ECO* Abzahlung *f*; ~ *à tempérament* Ratenzahlung; ~ *des intérêts* Verzinsung
païen [pajɛ̃] *m* Heide *m*
paillasson [pajasɔ̃] *m (pied)* Matte *f*
paille [paj] *f* 1. Stroh *n*; 2. Strohhalm *m*
pain [pɛ̃] *m* 1. Brot *n*; ~ *noir* Schwarzbrot; ~ *grillé* Toastbrot; ~ *de seigle* Roggenbrot; ~ *complet* Vollkornbrot; ~ *blanc* Weißbrot; 2. *petit* ~ Brötchen *n*; *se vendre comme de petits* ~*s* weggehen wie warme Semmeln
pair [pɛR] *adj* 1. ~ ebenbürtig; *aller de* ~ Hand in Hand gehen/ einhergehen mit etw; *être hors de* ~ alles übertreffen/ unvergleichlich sein
paire [pɛR] *f* 1. *(de chaussures)* Paar (Schuhe) *n; par* ~*s* paarweise; 2. *(fig)* Gespann *n*
paisible [pezibl] *adj* 1. friedlich; 2. *(tranquille)* ruhig, still
paître [pɛtR] *v* grasen
paix [pɛ] *f* 1. Frieden *m*, Ruhe *f*; 2. *(silence)* Ruhe *f*; *Fiche-moi la* ~! Laß mich in Ruhe!
palais [palɛ] *m* 1. Palast/Paläste *m*; 2. *(château)* Schloß *n*; 3. ~ *des congrès* Kongreßhalle *f*; 4. *ANAT* Gaumen *m*

pâle [pal] *adj* 1. blaß; *être* ~ *comme un mort* leichenblaß sein; *être* ~ *comme un linge* leichenblaß sein *m*
palette [palɛt] *f* 1. *TECH* Palette *f*; 2. *ART* Palette *f*
pâleur [palœR] *f* Blässe *f*
palier [palje] *m* 1. *(d'escalier)* Absatz *m*; 2. Podest *n*; 3. *TECH* Lager *n*
pâlir [paliR] *v* verblassen
palissade [palisad] *f* Zaun *m*
palme [palm] *f* 1. Flosse *f*; 2. Palmzweig *m; remporter la* ~ den Sieg davontragen
palmier [palmje] *m* Palme *f*
palper [palpe] *v* 1. betasten; 2. *MED* abtasten
palpitant [palpitã] *adj* spannungsgeladen
palpitations [palpitasjɔ̃] *f/pl* Herzklopfen *n*
palpiter [palpite] *v* klopfen, pochen
pamplemousse [pãpləmus] *m BOT* Grapefruit *f*, Pampelmuse *f*
panacée [panase] *f* Allheilmittel *n*
pancarte [pãkaRt] *f* Plakat *n*
pancréas [pãkReas] *m ANAT* Bauchspeicheldrüse *f*
paner [pane] *v* panieren
panier [panje] *m* Korb *m*
panique [panik] *f* Panik *f*, Hektik *f*
panne [pan] *f* 1. Panne *f; être en* ~ *(fig)* kaputt sein/ nicht weitermachen können; 2. *TECH* Störung *f*; 3. *(électricité)* Ausfall *m*; 4. *TECH* Versagen *n*; ~ *de moteur* Motorschaden
panneau [pano] *m (Tür-)Schild *n; tomber dans le* ~ in die Falle gehen; ~ *de circulation* Straßenschild; ~ *de signalisation* Verkehrszeichen; ~ *indicateur* Wegweiser
panorama [panɔrama] *m* 1. *(vue)* Aussicht *f*, Ansicht *f*; 2. Panorama *n*
pansement [pãsmã] *m* Verband *m*; ~ *adhésif* Wundpflaster; *matériel de* ~ Verbandsmaterial; *faire un* ~ verbinden
panser [pãse] *v* verbinden
pantalon [pãtalɔ̃] *m* Hose *f*
panthère [pãtɛR] *f* Panther *m*
pantin [pãtɛ̃] *m* Hampelmann *m*
pantomime [pãtɔmim] *f* Pantomime *f*

pantoufle [pɑtufl] *f* Pantoffel *m*, Hausschuh *m*

panure [panyʀ] *f* Paniermehl *n*

paon [pɑ̃] *m* Pfau *m*

papa [papa] *m* Papa *m*

papal [papal] *adj* päpstlich

pape [pap] *m* Papst *m*

paperasserie [papʀasʀi] *f* 1. Papierkrieg *m*; 2. - *(fam)* Amtsschimmel *m*

papier [papje] *m* Papier *n*; ~ *recyclé* Altpapier; ~ *d'aluminium* Alufolie; ~ *à lettre* Briefpapier; ~ *glacé* Glanzpapier; ~ *carbone* Kohlepapier; ~ *d'emballage* Packpapier; ~ *peint* Tapete; ~ *hygiénique* Toilettenpapier; ~ *de listing* Endlospapier; *poser du ~ peint* tapezieren

papier-monnaie [papjemɔnɛ] *m* Papiergeld *n*

papiers [papje] *m/pl* ~ *du véhicule* Fahrzeugbrief *m*

papillon [papijɔ̃] *m* Schmetterling *m*

paprika [papʀika] *m (épice)* Paprika *m*

paquebot [pakbo] *m* Passagierschiff *n*

pâquerette [pakʀɛt] *f* Gänseblümchen *n*

Pâques [pak] *f/pl* 1. Ostern *n*; 2. *œuf de* - Osterei *n*; 3. *Lundi de* - Ostermontag *m*

paquet [pakɛ] *m* 1. Packung *f*; 2. Paket *n*; *petit* - Päckchen, Bündel

par [paʀ] *prep* 1. bei, an; 2. durch, über; 3. je, per; 4. *adv* davon

parabole [paʀabɔl] *f* Gleichnis *n*

parachute [paʀaʃyt] *m* Fallschirm *m*

parachutiste [paʀaʃytist] *m* Fallschirmspringer *m*

parade [paʀad] *f* 1. *(escrime)* Deckung *f*; 2. Parade *f*, Schau *f*

paradis [paʀadi] *m* Paradies *n*, Eden *n*

paradisiaque [paʀadizjak] *adj* paradiesisch

paradoxal [paʀadɔksal] *adj* paradox

paragraphe [paʀagʀaf] *m* 1. Absatz *m*, Paragraph *m*; 2. *(chapitre)* Abschnitt *m*

paraître [paʀɛtʀ] *v* 1. aussehen; *A ce qu'il paraît.* Wie es scheint. 2. *faire* - bringen, herausbringen; 3. *(publier)* herauskommen, erscheinen; 4. scheinen

parallèle [paʀalɛl] 1. *adj* parallel; 2. *f* Parallele *f*

paralyser [paʀalize] *v* lähmen

paralysie [paʀalizi] *f* Lähmung *f*

parapet [paʀapɛ] *m* Brüstung *f*

paraplégie [paʀapleʒi] *f* Querschnittslähmung *f*

parapluie [paʀaplɥi] *m* Regenschirm *m*

parapsychologie [paʀapsikɔlɔʒi] *f* Parapsychologie *f*

parasite [paʀazit] *m* Parasit *m*, Schädling *m*

parasol [paʀasɔl] *m* Sonnenschirm *m*

paratonnerre [paʀatɔnɛʀ] *m* Blitzableiter *m*

parc [paʀk] *m* 1. Park *m*, Parkanlage *f*; ~ *national* Nationalpark *m*; ~ *d'attractions* Vergnügungspark *m*; 2. Gehege *n*

parce que [paʀskə] *konj* weil

parchemin [paʀʃəmɛ̃] *m* Pergament *n*

parcimonieux [paʀsimɔnjø] *adj (avare)* kleinlich

parcmètre [paʀkmɛtʀ] *m* Parkuhr *f*

parcourir [paʀkuʀiʀ] *v* 1. *(vérifier)* durchgehen; 2. *(voyager)* bereisen, durchlaufen; 3. ~ *des yeux* überblicken; 4. *(fig)* überfliegen

parcours [paʀkuʀ] *m* 1. Strecke *f*; 2. ~ *d'essai* Probefahrt *f*; 3. ~ *de santé* Trimmdich-Pfad *m*

par-dessus [paʀdəsy] *prep (local)* über

pardon [paʀdɔ̃] 1. *m* Entschuldigung *f*, Verzeihung *f*, Vergebung *f*; 2. *adv* bitte; 3. *interj* Verzeihung

pardonnable [paʀdɔnabl] *adj* entschuldbar, verzeihlich

pardonner [paʀdɔne] *v* 1. ~ *qc à qn* verzeihen, entschuldigen; *Je ne me le pardonnerai jamais.* Das werde ich mir nie verzeihen. ~ *à* vergeben; 2. *(fig)* nachsehen

pare-brise [paʀbʀiz] *m (voiture)* Windschutzscheibe *f*

pare-chocs [paʀʃɔk] *m (voiture)* Stoßstange *f*

pareil/lle [paʀɛj] *adj* 1. egal, gleich; 2. solche(r,s)

pareillement [paʀɛjmɑ̃] *adv* ebenfalls, gleichfalls

parent [paʀɑ̃] 1. *adj* verwandt; 2. *m/f* Verwandte/r *m/f*; ~ *par alliance* verschwägert

parenté [paʀɑ̃te] *f* 1. Sippe *f*; 2. Verwandtschaft *f*

parenthèse [paʀɑ̃tɛz] *f (signe)* Klammer *f*; *entre* - beiläufig; *entre* -s nebenbei gesagt;

parents [paʀɑ̃] *m/pl* 1. Eltern *pl*; ~ *adoptifs* Adoptiveltern *pl*; ~ *nourriciers* Pflegeeltern *pl*

parer [paʀe] *v* 1. abwehren; 2. kontern; 3. *(un coup) SPORT* parieren; 4. schmücken

paresse [paʀɛs] *f* Bequemlichkeit *f*, Trägheit *f*

paresser [paʀǝse] v faulenzen
paresseux [paʀesø] v 1. adj bequem, träge;
2. m Faulenzer m, Faulpelz m
parfaire [paʀfɛʀ] v ausarbeiten
parfait [paʀfɛ] adj 1. ideal; 2. vollkommen, mustergültig; 3. perfekt, tadellos; 4.
vortrefflich
parfaitement [paʀfɛtmã] adv gewiß
parfois [paʀfwa] adv manchmal, mitunter,
zuweilen
parfum [paʀfœ̃] m 1. Duft m, Hauch m; 2.
Parfüm n
parfumé [paʀfyme] adj duftig
parfumerie [paʀfymʀi] f Parfümerie f
pari [paʀi] m Wette f
parier [paʀje] v 1. wetten; 2. ~ sur tippen
auf
paritaire [paʀitɛʀ] adj paritätisch
parité [paʀite] f Parität f
parjure [paʀʒyʀ] m Meineid m
parking [paʀkiŋ] m 1. ~ sur plusieurs niveaux Parkhaus n; 2. ~ souterrain Tiefgarage
f
parlement [paʀlǝmã] m 1. Parlament n;
2. ~ d'un land (Allemagne) Landtag m; 3. ~
fédéral Bundestag m
Parlement [paʀlǝmã] m 1. ~ européen
Europaparlament n; 2. membre du ~ Parla-
mentarier m
parler [paʀle] v 1. reden, sprechen; Cela
ne vaut pas la peine d'en ~. Das ist nicht der
Rede wert. trouver à qui ~ an die richtige
Adresse geraten; sans ~ de.. ganz zu schweigen von... à proprement ~ eigentlich; faire ~
qn jdn aushorchen; ~ politique politisieren;
habile à ~ redegewandt; ~ tout bas wispern;
2. ~ de besprechen
parmesan [paʀmǝzã] m Parmesankäse m
parmi [paʀmi] 1. adv darunter; 2. prep unter, zwischen
parodie [paʀɔdi] f Parodie f
paroi [paʀwa] f Wand f
parole [paʀɔl] f Wort n; Voilà une bonne
~! Das ist ein Wort! ~ d'honneur! Ehrenwort!
faire honneur à sa ~ sein Versprechen einhalten; ~ énergique Machtwort
parquet [paʀkɛ] m 1. Bretterboden m; 2.
Parkett n
parrain [paʀɛ̃] m Pate m
parrainage [paʀɛnaʒ] m Patenschaft f
part [paʀ] f 1. Teil m; de ~ et d'autre auf
beiden Seiten; mis à ~ ausgenommen; à ~ extra; C'est une fait à ~. Das ist eine Sache für

sich. nulle ~ nirgends; faire ~ informieren;
faire ~ à qn de qc jdm etw mitteilen; ~ du lion
Löwenanteil; pour ma ~ meinerseits; 2. Anteil m, Portion f; de toute ~ allseits; prendre
~ a une décision mitbestimmen; prendre ~ à
mitmachen; 3. ~ du marché Marktanteil m
partage [paʀtaʒ] m 1. Teilung f; 2. Aufteilung f, Einteilung f
partager [paʀtaʒe] v 1. ~ qc avec qn
(fig:appartement) teilen; 2. aufteilen, einteilen; 3. ~ entre verteilen; 4. (fig) spalten; 5.
(en deux) halbieren
partenaire [paʀtǝnɛʀ] m 1. Partner m,
Ehepartner m; 2. (d'affaires) Partner m; 3. ~
contractuel Vertragspartner m
parterre [paʀtɛʀ] m 1. Beet n; 2. THEAT
Parterre n
partez! [paʀte] interj los!
parti [paʀti] 1. adv fort, weg; tirer ~ de qc
aus etw Nutzen ziehen; m 2. ~ pris Voreingenommenheit f; avec ~ voreingenommen; 3. ~
de gauche POL Linke(r) f/m; 4. POL Partei
f
partial [paʀsjal] adj parteiisch, voreingenommen; être ~ befangen sein
partialité [paʀsjalite] f Befangenheit f
participant [paʀtisipã] m 1. Beteiligte
m/f; 2. (à un cours) Kursteilnehmer m; 3.
Teilnehmer m
participation [paʀtisipasjõ] f 1. Anteil
m; 2. Beteiligung f, Mitwirkung f; ~ aux
bénéfices Gewinnbeteiligung; ~ électorale
Wahlbeteiligung; 3. Partnerschaft f
participer [paʀtisipe] v mitmachen, sich
beteiligen; ~ à teilnehmen
particularité [paʀtikylaʀite] f 1. Einzelheit f; 2. Besonderheit f, Eigenheit f; 3. Ei-
gentümlichkeit f
particulier [paʀtikylje] adj 1. besonde-
re(r,s), eigenartig; 2. privat; 3. adv en ~ insbesondere
particulièrement [paʀtikyljɛʀmã] adv
(très) besonders
partie [paʀti] f 1. Stück n, Teil m, Partie
f; Ce n'est pas une ~ de plaisir. Das ist alles
andere als ein Vergnügen. Je suis de la ~. Ich
bin dabei. ~ majeure Mehrzahl; faire ~ de dazugehören; en ~ teilweise; prendre qn à ~ jdn
angreifen; ~ de cartes Kartenspiel; ~ du
corps Körperteil; ~ supérieure Oberteil; ~
contractante Vertragspartner; ~ inférieure
Unterteil; ~ de cache-cache Versteckspiel; ~
adverse Widersacher; ~s génitales Genitali-

en; 2. Glied n, Bestandteil m; 3. (région) Abschnitt m

partiellement [paʀsjɛlmɑ̃] adv teilweise

partir [paʀtiʀ] v 1. (train, voiture) abfahren, ausgehen, gehen, fortgehen, weggehen; à - de qb; - en voyage verreisen; - d'un éclat de rire aus vollem Halse lachen; Vous êtes mal parti. Sie haben es falsch angefangen. à - de quoi woraus; 2. - pour/ à reisen; 3. starten; L'affaire part bien. Die Sache läßt sich gut an. 4. laisser - weglassen, gehen lassen; 5. faire - qn jdn wegschicken; 6. (douleur) vergehen; 7. (quitter) scheiden

partisan [paʀtizɑ̃] m 1. (adhérent) Anhänger m; les -s Anhängerschaft; 2. Befürworter m; 3. POL Partisan m

partout [paʀtu] adv 1. überall; 2. ~ à la ronde ringsherum

parution [paʀysjɔ̃] f Veröffentlichung f

parvenir [paʀvəniʀ] v 1. - à erreichen; 2. gelangen; 3. faire - à übermitteln; 4. - à atteindre erzielen

parvenu [paʀvəny] m Emporkömmling m

pas [pa] m 1. Schritt m; C'est à deux - d'ici. Das ist ganz in der Nähe. faire les cent - auf und ab gehen; de ce - sofort; emboîter le - à qn jdm auf den Fersen folgen; mettre au - gleichschalten; revenir sur ses - umkehren; 2. Tritt m; - à ~ schrittweise; 3. adv ne - nicht; ne - non plus auch nicht; ne - un/-e, de kein(er,e,es)

passable [pasabl] adj leidlich

passage [pasaʒ] m 1. (pour voiture) Durchfahrt f; - de la frontière Grenzübertritt; - souterrain Unterführung; - à niveau Bahnübergang; - interdit Fahrverbot; - pour piétons Zebrastreifen; 2. (montagne) Paß m; 3. Überfahrt f, Übergang m; 4. (couloir) Gang m

passager/ère [pasaʒe/ɛʀ] 1. m Insasse m, Fahrgast m; - avant (voiture) Beifahrer m; 2.adj vorübergehend, vergänglich

passant [pasɑ̃] m Passant m

passation [pasasjɔ̃] f Übergabe f

passé [pase] adj 1. (dernier) letzte(r,s), vorhergegangen; 2. vergangene(r,s); 3. ~ m Vergangenheit f; 4. adv (temp) vorbei

passe [pas] m (fam) Dietrich m; être dans une bonne - eine Glückssträhne haben

passe-partout [paspaʀtu] m Dietrich m

passeport [paspɔʀ] m Reisepaß m

passe-temps [pastɑ̃] m 1. Zeitvertreib m; 2. - favori Lieblingsbeschäftigung f

passer [pase] v 1. vorbeigehen, entlanggehen; Il faut en - par là. Da muß man durch. Passez donc! Bitte, treten Sie ein. Passons à table! Gehen wir zu Tisch! Comme le temps passe! Wie die Zeit vergeht! 2. (chez qn) vorbeikommen, vorbeifahren; 3. vergehen, vorbeigehen; 4. verbringen, vertreiben; 5. (tamiser) sieben, passieren; 6. verleben; 7. (un vêtement) schlüpfen, anziehen; 8. TEL verbinden; 9. (contrat) schließen; 10. (examen) absolvieren; 11. - pour gehalten werden für; 12. - outre qc sich über etw hinwegsetzen; 13. - les bornes (fig) zu weit gehen, über die Hutschnur gehen; 14. - par-dessus qc (fig) sich über etw hinwegsetzen; 15. - de mode aus der Mode kommen; 16. se - vorkommen, geschehen, sich abspielen; se - de entbehren; se - de qc sich etw verkneifen; 17. - à (fig: l'ennemi) überlaufen

passerelle [pasʀɛl] f 1. Landungssteg m; 2. Laufsteg m

passible [pasibl] adj empfindungsfähig; être - de unterliegen, betroffen sein, etw verwirkt haben

passif/ve [pasif/iv] adj passiv, untätig

passion [pasjɔ̃] f 1. Leidenschaft f; 2. Affekt m; 3. Liebhaberei f; 4. (fig) Glut f, Schwarm m

passionnant [pasjɔnɑ̃] adj mitreißend, spannend

passionné [pasjɔne] adj heiß, leidenschaftlich

passionner [pasjɔne] v se - pour (fig) schwärmen für etw

passivité [pasivite] f Passivität f

passoire [paswaʀ] f Sieb m

pastèque [pastɛk] f Wassermelone f

pasteur [pastœʀ] m 1. (évangélique) Geistliche m, Pastor m; 2. REL Seelsorger m

pasteurisé [pastœʀize] adj keimfrei

pataugeoire [patoʒwaʀ] f Planschbecken n

patauger [patoʒe] v (jouer) planschen

pâte [pat] f 1. Teig m; - feuilletée Blätterteig; - brisée Mürbteig; 2. Paste f

pâté [pate] m 1. GAST Pastete f; - de foie gras Gänseleberpastete; 2. Klecks m; 3. - de maisons Block m

Pater [patɛʀ] m Vaterunser n

patère [patɛʀ] f Kleiderhaken m

paternel/le [patɛʀnɛl] adj väterlich

paternité [patɛʀnite] f Vaterschaft f

pâtes [pɑt] *f/pl* 1. Teigwaren *pl;* 2. Nudeln *pl*

pathétique [patetik] *m* Pathos *n*

pathologie [patɔlɔʒi] *f* Pathologie *f*

pathologique [patɔlɔʒik] *adj* 1. krankhaft; 2. pathologisch

patiemment [pasjamɑ̃] *adv* geduldig

patience [pasjɑ̃s] *f* Geduld *f; Ma ~ est à bout.* Mir reißt der Geduldsfaden./ Meine Geduld ist nun wirklich zu Ende. *faire perdre la ~ à qn* jdn vertrösten; *~ d'ange* Engelsgeduld

patient [pasjɑ̃] 1. *adj* geduldig; 2. *m* Patient *m*

patienter [pasjɑ̃te] *v* abwarten, ausharren

patin [patɛ̃] *m* 1. *~ à roulettes* Rollschuh *m;* 2. *~ à glace* Schlittschuh *m*

patinage [patinaʒ] *m ~ artistique* Eiskunstlauf *m*

patiner [patine] *v* 1. (roues) durchdrehen; 2. Schlittschuh laufen

patineur [patinœʀ] *m ~ artistique* Eiskunstläufer *m*

pâtisserie [pɑtisʀi] *f* 1. Gebäck *n;* 2. Konditorei *f*

pâtissier-confiseur [pɑtisjekɔ̃fizœʀ] *m* Konditor *m*

patriarcat [patʀijaʀka] *m* Patriarchat *n*

patriarche [patʀijaʀʃ] *m* Patriarch *m*

patrie [patʀi] *f* Heimat *f*, Vaterland *n*

patrimoine [patʀimwan] *m* 1. Erbschaft *f;* 2. (bien culturel) Kulturgut *n;* 3. *~ génétique* Erbgut *n*

patriote [patʀijɔt] *m* Patriot *m*

patriotique [patʀijɔtik] *adj* patriotisch

patriotisme [patʀijɔtism] *m* Patriotismus *m; ~ de clocher* Lokalpatriotismus *m*

patron [patʀɔ̃] *m* 1. Chef *m*, Arbeitgeber *m;* 2. (artisanat) Meister *m;* 3. *~ d'un café* Wirt *m;* 4. Haupt/Häupter *n;* 5. Schablone *f;* 6. REL Schutzpatron *m*

patronage [patʀɔnaʒ] *m* 1. REL Patronat *n;* 2. Schirmherrschaft *f*

patrouille [patʀuj] *f* (de police) Streife *f*, Polizeistreife *f*

patte [pat] *f* 1. Pfote *f; graisser la ~ à qn* jdn schmieren; *montrer ~ blanche* sich ausweisen; 2. ZOOL Pranke *f*

pâturage [pɑtyʀaʒ] *m* 1. (herbage) Matte *f;* 2. *~ alpestre* Alm *f;* 3. Koppel *f;* 4. Weide *f*

paume [pom] *f ~ de la main* Handfläche *f*

paupière [popjɛʀ] *f* Augenlid *n*, Lid *n*

paupiette [popjɛt] *f* Roulade *f*

pause [poz] *f* 1. Pause *f; faire une ~ de travail* aussetzen; *~ de réflexion* Denkpause; *~ de midi* Mittagspause; 2. Rast *f*

pauvre [povʀ] *adj* 1. arm; 2. dürftig, mager; 3. (fig) armselig; 4. kümmerlich, spärlich

pauvreté [povʀəte] *f* Not *f*, Armut *f*

pavé [pave] *m* Pflaster *n*, Straßenpflaster *n; être sur le ~* auf der Straße sitzen/ arbeitslos sein

pavillon [pavijɔ̃] *m* 1. (drapeau) Fahne *f*, Flagge *f;* 2. (maison) Einfamilienhaus *n;* 3. Gartenhaus *n;* 4. Trichter *m;* 5. (auriculaire) Ohrmuschel *f*

pavot [pavo] *m* Mohn *m*

payable [pɛjabl] *adj* zahlbar

payant [pɛjɑ̃] *adj être ~* sich auszahlen

payer [peje] *v* 1. bezahlen, zahlen; *~ d'audace* unverschämt sein; *~ comptant* bar bezahlen; *~ de retour* erwidern/ nicht um eine Antwort verlegen sein; *~ par acomptes* auf Raten zahlen/abstottern; *se ~ une tranche* sich kranklachen; *~ ultérieurement* nachzahlen; 2. auszahlen, abzahlen; 3. (fam) blechen; 4. einzahlen; 5. vergelten; *~ qn de retour* heimzahlen

pays [pei] *m* 1. Land *n; avoir vu du ~* weitgereist sein; *~ agricole* Agrarland; *~ baltes* Baltikum; *~ du Bénélux* Beneluxstaaten; *~ sous-développé* Entwicklungsland; *~ frontalier* Grenzland; *~ d'origine* Ursprungsland; *~ industriel* Industrieland; *~ de cocagne* Schlaraffenland; *~ producteur* Erzeugerland; *~ tropicaux* Tropen; *du ~* heimisch, inländisch, heimatlich; 2. Heimat *f*

Pays-Bas [peiba] *m/pl les ~* Holland *n*

paysage [peizaʒ] *m* Gegend *f*, Landschaft *f*

paysan/paysanne [peizɑ̃/peizan] 1. *m/f* Bauer/Bäuerin *m/f;* 2. *adj* bäuerlich

péage [peaʒ] *m* Autobahngebühr *f; à ~ (autoroute)* gebührenpflichtig

peau [po] *f* 1. ANAT Haut *f; Je ne voudrais pas être dans sa ~.* Ich möchte nicht in seiner Haut stecken. 2. (fourrure) Pelz *m;* 3. (animal) Fell *n;* 4. BOT Hülse *f*

pêche [pɛʃ] *f* 1. Fischfang *m; ~ hauturière* Hochseefischerei; 2. BOT Pfirsich *m*

péché [peʃe] *m* Sünde *f; ~ de jeunesse* Jugendsünde; *~ capital* Kardinalfehler

pêcher [peʃe] *v ~ à la ligne* angeln, fischen

pécher [peʃe] v sündigen; ~ *contre* sich versündigen

pêcheur [pεʃœʀ] m Fischer m, Angler m

pécheur [peʃœʀ] m Sünder m

pédagogie [pedagɔʒi] f Pädagogik f

pédagogue [pedagɔg] m Pädagoge m

pédale [pedal] f Pedal n; ~ *d'accélération* Gaspedal n; ~ *de frein* Bremspedal n

pédalo [pedalo] m Tretboot n

pédiatre [pedjatʀ] m Kinderarzt m

pègre [pεgʀ] f Unterwelt f

peigne [pεɲ] m Kamm m, Haarkamm m

peigner [peɲe] v se ~ (sich) kämmen

peignoir [peɲwaʀ] m Bademantel m

peindre [pɛ̃dʀ] v malen, anstreichen, anmalen, bemalen

peine [pεn] f 1. Mühe f; C'est ~ perdue. Das ist verlorene Liebesmühe./ Das ist nicht der Mühe wert. y perdre sa ~ sich umsonst bemühen; 2. Schmerz m; 3. Leid n, Kummer m; faire de la ~ leid tun; Cela me fait de la ~ pour vous. Das tut mir leid für Sie. 4. JUR Strafe f; ~ de prison Gefängnisstrafe; ~ de détention Haftstrafe; ~ disciplinaire Ordnungsstrafe; ~ de mort/capitale Todesstrafe

peintre [pɛ̃tʀ] m 1. (artiste) Maler m; 2. (en bâtiment) Maler m, Anstreicher m

peinture [pɛ̃tyʀ] f Gemälde n, Malerei f; ~ à l'eau Wasserfarben; ~ à l'huile Ölgemälde; ~ murale Wandgemälde

pelage [pəlaʒ] m (fourrure) Pelz m

pêle-mêle [pεlmεl] 1. adj durcheinander; 2. m Durcheinander n

peler [pəle] v schälen

pèlerin [pεlʀɛ̃] m Pilger m

pèlerinage [pεlʀinaʒ] m Pilgerfahrt f, Wallfahrt f

pelle [pεl] f Schaufel f, Schippe f

pelleter [pεlte] v schippen

pelletier [pεltje] m Kürschner m

pellicule [pelikyl] f 1. (cheveux) Schuppe f; 2. (photo) Film m

pelote [pəlɔt] f ~ de laine Wollknäuel n; avoir les nerfs en ~ nervös sein

pelouse [pəluz] f Rasen m

peluche [pəlyʃ] f Plüsch m

pelure [pəlyʀ] f (pommes de terre) Schale f

pénalité [penalite] f Buße f

penaud [pəno] adj verdutzt

penchant [pɑ̃ʃɑ̃] m 1. Trieb m; 2. (pour) Zuneigung f; 3. (fig: talent) Hang m, Neigung f

pencher [pɑ̃ʃe] v 1. neigen; 2. ~ pour tendieren; 3. se ~ dehors sich hinausbeugen; 4. se ~ en avant sich vorbeugen

pendant [pɑ̃dɑ̃] prep 1. (temp) in; 2. während; 3. konj ~ que während, indem, 4. m Gegenstück n

pendeloque [pɑ̃dlɔk] f (bijou) Anhänger m

penderie [pɑ̃dʀi] f Kleiderschrank m

pendre [pɑ̃dʀ] v 1. hängen, herabhängen; dire pis que ~ de qn kein gutes Haar an jdm lassen; 2. se ~ sich aufhängen, sich erhängen

penduie [pɑ̃dyl] 1. m Pendel n; 2. f Standuhr f

pénétrant [penetʀɑ̃] adj 1. eindringlich; 2. penetrant

pénétrer [penetʀe] v 1. durchdringen, eindringen; 2. ~ par effraction (dans) einbrechen; 3. ~ dans (in etw) hineintreten

pénible [penibl] adj 1. peinlich; 2. mühsam; 3. penibel

péniche [peniʃ] f Kahn m

pénicilline [penisilin] f Penicillin n

pénis [penis] m Penis m

pénitencier [penitɑ̃sje] m 1. Zuchthaus n; 2. JUR Strafanstalt f

pensée [pɑ̃se] f 1. Gedanke m, Idee f; 2. Denken n

penser [pɑ̃se] v 1. ~ à qn/qc denken, bedenken; 2. glauben, meinen

pensif [pɑ̃sif] adj besinnlich, nachdenklich

pension [pɑ̃sjɔ̃] f 1. (maison) Pension f; ~ complète Vollpension; 2. (de retraite) Rente f, Pension f; ~ alimentaire Unterhalt; ~ de réversion Witwenrente

pensionnaire [pɑ̃sjɔnεʀ] m (foyer) Insasse m

pente [pɑ̃t] f 1. (montagne) Hang m, Abhang m; remonter la ~ wieder auf die Beine kommen; 2. Böschung f; en ~ abschüssig; 3. Gefälle n, Neigung f

Pentecôte [pɑ̃tkot] f Pfingsten n

pénurie [penyʀi] f 1. Not f; 2. Knappheit f; ~ en eau potable Trinkwasserknappheit f; 3. (de/en) Verknappung f; 4. ~ de personnel Personalmangel m

pépé [pepe] m (jargon d'enfants) Opa m

pépin [pepɛ̃] m (Obst-)Kern m

percée [pεʀse] f Durchbruch m

perceptible [pεʀsεptibl] adj 1. erkennbar, merklich; 2. (à l'oreille) hörbar, spürbar; 3. vernehmbar

perception [pɛʀsɛpsjɔ̃] *f 1.* Wahrnehmung *f;* 2. Finanzamt *n*
percer [pɛʀse] *v 1. (fig)* durchschauen; *2.* herausschauen, hervorschauen; *3.* lochen, perforieren
perceuse [pɛʀsøz] *f TECH* Bohrer *m*
percevoir [pɛʀsəvwaʀ] *v 1. (salaire)* beziehen; *2. (gagner)* einnehmen; *3. (fig)* überschauen
perche [pɛʀʃ] *f 1.* Stange *f;* 2. ZOOL Barsch *m*
perdant [pɛʀdɑ̃] *m* Verlierer *m*
perdre [pɛʀdʀ] *v 1.* verlieren; *- les pédales* unsicher werden; *Je m'y perds.* Da komme ich nicht mehr mit. *Il n'y a rien de perdu.* Noch ist nicht alles verloren. *2.* einbüßen; *- au change* beim Umtausch verlieren; *3. se -* sich verlaufen, sich verirren; *4. se - dans (fig)* versinken in; *5. se - dans le lointain* abklingen
perdrix [pɛʀdʀi] *m* Rebhuhn *n*
père [pɛʀ] *m 1.* Vater *m;* 2. *- Noël* Weihnachtsmann *m;* 3. *(révérend)* Pater/Patres *m;* 4. *- spirituel* Seelsorger *m*
pérenniser [peʀenize] *v* verewigen
perfection [pɛʀfɛksjɔ̃] *f* Perfektion *f,* Vollkommenheit *f; à la -* meisterhaft
perfectionner [pɛʀfɛksjɔne] *v 1.* vervollkommnen; *2. (connaissances)* vertiefen; *3.* veredeln; *4. se - (en)* sich fortbilden
perfectionniste [pɛʀfɛksjɔnist] *m* Perfektionist *m*
perfide [pɛʀfid] *adj* tückisch
perfidie [pɛʀfidi] *f 1.* Heimtücke *f;* 2. Untreue *f*
perforatrice [pɛʀfɔʀatʀis] *f 1.* Locher *m;* 2. TECH Bohrer *m*
perforer [pɛʀfɔʀe] *v* lochen, perforieren
perforeuse [pɛʀfɔʀøz] *f* Locher *m*
performance [pɛʀfɔʀmɑ̃s] *f 1.* Leistungsfähigkeit *f;* 2. TECH Leistung *f; haute -* Hochleistung *f*
perfusion [pɛʀfyzjɔ̃] *f* Infusion *f*
péricliter [peʀiklite] *v* untergehen
péril [peʀil] *m* Gefahr *f,* Not *f*
périlleux [peʀijø] *adj* gefährlich, halsbrecherisch
périmé [peʀime] *adj* ungültig; *être -* verfallen, ungültig werden
périmètre [peʀimɛtʀ] *m 1.* Umfang *m;* 2. *- interdit* Sperrbezirk *m*
période [peʀjɔd] *f 1. (de temps)* Abschnitt *m,* Periode *f;* 2. Zeitraum *m; - de*

pointe Hochsaison; *- initiale* Anfangsstadium; *- d'essai* Probezeit; *- de transition* Übergangszeit; *- creuse* Flaute; *- radioactive* Halbwertszeit; *- d'incubation* Inkubationszeit
périodique [peʀjɔdik] *1. m* Zeitschrift *f;* 2. *adj* periodisch
périphérie [peʀifeʀi] *f* Peripherie *f,* Stadtrand *m*
périr [peʀiʀ] *v 1.* umkommen; *2.* verenden
périssable [peʀisabl] *adj 1.* verderblich; *2.* zeitlich
péritonite [peʀitɔnit] *f* Bauchfellentzündung *f*
perle [pɛʀl] *f* Perle *f; Cela ne s'enfile pas commes des -s.* Das ist nicht so einfach, wie es aussieht.
permanence [pɛʀmanɑ̃s] *f 1.* Dauer *f;* 2. Beständigkeit *f; en -* immer, ständig; *3.* Notdienst *m*
permanent [pɛʀmanɑ̃] *adj (continu)* ständig, permanent
permanente [pɛʀmanɑ̃t] *f* Dauerwelle *f*
perméabilité [pɛʀmeabilite] *f* Durchlässigkeit *f*
perméable [pɛʀmeabl] *adj* durchlässig, undicht
permettre [pɛʀmɛtʀ] *v 1.* erlauben, ermöglichen; *2.* genehmigen, gestatten; *3. se - de* wagen, sich (ge)trauen; *4. se - qc* sich etw gönnen
permis [pɛʀmi] *m* Erlaubnisschein *m,* Genehmigung *f; - de conduire* Führerschein *m; - de séjour* Aufenthaltsgenehmigung *f; - de construire* Baugenehmigung *f; - de port d'armes* Waffenschein *m; - d'exportation* Ausfuhrgenehmigung *f*
permission [pɛʀmisjɔ̃] *f 1.* Zulassung *f,* Erlaubnis *f; avoir la -* dürfen; *2. MIL* Urlaub *m*
permutable [pɛʀmytabl] *adj* austauschbar
permuter [pɛʀmyte] *v 1.* vertauschen; *2. TECH* umschalten
perpendiculaire [pɛʀpɑ̃dikylɛʀ] *adj* senkrecht
perpétuel [pɛʀpetɥɛl] *adj 1.* fortwährend; *2.* lebenslänglich
perpétuer [pɛʀpetɥe] *v 1.* verewigen; *2. se -* fortbestehen
perpétuité [pɛʀpetɥite] *f* Fortdauer *f*
perplexe [pɛʀplɛks] *adj 1.* ratlos, unschlüssig; *être - bestürzt sein;* 2. verlegen

perplexité [pɛʀplɛksite] f Befangenheit f
perquisition [pɛʀkizisjɔ̃] f (de domicile)
JUR Hausdurchsuchung f
perquisitionner [pɛʀkizisjɔne] v durchsuchen
perroquet [pɛʀɔkɛ] m Papagei m; répéter
qc comme un ~ etw nachplappern wie ein
Papagei
perruche [peʀyʃ] f Wellensittich m
perruque [peʀyk] f Perücke f
Perse [pɛʀs] 1. m (personne) Perser m; 2.
f Persien n
persécuté/e [pɛʀsekyte] m/f Verfolgte/r
m/f
persécuter [pɛʀsekyte] v (fig) hetzen
persécution [pɛʀsekysjɔ̃] f Verfolgung
f; ~ des Juifs Judenverfolgung f
persévérance [pɛʀseveʀɑ̃s] f 1. Beharrlichkeit f, Ausdauer f; 2. Beständigkeit f,
Widerstandskraft f
persévérant [pɛʀseveʀɑ̃] adj beharrlich,
ausdauernd
persévérer [pɛʀseveʀe] v ausharren, verharren
persienne [pɛʀsjɛn] f 1. Fensterladen m;
2. Jalousie f
persiflage [pɛʀsiflaʒ] m Verspottung f
persil [pɛʀsi] m Petersilie f
persistance [pɛʀsistɑ̃s] f 1. Andauer f;
2. Beständigkeit f, Widerstandskraft f; 3.
Fortdauer f
persistant [pɛʀsistɑ̃] adj nachhaltig, permanent
persister [pɛʀsiste] v 1. andauern; 2. ~
dans verharren
personnage [pɛʀsɔnaʒ] m 1. Person f; ~
principal Hauptperson f; 2. grossier ~ (fam)
Prolet m
personnalité [pɛʀsɔnalite] f 1. Person f;
2. Persönlichkeit f; manquant de ~ (personne) farblos; 3. ~ importante Prominenz f
personne [pɛʀsɔn] pron 1. keiner; 2. niemand; Je n'y suis pour ~. Ich bin für niemanden zu sprechen. f 3. Person f; être infatué de sa ~ sehr von sich eingenommen
sein; en ~ persönlich; imbu de sa ~ eingebildet; ~ interposée Mittelsmann; ~ compétente Sachbearbeiter; 4. Mensch m
personnel [pɛʀsɔnɛl] 1. adj eigen, persönlich; m 2. Personal n; ~ au sol Bodenpersonal; 3. (entreprise) Angehörige m/f
personnification [pɛʀsɔnifikasjɔ̃] f Inbegriff m, Verkörperung f

personnifier [pɛʀsɔnifje] v verkörpern,
personifizieren
perspective [pɛʀspɛktiv] f 1. (avenir)
Aussicht f; 2. Ausblick m; 3. Perspektive f
perspicace [pɛʀspikas] adj 1. scharfsinnig; 2. (fig) weitsichtig
perspicacité [pɛʀspikasite] f Scharfsinn
m
persuader [pɛʀsɥade] v 1. überreden; 2. ~
qn de qc überzeugen
persuasion [pɛʀsɥazjɔ̃] f 1. Überredung
f; 2. Überzeugung f
perte [pɛʀt] f 1. (chute) Untergang m; 2.
Verlust m; ~ de connaissance Bewußtlosigkeit; ~ de mémoire Gedächtnisschwund; 3.
MED Abgang m; à ~ de vue endlos; 4. ECO
Ausfall m, Verlust m
pertinent [pɛʀtinɑ̃] adj 1. treffend; 2. triftig
perturbation [pɛʀtyʀbasjɔ̃] f Ruhestörung f
pervers [pɛʀvɛʀ] adj abartig, pervers
pervertir [pɛʀvɛʀtiʀ] v verführen
perçant [pɛʀsɑ̃] adj 1. gellend; 2. (fig)
messerscharf, spitz
pesant [pəzɑ̃] adj 1. beschwerlich; 2.
(compact) plump
pesanteur [pəzɑ̃tœʀ] f (fig) Schwere f,
Schwerkraft f
peser [pəze] v 1. (poids) wiegen; 2. ~ qc
abwiegen; 3. erwägen; 4. (fig) belasten; 5. ~
sur (fig) lasten
pessimisme [pesimism] m Pessimismus
m
pessimiste [pesimist] 1. m Pessimist m;
2. adj pessimistisch
peste [pɛst] f Pest f
pester [pɛste] v ~ contre qn fluchen
pesticide [pɛstisid] m Pflanzenschutzmittel n
pétarader [petaʀade] v knattern
pétard [petaʀ] m Knallkörper m
pétillant [petijɑ̃] adj 1. schäumend; 2.
(fam) quicklebendig
pétiller [petije] v 1. (feu) knistern; 2. prikkeln; 3. schäumen, sprudeln; 4. (fig) sprühen
petit [pəti] 1. adj gering, klein; ~ à ~ allmählich; très ~ winzig; 2. m (animal) Junge n
petitesse [pətitɛs] f Geringfügigkeit f
petit-fils [pətifis] m Enkel m
pétition [petisjɔ̃] f 1. Petition f; 2. POL
Eingabe f, Petition f
petits-enfants [pətizɑ̃fɑ̃] m/pl Enkel pl

petits pois [pətipwa] *m/pl* Erbsen *pl*
pétrifié [petrifje] *adj* versteinert
pétrin [petrɛ̃] *m* 1. Mulde *f;* 2. *(fig)* Klemme *f*
pétrir [petriʀ] *v* kneten
pétrole [petʀɔl] *m* 1. (Erd-)Öl *n;* 2. Petroleum *n*
pétrolier [petʀɔlje] *m* Öltanker *m*
pétulant [petylɑ̃] *adj* übermütig
peu [pø] *adv* 1. *(quantité)* knapp; - à - allmählich; *un petit -* de ein kleines bißchen; *un - etwas;* 2. wenig; *tant soi -* wenn auch noch so wenig; *pour un -* beinahe/um ein Haar; *sous -* in Kürze/bald; *- m'importe.* Das ist mir gleichgültig. *- ou prou* gar nicht
peuple [pœpl] *m* 1. Volk *n;* 2. Bevölkerung *f*
peuplier [pøplije] *m* Pappel *f*
peur [pœʀ] *f* 1. Angst *f; en être quitte pour la -* mit dem Schrecken davonkommen; *avoir une - bleue* eine Heidenangst haben; *faire - à qn* jdn erschrecken; 2. *(angoisse)* Furcht *f*
peureux [pœʀø] 1. *adj* ängstlich, scheu; 2. *m* Angsthase *m*
peut-être [pøtɛtʀ] *adv* vielleicht, möglicherweise
pfennig [pfɛnig] *m* Pfennig *m*
pH [peaʒ] *m* pH-Wert *m*
phantasme [fɑ̃tasm] *m* Trugbild *n*
phare [faʀ] *m* 1. Leuchtturm *m;* 2. Scheinwerfer *m; - antibrouillard (voiture)* Nebelscheinwerfer *m; pleins -s* Fernlicht
pharmaceutique [faʀmasøtik] *adj* pharmazeutisch
pharmacie [faʀmasi] *f* Apotheke *f*
pharmacien [faʀmasjɛ̃] *m* Apotheker *m*
pharmacologie [faʀmakɔlɔʒi] *f* Pharmakologie *f*
pharmacologue/pharmacologiste [faʀmakɔlɔg/faʀmakɔlɔʒist] *m* Pharmakologe *m*
phase [faz] *f* Stufe *f,* Phase *f,* Stadium *n; - finale* Ausklang *m*
phénomène [fenɔmɛn] *m* Erscheinung *f; - concomitant* Begleiterscheinung *f; - marginal* Randerscheinung *f; - reflexe* Reflexbewegung; *- de transition* Übergangserscheinung
philanthrope [filɑ̃tʀɔp] *m* Menschenfreund *m*
philharmonie [filaʀmɔni] *f* Philharmonie *f*
philosophe [filɔzɔf] *m* Philosoph *m*

philosophie [filɔzɔfi] *f* Philosophie *f*
philosophique [filɔzɔfik] *adj* philosophisch
phoque [fɔk] *m* Robbe *f,* Seehund *m*
phosphate [fɔsfat] *m* Phosphat *m*
photo [fɔtɔ] *f* Aufnahme *f; - d'identité* Paßbild
photo(graphie) [fɔtɔgrafi] *f* Foto *n,* Lichtbild *n*
photocopie [fɔtɔkɔpi] *f* Abzug *m,* Kopie *f; faire une -* fotokopieren
photocopier [fɔtɔkɔpje] *v* fotokopieren
photocopieur/euse [fɔtɔkɔpjœʀ/øz] *m/f* Kopierer *m*
photographe [fɔtɔgraf] *m* Fotograf *m*
photographie [fɔtɔgrafi] *f* Aufnahme *f*
photographier [fɔtɔgrafje] *v* fotografieren, knipsen
phrase [fraz] *f* 1. *GRAMM* Satz *m;* 2. - *toute faite* Floskel *f,* Redewendung *f*
physicien [fizisjɛ̃] *m* Physiker *m*
physiologie [fizjɔlɔʒi] *f* Physiologie *f*
physiologique [fizjɔlɔʒik] *adj* physiologisch
physionomie [fizjɔnɔmi] *f* Gesichtsausdruck *m*
physiothérapie [fizjɔteʀapi] *f* Naturheilkunde *f*
physique [fizik] *adj* 1. körperlich; 2. physikalisch; 3. physisch; 4. *f* Physik *f; - nucléaire* Kernphysik
pianiste [pjanist] *m* Pianist *m*
piano [pjano] *m* 1. Klavier *n;* 2. *- à queue* Flügel *m*
pic [pik] *m* 1. *(outil)* Pickel *m,* Picke *f; à -* senkrecht; 2. *- épeiche* Buntspecht *m*
pichet [piʃɛ] *m* Krug *m*
pickpocket [pikpɔkɛt] *m* Taschendieb *m*
picoler [pikɔle] *v (fam)* saufen
picorer [pikɔʀe] *v* 1. picken; 2. prickeln
pie [pi] *f* ZOOL Elster *f*
pièce [pjɛs] *f* 1. *(de monnaie)* Münze *f;* 2. *(chambre)* Raum *m,* Zimmer *n; - attenante* Nebenraum; 3. *(part)* Stück *n;* 4. *(de tissu)* Fleck *m;* 5. Posse *f; - écrite pour la télévision* Fernsehspiel; *- radiophonique* Hörspiel; 6. *petite -* Kammer *f*
pied [pje] *m* 1. *ANAT* Fuß *m; au - levé* unvorbereitet; *Je ne peux plus mettre un - devant l'autre.* Ich kann keinen Fuß mehr vor den anderen setzen. *mettre les -s dans le plat* ins Fettnäpfchen treten; *ne pas savoir sur quel - danser* nicht aus noch ein wissen;

perdre ~ den Boden unter den Füßen verlieren; travailler d'arrache~ sich ein Bein ausreißen/ wie verrückt arbeiten; *~s nus* barfuß; *~ plat* Plattfuß; 2. *(unité de mesure)* Fuß m, Zoll m; 3. *(statue,monument)* Fuß m, Sockel m; 4. *BOT* Stengel m

piège [pjɛʒ] m 1. Falle f; *se laisser prendre au ~* in die Falle gehen; 2. *(fig)* Schlinge f

pierre [pjɛʀ] f 1. Stein m; *C'est une ~ dans mon jardin.* Das ist auf mich gemünzt. *être malheureux comme les ~s* todunglücklich sein; *~ de bordure* Bordstein; *~ tombale* Grabstein; 2. *~ précieuse* Juwel n

pierreux [pjɛʀø] adj steinig

piété [pjete] f 1. Pietät f; 2. *REL* Frömmigkeit f

piétiner [pjetine] v trampeln

piéton [pjetɔ̃] m Fußgänger m, Passant m

piètre [pjɛtʀ] adj armselig

pieu [pjø] m Pfahl m

pieuvre [pjœvʀ] f Krake f

pieux [pjø] adj andächtig, fromm

pigeon [piʒɔ̃] m Taube f

pigment [pigmɑ̃] m Pigment n

pigne [piɲ] f Pinienzapfen m

pignon [piɲɔ̃] m 1. Giebel m; 2. *BOT* Pinienkern m

pilastre [pilastʀ] m Pfeiler m

pile [pil] f 1. *(vêtements,livres)* Stapel m; 2. *~ électrique* Batterie f

pilier [pilje] m 1. Säule f, Pfeiler m; 2. Ständer m

pillage [pijaʒ] m Plünderung f

piller [pije] v plündern, ausplündern

pilotage [pilɔtaʒ] m Steuerung f

pilote [pilɔt] m 1. Lotse m; 2. Pilot m; *~ d'essai* Testpilot

piloter [pilɔte] v 1. lenken, steuern; 2. *(avion)* fliegen; 3. lotsen

pilule [pilyl] f Pille f; *avaler la ~* die bittere Pille schlucken/ in den sauren Apfel beißen; *~ contraceptive MED* Antibabypille f

piment [pimɑ̃] m *~ doux* Paprika m

pimenter [pimɑ̃te] v pfeffern

pin [pɛ̃] m Kiefer f; *pomme de ~* Tannenzapfen

pince [pɛ̃s] f 1. Zange f, Klemme f; *~ coupante* Beißzange; 2. Pinzette f; 3. *~ à linge* Wäscheklammer f

pinceau [pɛ̃so] m Pinsel m

pincée [pɛ̃se] f Prise f; *~ de qc* Messerspitze

pincer [pɛ̃se] v 1. *(coincer)* klemmen; 2. kneifen, zwicken

ping-pong [piŋpɔ̃g] m Tischtennis n

pingouin [pɛ̃gwɛ̃] m Pinguin m

pingre [pɛ̃gʀ] 1. m Filz m; 2. adj *(fam)* knauserig

pinson [pɛ̃sɔ̃] m Buchfink m, Fink m

pioche [pjɔʃ] f Hacke f, Pickel m

piocher [pjɔʃe] v hacken

piolet [pjɔlɛ] m *(outil)* Pickel m

pionnier [pjɔnje] m 1. Pionier m, Vorkämpfer m; 2. Wegbereiter m

pipe [pip] f Pfeife f

piquant [pikɑ̃] adj 1. scharf; 2. spitz; 3. stachelig, kratzig; 4. *(fig)* prickelnd

pique [pik] f Spieß m; *être un ~assiette* schmarotzen

pique-nique [piknik] m Picknick n

piquer [pike] v 1. stechen; 2. beißen; 3. *(fam)* klauen

piquet [pikɛ] m Pfahl m

piqûre [pikyʀ] f 1. *(vipère)* Biß m; 2. Stich m; *~ d'insecte* Insektenstich; *~ d'abeille* Bienenstich; 3. *MED* Spritze f, Injektion f; *faire une ~* spritzen

pirate [piʀat] m 1. Pirat m; 2. *~ de l'informatique* Hacker m

pire [piʀ] adv *au ~* schlimmstenfalls

pirouette [piʀwɛt] f Drehung f

pis [pi] m *ZOOL* Euter m

piscine [pisin] f Schwimmbad n, Becken n; *~ couverte* Hallenbad; *~ en plein air* Freibad

pissenlit [pisɑ̃li] m Löwenzahn m; *manger les ~s par la racine* ins Gras beißen

pistache [pistaʃ] f Pistazie f

pistachier [pistaʃje] m *(arbre)* Pistazie f

piste [pist] f 1. Piste f; *~ cyclable* Fahrradweg; *~ d'atterrissage* Landebahn; *~ de danse* Tanzfläche; 2. Manege f

pistolet [pistɔlɛ] m Pistole f

piston [pistɔ̃] m 1. *(moteur)* Kolben m; 2. *TECH* Bolzen m

pitié [pitje] f 1. Mitleid n; *C'est ~ que voir.* Es ist traurig zu sehen. *avoir ~ de* bemitleiden; 2. Erbarmen n

pitoyable [pitwajabl] adj 1. bedauernswert; 2. erbärmlich; 3. *REL* gnädig

pittoresque [pitɔʀɛsk] adj malerisch

pivert [pivɛʀ] m *(=pic-vert)* Specht m

pivoter [pivɔte] v *sur son axe* rotieren

placard [plakaʀ] m Schrank m; *~ de cuisine* Küchenschrank m

place [plas] *f 1. (lieu)* Ort *m*, Stelle *f*, Platz *m*; ~ *de parking* Parkplatz; ~ *du marché* Marktplatz; ~ *à l'université* Studienplatz; *à la* ~ *de* anstatt; *laisser sur* ~ dalassen; ~ *d'apprentissage* Lehrstelle; *2. (espace libre)* Platz *m*; *3. (emploi)* Posten *m*; *4. (siège)* Sitz *m*; ~ *assise* Sitzplatz; *5.* Standort *m*

placé [plase] *adj* situiert

placement [plasmã] *m* Investition *f*

placenta [plasɛ̃ta] *m* Nachgeburt *f*

placer [plase] *v 1.* legen; ~ *qc* hinlegen; *2.* unterbringen; *3.* investieren, anlegen; *4.* plazieren

plafond [plafɔ̃] *m 1.* Zimmerdecke *f*; *fresque de* ~ Deckengemälde *n*; *2.* Flughöhe *f*

plafonnier [plafɔnje] *m* Deckenbeleuchtung *f*

plage [plaʒ] *f* Strand *m*; ~ *de sable* Sandstrand *m*

plaider [plede] *v 1. (une cause)* plädieren; *2. (contre)* JUR prozessieren

plaidoirie [pledwari] *f* Plädoyer *n*

plaidoyer [pledwaje] *m 1.* JUR Verteidigung *f*; *2.* Plädoyer *n*

plaie [plɛ] *f 1.* Wunde *f*; *2.* Heimsuchung *f*; *3.* Platzwunde *f*

plaignant [plɛɲã] *m* JUR Ankläger *m*

plaindre [plɛ̃dʀ] *v se* ~ sich beklagen, sich beschweren

plaine [plɛn] *f* Ebene *f*

plainte [plɛ̃t] *f 1.* JUR Anzeige *f*, Klage *f*; *porter* ~ *(contre qn)* anzeigen; ~ *écrite* Klageschrift; *2.* JUR Strafanzeige *f*

plaintif [plɛ̃tif] *adj* kläglich

plaire [plɛʀ] *v 1. (à qn)* gefallen; *2. (fig: aimer)* ansprechen, zusagen

plaisamment [plezamã] *adv* scherzhaft

plaisant [plezã] *adj 1. (drôle)* lustig; *2. (agréable)* gefällig; *3.* scherzhaft

plaisanter [plezãte] *v 1.* spaßen; *2.* scherzen; *Je ne plaisante pas.* Das ist kein Scherz.

plaisanterie [plezãtʀi] *f* Scherz *m*, Witz *m*

plaisir [pleziʀ] *m 1.* Belieben *n*; *2.* Gefallen *m*; *3.* Genuß *m*, Lust *f*, Freude *f*, Vergnügen *n*; *avec* ~ gern; ~ *suprême* Hochgenuß

plan [plã] *m 1.* ARCH Entwurf *m*, Abriß *m*; *laisser en* ~ *qn* im Stich lassen; ~ *transversal* Querschnitt; *premier* ~ Vordergrund; *gros* ~ CINE Großaufnahme; *2.* Plan *m*, Zeichnung *f*; ~ *d'aménagement* Bebauungsplan; ~ *de vol* Flugplan; ~ *de bataille*

Schlachtplan; ~ *d'une ville* Stadtplan; ~ *de désarmement* Abrüstungsplan; *3.* Konzept *n*; *4. (fig)* Ebene *f*; *5.* Vorhaben *n*

planche [plãʃ] *f 1.* Brett *n*; ~ *à repasser* Bügelbrett *n*; *2.* ~ *de titre* Titelbild *n*; *3.* ~ *de salut (fig)* Rettungsanker *m*

plancher [plãʃe] *m* Fußboden *m*, Bretterboden *m*

planer [plane] *v* schweben

planète [planɛt] *f* Planet *m*

planification [planifikasjɔ̃] *f* Planung *f*; ~ *urbaine* Stadtplanung *f*

planifier [planifje] *v* planen

planning [planiŋ] *m* Planung *f*; ~ *familial* Familienplanung *f*

plantation [plãtasjɔ̃] *f 1.* Anpflanzung *f*, Bepflanzung *f*; *2.* Plantage *f*

plante [plãt] *f 1.* Pflanze *f*; ~ *médicinale* Arzneipflanze; ~ *grimpante* Kletterpflanze; *2. (cheveux)* Haaransatz *m*; *3. (pied)* Ballen *m*; ~ *des pieds* Fußsohle

planter [plãte] *v 1.* bauen, pflanzen; *tout* ~ *là* alles hinschmeißen; *2. (jardin)* anlegen

plantureux/-se [plãtyʀø/øz] *adj* üppig

plaque [plak] *f 1.* Platte *f*; *2.* ~ *minéralogique* Nummernschild *n*; *3.* Türschild *n*; *4.* ~ *tournante* Umschlagplatz *m*, Drehscheibe *f*

plaqué [plake] *m* Furnier *n*

plaquer [plake] *v 1.* TECH beschichten; *2.* ~ *qn (fig/fam)* jdn fallenlassen, versetzen

plastique [plastik] *adj 1.* formbar; *2.* plastisch; *3. m matière* ~ Plastik *n*, Kunststoff *m*

plat [pla] *m 1.* Schüssel *f*, Tortenplatte *f*; *2.* Gang *m*; *mettre les petits* ~*s dans les grands* sich in Unkosten stürzen; *faire tout un* ~ *de qc* viel Aufhebens von einer Sache machen; *3.* Gericht *n*; ~ *préféré* Leibgericht; ~ *favori* Lieblingsspeise; ~ *tout préparé* Fertiggericht; ~ *de résistance* Hauptgericht; *4. adj* eben, flach; *à* ~ erschöpft; *être à* ~ einen Platten haben

platane [platan] *m* Platane *f*

plateau [plato] *m 1.* Tablett *n*; *2.* Hochebene *f*; *3.* ~ *de la balance* Waagschale *f*

plate-bande [platbãd] *f* Beet *n*

plate-forme [platfɔʀm] *f 1.* Plattform *f*; *2.* ~ *de forage* Bohrinsel *f*; *3.* ~ *de chargement* Ladebühne *f*; *4.* ~ *d'élévation* Hebebühne *f*

platine [platin] *1. m* CHEM Platin *n*; *2. f* INFORM Laufwerk *n*

plâtre [platʀ] *m* MIN Gips *m*; *battre qn comme* ~ jdn windelweich schlagen

plausible [plozibl] *adj* plausibel, triftig

plèbe [plɛb] *f* Pöbel *m*

plein [plɛ̃] *adj* 1. voll, völlig; *en avoir ~ le dos* es gründlich satt haben; *faire le ~* volltanken; *de ~ gré* aus freiem Antrieb; *en ~ hiver* mitten im Winter; *en ~ soleil* in der prallen Sonne; *mettre en ~ dans le mille* ins Schwarze treffen; 2. ZOOL trächtig

plénitude [plenityd] *f* Fülle *f*, Überfluß *m*

pléthore [pletɔr] *f* Überfluß *m*

pleurer [plœre] *v* 1. weinen; *~ comme un veau* wie ein Schloßhund heulen; *C'est bête à ~!* Es ist zum Weinen! 2. *~ qc* bejammern; 3. *~ qn (mort)* beweinen; 4. *(fam)* heulen

pleurnicher [plœrniʃe] *v* *(fam)* heulen, quengeln

pleurs [plœr] *m/pl* Tränen *pl; en ~* in Tränen aufgelöst

pleuvoir [pløvwar] *v* regnen; *~ à verse* in Strömen regnen; *Il va ~.* Es wird gleich Regen geben. *Il pleut de grosses gouttes.* Es fallen dicke Tropfen. *Les critiques pleuvaient sur lui.* Er wurde mit Kritik überschüttet.

plexiglas [pleksiglas] *m* Plexiglas *n*

pli [pli] *m* 1. Falte *f; Cela ne fait pas un ~.* Das geht wie geschmiert. *prendre un mauvais ~ (fig)* eine schlechte Gewohnheit annehmen; 2. *(pantalon)* Bügelfalte *f;* 3. *(papier)* Knick *m*

pliable [plijabl] *adj* faltbar, zusammenklappbar

pliant [plijã] *adj* faltbar

plie [pli] *f* Scholle *f*

plier [plije] *v* 1. einbiegen; 2. beugen, biegen; *être plié en deux* sich biegen vor Lachen; 3. falten, knicken; 4. *(papier)* umknicken; 5. *se ~* à sich fügen in, beugen

plisser [plise] *v* knicken, falten

plomb [plõ] *m* 1. Blei *n; avec ~* verbleit; 2. Plombe *f*

plombage [plõbaʒ] *m (dent)* Plombe *f*

plomber [plõbe] *v* plombieren

plombier-zingueur [plõbjɛzɛ̃gœr] *m* Klempner *m*

plongeon [plõʒõ] *m* Kopfsprung *m*

plonger [plõʒe] *v* 1. tauchen; 2. untertauchen, eintauchen; 3. *se ~ dans qc* sich in etw versenken

plongeur [plõʒœr] *m* Taucher *m*

ployer [plwaje] *v* nachgeben

pluie [plɥi] *f* Regen *m; ~ diluvienne* Platzregen *m; ~ torrentielle* Wolkenbruch *m*

plumage [plymaʒ] *m* Gefieder *n*

plume [plym] *f* 1. ZOOL Feder *f; y laisser des ~s* Federn lassen/Haare lassen müssen; *léger comme une ~* federleicht; 2. *~ d'oie* Bettfeder *f*

plupart [plypar] 1. *adj la ~ de (superlatif)* meist/e(n); 2. *adv pour la ~* zumeist

plural [plyral] *adj* mehrfach

pluralisme [plyralism] *m* Pluralismus *m*

pluralité [plyralite] *f* Mehrheit *f*

pluriel [plyrjɛl] *m* GRAMM Mehrzahl *f*, Plural *m*

plus [plys] *konj* 1. *de ~* außerdem, ferner, hinzu, neben; 2. *~..., ~...* je ... desto... *adv* 3. mehr; *J'en ai ~ qu'assez.* Ich habe es mehr als satt. 4. *en ~ (supplémentaire)* dazu; 5. MATH plus; 6. *pron ~ d'un/une* mehrere; 7. *adj le ~ de* meist/e(n)

plusieurs [plyzjœr] *pron* mehrere

plutôt [plyto] *adv* eher, lieber

pneu [pnø] *m* 1. Reifen *m;* 2. *~ à plat* Plattfuß *m;* 3. *~ clouté (voiture)* Spikes *pl;* 4. *~ thermogomme* Winterreifen *m*

pneumonie [pnømɔni] *f* Lungenentzündung *f*

poche [pɔʃ] *f (vêtement)* Tasche *f; mettre qn dans sa ~* jdn in die Tasche stecken; *C'est dans la ~!* Das hätten wir./ Das ist so gut wie sicher. *avoir des ~s sous les yeux* Augenringe haben; *en être de sa ~ (fig)* draufzahlen

poêle [pwal] 1. *m* Ofen *m; ~ enfaïence* Kachelofen *m;* 2. *f* Pfanne *f; ~ à frire* Bratpfanne *f*

poème [pɔɛm] *m* Gedicht *n*

poésie [pɔezi] *f* 1. Poesie *f;* 2. Dichtung *f;* 3. *~ lyrique* Lyrik *f*

poète [pɔɛt] *m* Dichter *m*, Poet *m*

poétique [pɔetik] *adj* poetisch

poids [pwa] *m* 1. Gewicht *n; perdre du ~* abnehmen; *~ brut* Bruttogewicht; *~ plume* Federgewicht; *~ mouche* Fliegengewicht; *~ lourd* Lastkraftwagen; *~ net* Nettogewicht; *manque de ~* Untergewicht; 2. Last *f*

poignard [pwaɲar] *m* Dolch *m*

poignée [pwaɲe] *f* 1. *(porte)* Türgriff *m*, Klinke *f; ~ de porte* Türklinke; 2. Handgriff *m; ~/serrement de main* Händeschütteln; *une ~ de* eine Handvoll; 3. Henkel *m*

poignet [pwaɲɛ] *m* Handgelenk *n*

poil [pwal] *m* 1. Haar *n; Il s'en est fallu d'un ~.* Um Haaresbreite./ Es hätte nicht viel gefehlt. 2. *(animal)* Fell *n*

poilu [pwaly] *adj* behaart; *être ~ comme un singe/un ours* behaart wie ein Affe sein
poinçon [pwɛsɔ̃] *m* Stempel *m*
poinçonner [pwɛsɔne] *v* 1. lochen; 2. stempeln; 3. *TECH* eichen
poindre [pwɛdʀ] *v (aube)* dämmern
poing [pwɛ̃] *m* Faust *f; dormir à ~s fermés* wie ein Murmeltier schlafen; *gros comme le ~* faustgroß
point [pwɛ̃] *m* 1. Punkt *m; mettre les ~s sur les i* es klipp und klar sagen; *être au ~ mort* den toten Punkt erreicht haben; *être sur le ~ de partir* auf dem Sprung sein; *faire le ~ de qc* ein Fazit ziehen; *mettre les choses au ~* etw richtigstellen/etw auf den Punkt bringen; *~ d'appui* Anhaltspunkt; *~ d'application* Ansatzpunkt; *~ de départ* Ausgangspunkt; *~ d'exclamation* Ausrufungszeichen; *~ d'interrogation* Fragezeichen; *~ d'achoppement* Angriffspunkt; *~s communs* Gemeinsamkeiten; *~ mort* Leerlauf; *~ final* Schlußstrich; *~ de fusion* Schmelzpunkt; *~ faible* Schwachstelle; *~ de côté* Seitenstechen; *~ cardinal* Himmelsrichtung; 2. *~ de vue* Meinung *f*, Standpunkt *m*; 3. *(couture)* Stich *m*
pointe [pwɛ̃t] *f* 1. Spitze *f; ~ des pieds* Zehe; *~ du jour* Tagesanbruch; *de ~* hochentwickelt; *~ de couteau* Messerspitze; *heures de ~* Stoßverkehr; 2. Pointe *f*; 3. *TECH* Nagel *m*
pointer [pwɛte] *v* 1. abhaken; 2. *MUS* punktieren
pointeuse [pwɛtøz] *f* Stechuhr *f*
pointilleux [pwɛtijø] *adj* peinlich genau
pointu [pwɛty] *adj* spitz
pointure [pwɛtyʀ] *f* Größe *f*
point-virgule [pwɛviʀgyl] *m* Strichpunkt *m*
poire [pwaʀ] *f* Birne *f; couper la ~ en deux* einen Kompromiß schließen/sich einigen
poireau [pwaʀo] *m* Lauch *m*, Porree *m*
poirier [pwaʀje] *m* Birnbaum *m*
pois [pwa] *m* 1. Erbse *f*; 2. Tupfen *m*; 3. *~ chiche* Kichererbse *f*
poison [pwazɔ̃] *m* 1. Gift *n*; 2. *(fig)* Giftzahn *m*
poisson [pwasɔ̃] *m* 1. Fisch *m*; 2. *~ frit* Bratfisch *m*; 3. *~ rouge* Goldfisch *m*
poissonnerie [pwasɔnʀi] *f* Fischgeschäft *n*
poitrinaire [pwatʀinɛʀ] *adj* lungenkrank
poitrine [pwatʀin] *f* 1. Brust *f*; 2. Büste *f*

poivre [pwavʀ] *m* Pfeffer *m; ~ de Cayenne* Cayennepfeffer *m*
poivrer [pwavʀe] *v* pfeffern
poivron [pwavʀɔ̃] *m* Paprika *m*
poix [pwa] *f* Pech *n*
pôle [pol] *m* Pol *m; ~ négatif* Minuspol; *~ nord* Nordpol; *~ positif* Pluspol; *~ sud* Südpol
polémique [polemik] 1. *f* Polemik *f*; 2. *adj* polemisch
poli [poli] *adj* 1. höflich; *être on ne peut plus ~* so höflich sein, wie man nur kann; 2. rücksichtsvoll; 3. *m* Politur *f*
police [polis] *f* 1. Polizei *f; ~ judiciaire* Kriminalpolizei; *~ des mœurs* Sittenpolizei; *~ de la route* Verkehrspolizei; 2. *~ d'assurance* Versicherungspolice *f*
policier [polisje] *m* 1. Polizist *m*; 2. *(roman)* Krimi *m*; 3. *adj* polizeilich
polio(myélite) [poljomjelit] *f* Kinderlähmung *f*
polir [poliʀ] *v* 1.*(lisser)* glätten; 2. verfeinern; 3. *TECH* abschleifen, schleifen
polissage [polisaʒ] *m* Verfeinerung *f*
polisson [polisɔ̃] *m* Bengel *m*, Lausbub *m*
politesse [polites] *f* Höflichkeit *f*
politique [politik] 1. *adj* politisch; 2. *f* Politik *f; ~ agricole* Agrarpolitik; *~ de l'éducation* Bildungspolitik; *~ familiale* Familienpolitik; *~ de marché* Absatzpolitik; *~ de dissuasion* Abschreckungspolitik; *~ extérieure* Außenpolitik; *~ de détente* Entspannungspolitik; *~ financière* Finanzpolitik; *~ de paix* Friedenspolitik; *~ commerciale* Handelspolitik; *~ intérieure* Innenpolitik; *~ réaliste* Realpolitik; *~ sociale* Sozialpolitik; *~ monétaire* Währungspolitik; *~ économique* Wirtschaftspolitik
pollen [polɛn] *m* Blütenstaub *m*
pollinisation [polinizasjɔ̃] *f* Pollenflug *m*
polluant [polɥɑ̃] 1. *m* Schadstoff *m*; *adj* 2. *non ~* schadstoffarm; 3. umweltfeindlich
polluer [polɥe] *v* verschmutzen, verunreinigen
pollution [polysjɔ̃] *f* 1. Verschmutzung *f; ~ de l'air* Luftverschmutzung *f; ~ de l'environnement* Umweltverschmutzung *f*; 2. *~ sonore* Lärmbelästigung *f*
Pologne [polɔɲ] *f* Polen *n*
polonais [polonɛ] *adj* polnisch
poltron [poltʀɔ̃] 1. *adj* feig; 2. *m* Angsthase *m*

polychrome [pɔlikʀɔm] *adj* mehrfarbig
polycopier [pɔlikɔpje] *v* vervielfältigen
polyglotte [pɔliglɔt] *adj* mehrsprachig, polyglott
polygonal [pɔligɔnal] *adj* vielseitig
polype [pɔlip] *m* Polyp *m*
pommade [pɔmad] *f* Salbe *f*, Pommade *f*
pomme [pɔm] *f* 1. Apfel *m*; 2. ~ *de terre* Kartoffel *f*; ~ *en robe de chambre* Pellkartoffel; ~*s de terre sautées* Bratkartoffeln; ~ *à l'anglaise* Salzkartoffeln
pommier [pɔm je] *m* Apfelbaum *m*
pompe [pɔ̃p] *f* 1. Pumpe *f*; ~ *à air* Luftpumpe *f*; 2. Prunk *m*
pompé [pɔ̃pe] *adj (fam: fatigué)* kaputt, erschöpft
pomper [pɔ̃pe] *v* pumpen
pompeux [pɔ̃pø] *adj* prunkvoll
pompier [pɔ̃pje] *m* Feuerwehrmann *m*
pompiers [pɔ̃pje] *m/pl* Feuerwehr *f*
pompiste [pɔ̃pist] *m* Tankwart *m*
poncer [pɔ̃se] *v TECH* abschmiergeln
ponctualité [pɔ̃ktɥalite] *f* Pünktlichkeit *f*
ponctuel [pɔ̃ktɥɛl] *adj* pünktlich, prompt
pondre [pɔ̃dʀ] *v (œuf)* legen
poney [pɔnɛ] *m* Pony *n*
pont [pɔ̃] *m* 1. Brücke *f*; *faire le* ~ Fenstertag *m*; 2. NAUT Deck *n*; 3. ~ *arrière (voiture)* Hinterachse *f*; 4. ~ *supérieur (bateau)* Verdeck *n*; 5. ~ *élévateur* Hebebühne *f*
ponte [pɔ̃t] *m* Gegenspieler *m*
pontifical [pɔ̃tifikal] *adj* päpstlich
populace [pɔpylas] *f* Pöbel *m*
populaire [pɔpylɛʀ] *adj* 1. beliebt, populär; 2. volkstümlich
popularité [pɔpylaʀite] *f* Beliebtheit *f*, Popularität *f*
population [pɔpylasjɔ̃] *f* 1. Bevölkerung *f*; ~ *rurale* Landbevölkerung *f*; 2. Einwohnerzahl *f*; 3. ~ *locale* Einheimische *m/f*
porc [pɔʀ] *m* Schwein *n*
porcelaine [pɔʀsəlɛn] *f* Porzellan *n*
porcelet [pɔʀsəlɛ] *m* Ferkel *n*
porc-épic [pɔʀepik] *m* Stachelschwein *n*
porcherie [pɔʀʃəʀi] *f* Schweinestall *m*
pore [pɔʀ] *m* Pore *f*
poreux [pɔʀø] *adj* porös
pornographie [pɔʀnɔgʀafi] *f* Pornographie *f*
port [pɔʀ] *m* 1. Hafen *m*; 2. Porto *n*
portable [pɔʀtabl] *adj (mode)* tragbar

portail [pɔʀtaj] *m* 1. *(porte)* Tor *n*; 2. Portal *n*
portatif [pɔʀtatif] *adj (appareil)* tragbar
porte [pɔʀt] *f* 1. Tür *f*; *mettre qn à la* ~ jdn vor die Tür setzen; *ouvrir la* ~ *à qc* einer Sache Tür und Tor öffnen; *défendre sa* ~ *à qn* jdm sein Haus verbieten; *frapper à la* ~ anklopfen; ~ *tournante* Drehtür; ~ *à double battant* Flügeltür; *faire du* ~-*à*-~ hausieren; 2. Pforte *f*
porte-bagages [pɔʀtbagaʒ] *m* Gepäckträger *m*
porte-documents [pɔʀtdɔkymã] *m* Aktentasche *f*
portée [pɔʀte] *f* 1. Reichweite *f*; *à* ~ *de la main* griffbereit; ~ *d'émission* Sendebereich *m*; 2. Spannweite *f*, Tragweite *f*; *de grande* ~ weitreichend
portefeuille [pɔʀtfœj] *m* 1. Brieftasche *f*; 2. ~ *de titres* Effektenbestand *m*
porte-manteau [pɔʀtmãto] *m* Bügel *m*
porte-monnaie [pɔʀtmɔnɛ] *m* Beutel *m*
porte-parapluies [pɔʀtpaʀaplɥi] *m* Schirmständer *m*
porte-parole [pɔʀtpaʀɔl] *m* 1. Sprecher *m*; 2. ~ *du gouvernement* Regierungssprecher *m*
porte-plume [pɔʀtplym] *m* Federhalter *m*
porter [pɔʀte] *v* 1. *(vêtement)* anhaben, tragen; 2. bringen; *se* ~ *comme un charme* sich sehr wohl fühlen/sich pudelwohl fühlen/kerngesund sein; ~ *bonheur* Glück bringen; ~ *qn aux nues* jdn bis in den Himmel heben; ~ *à* überbringen; ~ *à la conaissance du public* bekanntgeben; *se* ~ *garant pour qn* für jdn bürgen; *se* ~ *candidat* kandidieren
porte-savon [pɔʀtsavõ] *m* Seifenhalter *m*
porte-serviettes [pɔʀtsɛʀvjɛt] *m* Handtuchhalter *m*
porteur [pɔʀtœʀ] *m* 1. Bote *m*, Überbringer *m*; 2. Träger *m*
portier [pɔʀtje] *m* 1. Hausmeister *m*; 2. Pförtner *m*, Portier *m*
portion [pɔʀsjɔ̃] *f* 1. Portion *f*; 2. Quantum/Quanten *n*; 3. Quote *f*
porto [pɔʀto] *m* Portwein *m*
portrait [pɔʀtʀɛ] *m* 1. Abbild *n*, Ebenbild *n*; 2. Portrait *n*; *faire le* ~ porträtieren; 3. ~ *robot* Phantombild *n*
Portugais [pɔʀtygɛ] *m* Portugiese *m*
portugais [pɔʀtygɛ] *adj* portugiesisch

Portugal [pɔrtygal] *m* Portugal *n*
pose [poz] *f* 1. Pose *f*; 2. *(câble)* Verlegung *f*
posé [poze] *adj* besonnen
poser [poze] *v* 1. legen; 2. stellen; 3. ~ *sur* aufsetzen; 4. *(pansement)* anlegen; 5. *(câble)* verlegen
poseur [pozœr] *m (fig)* Wichtigtuer *m*
positif [pozitif] 1. *adj* positiv; 2. *m* FOTO Positiv *n*
position [pozisjɔ̃] *f* 1. Lage *f*, Position *f*; ~ *de pointe* Spitzenposition; 2. *(point de vue)* Standpunkt *m*, Stellung *f*; ~ *debout* Stand; ~ *dominante* Vormachtstellung; ~ *sociale* Status; 3. *(poste de travail)* Anstellung *f*
possédé [posede] *adj* ~ *de* besessen von
posséder [posede] *v* 1. besitzen, haben; 2. *(fig: maîtriser)* beherrschen; 3. *(fam)* hintergehen
possession [posesjɔ̃] *f* Besitz *m; avoir en sa* ~ innehaben
possibilité [posibilite] *f* Möglichkeit *f*; ~ *de promotion professionnelle* Aufstiegsmöglichkeit; ~ *d'évitement* Ausweichmöglichkeit
possible [posibl] 1. *adj* möglich; *adv* 2. *le mieux* ~ bestmöglich; 3. *le plus...* ~ möglichst
postal [pɔstal] *adj numéro de code* ~ Postleitzahl *f*
poste [post] *f* 1. Postamt *n*; 2. Post *f*; ~ *aérienne* Luftpost *f*; *hôtel de la* ~ Postamt *m*; ~ *restante* postlagernd; *m* 3. Position *f*; ~ *de commande* Schlüsselposition *f*; 4. Positur *f*; 5. *(emploi)* Stellung *f*; ~ *de police* Polizeiposten *m*; ~ *de secours* Unfallstation *f*; 6. Station *f*; ~ *de télévision* Fernsehgerät *n*; ~ *émetteur-récepteur* Funkgerät *n*; ~ *de radio* Rundfunkgerät *n*
poster [poste] *v (courrier)* einwerfen
postérieur [posterjœr] 1. *adj* nachträglich; 2. *m (fam)* Hintern *m*
postérité [posterite] *f* 1. Nachkommenschaft *f*; 2. Nachwelt *f*
postface [pɔstfas] *f* Nachwort *n*
postiche [pɔstiʃ] 1. *adj (faux)* falsch; 2. *m* Toupet *n*
postulant [pɔstylɑ̃] *m* Bewerber *m*
postuler [pɔstyle] *v* ~ *pour/à* sich bewerben
posture [pɔstyr] *f* Positur *f*
pot [po] *m* 1. Topf *m*; ~ *de fleur* Blumentopf; 2. Kanne *f*; 3. *(fam)* Umtrunk *m*; 4. ~ *d'échappement* Auspuff *m*

potable [pɔtabl] *adj* trinkbar
potage [pɔtaʒ] *m* Suppe *f*; ~ *de légumes* Gemüsesuppe *f*
potager [pɔtaʒe] *m jardin* ~ Gemüsegarten *m*
potasser [pɔtase] *v (fam)* pauken
pot-de-vin [podəvɛ̃] *m* Schmiergeld *n*
pote [pɔt] *m (fam)* Kumpel *m*
poteau [pɔto] *m* Pfahl *m*, Pfosten *m*
potelé [pɔtle] *adj (gros)* mollig, pummelig
potence [pɔtɑ̃s] *f* Galgen *m*
potentiel [pɔtɑ̃sjɛl] 1. *m* Potential *n*; 2. *adj* potentiell
poterie [pɔtri] *f* Töpferhandwerk *n*
potiner [pɔtine] *v (fam)* tratschen
potins [pɔtɛ̃] *m/pl (fam)* Gerede *n*
potiron [pɔtirɔ̃] *m* Kürbis *m*
pot-pourri [popuri] *m* Allerlei *n*
pou [pu] *m* Laus *f*
pouah! [pwa] *interj* pfui!
poubelle [pubɛl] *f* Abfalleimer *m*, Mülleimer *m*
pouce [pus] *m* 1. *(unité de mesure)* Zoll *m*; 2. ANAT Daumen *m*
poudre [pudr] *f* Puder *m*, Pulver *n*; ~ *à canon* Schießpulver *n*
poudreux [pudrø] *adj* pulverig
pouilleux [pujø] *adj (misérable)* lausig
poulailler [pulaje] *m (volailles)* Stall *m*
poulain [pulɛ̃] *m* Fohlen *n*
poule [pul] *f* Henne *f*, Huhn *n; avoir la chair de* ~ eine Gänsehaut bekommen
poulet [pulɛ] *m* 1. GAST Hähnchen *n*; 2. ~ *rôti* Brathuhn *n*; 3. *(péj: gendarme)* Bulle *m*, Polyp *m*
poulpe [pulp] *m* 1. Krake *f*; 2. Polyp *m*
pouls [pu] *m* Puls *m*
poumon [pumɔ̃] *m* Lunge *f*
poupe [pup] *f* Heck *n*
poupée [pupe] *f* Puppe *f*
pouponnière [puponjɛr] *f* Hort *m*, Kinderhort *m*
pour [pur] *prep* 1. für; ~ *des prunes* für nichts und wieder nichts; ~ *tout de bon* in allem Ernst; 2. pro; *konj* 3. um ... zu; ~ *dire vrai* um die Wahrheit zu sagen; ~ *en avoir le cœur net* um im klaren zu sein; 4. ~ *que* damit; 5. *adv* ~ *quoi?* wozu?
pourboire [purbwar] *m* Trinkgeld *n*
pourceau [purso] *m* Schwein *n*
pour cent [pursɑ̃] *m* Prozent *n; en* ~ prozentual
pourcentage [pursɑ̃taʒ] *m* Prozent *n*

pourchasser [puʀ ʃase] *v 1.* jagen; *2. (fig)* hetzen

pour mille [puʀ mil] *m* Promille *n*

pourparlers [puʀpaʀle] *m/pl* Verhandlung *f*

pourquoi [puʀkwa] *1. adv* warum, wieso, weshalb; *2. konj c'est ~ deshalb*

pourri [puʀi] *adj 1. (fruit)* faul, verdorben; *2.* morsch

pourrir [puʀiʀ] *v 1.* verderben, faulen; *2.* vermodern

poursuite [puʀsɥit] *f* Verfolgung *f*, Jagd *f*

poursuivre [puʀsɥivʀ] *v 1.* fortsetzen, fortfahren; *2.* jagen, verfolgen; *3. (son chemin)* weitergehen; *4. (en justice)* belangen

pourtant [puʀtɑ̃] *konj* doch, jedoch

pourvoi [puʀvwa] *m* Einspruch *m*

pourvoir [puʀvwaʀ] *v 1. (équiper)* ausstatten; *2. ~ à* vorsorgen

pousse [pus] *f 1.* BOT Wachstum *n*; *2.* BOT Trieb *m*

poussée [puse] *f 1.* Auftrieb *m*; *2.* Drang *m*

pousser [puse] *v 1. (grandir)* aufwachsen, wachsen; *2.* schieben, anschieben; *3.* BOT treiben; *4. (en avant)* treiben, antreiben; *5. ~ à faire qc* anregen, ermuntern; *6.* aufkommen, heraufziehen

poussette [puset] *f (fam)* Kinderwagen *m*

poussière [pusjɛʀ] *f* Staub *m*

poussiéreux [pusjeʀø] *adj* staubig

poussin [pusɛ̃] *m* ZOOL Küken *n*

poutre [putʀ] *f* Balken *m*

pouvoir [puvwaʀ] *m 1.* Macht *f*, Herrschaft *f*; *2.* Gewalt *f*; *~ discrétionnaire* Verfügungsgewalt; *la séparation des ~s* Gewaltenteilung; *~ présidentiels* Präsidialgewalt; *~ gouvernemental* Regierungsgewalt; *pleins ~s* Vollmacht; *3.* Können *n*, Vermögen *n*; *4.* POL Mandat *n*; *5. v* dürfen, können

pouvoirs [puvwaʀ] *m/pl* Befugnis *f*

pragmatique [pʀagmatik] *adj* pragmatisch

prairie [pʀeʀi] *f* Wiese *f*

praticable [pʀatikabl] *adj* befahrbar

pratiquant [pʀatikɑ̃] *adj* REL fromm

pratique [pʀatik] *f 1.* Praxis *f*; *2.* Übung *f*, Routine *f*; *3. adj (confortable)* bequem, praktisch

pratiquer [pʀatike] *v 1.* üben; *2.* praktizieren

pré [pʀe] *m* Wiese *f*

préalablement [pʀealablmɑ̃] *adv* vorher

préambule [pʀeɑ̃byl] *m* Vorwort *n*

précaire [pʀekɛʀ] *adj (douteux)* unsicher

précaution [pʀekosjɔ̃] *f 1.* Umsicht *f*; *avec ~* umsichtig; *2.* Vorbeugung *f*; *prendre des ~s* vorsehen; *3.* Vorsichtigkeit *f*; *par mesure de ~* vorsichtshalber; *mesure de ~* Vorsichtsmaßnahme; *4.* Vorsorge *f*; *par ~* vorsorglich

précautionneux/-euse [pʀekosjɔnø/øz] *adj* vorsichtig

précédent [pʀesedɑ̃] *1. adj* vergangene(r,s), vorhergehend; *2. m* Präzedenzfall *m*

précéder [pʀesede] *v* vorausgehen

précepte [pʀesɛpt] *m* Vorschrift *f*

prêcher [pʀeʃe] *v* predigen

précieux [pʀesjø] *adj 1.* kostbar, wertvoll; *2.* edel

précipice [pʀesipis] *m* Abgrund *m*

précipitamment [pʀesipitamɑ̃] *adv* fluchtartig

précipitation [pʀesipitasjɔ̃] *f* Hast *f*

précipitations [pʀesipitasjɔ̃] *f/pl* METEO Niederschlag *m*

précipiter [pʀesipite] *v 1. se ~* überstürzen; *2. se ~ (vers, à)* rennen; *3. se ~ sur* sich auf etw stürzen

précis [pʀesi] *adj 1. (bien)* bestimmt, gewiß; *2.* deutlich, genau; *3.* präzise, fein; *4. m* Abriß *m*

précisément [pʀesizemɑ̃] *adv* genau, gerade

préciser [pʀesize] *v* verdeutlichen

précision [pʀesizjɔ̃] *f 1.* Genauigkeit *f*; *2.* Deutlichkeit *f*; *3.* Präzision *f*

précoce [pʀekɔs] *adj* früh, frühzeitig

préconisateur [pʀekɔnizatœʀ] *m* Befürworter *m*

préconiser [pʀekɔnize] *v* anpreisen

précurseur [pʀekyʀsœʀ] *m 1.* Vorbote *m*; *2.* Vorläufer *m*

prédécesseur [pʀedesesœʀ] *m* Vorgänger *m*

prédécesseurs [pʀedesesœʀ] *m/pl* Vorfahren *m*

prédestiné [pʀedɛstine] *adj* prädestiniert

prédiction [pʀediksjɔ̃] *f* Prophezeiung *f*, Vorhersage *f*

prédilection [pʀedilɛksjɔ̃] *f* Vorliebe *f*

prédire [pʀediʀ] *v 1.* vorhersagen; *2.* voraussagen

prédominance [pʀedɔminɑ̃s] *f 1.* Vorherrschaft *f*; *2.* Vormachtstellung *f*

prédominant [pʀedɔminɑ̃] *adj 1.* vorherrschend; *2.* vorwiegend
prédominer [pʀedɔmine] *v 1.* überwiegen; *2.* vorherrschen
préface [pʀefas] *f* Vorwort *n*
préfecture [pʀefektyʀ] *f ~ de police* Polizeipräsidium *n*
préférence [pʀefeʀɑ̃s] *f 1.* Vorzug *m*, Vorrang *m; de ~* eher, lieber; *2.* Begünstigung *f*, Bevorzugung *f; 3.* Priorität *f; 4.* Vorliebe *f; 5.* Vorrang *m*
préférer [pʀefeʀe] *v 1.* bevorzugen; *2. (fig)* vorziehen
préjudice [pʀeʒydis] *m* Beeinträchtigung *f; porter ~ à* beeinträchtigen
préjugé [pʀeʒyʒe] *m* Vorurteil *n*
prélèvement [pʀelɛvmɑ̃] *m* Entnahme *f*
prélever [pʀelve] *v 1. (argent)* abheben; *2. (impôts, taxe)* erheben
prélude [pʀelyd] *m (MUS et fig)* Einleitung *f*
prématuré [pʀematyʀe] *adj 1.* früh; *2.* frühzeitig; *3.* voreilig, vorzeitig; *4. (fig)* frühreif
préméditation [pʀemeditasjɔ̃] *f* JUR Vorsatz *m*
premier/-ère [pʀəmje/ɛʀ] *1. num* erste(r,s); *adj 2.* vordere(r,s); *3. le ~/la ~ venu(e)* nächstbeste(r,s); *4.* oberst(e,r,s); *5.* anfänglich
première [pʀəmjɛʀ] *f* Premiere *f*, Uraufführung *f*
premièrement [pʀəmjɛʀmɑ̃] *adv* erst, vorerst
prendre [pʀɑ̃dʀ] *v 1.* nehmen; *~ le deuil* Trauerkleidung anlegen; *C'est à ~ ou à laisser.* Entweder-oder./ Aufs Handeln lasse ich mich nicht ein. *~ une bonne tournure* eine gute Wende nehmen; *~ qn à part* jdn auf die Seite nehmen; *~ le chemin des écoliers* trödeln; *~ qc à contre-sens* etw verkehrt herum auffassen; *~ de entnehmen; ~ qc à la légère* leichtnehmen; *~ mal qc* übelnehmen; *~ le dessus sur* überhandnehmen; *2.* greifen, fassen; *Bien m'en a pris.* Das war wohl richtig./ Ich habe wohl daran getan. *Cela ne prend pas!* Das zieht bei mir nicht! *Je vous y prend!* Jetzt hab ich Sie! *Qu'est-ce qui te prend?* Was fällt dir denn ein? *Si vous n'êtes pas pris ce soir.* Wenn Sie heute abend nichts vorhaben. *~ la poudre d'escampette* fliehen; *3. (saisir)* ergreifen; *s'en ~ à qn de qc* jdn für etw verantwortlich machen; *~ fait et*

cause pour qc für etw Partei ergreifen; *~ qn sur le fait* jdn auf frischer Tat ertappen; *~ qn au dépourvu* jdn unverhofft überraschen; jdn in Verlegenheit bringen/jdn auf dem falschen Fuß erwischen; *4. (attraper)* fangen; *5. (un médicament)* einnehmen; *6. (une direction)* einschlagen; *7. (des informations)* einziehen; *8. (décision)* fällen; *9.* hinnehmen
preneur [pʀənœʀ] *m 1.* Pächter *m; 2.* ECO Abnehmer *m; 3. ~ d'otage(s)* Geiselnehmer *m*
prénom [pʀenɔ̃] *m* Vorname *m; ~ usuel* Rufname *m*
préoccupant [pʀeɔkypɑ̃] *adj 1.* bedenklich; *2.* besorgniserregend
préoccupation [pʀeɔkypasjɔ̃] *f* Besorgnis *f*
préparatifs [pʀepaʀatif] *m/pl 1.* Anbahnung *f; 2.* Vorbereitung *f*, Vorkehrung *f*
préparation [pʀepaʀasjɔ̃] *f 1.* Präparat *n; 2.* Vorbereitung *f*, Zubereitung *f; 3.* Vorrichtung *f*
préparé [pʀepaʀe] *adj tout ~* fertig
préparer [pʀepaʀe] *v 1.* vorbereiten; *2.* zubereiten, bereiten; *3.* bereitstellen; *4. ~ la voie* anbahnen; *5. se ~ à* sich vorbereiten auf; *6. se ~* sich anschicken
prépondérance [pʀepɔ̃deʀɑ̃s] *f 1.* Übermacht *f; 2.* Vormachtstellung *f*
prépondérant [pʀepɔ̃deʀɑ̃] *adj 1.* überwiegend; *2.* vorherrschend; *3.* vorwiegend
préposition [pʀepozisjɔ̃] *f* Präposition *f*
préretraite [pʀeʀətʀɛt] *f* Vorruhestand *m*
prérogative [pʀeʀɔgativ] *f* Vorrecht *n*
près [pʀɛ] *1. adv à peu ~* circa; *à peu de chose ~* fast; *surveiller de ~* scharf überwachen; *2. prep ~ de* nah(e), bei, neben
présage [pʀezaʒ] *m* Omen *n*
presbytère [pʀɛsbiteʀ] *m* Pfarramt *n*
prescription [pʀɛskʀipsjɔ̃] *f 1.* Vorschrift *f; 2.* JUR Verfall *m*
prescrire [pʀɛskʀiʀ] *v 1.* verschreiben; *2. (fig)* verhängen; *3.* MED verordnen; *4. (fig)* vorschreiben; *5. se ~* JUR verjähren
préséance [pʀeseɑ̃s] *f 1.* Vorrang *m; 2.* Vortritt *m*
présence [pʀezɑ̃s] *f* Anwesenheit *f*, Gegenwart *f*
présent [pʀezɑ̃] *adj 1.* anwesend; *à ~* jetzt, nun; *2.* vorhanden; *3.* gegenwärtig; *m 1.* GRAMM Gegenwart *f; 2.* Geschenk *n*, Gabe *f*
présentateur [pʀezɑ̃tatœʀ] *m* Ansager *m*

présentation [prezɑ̃tasjɔ̃] f 1. Vorstellung f; 2. Aufmachung f; 3. Aufstellung f; 4. Auftritt m; 5. Präsentation f; 6. Überreichung f; 7. *(cinéma)* Vorführung f; 8. Vorlage f; ~ *de mode* Modenschau f

présenter [prezɑ̃te] v 1. vorzeigen, vorlegen; 2. aufweisen; ~ *ses remerciements* Dank abstatten; 3. darbieten, schildern; 4. bieten; *Si l'occasion se présente.* Wenn sich die Gelegenheit bietet. 5.~ *des excuses* sich entschuldigen; 6. geben; 7. *se ~ (événement)* eintreten, eintreffen; 8. *(fig)* entgegenhalten; 9. herausstrecken; 10. präsentieren; 11. unterbreiten; 12. vorbringen; 13. vorführen; 14. vorweisen; 15. *se ~* sich vorstellen, auftreten erscheinen; *Permettez-moi de me ~.* Gestatten Sie, daß ich mich vorstelle.

préservatif [prezervatif] m 1. Kondom n; 2. Verhütungsmittel n

préserver [prezerve] v 1. schützen; 2. schonen, behüten; 3. *se ~ (de)* sich schonen

présidence [prezidɑ̃s] f 1. Präsidium n; 2. Vorsitz m

président [prezidɑ̃] m 1. Präsident m; 2. *ECO* Vorstand m; 3. Vorsitzende m; 4. ~ *du conseil municipal* Oberbürgermeister m; 5. ~ *de la République fédérale allemande* Bundespräsident m; 6. ~ *du groupe parlementaire* Fraktionsvorsitzende m/f

présider [prezide] v vorstehen

présomption [prezɔ̃psjɔ̃] f Überheblichkeit f

présomptueux/-se [prezɔ̃ptɥø/øz] adj überheblich

presque [presk] adv beinahe, fast

presqu'île [preskil] f 1. Halbinsel f; 2. Landzunge f

pressant [presɑ̃] adj 1. zwingend; 2. eilig; 3. eindringlich

presse [pres] f 1. Presse f; ~ *à sensation* Boulevardzeitung; ~ *du cœur* Regenbogenpresse; 2. *TECH* Presse f

pressé [prese] adj dringend, eilig; *être* ~ es eilig haben, hetzen

pressentiment [presɑ̃timɑ̃] m 1. Ahnung f; 2. Vorahnung f

pressentir [presɑ̃tir] v ahnen

presser [prese] v 1. drücken; 2. auspressen, pressen; 3. ~ *pour faire sortir* ausdrücken; 4. keltern; 5. *se ~* (sich) eilen

pressing [presiŋ] m Reinigung f

pression [presjɔ̃] f 1. Drang m; *faire* ~ *sur* drängen; 2. Nötigung f; 3. Belastung f;

4. *TECH* Druck m; *haute* ~ Hochdruck; ~ *atmosphérique* Luftdruck

pressoir [preswar] m *TECH* Presse f

pressurer [presyre] v keltern

prestance [prestɑ̃s] f Erscheinung f

prestation [prestasjɔ̃] f 1. ~ *de service* Dienstleistung f; 2. ~ *de serment* Vereidigung f

preste [prest] adj flink

prestige [prestiʒ] m Ansehen n, Prestige n

présumé [prezyme] adj 1. mutmaßlich; 2. vermeintlich

présumer [prezyme] v 1. vermuten; 2. *trop ~ de ses forces* sich übernehmen

prêt [pre] adj 1. fertig; *être* ~ *à* bereit sein; ~ *à être imprimé* druckreif; ~ *à intervenir* einsatzbereit; ~ *à partir* marschbereit, startbereit; ~ *à fonctionner* betriebsbereit; 2. *(à manger)* gar (gekocht); 3. parat

prétendre [pretɑ̃dr] v *(fig)* behaupten, vorgeben

prétendu [pretɑ̃dy] adj 1. angeblich; 2. vermeintlich

prête-nom [pretnɔ̃] m *(fig)* Strohmann m

prétentieux [pretɑ̃sjø] adj 1. anmaßend; 2. anspruchsvoll; 3. hochtrabend; 4. unbescheiden, geziert

prétention [pretɑ̃sjɔ̃] f 1. Anmaßung f; 2. Anspruch m

prêter [prete] v 1. borgen, leihen; 2. ~ *qc* ausleihen; 3. ~ *assistance à qn* beistehen; 4. ~ *serment* schwören; 5. ~ *l'oreille à qn* anhören

prétexte [pretekst] m 1. Vorwand m; *prendre ~ de qc* etw zum Vorwand nehmen; 2. Ausrede f; 3. Ausflüchte pl

prétexter [pretekste] v *(fig)* vorgeben

prêtrise [pretriz] f Priesterweihe f

preuve [prœv] f 1. Beweis m; *faire ~ de* zeigen; 2. Nachweis m; 3. ~ *convaincante* Überführung f; 4. *JUR* Beweismittel n; 5. ~ *par le contraire MATH* Gegenprobe f

prévaloir [prevalwar] v ~ *sur* überwiegen

prévenance [prevnɑ̃s] f 1. Entgegenkommen n; 2. Kulanz f

prévenant [prevnɑ̃] adj zuvorkommend; *être* ~ entgegenkommen

prévenir [prevnir] v 1. warnen; 2. abwenden, verhüten; 3. ~ *les intentions de qn* jdm/einer Sache vorgreifen

prévention [prevɑ̃sjɔ̃] f 1. Verhütung f; 2. Vorbeugung f; 3. Voreingenommenheit f; 4. ~ *contre le cancer* Krebsvorsorge f

prévisible [previzibl] *adj* absehbar, vorhersehbar

prévision [previzjɔ̃] *f 1.* Prognose *f; 2.* Vorhersage *f; 3. ECO* Überschlag *m*

prévisions [previzjɔ̃] *f/pl - météorologiques* Wettervorhersage *f*

prévoir [prevwar] *v 1.* berechnen; *2.* absehen, voraussehen; *3.* einkalkulieren; *4. - une solution de rechange* umdisponieren

prévoyance [prevwajɑ̃s] *f 1.* Vorsorge *f; 2.* Weitblick *m; - sociale* Wohlfahrt *f*

prévoyant [prevwajɑ̃] *adj* vorsorglich

prier [prije] *v 1. REL* beten; *2. - de* bitten

prière [prijer] *f 1.* Bitte *f; 2.* Anliegen *n; 3. REL* Andacht *f*, Gebet *n*

primaire [primer] *adj* primär

prime [prim] *f 1.* Belohnung *f; 2. (distinction)* Preis *m; 3. - de risques* Gefahrenzulage *f; 4. - d'encouragement* Gratifikation *f; 5.* Prämie *f; - d'assurance* Versicherungsprämie

primé [prime] *adj* preisgekrönt

primer [prime] *v* prämieren

primevère [primver] *f* Primel *f*

primitif/-ve [primitif/iv] *adj 1.* primitiv; *2.* urwüchsig

prince [prɛ̃s] *m 1.* Fürst *m; 2.* Prinz *m; - héritier* Kronprinz *m*

princesse [prɛ̃ses] *f* Prinzessin *f*

princier [prɛ̃sje] *adj* fürstlich

principal [prɛ̃sipal] *1. adj* hauptsächlich; *m 2.* Hauptsache *f; 3.* Schwerpunkt *m*

principauté [prɛ̃sipote] *f* Fürstentum *n*

principe [prɛ̃sip] *m 1.* Ursprung *m; 2.* Grundsatz *m; en - grundsätzlich; 3.* Aufbau *m; 4.* Leitspruch *m; 5.* Prinzip *n; en - prinzipiell*

printemps [prɛ̃tɑ̃] *m* Frühjahr *m*

prioritaire [prijoriter] *adj 1.* vordringlich; *2.* vorrangig

priorité [prijorite] *f 1.* Vorrang *m*, Vorzug *m; en - vorrangig; 2. (route)* Vorfahrt *f; avoir la - (fig)* vorgehen

prise [priz] *f 1.* Entnahme *f; - d'influence sur* Einflußnahme; *- d'otage* Geiselnahme; *- de parti* Parteinahme; *- de position* Stellungnahme; *- en charge* Übernahme; *- de sang* Blutprobe; *- du pouvoir* Machtübernahme; *2.* Prise *f; 3.* Griff *m; 4. MIL* Einnahme *f; 5. - de courant* Steckdose *f*

prison [prizɔ̃] *f* Gefängnis *n*

prisonnier [prizonje] *m* Gefangene(r) *m/f; - de guerre* Kriegsgefangener *m*

privation [privasjɔ̃] *f 1.* Entbehrung *f; 2. - de sortie* Hausarrest *m; 3. JUR* Aberkennung *f; 4. - du pouvoir* Entmachtung *f*

privatisation [privatizasjɔ̃] *f* Privatisierung *f*

privé [prive] *adj* privat; *en - privat*

priver [prive] *v 1. - de* berauben; *2. - qn de qc* vorenthalten; *3. se - de* etw entbehren

privilège [privilɛʒ] *m 1.* Vorzug *m*, Privileg *n; 2. - exclusif* Monopol *n; 3.* Vergünstigung *f*

privilégié [privileʒje] *adj* privilegiert

prix [pri] *m 1.* Preis *m; hors de - unerschwinglich; sans - unschätzbar; - du trajet* Fahrpreis; *premier - Hauptgewinn; - d'achat* Kaufpreis; *- littéraire* Literaturpreis; *- Nobel* Nobelpreis; *- indicatif* Richtpreis; *dérisoire* spottbillig; *- de consolation* Trostpreis; *- de vente* Verkaufspreis; *- promotionnel* Angebotspreis; *majoration de - Aufpreis; - de liquidation* Ausverkaufspreis; *- brut* Bruttopreis; *- de lancement* Einführungspreis; *- de fabrique* Fabrikpreis; *- net* Nettopreis; *- fixe* Festpreis; *- de gros* Mengenrabatt; *- coûtant* Selbstkostenpreis; *2.* Wert *m*

probabilité [probabilite] *f* Wahrscheinlichkeit *f*

probable [probabl] *adj 1.* wahrscheinlich; *2.* mutmaßlich, vermutlich; *3.* voraussichtlich

probant [probɑ̃] *adj* beweiskräftig

probité [probite] *f* Gewissenhaftigkeit *f*

problématique [problematik] *adj* zweifelhaft, fraglich

problème [problɛm] *m* Problem *n*

procédé [prosede] *m 1.* Prozeß *m*, Vorgang *m; 2.* Vorgehen *n; - de sélection* Ausleseverfahren *n*

procéder [prosede] *v* verfahren, vorgehen

procédure [prosedyr] *f 1.* Prozedur *f; 2. JUR* Verfahren *n; - d'avertissement* Mahnverfahren; *- de faillite* Konkursverfahren; *- disciplinaire* Disziplinarverfahren; *- judiciaire* Gerichtsverfahren;

procès [prosɛ] *m* Prozeß *m; intenter un - à qn* jdn belangen

processeur [prosesœr] *m INFORM* Prozessor *m*

procession [prosesjɔ̃] *f 1. REL* Umzug *m; 2.* Prozession *f*

processus [prosesys] *m* Prozeß *m*, Vorgang *m; - d'apprentissage* Lernprozeß *m*

procès-verbal [prɔsɛvɛrbal] *m JUR* Protokoll *n*

prochain [prɔʃɛ̃] *1. adj* nächste(r,s); *2. m* Mitmensch *m*

prochainement [prɔʃɛnmã] *adv* demnächst

proche [prɔʃ] *adj 1.* nah(e); *~ banlieue* Vorstadt *f; 2. ~ de la réalité* wirklichkeitsnah; *3. prep ~ de (local)* bei

Proche-Orient [prɔʃɔrjã] *m* Naher Osten *m*

proclamation [prɔklamasjɔ̃] *f 1.* Ankündigung *f*, Bekanntgabe *f; 2.* Aufruf *m; 3.* Erklärung *f; 4.* Proklamation *f*

proclamer [prɔklame] *v 1.* ausrufen; *2.* ankündigen; *3.* aufbieten; *4.* erklären, verkünden; *5.* proklamieren

procuration [prɔkyrasjɔ̃] *f* Vollmacht *f*, Ermächtigung *f; ~ générale* Generalvollmacht

procurer [prɔkyre] *v 1.* beschaffen, besorgen; *2.* gewähren; *3.* verschaffen; *4.* vermitteln; *5. se ~* (sich) anschaffen

procureur [prɔkyrœr] *m ~ de la République* Staatsanwalt *m*

prodige [prɔdiʒ] *m* Wunder *n*

prodigieux/-se [prɔdiʒjø/øz] *adj* wunderbar, wundervoll

prodigue [prɔdig] *1. adj* verschwenderisch; *2. m* Verschwender *m*

producteur [prɔdyktœr] *m 1.* Hersteller *m; 2.* Produzent *m*

productif [prɔdyktif] *adj 1.* ertragreich; *2.* produktiv

production [prɔdyksjɔ̃] *1.* Herstellung *f*, Produktion *f; 2. ECO* Leistung *f*

productivité [prɔdyktivite] *f 1.* Ertragfähigkeit *f; 2.* Produktivität *f; 3.* Leistungsfähigkeit *f*

produire [prɔdɥir] *v 1.* erzeugen, herstellen; *2.* verursachen, bewirken; *~ un effet durable* nachwirken; *3.* leisten; *4.* vorbringen; *5.* stiften; *6. CINE* darstellen; *7. se ~* entstehen, vorkommen

produit [prɔdɥi] *m 1.* Erzeugnis *n*, Produkt *n; ~ agricole* Agrarerzeugnis; *~ chimique* Chemikalie; *~ d'épicerie fine* Feinkost; *~ de fabrication* Fabrikat; *~ de remplacement* Ersatz; *~ fini* Fertigprodukt; *~ laitier* Milchprodukt; *~ national* Sozialprodukt; *~ national brut* Bruttosozialprodukt; *~ naturel* Naturprodukt; *~ toxique* Schadstoff; *~s d'entretien* Putzmittel; *~s du sol* Naturalien; *~s neu-*

roleptiques Psychopharmaka; *2. ECO* Erlös *m; 3. ECO* Ertrag *m; 4. (de la récolte)* Ernte *f*

prof [prɔf] *m (fam)* Pauker *m*

profanation [prɔfanasjɔ̃] *f 1.* Schändung *f; 2. REL* Mißbrauch *m*

profane [prɔfan] *adj 1.* laienhaft; *2. REL* weltlich; *3. m* Laie *m*

profaner [prɔfane] *v REL* entweihen

proférer [prɔfere] *v* hervorbringen

professer [prɔfese] *v 1. REL* sich bekennen; *2.* lehren

professeur [prɔfesœr] *m 1.* Lehrer *m; 2.* Studienrat *m; 3. (université)* Professor *m*, Dozent *m*

profession [prɔfesjɔ̃] *f 1.* Beruf *m*, Tätigkeit *f; 2. ~ de foi* Glaubensbekenntnis *n*

professionnel [prɔfesjɔnɛl] *adj 1.* beruflich; *2.* berufsbedingt; *3.* fachlich; *4. ECO* gewerblich; *5. m* Profi *m*

professionnellement [prɔfesjɔnɛlmã] *adv* professionell

profil [prɔfil] *m 1.* Profil *n; 2.* Umriß *m*

profiler [prɔfile] *v se ~* sich profilieren

profit [prɔfi] *m 1.* Nutzen *m; 2.* Profit *m*, Gewinn *m; mettre au ~* wahrnehmen; *au ~ de* zugunsten

profitable [prɔfitabl] *adj 1.* nützlich; *être ~* sich lohnen; *2.* gewinnbringend; *3.* vorteilhaft

profiter [prɔfite] *v 1.* profitieren; *2. (fig)* gewinnen

profond [prɔfɔ̃] *adj 1.* gründlich; *~ respect* Hochachtung; *2.* tief; *peu ~* seicht; *~ soupir* Stoßseufzer; *3.* innerlich

profondeur [prɔfɔ̃dœr] *f* Tiefe *f*

profusion [prɔfyzjɔ̃] *f (de)* Überfluß *m; à ~* reichlich

programmation [prɔgramasjɔ̃] *f 1.* Planung *f; 2.* Programmierung *f*

programme [prɔgram] *m* Programm *n; selon le ~* programmgemäß; *~ de cinéma* Kinoprogramm; *~ scolaire* Lehrplan; *~ d'études* Lehrplan

programmer [prɔgrame] *v* programmieren

progrès [prɔgrɛ] *m* Fortschritt *m*

progresser [prɔgrese] *v 1.* fortschreiten; *2.* vordringen; *3. ~ dans* vorwärtskommen

progressif [prɔgrɛsif] *adj* allmählich, progressiv

progressiste [prɔgrɛsist] *adj* fortschrittlich

prohiber [pRɔibe] v untersagen

proie [pRwa] f Beute f

projecteur [pRɔʒɛktœR] m 1. Projektor m; 2. CINE Scheinwerfer m

projection [pRɔʒɛksjɔ̃] f 1. Projektion f; 2. (film) Vorführung f

projet [pRɔʒɛ] m 1. Entwurf m, Plan m; - de loi Gesetzentwurf; 2. Vorhaben n

projeter [pRɔʒte] v 1. planen; 2. - de beabsichtigen

proliférer [pRɔlifeRe] v wuchern

prolixité [pRɔliksite] f Weitschweifigkeit f

prolongation [pRɔlɔ̃gasjɔ̃] f Verlängerung f

prolonger [pRɔlɔ̃ʒe] v 1. verlängern; 2. se - sich hinziehen

promenade [pRɔmnad] f 1. Spaziergang m; faire une - spazierengehen; - à cheval Ritt; - en traîneau Schlittenfahrt; 2. Tour f; 3. Promenade f

promener [pRɔmne] v 1. se - spazierengehen; 2. se - herumgehen, umherlaufen

promesse [pRɔmɛs] f 1. Versprechen n, Versprechung f; - de vente Vorvertrag; - solennelle Gelübde; 2. Verheißung f; 3. Zusage f

prometteur [pRɔmɛtœR] adj erfolgversprechend

promettre [pRɔmɛtR] v 1. - qc à qn versprechen; 2. verheißen; 3. se - de faire qc sich etw vornehmen

promoteur [pRɔmɔtœR] m Förderer m, Initiator m

promotion [pRɔmɔsjɔ̃] f 1. Förderung f; 2. Promotion f; 3. (école) Jahrgang m

promouvoir [pRɔmuvwaR] v 1. fördern; 2. ECO befördern

prompt [pRɔ̃] adj 1. rasch; C'est un esprit -. Er hat eine rasche Auffassungsgabe. 2. schnell, geschwind

promptitude [pRɔ̃tityd] f Schnelligkeit f

prôner [pRone] v preisen

pronom [pRɔnɔ̃] m Pronomen n

prononcé [pRɔnɔ̃se] adj ausgeprägt

prononcer [pRɔnɔ̃se] v 1. LING aussprechen; 2. (un jugement) verkünden, fällen; 3. - le divorce scheiden

prononciation [pRɔnɔ̃sjasjɔ̃] f Aussprache f

pronostic [pRɔnɔstik] m Prognose f

propagande [pRɔpagɑ̃d] f Propaganda f; faire de la - Propaganda machen

propagation [pRɔpagasjɔ̃] f 1. Vermehrung f; 2. MED Übertragung f

propager [pRɔpaʒe] v 1. se - (sich) vermehren, (sich) fortpflanzen; 2. se - sich ausbreiten, sich fortpflanzen; 3. propagieren

prophète [pRɔfɛt] m Prophet m

prophétie [pRɔfesi] f Prophezeiung f

propice [pRɔpis] adj günstig

proportion [pRɔpɔRsjɔ̃] f Ausmaß n, Proportion f

proportionnel [pRɔpɔRsjɔnɛl] adj 1. proportional; 2. prozentual

propos [pRɔpo] 1. m Thema n; à tout - bei jeder sich bietenden Gelegenheit; à - (fig) gelegen; 2. m/pl Worte pl; - médisants üble Nachrede

proposer [pRɔpoze] v 1. anbieten, bieten; 2. vorschlagen; 3. vorlegen

proposition [pRɔpozisjɔ̃] f 1. GRAMM Satz m; 2. Vorschlag m, Anregung f; - de modification Änderungsvorschlag

propre [pRɔpR] adj 1. eigen; C'est du -! Das ist mir was Rechtes! 2. eigentlich; 3. rein, sauber; 4. - à dienlich, eigentümlich; 5. m - à rien Taugenichts m

propreté [pRɔpRəte] f Sauberkeit f

propriétaire [pRɔpRijetɛR] m 1. Besitzer m; - foncier Großgrundbesitzer; 2. Eigentümer m, Inhaber m; 3. ECO Betreiber m

propriété [pRɔpRijete] f 1. Anwesen n; 2. Besitz m, Eigentum n; - foncière Grundbesitz; - nationale Staatseigentum; - privée Privateigentum, 3. Eigenschaft f

propulsion [pRɔpylsjɔ̃] f (voiture) - arrière Hinterradantrieb m

prorogation [pRɔRɔgasjɔ̃] f Verlängerung f

proroger [pRɔRɔʒe] v 1. ECO stunden; 2. - à vertagen

prosaïque [pRɔzaik] adj prosaisch

proscrire [pRɔskRiR] v 1. verbannen; 2. (du pays) verweisen

prose [pRoz] f Prosa f

prospectus [pRɔspɛktys] m Prospekt m; - publicitaire Werbeprospekt m

prospérer [pRɔspere] v 1. blühen, florieren; 2. gedeihen

prospérité [pRɔsperite] f 1. Wohl n; 2. (fig) Blüte f; 3. Wohlstand m

prostituée [pRɔstitɥe] f 1. Dirne f; 2. Hure f; 3. Prostituierte f

prostitution [pRɔstitysjɔ̃] f Prostitution f

protagoniste [pʀɔtagɔnist] *m (personne)* Träger *m*
protecteur [pʀɔtɛktœʀ] *m 1.* Beschützer *m; 2.* Schirmherr *m*
protection [pʀɔtɛksjɔ̃] *f 1.* Schutz *m,* Abschirmung *f; ~ des espèces* Artenschutz; *~ des données personnelles* Datenschutz; *~ contre le bruit* Lärmschutz; *indice de ~* Lichtschutzfaktor; *~ des locataires* Mieterschutz; *~ de la nature* Naturschutz; *mesure de ~* Schutzmaßnahme; *~ de l'environnement* Umweltschutz; *~ des consommateurs* Verbraucherschutz; *2.* Obhut *f; 3.* Schirmherrschaft *f; 4. (boxe)* Deckung *f*
protectionnisme [pʀɔtɛksjɔnism] *m* Protektionismus *m*
protégé [pʀɔteʒe] *adj 1.* sicher, gefahrlos; *2.* geschützt; *3. m* Schützling *m*
protéger [pʀɔteʒe] *v 1.* beschützen, schützen; *2.* abschirmen; *3.* absichern; *4.* wahren
protéine [pʀɔtein] *f* Protein *n*
protestant [pʀɔtɛstɑ̃] *1. adj* evangelisch, protestantisch; *2. m* Protestant *m*
protestation [pʀɔtɛstasjɔ̃] *f 1.* Einspruch *m; 2.* Protest *m*
protester [pʀɔtɛste] *v 1.* protestieren; *2. ~ de* beteuern; *3. ~ contre* sich verwahren (gegen)
prothèse [pʀɔtɛz] *f 1.* Prothese *f; 2. ~ dentaire* Zahnersatz *m*
protide [pʀɔtid] *m* Eiweiß *n*
protocole [pʀɔtɔkɔl] *m 1.* Etikette *f; 2. POL* Protokoll *n*
prototype [pʀɔtɔtip] *m* Prototyp *m*
proue [pʀu] *f NAUT* Bug *m*
prouesse [pʀuɛs] *f* Heldentat *f*
prouver [pʀuve] *v 1.* beweisen; *~ qc par a+b* etw klipp und klar beweisen; *~ son identité* sich legitimieren; *2.* nachweisen; *3. FIN* belegen
provenance [pʀɔvnɑ̃s] *f 1. (lieu, pays)* Abstammung *f; en ~ de* von; *2.* Herkunft *f,* Ursprung *m*
provenir [pʀɔvniʀ] *v ~ de* abstammen
proverbe [pʀɔvɛʀb] *m* Sprichwort *n*
proverbial [pʀɔvɛʀbjal] *adj* sprichwörtlich
Providence [pʀɔvidɑ̃s] *f (divine)* Vorsehung *f*
province [pʀɔvɛ̃s] *f* Provinz *f*
provincial [pʀɔvɛ̃sjal] *adj* provinziell
provision [pʀɔvizjɔ̃] *f ECO* Deckungsbetrag *m*

provisions [pʀɔvizjɔ̃] *f/pl* Vorrat *m*
provisoire [pʀɔvizwaʀ] *adj 1.* vorläufig; *2.* behelfsmäßig; *3.* einstweilig
provocant [pʀɔvɔkɑ̃] *adj 1.* aufreizend; *2.* provozierend
provocateur [pʀɔvɔkatœʀ] *adj* herausfordernd
provocation [pʀɔvɔkasjɔ̃] *f 1.* Herausforderung *f; 2.* Provokation *f*
provoquer [pʀɔvɔke] *v 1.* anstiften, auslösen; *2.* herausfordern; *3.* provozieren, reizen; *4. (fig)* hervorrufen, verursachen; *5. ~ à* aufhetzen
proxénétisme [pʀɔksenetism] *m JUR* Kuppelei *f*
proximité [pʀɔksimite] *f* Nähe *f; à ~ de* nah(e)
prude [pʀyd] *adj* prüde
prudemment [pʀydamɑ̃] *adv* vorsichtig
prudence [pʀydɑ̃s] *f 1.* Vorsicht *f,* Umsicht *f; 2.* Behutsamkeit *f*
prudent [pʀydɑ̃] *adj 1.* klug; *2.* vorsichtig, umsichtig
prune [pʀyn] *f* Zwetschge *f,* Pflaume *f*
prunelle [pʀynɛl] *f* Augapfel *m*
psaume [psom] *m* Psalm *m*
pseudonyme [psødɔnim] *m* Künstlername *m,* Pseudonym *n*
psychanalyse [psikanaliz] *f* Psychoanalyse *f*
psyché [psiʃe] *f* Psyche *f*
psychiatre [psikjatʀ] *m* Psychiater *m*
psychique [psiʃik] *adj* psychisch, seelisch
psychisme [psiʃism] *m* Psyche *f*
psychologie [psikɔlɔʒi] *f* Psychologie *f*
psychologique [psikɔlɔʒik] *adj* psychologisch
psychologue [psikɔlɔg] *m* Psychologe *m*
psychopathe [psikɔpat] *m* Psychopath *m*
psychosomatique [psikɔsɔmatik] *adj* psychosomatisch
psychothérapeute [psikɔteʀapøt] *m* Psychotherapeut *m*
puant [pɥɑ̃] *adj* übelriechend
puanteur [pɥɑ̃tœʀ] *f* Gestank *m*
pubertaire [pybɛʀtɛʀ] *adj* pubertär
puberté [pybɛʀte] *f 1.* Entwicklungsjahre *pl; 2.* Pubertät *f*
public [pyblik] *adj 1.* öffentlich; *2.* offenkundig; *3.* staatlich; *m 4.* Öffentlichkeit *f; 5.* Publikum *n*
publication [pyblikasjɔ̃] *f 1.* Bekanntgabe *f,* Kundgebung *f; ~ de mariage* Hei-

ratsanzeige; 2. Publikation f, Veröffentlichung f
publicité [pyblisite] f 1. Reklame f; 2. Werbung f; ~ *clandestine* Schleichwerbung; ~ *télévisée* Werbefernsehen
publier [pyblije] v 1. *(livre)* verlegen, bringen; 2. *(les bans)* aufbieten; 3. publizieren; 4. ~ *une annonce* annoncieren
puce [pys] f 1. ZOOL Floh m; *mettre la ~ à l'oreille de qn* bei jdm Zweifel erwecken; 2. INFORM Chip m
pucelle [pysɛl] f Jungfrau f, Jungfer f
puces [pys] f/pl Trödelmarkt m
pudeur [pydœr] f Scham f
pudique [pydik] adj keusch, schamhaft
puer [pɥe] v *(fam)* stinken
puériculture [pɥerikyltyr] f Säuglingspflege f
puéril [pɥeril] adj 1. jungenhaft; 2. kindisch
puis [pɥi] adv *(temporel)* darauf
puisque [pɥisk] konj da
puissance [pɥisɑ̃s] f 1. Kraft f; ~ *d'imagination* Einbildungskraft; ~ *créatrice* Schaffenskraft; 2. Macht f, Stärke f; ~ *maximum* Spitzenleistung; ~ *mondiale* Weltmacht; *grande* ~ Großmacht; ~ *coloniale* Kolonialmacht; ~ *protectrice* Schutzmacht; 3. Lautstärke f; 4. Potenz f
puissant [pɥisɑ̃] adj 1. gewaltig, stark; 2. lautstark
puits [pɥi] m 1. Brunnen m; 2. Schacht m
pull [pyl] m Pullover m
pull-over [pulɔvœr] m Pullover m
pulluler [pylyle] v überwuchern
pulsation [pylsasjɔ̃] f ~ *cardiaque* Herzschlag m
pulsion [pylsjɔ̃] f Trieb m
pulvériser [pylverize] v zerreiben
pulvérulent [pylverylɑ̃] adj pulverig
puma [pyma] m Puma m
punaise [pynɛz] f Reißzwecke f
punir [pynir] v strafen, bestrafen
punissable [pynisabl] adj JUR strafbar, sträflich
punition [pynisjɔ̃] f 1. Strafe f; 2. Bestrafung f
pupille [pypij] f 1. ANAT Pupille f; 2. JUR Mündel n
pur [pyr] adj 1. *(air)* klar, rein; 2. pur; 3. makellos; 4. wolkenlos
purée [pyre] f 1. Brei m, Püree n; ~ *de pommes de terre* Kartoffelbrei; 2. *(fam)*

Schlamassel m; *être dans la ~* in der Tinte sitzen
purement [pyrmɑ̃] adv lediglich
pureté [pyrte] f *(de l'air)* Klarheit f
purgatif [pyrgatif] m Abführmittel n
purgatoire [pyrgatwar] m Fegefeuer n
purger [pyrʒe] v 1. MED abführen; 2. JUR ~ *une peine* verbüßen
purifié [pyrifje] adj *(fig)* geläutert
puritain [pyritɛ̃] adj puritanisch
purulent [pyrylɑ̃] adj eitrig
pus [py] m Eiter m
pusillanime [pyzilanim] adj kleinmütig
pustule [pystyl] f Pickel m
putain [pytɛ̃] f *(fam)* Nutte f, Hure f
putréfier [pytrefje] v se ~ verfaulen
putsch [putʃ] m Putsch m
putschiste [putʃist] m Putschist m
pyjama [piʒama] m Pyjama m, Schlafanzug m
pylône [pilon] m *(téléphone)* Mast m
pyramide [piramid] f Pyramide f
quadragénaire [kwadraʒenɛr] adj vierzigjährig
quadrangulaire [kwadrɑ̃gylɛr] adj viereckig
quadrillé [kadrije] adj kariert
quai [ke] m 1. Kai m; 2. Bahnsteig m
qualification [kalifikasjɔ̃] f 1. Qualifikation f, Befähigung f; 2. Bezeichnung f
qualifié [kalifje] adj 1. ~ *pour* geeignet, qualifiziert (zu); 2. *(pour, en)* sachkundig
qualifier [kalifje] v se ~ sich qualifizieren
qualité [kalite] f 1. Eigenschaft f; *en ~ de* als; 2. Qualität f; *de première ~* erstklassig; 3. Befugnis f
quand [kɑ̃] adv 1. wann; 2. ~ *même* dennoch; konj 3. als; 4. *(temp)* wenn; *depuis ~* seit wann
quant [kɑ̃t] 1. prep ~ *à* bezüglich; 2. adv ~ *à moi* meinerseits
quantitatif/-ve [kɑ̃titatif/iv] adj quantitativ, mengenmäßig
quantité [kɑ̃tite] f 1. Quantität f, Menge f; 2. Gehalt m
quarantaine [karɑ̃tɛn] f Quarantäne f
quarante [karɑ̃t] num vierzig
quart [kar] m 1. MATH Viertel n; 2. ~ *d'heure* Viertelstunde f
quartier [kartje] m *(ville)* Viertel n; *Je vous laisse ~ libre.* Ich lasse Ihnen freie Hand. ~ *sordide* Elendsviertel n; ~ *urbain* Stadtviertel n; ~ *résidentiel* Wohnviertel n

quartz [kwaʀts] *m* Quarz *m*

quasi [kazi] *adv* fast

quatorze [katɔʀz] *num* vierzehn

quatre [katʀ] *num* vier; *monter/descendre l'escalier - à -* die Treppe vier Stufen auf einmal nehmend hinauf-/hinuntergehen; *se mettre en - pour qn* für jdn durchs Feuer gehen/sich zerreißen für jdn; *- roues motrices* Allradantrieb *m*

quatre-vingt-dix [katʀəvɛ̃dis] *num* neunzig

quatre-vingts [katʀəvɛ̃] *num* achtzig

quatuor [kwatɥɔʀ] *m* Quartett *n*

que [kə] *konj* 1. *(comparatif)* als; *Qu'à cela ne tienne!* Na wenn schon./ Darauf kommt es nicht an!; 2. daß; *pron* 3. *(relatif)* den, die, das; *Advienne - pourra.* Komme, was wolle. 4. *ne ... - nur*; 5. *(interrogatif)* was

quel/quelle/quels/quelles [kɛl] *pron* welch; *- beau temps!* Was für ein schönes Wetter!

quelconque [kɛlkɔ̃k] *adj* 1. irgendein, x-beliebig; 2. belanglos

quelque [kɛlkə] *adv* etwa

quelque chose [kɛlkəʃoz] *adj* etwas

quelquefois [kɛlkfwa] *adv* manchmal

quelque part [kɛlkəpaʀ] *adv* irgendwo

quelques [kɛlkə] *adj* 1. einige; 2. etliche; 3. wenig

quelques-uns/quelques-unes [kɛlkəzœ̃/kɛlkəzyn] *adj* etliche

quelqu'un [kɛlkœ̃] *adj* (irgend)jemand

quémander [kemɑ̃de] *v* betteln

querelle [kəʀɛl] *f* Streit *m*, Zank *m*

quereller [kəʀɛle] *v* 1. *se - avec qn* sich streiten mit jdm, sich zanken mit jdm

querelleur [kəʀɛlœʀ] *adj* streitsüchtig

question [kɛstjɔ̃] *f* 1. Frage *f*; *C'est hors de -.* Das kommt nicht in Frage. *Il n'en est pas -.* Davon kann keine Rede sein. *poser une - fragen; - d'expérience* Erfahrungssache *f*; *- à ...francs (fig)* Preisfrage *f*; *- de responsabilité* JUR Schuldfrage *f*; *- de confiance* Vertrauensfrage *f*; *- de goût* Geschmacksache *f*

questionnaire [kɛstjɔnɛʀ] *m* Fragebogen *m*

questionner [kɛstjɔne] *v* 1. *- qn* ausfragen; 2. *- qn* befragen

quête [kɛt] *f* 1. Suche *f*; 2. REL Kollekte *f*

quetsche [kwɛtʃ] *f* Zwetschge *f*

queue [kø] *f* 1. Schwanz *m*; *n'avoir ni - ni tête* weder Hand noch Fuß haben; 2. Zopf *m*; 3. (Menschen-)Schlange *f*; *faire la -* Schlange stehen; *à la -* hintereinander; 4. Stiel *m*; 5. *- de cheval (fig)* Pferdeschwanz *m*

qui [ki] *pron* 1. das; *- vivra verra.* Es wird sich zeigen. 2. der; 3. die; 4. welche(r,s); *ce - was*; 5. *à -* wem; 6. wen; 7. wer; *- que vous soyez.* Ganz egal, wer Sie sind. *- plus est.* Was noch dazu kommt. 8. *de -* wessen

quiconque [kikɔ̃k] *pron* wer auch immer

quille [kij] *f* Kegel *m*; *recevoir un chien comme dans un jeu de -s* jdn sehr ungnädig empfangen

quincaillerie [kɛ̃kajʀi] *f* Eisenwaren *pl*

quinine [kinin] *f* Chinin *n*

quintal [kɛ̃tal] *m* Zentner *m*

quinze [kɛ̃z] *num* fünfzehn

quiproquo [kipʀɔko] *m* Verwechslung *f*

quittance [kitɑ̃s] *f* Quittung *f*

quitte [kit] *adj* quitt; *être - quitt* sein/ sich gegenseitig nichts mehr schuldig sein

quitter [kite] *v* 1. verlassen; 2. *(parti, église)* austreten; 3. *- sa fonction* sein Amt niederlegen

quoi [kwa] 1. *pron (interrogatif)* was; *adv* 2. *d'après - (ensuite)* daraufhin; 3. *en -* darin, worin; 4. *- qu'il en soit* jedenfalls; 5. *par -* wodurch; 6. *avec -?* womit? 7. *à -?* woran? wozu? worauf? 8. *de -* wovon, worum, woraus; *Au sujet de -?* Worüber?

quoique [kwak] *konj* obgleich, obwohl, obschon

quota [kɔta] *m* Quote *f*

quote-part [kɔtpaʀ] *f* Quote *f*

quotidien [kɔtidjɛ̃] *m* 1. Alltag *m*; 2. Tageszeitung *f*; 3. *adj* täglich

quotient [kɔsjɑ̃] *m* *- intellectuel* Intelligenzquotient *m*

R

rabais [Rabɛ] *m* 1. Ermäßigung *f*; 2. *ECO* Rabatt *m*, Abzug *m*; *faire un* ~ abziehen

rabaissement [Rabɛsmã] *m* Verminderung *f*

rabaisser [Rabese] *v* 1. niedriger stellen, legen; 2. demütigen

rabat-joie [Rabaʒwa] *m* Spielverderber *m*

rabattre [RabatR] *v* 1. herunterklappen; 2. demütigen

rabot [Rabo] *m* Hobel *m*

raboter [Rabɔte] *v* hobeln

raboteux [Rabɔtø] *adj (fig)* holperig

rabougri [RabugRi] *adj* verkümmert

racaille [Rakaj] *f* Gesindel *n*

raccommoder [Rakɔmɔde] *v* flicken

raccompagner [Rakɔ̃paɲe] *v* heimbringen

raccordement [Rakɔrdmã] *m* Anschluß *m*

raccourci [RakuRsi] *m* Abkürzung *f*

raccourcir [RakuRsiR] *v* kürzen, verkürzen

raccourcissement [RakuRsismã] *m* Kürzung *f*, Verkürzung *f*

raccrocher [RakRɔʃe] *v TEL* auflegen

race [Ras] *f* 1. Rasse *f*; 2. ~ *humaine* Menschheit *f*; 3. *(tribu)* Stamm *m*

racé [Rase] *adj* rassig

rachat [Raʃa] *m (liquidation)* Ablösung *f*

racheter [Raʃte] *v* 1. auslösen; 2. abkaufen

rachitisme [Raʃitism] *m* Rachitis *f*

racine [Rasin] *f* 1. Wurzel *f*; *couper le mal à sa* ~ das Übel an der Wurzel packen; *prendre* ~ angehen; 2. *(cheveux)* Haaransatz *m*

racisme [Rasism] *m* Rassismus *m*

raciste [Rasist] *m* Rassist *m*

raclée [Rakle] *f* Prügel *pl*

racler [Rakle] *v se - la gorge* sich räuspern

raconter [Rakɔ̃te] *v* 1. erzählen; 2. nacherzählen

radar [RadaR] *m* Radar *m*

radeau [Rado] *m* Floß *n*

radiateur [RadjatœR] *m* 1. Heizkörper *m*; 2. *(voiture)* Kühler *m*

radiation [Radjasjɔ̃] *f* 1. Ausschluß *m*; 2. *PHYS* Strahlung *f*

radical [Radikal] *adj* 1. radikal; 2. *(fig)* einschneidend; 3. *GRAMM m* Wurzel *f*

radieux [Radjø] *adj* glückstrahlend

radin [Radɛ̃] *adj (fam)* knauserig

radio [Radjo] *f* 1. Radio *n*; ~ *portative* Kofferradio; 2. Rundfunk *m*

radioactif [Radjoaktif] *adj* 1. strahlenverseucht; 2. *PHYS* radioaktiv

radioactivité [Radjoaktivite] *f* Radioaktivität *f*

radiodiffusion [Radjodifyzjɔ̃] *f (transmission)* Rundfunk *m*

radiographie [RadjogRafi] *f* Röntgenbild *n*

radiothérapie [RadjoteRapi] *f* Bestrahlung *f*

radis [Radi] *m* 1. Radieschen *n*; 2. Rettich *m*

radoter [Radɔte] *v (fam)* quasseln

rafale [Rafal] *f* Bö *f*

raffinage [Rafinaʒ] *m* Verfeinerung *f*

raffiné [Rafine] *adj* 1. raffiniert; 2. *(fig)* raffiniert

raffiner [Rafine] *v* 1. raffinieren; 2. veredeln, verfeinern

rafle [Rafl] *f* Razzia/Razzien *f*

rafraîchir [RafReʃiR] *v* 1. abkühlen; 2. *(œufs)* abschrecken; 3. *se* ~ sich erfrischen; 4. kühlen

rafraîchissant [RafReʃisã] *adj* erfrischend

rafraîchissement [RafReʃismã] *m* 1. Erfrischung *f*; 2. Labsal *n*

rafraîchissements [RafReʃismã] *m/pl* Stärkung *f*; *servir des* ~ Erfrischungen reichen

rage [Raʒ] *f* 1. Wut *f*; *faire* ~ toben; *La tempête fait* ~. Der Sturm tobt. 2. *MED* Tollwut *f*

raid [Rɛd] *m MIL* Streifzug *m*; ~ *aérien* Luftangriff

raide [Rɛd] *adj* 1. starr, steif; *C'est* ~! Das ist ja allerhand! *tomber* ~ auf der Stelle tot umfallen; 2. jäh; 3. *(roches)* schroff, steil

raidir [RɛdiR] *v se* ~ steif werden

raie [Rɛ] *f* 1. Scheitel *m*; 2. *ZOOL* Rochen *m*

raifort [RɛfɔR] *m* Meerrettich *m*

rail [Raj] *m (train)* Schiene *f*

raillerie [RajRi] *f* Spott *m*

railleur [RajœR] *adj* scherzhaft

rainette [Rɛnɛt] *f* Laubfrosch *m*

rainure [RenyR] *f* Schlitz *m*, Rille *f*

raisin [ʀɛzɛ̃] *m* 1. Weintraube *f*; 2. - *sec* Rosine *f*

raison [ʀɛzɔ̃] *f* 1. Ursache *f*, Grund *m*; *C'est pour une - bien simple.* Das hat einen ganz einfachen Grund. *Pour quelle* -? Warum? *en - de* wegen; 2. Verstand *m*, Vernunft *f*; *contraire à la -* gegen jede Vernunft; *faire entendre - à qn* jdn zur Vernunft bringen; 3. Rechenschaft *f*

raisonnable [ʀɛzɔnabl] *adj* 1. vernünftig, verständig; 2. *(prix)* angemessen

ralentir [ʀalɑ̃tiʀ] *v* 1. *(vitesse)* mäßigen, verlangsamen; 2. verzögern

ralentissement [ʀalɑ̃tismɑ̃] *m* 1. Verlangsamung *f*; 2. Verzögerung *f*

rallonge [ʀalɔ̃ʒ] *f* 1. Verlängerungskabel *n*; 2. *TECH* Zuschuß *m*

rallonger [ʀalɔ̃ʒe] *v* verlängern

ramassage [ʀamasaʒ] *m* - *des ordures ménagères* Müllabfuhr *f*

ramasser [ʀamase] *v* aufgreifen, aufheben

rame [ʀam] *f* Ruder *m*

rameau [ʀamo] *m* Zweig *m*, Ast *m*

ramener [ʀamne] *v* 1. mitbringen; 2. *(fam)* anbringen; 3. zurückbringen; 4. - *à la raison* (fig) ernüchtern

ramer [ʀame] *v* rudern

ramollir [ʀamɔliʀ] *v* aufweichen

ramoner [ʀamɔne] *v* fegen

ramoneur [ʀamɔnœʀ] *m* Schornsteinfeger *m*

rampant [ʀɑ̃pɑ̃] *adj* schleichend

rampants [ʀɑ̃pɑ̃] *m/pl (armée)* Bodenpersonal *n*

rampe [ʀɑ̃p] *f* 1. Geländer *n*; - *d'escalier* Treppengeländer *n*; 2. *THEAT* Rampe *f*; 3. - *d'accès* Auffahrt, Rampe

ramper [ʀɑ̃pe] *v* kriechen

ramure [ʀamyʀ] *f* Geweih *n*

rançon [ʀɑ̃sɔ̃] *f* Lösegeld *n*

rancune [ʀɑ̃kyn] *f* Groll *m*; *Sans -!* Nichts für ungut! *garder - à qn (fig)* jdm etw nachtragen

rancunier/-ère [ʀɑ̃kynje/jɛʀ] *adj* nachtragend

randonnée [ʀɑ̃dɔne] *f* Wanderung *f*, Marsch *m*; *faire une -* wandern

randonneur/-euse [ʀɑ̃dɔnœʀ/øz] *m/f* Wanderer/Wanderin *m/f*

rang [ʀɑ̃] *m (qualité)* Rang *m*; *serrer les -s* zusammenhalten

rangée [ʀɑ̃ʒe] *f* Linie *f*, Zeile *f*

rangement [ʀɑ̃ʒmɑ̃] *m* Ordnung *f*

ranger [ʀɑ̃ʒe] *v* 1. aufräumen; 2. ordnen, anordnen; *se - à l'opinion de qn* sich der Meinung jds anschließen; 3. einordnen; 4. wegräumen

ranimer [ʀanime] *v* 1. wiederbeleben; 2. *se - (discussion)* aufleben

rapatrié [ʀapatʀije] *m* Heimkehrer *m*

râpe [ʀap] *f* 1. Küchenhobel *m*; 2. Raspel *f*; 3. - *à fromage* Käsereibe *f*

râper [ʀape] *v* 1. reiben; 2. *(légumes)* hobeln

rapide [ʀapid] *adj* 1. rasch, schnell; - *comme l'éclair* blitzschnell; 2. flüchtig; 3. prompt

rapidité [ʀapidite] *f* Geschwindigkeit *f*, Schnelligkeit *f*

rappel [ʀapɛl] *m* 1. Nachzahlung *f*; 2. Vorwarnung *f*; 3. - *à l'ordre JUR* Abmahnung *f*; 4. *(concert)* Zugabe *f*

rappeler [ʀaple] *v* 1. abberufen, zurückrufen; 2. - *qc à qn* erinnern; 3. - *à l'ordre JUR* abmahnen; 4. *se* - sich entsinnen; 5. *se* - *qc* sich erinnern, sich etw in Erinnerung rufen

rapport [ʀapɔʀ] *m* 1. Bericht *m*; *par - à* gegenüber; - *annuel* Geschäftsbericht; 2. Gutachten *n*; 3. Verhältnis *n*; *par - à* verhältnismäßig

rapporter [ʀapɔʀte] *v* 1. bringen, zurückbringen; 2. *(bavarder)* klatschen; 3. berichten; 4. heimbringen; 5. *ECO* abwerfen; 6. *se - à* sich auf etw beziehen

rapporteur [ʀapɔʀtœʀ] *m* Berichterstatter *m*, Referent *m*

rapprochement [ʀapʀɔʃmɑ̃] *m* - *des peuples* Völkerverständigung *f*

rapprocher [ʀapʀɔʃe] *v se* - sich nähern

raquette [ʀakɛt] *f* - *de tennis* Tennisschläger *m*

rare [ʀaʀ] *adj* 1. rar, selten; - *comme les beaux jours* ausgesprochen selten

rareté [ʀaʀte] *f* 1. Seltenheit *f*, Rarität *f*; 2. Knappheit *f*

rasage [ʀazaʒ] *m* Rasur *f*

rasant [ʀazɑ̃] *adj* flach, niedrig

raser [ʀaze] *v* rasieren

rasoir [ʀazwaʀ] *m* Rasiermesser *n*

rassasié [ʀasazje] *adj* satt

rassasier [ʀasazje] *v* sättigen

rassemblement [ʀasɑ̃bləmɑ̃] *m* 1. Versammeln *n*, Versammlung *f*; 2. *(foule)* Auflauf *m*

rassembler [ʀasɑ̃ble] *v* 1. sammeln, versammeln; 2. *se* - sich ansammeln

rassis [ʀasi] *adj GAST* altbacken
rassurant [ʀasyʀɑ̃] *adj* beruhigend
rassurer [ʀasyʀe] *v* - *qn* beruhigen
rat [ʀa] *m* Ratte *f*
raté [ʀate] *m* Versager *m*
rate [ʀat] *f ANAT* Milz *f*
râteau [ʀɑto] *m* Rechen *m*
ratée [ʀate] *f* avoir des *-s (moteur)* aussetzen
rater [ʀate] *v* 1. *(fig)* versagen; 2. *(fam)* verfehlen
ratifier [ʀatifje] *v* ratifizieren
ration [ʀasjɔ̃] *f* 1. *MIL* Portion *f*; 2. Ration *f*
rationaliser [ʀasjɔnalize] *v* rationalisieren
rationnel [ʀasjɔnɛl] *adj* 1. rational; 2. rationell; 3. *MATH* berechenbar
rationner [ʀasjɔne] *v* rationieren
rattacher [ʀataʃe] *v* 1. - *à qc* anknüpfen; 2. - *à* anschließen, verbinden
rattraper [ʀatʀape] *v* aufholen, nachholen
rauque [ʀok] *adj* rauh, heiser
ravage [ʀavaʒ] *m* 1. Verheerung *f*, Verwüstung *f*
ravager [ʀavaʒe] *v* verwüsten
ravaler [ʀavale] *v* *(fig)* hinunterschlucken; - *son dépit* seinen Ärger hinunterschlucken
rave [ʀav] *f* Rübe *f*
ravi [ʀavi] *adj* 1. hocherfreut, entzückt; *Je suis - de vous revoir.* Ich bin erfreut, Sie wiederzusehen. 2. selig
ravin [ʀavɛ̃] *m* 1. Kluft *f*; 2. Schlucht *f*; 3. Klamm *f*
ravir [ʀaviʀ] *v* entführen, kidnappen
ravissant [ʀavisɑ̃] *adj* entzückend
ravissement [ʀavismɑ̃] *m* Entzücken *n*
ravisseur [ʀavisœʀ] *m* Entführer *m*, Geiselnehmer *m*
ravitaillement [ʀavitajmɑ̃] *m* 1. Versorgung *f*, Proviant *m*; 2. Nachschub *m*
ravitailler [ʀavitaje] *v* verpflegen
rayer [ʀeje] *v* durchstreichen, streichen
rayon [ʀɛjɔ̃] *m* 1. Regal *n*; 2. Strahl *m*; - *laser* Laserstrahl; - *lumineux/de lumière* Lichtstrahl; - *de soleil* Sonnenstrahl; 3. Radius/Radien *m*; 4. Speiche *f*
rayonnant [ʀɛjɔnɑ̃] *adj* 1. glänzend; 2. - *de bonheur* glückstrahlend
rayonnement [ʀɛjɔnmɑ̃] *m* 1. *PHYS* Emission *f*; 2. - *de la personnalité* Ausstrahlung *f*
rayonner [ʀɛjɔne] *v* 1. glänzen; 2. *(de joie)* ausstrahlen; 3. strahlen

rayons [ʀɛjɔ̃] *m/pl* -X *MED* Röntgenstrahlen *pl*
rayure [ʀɛjyʀ] *f* Streifen *m*, Linie *f*
raz-de-marée [ʀadəmaʀe] *m* Flutwelle *f*
réacteur [ʀeaktœʀ] *m* Reaktor *m*; - *expérimental* Forschungsreaktor; - *nucléaire* Kernreaktor
réaction [ʀeaksjɔ̃] *f* 1. Reaktion *f*; - *en chaîne* Kettenreaktion *f*; 2. Gegenmaßnahme *f*
réactionnaire [ʀeaksjɔnɛʀ] *adj* reaktionär
réagir [ʀeaʒiʀ] *v* - *à qc* reagieren
réalisable [ʀealizabl] *adj* durchführbar, realisierbar
réalisation [ʀealizasjɔ̃] *f* 1. Verwirklichung *f*, Realisierung *f*; 2. Gestaltung *f*; 3. Durchführung *f*, Ausführung *f*; 4. Erfüllung *f*
réaliser [ʀealize] *v* 1. verwirklichen; 2. gestalten; 3. durchführen; 4. vollbringen; 5. erfüllen; 6. erzielen; 7. *ECO* umsetzen; 8. se - Erfüllung finden
réalisme [ʀealism] *m* Realismus *m*
réaliste [ʀealist] *adj* 1. realistisch; 2. wirklichkeitsnah; 3. *m* Realist *m*
réalité [ʀealite] *f* 1. Tatsache *f*; 2. Wirklichkeit *f*, Realität *f*; en - eigentlich
réanimation [ʀeanimasjɔ̃] *f MED* Wiederbelebung *f*
réarmer [ʀeaʀme] *v* aufrüsten
rébarbatif [ʀebaʀbatif] *adj* abstoßend
rebelle [ʀəbɛl] 1. *adj* aufsässig, widerspenstig; 2. *m* Rebell *m*
rebeller [ʀəbɛle] *v* 1. se - rebellieren; 2. se - trotzen, widerstehen
rébellion [ʀebɛljɔ̃] *f* 1. Auflehnung *f*; 2. Rebellion *f*
rebondir [ʀəbɔ̃diʀ] *v* abprallen, aufprallen
rebord [ʀəbɔʀ] *m* 1. Sims *n*; 2. Felsvorsprung *m*; 3. - *de fenêtre* Fensterbank *f*
rebrousser [ʀəbʀuse] *v* - *chemin* kehrtmachen
rébus [ʀebys] *m* Quiz *n*
rebut [ʀəby] *m* 1. Ausschuß *m*; 2. - *de la société (fig)* Abschaum *m*
récalcitrant [ʀekalsitʀɑ̃] *adj* störrisch, widerspenstig
récapitulatif/-ve [ʀekapitylatif/iv] *adj* zusammenfassend
récapituler [ʀekapityle] *v* 1. rekapitulieren; 2. *(fig)* zusammenfassen
receler [ʀəsəle] *v* bergen

récemment [resamã] *adv* kürzlich, neulich

recensement [rəsãsmã] *m* 1. *(statistiques)* Erfassung *f*; 2. ~ *de la population* Volkszählung *f*

recenser [rəsãse] *v* erfassen

récépissé [resepise] *m* Empfangsbescheinigung *f*

récepteur [reseptœr] *m* 1. Hörer *m*; 2. *TECH* Empfänger *m*

réception [resepsjõ] *f* 1. *(objet)* Aufnahme *f*, Annahme *f*; 2. Empfang *m*; 3. Abnahme *f*; 4. *(achat)* Abnahme *f*

récession [resesjõ] *f ECO* Rezession *f*

recette [rəset] *f* 1. Einnahme *f*; 2. *(de cuisine)* Kochrezept *n*; 3. *ECO* Ertrag *m*

recettes [rəset] *f/pl* Einkünfte *pl*, Auskommen *n*

recevoir [rəsvwar] *v* 1. entgegennehmen, abnehmen; 2. erhalten, bekommen; ~ *régulièrement* beziehen; 3. *(fam)* kriegen

rechange [rəʃãʒ] *m* Austausch *m*; *pièce de* ~ Ersatzteil

réchapper [reʃape] *v en* ~ *(fig)* davonkommen

recharge [rəʃarʒ] *f (accus)* Aufladung *f*

réchaud [reʃo] *m* 1. Kocher *m*; 2. ~ *à gaz* Gasherd *m*

réchauffer [reʃofe] *v* 1. wärmen; 2. aufwärmen, erwärmen

rêche [rεʃ] *adj* 1. grob; 2. *(fig)* rauh

recherche [rəʃerʃ] *f* 1. Forschung *f*, Nachforschung *f*; ~ *génétique* Genforschung; ~ *spatiale* Weltraumforschung; ~ *nucléaire* Kernforschung; *faire des* ~*s* erforschen; 2. Suche *f*; ~ *d'un assassin* Fahndung; 3. Versuch *m*; 4. Ermittlung *f*; 5. Untersuchung *f*

recherché [rəʃerʃe] *adj* begehrt; *être* ~ gefragt sein

rechercher [rəʃerʃe] *v* 1. suchen; 2. nachforschen, erforschen; 3. ~ *qc* trachten; 4. ~ *qn JUR* fahnden

rechute [rəʃyt] *f MED* Rückfall *m*

récidive [residiv] *f JUR* Rückfall *m*

récidiviste [residivist] *adj JUR* rückfällig

récif [resif] *m* Riff *n*

récipient [resipjã] *m* 1. Behälter *m*; 2. Gefäß *n*

réciprocité [residiprosite] *f* Gegenseitigkeit *f*; *par* ~ gegenseitig

réciproque [residiprok] *adj* beiderseitig, gegenseitig

récit [resi] *m* 1. Bericht *m*; ~ *véridique* Tatsachenbericht; ~ *mensonger* Vorspiegelung; 2. Geschichte *f*, Erzählung *f*; 3. Kurzgeschichte *f*

récital [resital] *m* 1. Konzert *n*; ~ *de piano* Klavierkonzert *n*; 2. ~ *de chant* Liederabend *m*

réciter [resite] *v* vortragen

réclamation [reklamasjõ] *f* 1. Reklamation *f*; *faire une* ~ reklamieren; 2. Anspruch *m*

réclame [reklam] *f* Reklame *f*

réclamer [reklame] *v* 1. verlangen, fordern; 2. ~ *qc à qn* abverlangen; 3. reklamieren

récolte [rekolt] *f* Ernte *f*

récolter [rekolte] *v* ernten

recommandable [rəkɔmãdabl] *adj* empfehlenswert

recommandation [rəkɔmãdasjõ] *f* Empfehlung *f*

recommander [rəkɔmãde] *v* empfehlen, raten

recommencer [rəkɔmãse] *v* wieder anfangen

récompense [rekõpãs] *f* 1. Belohnung *f*, Lohn *m*; 2. Auszeichnung *f*

réconciliation [rekõsiljasjõ] *f* Versöhnung *f*

réconcilier [rekõsilje] *v* 1. *se* ~ *(avec)* sich aussöhnen, sich versöhnen mit

réconfort [rekõfɔr] *m* Trost *m*

réconfortant [rekõfɔrtã] *adj* 1. stärkend; 2. tröstlich

reconnaissance [rəkɔnɛsãs] *f* 1. Anerkennung *f*; 2. Dankbarkeit *f*; 3. *MIL* Aufklärung *f*

reconnaissant [rəkɔnɛsã] *adj* 1. dankbar; 2. erkenntlich

reconnaître [rəkɔnɛtr] *v* 1. erkennen, wiedererkennen; 2. bekennen; 3. *(fig)* einsehen; 4. *se* ~ sich zurechtfinden

reconquérir [rəkõkerir] *v* zurückerobern

reconstitution [rəkõstitysjõ] *f* Wiederherstellung *f*

reconstruction [rəkõstryksjõ] *f* Wiederaufbau *m*

reconstruire [rəkõstruir] *v* rekonstruieren

record [rəkɔr] *m* 1. Rekord *m*; ~ *mondial* Weltrekord; 2. *(sport)* Bestleistung *f*

recoupement [rəkupmã] *m* Überschneidung *f*

recourir [RəkuRiR] v zurücklaufen; ~ à sich wenden an; ~ à la force Gewalt anwenden
recours [Rəkur] m 1. Zuflucht f; 2. JUR Berufung f; en dernier ~ letzten Endes/ schließlich; 3. ~ en grâce JUR Gnadengesuch n; 4. JUR Regreß m
recouvrer [Rəkuvre] v 1. wiedererlangen; 2. einziehen
recouvrir [Rəkuvriʀ] v 1. bedecken, decken; 2. ~ de überziehen, verkleiden
récréation [RekReasjɔ̃] f 1. Entspannung f; 2. (école) Pause f
recrue [Rəkry] f Rekrut m
recrutement [Rəkrytmã] m Einstellung f
rectangulaire [RɛktãgylɛR] adj rechteckig, rechtwinklig
recteur [Rɛktœʀ] m Rektor m
rectifier [Rɛktifje] v 1. berichtigen, richtigstellen; 2. korrigieren, verbessern
recto [Rɛkto] m Vorderseite f
reçu [Rəsy] m 1. Quittung f; 2. Empfangsbescheinigung f
recueil [Rəkœj] m 1. Sammlung f; 2. ~ de chansons Liederbuch n
recueillement [Rəkœjmã] m 1. REL Andacht f; 2.(fig) Sammlung f
recueilli [Rəkœji] adj andächtig
recueillir [Rəkœjiʀ] v 1. ernten; 2. sammeln; 3. (informations) einziehen
recul [Rəkyl] m Rückgang m, Zurückgehen n; ~ des prix Preisrückgang
reculer [Rəkyle] v 1. zurücktreten; 2. (devant) weichen
récupération [RekypeRasjɔ̃] f 1. Verwertung f; 2. Ausgleich m; 3. matériel de ~ Altmaterial n
récupérer [Rekypere] v 1. ausschlafen; 2. nachholen; 3. verwerten; 4. wiedererlangen
récuser [Rekyze] v zurückweisen
recyclage [Rəsiklaʒ] m 1. Recycling n; 2. Wiederverwertung f; 3. Umschulung f
recycler [Rəsikle] v 1. umschulen; 2. verwerten, wiederverwerten
rédacteur [Redaktœʀ] m Redakteur m; ~ en chef Chefredakteur m
rédaction [Redaksjɔ̃] f 1. Redaktion f; 2. Ausarbeitung f; 3. Aufsatz m
Rédempteur [Redãptœʀ] m Erlöser m
redescendre [Rədesãdʀ] v wieder hinabsteigen
redevable [Rədəvabl] adj 1. être ~ à qn de qc jdm etw schulden; 2. être ~ à qn de qc (fig) verdanken

rédiger [Rediʒe] v 1. aufsetzen, ausarbeiten; 2. abfassen, redigieren
redoubler [Rəduble] v ~ une classe sitzenbleiben
redouter [Rədute] v befürchten, fürchten
redressement [Rədrɛsmã] m 1. ECO Sanierung f; 2. mesures de ~ Sanierungsmaßnahmen pl; 3. Storno m
redresser [Rədrɛse] v 1. aufrichten; 2. begradigen; 3. ~ une entreprise sanieren
réduction [Redyksjɔ̃] f 1. Verminderung f, Verringerung f; ~ de la vitesse Verlangsamung; 2. (prix) Ermäßigung f, Nachlaß m, Abschlag m; ~ d'impôts Steuerermäßigung; 3. Kürzung f; ~ budgétaire Etatkürzung
réduire [Reduiʀ] v 1. herabsetzen; 2. verkleinern, verringern; ~ en cendres abbrennen; ~ en petits morceaux zerkleinern; 3. abbauen; 4. (prix) drücken; ~ les prix verbilligen; 5. einschränken; 6. kürzen, reduzieren; ~ qc à néant etw völlig vernichten; ~ au silence zum Schweigen bringen; se ~ à schmelzen; 7. (les gaz) TECH drosseln
réédition [Reedisjɔ̃] f Neuausgabe f
rééducation [Reedykasjɔ̃] f Heilgymnastik f, Krankengymnastik f
réel [Reɛl] adj 1. wirklich, tatsächlich; 2. JUR dinglich
refaire [RəfɛR] v nachfüllen; Tout est à ~. Alles muß noch einmal gemacht werden.
référence [Referãs] f 1. Bezugnahme f; 2. Referenz f; 3. Verweis m
référendum [Referɛ̃dɔm] m Referendum n, Volksabstimmung f
référer [Refere] v se ~ à sich beziehen auf
réfléchi [Refleʃi] adj bedächtig, überlegt
réfléchir [RefleʃiR] v 1. nachdenken; C'est tout réfléchi. Das ist schon entschieden. 2. ~ à überlegen, erwägen; 3. reflektieren, widerspiegeln
reflet [Rəflɛ] m 1. Reflex m; 2. Spiegelbild n; 3. Spiegelung f
refléter [Rəflete] v 1. reflektieren, widerspiegeln; 2. se ~ (dans) sich spiegeln (in)
réflexe [Reflɛks] m Reflex m
réflexion [Refleksjɔ̃] f 1. Erwägung f, Überlegung f; 2. Spiegelung f
réforme [Refɔʀm] f Reform f; ~ agraire Agrarreform; ~ monétaire Währungsreform
réformer [Refɔʀme] v reformieren
refoulement [Rəfulmã] m Verdrängung f
refouler [Rəfule] v 1. verdrängen, zurückdrängen; 2 (fig) etw zurückhalten

réfractaire [RefRaktɛR] adj 1. widerspenstig; 2. feuerfest

refrain [RǝfRɛ̃] m 1. MUS Leitmotiv n; 2. ~ populaire Gassenhauer m

refréner [RǝfRene] v 1. (fig) eindämmen; 2. (fig) zügeln

réfrigérateur [RefRiʒeRatœR] m Eisschrank m, Kühlschrank m

réfrigération [RefRiʒeRasjɔ̃] f Kühlung f

refroidir [RǝfRwadiR] v 1. abkühlen; 2. kühlen

refroidissement [RǝfRwadismã] m 1. Abkühlung f; 2. MED Erkältung f

refuge [Rǝfyʒ] m 1. Zufluchtsort m, Unterschlupf m; 2. (de haute montagne) Berghütte f; 3. ~ pour piétons Verkehrsinsel f

réfugié [Refyʒje] m ~ politique Asylant m

refus [Rǝfy] m 1. Verweigerung f; ~ d'obéissance Befehlsverweigerung; 2. Ablehnung f, Absage f; Ce n'est pas de ~! Da kann man ja nicht nein sagen!

refuser [Rǝfyze] v 1. ~ de verweigern; se ~ à faire qc sich weigern (etw zu tun); 2. ablehnen, absagen; 3. JUR aberkennen; 4. abschlagen

réfuter [Refyte] v entkräften

regard [RǝgaR] m 1. Blick m; en ~ de angesichts; 2. Anblick m

regarder [RǝgaRde] v 1. anschauen, ansehen, anblicken, schauen; ~ la télévision fernsehen; ~ qn jdn angehen; ~ qn comme une bête curieuse jdn anstarren; ~ fixement anstarren; ~ dehors herausschauen; ~ par ici herüberblicken; ~ autour de soi sich umsehen; ~ qn de haut herabsehen; 2. blicken; 3. sehen; ~ le danger en face der Gefahr ins Auge sehen; ~ qn de travers jdn schief ansehen; y ~ à deux fois sich etw zweimal überlegen; 4. zuschauen, zusehen

régime [Reʒim] m 1. Schonkost f; 2. ~ alimentaire Diät f; 3. TECH Drehzahl f; 4. POL Regime n; 5. ~ de bananes Bananenstaude f

régiment [Reʒimã] m Regiment n

région [Reʒjɔ̃] f 1. Gebiet n, Raum m; ~ économique Einzugsgebiet; ~ frontalière Grenzgebiet; ~ industrielle Industriegebiet; ~ sinistrée Katastrophengebiet; 2. (paysage) Gegend f; 3. Region f

régional [Reʒjɔnal] adj 1. landschaftlich; 2. provinziell; 3. regional

régionalisme [Reʒjɔnalism] m Heimatkunde f

registre [RǝʒistR] m Verzeichnis n, Register n; ~ du commerce Handelsregister

réglable [Reglabl] adj 1. einstellbar; 2. verstellbar

réglage [Reglaʒ] m Einstellung f, Regulierung f

règle [Rɛgl] f 1. Lineal n; 2. Maßstab m; 3. Norm f, Regel f

règlement [Rɛglǝmã] m 1. Ordnung f; non conforme au ~ ordnungswidrig; 2. Bezahlung f; 3. Vorschrift f; ~ intérieur Hausordnung; 4. Regelung f; 5. Satzung f; 6. ECO Abrechnung f

réglementaire [ReglǝmãtɛR] adj ordnungsgemäß

régler [Regle] v 1. bestimmen, festsetzen; 2. erledigen; 3. regeln; 4. zahlen; 5. abwickeln; 6. (différend) austragen; 7. einstellen, regulieren; 8. (facture) begleichen

règles [Rɛgl] f/pl Menstruation f

réglisse [Reglis] f Lakritze f

règne [Rɛɲ] m Herrschaft f

régner [Reɲe] v herrschen, regieren

régressif [RegRɛsif] adj rückläufig

régression [RegRɛsjɔ̃] f (fig) Rückgang m

regret [RǝgRɛ] m 1. Bedauern n; 2. Reue f

regrettable [RǝgRɛtabl] adj 1. bedauerlich; 2. bedauernswert

regretter [RǝgRɛte] v 1. bedauern; 2. etw beklagen; 3. bereuen

regrouper [RǝgRupe] v zusammenlegen, vereinigen

régulariser [RegylaRize] v 1. regeln; 2. regulieren

régulier [Regylje] adj 1. regelmäßig, gleichmäßig; 2. ordnungsgemäß; 3. regulär

réhabiliter [Reabilite] v rehabilitieren

rehaussé [Rǝose] adj ~ de couleurs farbenfreudig

réimpression [Reɛ̃pRɛsjɔ̃] f Neuausgabe f

rein [Rɛ̃] m Niere f

reine [Rɛn] f Königin f

réinsertion [Reɛ̃sɛRsjɔ̃] f ~ sociale Resozialisierung f

réitéré [Reitere] adj nochmalig

rejet [Rǝʒɛ] m 1. Auswurf m; 2. Verweigerung f

rejeter [Rǝʒte] v 1. abweisen, zurückweisen; 2. etw ausstoßen; 3. erbrechen

rejeton [Rǝʒtɔ̃] m (fig) Sprößling m

rejoindre [RǝʒwɛdR] v 1. wieder zusammenfügen; 2. ~ qn zu jdm gehen

réjoui [Reʒwi] *adj* fröhlich
réjouir [Reʒwiʀ] *v* 1. erfreuen; 2. se ~ sich freuen
réjouissance [Reʒwisãs] *f* Erheiterung *f*
réjouissant [Reʒwisã] *adj* erfreulich
relâché [Rəlaʃe] *adj* 1. lasch; 2. lose, lokker
relâcher [Rəlaʃe] *v* freilassen
relais [Rəlɛ] *m* 1. Ablösung *f*; *prendre le ~ de qn* ablösen; 2. *TECH* Relais *n*
relancer [Rəlãse] *v ECO* anheizen
relater [Rəlate] *v* berichten
relatif [Rəlatif] *adj* relativ; ~ *à ce sujet* diesbezüglich
relation [Rəlasjõ] *f* 1. Beziehung *f*; 2. Kontakt *m*; 3. Verbindung *f*, Beziehung *f*; 4. Verhältnis *n*, Proportion *f*
relations [Rəlasjõ] *f/pl* 1. Verkehr *m*; ~ *sexuelles* Geschlechtsverkehr *m*; 2. ~ *publiques* Öffentlichkeitsarbeit *f*
relaxant [Rəlaksã] *adj* entspannend
relaxation [Rəlaksasjõ] *f* Entspannung *f*
relaxer [Rəlakse] *v* 1. freilassen; 2. se ~ sich entspannen
relayer [Rəleje] *v se* ~ sich ablösen, sich abwechseln
relevé [Rəlve] *m* 1. Liste *f*; *faire le* ~ verzeichnen; 2. Vermessung *f*
relève [Rəlɛv] *f* 1. Ablösung *f*; 2. Nachwuchs *m*
relever [Rəlve] *v* 1. aufheben; 2. hochklappen; ~ *de maladie* vom Krankenbett aufstehen; 3. *GAST* würzen; 4. *(compteur)* ablesen; 5. *(niveau)* anheben
relief [Rəljɛf] *m* 1. *ART* Relief *n*; 2. Bodenprofil *n*
relier [Rəlje] *v* 1. verbinden; 2. ~ *à qc* anknüpfen; 3. *(livre)* einbinden; 4. ~ *à la terre* erden
religieuse [Rəliʒjøz] *f* Nonne *f*, Ordensschwester *f*
religieux [Rəliʒjø] *adj* 1. religiös; 2. kirchlich; 3. *m* Ordensbruder *m*
religion [Rəliʒjõ] *f* 1. Religion *f*; 2. Glaube *m*; 3. *REL* Konfession *f*
reliquat [Rəlika] *m* Restbetrag *m*
reliure [Rəljyr] *f* Einband *m*
reluire [Rəluir] *v* polieren
reluisant [Rəluizã] *adj* 1. blank; 2. blitzblank
remanier [Rəmanje] *v* 1. etw überarbeiten; 2. umschichten
remarquable [Rəmaʀkabl] *adj* bemerkenswert, beachtlich

remarque [Rəmaʀk] *f* 1. Anmerkung *f*, Bemerkung *f*; 2. Vermerk *m*
remarquer [Rəmaʀke] *v* 1. wahrnehmen; 2. ~ *qc* merken; 3. *faire* ~ bemerken
remblai [Rãblɛ] *m* Damm *m*
rembourrer [Rãbure] *v* polstern
remboursement [Rãbuʀsəmã] *m* 1. Rückzahlung *f*; 2. Vergütung *f*; 3. Wiedererstattung *f*, Zurückzahlung *f*
rembourser [Rãbuʀse] *v* 1. zurückzahlen, rückerstatten; 2. vergüten; 3. *ECO* ablösen
remède [Rəmɛd] *m* 1. Arznei *f*; 2. Heilmittel *n*; 3. Abhilfe *f*; *C'est sans* ~. Da kann man gar nichts machen./ Das ist hoffnungslos. *y porter* ~ Abhilfe schaffen
remerciement [RəmɛʀsjmÃ] *m* 1. Dank *m*; 2. Danksagung *f*
remercier [Rəmɛʀsje] *v* 1. danken; *Je ne sais comment vous* ~ Ich weiß nicht, wie ich Ihnen danken soll. 2. sich bedanken; 3. verabschieden
remettre [Rəmɛtʀ] *v* 1. wiederanziehen; 2. wieder hinstellen, wieder hinsetzen; 3. wiedererkennen; 4. überreichen; 5. ~ *qc à qn* übergeben; 6. abgeben, abliefern; ~ *à* überbringen; 7. ~ *à plus tard* aufschieben, verschieben; 8. se ~ sich erholen; 9. se ~ sich fassen; 10. *s'en* ~ *à qn* sich verlassen auf
remise [Rəmiz] *f* 1. Übergabe *f*; 2. Überreichung *f*; ~ *des prix* Siegerehrung; 3. Zustellung *f*; 4. Aufschiebung *f*; 5. Ablieferung *f*; 6. Abstellkammer *f*; 7. *(prix)* Ermäßigung *f*; 8. *ECO* Abzug *m*
remonter [Rəmõte] *v* 1. *(montre)* aufziehen; 2. ~ *(le moral de) qn* aufrichten; 3. ~ *à* zurückgehen
remords [Rəmɔʀ] *m/pl* Gewissensbisse *pl*
remorque [Rəmɔʀk] *f* Anhänger *m*
remorquer [Rəmɔʀke] *v* abschleppen, schleppen
rempart [Rãpaʀ] *m* Wall *m*
remplaçant [Rãplasã] *m* Vertreter *m*
remplacer [Rãplase] *v* 1. ersetzen; 2. vertreten
rempli [Rãpli] *adj* voll
remplir [Rãpliʀ] *v* 1. füllen, stopfen; 2 einschenken, voll machen; 3. ausfüllen; 4. erfüllen
remplissage [Rãplisaʒ] *m* Füllung *f*
remporter [Rãpɔʀte] *v* gewinnen
remuer [Rəmye] *v* 1. bewegen; *ne* ~ *ni pied ni patte* sich nicht mehr rühren; 2. umrühren; 3. *(chien)* wedeln

rémunération [Remyneʀasjɔ̃] f 1. Lohn m; 2. Vergütung f
rémunérer [Remyneʀe] v 1. entlohnen; 2. ECO dotieren
Renaissance [Rǝnesɑ̃s] f Renaissance f
renard [Rǝnaʀ] m Fuchs m
renchérir [Rɑ̃ʃeʀiʀ] v ~ sur überbieten
rencontre [Rɑ̃kɔ̃tʀ] f 1. Treffen n; ~ scolaire Klassentreffen; 2. Begegnung f; ~ internationale Länderspiel; 3. Zusammentreffen n
rencontrer [Rɑ̃kɔ̃tʀe] v 1. treffen; 2. ~ qn begegnen; 3. antreffen; 4. zusammentreffen; 5. se ~ sich begegnen; 6. se ~ vorkommen, vorhanden sein
rendement [Rɑ̃dmɑ̃] m 1. Ertrag m; 2. Rendite f; 3. Leistung f
rendez-vous [Rɑ̃devu] m 1. Verabredung f; donner ~ à qn sich mit jdm verabreden; Avez-vous pris ~? Sind Sie angemeldet? 2. Rendez-vous n
rendre [Rɑ̃dʀ] v 1. zurückgeben, herausgeben; ~ sa carte de membre austreten; ~ l'âme die Seele aushauchen/ den Geist aufgeben; 2. zurückzahlen; 3. erbrechen; 4. (un jugement) fällen; 5. abstatten; ~ visite à einen Besuch abstatten 6. se ~ à sich begeben
rênes [Rɛn] f/pl Zügel m
renfermé [Rɑ̃fɛʀme] adj (fig) verschlossen
renfermer [Rɑ̃fɛʀme] v 1. einschließen; 2. (fig) bergen
renflouer [Rɑ̃flue] v heben, Schiff bergen
renforcement [Rɑ̃fɔʀsmɑ̃] m Verstärkung f
renforcer [Rɑ̃fɔʀse] v verstärken
renfrogné [Rɑ̃fʀɔɲe] adj verstimmt
rengaine [Rɑ̃gɛn] f Schnulze f
renier [Rǝnje] v 1. abschwören; 2. verleugnen
renifler [Rǝnifle] v schnüffeln
renom [Rǝnɔ̃] m Ruf m
renommée [Rǝnɔme] f Ruf m
renommer [Rǝnɔme] v wiedererkennen
renoncer [Rǝnɔ̃se] v 1. ~ à lassen, aufhören; 2. ~ à aufgeben, verzichten; J'y renonce. Ich geb's auf.
renonciation [Rǝnɔ̃sjasjɔ̃] f ~ à Verzicht m
renouveler [Rǝnuvle] v 1. erneuern; 2. ~ l'air lüften
rénovation [Renɔvasjɔ̃] f 1. Erneuerung f, Renovierung f; 2. ~ des vieux quartiers Altstadtsanierung f

rénover [Renɔve] v renovieren, restaurieren
renseignement [Rɑ̃sɛɲmɑ̃] m 1. Hinweis m; 2. Auskunft f
renseigner [Rɑ̃seɲe] v 1. se ~ sich erkundigen, anfragen; 2. se ~ nachfragen
rentabilité [Rɑ̃tabilite] f 1. Wirtschaftlichkeit f; 2. ECO Rentabilität f
rentable [Rɑ̃tabl] adj rentabel; être ~ sich rentieren
rente [Rɑ̃t] f Rente f; ~ viagère Leibrente; ~ de veuve Witwenrente
rentrée [Rɑ̃tʀe] f 1. Einnahme f; 2. ~ scolaire Schulanfang m
rentrer [Rɑ̃tʀe] v 1. zurückkommen, zurückgehen; 2. hineingehen; 3. ~ dans (fam) anfahren; vouloir ~ sous terre vor Scham am liebsten im Boden versinken; 4. faire ~ (argent/impôts) einziehen
renversant [Rɑ̃vɛʀsɑ̃] adj verblüffend
renversement [Rɑ̃vɛʀsǝmɑ̃] m 1. Umkehr f; 2. Umsturz m
renverser [Rɑ̃vɛʀse] v 1. umkippen, umstoßen; 2. überfahren; 3. zerstören; 4. verschütten 5. se ~ umfallen
renvoi [Rɑ̃vwa] m 1. Entlassung f; 2. Verweis m; 3. faire un ~ (fam) Rülpsen n
renvoyer [Rɑ̃vwaje] v 1. entlassen; 2. ~ à vertagen; 3. ~ à verweisen; ~ l'ascenseur à qn es jdm heimzahlen; 4. zurücksenden
réouverture [Reuvɛʀtyʀ] f Neueröffnung f
répandre [Repɑ̃dʀ] v 1. verstreuen; 2. verbreiten; 3. ausströmen; 4. se ~ sich ausbreiten
répandu [Repɑ̃dy] adv verbreitet
reparaître [Rǝpaʀɛtʀ] v auftauchen
réparation [Repaʀasjɔ̃] f 1. Reparatur f, Instandsetzung f; 2. Abhilfe f; 3. Wiedergutmachung f
réparer [Repaʀe] v 1. reparieren, richten; 2. ersetzen; 3. wiederherstellen
répartir [RepaʀtiʀR] v 1. ~ entre verteilen; 2. (dividendes) ausschütten
répartition [Repaʀtisjɔ̃] f Aufteilung f, Verteilung f
repas [Rǝpa] m Essen n, Mahlzeit f; ~ du soir Abendessen n
repasser [Rǝpase] v bügeln
repentant [Rǝpɑ̃tɑ̃] adj reumütig
repentir [Rǝpɑ̃tiʀ] m Reue f; se ~ de etw bereuen
répercussions [RepɛʀkysjɔJ] f/pl Nachwirkung f

repère [RəpɛR] m 1. Kennzeichen n; 2. Markierung f
répertoire [RepɛRtwaR] m THEAT Spielplan m
répéter [Repete] v 1. wiederholen; 2. nacherzählen; 3. THEAT proben; 4. ~ qc à qn weitersagen
répétition [Repetisjɔ̃] f 1. THEAT Probe f; la ~ générale Generalprobe; 2. Wiederholung f
répliquer [Replike] v entgegnen, erwidern
répondeur [Repɔ̃dœR] m ~ automatique Anrufbeantworter m
répondre [Repɔ̃dR] v 1. entgegnen, erwidern; 2. ~ à antworten, beantworten; ~ du tac au tac Schlag auf Schlag antworten; 3. ~ par l'affirmative bejahen; 4. ~ de qn bürgen
réponse [Repɔ̃s] f 1. Antwort f; 2. Antwortschreiben n; 3. ~ négative Verneinung f
reportage [RəpɔRtaʒ] m 1. Berichterstattung f; 2. Reportage f
reporter [RəpɔRte] v 1. ~ à verlegen; 2. ~ sur zuwenden; 3. se ~ à auf etw zurückgreifen
reporter [RəpɔRtɛR] m 1. (journal) Berichterstatter m; 2. Reporter m
repos [Rəpo] m 1. Erholung f, Ruhe f; 2. Rast f
reposer [Rəpoze] v 1. ausruhen; 2. liegen; 3. ~ sur beruhen; 4. se ~ sich erholen, sich ausruhen
repoussant [Rəpusɑ̃] adj 1. widerlich; 2. abschreckend, abstoßend
repousser [Rəpuse] v abstoßen; 2. zurückdrängen
répréhensible [Repreɑ̃sibl] adj 1. verwerflich; 2. JUR strafbar
reprendre [RəpRɑ̃dR] v 1. übernehmen; On ne m'y reprendra plus. Das soll mir nun wirklich keinesfalls wieder passieren. 2. zurücknehmen; 3. ~ haleine aufatmen, wieder zu Atem kommen; 4. se ~ sich aufraffen
représailles [RəpRezaj] f/pl mesure de ~ Vergeltungsmaßnahme f
représentant [RəpRezɑ̃tɑ̃] m 1. Vertreter m; 2. ~ du ministère Beisitzer m; 3. ~ de commerce Handelsvertreter m
représentation [RəpRezɑ̃tasjɔ̃] f 1. Darstellung f; 2. ~ de gala Galavorstellung f; 3. Vertretung f; ~ générale Generalvertretung f; 4. THEAT Aufführung f
représenter [RəpRezɑ̃te] v 1. darstellen, abbilden; 2. vertreten, repräsentieren; 3. ver-

anschaulichen; 4. se ~ sich etw vorstellen; 5. THEAT aufführen
répression [RepRɛsjɔ̃] f Unterdrückung f
réprimande [RepRimɑ̃d] f 1. Tadel m; 2. Verweis m
réprimer [RepRime] v 1. ~ qc unterdrükken; 2. erdrücken
reprise [RəpRiz] f 1. Rücknahme f; 2. SPORT Runde f; 3. Übernahme f; à plusieurs ~s mehrfach
repriser [RəpRize] v stopfen, flicken
réprobateur [RepRɔbatœR] adj vorwurfsvoll
reproche [RəpRɔʃ] m Vorwurf m, Tadel m
reprocher [RəpRɔʃe] v 1. ~ à vorwerfen; 2. ~ qc à qn vorhalten
reproduction [RəpRɔdyksjɔ̃] f 1. Fortpflanzung f; 2. Abbild n, Darstellung f; 3. Nachdruck m; 4. Vervielfältigung f
reproduire [RəpRɔdɥiR] v 1. kopieren; 2. wiedergeben; 3. abdrucken; 4. se ~ sich fortpflanzen
réprouver [RepRuve] v 1. mißbilligen; 2. verdammen
reptile [Rɛptil] m Reptil n
repu [Rəpy] adj satt
république [Repyblik] f Republik f; ~ populaire Volksrepublik f
répugnant [Repyɲɑ̃] adj widerlich
répugner [Repyɲe] v ~ à anwidern
répulsion [Repylsjɔ̃] f 1. Abstoßung f; 2. Widerwille m
réputation [Repytasjɔ̃] f 1. Leumund m; 2. Ruf m
requête [Rəkɛt] f 1. Ersuchen n; 2. Gesuch n
requiem [Rekɥijɛm] m Totenmesse f
requin [Rəkɛ̃] m Hai m
rescapé [Rɛskape] m/f (catastrophe) Überlebende m/f
réseau [Rezo] m Netz n; ~ ferroviaire Eisenbahnnetz n; ~ routier Straßennetz n
réservation [RezɛRvasjɔ̃] f 1. Buchung f; 2. Vorbestellung f
réserve [RezɛRv] f 1. Vorbehalt m; sous toutes ~s ohne jede Gewähr; 2. Vorrat m; 3. Reserve f; 4. Zurückhaltung f; 5. ECO Bestand m; 6. ~ de chasse Jagdrevier n; 7. ~ naturelle Naturschutzgebiet n
réservé [RezɛRve] adj zurückhaltend
réserver [RezɛRve] v 1. reservieren, vorbestellen; 2. (place) belegen; 3. zurücklegen; 4. se ~ de sich vorbehalten

réservoir [Rezɛʀvwaʀ] *m 1.* Behälter *m; 2.* Tank *m; - d'essence* Benzintank *m*
résidence [Rezidãs] *f* Wohnort *m*
résider [Rezide] *v* wohnen
résidu [Rezidy] *m* Rückstand *m*
résignation [Rezijnasjõ] *f* Resignation *f*
résigné [Rezijne] *adj* ergeben
résigner [Rezijne] *v se - à* resignieren
résiliation [reziljasjõ] *f* Kündigung *f*
résilier [Rezilje] *v 1.* kündigen; *2.* rückgängig machen
résine [Rezin] *f* Harz *n*
résineux [Rezinø] *adj* harzig
résistance [Rezistãs] *f 1.* Widerstand *m; 2.* Abwehr *f; 3.* Haltbarkeit *f; 4.* Widerstandskraft *f*
résistant [Rezistã] *adj 1.* fest, haltbar; *2.* widerstandsfähig
résister [Reziste] *v 1.* standhalten; *2. - à* widersetzen; *3. - à* widerstehen
résolu [Rezɔly] *adj 1.* entschlossen; *2.* resolut
résolution [Rezɔlysjõ] *f* Entschluß *m; de haute - INFORM* hochauflösend
résonner [Rezɔne] *v 1.* hallen, widerhallen; *2.* klingen, tönen
résorber [RezɔRbe] *v se -* zurückgehen
résoudre [RezudR] *v 1.* lösen; *2. se - à* sich entschließen zu
respect [Rɛspɛ] *m 1. (pour)* Respekt *m.* Achtung *f; 2.* Ehrfurcht *f; 3. - de soi -même* Selbstachtung *f*
respectabilité [Rɛspɛktabilite] *f* Achtbarkeit *f*
respectable [Rɛspɛktabl] *adj* achtbar, ehrwürdig
respecter [Rɛspɛkte] *v* achten, beachten
respectivement [Rɛspɛktivmã] *adv* jeweils, beziehungsweise
respectueux [Rɛspɛktɥø] *adj 1.* ehrerbietig; *2.* respektvoll
respiration [RɛspiRasjõ] *f 1.* Atem *m; 2.* Atmung *f; 3. - artificielle* Beatmung *f*
respirer [RɛspiRe] *v 1.* atmen; *2.* aufatmen
resplendir [RɛsplãdiR] *v* glänzen
resplendissant [Rɛsplãdisã] *adj* glänzend
responsabilité [Rɛspõsabilite] *f 1.* Verantwortung *f; prendre la - de* verantworten; *2. JUR* Haftung *f; 3. - civile* Haftpflicht *f*
responsable [Rɛspõsabl] *adj 1. (pour)* zuständig; *2.* schuldig; *3. être -* schuld sein
resquilleur [Rɛskijœʀ] *m* Schwarzfahrer *m*

ressaisir [RəsɛziR] *v 1. se -* sich aufraffen; *2. se - (fig)* sich fassen
ressemblance [Rəsãblãs] *f* Ähnlichkeit *f*
ressembler [Rəsãble] *v 1. - à* ähneln; *2. - à* aussehen; *3. - à* gleichen; *se - comme deux gouttes d'eau* sich ähneln wie ein Ei dem anderen
ressentiment [Rəsãtimã] *m 1.* Haß *m; 2.* Groll *m*
ressentir [RəsãtiR] *v 1.* fühlen; *2.* empfinden; *3.* spüren
resserrer [RəsɛRe] *v 1.* nachziehen, zusammenziehen; *2.* verengen
ressort [RəsɔR] *m 1.* Bereich *m,* Sachgebiet *n; 2.* Amtsbezirk *m; 3.* Sprungfeder *f; 4. TECH* Feder *f*
ressortir [RəsɔRtiR] *v 1.* absetzen; *2. faire -* unterstreichen, hervorheben
ressortissant [Rəsɔrtisã] *m/f* Staatsangehörige *m/f*
ressources [RəsuRs] *f/pl 1.* Mittel *pl; 2.* Auskommen *n; 3.* Einkünfte *pl*
ressusciter [Resysite] *v (fig)* aufwärmen
restant [Rɛstã] *adj 1.* übrig; *2.* restlich; *3.* Rest *m; 4.* Überbleibsel *n*
restaurant [RɛstɔRã] *m 1.* Restaurant *n; 2.* Gaststätte *f; 3. - universitaire* Mensa *f*
restauration [Rɛstɔrasjõ] *f 1.* Renovierung *f; 2. - des vieux quartiers* Altstadtsanierung *f*
restaurer [RɛstɔRe] *v* erneuern, renovieren
reste [Rɛst] *m 1.* Rest *m; laisser de -* übriglassen; *de -* restlich; *2.* Überbleibsel *n; 3.* Überrest *m*
rester [Rɛste] *v 1.* bleiben; *2.* übrigbleiben; *C'est tout ce qui reste.* Das ist alles, was noch übrig ist. *3.* verweilen; *4. - fidèle à (sa parole)* einlösen; *5. - en dehors de qc* sich heraushalten
restituer [Rɛstitɥe] *v* wiedergeben, zurückgeben
restitution [Rɛstitysjõ] *f* Rückgabe *f,* Wiedergabe *f*
restoroute [Rɛstɔrut] *m* Autobahnraststätte *f*
restreindre [RɛstRɛ̃dR] *v 1.* beschränken; *2.* einengen
restriction [Rɛstriksjõ] *f 1.* Vorbehalt *m; 2. - à l'importation* Importbeschränkung *f*
résultat [Rezylta] *m 1.* Ergebnis *n,* Resultat *n; - du vote* Abstimmungsergebnis; *- final* Endergebnis; *- de l'enquête* Untersu-

chungsergebnis; ~ des élections Wahlergeb-
nis; 2. Wirkung f; 3. Erkenntnis f, Fazit n
résulter [rezylte] v 1. ~ de resultieren; 2. ~
de herauskristallisieren; 3. ~ de herauskommen
résumé [rezyme] m Zusammenfassung f
résumer [rezyme] v (fig) zusammenfassen
résurrection [rezyrɛksjɔ̃] f REL Auferstehung f
rétablissement [retablismɑ̃] m Genesung f
retard [rətar] m 1. Verspätung f; être en ~
sich verspäten; en ~ zurück; 2. Aufschub m;
3. Verzögerung f; 4. Verzug m
retardataire [rətardatɛr] 1. m Nachzügler m; 2. adj säumig
retarder [rətarde] v 1. (montre) nachgehen; 2. verzögern
retenir [rətnir] v 1. zurückbehalten; 2.
vorenthalten, anhalten; se ~ sich zurückhalten; ~ qn aufhalten; 3. vormerken; 4. sich
etw merken; 5. hemmen
retentir [rətɑ̃tir] v 1. dröhnen; 2. knallen;
3. widerhallen
retenu [rətny] adj verhindert
retenue [rətny] f Reserve f, Zurückhaltung f
rétine [retin] f Netzhaut f
retiré [rətire] adj zurückgezogen
retirer [rətire] v 1. zurückziehen; 2. herausnehmen; 3. (de l'argent) abheben; 4. se ~
de sich zurückziehen
retombées [rətɔ̃be] f/pl Nachwirkung f
retouche [rətuʃ] f Überarbeitung f
retoucher [rətuʃe] v überarbeiten
retour [rətur] m 1. Rückkehr f; Bon ~!
Kommen Sie gut nach Hause! être de ~
zurück(gekehrt) sein; par ~ du courrier um-
gehend/postwendend; sans ~ endgültig/un-
wiederbringlich; en ~ dagegen; 2. Rückfahrt
f, Heimfahrt f; 3. Umkehr f; 4. ~ à la raison
Ernüchterung f; 5. ~ d'âge Wechseljahre f
retourné [rəturne] m Rückzieher m
retournement [rəturnəmɑ̃] m (fig)
Kehrtwendung f
retourner [rəturne] v 1. umdrehen; ~ qn
comme une crêpe jdn im Handumdrehen
umstimmen; s'en ~ comme on est venu unverrichteter Dinge wieder abziehen; 2.
zurückfahren; 3. se ~ sich überschlagen
retrait [rətrɛ] m 1. Abfall m, Rückgang m;
2. MIL Abzug m; 3. ~ du permis de conduire
Fahrverbot n

retraite [rətrɛt] f 1. Pension f, Rente f; 2.
Ruhestand m; 3. Hort m, Zuflucht f; 4. MIL
Rückzug m; 5. Schlupfwinkel m
retraité [rətrɛte] m Rentner m
retraiter [rətrɛte] v 1. (uranium) aufbereiten; 2. (déchets nucléaires) wiederaufbereiten
retransmettre [rətrɑ̃smɛtr] v (radio/TV)
senden, übertragen
retransmission [rətrɑ̃smisjɔ̃] f (ra-
dio/TV) Sendung f, Übertragung f
rétrécir [retresir] v 1. einengen; 2. verengen; 3. se ~ (au lavage) eingehen, kleiner
werden; 4. se ~ schrumpfen, eingehen
rétribuer [retribɥe] v bezahlen
rétribution [retribysjɔ̃] f Bezahlung f
rétrograde [retrograd] adj 1. rückläufig;
2. (fig: démodé) rückständig
rétrospectif [retrospɛktif] adj rückblik-
kend
rétrospective [retrospɛktiv] f 1. Retro-
spektive f; 2. Rückblende f
retrousser [rətruse] v krempeln, umkrempeln
retrouver [rətruve] v 1. wiedererlangen; 2.
wiederfinden
rétroviseur [retrovizœr] m (voiture)
Rückspiegel m
réunification [reynifikasjɔ̃] f POL Wiedervereinigung f
réunion [reynjɔ̃] f 1. Vereinigung f, Versammlung f; ~ publique Bürgerversammlung; ~ des anciens élèves Klassentreffen;
2. Tagung f, Sitzung f; 3. Treffen n; 4. Zusammenkunft f
réunir [reynir] v 1. sammeln, vereinigen;
2. vereinen, versammeln; 3. zusammenlegen; 4. (fig) verkuppeln
réussir [reysir] v 1. gelingen; 2. ~ à un examen bestehen; 3. glücken; 4. (fig) klappen;
5. ne pas ~ (fig) scheitern
réussite [reysit] f Zustandekommen n
réutilisation [reytilizasjɔ̃] f Wiederverwertung f
revanche [rəvɑ̃ʃ] f Revanche f, en ~ dagegen
rêve [rɛv] m Traum m
revêche [rəvɛʃ] adj 1. herb; 2. (fig) spröde
réveil [revɛj] m Wecker m
réveiller [revɛje] v 1. aufwecken, wecken;
2. (fig) leben; 3. se ~ erwachen, aufwachen
Réveillon [revɛjɔ̃] m ~ du Jour de l'An
Silvester n

révélateur [Revelatœʀ] *adj* aufschlußreich
révéler [Revele] *v 1.* (fig) enthüllen; *2.* (secret) aufdecken; *3.* se ~ sich offenbaren
revenant [Rəvnã] *m* Geist *m*, Gespenst *n*
revendication [Rəvãdikasjõ] *f 1.* Forderung *f*; *2.* Anspruch *m*
revendiquer [Rəvãdike] *v 1.* fordern; *2.* verlangen; *3.* beanspruchen; *4.* (fig) pochen
revenir [Rəvniʀ] *v 1.* wiederkommen, zurückkommen; ~ *au même* auf dasselbe hinauslaufen; ~ *sur ses pas* umkehren/ kehrtmachen; ~ *à la charge* wieder auf etw zurückkommen; ~ *sur une décision* einen Entschluß umstoßen; *Je n'en reviens pas!* Ich fasse es nicht! *être revenu de tout* alles satt haben; *2.* wieder einfallen
revenu [Rəvny] *m 1.* Einkommen *n*; ~ *net* Nettoeinkommen *n*; ~ *brut* Bruttoeinkommen; *2. ECO* Ertrag *m*
revenus [Rəvny] *m/pl 1.* Auskommen *n*; *2.* Einkünfte *pl*
rêver [Reve] *v 1.* ~ *de* träumen; *2.* ~ *à* träumen; *3.* sinnieren
révérence [Reverãs] *f 1.* Ehrerbietung *f*; *2.* Verbeugung *f*
revers [Rəver] *m 1.* (vêtement) Aufschlag *m*; *2.* Rückschlag *m*; ~ *de fortune* Schicksalsschlag *m*; *3.* (fig) Kehrseite *f*; *le ~ de la médaille* die Kehrseite/Schattenseite einer Angelegenheit; *4.* (fig) Nackenschlag *m*
revêtement [Rəvetmã] *m 1. TECH* Verkleidung *f*; *2.* Bezug *m*; *3.* (sol) Belag *m*; *4. TECH* Mantel *m*
revêtir [Rəvetiʀ] *v 1.* auskleiden; *2.* anziehen
rêveur [Revœʀ] *adj 1.* nachdenklich; *2.* verträumt; *3. m* Träumer *m*
revirement [Rəviʀmã] *m* (fig) Umschwung *m*
réviser [Revize] *v 1.* überholen; *2.* ~ *ses conceptions* umdenken
révision [Revizjõ] *f 1.* Inspektion *f*; *2.* Revision *f*; *3.* Überarbeitung *f*
revoir [Rəvwaʀ] *v* wiedersehen, wiedertreffen; *Au ~!* Auf Wiedersehen!
révolte [Revolt] *f 1.* Empörung *f*; *2.* Entrüstung *f*
révolté [Revolte] *adj 1.* empört; *2.* aufständisch
révolter [Revolte] *v 1.* se ~ *contre* sich auflehnen gegen; *2.* se ~ *contre* sich empören; *3.* se ~ sich entrüsten; *4.* se ~ meutern; *5.* se ~ rebellieren

révolution [Revolysjõ] *f 1.* Revolution *f*; *2.* Umsturz *m*; *3.* (fig) Umbruch *m*
révolutionnaire [Revolysjoner] *adj 1.* revolutionär; *2.* weltbewegend
revolver [Revolver] *m* Revolver *m*
révoquer [Revoke] *v 1.* widerrufen; *2.* zurücknehmen
revue [Rəvy] *f 1.* Zeitschrift *f*; ~ *illustrée* Illustrierte; ~ *spécialisée* Fachzeitschrift; *2.* (théâtre) Schau *f*; *3. MIL* Besichtigung *f*
rez-de-chaussée [Redʃose] *m* Erdgeschoß *n*; ~ *surélevé* Hochparterre *n*
Rhin [Rɛ̃] *m* Rhein *m*
rhinocéros [Rinoseros] *m* Nashorn *n*
rhubarbe [Rybarb] *f* Rhabarber *m*
rhumatisme [Rymatism] *m* Rheuma *n*
rhume [Rym] *m 1.* Katarrh *m*; *2.* Erkältung *f*
ricanements [Rikanmã] *m/pl* Gelächter *n*
ricaner [Rikane] *v 1.* höhnisch lachen; *2.* kichern
riche [Riʃ] *adj 1.* reich; *nouveau ~* neureich; *2.* begütert; *3.* ergiebig; *4.* (fig) gehaltvoll
richesse [Riʃes] *f* Reichtum *m*
richesses [Riʃes] *f/pl 1.* (trésor) Schatz *m*; *2.* ~ *minières* Bodenschätze *pl*
ride [Rid] *f* Falte *f*, Runzel *f*
ridé [Ride] *adj* runzelig; *être ~ comme une pomme* ein runzeliges Gesicht haben
rideau [Rido] *m 1.* Gardine *f*; *2.* Vorhang *m*
ridicule [Ridikyl] *adj 1.* lächerlich; *2.* grotesk
ridiculiser [Ridikylize] *v* lächerlich machen
rien [Rjɛ̃] *pron* nichts; *De ~!* Gern geschehen!/ Keine Ursache! *en un ~ de temps* in Null Komma nichts/im Nu; *n'avoir ~ à se mettre sous la dent* nichts zu beißen haben; *Il ne se prend pas pour ~.* Er ist mächtig von sich eingenommen. *ne comprendre ~ à ~* überhaupt nichts wissen; *pour ~* umsonst
rigide [Riʒid] *adj* (fig) starr
rigidité [Riʒidite] *f avec ~* (fig) starr
rigole [Rigol] *f 1.* Graben *m*; *2.* Rille *f*; *3.* Rinne *f*
rigoler [Rigole] *v* (fam) lachen; *Tu rigoles!* Das ist doch nicht dein Ernst!
rigoriste [Rigorist] *adj* unnachsichtig
rigoureux [Riguro] *adj 1.* streng, hart; *2.* rigoros; *3.* strikt
rigueur [Rigœr] *f à la ~* allenfalls, äußerstenfalls; *Il est de ~.* Es ist Vorschrift.

rime [Rim] f Reim m
rimer [Rime] v reimen; *A quoi ça rime?* Was hat das für einen Sinn?
rincer [RɛSe] v spülen
riposter [Riposte] v erwidern
rire [RiR] v 1. lachen; *~ au nez de qn* jdm ins Gesicht lachen; *~ aux éclats* aus vollem Halse lachen; *~ aux larmes* Tränen lachen; *dire qc pour ~* etw zum Spaß sagen; *~ comme un bossu* sich totlachen; *~ du bout des lèvres* gezwungen lächeln; *se pâmer de ~* sich totlachen; *~ sous cape* sich ins Fäustchen lachen; 2. m Lachen n
risible [Rizibl] adj lächerlich
risque [Risk] m 1. Gefahr f; *~ de contagion* Ansteckungsgefahr; 2. Risiko n
risquer [Riske] v 1. riskieren; 2. wagen
rituel [Rituɛl] m Ritual m
rivage [Rivaʒ] m Ufer n
rival [Rival] m 1. Gegner m; 2. Gegenspieler m; 3. Konkurrent m
rivaliser [Rivalize] v *~ avec qn* wetteifern
rivalité [Rivalite] f Konkurrenz f, Rivalität f
rive [Riv] f 1. Ufer n; 2. Flußufer n
riverain [RivRɛ] m Anlieger m
rivière [RivjɛR] f Fluß m
rixe [Riks] f 1. (fam) Keilerei f; 2. Rauferei f; 3. Schlägerei f
riz [Ri] m Reis m
robe [Rɔb] f 1. Kleid n; *~ du soir* Abendkleid; *~ de mariée* Brautkleid; *~ de chambre* Morgenrock; *~ de grossesse* Umstandskleid; 2. (Amts-) Robe f; 3. REL Talar m
robinet [Rɔbinɛ] m 1. TECH Hahn m; *~ à gaz* Gashahn m; 2. Wasserhahn m
robot [Rɔbo] m 1. Roboter m; 2. *~ ménager* Küchenmaschine f
robuste [Rɔbyst] adj 1. stark; 2. kräftig; 3. robust; 4. widerstandsfähig; 5. stämmig; 6. stabil
roc [Rɔk] m Felsen m
rocailleux [Rɔkajø] adj steinig
roche(s) [Rɔʃ] f/(pl) Gestein n
rocher [Rɔʃe] m Felsen m
rocking-chair [RɔkiŋʃɛR] m Schaukelstuhl m
rodage [Rɔdaʒ] m Einarbeitung f
rodé [Rɔde] adj (voiture) eingefahren
rognon [Rɔɲɔ] m GAST Niere f
rogue [Rɔg] adj hochmütig
roi [Rwa] m König m; *travailler pour le ~ de Prusse* für nichts und wieder nichts arbeiten;

être plus royaliste que le ~ päpstlicher als der Papst sein
rôle [Rol] m 1. Register n; 2. THEAT Rolle f; *~ principal* Hauptrolle f; 3. *premier ~* Hauptdarsteller m
romain [Rɔmɛ] adj römisch
roman [Rɔmɑ] 1. adj ART romanisch; 2. m Roman m; *~ d'aventures* Abenteuerroman m
romance [Rɔmɑs] f Romanze f
romanesque [Rɔmanɛsk] adj romantisch
romantique [Rɔmɑtik] adj romantisch
romantisme [Rɔmɑtism] m Romantik f
romarin [RɔmaRɛ] m Rosmarin m
rompre [RɔpR] v 1. brechen, auseinanderbrechen; 2. *~ avec* aussteigen; 3. (contrat) brechen; 4. *se ~* einbrechen, durchbrechen
rompu [Rɔpy] adj geknickt; *être ~ aux affaires* in Geschäften sehr gewandt sein
ronchonner [Rɔʃɔne] v (fig) knurren
rond [Rɔ] adj rund; *dire les choses tout ~* die Dinge beim rechten Namen nennen; *Ça ne tourne pas ~ chez toi.* Bei dir ist wohl eine Schraube locker. *avoir des ~s* Geld wie Heu haben
ronde [Rɔd] f Rundgang m
rondelet [Rɔdlɛ] adj 1. dicklich; 2. mollig
ronfler [Rɔfle] v 1. schnarchen; 2. sägen; 3. schnurren; 4. summen
ronger [Rɔʒe] v 1. (os) abnagen; 2. (nuire) angreifen; 3. auszehren; 4. (acide) ätzen
rongeur [RɔʒœR] m Nagetier n
ronronner [RɔRɔne] v schnurren
roque [Rɔk] adj barsch
rosaire [RozɛR] m Rosenkranz m
rose [Roz] adj 1. rosa; *voir tout en ~* alles durch eine rosa Brille sehen; 2. rosig; 3. f Rose f
rosé [Roze] adj rosig
roseau [Rozo] m Rohr n
rosée [Roze] f Tau m
rosser [Rose] v verprügeln
rossignol [Rosiɲɔl] m Nachtigall f
rotation [Rɔtasjɔ] f 1. Drehung f; 2. Umdrehung f; 3. TECH Rotation f
rôti [Roti] m 1. Braten m; *~ d'oie* Gänsebraten; 2. Bratenfleisch n; 3. adj gebraten
rôtir [RotiR] v rösten
rotule [Rɔtyl] f Kniescheibe f
rouages [Rwaʒ] m/pl Triebwerk n
roucouler [Rukule] v turteln
roue [Ru] f 1. Rad n; *faire la ~* sich brüsten/ sich aufspielen; *être la cinquième ~ de la*

charrette das fünfte Rad am Wagen sein; - *de secours* Ersatzreifen *m*
rouer [ʀwe] *v* - *de coups* verprügeln
rouet [ʀwe] *m* Spinnrad *n*
rouge [ʀuʒ] *adj* 1. rot; 2. glühend; 3. *m* - *à lèvres* Lippenstift *m*
rougeole [ʀuʒɔl] *f* Masern *pl*
rougeur [ʀuʒœʀ] *f* Röte *f*
rouillé [ʀuje] *adj* rostig
rouille [ʀuj] *f* Rost *m*
rouiller [ʀuje] *v* rosten, verrosten
rouleau [ʀulo] *m* 1. Lockenwickler *m*; 2. Rolle *f*
rouler [ʀule] *v* 1. rollen; 2. wickeln; 3. - *très vite* rasen; 4. walzen; 5. - *qn (fam)* hintergehen; 6. *se - dans* sich wälzen
roumain [ʀumɛ̃] *adj* rumänisch
Roumanie [ʀumani] *f* Rumänien *n*
roupillon [ʀupijɔ̃] *m* Schläfchen *n*
rouspéteur [ʀuspetœʀ] *m* Nörgler *m*
roussi [ʀusi] *adj (odeur)* angebrannt
route [ʀut] *f* 1. Straße *f*; - *fédérale* Bundesstraße; - *nationale* Landstraße; - *de raccordement* Verbindungsstraße; - *prioritaire* Vorfahrtstraße; - *d'accès* Zufahrtstraße; 2. Weg *m*; *en ~ unterwegs*; 3. *(distance)* Route *m*; 4. *(direction)* Kurs *m*; 5. Route *f*
routier [ʀutje] *m* Fernfahrer *m*
routine [ʀutin] *f* 1. Routine *f*; 2. Schlendrian *m*
routinier [ʀutinje] *adj* gewohnheitsmäßig
royal [ʀwajal] *adj* königlich
royaume [ʀwajom] *m* 1. Reich *n*; 2. Königreich *n*
ruban [ʀybɑ̃] *m* 1. Band *n*; - *adhésif* Klebeband *n*; 2. Streifen *m*
rubéole [ʀybeɔl] *f* Röteln *pl*
rubrique [ʀybʀik] *f* 1. Rubrik *f*; 2. *(journal)* Sparte *f*

rude [ʀyd] *adj* 1. barsch; 2. brüsk; 3. derb; 4. holperig; 5. *(fam)* mordsmäßig; 6. *(difficile)* schwer; 7. *(fig)* herb
rudesse [ʀydɛs] *f (rigueur)* Härte *f*
rue [ʀy] *f* 1. Straße *f*; 2. *(fig)* Gosse *f*; - *à sens unique* Einbahnstraße; - *transversale* Querstraße; - *principale* Hauptstraße
ruée [ʀye] *f* Ansturm *m*
ruelle [ʀyɛl] *f* Gasse *f*
rugissements [ʀyʒismɑ̃] *m/pl (bêtes)* Gebrüll *n*
rugueux [ʀygø] *adj* 1. *(rêche)* rauh; 2. *(rêche)* grob
ruine [ʀyin] *f* 1. Ruine *f*; 2. Ruin *m; mener à la ~* abwirtschaften; 3. *(descente)* Untergang *m*; 4. Verderben *n*; 5. *(bâtiment)* Verfall *m*; 6. Zerfall *m*; 7. Zerstörung *f*
ruiner [ʀyine] *v* 1. ruinieren; 2. zugrunde richten
ruines [ʀyin] *f/pl* 1. Trümmer *pl*; 2. Schutt *m*; 3. Überrest *m*
ruisseau [ʀyiso] *m* 1. Bach *m*; 2. Gosse *f*
ruisseler [ʀyisle] *v* 1. rieseln; 2. rinnen
rumeur [ʀymœʀ] *f* Gerücht *n*
rupture [ʀyptyʀ] *f* 1. Trennung *f*; 2. Aufbruch *m*, Bruch *m*; - *de style* Stilbruch; - *d'essieux* Achsenbruch; 3. *(effondrement)* Einbruch *m*; 4. *(contrat)* Bruch *m*
rural [ʀyʀal] *adj* 1. ländlich; 2. landwirtschaftlich
rusé [ʀyze] *adj* 1. schlau; 2. hinterlistig; 3. listig; 4. pfiffig; 5. *m (fam)* Schlawiner *m*
ruse [ʀyz] *f* List *f*
russe [ʀys] *adj* russisch
Russie [ʀysi] *f* Rußland *n*
rustique [ʀystik] *adj* rustikal
rustre [ʀystʀ] *m* 1. Bauer *m*; 2. Tölpel *m*
rut [ʀyt] *m* Brunst *f*
rythme [ʀitm] *m* Rhythmus *m*
rythmique [ʀitmik] *adj* rhythmisch

S

sable [sabl] *m* Sand *m*
sablier [sablije] *m* Sanduhr *f*
sablonneux [sablonø] *adj* sandig
sabot [sabo] *m* 1. ZOOL Huf *m*; 2. ~ de frein Bremsklotz *m*
sabre [sabʀ] *m* Säbel *m*
sac [sak] *m* 1. Sack *m*, Tasche *f*; L'affaire est dans le ~. Die Sache ist so gut' wie erledigt./' Die Sache ist unter Dach und Fach. être fagoté comme un ~ sehr schlecht gekleidet sein; prendre qn la main dans le ~ jdn auf frischer Tat ertappen; ~ à provision Einkaufstasche; ~ à main Handtasche; ~ à dos Rucksack; ~ de couchage Schlafsack; ~ en bandoulière Umhängetasche; 2. Ranzen *m*
saccade [sakad] *f* Ruck *m*
saccager [sakaʒe] *v* 1. plündern; 2. verwüsten
sacoche [sakɔʃ] *f* 1. Ranzen *m*; 2. Umhängetasche *f*
sacré [sakʀe] *adj* heilig
sacrement [sakʀəmã] *m* Sakrament *n*
sacrifice [sakʀifis] *m* Opfer *n*
sacrifier [sakʀifje] *v* 1. opfern, verzichten; 2. preisgeben, aufgeben; 3. se ~ sich aufopfern; 4. se ~ (fig) sich opfern
sacrilège [sakʀilɛʒ] *m* Gotteslästerung *f*
sacristie [sakʀisti] *f* Sakristei *f*
sadisme [sadism] *m* Sadismus *m*
sagace [sagas] *adj* scharfsinnig
sage [saʒ] *adj* 1. weise; 2. klug; 3. vernünftig; 4. *m* Weise(r) *m/f*
sage-femme [saʒfam] *f* Hebamme *f*
sagesse [saʒɛs] *f* 1. Klugheit *f*; 2. Weisheit *f*
saignement [sɛɲmã] *m* Blutung *f*; ~ de nez Nasenbluten *n*
saigner [sɛɲe] *v* bluten
saillie [saji] *f (roc)* Vorsprung *m*
saillir [sajiʀ] *v* vorstehen
sain [sɛ̃] *adj* gesund; ~ et sauf heil
Saint [sɛ̃] *m* ~ Sacrement Fronleichnam *m*
saint [sɛ̃] 1. *adj* heilig; 2. *m* REL Heilige *m*
Saint-Père [sɛ̃pɛʀ] *m* Papst *m*
saisie [sezi] *f* 1. Beschlagnahme *f*; 2. Pfändung *f*; 3. ~ de données statistiques Erfassung *f*

saisir [seziʀ] *v* 1. angreifen, greifen; 2. begreifen, verstehen; 3. fassen, ergreifen; 4. beschlagnahmen, pfänden; 5. ~ au vol auffangen; 6. anbraten
saison [sɛzɔ̃] *f* 1. Jahreszeit *f*; 2. Saison *f*; ~ balnéaire Badezeit; pleine ~ Hauptsaison; ~ des pluies Regenzeit
salade [salad] *f* Salat *m*; ~ de pommes de terre Kartoffelsalat; ~ de fruits Obstsalat
salaire [salɛʀ] *m* Gehalt *n*, Lohn *m*; ~ de début Anfangsgehalt; ~ de famine Hungerlohn; ~ minimum Mindestlohn; ~ de pointe Spitzenlohn; ~ contractuel Tariflohn
salarié [salaʀje] *m* 1. Arbeitnehmer *m*; 2. Erwerbstätiger *m*; 3. Lohnempfänger *m*
salaud [salo] *m (fam)* Schwein *n*
sale [sal] *adj* dreckig, schmutzig
salé [sale] *adj* 1. (fig) saftig; 2. salzig
saler [sale] *v* salzen
saleté [salte] *f* 1. Schmutz *m*, Dreck *m*; 2. Unreinheit *f*; 3. Schweinerei *f*
salière [saljɛʀ] *f* Salzstreuer *m*
saline [salin] *f* Salzbergwerk *n*
salir [saliʀ] *v* 1. beflecken; 2. beschmutzen; 3. verschmutzen; 4. se ~ (fam) kleckern
salissure [salisyʀ] *f* Verunreinigung *f*
salive [saliv] *f* 1. Speichel *m*; 2. Spucke *f*
saliver [salive] *v* spucken
salle [sal] *f* 1. Saal *m*, Zimmer *n*; ~ d'attente Wartesaal; ~ de séjour Wohnzimmer; ~ des fêtes Aula; ~ de cours/conférences Hörsaal; ~ plénière Plenarsaal; 2. Halle *f*; ~ de gymnastique Turnhalle
salon [salɔ̃] *m* 1. Wohnzimmer *n*; 2. Salon *m*
saluer [salɥe] *v* begrüßen, grüßen
salut [saly] *m* 1. Gruß *m*; 2. Wohl *n*; 3. Heil *n*; 4. *interj* tschüs!
salutaire [salytɛʀ] *adj* heilsam
salutation [salytasjɔ̃] *f* Gruß *m*
samedi [samdi] *m* Samstag *m*; le ~ samstags
sanatorium [sanatɔʀjɔm] *m* Sanatorium *n*
sanction [sãksjɔ̃] *f* 1. Bestrafung *f*; 2. Sanktion *f*
sanctionner [sãksjɔne] *v* bestrafen
sanctuaire [sãktɥɛʀ] *m* Heiligtum *n*

sandale [sãdal] f Sandale f

sandwich [sãdwitʃ] m Sandwich n

sang [sã] m 1. Blut n; *suer - et eau* sich abrackern; *Ne vous faites pas de mauvais -.* Lassen Sie sich keine grauen Haare wachsen.

sang-froid [sãfʀwa] m Gelassenheit f

sanglant [sãglã] adj blutig

sangle [sãgl] f Gurt m

sanglier [sãglije] m Wildschwein n

sanglot [sãglo] m Schluchzer m

sangloter [sãglɔte] v schluchzen

sangsue [sãsy] f Blutegel m

sans [sã] 1. prep ohne; *- cesse* unaufhörlich; *- doute* gewiß; *- aucun doute* zweifellos; *- plus* ohne weiteres; 2. konj *- que* ohne daß

sansonnet [sãsɔnɛ] m Star m

santé [sãte] f 1. Gesundheit f; 2. Wohl n; 3. interj A votre/ta *- Prost! Auf Ihr/dein Wohl! Zum Wohl!

saoul [su] adj être *- betrunken sein

sapeur [sapœʀ] m Pionier m

sapeur-pompier [sapœʀpɔ̃pje] m Feuerwehrmann m

saphir [safiʀ] m Saphir m

sapin [sapɛ̃] m Tanne f; *- de Noël* Tannenbaum m

sarcasme [saʀkasm] m Sarkasmus m

sarcastique [saʀkastik] adj sarkastisch

sarcler [saʀkle] v jäten

Sardaigne [saʀdɛɲ] f Sardinien n

sardine [saʀdin] f Sardine f; *- à l'huile* Ölsardine f

Satan [satã] m Satan m

satellite [satelit] m Satellit m; *- espion* Aufklärungssatellit m

satiété [sasjete] f 1. Sättigung f; 2. Überdruß m

satire [satiʀ] f Satire f

satisfaction [satisfaksjɔ̃] f 1. Genugtuung f; 2. Zufriedenheit f; 3. Befriedigung f

satisfaire [satisfɛʀ] v 1. befriedigen; 2. genügen; 3. *- à* nachkommen; 4. se *- de* sich zufriedengeben mit

satisfaisant [satisfazã] adj befriedigend

satisfait [satisfɛ] adj 1. zufrieden; 2. *- de soi-même* selbstgefällig

saturation [satyʀasjɔ̃] f Sättigung f

saturé [satyʀe] adj gesättigt

saturer [satyʀe] v sättigen

sauce [sos] f 1. Soße f; *- de rôti* Bratensoße; *- de salade* Dressing; *- tomate* Tomatensoße; 2. Tunke f

saucisse [sosis] f Wurst f

sauf [sof] prep 1. ausgenommen; 2. außer; 3. vorbehaltlich

sauge [soʒ] f Salbei m

saule [sol] m Weide f

saumon [somɔ̃] m Lachs m

sauna [sona] m Sauna f

saurer [sɔʀe] v räuchern

saut [so] m 1. Sprung m; *au - du lit* beim Aufstehen; *- à la perche* Stabhochsprung m; 2. Absprung m

sauter [sote] v 1. hüpfen; *- sur l'occasion* die Gelegenheit beim Schopfe packen; *- le pas* zu einem Entschluß kommen; 2. springen; 3. anspringen; 4. durchbrennen; 5. explodieren; 6. faire *- sprengen; 7. (page d'un livre) überschlagen; 8. überspringen

sauterelle [sotʀɛl] f Heuschrecke f

sautiller [sotije] v hüpfen

sauvage [sovaʒ] adj 1. schüchtern; 2. wild; 3. menschenscheu

sauvegarder [sovgaʀde] v wahren, schützen

sauver [sove] v 1. retten; 2. bergen; 3. se *- davongehen, flüchten

sauvetage [sovtaʒ] m 1. Bergung f; 2. Rettung f

sauveteur [sovtœʀ] m 1. Lebensretter m; 2. Retter m

sauveur [sovœʀ] m Retter m

savant [savã] 1. adj gelehrt; 2. m Wissenschaftler m, Gelehrter m

saveur [savœʀ] f 1. Geschmack m; 2. Würze f

savoir [savwaʀ] v 1. wissen; *C'est bon à -.* Das ist gut zu wissen. *Reste à - si...* Erst mal abwarten, ob... ; *- le reste* schon längst wissen; *ne pas - s'y prendre* sich ungeschickt anstellen; *Pas que je sache.* Nicht daß ich wüßte. 2. verstehen; 3. (être capable de) können; m 4. Wissen n; 5. Wissenschaft f; 6. Können n; 7. Weisheit f

savoir-vivre [savwaʀvivʀ] m Lebensart f; *manque de - Taktlosigkeit

savon [savɔ̃] m Seife f

savoureux [savuʀø] adj 1. (délicieux) köstlich; 2. schmackhaft

saxophone [saksɔfɔn] m Saxophon n

scalpel [skalpɛl] m Skalpell n

scandale [skãdal] m 1. Skandal m; 2. Affäre f

Scandinavie [skãdinavi] f Skandinavien n

scarabée [skaʀabe] *m* Käfer *m*
scarlatine [skaʀlatin] *f* Scharlach *m*
sceau [so] *m* Siegel *n*
scélérat [seleʀa] *adj* verrucht
sceller [sele] *v* versiegeln
scène [sɛn] *f 1.* Bühne *f*, Schaubühne *f; 2.* Podium *n; 3.* Schauplatz *m; 4.* Szene *f*
sceptique [sɛptik] *adj* skeptisch
schéma [ʃema] *m 1. (structure)* Aufbau *m; 2.* Schema *n; 3. (fig)* Gerüst *n*
sciatique [sjatik] *f* Ischias *m*
scie [si] *f* Säge *f*
science [sjɑ̃s] *f 1.* Wissenschaft *f; 2. ~ nautique* Nautik *f; 3. ~ médicale* Heilkunde *f*
scientifique [sjɑ̃tifik] *1. m* Wissenschaftler *m; 2. adj* wissenschaftlich
scier [sje] *v* sägen
scintiller [sɛ̃tije] *v 1.* blinken; *2.* flimmern; *3.* funkeln; *4.* glitzern
sciure [sjyʀ] *f* Sägemehl *n*
sclérose [skleʀoz] *f* Verkalkung *f*
scooter [skutœʀ] *m* Motorroller *m*
scorpion [skɔʀpjɔ̃] *m* Skorpion *m*
scout [skut] *m* Pfadfinder *m*
scrupule [skʀypyl] *m 1.* Skrupel *m; 2.* Sorgfalt *f*, Gewissenhaftigkeit *f; 3. m/pl* Gewissensbisse *pl*
scrupuleux [skʀypylø] *adj 1.* gewissenhaft; *2.* peinlich genau
scrutin [skʀytɛ̃] *m 1. (vote)* Abstimmung *f*, Wahl *f; 2. ~ majoritaire* Mehrheitswahlrecht *n; 3. ~ proportionnel* Verhältniswahlrecht *n*
sculpter [skylte] *v ~ sur bois* schnitzen
sculpture [skyltyʀ] *f 1.* Plastik *f; 2.* Skulptur *f*
se [s(ə)] *pron* sich
séance [seɑ̃s] *f* Sitzung *f; ~ tenante* auf der Stelle/sofort
seau [so] *m* Eimer *m*, Kübel *m*
sec [sɛk] *adj 1.* trocken, herb; *2.* hager
sèche-cheveux [sɛʃʃəvø] *m* Fön *m*
sèche-linge [sɛʃlɛ̃ʒ] *m* Wäschetrockner *m*
sécher [seʃe] *v* trocknen, abtrocknen, austrocknen
sécheresse [seʃʀɛs] *f 1.* Trockenheit *f; 2.* Dürre *f; 3.* Lieblosigkeit *f*
séchoir [seʃwaʀ] *m 1.* Trockenhaube *f; 2.* Wäschetrockner *m*, Gestell *n*
secondaire [s(ə)gɔ̃dɛʀ] *adj 1.* zweitrangig; *2.* nebensächlich; *3.* sekundär
seconde [s(ə)gɔ̃d] *f* Sekunde *f*

seconder [s(ə)gɔ̃de] *v ~ qn* beistehen
secouer [s(ə)kwe] *v 1.* schütteln; *2.* angreifen, berühren; *3.* rütteln; *4.* mitnehmen, strapazieren
secourir [s(ə)kuʀiʀ] *v 1.* helfen; *2.* unterstützen; *3.* aushelfen
secours [s(ə)kuʀ] *m 1.* Hilfe *f; Au ~!* Hilfe! *les premiers ~* Hilfe *f*, Erste Hilfe *f; 2.* Abhilfe *f; 3.* Aushilfe *f; 4.* Fürsorge *f; 5.* Zuschuß *m; 6. ~ en montagne* Bergwacht *f*
secret [səkʀɛ] *m 1.* Geheimnis *n; ~ postal* Briefgeheimnis; *~ professionnel* Dienstgeheimnis; *~ d'Etat* Staatsgeheimnis; *~ de la confession* Beichtgeheimnis; *~ de fabrication* Betriebsgeheimnis; *~ du vote* Wahlgeheimnis; *en ~* heimlich; *adj 2.* geheim; *3.* heimlich; *4.* verborgen; *5.* verschwiegen
secrétaire [s(ə)kʀetɛʀ] *m/f 1.* Sekretär(in) *m/f; ~ d'Etat* Staatssekretär *m; 2.* Schriftführer *m*
sécréter [sekʀete] *v 1.* absondern; *2.* ausscheiden
secte [sɛkt] *f* Sekte *f*
secteur [sɛktœʀ] *m 1.* Revier *n*, Gebiet *n; 2.* Abschnitt *m*, Gebiet *n; 3.* Sektor *m; ~ d'activité* Betätigungsfeld *n; ~ industriel* Industriezweig *m*
section [sɛksjɔ̃] *f 1.* Abteilung *f; 2.* Stück *n*, Teilstück *n; 3. SPORT* Riege *f; 4.* Schnittfläche *f*
sécurité [sekyʀite] *f* Sicherheit *f*, Schutz *m; par mesure de ~* sicherheitshalber; *mesures de ~* Sicherheitsmaßnahmen
sédentaire [sedɑ̃tɛʀ] *adj 1.* häuslich; *2.* seßhaft
sédimentation [sedimɑ̃tasjɔ̃] *f GEOL* Ablagerung *f*
séditieux [sedisjø] *adj* aufständisch
séduire [seduiʀ] *v* verführen
séduisant [seduizɑ̃] *adj 1.* attraktiv; *2.* reizend; *3.* verführerisch
seiche [sɛʃ] *f* Tintenfisch *m*
seigle [sɛgl] *m* Roggen *m*
sein [sɛ̃] *m 1. ANAT* Busen *m; 2. (fig)* Schoß *m*
séjour [seʒuʀ] *m 1.* Aufenthalt *m; 2.* Verbleib *m*
séjourner [seʒuʀne] *v* sich aufhalten, verweilen
sel [sɛl] *m* Salz *n*
sélection [selɛksjɔ̃] *f 1.* Wahl *f*, Auswahl *f; 2.* Auslese *f; 3. match de ~* Ausscheidungskampf *m*

sélectionner [selɛksjɔne] v 1. aussuchen; 2. wählen, auswählen

selle [sɛl] f Sattel m; être bien en ~ fest im Sattel sitzen

seller [sele] v satteln

selles [sɛl] f/pl Stuhlgang m

selon [s(ə)lɔ̃] prep 1. laut; 2. nach, gemäß; ~ le plan planmäßig; 3. konj ~ que je; 4. adv ~ quoi wonach

semailles [s(ə)maj] f/pl Saat f

semaine [s(ə)mɛn] f Woche f; en ~ wochentags; par ~ wöchentlich

semblable [sãblabl] adj 1. solche(r,s), derartig; 2. ~ à ähnlich; 3. m Mitmensch m

sembler [sãble] v 1. erscheinen, scheinen; faire semblant de vortäuschen, markieren, so tun, als ob; 2. scheinen, den Anschein haben

semelle [s(ə)mɛl] f (Schuh-)Sohle f

semence [s(ə)mãs] f 1. Samen m, Saat f; 2. (fig) Keim m

semer [s(ə)me] v 1. säen; 2. (fig) verbreiten; 3. ~ qn jdn abschütteln, jdn loswerden

séminaire [seminɛR] m 1. Lehrgang m; 2. Seminar n

semonce [səmɔ̃s] f Gardinenpredigt f

semoule [s(ə)mul] f Grieß m

sénat [sena] m Senat m

sénateur [senatœR] m Senator m

sénile [senil] adj senil

senior [senjɔR] m Senior m

sens [sãs] m 1. Richtung f; ~ de la marche Fahrtrichtung; ~ inverse Gegenfahrbahn; ~ giratoire Kreisverkehr; ~ dessus dessous durcheinander, unordentlich; 2. Sinn m, Empfinden n; ne pas avoir le ~ commun nicht über gesunden Menschenverstand verfügen; ~ de l'orientation Orientierungssinn; ~ des aiguilles d'une montre Uhrzeigersinn; 3. Verstand m; manque de bon ~ Unvernunft

sensation [sãsasjɔ̃] f 1. Empfindung f; ~ d'angoisse Angstgefühl; ~ d'oppression Beklemmung; 2. Aufsehen n; 3. Sensation f

sensationnel [sãsasjɔnɛl] adj aufsehenerregend, sensationell

sensé [sãse] adj 1. gescheit; 2. verständig

sensibilité [sãsibilite] f Sensibilität f, Empfindlichkeit f

sensible [sãsibl] adj 1. empfindlich; ~ à la lumière lichtempfindlich; 2. merklich; 3. sensibel; 4. (fig) spürbar

sensualité [sãsɥalite] f Sinnlichkeit f

sensuel [sãsɥel] adj sinnlich

sentence [sãtãs] f 1. Ausspruch m; 2. JUR Urteil n

senteur [sãtœr] f Duft m

sentier [sãtje] m Pfad m

sentiment [sãtimã] m 1. Gefühl n; ~ de bonheur Glücksgefühl; ~ de plaisir Lustgefühl; ~ de culpabilité Schuldgefühl; ~ de solidarité Zusammengehörigkeitsgefühl; plein de ~ gefühlvoll; ~ de bien-être Behaglichkeit; 2. Empfindung f; 3. Gespür n

sentimental [sãtimãtal] adj rührselig, sentimental

sentimentalité [sãtimãtalite] f Sentimentalität f

sentinelle [sãtinɛl] f Wach(t)posten m

sentir [sãtir] v 1. fühlen, empfinden; 2. riechen, Geruch abgeben; ~ qc an etw riechen; ~ mauvais stinken; ~ bon duften; 3. spüren; 4. schmecken

seoir [swar] v kleiden

séparation [sepaRasjɔ̃] f 1. Absonderung f, Trennung f; 2. ~ des pouvoirs Gewaltenteilung f; 3. ~ des biens Gütertrennung f

séparé [sepaRe] adj 1. getrennt; 2. verschieden

séparer [sepaRe] v 1. absondern, trennen; 2. teilen; 3. se ~ auseinandergehen, sich trennen

septembre [sɛptãbR] m September m

septentrional [sɛptãtRijɔnal] adj nördlich

sépulcre [sepylkR] m Grab n

sépulture [sepyltyR] f Begräbnis n

séquence [sekãs] f 1. Sequenz f; 2. Folge f

serein [səRɛ̃] adj 1. heiter, sonnig; 2. seelenruhig, glücklich

sérénade [seRenad] f 1. Serenade f; 2. (fig) Ständchen n

sérénité [seRenite] f 1. Gelassenheit f; 2. Heiterkeit f

série [seRi] f 1. Reihe f, Serie f; 2. Folge f; 3. ~ d'émission Sendereihe f; 4. Zyklus m; 5. Satz m, Menge f; 6. ~ noire Pechsträhne f

sérieux [seRjø] adj 1. ernst; 2. wirklich, wahr; 3. seriös, solide; 4. m Ernst m

seringue [s(ə)Rɛ̃g] f Spritze f

serment [sɛRmã] m Schwur m, Eid m; prêter ~ schwören; ~ de fidélité Amtseid

sermon [sɛRmɔ̃] m Predigt f

séro-positif [seRɔpozitif] adj MED HIV-positiv

serpent [sɛrpã] m 1. Schlange f; - à sonnettes Klapperschlange f
serpenter [sɛrpãte] v sich schlängeln
serpillière [sɛrpijɛr] f Putzlumpen m
serré [sere] adj 1. dichtgedrängt; 2. knapp,
eng; 3. fest, dicht
serre [sɛr] f 1. Gewächshaus n, Treibhaus
n; 2. ZOOL Kralle f
serrer [sere] v 1. pressen, drücken; - qn
contre soi (dans ses bras) jdn an sich drük-
ken; 2. quetschen; 3. schnüren; 4. schrauben; 5. (vis) anziehen
serrure [sɛryr] f Schloß n, Verschluß m
serrurier [sɛryrje] m Schlosser m
sérum [serɔm] m Serum/Seren n
servage [sɛrvaʒ] m Knechtschaft f
servante [sɛrvãt] f Hausmädchen n
serveur [sɛrvœr] m Kellner m
serveuse [sɛrvøz] f Bedienung f, Kellne-
rin f
serviable [sɛrvjabl] adj 1. gefällig, zuvorkommend; 2. hilfsbereit
service [sɛrvis] m 1. Dienst m; - de remorquage Abschleppdienst; - extérieur Außendienst; - public öffentlicher Dienst; - intérieur Innendienst; - après-vente Kundendienst; - de nuit Nachtdienst; - de secours
Notdienst; - civil Zivildienst; - militaire
Wehrdienst; 2. Bedienung f; 3. Abteilung f,
Dienststelle f; - de télécommunication Te-
lefonamt; - d'accueil pour étrangers Aus-
länderbehörde; - préfectoral d'enregistrement Einwohnermeldeamt; - du personnel
Personalabteilung; 4. Gefallen m; 5. Dienstleistung f; 6. (tennis) Aufschlag m; 7. Abfertigung f; 8. Referat n
serviette [sɛrvjɛt] f 1. Handtuch n; - de
bain Badetuch; 2. Mappe f, Tasche f; 3. -
hygiénique Damenbinde f
servile [sɛrvil] adj unterwürfig
servir [sɛrvir] v 1. dienen; 2. servieren; 3.
(à boire) einschenken; 4. (plat) (Speisen) auftragen; 5. - qn jdn bedienen; se - sich bedienen; 6. se - de gebrauchen, bedienen; 7.
(tennis) aufschlagen
serviteur [sɛrvitœr] m Diener m
session [sesjɔ̃] f Sitzung f, Tagung f
seuil [sœj] m 1. Schwelle f, Übergang m;
2. Türschwelle f
seul [sœl] adj 1. allein; 2. einsam, verlassen; 3. einzig; 4. alleinstehend
seulement [sœlmã] adv 1. allein; 2. bloß,
nur; 3. erst

sévère [sevɛr] adj 1. streng; 2. schwer,
ernst
sévérité [severite] f Härte f, Strenge f
sévir [sevir] v 1. streng vorgehen; 2. grassieren
sexe [sɛks] m 1. Geschlecht n; 2. Sex m
sexualité [sɛksualite] f Sexualität f
sexuel [sɛksuɛl] adj sexuell
shampooing [ʃãpwɛ̃] m Shampoo n
short [ʃɔrt] m Shorts pl
show [ʃo] m Show f
si [si] konj 1. doch; 2. falls, wenn; 3. ob; 4.
sofern
Sicile [sisil] f Sizilien n
sida [sida] m Aids n
siècle [sjɛkl] m 1. Jahrhundert n; 2. Zeitalter n; - des Lumières Aufklärung f
siège [sjɛʒ] m 1. Sitz m; - du passager
avant Beifahrersitz; - éjectable Schleuder-
sitz; - du gouvernement Regierungssitz; 2.
MIL Belagerung f
siéger [sjeʒe] v tagen
sien/sienne [sjɛ̃/sjɛn] pron le -/la - ih-
re(r,s)
sieste [sjɛst] f Schläfchen n
siffler [sifle] v 1. pfeifen; - comme un merle sehr gut pfeifen; 2. zischen
sifflet [siflɛ] m Pfeife f
signal [siɲal] m Signal n; - d'alarme
Alarmsignal; - lumineux Leuchtsignal; -
avertisseur Warnsignal
signaler [siɲale] v 1. signalisieren; 2. melden, mitteilen; 3. (fig) hinweisen
signalisation [siɲalizasjɔ̃] f - routière
Verkehrszeichen n
signature [siɲatyr] f Unterschrift f
signe [siɲ] m 1. Zeichen n; C'est bon -.
Das ist ein gutes Zeichen. faire - à winken; -
de vieillesse Alterserscheinung; - de la main
Handzeichen; - de vie Lebenszeichen; - zodiaque Tierkreiszeichen; - distinctif Wahrzeichen; 2. Wink m; 3. Merkmal n; 4. Anzeichen n; 5. MATH Vorzeichen n
signer [siɲe] v 1. unterzeichnen, zeichnen;
2. abzeichnen, unterschreiben; 3. se - REL
sich bekreuzigen
significatif [siɲifikatif] adj 1. bedeutsam;
2. bezeichnend
signifier [siɲifje] v bedeuten, heißen
silence [silãs] m 1. Ruhe f, Stille f; - du
tombeau Grabesstille; en - lautlos; passer
sous - verschweigen; 2. Schweigen n; 3.
Schweigsamkeit f

silencieux [silāsjø] *adj* 1. schweigsam, stumm; 2. still, lautlos
silhouette [silwɛt] *f* 1. Figur *f*, Körper *m*; 2. Silhouette *f*; 3. Umriß *m*
sillon [sijõ] *m* 1. Furche *f*; 2. *(disque)* Rille *f*
similitude [similityd] *f* Ähnlichkeit *f*
simple [sɛ̃pl] *adj* 1. einfach; 2. leicht; 3. natürlich; 4. anspruchslos; 5. unkompliziert; 6. *m (tennis)* Einzel *n*
simplicité [sɛ̃plisite] *f* Anspruchslosigkeit *f*, Natürlichkeit *f*
simplifier [sɛ̃plifje] *v* vereinfachen
simulation [simylasjõ] *f* Vortäuschung *f*
simuler [simyle] *v* 1. fingieren; 2. markieren, vortäuschen
simultané [simyltane] *adj* 1. gleichzeitig; 2. simultan
sincère [sɛ̃sɛʀ] *adj* 1. aufrichtig, ehrlich; 2. offen
sincérité [sɛ̃seʀite] *f* Aufrichtigkeit *f*, Ehrlichkeit *f*
singe [sɛ̃ʒ] *m* Affe *m*
singularité [sɛ̃gylaʀite] *f* 1. Besonderheit *f*; 2. Eigenheit *f*
singulier [sɛ̃gylje] *adj* 1. merkwürdig; 2. einzigartig; 3. seltsam, sonderbar; 4. *m* GRAMM Singular *m*
sinistre [sinistʀ] 1. *m* Unglück *n*, Unfall *m*; 2. *adj* unheilvoll, unheimlich
sinon [sinõ] *konj* 1. sonst, andernfalls; 2. ansonsten
sirène [siʀɛn] *f* 1. Sirene *f*; 2. Nixe *f*, Sirene *f*
sirop [siʀo] *m* Sirup *m*
site [sit] *m* 1. Landschaft *f*; 2. - protégé Naturschutzgebiet *n*
situation [sitɥasjõ] *f* 1. Lage *f*, Situation *f*; - critique Notlage; - financière finanzielle Lage; 2. Stellung *f*; 3. Stand *m*; - de famille Familienstand; 4. Verfassung *f*, Zustand *m*
situé [sitɥe] *adj (local)* gelegen
situer [sitɥe] *v* plazieren, hinstellen
ski [ski] *m* Ski *m*; faire du - skifahren
skier [skje] *v* skifahren
slip [slip] *m* 1. Unterhose *f*; 2. - de bain Badehose *f*
slogan [slɔgã] *m* Schlagwort *n*
smog [smɔg] *m* Smog *m*
smoking [smɔkiŋ] *m* Smoking *m*
sobre [sɔbʀ] *adj* 1. nüchtern, enthaltsam; 2. einfach; 3. *(fig)* maßvoll
sobriété [sɔbʀijete] *f* 1. Mäßigkeit *f*; 2. Enthaltsamkeit *f*

sociable [sɔsjabl] *adj* gesellig
social [sɔsjal] *adj* 1. gesellschaftlich; 2. sozial
socialisme [sɔsjalism] *m* Sozialismus *m*
socialiste [sɔsjalist] *m* Sozialist *m*
société [sɔsjete] *f* 1. Gesellschaft *f*; - anonyme (S.A.) Aktiengesellschaft (AG); - des chemins de fer fédéraux Bundesbahn; - de consommation Konsumgesellschaft; - de rendement Leistungsgesellschaft; - d'abondance Wohlstandsgesellschaft; - de contrôle Dachgesellschaft; - de capitaux Kapitalgesellschaft; - fiduciaire Treuhandgesellschaft; - de distribution Vertriebsgesellschaft; 2. Verein *m*; - protectrice des animaux Tierschutzverein
sociologique [sɔsjɔlɔʒik] *adj* soziologisch
socle [sɔkl] *m* Fuß *m*, Sockel *m*
sœur [sœʀ] *f* 1. Schwester *f*; 2. REL Nonne *f*
soi [swa] *pron* sich; chez - zu Hause
soi-disant [swadizã] *adj* sogenannt, angeblich
soie [swa] *f* 1. Seide *f*; 2. *(porc)* Borste *f*
soif [swaf] *f* 1. Durst *m*; 2. - de Gier *f*; - de liberté Freiheitsdrang; - de pouvoir Herrschsucht; avoir - de *(fig)* hungern nach
soigné [swaɲe] *adj* 1. gepflegt; 2. ordentlich, sorgfältig
soigner [swaɲe] *v* 1. pflegen; 2. kurieren; 3. etw schonen; 4. MED behandeln
soin [swɛ̃] *m* 1. Sorge *f*, Pflege *f*; 2. Sorgfalt *f*; 3. Pflege *f*; prendre - de pflegen; prendre - de qn für jdn sorgen
soir [swaʀ] *m* 1. Abend *m*; le - abends; du - abendlich; 2. - de la vie *(fig)* Lebensabend *m*
soirée [swaʀe] *f* 1. Abend *m*; 2. Party *f*
soit [swa] *konj* - ... entweder...oder
sol [sɔl] *m* 1. Boden *m*, Grund *m*; - argileux Lehmboden; 2. Fußboden *m*
soldat [sɔlda] *m* Soldat *m*
soldes [sɔld] *m/pl* Ausverkauf *m*; - d'été Sommerschlußverkauf
solder [sɔlde] *v* abbezahlen, abstoßen
sole [sɔl] *f* Seezunge *f*
soleil [sɔlɛj] *m* Sonne *f*
solennel [sɔlanɛl] *adj* feierlich, festlich
solidaire [sɔlidɛʀ] *adj* solidarisch
solidarité [sɔlidaʀite] *f* 1. Solidarität *f*; 2. Verbundenheit *f*
solide [sɔlid] *adj* 1. fest, stark; 2. dauerhaft; 3. *(fig)* widerstandsfähig; 4. *(fig)* solide;

5. sicher, gefahrlos; 6. stabil, robust; *être - comme un roc* wie ein Fels in der Brandung stehen

solidité [solidite] *f* 1. Haltbarkeit *f*; 2. *(fig)* Zuverlässigkeit *f*

soliste [solist] *m* Solist *m*

solitaire [soliteʀ] 1. *adj* einsam; *m* 2. Einsiedler *m*; 3. Einzelgänger *m*

solitude [solityd] *f* 1. Einsamkeit *f*; 2. Abgeschiedenheit *f*; 3. Vereinsamung *f*

solliciter [solisite] *v* beanspruchen, beantragen

solution [solysjɔ̃] *f* 1. Lösung *f*, Klärung *f*; - *provisoire* Übergangslösung; 2. *(fig)* Schlüssel *m*; 3. *(énigme)* Auflösung *f*

solutionner [solysjone] *v* lösen, klären

sombre [sɔ̃bʀ] *adj* 1. finster, dunkel; 2. düster; 3. schwermütig; 4. trübsinnig

sombrer [sɔ̃bʀe] *v* 1. untergehen, sinken; 2.*(fig)* Schiffbruch erleiden

sommaire [someʀ] *m* 1. Inhaltsangabe *f*; 2. Zusammenfassung *f*

somme [som] 1. *f* Summe *f*, Betrag *m*; - *totale* Gesamtsumme; - *forfaitaire* Pauschalsumme; 2. *m petit* - Schläfchen *n*

sommeil [somej] *m* Schlaf *m*; - *hivernal* Winterschlaf *m*

sommeiller [someje] *v* schlummern

sommer [some] *v* - *de* auffordern

sommet [some] *m* 1. GEO Gipfel *m*, Höhe *f*; 2. MATH Scheitelpunkt *m*; 3. POL Gipfel *m*

somnambule [sɔmnɑ̃byl] *adj* mondsüchtig; *être* - schlafwandeln

somnifère [sɔmnifeʀ] *m* Schlaftablette *f*

somnolent [sɔmnolɑ̃] *adj* 1. schläfrig; 2. schlaftrunken

somnoler [sɔmnole] *v* schlummern

somptueux [sɔ̃ptɥø] *adj* 1. prächtig, prunkvoll; 2. luxuriös

son [sɔ̃] *m* 1. Klang *m*; 2. Ton *m*, Laut *m*; 3. BOT Kleie *f*

son/sa/ses [sɔ̃/sa/se] *pron* sein, ihr

sonate [sɔnat] *f* Sonate *f*

sondable [sɔ̃dabl] *adj* meßbar

sondage [sɔ̃daʒ] *m* 1. Umfrage *f*; - *d'opinion* Meinungsumfrage; 2. Erforschung *f*

sonde [sɔ̃d] *f* Sonde *f*; - *lunaire* Mondsonde; - *spatiale* Raumsonde

sonder [sɔ̃de] *v* 1. - *qn (fig)* aushorchen; 2. peilen; 3. sondieren, untersuchen

songe [sɔ̃ʒ] *m* Traum *m*

songer [sɔ̃ʒe] *v* - *à* träumen

sonner [sone] *v* 1. klingeln, läuten; 2. *(heure)* schlagen; 3. tönen, klingen

sonnette [sonet] *f* 1. Klingel *f*; 2. Türglocke *f*

sonore [sonoʀ] *adj* tönend, klingend

sonorité [sonoʀite] *f* 1. Ton *m*, Laut *m*; 2. MUS Ton *m*

sorcière [sɔʀsjeʀ] *f* Hexe *f*

sordide [sɔʀdid] *adj* schmierig

sort [sɔʀ] *m* 1. Schicksal *n*, Zufall *m*; 2. Los *n*

sorte [sɔʀt] *f* Art *f*, Sorte *f*; *de* - *que* so, daß; *en quelque* - einigermaßen, gewissermaßen

sortie [sɔʀti] *f* 1. Ausgang *m*, Ausfahrt *f*, Ausstieg *m*; - *de secours* Notausgang; - *de service* Hinterausgang; 2. Ausreise *f*; 3. *(de l'ecole)* Abgang *m*; 4. *(devises)* Abfluß *f*; 5. THEAT Abgang *m*

sortir [sɔʀtiʀ] *v* 1. ausgehen, weggehen; - *du pays* ausreisen; - *de (association)* austreten; - *de herrühren*; - *avec violence* herausbrechen; *s'en* - herausfinden; - *de ses gongs* ausrasten; - *de scène (au théâtre)* abgehen; 2. heraustreten, hinausgehen; 3. fortgehen; 4. herausbringen; 5. herauskommen, veröffentlichen; 6. herausnehmen, nehmen

sot [so] *adj* 1. albern; 2. dumm, töricht

souci [susi] *m* 1. Sorge *f*, Kummer *m*; *C'est le dernier de mes -s.* Das ist meine geringste Sorge. 2. Besorgnis *f*

soucieux [susjø] *adj* 1. kummervoll; *être* - besorgt sein; 2. sorgenvoll

soucoupe [sukup] *f* Untertasse *f*

soudain [sudɛ̃] *adj* jäh, plötzlich

soudainement [sudɛnmɑ̃] *adv* unerwartet, plötzlich

souder [sude] *v* 1. löten; 2. schweißen

soudoyer [sudwaje] *v (fam)* schmieren

soudure [sudyʀ] *f* Naht *f*

souffle [sufl] *m* 1. Hauch *m*, Atem *m*; 2. Puste *f*; 3. TECH Druckwelle *f*

soufflé [sufle] *m* Auflauf *m*

souffler [sufle] *v* 1. blasen; 2. hauchen; *ne pas - mot de qc* etw verschweigen; 3. wehen

souffrance [sufʀɑ̃s] *f* 1. Schmerz *m*, Leid *n*; 2. Qual *f*

souffrant [sufʀɑ̃] 1. *adj* krank; 2. *adv* unwohl

souffrir [sufʀiʀ] *v* 1. leiden; 2. - *qn* ausstehen, ertragen

soufre [sufʀ] *m* Schwefel *m*

souhait [swe] *m* Wunsch *m*

souhaiter [swɛte] v 1. wünschen; 2. erwünschen

souiller [suje] v 1. beschmutzen; 2. verunreinigen

souillure [sujyʀ] f 1. Verunreinigung f; 2. (fig) Schandfleck m

soulagement [sulaʒmã] m 1. Erleichterung f; 2. Labsal n; 3. Linderung f

soulager [sulaʒe] v 1. entlasten; 2. erleichtern; 3. lindern; 4. entladen, befreien

soulèvement [sulɛvmã] m 1. POL Aufstand m, Aufruhr m; 2. Empörung f

soulier [sulje] m Schuh m; être dans ses petits ~s in einer peinlichen Lage sein

souligner [suliɲe] v unterstreichen

soumettre [sumɛtʀ] v 1. unterwerfen; 2. unterbreiten, vorlegen; 3. ~ à unterordnen; 4. se ~ à sich fügen in

soumis [sumi] adj unterwürfig; ~ à une ~ taxe gebührenpflichtig

soumission [sumisjɔ̃] f 1. Unterwerfung f; 2. (offre) Offerte f

soupape [supap] f Ventil n

soupçon [supsɔ̃] m 1. Argwohn m, Verdacht m; 2.(fig) Hauch m

soupçonner [supsɔne] v 1. mutmaßen; 2. verdächtigen

soupe [sup] f Suppe f; ~ de poisson Fischsuppe; ~ de légumes Gemüsesuppe

soupière [supjɛʀ] f Terrine f

soupir [supiʀ] m Seufzer m

soupirant [supiʀã] m Verehrer m

soupirer [supiʀe] v seufzen

souple [supl] adj 1. biegsam; 2. gelenkig; 3. schmiegsam; 4. fügsam; 5. (fig) nachgiebig; 6. anpassungsfähig; être ~ comme une anguille geistig sehr beweglich sein

souplesse [suplɛs] f 1. Biegsamkeit f; 2. Anpassungsfähigkeit f; 3. Nachgiebigkeit f

source [suʀs] f 1. Quelle f; Cela coule de ~. Das liegt auf der Hand. prendre sa ~ entspringen; ~ d'argent Geldquelle; ~ d'information Informationsquelle; 2. Ursprung m

sourcil [suʀsi] m Augenbraue f

sourd [suʀ] adj taub

sourd-muet [suʀ mɥɛ] adj taubstumm

sourire [suʀiʀ] 1. m Lächeln n; v 2. lächeln; 3. ~ à qn anlachen, anziehen; 4. ~ de belächeln

souris [suʀi] f Maus f

sournois [suʀnwa] adj heimtückisch, hinterhältig

sous [su] prep (local) unter

souscrire [suskʀiʀ] v 1. zeichnen, unterschreiben; 2. ~ à qc unterschreiben

sous-location [sulɔkasjɔ̃] f Untermiete f

soussigné [susiɲe] m/f Unterzeichner m/f

sous-sol [susɔl] m Untergeschoß n

sous-titre [sutitʀ] m Untertitel m

soustraction [sustʀaksjɔ̃] f Abzug m

soustraire [sustʀɛʀ] v 1. unterschlagen; 2. veruntreuen; 3. MATH abziehen

soute [sut] f Laderaum m

soutenable [sutnabl] adj stichhaltig

soutenir [sutniʀ] v 1. halten; 2. unterstützen, stützen; 3. verteidigen; 4. (opinion) behaupten; 5. se ~ mutuellement zusammenhalten

soutenu [sutny] adj (langue) gepflegt

souterrain [sutɛʀɛ̃] m Tunnel m

soutien [sutjɛ̃] m 1. Stütze f; 2. (fig) Unterstützung f; 3. (fig) Rückhalt m

soutien-gorge [sutjɛ̃gɔʀʒ] m Büstenhalter m

soutirer [sutiʀe] v ~ l'argent de qn (fig) melken

souvenir [suvniʀ] m 1. Andenken n, Erinnerung f; 2. Souvenir n; 3. Reiseandenken n; 4. v se ~ de qc sich an etw erinnern, sich einer Sache entsinnen

souvent [suvã] adv 1. häufig, oft; 2. le plus ~ meist, meistens

souverain [suvʀɛ̃] adj 1. selbstherrlich; 2. souverän; m 3. Herrscher m; 4. Machthaber m; 5. Staatsoberhaupt n

souveraineté [suvʀɛnte] f 1. Hoheit f; 2. Souveränität f; 3. ~ territoriale Gebietshoheit f

spacieux/-se [spasjø/øz] adj weitläufig, geräumig

sparadrap [spaʀadʀa] m (Wund-)Pflaster n

spasme [spasm] m Krampf m

spatial [spasjal] adj räumlich

speaker [spikœʀ] m Sprecher m, Ansager m

spécial [spesjal] adj 1. speziell; 2. besonders; 3. spezial

spécialiser [spesjalize] v se ~ dans sich spezialisieren auf

spécialiste [spesjalist] m 1. Fachmann m; 2. Spezialist m; 3. médecin ~ Facharzt m

spécialité [spesjalite] f 1. Spezialität f; 2. Fach n, (Sach-)Gebiet n

spécifique [spesifik] adj 1. eigentümlich; 2. spezifisch

spécimen [spesimɛn] *m* Muster *n*, Probe *f*
spectacle [spɛktakl] *m 1.* Schauspiel *n*; *2.* Show *f*
spectaculaire [spɛktakylɛR] *adj 1.* effektvoll; *2.* spektakulär
spectateur [spɛktatœR] *m 1.* Zuschauer *m*; *2.* Theaterbesucher *m*
spectre [spɛktR] *m 1.* Geist *m*; *2.* Spuk *m*; *3. (fig)* Spektrum *n*
spéculation [spekylasjɔ̃] *f* Spekulation *f*
spéculer [spekyle] *v - sur* spekulieren
sperme [spɛRm] *m* Samen *m*
sphère [sfɛR] *f 1. ASTR* Sphäre *f*; *2. MATH* Kugel *f*; *3.* Bereich *m*, Gebiet *n*
spirale [spiRal] *f* Spirale *f*
spirituel [spiRityɛl] *adj 1.* geistlich; *2.* geistreich
spiritueux [spiRityø] *m/pl* Spirituosen *pl*
splendeur [splɑ̃dœR] *f 1.* Herrlichkeit *f*; *2.* Pracht *f*; *3.(fig)* Glanz *m*
splendide [splɑ̃did] *adj* prächtig, wunderbar
spontané [spɔ̃tane] *adj 1.* freiwillig; *2.* spontan; *3.* unaufgefordert
spontanéité [spɔ̃taneite] *f* Spontaneität *f*
sport [spɔR] *m 1.* Sport *m; faire du -* Sport betreiben; *- de compétition* Leistungssport *m; - d'hiver* Wintersport *m*
sportif [spɔRtif] *adj 1.* sportlich; *2.* fair; *3. m* Sportler *m*
square [skwaR] *m* Grünfläche *f*
squelette [skəlɛt] *m 1.* Skelett *n*; *2.* Knochengerüst *n*, Gerippe *n*
stabiliser [stabilize] *v 1.* stabilisieren; *2. se -* sich festigen
stabilité [stabilite] *f 1.* Beständigkeit *f*; *2.* Stabilität *f*
stable [stabl] *adj 1.* beständig, dauerhaft; *2.* stabil, konstant
stade [stad] *m 1.* Stadium *n; - initial* Anfangsstadium; *2.* Sportplatz *m*, Stadion *n*; *3. (fig)* Phase *f*
stage [staʒ] *m 1. (practique)* Praktikum/Praktika *n*; *2.* Lehrgang *m*
stagiaire [staʒjɛR] *m 1.* Praktikant *m*; *2.* Referendar *m*
stagnant [stagnɑ̃] *adj* stockend
stagnation [stagnasjɔ̃] *f 1.* Stillstand *m*; *2. - des ventes* Absatzflaute *f*
stand [stɑ̃d] *m (foire)* Messestand *m*
standard [stɑ̃daR] *m 1.* Standard *m*; *2.* Norm *f*

standardiser [stɑ̃daRdize] *v* normalisieren
star [staR] *f 1. THEAT* Bühnenstar *m*; *2. - de cinéma* (Film-)Star *m*
station [stasjɔ̃] *f* Haltestelle *f*, Stelle *f*; *- de lavage automatique de voiture* Autowaschanlage; *- balnéaire* Badeort; *- d'épuration* Kläranlage; *- thermale/climatique* Kurort; *- de taxis* Taxistand; *- de soins intensifs* Intensivstation
stationnement [stasjɔnmɑ̃] *m - interdit* Parkverbot *n*
stationner [stasjɔne] *v* parken
station-service [stasjɔ̃sɛRvis] *f* Tankstelle *f*
statistique [statistik] *f* Statistik *f*
statue [staty] *f 1.* Standbild *n*; *2.* Statue *f*; *3.* Figur *f*, Statue *f*
stature [statyR] *f 1.* Körperbau *m*; *2.* Statur *f*
statut [staty] *m 1.* Satzung *f*; *2.* Statut *n*
steak [stɛk] *m* Steak *n*
sténo-dactylo [stenɔdaktilɔ] *f* Stenotypistin *f*
steppe [stɛp] *f* Steppe *f*
stéréotypé [steReɔtipe] *adj* stereotyp
stérile [steRil] *adj 1.* steril, keimfrei; *2.* unfruchtbar
stériliser [steRilize] *v* sterilisieren
steward [stjuwaRd] *m* Steward/Stewardeß *m/f*
stigmatisé [stigmatize] *adj (fig)* gezeichnet
stimulant [stimylɑ̃] *adj* anregend
stimulation [stimylasjɔ̃] *f* Anreiz *m*
stimuler [stimyle] *v 1.* reizen, anregen; *2. (fig)* anfachen, anspornen
stipuler [stipyle] *v JUR* vorschreiben
stock [stɔk] *m ECO* Bestand *m*
stockage [stɔkaʒ] *m 1. ECO* Lagerung *f*; *2. (des déchets atomiques)* Entsorgung *f*
stop! [stɔp] *interj* halt!
stopper [stɔpe] *v 1.* einhalten, anhalten; *2.* stoppen, anhalten
store [stɔR] *m* Markise *f*
strabisme [stRabism] *m être atteint de -* schielen
strate [stRat] *f* Lage *f*
stratégie [stRateʒi] *f* Strategie *f*
stress [stRɛs] *m* Streß *m*
strict [stRikt] *adj 1.* rigoros; *2.* strikt
strident [stRidɑ̃] *adj* gellend, schrill
strophe [stRɔf] *f* Strophe *f*
structure [stRyktyR] *f 1.* Aufbau *m*, Struktur *f*; *2.* Gebilde *n*; *3.* Gefüge *n*; *4.* Gliede-

rung *f*, Aufbau *m*; 5. *~ modulaire* Modulbauweise *f*

structurel [strykturɛl] *adj* strukturell

structurer [strykture] *v* strukturieren

studio [stydjo] *m 1.* Appartement *n*, Studio *n*; 2. *(cinéma)* Atelier *n*

stupéfaction [stypefaksjɔ̃] *f* Verblüffung *f*

stupéfait [stypefɛ] *adj 1.·* entgeistert; *être ~* bestürzt sein; 2. perplex; 3. verdutzt

stupéfiant [stypefjɑ̃] *1. adj* verblüffend; *2. m MED* Betäubungsmittel *n*

stupeur [stypœr] *f* Bestürzung *f*

stupide [stypid] *adj 1.* albern, dumm; 2. sinnlos

stupidité [stypidite] *f 1.* Albernheit *f*; 2. Blödsinn *m*; 3. Dummheit *f*; 4. Stumpfsinn *m*

style [stil] *m 1.* Stil *m*; *~ télégraphique* Telegrammstil; *~ architectural* Baustil; *~ Restauration* Biedermeier; *avec ~* stilvoll

stylo [stilo] *m ~ à bille* Kugelschreiber *m*

suave [sɥav] *adj* lieblich

subconscient [sybkɔ̃sjɑ̃] *m* Unterbewußtsein *n*

subdiviser [sybdivize] *v* unterteilen

subir [sybir] *v 1.* leiden, erleiden; 2. dulden, hinnehmen; 3. *(fig)* mitmachen, leiden

subit [sybi] *adj* plötzlich, unerwartet

subjectif/-ve [sybʒɛktif/iv] *adj 1.* subjektiv; 2. unsachlich

subjuguer [sybʒyge] *v (fig)* unterjochen

sublime [syblim] *adj 1.* erhaben; 2. *(fam)* großartig

submerger [sybmɛrʒe] *v 1.* überschwemmen; 2. *(fig)* überwältigen

subordination [sybɔrdinasjɔ̃] *f* Unterstellung *f*

subordonner [sybɔrdɔne] *v ~ à* unterordnen

subrepticement [sybrɛptismɑ̃] *adv* verstohlen

subsister [sybsiste] *v* übrigbleiben

substance [sypstɑ̃s] *f* Stoff *m*, Materie *f*

substantiel [sypstɑ̃sjɛl] *adj* gehaltvoll

substituer [sypstitɥe] *v* ersetzen, austauschen

substitut [sypstity] *m* Ersatz *m*

subtil [syptil] *adj 1.* schlau; *C'est trop ~ pour moi.* Das ist mir zu spitzfindig. 2. *(intelligence)* messerscharf

subvenir [sybvənir] *v 1. ~ aux besoins de* unterhalten, versorgen; 2. *~ à* bestreiten

subvention [sybvɑ̃sjɔ̃] *f 1.* Beihilfe *f*, Unterstützung *f*; 2. *ECO* Subvention *f*

subventionner [sybvɑ̃sjɔne] *v* bezuschussen

succédané [syksedane] *m* Ersatz *m*

succéder [syksede] *v se ~* aufeinander folgen

succès [syksɛ] *m 1.* Erfolg *m*; *~ fou* Bombenerfolg; *~ auprès du public* Publikumserfolg; 2. Anklang *m*; 3. Schlager *m*, Erfolgsartikel *m*

successeur [syksɛsœr] *m* Nachfolger *m*

succession [syksɛsjɔ̃] *f 1.* Reihe *f*, Serie *f*; 2. Ablösung *f*, Nachfolge *f*; 3. Erbfolge *f*, Erbschaft *f*

succomber [sykɔ̃be] *v 1.* unterliegen, besiegt werden; 2. umkommen

succursale [sykyrsal] *f* Zweigstelle *f*

sucer [syse] *v 1.* lutschen; 2. saugen

sucre [sykr] *m* Zucker *m*; *~ candi* Kandiszucker; *~ en poudre* Puderzucker

sucré [sykre] *adj* süß

sucrer [sykre] *v* zuckern

sucreries [sykrəri] *f/pl* Süßigkeiten *pl*

sud [syd] *m* Süden *m*; *du ~* südlich

Suède [sɥɛd] *f* Schweden *n*

suer [sɥe] *v* schwitzen

sueur [sɥœr] *f* Schweiß *m*; *avoir des ~s froides* Blut und Wasser schwitzen

suffire [syfir] *v 1.* genügen, ausreichen; 2. *(fam)* langen

suffisant [syfizɑ̃] *adj 1.* ausreichend; 2. selbstgefällig

suffocation [syfɔkasjɔ̃] *f* Atemnot *f*

suffoquer [syfɔke] *v* ersticken

suffrage [syfraʒ] *m* Wahl *f*

suggérer [sygʒere] *v* anregen, vorschlagen

suggestif [sygʒɛstif] *adj* anregend

suggestion [sygʒɛstjɔ̃] *f (fig)* Eingebung *f*

suicide [sɥisid] *m* Selbstmord *m*

suicidé [sɥiside] *m* Selbstmörder *m*

suie [sɥi] *f* Ruß *m*

Suisse [sɥis] *1. f* Schweiz *f*; 2. *m* Schweizer *m*

suisse [sɥis] *adj* schweizerisch

suite [sɥit] *f 1.* Folge *f*, Fortsetzung *f*; *par ~ de* infolge; *à la ~ de* hinter; 2. Kette *f*, Serie *f*; 3. Reihe *f*; 4. Gefolge *n*; 5. *(fig)* Nachspiel *n*

suivant [sɥivɑ̃] *1. adj* folgend, anschließend; 2. *prep* laut, nach, gemäß; 3. *adv* danach, dementsprechend

suivi [sųivi] *adj 1.* fortlaufend; *2.* ununterbrochen

suivre [sųivʀ] *v 1.* folgen, verfolgen; ~ qn du regard jdm nachsehen; *faire* ~ nachsenden; *prière de faire* ~ Bitte nachsenden; *se* ~ aufeinanderfolgen; ~ *l'exemple de qn* (fig) jdm nachfolgen; *2.* mitgehen; *3. (exemple)* befolgen; *4.* folgen, gehorchen; *5. (loi)* nachkommen; *6.* ~ *à (fam)* mitkommen, begreifen

sujet [syʒɛ] *m 1.* Thema *n; aborder un* ~ ein Thema anschneiden; *à ce* ~ diesbezüglich; ~ *de conversation* Gesprächsstoff; *2.* Gegenstand *m; 3.* Materie *f; 4.* Subjekt *n*

sujet/-tte [syʒɛ/ɛt] *adj* ~ *à caution* unglaubwürdig

superbe [sypɛʀb] *adj* herrlich, prächtig

superficie [sypɛʀfisi] *f* Fläche *f*

superficiel [sypɛʀfisjɛl] *adj 1.* flüchtig, oberflächlich; *2. (fig)* inhaltslos

superflu [sypɛʀfly] *adj 1.* überflüssig; *2.* unnötig

supérieur [sypeʀjœʀ] *1. m* Leiter *m*, Vorgesetzter *m; adj 2.* obere(r,s), höher; *3.* vorzüglich; *4.* ~ *à la moyenne* überdurchschnittlich; *5.* übergeordnet

supériorité [sypeʀjoʀite] *f* Überlegenheit *f*

superlatif [sypɛʀlatif] *m* Superlativ *m*

supermarché [sypɛʀmaʀʃe] *m* Supermarkt *m*

super-ordinateur [sypɛʀɔʀdinatœʀ] *m* Großrechner *m*

superposition [sypɛʀpozisjɔ̃] *f* Überlagerung *f*

superstitieux [sypɛʀstisjø] *adj* abergläubisch

superstition [sypɛʀstisjɔ̃] *f* Aberglaube *m*

suppléant [sypleã] *m* Stellvertreter *m*

supplément [syplemã] *m 1.* Ergänzung *f; ~ de salaire* Gehaltszulage; *2.* Zusatz *m; 3.* Zuschlag *m; à* ~ zuschlagpflichtig; *payer un* ~ nachzahlen; *4.* Nachtrag *m; 5.* Beilage *f*

supplémentaire [syplemãtɛʀ] *adj* weiter, zusätzlich

suppliant [syplijã] *adj* flehentlich

supplice [syplis] *m 1.* Qual *f; 2.* Folter *f*

supplier [syplije] *v 1.* anflehen; *2.* flehen

support [sypɔʀ] *m 1.* Träger *m*, Stütze *f; 2.* Gestell *n; 3.* Ständer *m; 4.* Stativ *n; 5.* Unterlage *f*

supportable [sypɔʀtabl] *adj 1.* erträglich; *2.* leidlich

supporter [sypɔʀte] *v 1.* aushalten; *2.* leiden, erleiden; *3.* dulden, ertragen

supporter [sypɔʀtɛʀ] *m* Fan *m*

supposer [sypoze] *v 1.* glauben, vermuten; *2.* schätzen, annehmen; *3.* mutmaßen

supposition [sypozisjɔ̃] *f 1.* Vermutung *f; 2.* Schätzung *f*, Annahme *f*

suppression [sypʀesjɔ̃] *f 1.* Abschaffung *f; 2.* Aufhebung *f; 3.* Beseitigung *f; 4.* Unterdrückung *f*

supprimer [sypʀime] *v 1.* abschaffen; *2.* etw unterdrücken; *3. (fam)* beseitigen, töten; *4.* weglassen, auslassen; *5. INFORM* löschen

suprématie [sypʀemasi] *f 1.* Vorherrschaft *f; 2.* Überlegenheit *f*

suprême [sypʀɛm] *adj* oberst(e,r,s)

sur [syʀ] *prep 1.* auf, über; *2.* an, auf

sûr [syʀ] *adj 1.* sicher, gewiß; *2.* zuverlässig; *3.* gefahrlos; *4.* ~ *de soi* selbstbewußt

surabondance [syʀabõdãs] *f 1.* ~ *de* Überfluß *m; 2. (fig)* Überschwang *m*

suranné [syʀane] *adj* veraltet

surcharge [syʀʃaʀʒ] *f* Überlastung *f*

surcharger [syʀʃaʀʒe] *v 1.* ~ *qc/qn* überlasten; *2.* überladen

surclasser [syʀklase] *v* ~ *qn* jdm weit überlegen sein

surdimensionné [syʀdimãsjone] *adj* überdimensional

surdité [syʀdite] *f* Taubheit *f*

sureau [syʀo] *m* Holunder *m*

sûrement [syʀmã] *adv 1.* bestimmt, sicherlich; *2.* gewiß; *3.* sicher, zweifellos

suremploi [syʀãplwa] *m* Überbeschäftigung *f*

surenchérir [syʀãʃeʀiʀ] *v* ~ *sur* überbieten

surestimer [syʀɛstime] *v 1.* überschätzen; *2.* überbewerten

sûreté [syʀte] *f 1.* Verlaß *m; 2.* Verläßlichkeit *f*, Zuverlässigkeit *f; 3.* ~ *publique* Burgfriede *m; 4. ECO* Sicherheit *f*

surévaluer [syʀevalɥe] *v 1.* überschätzen; *2.* überbewerten

surexcité [syʀɛksite] *adj 1.* überreizt; *2. (fig)* überspannt

surface [syʀfas] *f 1.* Fläche *f*, Grundfläche *f; ~ portante* Tragfläche; ~ *habitable* Wohnfläche; ~ *cultivée* Anbaufläche; *2.* Oberfläche *f; 3.* ~ *de la mer* Meeresspiegel *m*

surgelés [syʀʒǝle] *m/pl* Tiefkühlkost *f*

surgénérateur [syʀʒeneratœʀ] *m* ~ *à haute compression* Schneller Brüter *m*

surhumain [syʀymɛ̃] *adj* übermenschlich
surmenage [syʀmǝnaʒ] *m 1.* Überanstrengung *f; 2.* Überarbeitung *f; 3.* Überbeanspruchung *f*
surmener [syʀmǝne] *v 1.* überanstrengen; *2. se - sich überarbeiten
surmonter [syʀmɔ̃te] *v 1.* besiegen; *2. (difficulté)* bewältigen, überwinden; *3.* überbrücken
surnaturel [syʀnatyʀɛl] *adj* übernatürlich
surnom [syʀnɔ̃] *m* Spitzname *m*
surpasser [syʀpase] *v 1.* überbieten; *2.* überflügeln, übertreffen
surplomber [syʀplɔ̃be] *v* überragen
surplus [syʀply] *m* Plus *n*, Überschuß *m*
surprenant [syʀpʀǝnã] *adj·1.* seltsam, erstaunlich; *2.* überraschend, verwunderlich
surprendre [syʀpʀɑ̃dʀ] *v 1.* überraschen; *2.* überrumpeln
surpris [syʀpʀi] *adj 1.* überrascht; *être - de qc* sich wundern; *2.* stutzig
surprise [syʀpʀiz] *f 1.* Überraschung *f; 2.* Erstaunen *n*, Staunen *n; 3.* Verwunderung *f*
surproduction [syʀpʀɔdyksjɔ̃] *f* Überproduktion *f*
sursauter [syʀsote] *v* zucken
sursis [syʀsi] *m* Bewährungsfrist *f*
surtaxe [syʀtaks] *f 1.* Nachgebühr *f; 2.* Strafporto *n*
surtout [syʀtu] *adv 1.* besonders, vor allem; *2.* hauptsächlich, insbesondere
surveillance [syʀvɛjãs] *f 1.* Kontrolle *f; 2.* Aufsicht *f; 3.* Bewachung *f; 4. MED* Beobachtung *f*
surveillant [syʀvɛjã] *m 1.* Aufseher *m; 2.* Wärter *m*
surveiller [syʀvɛje] *v 1.* bewachen; *2.* beaufsichtigen
survenir [syʀvǝniʀ] *v 1.* ereignen; *2. (événement)* dazwischenkommen; *3.* zustoßen, geschehen
survêtement [syʀvɛtmã] *m - de sport* Trainingsanzug *m*
survivant/-e [syʀvivã] *m/f* Überlebende *m/f*
survivre [syʀvivʀ] *v* überleben
survoler [syʀvɔle] *v 1.* überfliegen; *2. (un texte)* überfliegen
susceptible [sysɛptibl] *adj 1.* empfänglich; *2.* empfindlich, reizbar; *3. (fig)* fähig
susciter [sysite] *v 1.* wecken, hervorrufen; *2.* anstiften

suspect [syspɛ] *1. adj* verdächtig; *2. m* Verdächtige *m/f*
suspecter [syspɛkte] *v* verdächtigen
suspendre [syspɑ̃dʀ] *v 1.* aufhängen; *2.* anhängen; *3.* einstellen, beenden; *4.* sperren
suspens [syspɑ̃] *adv en - (fig)* offen
suspension [syspɑ̃sjɔ̃] *f 1.* Schweben *n; 2.* Einstellung *f; 3. TECH* Federung *f*
suspicion [syspisjɔ̃] *f 1.* Verdacht *m; 2.* Verdächtigung *f*
sussurer [sysyʀe] *v 1. (feuilles)* rauschen; *2.* lispeln
suturer [sytyʀe] *v* nähen
svelte [svɛlt] *adj* schlank
syllabe [silab] *f* Silbe *f*
sylphe/sylphide [silf/silfid] *m/f* Elfe *f*
symbole [sɛ̃bɔl] *m 1.* Sinnbild *n*, Symbol *n; 2.* Gleichnis *n*
symbolique [sɛ̃bɔlik] *adj* sinnbildlich, symbolisch
symétrique [simetʀik] *adj* symmetrisch
sympathie [sɛ̃pati] *f 1.* Mitgefühl *n; 2.* Sympathie *f*
sympathique [sɛ̃patik] *adj* sympathisch
sympathisant [sɛ̃patizã] *1. adj* gleichgesinnt; *m 2.* Mitläufer *m; 3.* Sympathisant *m*
symptôme [sɛ̃ptom] *m* Anzeichen *n*, Symptom *n*
synchrone [sɛ̃kʀɔn] *adj* gleichzeitig, synchron
synchronisation [sɛ̃kʀɔnizasjɔ̃] *f* Abstimmung *f*, Anpassung *f*
synchroniser [sɛ̃kʀɔnize] *v 1.* abstimmen, anpassen; *2. CINE* synchronisieren
syncope [sɛ̃kɔp] *f MED* Ohnmacht *f*
syndical [sɛ̃dikal] *adj* gewerkschaftlich
syndicaliste [sɛ̃dikalist] *m* Gewerkschaftler *m*
syndicat [sɛ̃dika] *m 1.* Gewerkschaft *f; 2.* Verband *m*, Vereinigung *f; 3. ~ d'initiative* Verkehrsbüro *n; 4. ~ des salariés* Angestelltengewerkschaft *f; 5. membre d'un ~* Gewerkschaftsmitglied *n*
systématique [sistematik] *adj* systematisch
système [sistɛm] *m 1.* System *n; ~ d'alarme* Alarmanlage; *~ immunitaire* Immunsystem; *~ antiblocage des roues* Antiblockiersystem; *~ d'irrigation* Bewässerungsanlage; *~ politique* Regime; *~ monétaire* Währungssystem; *~ d'exploitation* Betriebssystem; *2.* Plan *m*, Ordnung *f*

T/U

tabac [taba] *1. m* Tabak *m;* 2. *m/pl* Tabakwaren *pl; passer qn à -* jdn verprügeln
table [tabl] *f 1.* Tisch *m; - pliante* Klapptisch; *- de conférence* Konferenztisch; *- de nuit* Nachttisch; *- des matières* Inhaltsverzeichnis
tableau [tablo] *m 1.* Bild *n,* Gemälde *n;* 2. Tabelle *f;* 3. Tafel *f; - de commande* Schalttafel; *- d'affichage* Anschlagbrett
tablette [tablɛt] *f* Brett *n,* Sims *n; - de chocolat* Tafel Schokolade; *inscrire qc sur ses -s* sich etw hinter die Ohren schreiben
tablier [tablije] *m 1.* Kittel *m; rendre son -* seinen Hut nehmen/ kündigen; 2. Schürze *f*
tabou [tabu] *m* Tabu *n*
tabouret [taburɛ] *m 1.* Barhocker *m;* 2. Schemel *m,* Hocker *m*
tache [taʃ] *f 1.* Fleck *m,* Klecks *m; - de graisse* Fettfleck; *- de vin* Weinfleck; *-s de rousseur* Sommersprossen; *faire des -s kleckern; faire - d'huile* (fig) sich ausbreiten/ verbreiten/durchsetzen; 2. Makel *m,* Schandfleck *m*
tâche [taʃ] *f 1.* Aufgabe *f,* Arbeit *f;* 2. Pensum *n*
tacher [taʃe] *v* beflecken
tacheté [taʃte] *adj* scheckig, fleckig
tacite [tasit] *adj* stillschweigend
taciturne [tasityrn] *adj 1.* schweigsam; 2. wortkarg, verschlossen
tact [takt] *m 1.* Takt *m; manque de -* Taktlosigkeit; *plein de -* taktvoll; 2. Fingerspitzengefühl *n*
tactique [taktik] *1. adj* taktisch; 2. *f* Taktik *f; - de camouflage* Verschleierungstaktik
taf**fetas** [tafta] *m* Taft *m*
taie [tɛ] *f* Überzug *m*
taille [taj] *f 1.* Schneiden *n,* Schnitt *m;* 2. Schleifen *n,* Schliff *m;* 3. (Körper-)Größe *f; de grande -* groß/großgewachsen; 4. Konfektionsgröße *f;* 5. Taille *f*
tailler [taje] *v 1.* schneiden; *- qc en pièces* etw in Stücke reißen; 2. spitzen, zuspitzen; 3. schleifen
tailleur [tajœr] *m 1.* Kostüm *n,* Kleidungsstück *n;* 2. Schneider *m;* 3. *- de pierres* Steinmetz *m*

taire [tɛr] *v 1.* verschweigen, verhehlen; 2. *se - schweigen*
talent [talɑ̃] *m* Begabung *f,* Talent *n*
talon [talɔ̃] *m 1.* (Schuh-)Absatz *m;* 2. ANAT Ferse *f,* Hacken *m; - d'Achille* Achillesferse; 3. FIN Beleg *m*
talus [taly] *m 1.* Bahndamm *m;* 2. Böschung *f*
tambour [tɑ̃bur] *m* Trommel *f; - de frein* Bremstrommel
tamiser [tamize] *v* sieben, passieren
tampon [tɑ̃pɔ̃] *m 1.* Pfropfen *m,* Stöpsel; *- de ouate* Wattebausch; 2. Stempel *m*
tamponner [tɑ̃pɔne] *v 1.* stempeln; 2. tupfen
tandis que [tɑ̃di(s)k(ə)] *konj 1.* indessen, während; 2. dahingegen
tangible [tɑ̃ʒibl] *adj 1.* konkret; 2. greifbar
tanner [tane] *v* löchern
tannière [tanjɛr] *f* (Tier-)Bau *m*
tant [tɑ̃] *adv 1.* so, so viel, so viele; *- mieux* umso/desto besser; *- pis* schade/ Da kann man nichts machen. *- que* so lange; 2. so sehr
tante [tɑ̃t] *f* Tante *f*
tantôt [tɑ̃to] *adv 1.* vorhin; 2. bald
taon [tɑ̃] *m* Bremse *f*
tapage [tapaʒ] *m* Krach *m,* Lärm *m*
tape [tap] *f* Schlag *m,* Pochen *n*
taper [tape] *v 1.* schlagen, hauen, klapsen; *- à la machine* auf der Maschine schreiben; *- dans l'œil* ins Auge stechen; *C'est à se - la tête contre les murs.* Das ist zum Wände Hochgehen. 2. klappern
tapis [tapi] *m 1.* Teppich *m; - d'escalier* Läufer; *- persan/de Perse* Perser; 2. SPORT Matte *f*
tapisser [tapise] *v* tapezieren
tapisserie [tapisri] *f* Tapete *f*
tard [tar] *adv* spät; *plus -* später/nachher/ nachträglich; *tôt ou -* früher oder später
tare [tar] *f* Makel *m*
tarif [tarif] *m 1.* Gebühr *f;* 2. Tarif *m; - douanier* Zolltarif; *- collectif* Manteltarif
tarte [tart] *f* Torte *f*
tartine [tartin] *f* Brotschnitte *f,* Butterbrot *n*

tartiner [taʀtine] v (pain) bestreichen, belegen

tartre [taʀtʀ] m 1. Zahnstein m; 2. (Zahn-)Belag m

tas [tɑ] m 1. Haufen m; - de fumier Misthaufen; 2. Stapel m; 3. (fig) (Menschen-)Auflauf m

tasse [tas] f Tasse f; - à café Kaffeetasse

tâter [tate] v tasten, abtasten

taule/tôle [tol] f (fam) Knast m

taupe [top] f Maulwurf m

taureau [tɔʀo] m 1. Bulle m; 2. Stier m

taux [to] m 1. (Prozent-)Satz m; - de prêt/louage Leihgebühr; - de change Wechselkurs; - de cholestérol Cholesterinspiegel; - d'albumine Eiweißgehalt; - d'escompte Diskontsatz; 2. Rate f; - d'inflation Inflationsrate; - de croissance Wachstumsrate

taxation [taksasjɔ̃] f Besteuerung f

taxe [taks] f 1. Gebühr f; - d'enregistrement Anmeldegebühr; - de séjour Kurtaxe; 2. Steuer f, Abgabe f; - à la valeur ajoutée Mehrwertsteuer; - communale/locale Gemeindesteuer; - sur les véhicules Kraftfahrzeugsteuer

taxer [takse] v besteuern

taxi [taksi] m Taxi n

Tchécoslovaquie [tʃekɔslɔvaki] f Tschechoslowakei f

te [tə] pron 1. dich; 2. dir

technicien [tɛknisjɛ̃] m Techniker m; - en électronique Elektrotechniker

technique [tɛknik] 1. f Technik f; - des communications Nachrichtentechnik; - analogique Analogtechnik; 2. adj technisch

technologie [tɛknɔlɔʒi] f Technologie f; - génétique Gentechnologie

tee-shirt [tiʃœrt] m T-Shirt n

teindre [tɛ̃dʀ] v tönen, färben; - en blond blond färben

teint [tɛ̃] m Teint m; grand - farbecht

teinter [tɛ̃te] v 1. (bois) beizen; 2. tönen, färben

tel/telle [tɛl] adj 1. solche(r,s); - quel unverändert/ im selben Zustand; 2. derartig

télé [tele] f (fam) Fernsehgerät n

télécommande [telekɔmɑ̃d] f Fernbedienung f, Fernsteuerung f

télécopie [telekɔpi] f Telefax n

téléfax [telefaks] m Telefax n

téléférique [teleferik] m Drahtseilbahn f

télégramme [telegram] m Telegramm n

télégraphier [telegrafje] v telegrafieren

téléguidage [telegidaʒ] m Fernsteuerung f

téléphone [telefɔn] m 1. Telefon n; 2. (appareil) Fernsprecher m

téléphoner [telefɔne] v telefonieren; - à qn jdn anrufen/ mit jdm telefonieren

téléphonique [telefɔnik] adj telefonisch

téléscope [teleskɔp] m Teleskop n

téléscripteur [teleskʀiptœʀ] m Fernschreiber m

télésiège [telesjɛʒ] m Sessellift m

téléski [teleski] m Skilift m

téléviseur [televizœʀ] f Fernsehgerät n; - couleur Farbfernsehgerät

télévision [televizjɔ̃] f Fernsehen n; - par câble Kabelfernsehen

télex [telɛks] m 1. Fernschreiber m; 2. Telex n

tellement [tɛlmɑ̃] adv so, so sehr, derartig, soviel

téméraire [temeʀɛʀ] adj tollkühn, vermessen

témérité [temerite] f Vermessenheit f

témoignage [temwaɲaʒ] m 1. Zeugnis n, (Be-)Zeugen n; 2. Beweis m, Zeichen n; - de sympathie Sympathiebekundung

témoigner [temwaɲe] v JUR (be-)zeugen; - de son innocence seine Unschuld bezeugen/beweisen

témoin [temwɛ̃] m 1. Zeuge m; - oculaire Augenzeuge; - à décharge Entlastungszeuge; - principal/numéro un Kronzeuge; - à un mariage Trauzeuge; 2. (fig) Zeichen n

tempe [tɑ̃p] f Schläfe f; -s dégarnies (fig) Geheimratsecken

tempérament [tɑ̃peʀamɑ̃] m 1. Ausgleich m, Linderung f; payer à - in Raten zahlen; 2. Temperament n, Natur f

tempérance [tɑ̃peʀɑ̃s] f Enthaltsamkeit f; avec - enthaltsam

température [tɑ̃peʀatyʀ] f 1. Fieber n; 2. Temperatur f

tempéré [tɑ̃peʀe] adj mild, gemäßigt

tempérer [tɑ̃peʀe] v mäßigen

tempête [tɑ̃pɛt] f 1. Gewitter n; 2. Sturm m, Unwetter n; - de sable Sandsturm

temple [tɑ̃pl] m Tempel m

temporaire [tɑ̃pɔʀɛʀ] adj 1. vorläufig; 2. vorübergehend; 3. zeitweilig

temps [tɑ̃] m 1. Zeit f; - perdu Zeitverschwendung; - libre Mußezeit; - modernes Neuzeit; un laps de - Weile; en même - gleichzeitig/zugleich; en ce --là damals; de -

en ~ hin und wieder/gelegentlich; *pendant ce* ~ indessen; *la plupart du* ~ meistens; *par les* ~ *qui courent* heutzutage; *avoir fait son* ~ ausgedient haben/ aus der Mode gekommen sein; *Il n'y a pas de* ~ *à perdre.* Es ist keine Zeit zu verlieren. *faire la pluie et le beau* ~ tonangebend sein; *2.* Wetter *n;* ~ *de chien* Hundewetter

tenace [tənas] *adj 1.* zäh; *2.* hartnäckig

tenailles [tənaj] *f/pl 1.* Zange *f; 2.* Beißzange *f*

tenancier [tənãsje] *m* Pächter *m*

tendance [tãdãs] *f 1.* Tendenz *f,* Trend *m;* ~ *à la baisse* Abwärtsentwicklung; *avoir une* ~ *vers* tendieren zu; *2. LIT/POL* Richtung *f; 3.* Hang *m;* ~ *à se plaindre* Wehleidigkeit; *avoir* ~ *à (fig)* neigen zu

tendancieux [tãdãsjø] *adj* tendenziös

tendon [tãdõ] *m 1. MED* Flechte *f; 2. ANAT* Sehne *f*

tendre [tãdʀ] *1. adj* sanft, weich, zart; *v 2.* strecken, dehnen; ~ *un arc* einen Bogen spannen; ~ *l'oreille (fig)* lauschen/horchen; *3.* aufhängen, behängen; ~ *un piège* eine Falle aufstellen; *4.* reichen, geben; ~ *la main à qn* jdm die Hand geben; *5.* ~ *à* nach etw trachten, etw anstreben

tendresse [tãdʀɛs] *f* Zärtlichkeit *f*

tendu [tãdy] *adj* gespannt, angespannt

tenir [təniʀ] *v 1.* halten, festhalten; ~ *prêt* bereithalten; ~ *à la disposition* bereithalten; ~ *compte* berücksichtigen; ~ *bon* durchhalten/ standhalten; ~ *le coup* durchhalten; ~ *ferme* standhalten; ~ *secret* verheimlichen; *en lieu sûr* verwahren; *ne pas* ~ *en place* nicht ruhigbleiben können; *Qu'à cela ne tienne!* Das macht nichts./ Darauf soll es nicht ankommen! *2.* führen; ~ *le ménage* den Haushalt führen; *3.* ~ *à* Wert legen auf; *Cela me tient à cœur.* Das liegt mir am Herzen. *Si vous y tenez.* Wenn Sie darauf bestehen. *4.* ~ *de* haben von, grenzen an, ähneln; *Il tient beaucoup de son père.* Er ist seinem Vater sehr ähnlich. *Cela tient du miracle.* Das grenzt an ein Wunder. *5.* ~ *à* abhängen von; *A quoi cela tient-il?* Woran liegt es? *Il ne tient qu'à elle.* Es hängt nur von ihr ab. *6.* umfassen, enthalten; *7.* einnehmen; *8. se* ~ sich halten, sich verhalten; *s'en* ~ *à qc* sich halten an; *se* ~ *debout* aufrecht halten; *se* ~ *bien* sich wohl verhalten/ sich benehmen

tennis [tenis] *m* Tennis *n;* ~ *de table* Tischtennis

ténor [tenɔʀ] *m* Tenor *m*

tension [tãsjõ] *f* Anspannung *f,* Spannung *f;* haute ~ Hochspannung; ~ *artérielle* Blutdruck

tentation [tãtasjõ] *f 1.* Verlockung *f; 2.* Versuchung *f*

tentative [tãtativ] *f* Versuch *m;* ~ *d'approche* Annäherungsversuch; ~ *de meurtre* Mordanschlag; ~ *de suicide* Selbstmordversuch

tente [tãt] *f* Zelt *n*

tenter [tãte] *v 1.* versuchen; ~ *sa chance* sein Glück versuchen; *2.* verführen; *être tenté de faire qc* große Lust verspüren etw zu tun

tenue [təny] *f 1.* Haltung *f,* Verhalten *n; 2.* Montur *f,* Kleidung *f;* ~ *de bain* Badeanzug

tergiverser [tɛʀʒivɛʀse] *v* zögern, zaudern

terme [tɛʀm] *m 1.* Ausdruck *m,* Begriff *m,* Wort *n;* ~ *technique* Fachausdruck; ~ *général/générique* Oberbegriff; ~*s de l'accord* Abmachung; *en d'autres* ~*s* mit anderen Worten; *en* ~*s formels* förmlich; *être en mauvais* ~*s avec qn* mit jdm auf schlechtem Fuß stehen; *2.* Frist *f; à court* ~ kurzfristig; *à long* ~ langfristig; *3.* Abschluß *m;* ~ *de la liquidation* Abschlußstichtag

terminal [tɛʀminal] *adj* abschließend

terminé [tɛʀmine] *adj* fertig, beendet

terminer [tɛʀmine] *v 1.* absolvieren, vollenden; *2.* abschließen, beenden, fertigmachen; *3. se* ~ enden, auslaufen

terminologie [tɛʀminɔlɔʒi] *f* Fachsprache *f,* Terminologie *f*

terminus [tɛʀminys] *m* Endstation *f*

terrain [tɛʀɛ̃] *m 1.* Gelände *n;* ~ *industriel* Fabrikgelände; ~ *de la foire* Messegelände; *2.* Land *n,* Grundstück *n;* ~ *à bâtir* Bauland; *3.* Platz *m;* ~ *de jeu* Spielplatz; ~ *de sport* Sportplatz; ~ *de manœuvre* Übungsplatz; ~ *de camping* Campingplatz

terrasse [tɛʀas] *f* Terrasse *f,* Dachterrasse *f*

terre [tɛʀ] *f 1.* Boden *m,* Erde *f;* ~ *glaise* Lehmboden; *2.* Land *n;* ~ *ferme* Festland; ~ *nouvelle/inconnue* Neuland; *3.* Welt *f,* Erde *f*

terrer [tɛʀe] *v se* ~ sich verkriechen

terrestre [tɛʀɛstʀ] *adj* irdisch

terreur [tɛʀœʀ] *f 1.* Terror *m; 2.* Schrecken *m*

terreux [tɛʀø] *adj* erdig

terrible [tɛʀibl] *adj* fürchterlich, schrecklich, gräßlich
terrier [tɛʀje] *m* Höhle *f*, (Tier-)Bau *m*
terrifiant [tɛʀifjɑ̃] *adj* erschreckend
terrine [tɛʀin] *f* 1. Schüssel *f*; 2. Napf *m*
territoire [tɛʀitwaʀ] *m* 1. Gebiet *n*; ~ *inoccupé* Niemandsland; ~ *national* Hoheitsgebiet; 2. Territorium *n*
terrorisme [tɛʀɔʀism] *m* Terrorismus *m*
terroriste [tɛʀɔʀist] *m* Terrorist *m*
test [tɛst] *m* 1. Prüfung *f*, Test *m*; 2. Versuch *m*, Experiment *n*, Erprobung *f*
testament [tɛstamɑ̃] *m* Testament *n*, Vermächtnis *n*
tester [tɛste] *v* testen, erproben
testicules [tɛstikyl] *m/pl* Hoden *pl*
tétanos [tetanos] *m* Tetanus *m*
tête [tɛt] *f* 1. Kopf *m*; ~ *chauve* Glatze; ~ *de turc* Sündenbock; ~ *de mort* Totenkopf; ~ *de cochon (fam)* Trotzkopf; *la* ~ *la première* kopfüber; *perdre la* ~ *(fam)* durchdrehen; *avoir une idée de derrière la* ~ einen Hintergedanken haben; *y aller* ~ *baissée* kopflos/überstürzt handeln; *en avoir par-dessus la* ~ es satt haben; *avoir la* ~ *ailleurs* mit den Gedanken woanders sein; *avoir la* ~ *dure* schwer von Begriff sein; *à tue-* ~ lauthals; 2. Haupt *n*; 3. *(fig)* Spitze *f*; *en* ~ vorn(e)/voraus; *être à la* ~ *de* leiten/führen/an der Spitze liegen
téter [tete] *v* saugen
tétine [tetin] *f* Schnuller *m*
têtu [tety] *adj* eigensinnig, hartnäckig
texte [tɛkst] *m* Text *m*, Wortlaut *m*
textuel [tɛkstɥɛl] *adj* buchstäblich, wörtlich
thé [te] *m* schwarzer Tee *m*
théâtral [teatʀal] *adj* theatralisch
théâtre [teatʀ] *m* 1. Theater *n*, Schauspielhaus *n*; *pièce de* ~ Theaterstück/Schauspiel; 2. Bühne *f*; ~ *de plein air* Freilichtbühne; ~ *ambulant* Wanderbühne; 3. *(fig)* Schauplatz *m*
thématique [tematik] *adj* thematisch
thème [tɛm] *m* 1. Thema *n*; 2. Gegenstand *m*, Thema *n*
théologie [teɔlɔʒi] *f* Theologie *f*
théorie [teɔʀi] *f* Theorie *f*; ~ *des ensembles* Mengenlehre
thérapie [teʀapi] *f* Therapie *f*; ~ *de groupe* Gruppentherapie
thermes [tɛʀm] *m/pl* Badeanstalt *f*
thermomètre [tɛʀmɔmɛtʀ] *m* Thermometer *n*; ~ *médical* Fieberthermometer

thèse [tɛz] *f* 1. These *f*; 2. Abhandlung *f*; ~ *de doctorat d'Université* Dissertation
thon [tɔ̃] *m* Thunfisch *m*
thym [tɛ̃] *m* Thymian *m*
tibia [tibja] *m ANAT* Schienbein *n*
tic-tac [tiktak] *m* Ticktack *n*; *faire* ~ ticken
ticket [tikɛ] *m* 1. Fahrschein *m*; 2. Eintrittskarte *f*
tiède [tjɛd] *adj* lauwarm
tien/tienne [tjɛ̃/tjɛn] *pron le/la* ~ *(possessif)* der/die/das Deinige; *le* ~ *das Deine*; *les* ~*s* die Deinen; *C'est le* ~. Das gehört Dir. *A la tienne!* Auf Dein Wohl!
tiens! [tjɛ̃] *inter* Schau, schau! Aha!
tiers [tjɛʀ] *m* Drittel *n*; ~ *monde* Entwicklungsland
tige [tiʒ] *f* 1. Stange *f*; 2. Stiel *m*; 3. Halm *m*
tigre [tigʀ] *m* Tiger *m*
timbale [tɛ̃bal] *f* 1. Becher *m*; 2. *MUS* Pauke *f*
timbre [tɛ̃bʀ] *m* 1. Briefmarke *f*; 2. Klang *m*; 3. *MUS* Ton *m*
timide [timid] *adj* scheu, schüchtern, verschämt
timidité [timidite] *f* 1. Ängstlichkeit *f*; 2. Scheu *f*, Schüchternheit *f*
timoré [timɔʀe] *adj* kleinmütig
tique [tik] *f* Zecke *f*
tir [tiʀ] *m* Schießen *n*, Beschießung *f*, Feuer *n*; *faire du* ~ schießen; ~ *à l'arc* Bogenschießen
tirage [tiʀaʒ] *m* 1. Ziehen *n*, Ziehung *f*; ~ *de la loterie* Losziehung; ~ *au sort* Aus-/Verlosung; 2. Abdruck *m*, Nachbildung *f*; *faire un* ~ abdrucken/ausdrucken; 3. *(livre)* Auflage *f*; *premier* ~ Erstauflage
tire-bouchon [tiʀbuʃɔ̃] *m* Korkenzieher *m*
tirelire [tiʀliʀ] *f* Sparbüchse *f*
tirer [tiʀe] *v* 1. ziehen; ~ *au sort* auslosen; ~ *au clair* (auf-)klären; 2. ausdrucken, abdrucken; 3. *(fig)* entnehmen, schließen; 4. schießen, feuern; 5. *s'en* ~ *(fig)* davonkommen
tiret [tiʀe] *m* Bindestrich *m*
tireur [tiʀœʀ] *m* ~ *d'élite* Scharfschütze *m*
tiroir [tiʀwaʀ] *m* Schublade *f*; *racler les fonds de* ~*s* den letzten Pfennig zusammenkratzen
tisane [tizan] *f* Kräutertee *m*
tisser [tise] *v* weben
tissu [tisy] *m* 1. Gewebe *n*; ~ *conjonctif* Bindegewebe; 2. Stoff *m*; ~ *éponge* Frottee

titre [titʀ] *m* 1. *- honorifique* Titel *m*, Doktortitel *m; à - gracieux* gratis; *à - provisoire* vorübergehend; *à - honorifique* ehrenamtlich; *à - professionnel* hauptamtlich; *à juste - * mit vollem Recht; 2. Überschrift *f; gros - m* Schlagzeile *f;* 3. Urkunde *f;* 4. *- de noblesse* Adelstitel *m;* 5. Prädikat *n*, Bewertung *f;* 6. *- de créance* Schuldschein *m;* 7. *- d'or fin* Feingehalt *m*

titulaire [titylɛʀ] *m* 1. (Amts-)Inhaber *m;* 2. *- d'un prix* Preisträger *m*

toast [tost] *m* 1. Toast *m;* 2. Trinkspruch *m*

toi [twa] *pron* 1. *(tonique)* du; 2. *(tonique)* dich; 3. *à -* dir

toile [twal] *f* 1. Gemälde *n;* 2. Laken *n;* 3. Netz *n; - d'araignée* Spinnennetz *n;* 4. *- grillagée contre les mouches* Fliegengitter *n;* 5. Leinen *n;* 6. ART Leinwand *f*

toilette [twalɛt] *f* 1. Toilette *f*, Klosett *n*, Abort *m*, Klo *n; faire sa -* sich waschen; 2. *(femme)* Kleidung *f;* 3. Putz *m*, Zier *f*

toison [twazɔ̃] *f* Lammfell *n*

toit [twa] *m* 1. Dach *n; crier qc sur les -s* etw an die große Glocke hängen/ etw hinausposaunen; 2. *- ouvrant* Schiebedach *n*

toiture [twatyʀ] *f* 1. Dach *n;* 2. Überdachung *f*

tôle [tol] *f* Blech *n*

tolérable [tɔleʀablə] *adj* erträglich

tolérance [tɔleʀɑ̃s] *f* Nachsicht *f*, Toleranz *f*

tolérant [tɔleʀɑ̃] *adj* nachsichtig, tolerant

tolérer [tɔleʀe] *v* 1. dulden, ertragen; 2. tolerieren; 3. etw vertragen; 4. tragen

tomate [tɔmat] *f* Tomate *f*

tombe [tɔ̃b] *f* Grab *n*, Gruft *f*

tombeau [tɔ̃bo] *m* Grab *n; rouler à - ouvert* wie ein Irrer rasen

tombée [tɔ̃be] *f (du jour, de la nuit)* Anbruch *m*

tomber [tɔ̃be] *v* 1. nachlassen, schwächer werden; 2. sinken; 3. stürzen, fallen, umfallen, herunterfallen; *faire - qc* etw fallen lassen; 4. *(nuit)* anbrechen, beginnen; 5. *(foudre)* einschlagen; 6. *- à pic* genau zur rechten Zeit kommen, genau richtig kommen, hinhauen; 7. *- en ruine* einstürzen; 8. *- malade* erkranken; 9. *- amoureux/-se de* sich verlieben; 10. *laisser - qn* jdn abhängen, jdn fallen lassen

tome [tɔm] *m* Band *m*

ton [tɔ̃] *m* 1. Klang *m;* 2. (Umgangs-)Ton *m; Si vous le prenez sur ce --là..* Wenn Sie so einen Ton anschlagen. *pron* 3. *-/ta/tes* dein(e,r); 4. *-/ta/tes* semblable(s) deinesgleichen

tonalité [tɔnalite] *f* Klang *m*

tondeuse [tɔ̃døz] *f - à gazon* Rasenmäher *m*

tonne [tɔn] *f* Tonne *f*

tonneau [tɔno] *m* Tonne *f*, Faß *n; faire plusieur -x (voiture)* sich überschlagen

tonnelle [tɔnɛl] *f* Laube *f*

tonner [tɔne] *v* donnern

tonnerre [tɔnɛʀ] *m* Donner *m; - de Brest!* Donnerwetter!

torche [tɔʀʃ] *f* Fackel *f*

torchon [tɔʀʃɔ̃] *m* 1. Tuch *n;* 2. Lappen *m*, Abtrockentuch *n*

tordre [tɔʀdʀ] *v* 1. *se - etw* ausrenken, umknicken; 2. *se - (fam)* sich kaputtlachen; 3. krümmen; 4. verbiegen, verdrehen

torpiller [tɔʀpije] *v* torpedieren

torréfier [tɔʀefje] *v (café)* rösten

torse [tɔʀs] *m* ANAT Oberkörper *m*

tort [tɔʀ] *m* 1. Unrecht *n; à - ou à raison* mit Recht oder Unrecht; *à - * ungerecht; *à - et à travers* sich zu überlegen/ins Blaue hinein; 2. Beeinträchtigung *f; faire - à qn* schädigen

tortue [tɔʀty] *f* Schildkröte *f*

torture [tɔʀtyʀ] *f* Folter *f*, Qual *f*

torturer [tɔʀtyʀe] *v* 1. foltern, quälen; 2. *se -* sich abquälen

tôt [to] *adv* 1. *plus -* früher; 2. frühzeitig

total [tɔtal] *adj* 1. ganz, gesamt; 2. total; *m* 3. Summe *f;* 4. Gesamtbetrag *m*

totalité [tɔtalite] *f* 1. Ganze *n; en -* insgesamt; 2. Gesamtheit *f*

touchant [tuʃɑ̃] *adj* rührend

touche [tuʃ] *f* Taste *f*

toucher [tuʃe] *v* 1. berühren, anfassen; *sans avoir l'air d'y -* als ob man von nichts wüßte; *ne pas être touché par (fig)* darüberstehen; 2. *- de l'argent* bekommen, abheben, einnehmen; 3. *- terre* landen; 4. treffen; 5. *à* angrenzen; 6. *ne pas - (fig)* kaltlassen; vereinnahmen

toujours [tuʒuʀ] *adv* 1. immer; 2. stets

tour [tuʀ] *m* 1. Drehung *f; à - de rôle* nacheinander/abwechselnd; *C'est mon -.* Ich bin an der Reihe. *rire et pleurer - à -* bald lachen, bald weinen; *- à -* abwechselnd; 2. *- de scrutin* Durchgang *m*, Wahlgang *m; C'est mon tour.* Ich bin an der Reihe. 3. *- d'honneur* Ehrenrunde *f;* 4. *- de main* Handgriff *m;* 5. *- de force/d'adresse* Kunststück *n;* 6. Wanderung *f*, Tour *f*; ~ *du monde* Weltreise; ~ *en ville* Stadtbummel *m*; 7. *f* Turm *m*; ~ *de forage* Bohrturm *m*

tourbe [tuʀb] *f* Torf *m*

tourisme [tuʀism] *m* Fremdenverkehr *m*, Tourismus *m*

touriste [tuʀist] *m* Tourist *m*

tourment [tuʀmã] *m* Gram *m*, Pein *f*

tourmenter [tuʀmãte] *v* 1. *se* ~ sich ängstigen; 2. *se* ~ sich plagen; 3. quälen

tournant [tuʀnã] *m* Kehre *f*, Wende *f*

tourne-disques [tuʀnədisk] *m* Plattenspieler *m*

tournée [tuʀne] *f* 1. *THEAT* Gastspiel *n*; *être en* ~ gastieren; 2. Tournee *f*

tourner [tuʀne] *v* 1. drehen; 2. abbiegen; ~ *à gauche* links abbiegen; 3. umdrehen; ~ *au tragique* eine tragische Wende nehmen; ~ *qc en ridicule* etw ins Lächerliche ziehen; 4. ~ *les pages* umblättern; 5. ~ *dans le vide* durchdrehen; 6. ~ *autour de* kreisen; 7. *mal* ~ *(fig)* mißglücken, mißraten, verkommen; 8. rühren, umrühren; 9. *CINE* drehen; ~ *comme une girouette* sein Fähnchen in den Wind hängen; ~ *qn en dérision* jdn zum Narren halten; *La tête me tourne.* Mir wird ganz schwindlig.

tournesol [tuʀnəsɔl] *m* Sonnenblume *f*

tournevis [tuʀnəvis] *m* Schraubenzieher *m*

tournure [tuʀnyʀ] *f* 1. Gestalt *f*, Aussehen *n*; 2. Redewendung *f*

tous/toutes [tus/tut] 1. *pron* alle; 2. *adj ~ les* alle; ~ *les deux* beide; ~ *les mois* monatlich; ~ *les lundis* montags; ~ *les après-midis* nachmittags; ~ *les ans* alljährlich; ~ *ensemble* beisammen, alle; ~ *deux* beide ~ *les fois (que)* jedesmal (wenn)

tousser [tuse] *v* husten

tout [tu] 1. *pron* alles; ~ *bien compté* alles wohlbedacht; *risquer le* ~ *pour le* ~ alles auf eine Karte setzen; *adj* 2. ganz; ~ *droit* geradeaus; ~ *à l'heure* gleich; ~ *au plus* höchstens; *en* ~ insgesamt; ~ *bas* leise, nicht laut; ~ *de suite* sofort; ~ *de même* trotzdem; ~ *d'abord* zunächst; ~ *à fait* durchaus; ~ *à l'envers* durcheinander, verwirrt; ~ *autant* ebenso; *pas du* ~ keinesfalls; ~ *neuf* nagelneu; ~ *autour* rundherum; 3. jede(r,s); ~ *le monde* alle; 4. *m* Ganze *n*

toutefois [tutfwa] 1. *konj* jedoch; 2. *adv* immerhin

toux [tu] *f* Husten *m*

toxicomanie [tɔksikɔmani] *f* Sucht *f*

toxique [tɔksik] *adj* giftig

trac [tʀak] *m* Lampenfieber *n*

trace [tʀas] *f* 1. Spur *f*, Abdruck *m*; 2. Hauch *m*, geringe Menge *f*; 3. Fährte *f*; 4. ~ *d'usure* Abnutzungserscheinung *f*; 5 ~ *de freinage* Bremsspur *f*

tracé [tʀase] *m* Zeichnung *f*

tracer [tʀase] *v* 1. zeichnen; 2. markieren

trachée-artère [tʀaʃeaʀtɛʀ] *f* Luftröhre *f*

tracteur [tʀaktœʀ] *m AGR* Traktor *m*

tradition [tʀadisjɔ̃] *f* 1. Tradition *f*; 2. Überlieferung *f*

traditionnel [tʀadisjɔnɛl] *adj* altehrwürdig, herkömmlich

traduction [tʀadyksjɔ̃] *f* Übersetzung *f*

traduire [tʀaduiʀ] *v* 1. übersetzen; 2. ~ *en justice* belangen

trafic [tʀafik] *m* 1. Verkehr *m*; ~ *aérien* Flugverkehr *m*, Luftverkehr *m*; ~ *frontalier* Grenzverkehr *m*; ~ *des marchandises* Güterverkehr *m*; ~ *sur lignes régulières* Linienverkehr *m*; ~ *suburbain* Nahverkehr *m*; ~ *de va-et-vient* Pendelverkehr *m*; ~ *routier* Straßenverkehr *m*; ~ *de transit* Transitverkehr *m*; 2. ~ *des stupéfiants* Rauschgifthandel *m*; 3. ~ *illicite* Schiebung *f*

trafiquant [tʀafikã] *m* ~ *de drogue* Drogenhändler *m*

tragédie [tʀaʒedi] *f* 1. Tragödie *f*, Drama/Dramen *n*; 2. Trauerspiel *n*

tragique [tʀaʒik] 1. *m* Tragik *f*; 2. *adj* tragisch

trahir [tʀaiʀ] *v* verraten

trahison [tʀaizɔ̃] *f* Verrat *m*; *haute* ~ Hochverrat *m*

train [tʀɛ̃] *m* 1. Zug *m*, Eisenbahn *f*; ~ *de banlieue* Vorortzug; ~ *express* D-Zug; ~ *de marchandises* Güterzug *m*; 2. *(voiture)* Fahrwerk *n*; 3. *(pneus)* Satz *m*; 4. ~ *d'atterrissage* Fahrwerk *n*; 5. *(fig)* Lauf *m*; *aller son* ~ *seinen normalen Gang gehen; mener grand* ~ auf großem Fuß leben

traînant [tʀɛnã] *adj* schleppend

traîner [tʀɛne] *v* 1. *se* ~ kriechen; sich herumtreiben; 2. *laisser* ~ liegenlassen, vergessen; 3. ~ *après soi* nachziehen, hinterherziehen; 4. schleifen, schleppen; 5. *(fam)* schlendern

traire [tʀɛʀ] *v* melken

trait [tʀɛ] *m* 1. Strich *m*; *avoir* ~ *à qc* sich auf etw beziehen/ mit etw zu tun haben; 2.

Linie f, Pfeil m; 3. ~ d'union Bindestrich m; 4. ~ de caractère Charakterzug m, (Wesens-) Zug m; 5. ~ d'esprit Geistesblitz m
traité [tʀɛte] m 1. POL Vertrag m; 2. Abhandlung f; 3. ~ imposé POL Diktat n, Zwang m; 4. ~ de paix Friedensvertrag m; 5. ~ sur le désarmement Abrüstungsabkommen n
traitement [tʀɛtmɑ̃] m 1. Behandlung f; 2. Gehalt n, Lohn m; 3. Bewirtung f; 4. Verarbeitung f, Bearbeitung f; 5. ~ de données Datenverarbeitung f
traiter [tʀɛte] v 1. behandeln; 2. verarbeiten, bearbeiten; 3. ~ qn mit jdm umgehen, jdn behandeln; 4. bearbeiten, erledigen; 5.(sujet) abhandeln; 6. (minerai) aufbereiten; 7. ~ qn de schelten; 8. MED behandeln
traître [tʀɛtʀ] 1. m Verräter m; en ~ heimtückisch; 2. adj verräterisch
traits [tʀɛ]m/pl ~ du visage Gesichtszüge pl
trajet [tʀaʒɛ] m 1. Weg m, Strecke f; 2. Fahrt f
tramway [tʀamwɛ] m Straßenbahn f
tranchant [tʀɑ̃ʃɑ̃] adj messerscharf
tranche [tʀɑ̃ʃ] f (Wurst-)Scheibe f
trancher [tʀɑ̃ʃe] v ~ sur über etw entscheiden, urteilen
tranquille [tʀɑ̃kil] adj ruhig, still
tranquillisant [tʀɑ̃kiliza] 1. adj beruhigend; 2. m MED Beruhigungsmittel n
tranquillité [tʀɑ̃kilite] f 1. ~ d'âme Gemütsruhe f; 2. Stille f
transborder [tʀɑ̃sbɔʀde] v umschlagen, umladen
transcrire [tʀɑ̃skʀiʀ] v umschreiben, anders ausdrücken
transférer [tʀɑ̃sfeʀe] v 1. verlagern; 2. ~ à übertragen; 3. JUR überschreiben; 4. überführen, transportieren; 5. ECO übertragen; 6. ~ de compte à compte umbuchen
transfert [tʀɑ̃sfɛʀ] m 1. Verlagerung f; 2. Übertragung f, Auftrag m; 3. JUR Überlassung f; 4. Transfer m; 5. (patient) Überweisung f
transformation [tʀɑ̃sfɔʀmasjɔ̃] f 1. Veränderung f; 2. (du bâtiment) Umbau m, Umwandlung f; 3. Wandlung f
transformer [tʀɑ̃sfɔʀme] v 1. verändern; 2. ~ en umwandeln, verwandeln
transfuge [tʀɑ̃sfyʒ] m 1. Ausreißer m, 2. Überläufer m
transfusion [tʀɑ̃sfyzjɔ̃] f Transfusion f; ~ sanguine Bluttransfusion f

transgresser [tʀɑ̃sgʀɛse] v 1. übertreten; 2. ~ qc vergehen
transgression [tʀɑ̃sgʀɛsjɔ̃] f 1. Überschreitung f; 2. Ausschreitung f
transistor [tʀɑ̃zistɔʀ] m Transistorradio n
transit [tʀɑ̃zit] m Transit m
transition [tʀɑ̃zisjɔ̃] f (fig) Übergang m
transitoire [tʀɑ̃zitwaʀ] adj vorübergehend
transmettre [tʀɑ̃smɛtʀ] v 1. ~ qc à qn etw übergeben, weitergeben, weiterleiten; ~ à übermitteln; 2. ~ à überbringen, ausrichten; 3. ~ une nouvelle ausrichten, benachrichtigen; 4. ~ à ses héritiers hinterlassen; ~ par héritage vererben; 5. überliefern; 6. ~ à übertragen; 7. MED übertragen
transmissible [tʀɑ̃smisiblə] adj übertragbar
transmission [tʀɑ̃smisjɔ̃] f 1. Übermittlung f; 2. Überlassung f; 3. Überlieferung f; 4. ~ par succession Vererbung f; 5. ~ de pensée Gedankenübertragung f; 6. TECH Antrieb m; 7. TECH Übersetzung f; 8. MED Übertragung f
transparence [tʀɑ̃spaʀɑ̃s] f Transparenz f
transparent [tʀɑ̃spaʀɑ̃] 1. adj klar, durchsichtig, transparent; 2. m Klarsichtfolie f
transpiration [tʀɑ̃spiʀasjɔ̃] f Schweiß m, Schwitzen n
transpirer [tʀɑ̃spiʀe] v 1. schwitzen; 2. (fig) herauskommen, bekannt werden
transplanter [tʀɑ̃splɑ̃te] v 1. verpflanzen; 2. umsiedeln; 3. MED transplantieren
transport [tʀɑ̃spɔʀ] m 1. Transport m; ~ en commun Sammeltransport; ~ ferroviaire Bahntransport m; 2. Abtransport m; 3. (marchandises) (Waren-)Beförderung f
transporter [tʀɑ̃spɔʀte] v 1. überführen, transportieren; 2. (marchandises) befördern
transporteur [tʀɑ̃spɔʀtœʀ] m 1. Spediteur m; 2. Transportunternehmen n; 3. ECO Frachtführer m
trapèze [tʀapɛz] m Trapez n
trappe [tʀap] f Klappe f
trapu [tʀapy] adj bullig, gedrungen
traquenard [tʀaknaʀ] m Falle f
traquer [tʀake] v verfolgen, hetzen
traumatisme [tʀomatism] m Trauma n
travail [tʀavaj] m 1. Arbeit f; journée de ~ Arbeitstag; heures de ~ Arbeitszeit; ~ aux pièces Akkordarbeit f; ~ de bureau Büroarbeit f; ~ occasionnel Gelegenheitsarbeit f; ~

à mi-temps Halbtagsbeschäftigung *f*; *~ manuel* Handarbeit *f*; *~ saisonnier* Saisonarbeit *f*; *~ au noir* Schwarzarbeit *f*; *~ de force* Schwerarbeit *f*; *~ d'équipe* Teamarbeit *f*; *~ à temps partiel* Teilzeitbeschäftigung *f*; *~ temporaire/intérimaire* Zeitarbeit *f*; 2. Stelle *f*, Anstellung *f*; 3. Bearbeitung *f*; 4. Belastung *f*

travailler [tʀavaje] *v* 1. arbeiten; *~ comme un forçat* wie ein Sträfling arbeiten; *Le temps travaille pour nous.* Die Zeit arbeitet für uns. 2. *~ à* bearbeiten, erledigen, erarbeiten; 3. schaffen; 4. *~ avec excès* sich überarbeiten; 5. TECH bearbeiten

travailleur [tʀavajœʀ] *m* Arbeiter *m*

travaux [tʀavo] *m/pl* 1. *~ préparatoires* Anbahnung *f*; 2. *~ domestiques/ménagers* Hausarbeit *f*

travers [tʀavɛʀ] 1. *prep à ~* (*local*) durch; *de ~* krumm; *de/en ~* quer; *à/au ~ de* hindurch; 2. *m* Quere *f*

traverse [tʀavɛʀs] *f* 1. Querstraße *f*; 2. (Eisenbahn-)Schwelle *f*

traversée [tʀavɛʀse] *f* 1. (*voiture*) Durchfahrt *f*; 2. Überfahrt *f*; 3. *~ interdite* Fahrverbot *n*; 4. Seefahrt *f*

traverser [tʀavɛʀse] *v* 1. überqueren; 2. überfahren; 3. kreuzen; 4. (*en voiture*) durchfahren; 5. (*fig*) mitmachen; *~ une crise* eine Krise durchmachen; 6. faire *~* (*fleuve*) übersetzen

trébucher [tʀebyʃe] *v ~ sur* stolpern

trèfle [tʀɛfl] *m* 1. Klee *m*; 2. Kreuz *n*

tremblant [tʀɑ̃blɑ̃] *adj* zitterig

tremble [tʀɑ̃bl] *m* Espe *f*

tremblement [tʀɑ̃bləmɑ̃] *m ~ de terre* Erdbeben *n*

trembler [tʀɑ̃ble] *v* 1. zittern; 2. (*terre*) beben; 3. flackern

trempe [tʀɑ̃p] *f* Härte *f*

tremper [tʀɑ̃pe] *v* 1. durchnässen; 2. *~ dans* tunken; 3. (*métal*) abschrecken

tremplin [tʀɑ̃plɛ̃] *m* 1. Schanze *f*; 2. Sprungbrett *n*

trente-trois [tʀɑ̃ttʀwa] *m* Langspielplatte *f*

trépider [tʀepide] *v* zucken

trépied [tʀepje] *m* Stativ *n*

très [tʀɛ] *adv* 1. sehr, viel(e); 2. (*fig*) unheimlich

trésor [tʀezɔʀ] *m* 1. Schatz *m*, Kostbarkeit *f*; 2. (*fig*) Kleinod *n*

tressaillir [tʀesajiʀ] *v* zucken

tresse [tʀɛs] *f* Zopf *m*

tresser [tʀese] *v* flechten

trêve [tʀɛv] *f* Burgfriede *m*; *~ de plaisanteries!* Spaß beiseite!

triangle [tʀijɑ̃gl] *m* Dreieck *n*

triangulaire [tʀijɑ̃gylɛʀ] *adj* dreieckig

tribord [tʀibɔʀ] *m* Steuerbord

tribu [tʀiby] *m* (Volks-)Stamm *m*

tribunal [tʀibynal] *m* 1. JUR Gericht *n*; *~ cantonal* Amtsgericht *n*; *~ de grande instance* Landgericht *m*; *~ constitutionnel* Verfassungsgericht *n*; *~ administratif* Verwaltungsgericht *n*; 2. Forum *n*

tricher [tʀiʃe] *v* betrügen, schummeln

tricheur [tʀiʃœʀ] *m* Betrüger *m*

tricot [tʀiko] *m* Trikot *n*

tricoter [tʀikote] *v* stricken

tricycle [tʀisikl] *m* Dreirad *n*

trier [tʀije] *v* 1. aussuchen; 2. sortieren, aussortieren, aussondern; 3. rangieren

trimestre [tʀimɛstʀ] *m* Quartal *n*

trimestriel/-lle [tʀimɛstʀijɛl] *adj* vierteljährlich

tringle [tʀɛ̃gl] *f* 1. Stange *f*; 2. Latte *f*; 3. Leiste *f*

Trinité [tʀinite] *f* Dreieinigkeit *f*

trinquer [tʀɛ̃ke] *v* anstoßen, zuprosten

triomphal [tʀijɔ̃fal] *adj* triumphal

triomphateur [tʀijɔ̃fatœʀ] *adj* siegreich

triomphe [tʀijɔ̃f] *m* 1. Triumph *m*; 2. *~ sur* Überwindung *f*

triompher [tʀijɔ̃fe] *v* siegen, triumphieren

tripes [tʀip] *f/pl* (*animaux*) Eingeweide *pl*

triple [tʀipl] *adj* dreifach

triplés [tʀiple] *m/pl* Drillinge *pl*

triste [tʀist] *adj* 1. traurig; 2. (*fig*) öde

tristesse [tʀistes] *f* Traurigkeit *f*

trivial [tʀivjal] *adj* ordinär

troc [tʀɔk] *m* Tausch *m*, Umtausch *m*

trois [tʀwa] *num* 1. drei; *~ fois* dreimal; 2. *~ cents* dreihundert; 3. *~ quarts (de)* dreiviertel

trombone [tʀɔ̃bɔn] *m* 1. Büroklammer *f*; 2. MUS Posaune *f*

trompe [tʀɔ̃p] *f* 1. ANAT Eileiter *m*; 2. (*éléphant*) ZOOL Rüssel *m*

tromper [tʀɔ̃pe] *v* 1. betrügen, täuschen, anschwindeln; 2. *~ qn* jdn täuschen, jdn hintergehen; 3. *se ~* sich irren; 4. *se ~ de route* sich verfahren; 5. *se ~ en parlant* sich versprechen

tromperie [tʀɔ̃pʀi] *f* 1. Betrug *m*, Täuschung *f*, Überlistung *f*; 2. Vorspiegelung *f*

trompette [tʀɔ̃pɛt] 1. f MUS Trompete f; 2. m (militaire) Trompeter m
trompeur [tʀɔ̃pœʀ] adj betrügerisch
tronc [tʀɔ̃] m 1. Stamm m; 2. Sammelbüchse f; 3. ANAT Rumpf m
trône [tʀon] m Thron m
tronquer [tʀɔ̃ke] v (fig) verstümmeln
trop [tʀo] adv 1. zu, allzu, zuviel; ~ peu zuwenig
trophée [tʀofe] m Trophäe f
tropical [tʀɔpikal] adj tropisch
tropiques [tʀɔpik] m/pl Tropen pl
trop-plein [tʀɔplɛ̃] m Überlauf m
trot [tʀo] m Trab m
trottiner [tʀɔtine] v trippeln
trottoir [tʀɔtwaʀ] m 1. Bürgersteig m, Gehweg m; 2. (prostitution) Strich m
trou [tʀu] m 1. Loch n; ~ dans la couche d'ozone Ozonloch n; ~ de serrure Schlüsselloch n; 2. Grube f; 3. (fig) Knast m; 4. ~ de mémoire Gedächtnislücke f; 5. ~ d'aiguille Nadelöhr n
troublé [tʀuble] adj 1. verwirrt; 2. (fig) benebelt; être ~ betroffen sein
trouble [tʀubl] 1. adj trüb, undurchsichtig, unklar; m 2. Ruhestörung f; 3. foyer de ~s Unruheherd m; 4. ~ de l'équilibre Gleichgewichtsstörung f
trouble-fête [tʀublfɛt] m Spielverderber m
troubler [tʀuble] v 1. jdn beunruhigen; 2. trüben
trouer [tʀue] v lochen
troupe [tʀup] f 1. Schar f, Herde f; 2. Rudel n; 3. Schwarm m; 4. MIL Truppe f; 5. THEAT Truppe f
troupeau [tʀupo] m Herde f
trousse [tʀus] f 1. ~ de couture Nähzeug n; avoir qn à ses ~s jdn auf den Fersen haben/ verfolgt werden; 2. ~ de secours (voiture) Verbandskasten m
trousseau [tʀuso] m 1. Aussteuer f; 2. (clés) Schlüsselbund m
trouver [tʀuve] v 1. finden; 2. herausfinden, finden; 3. ~ à redire bemängeln; 4. antreffen; 5. entdecken; 6. se ~ à (un rendez-vous) sich einfinden; 7. se ~ (local) stehen, sich befinden, sein; 8. se ~ vorkommen, vorhanden sein; 9. ~ une bonne excuse sich herausreden, eine gute Ausrede finden; 10. ~ un abri unterkommen, Unterkunft finden
truc [tʀyk] m 1.(fam) Ding n; 2. Trick m; Maintenant, je connais le ~. Jetzt hab' ich den Dreh heraus.

truffe [tʀyf] f Trüffel m
truie [tʀɥi] f Sau f
truite [tʀɥit] f Forelle f
tu [ty] pron du; être à ~ et à toi avec qn mit jdm auf du und du sein
tuba [tyba] m Schnorchel m
tube [tyb] m 1. Rohr n, Leitung f; 2. ~ au néon Neonlicht n; 3. ~ cathodique Bildröhre f; 4. MUS Schlager m
tuberculeux [tybɛʀkylø] adj lungenkrank
tuberculose [tybɛʀkyloz] f Tuberkulose f
tuer [tɥe] v 1. töten, umbringen, ermorden; 2. (fam) abmurksen, erlegen; 3. (temps) herumkommen; ~ le temps die Zeit totschlagen; 4. se ~ (fam) sich kaputtmachen; 5. se ~ au travail schuften
tuile [tɥil] f Dachziegel m
tulipe [tylip] f Tulpe f
tulle [tyl] m Tüll m
tumeur [tymœʀ] f 1. Auswuchs m; 2. MED Tumor m
tumulte [tymylt] m 1. Tumult m; 2. Krawall m
tunnel [tynɛl] m Tunnel m, Unterführung f
turbine [tyʀbin] f Turbine f
turbulent [tyʀbylɑ̃] adj 1. ausgelassen; 2. quirlig
Turc/-que [tyʀk] m/f Türke/Türkin m/f
turc/-que [tyʀk] adj türkisch
turpitude [tyʀpityd] f Schandtat f
Turquie [tyʀki] f Türkei f
turquoise [tyʀkwaz] adj türkis
tutelle [tytɛl] f 1. Bevormundung f; 2. Vormundschaft f
tuteur/tutrice [tytœʀ/tʀis] m/f 1. ~ exclusif d'un enfant Alleinerzieher m; être ~ de bevormunden; 2. Vormund m
tuyau [tɥijo] m 1. Rohr n, Leitung f; 2. (d'orgue) (Triller-)Pfeife f; 3. ~ d'échappement Auspuffrohr n; 4. ~ confidentiel Geheimtip; donner un ~ à qn jdm einen Tip/ Wink geben; 5. ~ souple Schlauch m
tuyauterie [tɥijotʀi] f (Rohr-)Leitung f
tympan [tɛ̃pɑ̃] m ANAT Trommelfell n
type [tip] m 1. Typ m; 2. (fam) Bursche m, Kerl m
typhys [tifys] m Typhus m
typique [tipik] adj typisch
typographe [tipɔgʀaf] m Setzer m
typologie [tipɔlɔʒi] f Typologie f
tyran [tiʀɑ̃] m Tyrann m

tyrannie [tiʀani] f Gewaltherrschaft f
tyranniser [tiʀanize] v tyrannisieren
ubiquité [ybikite] f Allgegenwart f
ulcère [ylsɛʀ] m Geschwür n
ultérieur [ylteʀjœʀ] adj nachträglich
ultimatum [yltimatɔm] m Ultimatum n
ultime [yltim] adj letzte(r,s)
ultra-son [yltrasɔ̃] m Ultraschall m
ultraviolet/-ette (U.V.) [yltʀavjɔlɛ/ ɛt] adj ultraviolett
un/-e [œ̃/yn] 1. pron eine(r,s); pas - keine(r,s); l'- et l'autre beide; l'- sur l'autre aufeinander; l'- l'autre einander; l'- envers l'autre gegeneinander; l'- derrière l'autre hintereinander l'- à côté de l'autre nebeneinander; - par - einer nach dem anderen; l'- vers l'autre zueinander; 2. art ein(e); 3. num eins; - et demi(e) eineinhalb/anderthalb; ne faire ni -e ni deux ohne einen Augenblick zu zögern; Il était moins -e. Es war fünf vor zwölf.
unanime [ynanim] adj einstimmig
unanimité [ynanimite] f (fig) Einstimmigkeit f; à l'- einstimmig
uni [yni] adj 1. vereint, einig; 2. einfarbig
unification [ynifikasjɔ̃] f 1. POL Vereinigung f; 2. Einigung f
unifier [ynifje] v 1. vereinigen, vereinen; 2. vereinheitlichen
uniforme [ynifɔʀm] m Uniform f
uniformité [ynifɔʀmite] f 1. Einerlei n; 2. Gleichförmigkeit f
union [ynjɔ̃] f 1. POL Bund m, Verband m; 2. POL Bündnis n, Union f; 3. Einigkeit f; 4. Vereinigung f; 5. - conjugale Ehe f
Union [ynjɔ̃] f - soviétique HIST Sowjetunion f
unique [ynik] adj 1. einzig, alleinig; - en son genre einzigartig; (rue à) sens - Einbahnstraße; 2. einmalig
unir [yniʀ] v 1. vereinigen; 2. verheiraten, trauen
unisson [ynisɔ̃] m Einklang m
unité [ynite] f 1. Einheit f; à l'- einzeln; - monétaire Währungseinheit f; 2. - de valeur (université) Schein m
univers [ynivɛʀ] m Weltall n, Universum n
universel/-lle [ynivɛʀsɛl] adj universal; exposition -le Weltausstellung f
université [ynivɛʀsite] f Universität f, Hochschule f; - populaire Volkshochschule f

univocité [ynivɔsite] f Eindeutigkeit f
univoque [ynivɔk] adj eindeutig
uranium [yʀanjɔm] m Uran n
urbain [yʀbɛ̃] adj städtisch
urbanisme [yʀbanism] m Städtebau m
urgence [yʀʒãs] f Dringlichkeit f; de toute - vordringlich
urgent [yʀʒã] adj dringend, eilig; très - (fam) brandeilig
urine [yʀin] f Harn m, Urin m
urne [yʀn] f Urne f; - électorale Wahlurne f
urologue [yʀɔlɔg] m Urologe m
us [ys] m/pl - et coutumes Sitten und Gebräuche pl
usage [yzaʒ] m 1. Sitte f, Brauch m; 2. Gebrauch m; faire - de gebrauchen
usager [yzaʒe] m Benutzer m, Teilnehmer m; - de la route Verkehrsteilnehmer m
usé [yze] adj 1. verbraucht; 2. schäbig, abgetragen; être - jusqu'à la corde gänzlich abgetragen/abgenutzt sein
user [yze] v 1. gebrauchen; mal - de qc mißbrauchen; - d'autorité durchgreifen; 2. verbrauchen, abnutzen
usine [yzin] f 1. Anlage f, Fabrik f; - de retraitement Aufbereitungsanlage f; 2. - électrique Elektrizitätswerk n; 3. - à gaz Gaswerk n; 4. - hydraulique Wasserwerk n
ustensile [ystãsil] m - de ménage Haushaltsgerät n, Hausrat m
usuel [yzɥɛl] adj gewöhnlich, gebräuchlich
usure [yzyʀ] f 1. Abnutzung f, Verschleiß m; 2. Wucher m
usurper [yzyʀpe] v - un droit sich anmaßen
utérus [yteʀys] m Gebärmutter f
utile [ytil] adj nützlich; Si je peux vous être - en qc... Wenn ich Ihnen irgendwie behilflich sein kann... joindre l'- à l'agréable das Angenehme mit dem Nützlichen verbinden
utilisable [ytilizablə] adj brauchbar
utilisateur [ytilizatœʀ] m 1. Benutzer m; 2. - final Endverbraucher m
utilisation [ytilizasjɔ̃] f 1. Verwendung f, Gebrauch m; 2. Ausnutzung f; 3. Einsatz m; 4. - abusive de données Datenmißbrauch m
utiliser [ytilize] v 1. benutzen, (ge)brauchen; 2. ausnutzen
utilité [ytilite] f Nützlichkeit f, Nutzen m
utopie [ytɔpi] f Utopie f
utopique [ytɔpik] adj utopisch

V

vacances [vakãs] *f/pl* Ferien *pl*, Urlaub *m*; - scolaires Schulferien *pl*

vacancier [vakãsje] *m* Urlauber *m*

vacant [vakã] *adj* leer, frei; *un poste* - eine freie Arbeitsstelle

vacarme [vakarm] *m* Rummel *m*, Lärm *m*

vaccin [vaksẽ] *m* Impfstoff *m*

vaccination [vaksinasjõ] *f* Impfung *f*

vache [vaʃ] *f* Kuh *f*; *parler français comme une* - *espagnole* ein miserables Französisch sprechen; *Ne sois pas* -! Sei nicht so gemein!

vachement [vaʃmã] *adv (fam)* enorm

vaciller [vasije] *v* 1. schwanken; 2. *(lumière)* flackern

vagabond [vagabõ] *m* Landstreicher *m*

vagabonder [vagabõde] *v* 1. umherschlendern; 2. vagabundieren

vagin [vaʒẽ] *m* Scheide *f*

vague [vag] 1. *f* Woge *f*, Welle *f*; - *de froid* Kältewelle *f*; - *de chaleur* Hitzewelle *f*; - *de grippe* Grippewelle *f*; 2.*adj* vage

vaillance [vajãs] *f* Tapferkeit *f*

vaillant [vajã] *adj* tapfer

vain [vẽ] *adj* 1. vergeblich, umsonst; *en* - vergeblich; 2. nichtig; 3. unnütz; 4. eitel

vaincre [vẽkr] *v* 1. besiegen, überwältigen; 2. meistern; 3. *(fig)* überwinden; 4. *(fig)* schlagen, siegen

vainqueur [vẽkœr] *m* Sieger *m*

vaisseau [veso] *m* 1. Schiff *n*; - *spatial* Raumschiff *n*; 2. *ANAT* Gefäß *n*

vaisselle [vesɛl] *f* Geschirr *n*; *faire la* - abspülen

valable [valablə] *adj* 1. gültig; *être* - gelten; 2. triftig; 3. *JUR* rechtsgültig

valériane [valerjan] *f* Baldrian *m*

valet [vale] *m* Knecht *m*

valeur [valœr] *f* 1. Tüchtigkeit *f*; 2. Wert *m*; *J'y attache beaucoup de* -. Das liegt mir sehr am Herzen. *de* - kostbar; - *en bourse* Börsenwert *m*, Nennwert *m*; - *sentimentale* Gefühlswert *m*; - *d'amateur* Liebhaberwert *m*; - *de référence* Richtwert *n*; - *limite* Grenzwert *m*; *à - fixe* wertbeständig; 3. *ECO* Wertpapier *n*; -*s mobilières* Effekten *pl*

valeureux [valœrø] *adj* tapfer

valide [valid] *adj* 1. *JUR* rechtsgültig; 2. gesund

validité [validite] *f* Gültigkeit *f*

valise [valiz] *f* Koffer *m*; *faire ses* -*s* packen

vallée [vale] *f* 1. Tal *n*; 2. *fond de la* - Talsohle *f*

vallonné [valɔne] *adj* hügelig

valoir [valwar] *v* 1.*(prix)* kosten; 2. taugen; 3. - *la peine* sich lohnen 4. *se* - einander ebenbürtig sein; *se faire* - angeben/sich Geltung verschaffen

valoriser [valɔrize] *v* aufwerten

valse [vals] *f* Walzer *m*

vampire [vãpir] *m* Vampir *m*

vandalisme [vãdalism] *m* Vandalismus *m*

vanille [vanij] *f* Vanille *f*

vanité [vanite] *f* 1. Einbildung *f*; 2. Eitelkeit *f*

vaniteux [vanitø] *adj* 1. eitel; *être* - *comme un paon* eitel wie ein Pfau sein; 2. eingebildet

vantard [vãtar] *m (fam)* Angeber *m*, Aufschneider *m*

vantardise [vãtardiz] *f* Angabe *f*

vanter [vãte] *v* 1. *se* - prahlen, angeben; *Il n'y a pas de quoi se* -. Das ist wirklich kein Ruhmesblatt. 2. preisen, rühmen

vapeur [vapœr] *f* 1. Dampf *m*; 2. Dunst *m*

vaporisateur [vapɔrizatœr] *m* Zerstäuber *m*

vaporiser [vapɔrize] *v* 1. sprühen; 2. *se* - verdunsten

variable [varjablə] *adj* 1. unbeständig, veränderlich; 2. wechselhaft

variante [varjãt] *f* Variante *f*

variation [varjasjõ] *f* Schwankung *f*, Abweichung *f*

varice [varis] *f* Krampfader *f*

varicelle [varisɛl] *f* Windpocken *pl*

varié [varje] *adj* abwechslungsreich, vielfältig

varier [varje] *v* 1. schwanken, abweichen; 2. variieren

variété [varjete] *f* Vielfalt *f*

variole [varjɔl] *f* Pocken *pl*

vas-y ! [vazi] *interj* los!

vase [vaz] *1. m* Gefäß *n*, Vase *f; 2. f* Schlamm *m*

vaseux [vazø] *adj* schlammig

vasistas [vazistas] *m* Kippfenster *n*

vaste [vast] *adj 1.* breit, ausgedehnt; *2.* umfangreich, umfassend

Vatican [vatikɑ̃] *m* Vatikan *m*

va-tout [vatu] *m* Gesamteinsatz *m; jouer son ~* alles aufs Spiel setzen

vaurien [vɔʀjɛ̃] *m* Taugenichts *m*

vautour [votuʀ] *m* Geier *m*

veau [vo] *m 1.* Kalb *n; pleurer comme un ~* wie ein Schloßhund heulen; *2. viande de ~* Kalbfleisch *n; 3. ~ marin* Seehund *m*

vedette [vədɛt] *f 1. ~ de cinéma* (Film-)Star *m; 2. CINE* Hauptdarsteller *m*

végétal [veʒetal] *1. m* Pflanze *f; 2. adj* pflanzlich

végétarien [veʒetaʀjɛ̃] *m* Vegetarier *m*

végétation [veʒetasjɔ̃] *f 1.* Vegetation *f; 2. MED* Wucherung *f*

véhémence [veemɑ̃s] *f* Heftigkeit

véhément [veemɑ̃] *adj 1.* vehement; *2.* leidenschaftlich

véhicule [veikyl] *m 1.* Fahrzeug *n; 2.* Wagen *m*

veille [vɛj] *f 1.* Wache *f; 2.* Vorabend *m; 3. ~ de Noël* (Heiliger)Abend *m*

veillée [vɛje] *f ~ funèbre* Totenwache *f*

veiller [vɛje] *v 1. ~ à* zusehen; *2. ~ à faire qc* für etw sorgen; *3.* wachen

veilleur [vɛjœʀ] *m* Wächter *m; ~ de nuit* Nachtwächter *m*

veine [vɛn] *f 1.* Ader *f; avoir de la ~* (fig) Schwein haben; *2.* Vene *f; se saigner aux quatre ~s* sein Letztes geben

vélo [velo] *m (fam)* Fahrrad *n; ~ de course* Rennrad *n*

véloce [velɔs] *adj* schnell

vélodrome [velɔdʀom] *m* (Rad-)Rennbahn *f*

velours [vəluʀ] *m* Samt *m; à pas de ~* sacht

velu [vəly] *adj* behaart

vénal [venal] *adj 1.* käuflich; *2. (fam)* bestechlich

vendable [vɑ̃dablə] *adj 1.* verkäuflich; *2. ECO* absetzbar

vendange [vɑ̃dɑ̃ʒ] *f* Weinlese *f*

vendanger [vɑ̃dɑ̃ʒe] *v* Weinlese halten

vendeur [vɑ̃dœʀ] *m* Verkäufer *m*

vendre [vɑ̃dʀ] *v 1.* verkaufen; *2. ECO* absetzen; *3. ~ aux enchères* versteigern

vendredi [vɑ̃dʀədi] *m* Freitag *m; le ~* freitags

Vendredi [vɑ̃dʀədi] *m ~ saint REL* Karfreitag *m*

vénéneux [venenø] *adj BOT* giftig

vénérable [veneʀablə] *adj* ehrwürdig

vénération [veneʀasjɔ̃] *f* Ehrfurcht *f*, Verehrung *f*

vénérer [veneʀe] *v* verehren

vengeance [vɑ̃ʒɑ̃s] *f* Rache *f*

venger [vɑ̃ʒe] *v 1. ~ qn* jdn rächen; *2. se ~ (de qn/qc)* sich (an jdm/etw) rächen

vengeur [vɑ̃ʒœʀ] *m* Rächer *m*

venimeux [venimø] *adj ZOOL* giftig

venin [vənɛ̃] *m 1.* Gift *n; 2. (fig)* Bösartigkeit *f*

venir [vəniʀ] *v 1.* kommen; *~ comme un cheveu sur la soupe* ungelegen kommen/ fehl am Platz sein; *~ à point nommé* kommen wie gerufen/ genau im richtigen Augenblick kommen; *2.* herkommen, hereinkommen, heraufkommen; *3. ~ à bout de* bezwingen; *4. ~ à l'esprit* einfallen; *5. ~ au devant de* entgegenkommen; *6. ~ à la rencontre de* entgegenkommen; *7. ~ de* herkommen; *8. ~ avec* mitkommen; *9. ~ en aide à qn* nachhelfen; *10. ~ à maturité* reifen; *11. ~ au jour* auf die Welt kommen

vent [vɑ̃] *m* Wind *m; avoir ~ de qc* Wind von etw bekommen haben; *~ contraire* Gegenwind *m; force du ~* Windstärke *f; avoir des ~s MED* Blähungen haben

vente [vɑ̃t] *f 1.* Verkauf *m*, Absatz *m; en ~ (chez)* erhältlich (bei); *2. ~ exclusive* Alleinvertrieb *m; 3. ~ aux enchères* Versteigerung *f*

ventilateur [vɑ̃tilatœʀ] *m* Ventilator *m*

ventilation [vɑ̃tilasjɔ̃] *f* Lüftung *f*

ventre [vɑ̃tʀ] *m 1.* Bauch *m; 2. (fig)* Leib *m*

ventricule [vɑ̃tʀikyl] *m* (Herz-)Kammer *f*

ventru [vɑ̃tʀy] *adj* bauchig

ver [vɛʀ] *m 1.* Wurm *m; 2.* Made *f; 3. ~ luisant* Glühwürmchen *n*

véracité [veʀasite] *f* Wahrhaftigkeit *f*

véranda [veʀɑ̃da] *f* Veranda *f*

verbal [vɛʀbal] *adj* mündlich, verbal

verbaliser [vɛʀbalize] *v* protokollieren

verbe [vɛʀb] *m* Verb *n*

verbiage [vɛʀbjaʒ] *m* Gerede *n*

verdict [vɛʀdikt] *m* Urteilsspruch *m*

verge [vɛʀʒ] *f 1. ANAT* Penis *m; 2.* Rute *f*

verger [vɛʀʒe] *m* Obstgarten *m*

verglas [vɛʀgla] *m* Glatteis *n*

véridique [veridik] *adj* wahrheitsgetreu
vérifiable [verifjablə] *adj* nachweisbar
vérificateur [verifikatœr] *m* ~ *des comptes* Rechnungsprüfer *m*
vérification [verifikasjõ] *f* 1. Kontrolle *f*, Überprüfung *f*; 2. ~ *des comptes* Rechnungsprüfung *f*
vérifier [verifje] *v* 1. bestätigen; 2. *(les comptes)* nachrechnen; 3. nachsehen, kontrollieren; 4. prüfen, nachprüfen; 5. se ~ sich bewahrheiten
véritable [veritablə] *adj* 1. wahr; 2. echt
vérité [verite] *f* 1. Wahrheit *f*; *dire ses quatre ~s à qn* jdm die Wahrheit ins Gesicht sagen; 2. ~ *de La Palice* Binsenweisheit *f*
vermicelle [vermisεl] *m* Fadennudel *f*
vermine [vermin] *f* Ungeziefer *n*
vernir [vernir] *v* 1. TECH glasieren; 2. lackieren
vernis [verni] *m* 1. TECH Glasur *f*; 2. Lack *m*; ~ *à ongles* Nagellack *m*
vérole [verɔl] *f* Syphilis *f*
verre [vεr] *m* 1. Glas *n*; *laine de* ~ Glaswolle *f*; ~ *à recycler* Altglas *n*; ~ *grossissant* Vergrößerungsglas *n*
verres [vεr] *m/pl* 1. ~ *de lunettes* Brillengläser *pl*; 2. ~ *de contact* Kontaktlinsen *pl*
verrou [veru] *m* Riegel *m*
verrouillage [verujaʒ] *m* Verriegelung *f*; ~ *central des portes* Zentralverriegelung *f*
verrouiller [veruje] *v* 1. verriegeln; 2. *(région)* abriegeln
verrue [very] *f* MED Warze *f*
vers [vεr] *prep* 1. *(local)* gegen, nach, zu; 2. *(temporel)* gegen, um; 3. *m* Vers *m*
versant [versã] *m* Abhang *m*
versatile [versatil] *adj* 1. wankelmütig; 2. unbeständig
versement [versəmã] *m* 1. Einzahlung *f*; 2. ~ *complémentaire* Nachzahlung *f*
verser [verse] *v* 1. einzahlen; 2. gießen, einschenken; 3. ~ *dans* eingießen; 4. verschütten, vergießen, ausschütten
version [versjõ] *f* 1. Übersetzung *f*; 2. ~ *contraire* Gegendarstellung *f*
verso [verso] *m* Rückseite *f*
vert [vεr] *adj* 1. grün; *Les Verts* POL Die Grünen; 2. unreif; 3. *(fig)* saftig
vertical [vertikal] *adj* 1. senkrecht, vertikal
vertige [vertiʒ] *m* Taumel *m*, Schwindel *m*; *être pris de* ~ taumeln
vertigineux [vertiʒinø] *adj* schwindelerregend

vertu [verty] *f* Tugend *f*; *en* ~ *de* kraft
vertueux/-se [vertɥø/øz] *adj* sittsam, tugendhaft
vespéral [vesperal] *adj* abendlich
vessie [vesi] *f* (Harn-)Blase *f*
veste [vεst] *f* 1. Jacke *f*; 2. Jackett *n*
vestiaire [vestjεr] *m* Garderobe *f*
vestibule [vestibyl] *m* Diele *f*, Flur *m*
vestiges [vestiʒ] *m/pl* Überbleibsel *n*
veston [vεstõ] *m* 1. Sakko *m*; 2. Jacke *f*
vêtement [vεtmã] *m* Kleidung *f*, Kleidungsstück *n*
vétérinaire [veterinεr] *m* Tierarzt *m*
vêtir [vetir] *v* 1. se ~ sich kleiden; 2. ~ *de* bekleiden mit
vétuste [vetyst] *adj* baufällig
veuf/veuve [vœf/vœv] 1. *m/f* Witwer/Witwe *m/f*; 2. *adj* verwitwet
vexation [vεksasjõ] *f* Kränkung *f*
vexer [vεkse] *v* kränken
viabiliser [vjabilize] *v* (*un terrain à bâtir*) (Baugelände) erschließen
viande [vjãd] *f* Fleisch *n*; ~ *hachée* Hackfleisch *n*
vibrant [vibrã] *adj* 1. klangvoll; 2. *(ton)* klirrend
vibration [vibrasjõ] *f* Vibration *f*, Schwingung *f*
vibrer [vibre] *v* 1. *(ton)* klirren; 2. vibrieren
vicaire [vikεr] *m* Vikar *m*
vice [vis] *m* 1. Laster *n*; 2. Fehler *m*, Mangel *m*
vice versa [visvεrsa] *adv* umgekehrt
vice-... [vis] *préf* Vize...
vicieux [visjø] *adj* 1. fehlerhaft; 2. lasterhaft; *le cercle* ~ Teufelskreis
victime [viktim] *f* 1. Opfer *n*; 2. Leidtragende *m/f*
victoire [viktwar] *f* Sieg *m*
victorieux [viktorjø] *adj* siegreich
vidange [vidãʒ] *f* 1. Entleerung *f*, Ablassen *n*; 2. ~ *d'huile* Ölwechsel *m*
vidanger [vidãʒe] *v* leeren
vide [vid] *adj* 1. leer, öde; 2. *(fig)* hohl; 3. *m* Leere *f*, Nichts *n*
vidéocassette [videokasεt] *f* Videokassette *f*
vider [vide] *v* 1. leeren, ausleeren; 2. ~ *son verre* austrinken; 3. *(eau)* ablassen; 4. *(objets)* ausräumen; 5. *(gibier/poisson)* ausnehmen; 6. *(querelle)* austragen
vie [vi] *f* 1. Leben *n*; *C'est la* ~. So ist das Leben. *Ce n'est pas une* ~. Das ist doch kein

Leben. à ~ lebenslänglich; *plein de* ~ lebhaft;
~ *de famille* Familienleben *n*; ~ *privée* Privatleben *n*; 2. Lebensart *f*; 3. Lebenszeit *f*, Lebenslauf *m*; 4. Lebensunterhalt *m*: 5. ~ *quoti-*
dienne Alltag *m*
vieillard [vjɛjaʀ] *m* Greis *m*
vieilleries [vjɛjʀi] *f/pl* Trödel *m*
vieillir [vjɛjiʀ] *v* altern, veralten
vieillissement [vjɛjismã] *m* Altern *n*
vierge [vjɛʀʒ] 1. *f* Jungfrau *f*; *la Sainte*
Vierge die Heilige Jungfrau; *adj* 2. jungfräu-
lich; 3. unberührt, rein
vieux/vieil/vieille [vjø/vjɛj] 1. *adj* alt;
être ~ *comme Methusalem/Hérode* steinalt
sein; *être* ~ *comme le monde* uralt sein; 2.
f/m Alte *f/m*
vif/vive [vif/viv] *adj* 1. lebendig; *être*
touché au ~ ins Mark getroffen sein; 2. lebhaft; *être* ~ *comme un éclair* wie ein geölter
Blitz gehen/blitzschnell sein; 3. rege; 4.
(lumière) hell, grell; *de vive force* mit roher
Gewalt; 5. *m* ~ *du sujet* Kern *m*, Wesentliche
n
vigilance [viʒilãs] *f* Wachsamkeit *f*
vigne [viɲ] *f* Rebe *f*
vigneron [viɲʀɔ̃] *m* Winzer *m*
vignes [viɲ] *f/pl* Weinberg *m*
vignette [viɲɛt] *f (France)* Kraftfahrzeug-
steuerplakette *f*, Vignette *f*
vignoble [viɲɔbl] *m* Weinberg *m*
vigoureux [viguʀø] *adj* 1. kräftig; 2. *(fig)*
handfest
vigueur [vigœʀ] *f* 1. Kraft *f*; 2. JUR Geltung *f*; *en* ~ wirksam, geltend
vil [vil] *adj* 1. gemein; 2. niederträchtig; 3. ~
prix Schleuderpreis *m*
village [vilaʒ] *m* Dorf *n*
ville [vil] *f* Stadt *f*; *grande* ~ Großstadt *f*;
petite ~ Kleinstadt *f*; *vieille* ~ Altstadt *f*; ~
portuaire Hafenstadt *f*; ~ *satellite* Trabantenstadt *f*
vin [vɛ̃] *m* 1. Wein *m*; ~ *rouge* Rotwein *m*; ~
blanc Weißwein *m*; ~ *chaud* Glühwein *m*;
être entre deux ~s angeheitert sein; *mettre*
de l'eau dans son ~ seine Anforderungen
zurückschrauben; 2. ~ *mousseux* Sekt *m*
vinaigre [vinɛgʀ] *m* Essig *m*
vinaigrette [vinɛgʀɛt] *f* Salatsauce *f*
vingt [vɛ̃] *num* zwanzig
viol [vjɔl] *m* Vergewaltigung *f*
violation [vjɔlasjɔ̃] *f* 1. Übertretung *f*,
Verletzung *f*; 2. ~ *de domicile* Hausfriedens-
bruch *m*; 3. ~ *de contrat* Vertragsbruch *m*

violence [vjɔlãs] *f* Gewalt *f*
violent [vjɔlã] *adj* 1. heftig; 2. gewalttätig,
gewaltsam; 3. ungestüm
violenter [vjɔlãte] *v* vergewaltigen
violer [vjɔle] *v* 1. *(fig)* verletzen, übertreten;
2. vergewaltigen; 3. REL entweihen
violet [vjɔlɛ] *adj* violett
violette [vjɔlɛt] *f* Veilchen *n*
violon [vjɔlɔ̃] *m* 1. Geige *f*; 2. ~ *d'Ingres*
Liebhaberei *f*
violoncelle [vjɔlɔ̃sɛl] *m* Cello/Celli *n*
violoniste [vjɔlɔnist] *m* Geiger *m*
vipère [vipɛʀ] *f* 1. ZOOL Otter *m/f*, Viper
f; 2. *(fig)* Giftzahn *m*
virage [viʀaʒ] *m* 1. Kurve *f*; ~ *en épingle à*
cheveux Haarnadelkurve *f*; 2. Kehre *f*, Bogen *m*; 3. Wende *f*
virée [viʀe] *f (fam)* Spritztour *f*
virement [viʀmã] *m* 1. ~ *de compte à*
compte Umbuchung *f*; 2. ECO Wendung *f*;
3. ~ *postal* Postüberweisung *f*; 4. ECO
Überweisung *f*
virer [viʀe] *v* 1. ECO sich drehen; 2. ECO
überweisen
virginité [viʀʒinite] *f* Unschuld *f*, Jung-
fräulichkeit *f*
virgule [viʀgyl] *f* Komma *n*
viril [viʀil] *adj* männlich
virtuel [viʀtɥɛl] *adj* virtuell
virus [viʀys] *m* Virus/Viren *n*
vis [vis] *f* Schraube *f*
visa [viza] *m* 1. Visum/Visa *n*, Sichtver-
merk *m*; 2. ~ *de sortie* Ausreisevisum *n*
visage [vizaʒ] *m* Gesicht *n*, Angesicht *n*
vis-à-vis [vizavi] *prep* gegenüber
viscères [visɛʀ] *m/pl* Eingeweide *pl*
viscosité [viskozite] *f* Zähflüssigkeit *f*
viser [vize] *v* 1. abzielen; 2. ~ *à* bezwecken
visibilité [vizibilite] *f* Sicht *f*
visible [vizibl] *adj* sichtbar
vision [vizjɔ̃] *f* 1. Sehvermögen *n*; 2. Vision *f*; 3. ~ *du monde* Weltanschauung *f*
visite [vizit] *f* 1. Besuch *m*; ~ *officielle*
Staatsbesuch *m*; *rendre* ~ *à qn* jdn besuchen;
2. Besichtigung *f*; 3. ~ *guidée* (Frem-
den-)Führung *f*
visiter [vizite] *v* 1. *(musée)* besichtigen; 2.
(pays) bereisen
visiteur [vizitœʀ] *m* Besucher *m*
vison [vizɔ̃] *m* 1. ZOOL Nerz *m*; 2. *man-*
teau de ~ Nerzmantel *m*
visqueux/-se [viskø/_øz] *adj* zähflüssig
visser [vise] *v* schrauben

vital [vital] *adj* lebenswichtig
vitalité [vitalite] *f* Lebenskraft *f*
vitamine [vitamin] *f* Vitamin *n*
vite [vit] *adv* 1. rasch, schnell, geschwind; 2. *au plus* ~ eiligst
vitesse [vites] *f* 1. Geschwindigkeit *f;* ~ *maximum* Höchstgeschwindigkeit *f;* ~ *de la lumière* Lichtgeschwindigkeit *f;* ~ *du son* Schallgeschwindigkeit *f;* ~ *de pointe* Spitzengeschwindigkeit *f;* 2. Schnelligkeit *f; à toute* ~ in aller Eile; 3. *(voiture)* Gang *m;*
viticulteur [vitikyltœʀ] *m* Winzer *m*
vitrage [vitʀaʒ] *m* Verglasung *f*
vitre [vitʀ] *f* 1. Fensterscheibe *f;* 2. Glasscheibe *f*
vitreux [vitʀø] *adj* glasig
vitrier [vitʀije] *m* Glaser *m*
vitrifier [vitʀifje] *v* 1. verglasen; 2. *(parquet)* versiegeln
vitrine [vitʀin] *f* Schaufenster *n*
vivace [vivas] *adj* lebendig, lebhaft
vivacité [vivasite] *f* Lebhaftigkeit *f*
vivant [vivã] *adj* 1. lebendig, lebend; 2. *être* ~ *m* Lebewesen *n*
vivement [vivmã] *adv* 1. lebhaft; 2. kräftig; 3. schnell
vivre [vivʀ] *v* existieren, leben; *apprendre à* ~ *à qn* jdm den Kopf zurechtsetzen; ~ *comme un coq en pâte* leben wie Gott in Frankreich; *avoir de quoi* ~ sein Auskommen haben
vivres [vivʀ] *m/pl* Verpflegung *f*, Proviant *m*
vocable [vɔkabl] *m* Vokabel *f*
vocabulaire [vɔkabylɛʀ] *m* Wortschatz *m*
vocation [vɔkasjɔ̃] *f* Berufung *f*, Lebensaufgabe *f*
vœu [vœ] *m* 1. *REL* Gelübde *n;* 2. Glückwunsch *m; faire* ~ *de* geloben
vogue [vɔg] *f* Beliebtheit *f*
voie [vwa] *f* 1. Weg *m; être en bonne* ~ auf dem richtigen Weg sein; *mettre qn sur la* ~ jdm auf die Sprünge helfen; *par les* ~*s légales JUR* gerichtlich; *par* ~ *de terre* auf der Landstraße; ~ *lactée* Milchstraße; ~ *rapide* Schnellstraße; ~ *d'accès* Zubringerstraße; 2. Fahrspur *f; à une seule* ~ einspurig; ~ *de dépassement* Überholspur; 3. ~ *ferrée* Gleis *n;* 4. Pfad *m;* 5. ~ *sans issue* Sackgasse *f;* 6. ~ *hiérarchique* Dienstweg *m*
voies [vwa] *f/pl* ~ *de fait* Tätlichkeit *f*
voile [vwal] 1. *f* Segel *n; faire de la* ~ segeln; 2. *m* Schleier *m*

voiler [vwale] *v* verhüllen, verschleiern
voilette [vwalɛt] *f* Hutschleier *m*
voilier [vwalje] *m* Segelboot *n*
voilure [vwalyʀ] *f* Tragfläche *f*
voir [vwaʀ] *v* 1. sehen; ~ *les choses comme elles sont* die Dinge sehen, wie sie sind; *C'est à* ~. Das wäre zu überlegen. *ne pas pouvoir* ~ *qn* jdn nicht ausstehen können; *Qu'est-ce qu'il ne faut pas* ~. Es bleibt einem doch nichts erspart. *Cela n'a rien à* ~ *ici.* Das hat hier nichts zu suchen. *Cela se voit.* Das merkt man. 2. ansehen; *Viens* ~*!* Komm mal her!/ Da, schau mal! 3. ~ *venir avec satisfaction* begrüßen; 4. anschauen; 5. *(un événement)* erleben; *C'est tout vu!* Schluß jetzt!/ Das ist ein für allemal erledigt! 6. *ne pas* ~ übersehen; 7. *faire* ~ vorzeigen
voisin [vwazɛ̃] 1. *m* Nachbar; *adj* 2. benachbart; 3. nah(e), angrenzend
voisinage [vwazinaʒ] *m* Nachbarschaft *f*
voiture [vwatyʀ] *f* 1. Auto *n;* 2. Wagen *m;* ~ *d'occasion* Gebrauchtwagen *m;* ~ *tout-terrain (4X4)* Geländewagen *m;* ~ *d'enfant* Kinderwagen *m;* ~ *de location* Leihwagen *m;* ~ *de livraison* Lieferwagen *m;* ~ *de tourisme* Personenkraftwagen *m;* ~ *de course* Rennwagen *m;* ~ *de patrouille* Streifenwagen *m;* 3. ~ *de collection* Oldtimer *m;* 4. ~ *électrique* Elektrofahrzeug *n;* 5. ~ *décapotable* Kabriolett *n*
voiture-couchettes [vwatyʀkuʃɛt] *f* Liegewagen *m*
voix [vwa] *f* 1. Stimme *f; majorité des* ~ Stimmenmehrheit *f; de vive* ~ mündlich; 2. *POL* (Wahl-)Stimme *f; à une* ~ einstimmig; *à (de)mi-* ~ halblaut; *à haute* ~ laut; *à* ~ *basse* leise; *la mue de la* ~ Stimmbruch *m*
vol [vɔl] *m* 1. *(avion)* Flug *m;* ~ *à basse altitude* Tiefflug *m;* ~ *régulier* Linienflug *m;* ~ *en altitude* Höhenflug *m;* 2. Diebstahl *m;* ~ *de voiture* Autodiebstahl *m;* 3. *(oiseaux)* (Vogel-)Schwarm *m,* (Vogel-)Schar *f; à* ~ *d'oiseaux* aus der Vogelperspektive/ in der Luftlinie
volage [vɔlaʒ] *adj* flatterhaft
volaille [vɔlaj] *f* Geflügel *n*
volant [vɔlã] 1. *m* Lenkrad, Steuer *n;* 2. *adj* lose, locker
volcan [vɔlkã] *m* 1. *GEO* Vulkan *m;* 2. *(fig)* Pulverfaß *n; être sur un* ~ auf einem Pulverfaß sitzen
volée [vɔle] *f* 1. *(tennis)* Flugball *m;* 2. ~ *de coups* Prügel *pl*

voler [vɔle] v 1. fliegen; ~ de bouche en bouche von Mund zu Mund gehen; 2. rauben, stehlen; 3. ~ qn bestehlen; 4. ~ en éclats splittern

volet [vɔlɛ] m 1. Fensterladen m; 2. ~ roulant Rolladen m

voleter [vɔlte] v flattern

voleur [vɔlœʀ] 1. adj diebisch; m 2. Räuber m, Dieb m; ~ à la tire Taschendieb m; 3. Spitzbube m, Gauner m

volière [vɔljɛʀ] f Vogelbauer m

volontaire [vɔlɔ̃tɛʀ] adj 1. freiwillig; 2. eigenwillig; 3. vorsätzlich

volonté [vɔlɔ̃te] f Wille m; Ce n'est pas de la mauvaise ~. Es ist kein böser Wille. plein de bonne ~ gutwillig; avoir la ~ de wollen

volontiers [vɔlɔ̃tje] adv gern

volt [vɔlt] m Volt n

voltage [vɔltaʒ] m Spannung f

volte-face [vɔltfas] f Kehrtwendung f

voltiger [vɔltiʒe] v 1. flattern; 2. ~ autour de umschwärmen

volume [vɔlym] m 1. (livre) Band m; 2. Volumen n; 3. (sonore) Lautstärke f; 4. (fig) Umfang m, Ausmaß n

volumineux/-euse [vɔlyminø/øz] adj umfangreich

volupté [vɔlypte] f Hochgenuß m

voluptueux [vɔlyptɥø] adj lüstern

vomir [vɔmiʀ] v 1. brechen, erbrechen; 2. ausspeien

vomissements [vɔmismɑ̃] m/pl Brechdurchfall m

vote [vɔt] m 1. Abstimmung f; 2. ~ d'une loi Verabschiedung f; 3. POL (Wahl-)Stimme f; 4. ~ à la proportionnelle POL Verhältniswahlrecht n; 5. POL Wahl f

voter [vɔte] v 1. abstimmen, wählen; 2. ~ une loi (ein Gesetz) verabschieden

votre/vos [vɔtʀ/vo] 1. euer/eure; 2. Ihr/Ihre(r,s)

vôtre [vɔtʀ] pron le,la ~ Ihre(r,s)

vouer [vwe] v se ~ à sich einer Sache verschreiben

vouloir [vulwaʀ] v 1. ~ dire bedeuten; 2. mögen, wollen; 3. wollen; Autant vaudrait... Genausogut könnte man... Je veux bien. Ich habe nichts dagegen./Das ist mir recht. 4. en ~ à qn (fig) jdm etw nachtragen, jmd etw nicht vergessen können

vous [vu] pron 1. Sie; 2. ihr; 3. euch; 4. Ihnen; 5. à ~ Ihnen

voûté [vute] adj krumm

voûte [vut] f Gewölbe n

vouvoyer [vuvwaje] v siezen

voyage [vwajaʒ] m 1. Fahrt f; Bon ~! Gute Fahrt/Reise! 2. Reise f; faire un ~ eine Reise antreten/reisen; ~ d'affaires Geschäftsreise f; ~ de noces Hochzeitsreise f

voyager [vwajaʒe] v reisen

voyageur [vwajaʒœʀ] m 1. Reisender m; ~ de commerce Handlungsreisende(r) m 2. Fahrgast m

voyant [vwajɑ̃] 1. adj grell; 2. m Hellseher m

voyante [vwajɑ̃t] f Wahrsagerin f

voyelle [vwajɛl] f Vokal m

voyou [vwaju] m (fam) Gassenjunge m

vrac [vʀak] adv en ~ lose

vrai [vʀɛ] adj 1. wahr; à ~ dire/à dire ~ eigentlich; il est ~ que allerdings/zwar; 2. wahrhaft; 3. echt; 4. wahrheitsgetreu

vraiment [vʀɛmɑ̃] adv wirklich

vraisemblable [vʀɛsɑ̃blabl] adj wahrscheinlich

vraisemblance [vʀɛsɑ̃blɑ̃s] f Wahrscheinlichkeit f

vue [vy] f 1. Sehkraft f; avoir bonne ~ gute Augen haben; A perte de ~. Soweit das Auge reicht. 2. Sicht f; à ~ auf Sicht; perdre de ~ aus den Augen verlieren; 3. Blick m, Ausblick m; avoir des ~s sur qn/qc auf jdn Absichten haben/ etw im Auge haben; 4. (fig) Auffassung f

vulgaire [vylgɛʀ] adj gewöhnlich, ordinär

vulnérabilité [vylneʀabilite] f Verwundbarkeit f

vulnérable [vylneʀabl] adj 1. verwundbar; 2. (fig) empfindlich

W/X/Y/Z

wagon [vagɔ̃] *m* 1. Waggon *m*; 2. ~ de marchandises Güterwagen *m*

wagon-lit [vagɔ̃li] *m* Schlafwagen *m*

wagon-restaurant [vagɔ̃ʀɛstɔʀɑ̃] *m* Speisewagen *m*

watt [wat] *m* Watt *n*

week-end [wikɛnd] *m* Wochenende *n*

x-fois [iksfwa] *adv* x-mal

xénophile [ksenɔfil] *adj* xenophil, ausländerfeindlich

Xénophilie [ksenɔfili] *f* Xenophilie *f*

xénophobe [ksenɔfɔb] *adj* ausländerfeindlich

xénophobie [ksenɔfɔbi] *f* Ausländerfeindlichkeit *f*, Xenophobie *f*

xylophone [ksilɔfɔn] *m* Xylophon *n*

y [i] 1. *adv* dort, dorthin; 2. *pron* darin, daran, darauf

yacht [jɔt] *m* Jacht *f*

yaourt [jauʀt] *m* Joghurt *n*

yeux [jø] *m/pl* Auge *n*; *faire les gros ~* streng blicken/ jdn tadelnd ansehen; *fermer les ~ sur qc* ein Auge zudrücken; *coûter les ~ de la tête* ein Vermögen kosten; *manger qn des ~* jdn mit Blicken verschlingen; *aux ~ bleus* blauäugig; *avoir les ~ battus* übernächtigt aussehen

yogourt [jpguʀ] *m* Joghurt *n*

Yougoslave [jugoslav] *m/f* Jugoslawe/-in *m/f*

Yougoslavie [jugoslavi] *f* Jugoslawien *n*

zèbre [zɛbʀ] *m* Zebra *n*

zèle [zɛl] *m* 1. Eifer *m*, Fleiß *m*; *faire du ~* viel Wind machen; *avec ~* eifrig; 2. Lerneifer *m*

zélé [zele] *adj* eifrig, fleißig; *trop ~* übereifrig

zénith [zenit] *m* Zenit *m*, Scheitelpunkt *m*; *être au ~ de sa gloire* auf dem Höhepunkt seines Ruhms sein

zéro [zeʀo] *m* 1. Null *f*; 2. *point ~* Nullpunkt *m*; *avoir le moral à ~* seelisch auf dem Nullpunkt angelangt sein; *repartir à ~* wieder von vorn anfangen

zeste [zɛst] *m* Zitronen-, Orangenschale *f*

zézayer [zezeje] *v* lispeln

zone [zon] *f* 1. Gebiet *n*; ~ *interdite* Sperrgebiet *n*; ~ *de basse pression* Tiefdruckgebiet *n*; ~ *résidentielle* Wohngebiet *n*; ~ *de tension* Spannungsgebiet *n*; 2. Zone *f*, Raum *m*; ~ *dangereuse* Gefahrenzone *f*; ~ *piétonne* Fußgängerzone *f*; ~ *non-fumeurs* Nichtraucherzone *f*; ~ *de libre-échange* Freihandelszone *f*; 3. ~ *industrielle* Industriegebiet *n*; 4. ~ *neutre* Niemandsland *n*; 5. ~ *d'émission* Sendebereich *m*; 10. ~ *d'action/d'activité* Wirkungsbereich *m*

zoo [zoo] *m* Zoo *m*

zoophile [zoɔfil] *m* Tierfreund *m*

zozoter [zozɔte] *v (fam)* lispeln

Deutsch - Französisch

A

Aal [a:l] *m* anguille *f*

Aas [a:s] *n* charogne *f*

ab [ap] *prep* 1. *(zeitlich)* à partir de; ~ *und zu* de temps en temps; *von heute* ~ à partir d'aujourd'hui; 2. *(örtlich)* en partant de, loin de

Abänderung [ap'ɛndərʊŋ] *f* modification *f*

abartig [ap'a:rtɪŋ] *adj* anormal, pervers

Abbau ['apbau] *m* 1. *(Zerlegung)* démontage *m*, démolition *f*; 2. *(Verringerung)* diminution *f*, réduction *f*; 3. CHEM décomposition *f*; 4. MIN exploitation *f*

abbauen ['apbauən] *v* 1. *(zerlegen)* démonter, démolir; 2. *(verringern)* réduire, diminuer; 3. CHEM décomposer; 4. MIN exploiter

abberufen ['apbəru:fən] *v* rappeler

abbestellen ['apbəʃtɛlən] *v* annuler

abbezahlen ['apbətsa:lən] *v* amortir

abbiegen ['apbi:gən] *v* 1. courber; 2. *(Weg)* détourner, tourner

Abbild ['apbɪlt] *n* 1. *(Darstellung)* reproduction *f*; 2. *(Ebenbild)* portrait *m*, image *f*

Abbildung ['apbɪldʊŋ] *f* reproduction *f*

Abbitte ['apbɪtə] *f* excuses *f/pl*; ~ *leisten* faire amende honorable

abbrechen ['apbrɛnən] *v* 1. *(zerbrechen)* briser, casser; 2. *(Verhandlungen, Beziehungen)* rompre; 3. *(Rede)* couper court

abbringen ['apbrɪŋən] *v* ~ *von* détourner de, faire changer d'avis

Abbruch ['apbrux] *m* 1. *(Gebäude)* démolition *f*; 2. *(fig)* rupture *f*; *einer Sache* ~ *tun* porter atteinte à qc

abbuchen ['apbu:xən] *v* 1. FIN débiter (un compte); 2. *(Betrag)* déduire

abdanken ['apdaŋkən] *v* abdiquer

abdecken ['apdɛkən] *v* 1. *(Dach)* enlever; 2. *(zudecken)* couvrir; 3. *(Tisch)* desservir

abdrehen ['apdre:ən] *v* 1. *(zudrehen)* fermer; 2. *(Schiff)* changer de cap

Abdruck ['apdruk] *m* 1. *(Spur)* empreinte *f*; 2. *(Nachbildung)* tirage *m*, épreuve *f*

abend ['a:bənt] *adv* 1. *heute* ~ ce soir; 2. *gestern* ~ hier soir

Abend ['a:bənt] *m* 1. *(Zeiteinheit)* soir *m*; *am* ~ le soir; *eines* ~*s* un (beau) soir; *Es wird*

~. *Le soir tombe. Heiliger* ~ veille de Noël *f*; 2. *(im Verlauf)* soirée *f*

Abendessen ['a:bəntesən] *n* dîner *m*

Abendland ['a:bəntlant] *n* Occident *m*

Abendmahl ['a:bəntma:l] *n* REL cène *f*

abends ['a:bənts] *adv* le soir

Abenteuer ['a:bəntɔyər] *n* aventure *f*

abenteuerlich ['a:bəntɔyərlɪŋ] *adj* 1. aventureux; 2. *(außergewöhnlich)* extravagant

aber ['a:bər] *konj* mais

abergläubisch ['a:bərglɔybɪʃ] *adj* REL superstitieux

abermals ['a:bərma:ls] *adv* de nouveau

abfahren ['apfa:rən] *v* partir

Abfahrt ['apfa:rt] *f* 1. *(Abreise)* départ *m*; 2. SPORT descente *f*

Abfahrtszeit ['apfa:rtstsait] *f* heure du départ *f*

Abfall ['apfal] *m* 1. *(Müll)* déchets *m/pl*, ordures *f/pl*; 2. *(Rückgang)* défection *f*

Abfalleimer ['apfalaimər] *m* poubelle *f*

abfällig ['apfɛlɪŋ] *adj* négatif, défavorable

abfertigen ['apfɛrtigən] *v* 1. *(Kunde)* servir; 2. *(Zoll)* dédouaner; 3. *(fam)* envoyer promener qn

Abfertigung ['apfɛrtigʊŋ] *f* 1. *(Kunde)* service *m*; 2. *(Zoll)* dédouanement *m*

abfinden ['apfɪndən] *v* 1. *sich* ~ se contenter de; 2. indemniser

Abfindung ['apfɪndʊŋ] *f* 1. ECO dédommagement *m*; 2. JUR transaction *f*

abflauen ['apflauən] *v* 1. mollir; 2. ECO diminuer

Abflug ['apflu:k] *m* départ *m*, décollage *m*

abführen ['apfy:rən] *v* 1. *(Verbrecher)* emmener; 2. *(Gelder)* ECO verser; 3. MED évacuer

Abführmittel ['apfy:rmɪtəl] *n* MED laxatif *m*

abfüllen ['apfylən] *v* *(in Flaschen)* mettre en bouteilles, remplir

Abgabe ['apga:bə] *f* 1. *(Ablieferung)* livraison *f*; *Gepäck*~ *f* mise en consigne des bagages *f*; 2. *(Steuer)* ECO taxe *f*

Abgang ['apgaŋ] *m* 1. *(Schule)* sortie *f*; 2. MED fausse couche *f*; 3. *(Waren)* ECO écoulement *m*; 4. THEAT sortie de la scène *f*

Abgas ['apga:s] *n* gaz d'échappement *m*
abgasarm ['apga:sarm] *adj* à gaz
d'échappement réduit
abgeben ['apge:bən] *v* remettre, donner
abgelegen ['apgəle:gən] *adj* isolé
abgeneigt ['apgənaıkt] *adj* peu enclin à
Abgeordnete ['apgəɔrtnətə] *m/f* député *m*
Abgesandte ['apgəzantə] *m/f* POL en-
voyé(e) *f/m*
abgesehen ['apgəze:ən] *adj ~ von* exception faite de
abgespannt ['apgəʃpant] *adj* épuisé
abgestanden ['apgəʃtandən] *adj* (*Flüssigkeit, Luft*) éventé
abgewöhnen ['apgəvø:nən] *v sich etw ~*
se déshabituer de qc, perdre l'habitude de
abgrenzen ['apgrɛntsən] *v* délimiter
Abgrund ['apgrunt] *m* gouffre *m*, abîme *m*
abhacken ['aphakən] *v* couper à la hache
abhaken ['apha:kən] *v* 1. dégrafer; 2.
(*Liste*) pointer
abhalten ['aphaltən] *v* 1. (*hindern*)
empêcher; 2. (*Versammlung*) tenir
abhandeln ['aphandəln] *v* 1. (*Geschäft*)
négocier; 2. (*Thema*) traiter
Abhandlung ['aphandluŋ] *f* thèse *f*
Abhang ['aphaŋ] *m* pente *f*, flanc *m*
abhängen ['aphɛŋən] *v* 1. *von jdm ~*
dépendre de qn; 2. *etw ~* décrocher qc; 3. *jdn
~* déplacer qn
abhängig ['aphɛŋıʃ] *adj* dépendant de
Abhängigkeit ['aphɛŋıŋkaıt] *f* dépendance *f*
abhärten ['aphɛrtən] *v* endurcir
abheben ['aphe:bən] *v* 1. ôter, soulever;
den Hörer ~ décrocher le téléphone; 2. (*Flugzeug*) décoller; 3. (*Geld*) ECO prélever; 4.
sich ~ von se détacher de
Abhilfe ['aphılfə] *f* secours *m*, remède *m*; *~
schaffen* porter remède à
abholen ['apho:lən] *v* aller chercher qn/qc
abhören ['aphø:rən] *v* 1. TEL intercepter;
2. (*Schule*) faire réciter une leçon
Abitur [abi'tu:r] *n* baccalauréat *m; das ~
machen* passer le bac
Abiturient [abitu'rjɛnt] *m* bachelier *m*
abkaufen ['apkaufən] *v* 1. (*allgem*) acheter, racheter; 2. (*fam: glauben*) croire qn
abklingen ['apklıŋən] *v* 1. (*Lärm*) s'évanouir; 2. MED être en voie de guérison
Abkommen ['apkɔmən] *n* convention *f*
abkühlen ['apky:lən] *v* 1. refroidir, rafraîchir; 2. (*Zorn*) calmer

Abkühlung ['apky:luŋ] *f* refroidissement
m, baisse de température *f*
abkürzen ['apkyrtsən] *v* abréger, écourter
Abkürzung ['apkyrtsuŋ] *f* abréviation *f;
eine ~ gehen* prendre un raccourci
abladen ['apla:dən] *v* décharger
Ablage ['apla:gə] *f* 1. (*Kleider*) vestiaire *m;*
2. (*Akten*) classement *m*
Ablagerung ['apla:gəruŋ] *f* 1. MED
dépôt *m;* 2. GEOL sédimentation *f*
ablassen ['aplasən] *v* 1. (*Dampf*) lâcher; 2.
(*fam*) se défouler; 3. (*Wasser*) vider
Ablauf ['aplauf] *m* 1. (*Abfluß*) écoulement
m; 2. (*Geschehen*) déroulement *m;* 3. (*Frist*)
terme *m*
ablaufen ['aplaufən] *v* 1. (*abfließen*)
s'écouler; 2. (*Geschehen*) se dérouler, se
passer; 3. (*Frist*) écouler
ablegen ['aple:gən] *v* 1. (*Kleidung*) enlever, ôter; *Legen Sie doch ab!* Mettez-vous à
l'aise! 2. (*Karten*) écarter; 3. (*Akten*) classer;
4. (*fig*) se défaire de
ablehnen ['aple:nən] *v* refuser, décliner
Ablehnung ['aple:nuŋ] *f* refus *m*
ableiten ['aplaıtən] *v* 1. (*Wasser*) détourner; 2. (*fig: folgern*) déduire
Ablenkung ['aplɛŋkuŋ] *f* distraction *f*
ablesen ['aple:zən] *v* 1. (*Meßgerät*) relever; 2. (*Text*) lire
abliefern ['apli:fərn] *v* livrer, remettre
ablösen ['aplø:zən] *v* 1. (*entfernen*) détacher de; 2. (*Dienst*) relever qn, prendre le relais de qn; 3. (*sich abwechseln*) se relayer,
se relever; 4. (*tilgen*) rembourser
Ablösung ['aplø:zuŋ] *v* 1. (*Entfernung*)
séparation *f;* 2. (*Dienst*) relais *m*, relève *f;*
3. (*Nachfolge*) remplacement *m*, succession
f; 4. (*Tilgung*) amortissement *m*
abmachen ['apmaxən] *v* (*übereinkommen*) convenir de; *Abgemacht!* C'est entendu!
Abmachung ['apmaxuŋ] *f* convention *f*
abmagern ['apma:gərn] *v* maigrir
Abmarsch ['apmarʃ] *m* départ *m*
abmelden ['apmɛldən] *v sich ~* faire son
changement de résidence, déclarer son
départ
abmontieren ['apmɔn'ti:rən] *v* démonter
abnagen ['apna:gən] *v* (*Knochen*) ronger
Abnahme ['apna:mə] *f* 1. (*Entgegennahme*) réception *f;* 2. (*Verminderung*) affaiblissement *m*, diminution *f;* 3. (*Kauf*) réception *f;* 4. TECH ralentissement *m*

abnehmen ['apne:mən] *v 1. (Gewicht)* maigrir, perdre du poids; *2. (entfernen)* détacher, enlever; *3. (entgegennehmen)* recevoir; *4. TECH* démonter

Abneigung ['apnaigun] *f* aversion

abnutzen ['apnutsən] *v* user

Abonnement ['abonə'man] *n* abonnement *m*

Abonnent ['abo'nɛnt] *m* abonné *m*

abonnieren ['abo'ni:rən] *v* s'abonner à

Abordnung ['abordnun] *f* délégation *f*

Abort [a'bort] *m 1. (Toilette)* WC *m/pl*, toilettes *f/pl*; *2. MED* fausse couche *f*

abpacken ['apakən] *v* emballer

abplagen ['appla:gən] *v sich* - se démener

abprallen ['appralən] *v 1. (Ball)* rebondir, ricocher; *2. (fig)* n'être touché par rien

abputzen ['apputsən] *v* nettoyer, décrasser

abraten ['apra:tən] *v* déconseiller

abräumen ['aproymən] *v 1. (Tisch)* débarrasser, déblayer; *2.* desservir

abrechnen ['aprɛçnən] *v 1. (abziehen)* déduire; *2. (Konto)* liquider

Abrechnung ['aprɛçnun] *f 1. (Abzug)* déduction *f*; *2. ECO* liquidation *f*; *3. (fig: Vergeltung)* vengeance *f*

Abreise ['apraizə] *f* départ *m*

abreisen ['apraizən] *v* partir en voyage; *mit Sack und Pack* - partir avec armes et bagages

abreißen ['apraisən] *v 1. (Gebäude)* démolir, abattre; *2. (Papier)* détacher

abrichten ['apriçtən] *v 1. (Hund)* dresser; *2. TECH* ajuster

abriegeln ['apri:gəln] *v (Tür)* verrouiller

Abriß ['apris] *m 1. (Gebäude)* démolition *f*; *2. (Zusammenfassung)* abrégé *m*

Abruf ['apru:f] *m 1. ECO* appel de fonds *m*; *2. INFORM* appel *m*

abrunden ['aprundən] *v* arrondir

abrüsten ['aprystən] *v* désarmer

Abrüstung ['aprystun] *f* désarmement *m*

absagen ['apza:gən] *v* refuser

Absatz ['apzats] *m 1. (Abschnitt)* paragraphe *m*; *2. (Treppen-)* palier *m*; *3. (Schuh-)* talon *m*; *4. ECO* débouché *m*

Absatzkrise ['apzats'kri:zə] *f ECO* mévente *f*

abschaffen ['apʃafən] *v* supprimer, abolir

Abschaffung ['apʃafun] *f* abolition *f*

abschalten ['apʃaltən] *v 1. etw* - couper, arrêter; *2. (fig: sich entspannen)* se détendre

abschätzen ['apʃɛtsən] *v* estimer, évaluer

Abschaum ['apʃaum] *m (fig)* lie *f*

Abscheu ['apʃoy] *f* aversion *f*, horreur *f*

abscheulich ['apʃoyliç] *adj* horrible

abschicken ['apʃikən] *v* envoyer, expédier

abschieben ['apʃi:bən] *v POL* expulser

Abschied ['apʃi:t] *m* adieux *m/pl*, congé *m*

abschießen ['apʃi:sən] *v* abattre

abschirmen ['apʃirmən] *v 1.* protéger, isoler; *2. (fig)* protéger qn

Abschlag ['apʃla:g] *m 1. SPORT* rebondissement *m*, rebond *m*; *2. (Rate)* acompte *m*; *3. (Preis)* réduction *f*; *4. (Kurs-)* diminution *f*

abschlagen ['apʃla:gən] *v 1. (abschneiden)* abattre, couper; *2. (ablehnen)* refuser

abschlägig ['apʃlɛgiç] *adj* négatif

Abschleppdienst ['apʃlɛpdi:nst] *m* service de dépannage *m*

abschleppen ['apʃlɛpən] *v* remorquer, dépanner

abschließen ['apʃli:sən] *v 1. (zuschließen)* fermer à clé; *2. (beenden)* terminer, achever; *3. (Vertrag)* conclure; *4. (Geschäft)* passer un marché

abschließend ['apʃli:sənt] *1. adj* final, terminal; *2. adv* pour conclure

Abschluß ['apʃlus] *m 1. (Beendigung)* conclusion *f*; *2. (Schule)* diplôme de fin d'études *m*; *3. (Vertrags-)* conclusion d'un contrat *f*; *4. (Geschäfts-)* marché *m*; *5. (Bilanz)* bilan *m*

abschmieren ['apʃmi:rən] *v* graisser

abschminken ['apʃminkən] *v (se)* démaquiller

abschneiden ['apʃnaidən] *v* couper; *bei einer Prüfung gut* - bien s'en tirer

Abschnitt ['apʃnit] *m 1. (Text)* paragraphe *m*; *2. (Zeit)* période *f*; *3. (Gebiet)* secteur *m*

abschrauben ['apʃraubən] *v* dévisser

abschrecken ['apʃrɛkən] *v 1. (abhalten)* intimider, dissuader, effrayer; *2. (Eier)* rafraîchir

abschreckend ['apʃrɛkənt] *adj* effrayant

abschreiben ['apʃraibən] *v 1.* copier; *2. ECO* amortir

Abschrift ['apʃrift] *f* copie *f*, double *m*

abschüssig ['apʃysiç] *adj* en pente

Abschuß ['apʃus] *m* décharge *f*

abschütteln ['apʃytəln] *v 1.* secouer; *2. (fam: loswerden)* semer qn

abschwächen ['apʃvɛçən] *v* affaiblir, atténuer

abschweifen ['apʃvaifən] *v (fig)* s'écarter

abschwellen ['apʃvɛlən] v MED désenfler

abschwören ['apʃvø:rən] v 1. (sich lossagen) abjurer, se dédire; 2. (negieren) renier

Abschwung ['apʃvuŋ] m ECO déclin m

absehbar ['apze:ba:r] adj prévisible; in ~er Zeit dans un avenir peu éloigné/prévisible

abseits ['apzaɪts] adv à l'écart, à part

absenden ['apzɛndən] v expédier, envoyer

Absender ['apzɛndər] m expéditeur m

absetzen ['apzɛtsən] v 1. (hinstellen) déposer; 2. (Hut) enlever, ôter; 3. (kündigen) déposer; 4. (König) détrôner; 5. (verkaufen) ECO vendre

Absicht ['apzɪçt] f intention f; keine bösen ~en haben ne pas entendre malice

absichtlich ['apzɪçtlɪç] 1. adj intentionnel; 2. adv avec intention, exprès

absolut ['apzolu:t] adj absolu

Absolution ['apzolu:tsjo:n] f absolution f

Absolutismus ['apzolu:tismus] m HIST absolutisme m

absolvieren ['apzolvi:rən] v 1. (Studien) terminer; 2. (fam: erledigen) régler, faire; 3. (Examen) passer

absonderlich ['apzondərlɪç] adj particulier, étrange

absondern ['apzondərn] v 1. sich ~ s'isoler, s'exclure; 2. (trennen) séparer; 3. MED sécréter

absorbieren ['apzorbi:rən] v absorber

abspeichern ['apʃpaɪçərn] v INFORM mettre en mémoire

absperren ['apʃpɛrən] v 1. (zuschließen) barrer, bloquer; 2. (Gebiet) isoler

abspielen ['apʃpi:lən] v 1. (Schallplatte) faire passer; 2. (Ball) SPORT lancer; 3. sich ~ se passer, se dérouler

Absprache ['apʃpra:xe] f accord m

absprechen ['apʃprɛçən] v 1. (vereinbaren) convenir de; sich ~ se donner le mot; 2. (aberkennen) JUR dénier

abspringen ['apʃprɪŋən] v 1. (herunter) sauter en bas; 2. (sich lösen) sauter, se détacher; 3. (fig) changer soudain d'avis

Absprung ['apʃpruŋ] m 1. (Fallschirm) saut m; 2. (Meinung) brusque changement m; den ~ finden sauter le pas

abspülen ['apʃpy:lən] v (Geschirr) faire la vaisselle, laver

abstammen ['apʃtamən] v ~ von descendre de

Abstammung ['apʃtamuŋ] f 1. (Herkunft) provenance f; 2. (Ursprung) origine f

Abstand ['apʃtant] m écart m; ~ halten tenir ses distances; ~ gewinnen prendre du champ

abstatten ['apʃtatən] v 1. (Besuch) rendre visite à; 2. (Dank) remercier qn

abstauben ['apʃtaubən] v dépoussiérer

Abstecher ['apʃtɛçər] m crochet m; einen ~ machen pousser une pointe

absteigen ['apʃtaɪgən] v 1. descendre de; 2. (Hotel) descendre dans; 3. SPORT avoir rétrogradé

abstellen ['apʃtɛlən] v 1. (ausschalten) éteindre, arrêter; 2. (Garage) garer, remiser; 3. (Wasser) couper

Abstellkammer ['apʃtɛlkamər] f remise f, débarras m

abstempeln ['apʃtɛmpəln] v 1. (Briefmarke) oblitérer; 2. (fig: jdn negativ ~) qualifier qn de

Abstieg ['apʃti:k] m 1. (hinuntersteigen) descente f; 2. SPORT rétrogradation f, recul m; 3. (fig: Niedergang) décadence f

abstimmen ['apʃtimən] v 1. (wählen) voter; 2. (fig: anpassen) accorder

Abstimmung ['apʃtimuŋ] f 1. (Wahl) vote m, scrutin m; 2. (fig: Anpassung) accord m

Abstinenz ['apsti'nɛnts] f abstinence f

abstoßen ['apʃto:sən] v 1. (wegstoßen) repousser; 2. (anekeln) dégoûter; 3. (verkaufen) liquider

abstoßend ['apʃto:sənt] adj dégoûtant

abstrakt ['apstrakt] adj abstrait

abstreiten ['apʃtraɪtən] v contester

Abstrich ['apʃtrɪç] m 1. (Abzug) ECO diminution f; 2. MED frottis m

abstufen ['apʃtu:fən] v 1. farblich ~ dégrader, nuancer; 2. (staffeln) étager

Absturz ['apʃturts] m chute f

abstürzen ['apʃtyrtsən] v tomber à pic, faire une chute

Absturzgefahr ['apʃturtsgəfa:r] f danger de chute m

absurd ['apzurt] adj absurde

Abszeß ['apstsɛs] m MED abcès m

Abt ['apt] m REL abbé m

abtasten ['aptastən] v 1. tâter; 2. MED palper; 3. INFORM lire

abtauen ['aptauən] v 1. dégeler; 2. (Kühlschrank) dégivrer

Abtei ['aptaɪ] f REL abbaye f

Abteil ['aptaɪl] n compartiment m

abteilen ['aptaɪlən] v diviser, classer

Abteilung ['aptailuŋ] f section f, division f

abtippen ['aptɪpən] v taper à la machine

abtreiben ['aptraɪbən] v MED avorter

Abtreibung ['aptraɪbuŋ] f avortement m

Abtreibungspille ['aptraɪbuŋspilə] f MED pilule abortive f

abtrennen ['aptrɛnən] v détacher, séparer

abtreten ['aptreːtən] v 1. (überlassen) remettre, céder; 2. THEAT sortir de scène

abtrocknen ['aptrɔknən] v (Geschirr) sécher, essuyer

abwägen ['apvɛːgən] v considérer

abwandeln ['apvandəln] v modifier

abwandern ['apvandərn] v émigrer

Abwandlung ['apvandluŋ] f 1. modification f; 2. GRAMM déclinaison f

abwarten ['apvartən] v attendre, patienter; erst mal -, ob... reste à savoir si...

abwärts ['apvɛrts] adv en aval, vers le bas

abwaschen ['apvaʃən] v faire la vaisselle

Abwasser ['apvasər] n eaux usées f/pl

Abwasserkanal ['apvasərkanaːl] m égouts m/pl

abwechseln ['apvɛksəln] v sich - se relayer, alterner

abwechselnd ['apvɛksəlnt] adj alternatif

Abwechslung ['apvɛksluŋ] f 1. (Wechsel) alternance f; 2. (Zerstreuung) distraction f, divertissement m

abwechslungsreich ['apvɛksluŋsraɪŋ] adj varié

Abweg ['apveːk] m (fig) fausse route f; auf -e geraten s'écarter du bon chemin

abwegig ['apveːgɪŋ] adj aberrant

Abwehr ['apveːr] f 1. (Zurückweisung) résistance f, lutte contre qn f; 2. (Verteidigung) défense f; 3. (Geheimdienst) contre-espionnage f

Abwehrstoffe ['apveːrʃtɔfə] m/pl MED anticorps m/pl

abweichen ['apvaɪŋən] v 1. (Weg) dévier; 2. (Werte) différer de

Abweichung ['apvaɪŋuŋ] f 1. (allgem) écart m; 2. (Unterschied) différence f

abweisen ['apvaɪzən] v refuser, repousser

abwenden ['apvɛndən] v 1. (allgem) détourner; 2. (verhüten) prévenir, écarter; 3. sich - se détourner de, se détacher de qn

abwerfen ['apvɛrfən] v 1. (hinunterwerfen) jeter; 2. (einbringen) ECO rapporter

abwerten ['apveːrtən] v 1. déprécier; 2. FIN dévaluer

Abwertung ['apveːrtuŋ] f 1. dépréciation f; 2. FIN dévaluation f

abwesend ['apveːzənt] adj absent

Abwesenheit ['apveːzənhaɪt] f absence f

abwickeln ['apvɪkəln] v 1. dérouler; 2. (Geschäft) liquider

abwiegen ['apviːgən] v peser, soupeser

abwischen ['apvɪʃən] v 1. (trocknen) essuyer; 2. (saubermachen) nettoyer

abzahlen ['aptsaːlən] v 1. (Raten) payer à tempérament; 2. (Schulden) rembourser

Abzahlung ['aptsaːluŋ] f 1. (Schulden) remboursement m; 2. ECO liquidation f

Abzeichen ['aptsaɪŋən] n insigne m

abzeichnen ['aptsaɪŋnən] v 1. (kopieren) reproduire; 2. (unterschreiben) signer; 3. sich - se distinguer

abziehen ['aptsiːən] v 1. (entfernen) enlever; 2. MATH soustraire; 3. (Rabatt) faire un rabais; 4. MIL lever le camp

abzielen ['aptsiːlən] v viser

Abzug ['aptsuːk] m 1. (Kopie) photocopie f, tirage m; 2. (Waffe) détente f; 3. (Foto) épreuve f; 4. MATH soustraction f; 4. (Rabatt) rabais m; 5. MIL départ des troupes m

abzüglich ['aptsyːklɪŋ] prep ECO déduction faite de

abzweigen ['aptsvaɪgən] v 1. (abbiegen) bifurquer; 2. (fam) prélever des fonds

Abzweigung ['aptsvaɪguŋ] f bifurcation f

ach ['ax] interj ah! hélas!

Achse ['aksə] f essieu m; ständig auf - sein être toujours sur la brèche

Achsel ['aksəl] f ANAT aisselle f; mit der - zucken hausser les épaules

achtbar ['axtbaːr] adj honorable

Achtbarkeit ['axtbaːrkaɪt] f respectabilité f

achteckig ['axtɛkɪŋ] adj octogonal

Achtel ['axtəl] n huitième m

achten ['axtən] v 1. (schätzen) estimer; 2. (beachten) respecter

Achterbahn ['axtərbaːn] f grand huit m

achtfach ['axtfax] adj huit fois autant

achtgeben ['axtgeːbən] v faire attention à

achtlos ['axtloːs] adj inattentif, sans égards

Achtlosigkeit ['axtloːsɪŋkaɪt] f inattention f, négligence f

achtmal ['axtmaːl] adv huit fois

achtsam ['axtzaːm] adj attentif, soigneux

Achtsamkeit ['axtzaːmkaɪt] f attention f

Achtung ['axtuŋ] f 1. (Hochachtung) estime f, considération f, respect m; 2. (Beachtung) attention f; interj 3. (Ausruf) attention! 4. (Ausruf) SPORT à vos marques!
ächzen ['ɛntsən] v (Person) gémir, geindre
Acker ['akər] m champ m
Ackerbau ['akərbau] m (agri)culture f
Adapter ['adaptər] m TECH adaptateur m
addieren [a'di:rən] v MATH ajouter
Addition [a'dızjo:n] f MATH addition f
Adel ['a:dəl] m noblesse f, nobles m/pl
Ader ['a:dər] f 1. MIN filon m; 2. (fig: Wesenszug) fibre f; 3. ANAT veine f
Adjektiv ['adjɛktif] n adjectif m
Adler ['a:dlər] m aigle m
adlig ['a:dlıŋ] adj noble
Adlige ['a:dlıŋə] m/f noble m/f
Admiral ['admı:ra:l] m MIL amiral m
adoptieren ['adɔpti:rən] v adopter
Adresse ['adrɛsə] f adresse f; an die richtige ~ geraten trouver à qui parler
adressieren ['adrɛsi:rən] v adresser
Adria ['adrıa] f Mer Adriatique f
Advent ['adfɛnt] m Avent m
Adverb ['adfɛrp] n adverbe m
Affäre ['afɛ:rə] f affaire f, scandale m; sich geschickt aus der ~ ziehen tirer son épingle du jeu
Affe ['afə] m singe m
affektiert ['afɛkti:rt] adj affecté, maniéré
Afghanistan ['afganistan] n Afghanistan m
Afrika ['a:frika] n Afrique f
afrikanisch ['a:frika:nıʃ] adj africain
After ['aftər] m ANAT anus m
Ägäis [ɛgɛıs] f mer Egée f
Agent ['agɛnt] m agent m
Agentur ['agɛntu:r] f agence f
Aggregat ['agrɛgat] n groupe électrogène m
aggressiv ['agrɛsi:f] adj agressif
Aggressivität ['agrɛsıvıtɛ:t] f agressivité f
agrarisch ['agra:rıʃ] adj agraire
Ägypten [ɛ'gyptən] n Egypte f
ägyptisch [ɛ'gyptıʃ] adj égyptien
aha ['a:ha] interj ah! tiens, tiens!
Ahne ['a:nə] m ancêtre m, aïeul m
ähneln ['ɛ:nəln] v ressembler à
ahnen ['a:nən] v 1. (voraussehen) pressentir; 2. (befürchten) redouter
ähnlich ['ɛ:nlıŋ] v semblable à; Das sieht ihm ~. Cela lui ressemble.

Ähnlichkeit ['ɛ:nlıŋkaıt] f similitude f, ressemblance f; Er hat ~ mit jdm, den ich kenne. Il a un faux air de qn que je connais.
Ahnung ['a:nuŋ] f 1. (Vorgefühl) pressentiment m, intuition f; 2. nicht die leiseste ~ von etw haben n'avoir pas la moindre idée de qc; 3. (Befürchtung) soupçon m, crainte f
Ahorn ['a:hɔrn] m érable m
Ähre ['ɛ:rə] f épi m
Aids ['eıds] n sida m
aidspositiv ['eıdspozitif] adj séropositif
Akademie ['akade:mi:] f académie f
Akademiker ['akade:mıkər] m personne qui a fait des études supérieures f
akademisch ['akade:mıʃ] adj académique
Akazie ['aka:tsjə] f acacia m
Akkord ['akɔrt] m 1. im ~ arbeiten travailler aux pièces; 2. MUS accord m
Akkordeon ['akɔrdeon] n accordéon m
Akku ['aku:] m TECH accumulateur m
Akne ['aknə] f acné f
Akrobat ['akroba:t] m acrobate m
Akt ['akt] m 1. (Tat) acte m, action f; 2. (Zeremonie) acte m, cérémonie f; 3. JUR acte juridique m; 4. MED acte médical m; 5. THEAT acte m; 6. ART nu m
Akte ['aktə] f dossier m, acte m
Aktie ['aktsjə] f FIN action f
Aktiengesellschaft ['aktsjəngəzɛlʃaft] f FIN société par actions f
Aktion ['aktsjo:n] f action f
Aktionär ['aktsjonɛ:r] m FIN actionnaire m
aktiv ['akti:f] adj actif
Aktivität [aktivi'tɛ:t] f activité f
aktuell [aktu'ɛl] adj actuel
Akustik [a'kustik] f acoustique f
akut [a'ku:t] adj (Krankheit) aigu, brûlant
Akzent [ak'tsɛnt] m accent m; mit ~ sprechen avoir un accent
akzeptieren [aktsɛp'ti:rən] v accepter
Alarm [a'larm] m alarme f; ~ geben donner l'alerte
Albanien [al'ba:njən] n Albanie f
albern [al'bərn] adj niais, sot, stupide
Albernheit [albərnhaıt] f niaiserie f
Alge ['algə] f algue f
Algebra ['algebra:] f MATH algèbre f
Algerien [al'ge:rjən] n Algérie f
Alibi ['a:libi:] n alibi m
Alimente [ali'mɛntə] pl JUR pension alimentaire f
Alkohol ['alkoho:l] m alcool m

alkoholfrei ['alkoho:lfraɪ] *adj* non alcoolisé, sans alcool
Alkoholiker [alko'ho:likər] *m* alcoolique *m*
All [al] *n* univers *m*
alle ['alə] *pron* 1. tous, toutes; 2. *adj* tous les, toutes les
Allee [a'le] *f* allée *f*
allein [a'laɪn] *adj* seul
Alleinerzieher [a'laɪnɛrtsi:ər] *m (Vater oder Mutter)* tuteur exclusif d'un enfant *m*
Alleinherrschaft [a'laɪnhɛrʃaft] *f POL* dictature *f*
alleinstehend [a'laɪnʃte:ɛnt] *adj* seul, célibataire
allenfalls [alən'fals] *adv* à la rigueur
allerdings [alər'dɪŋs] *adv* bien entendu
Allergie [alɛr'gi:] *f MED* allergie *f*
allergisch [a'lɛrgiʃ] *adj MED* allergique
allerhand [alərhant] *adj* 1. *(viel)* beaucoup de, bien de; 2. *(fam)* gonflé; *Das ist ~!* C'est gonflé!/ C'est du propre!
Allerheiligen [alər'haɪligən] *n* Toussaint *f*
allerlei [alər'laɪ] *adj* toutes sortes de
Allerlei [alər'laɪ] *n* 1. potpourri *m;* 2. *GAST* macédoine *f*
alles [aləs] *pron* tout; *~ in allem* après tout
allgegenwärtig [al'ge:gənvɛrtiç] *adj* omniprésent
allgemein [algə'maɪn] *adj* général
Allgemeinbildung [alg'maɪnbildʊŋ] *f* culture générale *f*
Allgemeinheit [algə'maɪnhaɪt] *f* généralité *f*, communauté *f*
Allgemeinwohl [algə'maɪnvo:l] *n* bien public *m*
Alliierte [ali'i:rtə] *pl* alliés *m/pl*
alljährlich [al'jɛrliç] 1. *adj* annuel; 2. *adv* annuellement, tous les ans
allmählich [al'mɛ:liç] 1. *adj* progressif, graduel; 2. *adv* petit à petit, peu à peu
Alltag [alta:k] *m* vie quotidienne *f*
alltäglich [al'tɛ:kliç] *adj* de tous les jours
allzu ['altsu] *adv* trop
Alm [alm] *f* pâturage alpestre *m*
Almanach ['almanax] *m* almanach *m*
Almosen [almo:zən] *pl* aumône *f*
Alpen ['alpən] *pl* Alpes *f/pl*
Alphabet [alfa'be:t] *n* alphabet *m*
alpin [al'pi:n] *adj* alpin
Alptraum [alp'traum] *m* cauchemar *m*
als [als] *konj* 1. *(gleichzeitig)* quand, lorsque; 2. *(Eigenschaft)* en tant que, com-

me, en qualité de; 3. *(Komparativ)* que, de *(plus de)*
also [alzo] *konj* donc
alt [alt] *adj* vieux, ancien; *jdn für so und so ~ halten* donner un âge à qn; *Alles ist beim -en.* Rien n'a changé.
Altar [al'ta:r] *m REL* autel *m*
Altbau ['altbau] *m* construction ancienne *f*
Alter ['altər] *n* âge *m; Man sieht ihm sein -nicht an.* On ne lui donne pas son âge. *Er ist in meinem -.* Il est de mon âge.
ältere [ɛltərə] *adj* aîné, plus vieux
altern ['altərn] *v* vieillir
alternativ [altɛrna'ti:f] *adj* alternatif
Alternative [altɛrna'ti:və] *f* alternative *f*
Alternativer [altɛrna'ti:vər] *m/f* écologiste *m/f*
Altersheim ['altərshaɪm] *n* maison de retraite *f*, foyer du troisième âge *m*
altersschwach ['altərsʃvax] *adj* sénile
Altersversorgung ['altərsfɛrzɔrgʊŋ] *f* pension de vieillesse *f*, retraite des vieux *f*
Altertum ['altərtu:m] *n HIST* Antiquité *f*
altertümlich ['altərtymliç] *adj* antique
Altglas ['altgla:s] *n* verre à recycler *m*
Altmaterial ['altmatərja:l] *n* matériau/ matériel de récupération *m*
altmodisch ['altmo:diʃ] *adj* démodé
Altpapier ['altpapi:r] *n* papier à recycler *m*
Altstadt ['altʃtat] *f* vieille ville *f*, cité *f*
Alufolie ['alufo:ljə] *f* feuille d'aluminium *f*
Aluminium [alu'mi:njum] *n* aluminium *m*
am [am] *prep* sur, contre
Amalgam [amal'ga:m] *n* amalgame *m*
Amateur [amatø:r] *m* amateur *m*
Amboß ['ambɔs] *m TECH* enclume *f*
ambulant [ambu'lant] *adj* ambulatoire
Ambulanz [ambu'lants] *f* 1. *(Wagen)* ambulance *f;* 2. *(Abteilung)* service ambulatoire *m*
Ameise ['a:maɪzə] *f* fourmi *f*
Ameisenhaufen ['a:maɪzənhaufən] *m* fourmilière *f*
Amerika [a'me:rika] *n* Amérique *f*
amerikanisch [ameri'ka:niʃ] *adj* américain
Amnestie [amnɛsti:] *f* amnistie *f*
Amokläufer ['amoklɔyfər] *m* forcené *m*, fou furieux *m*
Ampel ['ampəl] *f* feux de circulation *m/pl*, feu *m*
Amphitheater [am'fi:te'a:tər] *n* amphithéâtre *m*

Ampulle [am'pulə] f ampoule f
amputieren [ampu'ti:rən] v amputer
Amsel ['amzəl] f merle m
Amt ['amt] n 1. (Behörde) service m, bureau m, office m; 2. (Stellung) poste m, fonction f
amtlich ['amtlɪŋ] adj officiel
Amulett [amu'let] n amulette f
amüsant [amy'zant] adj amusant
amüsieren [amy'zi:rən] v sich - s'amuser
an [an] prep 1. (örtlich) à, contre; - der Tür à la porte; jdn am Arm packen saisir qn par le bras; - der Hand à la main; - etw liegen venir de qc; - etw leiden/ sterben souffrir/ mourir de qc; arm/reich - pauvre/riche en; 2. (zeitlich) à; am Abend le soir; von... an dès; von jetzt - à partir de ce moment; - einem Tag à un jour; am Tag seiner Geburt le jour de sa naissance; am hellen Tag en plein jour; Es ist - der Zeit zu... Il est temps de ... 3. (in) dans, en; - einem Ort dans/en un endroit; 4. (für) Das Paket ist - Sie. Le colis est pour vous.
Anabolikum/Anabolika [ana'bo:likum] n MED anabolisant m
Analogie [analo'gi:] f analogie f
Analphabet [analfa'be:t] m analphabète m
Analyse [ana'ly:zə] f analyse f
analysieren [analy'zi:rən] v analyser
Ananas ['ananas] f ananas m
Anarchie [anarçi:] f anarchie f
Anarchist [anar'çist] m anarchiste m
Anatomie [anato'mi:] f anatomie f
Anbau ['anbau] m 1. (Gebäude) construction annexe f, aile f; 2. AGR culture f
anbauen ['anbauən] v 1. (Gebäude) adosser à, ajouter; 2. AGR cultiver
Anbaufläche ['anbauflɛŋə] f AGR surface cultivée f
Anbaumöbel ['anbaumø:bəl] pl meubles par éléments m/pl
anbei [an'bai] adv ci-joint, ci-inclus
anbeißen ['anbaisən] v 1. (beißen) mordre dans: Der Fisch beißt an. Le poisson mord à l'hameçon. zum - hübsch joli à croquer; 2. (fam) se laisser prendre, gober
anbelangen ['anbəlaŋən] v concerner
anbeten ['anbe:tən] v adorer
Anbetracht ['anbətraxt] m considération f; in - en considération de/vu/étant donné
anbieten ['anbi:tən] v proposer, offrir
anbinden ['anbɪndən] v 1. attacher; 2. mit jdm - chercher querelle à qn

Anblick ['anblɪk] m regard m, coup d'œil m
anbraten ['anbra:tən] v GAST rôtir légèrement, saisir
anbrechen ['anbrɛçən] v 1. entamer, écorner; 2. (fig) se lever
anbrennen ['anbrɛnən] v brûler
anbringen ['anbrɪŋən] v 1. (befestigen) fixer, attacher; 2. (vortragen) exposer
Anbruch ['anbrux] m 1. commencement m; 2. (Nacht) tombée f
andächtig [an'dɛxtɪç] adj 1. attentif, recueilli; 2. REL pieux
andauern ['andauərn] v durer, persister
andauernd ['andauərnt] adj constant, continuel
Andenken ['andɛŋkən] n (Erinnerung) souvenir m, mémoire f
andere ['andərə] 1. adj autre; Ich habe schon ganz - Dinge erlebt. J'en ai vu bien d'autres. 2. pron l'autre m/f, d'autres pl
andererseits ['andərərzaits] adv d'un autre côté, d'autre part
andermal ['andərma:l] adv ein - une autre fois
ändern ['ɛndərn] v 1. etw - modifier qc, changer qc; 2. sich - changer
andernfalls ['andərnfals] adv sinon
anders ['andərs] adj différent, autre; Das ist etw anderes. C'est une autre paire de manches.
Andersartigkeit ['andərsartiŋkait] f dissemblance f, disparité f
anderswo ['andərsvo:] adv ailleurs
anderthalb ['andərthalp] num un et demi
Änderung ['ɛndəruŋ] f modification f, changement m
andeuten ['andɔytən] v faire allusion à
Andeutung ['andɔytuŋ] f allusion f; -en machen parler par sous-entendus
Andrang ['andraŋ] m affluence f
androhen ['andro:ən] v menacer qn de
aneignen ['anaignən] v sich - s'approprier
aneinander ['anainandər] adv l'un près de l'autre; - geraten avoir maille à partir avec qn
aneinanderreihen ['anain'andərraiən] v 1. mettre en file; 2. (Gedanken) enchaîner
Anekdote [anɛk'do:tə] f anecdote f
anerkennen ['anɛrkɛnən] v reconnaître
anerkennend ['anɛrkɛnənt] 1. adj reconnaissant; 2. adv avec reconnaissance
Anerkennung ['anɛrkɛnuŋ] f reconnaissance f

anfahren ['anfaːrən] v 1. (fahren gegen) heurter, accrocher; 2. (losfahren) démarrer, se mettre en marche; 3. (Maschine) mettre en marche

Anfall ['anfal] m MED crise f

anfallen ['anfalən] v 1. (überfallen) attaquer; 2. (befallen) être atteint par

anfällig ['anfɛlıç] adj de santé délicate

Anfang ['anfaŋ] m début m, commencement m; Das ist der - vom Ende. C'est le commencement de la fin. noch am - stehen n'en être qu'à ses débuts; von - an dès le début

anfangen ['anfaŋən] v commencer, débuter; Das fängt ja gut an. Ça commence bien. Sie haben es falsch angefangen. Vous êtes mal parti.

Anfänger ['anfɛŋər] m débutant m; noch - sein en être à son coup d'essai

anfassen ['anfasən] v 1. (berühren) toucher à qc; 2. (greifen) saisir, empoigner

anfechten ['anfɛçtən] v 1. attaquer, combattre; 2. JUR contester la validité de

anfertigen ['anfɛrtıgən] v fabriquer

anfeuchten ['anfɔyçtən] v humecter

Anfeuerung ['anfɔyərʊŋ] f (fig) encouragement m, incitation f

anflehen ['anfleːən] v implorer, supplier

Anflug ['anfluːk] m 1. (Flugzeug) arrivée f; 2. - von (fig: Hauch) trace f

anfordern ['anfɔrdərn] v exiger

Anforderung ['anfɔrdərʊŋ] f 1. (Anspruch) exigence f; seine -en zurückschrauben mettre de l'eau dans son vin; 2. (Bestellung) demande f, commande f

Anfrage ['anfraːgə] f 1. ECO demande d'information f; 2. POL interpellation f

anfragen ['anfraːgən] v se renseigner

anfreunden ['anfrɔydən] v sich - se lier (d'amitié)

anfügen ['anfyːgən] v joindre, ajouter

anführen [anfyːrən] v 1. (führen) conduire, amener; 2. (zitieren) citer, donner

Anführer ['anfyːrər] m meneur m, chef m

Anführungszeichen ['anfyːruŋstsaıŋən] n guillemets m/pl; in - entre guillemets

Angabe ['angaːbə] f 1. indication f; 2. (fam: Prahlerei) vantardise f, vanterie f; 3. (Daten) données f/pl

angeben ['angeːbən] v 1. indiquer; 2. (fam: prahlen) se vanter (de), se faire valoir

Angeber ['angeːbər] m (fam) crâneur m

angeblich ['angeːplıç] adj prétendu

angeboren ['angəboːrən] adj 1. de naissance, inné; 2. MED congénital

Angebot ['angəboːt] n offre f

angebracht ['angəbraxt] adj convenable

angeheitert ['angəhaıtərt] adj guilleret

angehen ['angeːən] v 1. (beginnen) commencer; 2. (fam: Licht) s'allumer; 3. (betreffen) concerner; jdn - regarder qn; 4. (bitten) demander qc à qn; Er ging mich um Geld an. Il me demanda de l'argent.

angehend ['angeːənt] adj débutant

angehören ['angəhøːrən] v appartenir

Angehörige ['angəhøːrıgə] m/f 1. (Staat) ressortissant m; 2. (Verwandte) famille f, membre m; 3. (Unternehmen) personnel m

Angeklagte ['angəklaːktə] m accusé m

Angel ['aŋəl] f 1. SPORT ligne f; 2. (Tür-) gond m

Angelegenheit ['angəleːgənhaıt] f affaire f; Das ist eine lästige -. C'est une corvée.

Angelhaken ['aŋəlhaːkən] m hameçon m

angeln ['aŋəln] v pêcher à la ligne

Angelrute ['aŋəlruːtə] f canne à pêche f

Angelsachse ['aŋəlzaxə] m Anglo-Saxon m

angemessen ['angəmɛsən] adj convenable

angenehm ['angəneːm] adj (auch Bekanntschaft) agréable, enchanté; das -e mit dem Nützlichen verbinden joindre l'utile à l'agréable

Angesicht ['angəzıçt] n visage m, figure f; jdm von - zu - gegenüberstehen se trouver face à face avec qn

angesichts ['angəzıçts] prep 1. en face de, en présence de; 2. (fig) eu égard à

Angestellte ['angəʃtɛltə] m/f employé(e) m/f

angewiesen ['angəviːzən] adj - sein dépendre de, être tributaire de

angewöhnen ['angəvøːnən] v 1. jdm etw - habituer qn à qc; 2. sich etw - s'habituer à qc

Angewohnheit ['angəvoːnhaıt] f habitude f

Angina [aŋˈgiːna] f angine f

angleichen ['aŋglaıŋən] v assimiler

Angler ['aŋglər] m pêcheur m

angreifen ['angraıfən] v 1. attaquer, assaillir; 2. (Gemüt) affecter, émouvoir; 3. (beschädigen) endommager

angrenzen ['angrɛntsən] v toucher (à)

angrenzend ['angrɛntsənt] adj contigu

Angriff ['angrıf] m attaque f

angriffslustig ['angrıfslustıŋ] *adj* agressif, guerrier

Angst ['aŋst] *f* peur *f*; *es mit der~ kriegen* serrer les fesses; *eine Heiden~ haben* avoir une peur bleue

ängstigen ['ɛŋstɪgən] *v 1. jdn* ~ inquiéter qn; *2. sich* ~ se tourmenter, s'inquiéter

ängstlich ['ɛŋstlɪŋ] *adj* craintif, peureux

anhaben ['anha:bən] *v 1. (Kleidung)* porter; *2. (fig)* avoir prise sur qn; *Er kann mir nichts* ~. Il n'a pas de prise sur moi.

anhalten ['anhaltən] *v 1. (stehenbleiben)* s'arrêter; *2. (fortdauern)* durer, être continu

Anhalter ['anhaltər] *m* auto-stoppeur *m*; *per~ fahren* faire du stop/ voyager en stop

Anhaltspunkt ['anhaltspuŋkt] *m* point de départ *m*, point d'appui *m*

anhand ['anhant] *prep* à l'aide de

Anhang ['anhaŋ] *m* annexe *f*

anhängen ['anhɛŋən] *v* suspendre, adhérer à

Anhänger ['anhɛŋər] *m 1. (Wagen)* remorque *f*; *2. (Schild)* étiquette *f*; *3. (Schmuck)* breloque *f*, pendeloque *f*; *4. (Befürworter)* partisan *m*, adhérent *m*

anhänglich ['anhɛŋlıŋ] *adj* attaché, dévoué

anhäufen ['anhɔyfən] *v* accumuler

anheben ['anhe:bən] *v 1. (hochheben)* soulever; *2. (erhöhen)* relever

Anhieb ['anhi:p] *m auf* ~ du premier coup

Anhöhe ['anhø:ə] *f* hauteur *f*, colline *f*

anhören ['anhø:rən] *v 1.* prêter l'oreille à qn, écouter qn; *sich gut* ~ être acceptable

animieren [ani'mi:rən] *v* aguicher, exciter

Anis [ani:s] *n* anis *m*

Ankauf ['ankauf] *m* achat *m*, acquisition *f*

Anker ['aŋkər] *m* ancre *f*

ankern ['aŋkərn] *v* jeter l'ancre, mouiller

Anklage [aŋ'kla:gə] *f* JUR accusation *f*, inculpation *f*

anklagen [an'kla:gən] *v 1. (beschuldigen)* accuser, incriminer; *2. JUR* inculper

Anklang ['anklaŋ] *m* écho *m*, succès *m*

ankleben ['ankle:bən] *v* coller contre

ankleiden ['anklaıdən] *v 1. jdn* ~ habiller qn; *2. sich* ~ s'habiller

anklopfen ['anklɔpfən] *v* frapper à la porte

anknüpfen ['anknypfən] *v an etw* ~ rattacher à qc, relier à qc

ankommen ['ankɔmən] *v 1.* arriver; *2. (Zustimmung finden)* être accepté

ankündigen ['ankyndigən] *v* annoncer

Ankündigung ['ankyndiguŋ] *f* nouvelle *f*

Ankunft ['ankunft] *f* arrivée *f*

ankurbeln ['ankurbəln] *v* lancer

anlachen ['anlaxən] *v 1.* regarder en riant; *2. (fig: Glück)* sourire à qn

Anlage ['anla:gə] *f 1. (Veranlagung)* aptitude *f*; *2. (Geld~)* placement financier *m*, investissement *m*; *3. (Park~)* parc *m*

anlassen ['anlasən] *v 1. (Motor)* démarrer; *2. (anbehalten)* garder, ne pas ôter; *3. (eingeschaltet lassen)* laisser en marche/ allumé

Anlasser ['anlasər] *m* démarreur *m*

Anlaß ['anlas] *m 1. (Gelegenheit)* occasion *f*; *2. (Grund)* raison *f*, motif *m*

anläßlich ['anlɛslıŋ] *prep* à l'occasion de

anlaufen ['anlaufən] *v 1. (beginnen)* démarrer, commencer à; *2. (Maschinen)* démarrer; *3. (beschlagen)* s'embuer

Anlaufstelle ['anlaufftɛlə] *f* adresse *f*

anlegen ['anle:gən] *v 1. (Kleid, Schmuck)* mettre; *2. (Geld)* placer; *3. (Akte)* établir; *4. (Schiff)* accoster; *5. (Garten)* planter

Anlegeplatz ['anle:gəplats] *m* embarcadère *m*

Anleger ['anle:gər] *m* FIN investisseur *m*

anlehnen ['anle:nən] *v 1. (Gegenstand)* appuyer contre; *2. (Tür)* entrebâiller, entrouvrir; *3. sich* ~ s'appuyer contre

Anleihe ['anlaıə] *f* ECO emprunt *m*

anleiten ['anlaıtən] *v* diriger

Anleitung ['anlaıtuŋ] *f* instructions *f/pl*

anlernen ['anlɛrnən] *v* instruire, former

Anliegen ['anli:gən] *n* demande *f*, prière *f*

Anlieger ['anli:gər] *m* riverain *m*, voisin *m*

anlocken ['anlɔkən] *v* séduire, attirer

anmachen ['anmaxən] *v 1. (befestigen)* attacher, fixer; *2. (einschalten)* allumer

anmalen ['anma:lən] *v* peindre

anmaßend ['anma:sənt] *adj* prétentieux

anmelden ['anmɛldən] *v 1.* déclarer, annoncer; *Sind Sie angemeldet?* Avez-vous pris rendez-vous? *2. (Student)* inscrire

Anmeldung ['anmɛlduŋ] *f 1. (Ankunft)* réception *f*; *2. (amtliche ~)* déclaration *f*; *3. (Einschreibung)* inscription *f*

Anmerkung ['anmɛrkuŋ] *f* note *f*

Anmut ['anmu:t] *f* grâce *f*, charme *m*

anmutig ['anmu:tıŋ] *adj* gracieux

annähern ['annɛ:ərn] *v sich* ~ s'approcher

annähernd ['annɛ:ərnt] *adj* approchant, approximatif

Annäherung ['annɛːərʊŋ] f approche f
Annahme ['annaːmə] f 1. (Entgegennahme) réception f, admission f; 2. (Zustimmung) acceptation f; 3. (fig: Vermutung) supposition f
annehmbar ['anneːmbaːr] adj acceptable
annehmen ['anneːmən] v 1. (entgegennehmen) accepter; 2. (zustimmen) admettre; 3. (vermuten) supposer
Annehmlichkeit ['anneːmlɪŋkaɪt] f commodité f, agrément m
Annexion [anɛksˈjoːn] f annexion f
Annonce [anˈnɔːsə] f (Zeitung) annonce f
annoncieren [annɔnsiːrən] v faire passer une annonce, publier une annonce
annullieren [anʊlˈliːrən] v annuler
anonym [anoˈnyːm] adj anonyme
Anonymität [anonyˈmiːtɛːt] f anonymat m
Anorak ['anɔrak] m anorak m
anordnen ['anˈɔrdnən] v 1. (ordnen) ranger, disposer; 2. (befehlen) ordonner
Anordnung ['anˈɔrdnʊŋ] f 1. (Ordnung) ordre m; 2. (Befehl) règlement m, ordre m
anpassen ['anpasən] v 1. (fig) adapter, approprier; 2. sich – s'adapter
Anpassung ['anpasʊŋ] f adaptation f
Anpflanzung ['anpflantsʊŋ] f plantation f
anprangern ['anpraŋərn] v dénoncer
anpreisen ['anpraɪzən] v préconiser
Anprobe ['anproːbə] f essayage m
anprobieren [anprobiːrən] v essayer
anraten ['anraːtən] v recommander
anrechnen ['anrɛçnən] v 1. porter au compte de, facturer; 2. (fig) attribuer à
Anrecht ['anrɛçt] n droit à m
Anrede ['anreːdə] f allocution f
anregen ['anreːgən] v 1. (vorschlagen) suggérer, proposer; 2. (veranlassen) inciter à
anregend ['anreːgənt] adj stimulant
Anregung ['anreːgʊŋ] f 1. (Vorschlag) proposition f; 2. (Veranlassung) incitation à f
anreichern ['anraɪçərn] v (Mineral) enrichir
anreisen ['anraɪzən] v arriver
Anreiz ['anraɪts] m stimulation f
anrichten ['anrɪçtən] v 1. (Schaden) causer, occasionner; 2. (Essen) servir, préparer
Anruf ['anruːf] m appel m, coup de téléphone m
anrufen ['anruːfən] v appeler
Ansage ['anzaːgə] f annonce f

Ansager ['anzaːgər] m (Radio) speaker m
ansammeln ['anzaːməln] v 1. sich – se rassembler; 2. (Gegenstände) s'accumuler
Ansammlung ['anzamlʊŋ] f 1. amas m, accumulation f; 2. (Menschen) foule f
Ansatz ['anzats] m 1. (Anfang) commencement m, début m; 2. (Haar-) racine f, plante f
Ansatzpunkt ['anzatspʊŋkt] m point d'application m
anschaffen ['anʃafən] v (se) procurer
anschalten ['anʃaltən] v allumer
anschauen ['anʃauən] v regarder, contempler; jdn schief – regarder qn de travers
anschaulich ['anʃaulɪç] adj clair, évident
Anschauung ['anʃauʊŋ] f opinion f
Anschein ['anʃaɪn] m apparence f
anscheinend ['anʃaɪnənt] adv apparemment
anschicken ['anʃɪkən] v sich – se préparer
Anschlag ['anʃlaːk] m 1. (Plakat) affiche f; 2. (Attentat) attentat m
anschlagen ['anʃlaːgən] v 1. (befestigen) clouer, fixer, attacher; 2. (anstoßen) taper sur, frapper; 3. (aushängen) afficher
anschließen ['anʃliːsən] v 1. (verbinden) attacher à; 2. sich jdm – se joindre à qn; 3. (zustimmen) se ranger à l'opinion de qn
anschließend ['anʃliːsənt] adj 1. (räumlich) contigu; 2. (zeitlich) suivant; 3. adv (zeitlich) ensuite, après
Anschluß ['anʃlus] m 1. (Verbindung) raccordement m; 2. (Zug-) correspondance f; 3. POL annexion f
anschmiegsam ['anʃmiːkzam] adj câlin
anschnallen ['anʃnalən] v (Gurt) mettre sa ceinture de sécurité
anschneiden ['anʃnaɪdən] v 1. (schneiden) couper qc; 2. (fig: Thema) aborder
Anschrift ['anʃrɪft] f adresse f
Anschuldigung ['anʃʊldigʊŋ] f accusation f, inculpation f
anschwellen ['anʃvɛlən] v 1. (anwachsen) enfler, gonfler; 2. MED enfler
anschwindeln ['anʃvɪndəln] v tromper
Ansehen ['anzeːən] n considération f, prestige m; – genießen avoir du crédit
ansehnlich ['anzeːnlɪç] adj remarquable, important
Ansicht ['anzɪçt] f (Meinung) opinion f, avis m; seine – ändern changer d'idée
Ansichtskarte ['anzɪçtskartə] f carte postale f

ansiedeln ['anzi:dəln] *v sich.*- s'établir

Ansiedlung ['anzi:dluŋ] *f* colonisation *f*, colonie *f*

Anspannung ['anʃpanuŋ] *f* tension *f*

ansparen ['anʃpa:rən] *v* économiser

Anspielung ['anʃpi:luŋ] *f* allusion (à) *f*

anspornen ['anʃpɔrnən] *v* aiguillonner, stimuler

Ansprache ['anʃpra:xə] *f* allocution *f*

ansprechen ['anʃprɛŋən] *v* 1. s'adresser à qn; 2. *(reagieren)* réagir à; 3. *(gefallen)* plaire

ansprechend ['anʃprɛŋənt] *adj* tentant, attirant

anspringen ['anʃprɪŋən] *v (Auto)* démarrer

Anspruch ['anʃprux] *m* prétention *f*

anspruchslos ['anʃpruxslo:s] *adj* modeste

anspruchsvoll ['anʃpruxsfɔl] *adj* exigeant, prétentieux

Anstalt ['anʃtalt] *f* institution *f*, établissement *m*

Anstand ['anʃtant] *m* convenances *f/pl*

anständig ['anʃtɛndɪŋ] *adj* correct, convenable

anstandslos ['anʃtantslo:s] *adv* sans opposition, sans difficultés

anstatt [an'ʃtat] 1. *prep* au lieu de, à la place de; 2. *konj* au lieu de

anstecken ['anʃtɛkən] *v* 1. *(Brosche)* épingler; 2. *(anzünden)* allumer; 3. *MED* contaminer

ansteckend ['anʃtɛkənt] *adj MED* contagieux

anstehen ['anʃte:ən] *v* 1. *(Schlange stehen)* faire la queue, être dans la file d'attente; 2. *(bevorstehen)* être imminent

anstelle ['anʃtɛlə] *prep* au lieu de

anstellen ['anʃtɛlən] *v* 1. *(einschalten)* mettre, allumer, faire marcher; 2. *(beschäftigen)* employer, engager

Anstellung ['anʃtɛluŋ] *f* 1. *(Einstellung)* nomination à *f*; 2. *(Stellung)* position *f*

ansteuern ['anʃtɔyərn] *v (Blick)* viser

Anstieg ['anʃti:k] *m* 1. *(Steigung)* montée *f*; 2. *(Erhöhung)* montée *f*, augmentation *f*; 3. *ECO* hausse *f*

anstiften ['anʃtiftən] *v* provoquer, susciter

Anstoß ['anʃto:s] *m* 1. *(Anregung)* initiative *f*, impulsion *f*; *den* - *geben* donner le branle; 2. *(Skandal)* scandale *m*

anstoßen ['anʃto:sən] *v* 1. *(stoßen)* heurter, cogner; 2. *(in Bewegung setzen)* mettre en mouvement; 3. *(zuprosten)* trinquer

anstreben ['anʃtrɛbən] *v* aspirer à qc

anstrengend ['anʃtrɛŋənt] *adj* fatigant

Anstrengung ['anʃtrɛŋuŋ] *f* efforts *m/pl*, fatigues *f/pl*

Ansturm ['anʃturm] *m* assaut *m*, attaque *f*

Anteil ['antail] *m* part *f*

Anteilnahme ['antailna:mə] *f* 1. témoignage de sympathie *m*; 2. *(Beerdigung)* condoléances *f/pl*

Antenne ['antɛnə] *f* antenne *f*

Antibabypille [antibe:bipilə] *f* pilule contraceptive *f*

Antibiotikum/Antibiotika [anti'biotikum] *n* antibiotique *m*

antik [an'ti:k] *adj* antique

Antike [an'ti:kə] *f* antiquité *f*

Antikörper [anti'kœrpər] *m* anticorps *m*

Antilope [anti'lo:pə] *f* antilope *f*

Antiquitäten [antikvi'tɛtən] *pl* antiquités *f/pl*

Antrag ['antra:k] *m* demande *f*

antreffen ['antrɛfən] *v* rencontrer, trouver

antreten ['antrɛtən] *v* 1. *(Stelle)* prendre un poste; 2. *(Reise)* partir en voyage

Antrieb ['antri:p] *m* 1. *TECH* transmission *f*, entraînement *m*; 2. *(fig)* impulsion *f*

Antwort ['antvɔrt] *f* réponse *f*

antworten ['antvɔrtən] *v* répondre à; *jdm lebhaft* - renvoyer la balle à l'ascenseur à qn; *Schlag auf Schlag* - répondre du tac au tac

anvertrauen ['anfertrauən] *v* confier

Anwalt ['anvalt] *m* avocat *m*

Anwärter ['anvɛrtər] *m* candidat *m*

anweisen ['anvaizən] *v* 1. *(anordnen)* donner des directives; 2. *(Betrag)* mandater

Anweisung ['anvaizuŋ] *f* 1. *(Anordnung)* instructions *f/pl*; 2. *FIN* mandat *m*

anwenden ['anvɛndən] *v* appliquer

Anwendung ['anvɛnduŋ] *f* application *f*

Anwesen ['anve:zən] *n* propriété *f*

anwesend ['anve:zənt] *adj* présent

Anwesenheit ['anve:zənhait] *f* présence *f*

anwidern ['anvi:dərn] *v* dégoûter

Anzahl ['antsa:l] *f* nombre *m*

anzahlen ['antsa:lən] *v* payer/verser un acompte

Anzahlung ['antsa:luŋ] *f* acompte *m*

Anzeichen ['antsaiçən] *n* signe *m*

Anzeige ['antsaigə] *f* 1. *(Presse)* annonce *f*; 2. *JUR* plainte *f*

anzeigen ['antsaigən] *v* 1. annoncer; 2. *JUR* porter plainte (contre qn)

anziehen ['antsi:ən] *v 1. (Kleidung)* mettre; *2. (Schraube)* serrer; *3. (fig)* attirer

Anziehungskraft ['antsi:uŋskraft] *f* force d'attraction *f*

Anzug ['antsu:k] *m* costume *m*

anzüglich ['antsy:kliŋ] *adj* piquant

anzünden ['antsyndən] *v* allumer

anzweifeln ['antsvaıfəln] *v* mettre en doute

Aorta [a'ɔ:rta] *f* artère aorte *f*

apathisch [a'pa:tiʃ] *adj* apathique

Apfel ['apfəl] *m* pomme *f*

Apfelbaum ['apfəlbaum] *m* pommier *m*

Apfelsine ['apfəlzi:nə] *f* orange *f*

Apostroph [apo'stro:f] *m* apostrophe *f*

Apotheke [apo:te:kə] *f* pharmacie *f*

Apparat [apa'ra:t] *m* appareil *m*

Appartement [apart(e)'maŋ] *n* studio *m*

Appetit [apɛ'ti:t] *m* appétit *m*; *Der ~ kommt beim Essen.* L'appétit vient en mangeant.

applaudieren [aplau'di:rən] *v* applaudir

Applaus [a'plaus] *m* applaudissements *m/pl*

Aprikose [apri'ko:zə] *f* abricot *m*

April [a'pril] *m* avril *m*

Aquarell [akʊa'rɛl] *n* aquarelle *f*

Aquarium [a'kʊa:rjum] *n* aquarium *m*

Arabien [a'ra:bjən] *n* Arabie *f*

Arbeit ['arbaıt] *f* travail *m*; *~ suchen* chercher du boulot; *An die ~!* Au boulot!

arbeiten ['arbaıtən] *v* travailler; *hart ~* travailler comme une bête

Arbeiter ['arbaıtər] *m* travailleur *m*, ouvrier *m*

Arbeitgeber ['arbaıtge:bər] *m* patron *m*, employeur *m*

Arbeitnehmer ['arbaıtne:mər] *m* salarié *m*, employé *m*

Arbeitsamt ['arbaıtsamt] *n* ANPE (Agence Nationale Pour l'Emploi) *f*

Arbeitskraft ['arbaıtskraft] *f* main-d'œuvre *f*, ouvriers *m/pl*

arbeitslos ['arbaıtslo:s] *adj* au chômage

Arbeitslosigkeit ['arbaıtslo:zıŋkaıt] *f* chômage *m*

Arbeitsstelle ['arbaıtsˌʃteːle] *f* poste (de travail) *m*

arbeitsunfähig ['arbaıtsunfɛ:ıŋ] *adj* en arrêt de travail, en incapacité de travail

Arbeitszeit ['arbaıtstsaıt] *f* journée de travail *f*, heures de travail *f/pl*

Archäologe ['arŋeo'lo:gə] *m* archéologue *m*

Architekt ['arŋı'tɛkt] *m* architecte *m*

Architektur [arŋitek'tu:r] *f* architecture *f*

Archiv [ar'ŋi:f] *n* archives *f/pl*

arg ['ark] *adj* mauvais, méchant

Argentinien [argɛn'ti:niən] *n* Argentine *f*

Ärger ['ɛrgər] *m* irritation *f*, contrariété *f*; *sich ~ ersparen* s'épargner des ennuis; *seinen ~ in sich hineinfressen* ronger son frein

ärgerlich ['ɛrgərlıŋ] *adj* fâcheux, agaçant

ärgern ['ɛrgərn] *v 1. jdn ~* irriter, contrarier; *2. sich ~* se fâcher, se mettre en colère

Ärgernis ['ɛrgərnıs] *n* contrariété *f*

arglos ['arklo:s] *adj* ingénu, innocent

Argument [argu'mɛnt] *n* argument *m*

Argwohn ['arkvo:n] *m* soupçon *m*

argwöhnisch ['arkvø:nıʃ] *adj* méfiant

Arie ['a:rjə] *f* ariette *f*

Aristokratie [aristokra:'ti:] *f* aristocratie *f*

arm [arm] *adj* pauvre

Arm [arm] *m* bras *m*; *~ in ~* bras dessus, bras dessous

Armband ['armbant] *n* bracelet *m*

Armbanduhr ['armbantu:r] *f* montre-bracelet *f*

Armee [ar'me:] *f* armée *f*

Ärmel ['ɛrməl] *m* manche *f*

Ärmelkanal ['ɛrməlkana:l] *m* Manche *f*

armselig ['armse:lıŋ] *adj (fig)* pauvre, misérable

Armut ['armu:t] *f* pauvreté *f*, misère *f*

Aroma ['aro:ma] *n* arôme *m*

arrangieren [a'ranʒi:rən] *v* arranger

arrogant [aro'gant] *adj* arrogant

Arroganz [aro'gants] *f* arrogance *f*

Arsch [arʃ] *m (fam)* cul *m*, salaud *m*; *Du kannst mich mal ...* Je t'emmerde!

Art [a:rt] *f* genre *m*, espèce *f*, sorte *f*; *Das ist nicht meine ~.* Ce n'est pas mon genre.

Artenschutz ['a:rtənʃuts] *m* protection des espèces *f*

Arterie [ar'te:rjə] *f* artère *f*

artig [a:rtik] *adj* sage, bien élevé

Artikel [ar'ti:kəl] *m* article *m*

Artillerie [ar'tilə'ri:] *f* artillerie *f*

Artischocke [arti'ʃɔkə] *f* artichaut *m*

Artist [ar'tıst] *m* artiste *m*

Arznei [arts'naı] *f* remède *m*, médicament *m*

Arzt [artst] *m* médecin *m*

As [as] *n* as *m*

Asbest [as'bɛst] *m* amiante *m*

Asche ['aʃə] *f* cendre *f*; *in Schutt und ~ legen* réduire en cendres

Aschenbecher ['aʃənbɛŋər] *m* cendrier *m*

Asien ['aːziːn] n Asie f
asozial [a:zoːˈtsjaːl] adj marginal, asocial
Aspekt [asˈpɔkt] m aspect m
Asphalt ['asfalt] m asphalte m
Assistent [asiˈstɛnt] m assistant m
Ast [ast] m branche f, rameau m
Aster ['astər] f aster m
Asthma ['astmaː] n asthme m
Astronaut [astroˈnaut] m astronaute m
Astronomie [astronoˈmiː] f astronomie f
Asyl [aˈzyːl] n asile m
Asylant [asyˈlant] m réfugié politique m
Asylbewerber [aˈzyːlbəvɛrbər] m demandeur d'asile m
Asylrecht [aˈzyːlrɛnt] n droit d'asile m
Atelier [ateˈljeː] n atelier m
Atem ['aːtəm] m respiration f; *wieder zu-kommen* reprendre haleine
atemlos ['aːtəmloːs] adj hors d'haleine
Atemnot ['aːtəmnoːt] f étouffement m
Äther ['ɛtər] m éther m
Äthiopien [ɛtiˈoːpjən] n Ethiopie f
Athlet [atˈleːt] m athlète m
Atlantik [atˈlaːntik] m Atlantique m
Atlas/Atlanten ['atlas] m atlas m
atmen ['aːtmən] v respirer
Atmosphäre [atmosˈfɛːrə] f atmosphère f
Atmung ['aːtmuŋ] f respiration f
Atom [aˈtoːm] n atome m
atomar [atoˈmaːr] adj atomique, nucléaire
Atomenergie [aˈtoːmenɛrgiː] f énergie nucléaire f, énergie atomique f
Atomkraftwerk [aˈtoːmkraftvɛrk] n centrale atomique f, centrale nucléaire f
Attacke [atˈtakə] f attaque f
Attentat [atɛnˈtaːt] n attentat m
Attest [aˈtɛst] n certificat médical m
Attraktion [atraktsˈjoːn] f attraction f
attraktiv [atrakˈtiːf] adj séduisant
ätzen ['ɛtsən] v (*Säure*) ronger
auch [aux] konj même, aussi
auf [auf] prep 1. (*örtlich*) sur; ~ *dem Tisch* sur la table; ~ *dem Boden* à terre; ~ *einer Insel* dans une île; ~ *der Treppe/Straße* dans l'escalier/la rue; ~ *der Welt* au monde; ~ *der ganzen Welt* dans le monde entier; ~ *dieser Seite* de ce côté; ~ *dem Land* à la campagne; ~ *dem Weg* en chemin; ~ *diesem Weg* par ce chemin; ~ *dem schnellsten Weg* le plus vite possible; ~ *seinem Posten* à son poste; ~ *Urlaub* en vacances; ~ *Besuch* en visite; *sich ~ den Weg machen* se mettre en route; 2.

(*zeitlich*) ~ *immer* pour toujours/à jamais; ~ *einmal* soudain/tout à coup; ~ *der Stelle* sur-le-champ; ~ *morgen* à demain; ~ *Wiedersehen* au revoir; ~ *einen Montag fallen* tomber un lundi; *von Kindheit* ~ dès l'enfance; 3. (*Art und Weise*) ~ *diese Art* de cette manière; ~ *gut Glück* au hasard; ~ *französisch* en français; ~ *Anfrage* sur demande; ~ *Befehl* par ordre; ~ *Bitte von jdm* à la prière de qn; ~ *Drohung von* sur une menace; ~ *Rat von* sur le conseil de; ~ *Verdacht* sur un simple soupçon; ~ *meine Kosten* à mes frais; ~ *Schlag ~ Schlag* coup sur coup; ~ *einen Zug* tout d'un trait; ~ *alle Fälle* en tout cas; ~ *und ab* de haut en bas; ~ *und ab gehen* faire les cent pas; ~ *und davon fliegen* s'envoler; *sich ~ und davon machen* prendre le large; 4. adv (*offen*) être ouvert; ~ *sein* (*wach*) être debout/levé; *Schon* ~? Déjà levé?
aufatmen ['aufaːtmən] v 1. reprendre haleine, respirer; 2. être soulagé
Aufbau ['aufbau] m 1. (*Anordnung*) organisation f, principe m; 2. (*Struktur*) structure f, schéma m
aufbauen ['aufbauən] v 1. (*montieren*) monter; 2. (*Gerüst*) échafauder
aufbewahren ['aufbevaːrən] v conserver, garder
aufblasen ['aufblaːzən] v gonfler
aufblicken ['aufblikən] v lever les yeux
aufblühen ['aufblyːən] v 1. éclore; 2. (*fig*) s'épanouir
aufbrechen ['aufbrɛnən] v 1. (*öffnen*) ouvrir en brisant, éventrer; 2. (*fig*) s'en aller
Aufbruch ['aufbrux] m effraction f
aufbrühen ['aufbryːən] v faire bouillir
aufbürden ['aufbyrdən] v imputer à qn
aufdecken ['aufdɛkən] v 1. (*bloßlegen*) dévoiler; 2. (*fig: Geheimnis*) révéler
aufdrängen ['aufdrɛnən] v imposer
aufdringlich ['aufdrɪnlɪn] adj importun
Aufdruck ['aufdruk] m impression f
aufeinander [aufaɪnˈandər] adv 1. (*örtlich*) l'un sur l'autre; 2. (*zeitlich*) l'un après l'autre
Aufenthalt ['aufɛnhalt] m séjour m
Aufenthaltsgenehmigung ['aufɛnthaltsgənɛːmɪguŋ] f permis de séjour m
auferlegen ['aufɛrleːgən] v imposer
Auferstehung ['aufɛrʃteːuŋ] f résurrection f
Auffahrt ['aufaːrt] f 1. (*Haus*) rampe d'accès f; 2. (*Autobahn*) bretelle d'accès f
auffallen ['aufalən] v frapper

auffangen ['auffaŋən] v 1. saisir au vol; 2. (fig) accueillir

Auffassung ['auffasuŋ] f conception f

auffordern ['auffɔrdərn] v exhorter à

Aufforderung ['auffɔrdəruŋ] f JUR mise en demeure f, sommation f

aufführen ['auffy:rən] v représenter

Aufführung ['auffy:ruŋ] f représentation f

Aufgabe ['aufga:bə] f 1. (Versand) expédition f; 2. (Arbeit) devoir m, tâche f; 3. (Verzicht) renoncement m, abandon m

Aufgang ['aufgaŋ] m (Sonne) lever m

aufgeben ['aufge:bən] v 1. (versenden) expédier; 2. (verzichten) renoncer à; Ich geb's auf. J'y renonce. 3. (beauftragen) charger qn d'une tâche

Aufgebot ['aufgəbo:t] n 1. (Anzahl) nombre m; 2. (Ehe-) publication des bans f

aufgehen ['aufge:ən] v 1. (Teig) lever; Der Teig geht auf. La pâte lève. 2. (Sonne) se lever; 3. (Blume) s'ouvrir

aufgelegt ['aufgəle:kt] adj gut/schlecht ~ de bonne/mauvaise humeur

aufgeregt ['aufgəre:kt] adj agité, excité

aufgreifen ['aufgraifən] v ramasser

aufgrund [auf'grunt] prep à cause de

aufhalten ['aufhaltən] v 1. (Tür) tenir ouvert; 2. jdn ~ retenir qn; 3. sich ~ séjourner; sich nicht mit Einzelheiten ~ ne pas s'arrêter à des détails; sich ~ in (Zimmer) se tenir dans

aufhängen ['aufhɛŋən] v 1. suspendre; 2. sich ~ se pendre

Aufhänger ['aufhɛŋər] m attache f

aufheben ['aufhe:bən] v 1. (vom Boden) ramasser, relever; 2. (aufbewahren) mettre de côté, garder; 3. (beenden) mettre fin à

aufheitern ['aufhaitərn] v égayer

aufhellen ['aufhɛlən] v éclaircir, élucider; Der Himmel hellt sich auf. Le temps se dégage.

aufhetzen ['aufhɛtsən] v fanatiser, exciter

aufholen ['aufho:lən] v rattraper

aufhören ['aufhø:rən] v arrêter, cesser

aufklären ['aufklɛrən] v 1. tirer au clair, éclairer; 2. jdn ~ ouvrir les yeux à qn

Aufklärung ['aufklɛruŋ] f 1. explication f, éclaircissements m/pl; 2. HIST Siècle des Lumières m; 3. MIL reconnaissance f

aufladen ['aufla:dən] v 1. (beladen) charger; 2. (Batterie) TECH recharger

Auflage ['aufla:gə] f 1. (Bedingung) condition f; 2. (Buch) tirage m, édition f

auflauern ['auflauərn] v guetter, épier

Auflauf ['auflauf] m 1. (Menschen) rassemblement m; 2. GAST soufflé m

aufleben ['aufle:bən] v 1. (Person) revivre, s'épanouir; 2. (Diskussion) se ranimer

auflegen ['aufle:gən] v TEL raccrocher

auflehnen ['aufle:nən] v sich ~ se révolter contre; sich mit dem Ellenbogen ~ s'appuyer

Auflehnung ['aufle:nuŋ] f rébellion f

auflesen ['aufle:zən] v ramasser, cueillir

auflösen ['auflø:zən] v 1. (Pulver) dissoudre; 2. (Geschäft) cesser les activités

Auflösung ['auflø:zuŋ] f 1. (Rätsel) solution f; 2. (Geschäft) cessation d'activité f

aufmachen ['aufmaxən] v ouvrir; den Mund nicht ~ ne pas desserrer les dents

aufmerksam ['aufmɛrkza:m] adj attentif; jdn auf etw ~ machen faire observer qc à qn

Aufmerksamkeit ['aufmɛrkza:mkait] f attention f; jds ~ fesseln captiver l'attention de qn

aufmuntern ['aufmuntərn] v encourager

Aufnahme ['aufna:mə] f 1. (Empfang) réception f; 2. (in Organisation) admission f; 3. (Nahrung) prise f, absorption f; 4. FOTO photographie f, photo f

aufnehmen ['aufne:mən] v 1. (fassen) prendre; 2. (Beziehung) commencer; 3. (Arbeit) prendre; 4. (empfangen) accueillir; 5. (fotografieren) photographier

aufpassen ['aufpasən] v faire attention à

Aufprall ['aufpral] m collision f, choc m

aufräumen ['aufrɔymən] v ranger, débarrasser, faire le ménage

aufrecht ['aufrɛçt] adj droit, debout

aufregen ['aufre:gən] v 1. jdn ~ énerver qn; 2. sich ~ s'émouvoir, s'énerver, s'exciter; sich nicht ~ ne pas s'en faire

aufregend ['aufre:gənt] adj énervant

Aufregung ['aufre:guŋ] f émotion f, agitation f

aufreißen ['aufraitsən] v arracher

aufreizend ['aufraitsənt] adj excitant

aufrichten ['aufrıçtən] v élever, dresser

aufrichtig ['aufrıçtıç] adj sincère, franc

Aufrichtigkeit ['aufrıçtıçkait] f sincérité f, franchise f

Aufruf ['aufru:f] m appel m, proclamation f

aufrufen ['aufru:fən] v 1. appeler, rappeler; 2. (Erinnerung) évoquer

Aufruhr ['aufru:r] m sédition f

aufrunden ['aufrʊndən] *v* MATH arrondir
aufrüsten ['aufrʏstən] *v* réarmer
Aufsatz ['aufzats] *m* dissertation *f*, composition *f*
aufschieben ['aufʃiːbən] *v* remettre
Aufschlag ['aufʃlaːk] *m* 1. (Kleidung) revers *m*; 2. (Tennis) service *m*; 3. (Preis) hausse *f*
aufschließen ['aufʃliːsən] *v* ouvrir
aufschlußreich ['aufʃlusraıç] *adj* instructif
aufschneiden ['aufʃnaɪdən] *v* 1. (schneiden) couper; 2. (angeben) se vanter
Aufschnitt ['aufʃnɪt] *m* (Wurst) charcuterie *f*, assiette anglaise *f*
Aufschrei ['aufʃraı] *m* grand cri *m*, tollé *m*
aufschreiben ['aufʃraıbən] *v* noter
Aufschrift ['aufʃrɪt] *f* 1. adresse *f*, étiquette *f*; 2. (Überschrift) titre de chapitre *m*
Aufschub ['aufʃuːp] *m*, ajournement *m*
Aufschwung ['aufʃvʊŋ] *m* expansion *f*
Aufsehen ['aufseːən] *n* sensation *f*
aufsehenerregend ['aufseːənɛreːgənt] *adj* sensationnel
Aufseher ['aufseːər] *m*, gardien *m*
aufsetzen ['aufzɛtsən] *v* 1. mettre, poser sur; 2. (schreiben) rédiger
Aufsicht ['aufzıçt] *f* surveillance *f*
aufspalten ['aufʃpaltən] *v* fendre
aufsperren ['aufʃpɛrən] *v* ouvrir
Aufstand ['aufʃtant] *m* soulèvement *m*, émeute *f*
aufständisch ['aufʃtɛːndıʃ] *adj* rebelle
aufstehen ['aufʃteːən] *v* se lever
aufsteigen ['aufʃtaıgən] *v* 1. monter, s'élever; 2. (Beruf) monter en grade
aufstellen ['aufʃtɛlən] *v* 1. (montieren) monter, installer, 2. (Kandidaten) présenter
Aufstellung ['aufʃtɛluŋ] *f* installation *f*, présentation *f*
Aufstieg ['aufʃtiːk] *m* 1. (Berg) ascension *f*, montée *f*; 2. (Entwicklung) montée *f*; 3. (Karriere) carrière *f*
aufstützen ['aufʃtʏtsən] *v* étayer, appuyer
aufsuchen ['aufzuːxən] *v* 1. aller voir; 2. (Arzt) consulter
Auftakt ['auftakt] *m* ouverture *f*, début *m*
auftauchen ['auftauxən] *v* apparaître
auftauen ['auftauən] *v* dégeler
aufteilen ['auftaılən] *v* partager
Aufteilung ['auftaıluŋ] *f* partage *m*, répartition *f*

Auftrag ['auftraːk] *m* 1. (Aufgabe) mission *f*, charge *f*; 2. ECO commande *f*
auftragen ['auftraːgən] *v* 1. (Speisen) servir; 2. (beauftragen) charger de; 3. (bestreichen) appliquer
auftrennen ['auftrenən] *v* découdre
auftreten ['auftreːtən] *v* 1. (erscheinen) apparaître, se présenter; ein sicheres - haben avoir de l'aplomb; 2. THEAT se produire
Auftritt ['auftrıt] *m* 1. apparition *f*, présentation *f*; 2. THEAT entrée en scène *f*
aufwachen ['aufvaxən] *v* se réveiller
aufwachsen ['aufvaxsən] *v* grandir
Aufwand ['aufvant] *m* 1. (Einsatz) dépense *f*, étalage *m*; Es lohnt den - nicht. Le jeu n'en vaut pas la chandelle. 2. (Kosten) frais *m/pl*
aufwärmen ['aufvɛrmən] *v* réchauffer
aufwärts ['aufvɛrts] *adv* vers le haut
aufwecken ['aufvɛkən] *v* réveiller
aufweichen ['aufvaıçən] *v* (r)amollir, détremper
aufweisen ['aufvaızən] *v* montrer
aufwenden ['aufvɛndən] *v* 1. mettre en œuvre; 2. dépenser
aufwendig ['aufvɛndıç] *adj* coûteux
aufwerten ['aufvɛrtən] *v* FIN réévaluer
aufwiegeln ['aufviːgəln] *v* soulever
aufzählen ['auftsɛːlən] *v* énumérer
aufzeichnen ['auftsaıçnən] *v* 1. (zeichnen) dessiner; 2. enregistrer
Aufzeichnung ['auftsaıçnuŋ] *f* 1. (Zeichnung) dessin *m*; 2. (Notiz) note *f*; 3. (Musik) enregistrement *m*
aufziehen ['auftsiːən] *v* 1. (öffnen) ouvrir; 2. élever; 3. (Uhr) remonter
Aufzug ['auftsuːk] *m* ascenseur *m*
Auge ['augə] *n* œil *m*; jdm tief in die -n blicken regarder qn dans le blanc des yeux; die -n verschließen vor etw se boucher les yeux devant qc; ein - auf jdn werfen jeter son dévolu sur qn; mit bloßem - à l'œil nu; ein gutes -nmaß haben avoir le compas dans l'œil; jdn ständig im - behalten tenir qn à l'œil; ein - zudrücken fermer les yeux sur qc; -nringe haben avoir des poches sous les yeux; soweit das - reicht à perte de vue
Augenarzt ['augənartst] *m* ophtalmologiste *m*
Augenblick ['augənblık] *m* instant *m*, moment *m*; jeden - d'une minute à l'autre; im gegebenen - à un moment donné; ohne einen - zu zögern ne faire ni une ni deux

augenblicklich ['augənbliklɪŋ] *1. adj* instantané, momentané; *2. adv* pour l'instant
Augenbraue ['augənbrauə] *f* sourcil *m*
Augenlid ['augənli:t] *n* paupière *f*
August [au'gust] *m* août *m*
Auktion [auktsj'o:n] *f* vente aux enchères *f*
Aula ['aula] *f* salle des fêtes *f*
aus ['aus] *prep 1. (örtlich)* de, hors de; ~ *der Stadt* de la ville; ~ *Zug* – *München* train venant/en provenance de Munich; ~ *einem Glas trinken* boire dans un verre; ~ *einem Buch lernen* apprendre dans un livre; ~ *dem Fenster sehen* regarder par la fenêtre; *von hier* ~ d'ici; *jdn* ~ *dem Haus werfen* mettre qn à la porte; ~ *guter Quelle* de bonne source; ~ *erster Hand* de première main; ~ *der Mode* passé de mode; *von Grund* ~ de fond en comble; *nicht* – *noch ein wissen* ne savoir que faire; *2. (zeitlich)* ~ *der Zeit von* du temps de; *3. (Art und Weise)* ~ *allen Kräften* de toutes mes forces; ~ *vollem Hals* à tue-tête; *4. (kausal)* ~ *diesem Grund* pour cette raison; ~ *Furcht* de peur/par crainte de; ~ *Liebe* par amour; ~ *Achtung* par respect pour; ~ *Erfahrung* par expérience; ~ *Mangel* an faute de; *5. (Stoff)* de; *6. adv (zu Ende) Es ist* ~. C'est fini. *Meine Kraft ist* ~. Je suis à bout de mes forces. *Der Braten ist* ~. Il n'y a plus de rôti.
ausarbeiten ['ausarbaitən] *v* élaborer
ausarten ['ausartən] *v* dégénérer
ausatmen ['ausa:tmən] *v* expirer
Ausbau ['ausbau] *m 1. (Vergrößerung)* élargissement *m*; *2. (Gebäude)* achèvement *m*
ausbauen ['ausbauən] *v* agrandir
ausbessern ['ausbɛsərn] *v 1.* réparer; *2. (Kleidung)* repriser; *3. (Gemälde)* restaurer
Ausbeute ['ausbɔytə] *f* ECO rapport *m*
ausbeuten ['ausbɔytən] *v* exploiter
ausbilden ['ausbildən] *v* former, instruire
Ausbildung ['ausbildun] *f* formation *f*, instruction *f*, éducation *f*
Ausblick ['ausblik] *m* vue *f*, perspective *f*
ausbrechen ['ausbrɛçən] *v 1. (herausbrechen)* arracher; *2. (entfliehen)* s'évader, s'échapper; *3. (Krieg)* éclater
ausbreiten ['ausbraitən] *v 1. etw* ~ étendre, étaler; *2. sich* ~ se répandre
Ausbruch ['ausbrux] *m 1. (Flucht)* évasion *f*; *2. (Vulkan)* éruption *f*; *3. (Krankheit)* apparition *f*; *4. (Entfesselung)* déchaînement *m*

ausbrüten ['ausbry:tən] *v* faire éclore
Ausdauer ['ausdauər] *f* endurance *f*, persévérance *f*
ausdauernd ['ausdauərnt] *adj* endurant, persévérant
ausdehnen ['ausde:nən] *v 1. (örtlich)* étendre, élargir; *2. (zeitlich)* allonger
Ausdehnung ['ausde:nun] *f* extension *f*, étendue *f*
ausdenken ['ausde:nkən] *v sich* ~ imaginer
Ausdruck ['ausdruk] *m 1. (Wort)* expression *f*, terme *m*; *2. (Gesichts-)* expression *f*
ausdrücken ['ausdrykən] *v* exprimer
ausdrücklich ['ausdryklɪŋ] *adj* explicite
ausdrucksvoll ['ausdruksfɔl] *adj* expressif
auseinander [ausain'andər] *adv* séparément
auseinanderbrechen [ausain'andərbrɛ-ŋən] *v* casser, rompre
auseinanderhalten [ausain'andərhaltən] *v* séparer, distinguer
Auseinandersetzung [ausain'andərzɛt-sun] *f* explication *f*, démêlé *m*; *mit jdm eine* ~ *haben* avoir une prise de bec avec qn
Ausfahrt ['ausfa:rt] *f* sortie *f*
Ausfall ['ausfal] *m 1. (Haare)* chute des cheveux *f*; *2. (Störung)* panne *f*
ausfallen ['ausfalən] *v 1. (Haare)* tomber; *2. (nicht stattfinden)* ne pas avoir lieu, être supprimé; *3. (Maschine)* tomber en panne
Ausflüchte ['ausflʏçtə] *pl* prétexte(s) *m/(pl)*
Ausflug ['ausflu:k] *m* excursion *f*
ausfragen ['ausfra:gən] *v* interroger qn
Ausfuhr ['ausfu:r] *f* exportation *f*
ausführen ['ausfy:rən] *v 1. (durchführen)* exécuter, accomplir; *2. (darlegen)* exposer, développer; *3. ECO* exporter
ausführlich ['ausfy:rlɪç] *1. adj* détaillé; *2. adv* en détail
Ausführung ['ausfy:run] *f* exécution *f*
ausfüllen ['ausfʏlən] *v* remplir, combler; *einen Graben* ~ combler un fossé; *ein Formular* ~ remplir un formulaire
Ausgabe ['ausga:bə] *f 1. (Geld-)* dépense *f*, *2. (Buch-)* édition *f*
Ausgang ['ausgaŋ] *m 1.* sortie *f*, issue *f*, dénouement *m*; *2. (Ende)* fin *f*, issue *f*
Ausgangspunkt ['ausgaŋspuŋkt] *m* point de départ *m*; *als* ~ *für etw dienen* servir de base à qc

ausgeben ['ausge:bən] v dépenser

ausgebucht ['ausgə:buxt] adj (Hotel) complet

Ausgeglichenheit ['ausgəglıŋənhaıt] f équilibre m, harmonie f

ausgehen ['ausge:ən] v 1. (weggehen) sortir, partir; 2. (enden) finir; 3. (erlöschen) s'éteindre; 4. (Vorräte) s'épuiser

ausgelassen ['ausgəlasən] adj exubérant

ausgenommen ['ausgənomən] prep excepté, sauf, mis à part

ausgerechnet ['ausgərεʃnət] adv précisément, justement

ausgezeichnet ['ausgətsaıŋnət] adj excellent; Es geht ihm -. Il se porte à merveille.

ausgiebig ['ausgi:bıŋ] adj abondant

Ausgleich ['ausglaıŋ] m 1. ECO balance f, équilibre m; 2. SPORT égalisation f; 3. (fig) contrepoids m, compensation f

ausgraben ['ausgra:bən] v déterrer

Ausgrabung ['ausgra:buŋ] f fouilles f/pl

aushalten ['aushaltən] v supporter; Das ist nicht zum -! C'est infernal!

aushändigen ['aushɛndigən] v remettre en main propre, délivrer

Aushang ['aushaŋ] m affiche f

ausharren ['ausharən] v persévérer

ausheben ['aushe:bən] v 1. (Loch) creuser; 2. (fig) débusquer

aushelfen ['aushɛlfən] v assister qn

Aushilfe ['aushılfə] f aide f, secours m

aushilfsweise ['aushılfsvaısə] adv à titre provisoire

aushorchen ['aushorŋən] v sonder qn

auskennen ['auskɛnən] v sich - s'y retrouver, s'y connaître en/en matière de; sich besonders gut - être ferré à glace sur un sujet

ausklammern ['ausklamərn] v exclure

Auskommen ['auskomən] n revenus m/pl; sein - haben vivre décemment

auskommen ['auskomən] v s'accorder avec qn, s'entendre avec qn

Auskunft ['auskunft] f (Information) renseignement m, information f

auslachen ['auslaxən] v se moquer de qn

ausladen ['ausla:dən] v (Gepäck) décharger

Auslage ['ausla:gə] f 1. (Schaufenster) étalage m; 2. (Geld) frais m/pl

Ausland ['auslant] n étranger m

Ausländerfeindlichkeit ['auslɛndərfaıntlıŋkaıt] f xénophobie f

ausländisch ['auslɛndıʃ] adj étranger

auslaufen ['auslaufən] v 1. (Flüssigkeit) couler, fuir; 2. (Schiff) appareiller, sortir

ausleeren ['ausle:rən] v vider, vidanger

auslegen ['ausle:gən] v 1. (Waren) étaler; 2. (Geld) avancer; 3. (deuten) interpréter

ausleihen ['auslaıən] v 1. etw - prêter; 2. sich etw - emprunter

Auslese ['ausle:zə] f sélection f, choix m

ausliefern ['ausli:fərn] v 1. livrer, expédier; 2. JUR extrader

Auslieferung ['ausli:fəruŋ] f 1. livraison f; 2. JUR extradition f

auslöschen ['auslœʃən] v 1. (Feuer) éteindre; 2. (fig) effacer

auslösen ['auslø:zən] v 1. (in Gang setzen) déclencher, mettre en marche; 2. (fig: verursachen) causer

auslosen ['auslo:zən] v tirer au sort

ausmachen ['ausmaxən] v 1. (löschen) éteindre; 2. (übereinkommen) convenir de, décider; 3. (sich belaufen auf) se monter à

Ausmaß ['ausma:s] n dimension f

Ausnahme ['ausna:mə] f exception f

ausnahmslos ['ausna:mslo:s] adj sans exception

ausnahmsweise ['ausna:msvaızə] adv exceptionnellement

ausnehmen ['ausne:mən] v 1. (ausschließen) exclure; 2. (Tiere) vider; 3. (fig: jdn -) excepter; 4. (ausbeuten) exploiter

ausnützen ['ausnytsən] v exploiter

auspacken ['auspakən] v déballer

ausplündern ['ausplyndərn] v piller

auspressen ['auspresən] v 1. presser, extraire; 2. (Saft) exprimer

Auspuff ['auspuf] m échappement m

ausquartieren ['auskvarti:rən] v déloger

ausradieren ['ausradi:rən] v effacer

ausrauben ['ausraubən] v dépouiller

ausräumen ['ausrɔymən] v 1. démeubler; 2. (fig: Zweifel) écarter

ausrechnen ['ausrɛʃnən] v calculer, estimer; seine Chancen - calculer ses chances

Ausrede ['ausre:də] f prétexte m; Das sind faule -n. C'est du baratin.

ausreichen ['ausraıʃən] v suffire

ausreichend ['ausraıʃənt] adj suffisant

Ausreise ['ausraızə] f départ m, sortie f

Ausreisevisum ['ausraızəvi:zum] n visa de sortie m

ausrenken ['ausrɛŋkən] v sich etw - se tordre, se démettre

ausrichten ['ausrıçtən] *v* 1. *(aufstellen)* dresser; 2. *(veranstalten)* organiser; 3. *(benachrichtigen)* transmettre

ausrotten ['ausrɔtən] *v* 1. exterminer; 2. *(Art)* détruire

Ausruf ['ausru:f] *m* appel *m*, cri *m*

ausrufen ['ausru:fən] *v* crier, proclamer

Ausrufungszeichen ['ausru:fuŋstsaɪçən] *n* point d'exclamation *m*

ausruhen ['ausru:ən] *v sich* - se reposer

ausrüsten ['ausrystən] *v* équiper

Ausrüstung [ausrystuŋ] *f* équipement *m*

ausrutschen ['ausrutʃən] *v* glisser

Aussage ['ausza:gə] *f* 1. déclaration *f*, dires *m/pl*; 2. JUR déposition *f*

aussagen ['ausza:gən] *v* 1. déclarer, expliquer; 2. JUR déposer

ausschalten ['ausʃaltən] *v* 1. *(Licht)* éteindre; 2. *(Maschine)* arrêter; 3. *(fig)* éliminer

ausscheiden ['ausʃaɪdən] *v* 1. *(ausschließen)* éliminer, retirer; 2. MED sécréter

Ausschlag ['ausʃlak] *m* MED eczéma *m*

ausschlaggebend ['ausʃla:kgebənt] *adj* déterminant, décisif

ausschließen ['ausʃli:sən] *v* 1. *(jdn -)* exclure qn; 2. *(aussperren)* mettre dehors

ausschließlich ['ausʃli:slıç] *adj* exclusif

Ausschluß ['ausʃlus] *m* exclusion *f*

ausschmücken ['ausʃmykən] *v* décorer

ausschneiden ['ausʃnaɪdən] *v* découper

Ausschnitt ['ausʃnıt] *m* 1. *(Kleid)* décolleté *m*; 2. *(Zeitung)* extrait *m*; 3. *(Detail)* détail *m*

ausschreiben ['ausʃraɪbən] *v* 1. *(vollständig schreiben)* écrire en toutes lettres; 2. *(Stelle)* déclarer vacant; 3. *(Scheck)* émettre un chèque

Ausschreibung ['ausʃraɪbuŋ] *f (Stelle/Wettbewerb)* annonce d'emploi vacant *f*

Ausschreitung ['ausʃraɪtuŋ] *f* excès *m*

Ausschuß ['ausʃus] *m* 1. *(Abfall)* rebut *m*, déchet *m*; 2. POL comité *m*, commission *f*

ausschütten ['ausʃytən] *v* verser, répandre

ausschweifend ['ausʃvaɪfənt] *adj* extravagant, débauché

Aussehen ['ausse:ən] *n* aspect *m*, air *m*

aussehen ['ausse:ən] *v* paraître, avoir l'air, ressembler à; *gut* - avoir bonne mine; *müde* - avoir l'air fatigué; *nach nichts* - n'avoir l'air de rien; *anständig* - avoir l'air comme il faut; *Das sieht ganz danach aus.* Ça en a tout l'air. *jung* - faire jeune

außen ['ausən] *adv* au dehors, à l'extérieur

Außendienst ['ausəndi:nst] *m* service extérieur *m*

Außenhandel ['ausənhadəl] *m* commerce extérieur *m*

Außenministerium ['ausənministe:rjum] *n* ministère des Affaires étrangères *m*

Außenseiter ['ausənsaɪtər] *m* outsider *m*

außer ['ausər] *prep* sauf

außerdem ['ausərde:m] *konj* en plus, de plus, en outre

Äußere [ɔysərə] *n* 1. extérieur *m*, dehors *m/pl*; 2. *(Aussehen)* apparences *f/pl*

außergewöhnlich ['ausərgəvø:nlıç] *adj* extraordinaire, inhabituel

außerhalb ['ausərhalp] 1. *prep* à l'extérieur de, en dehors de; 2. *adv* à l'extérieur, en dehors

äußerlich [ɔysərlıç] 1. *adj* externe, extérieur; 2. *adv* en apparence

äußern [ɔysərn] *v* exprimer

außerordentlich ['ausərɔrdəntlıç] *adj* exceptionnel

äußerstenfalls ['ɔysərstɛnfals] *adv* à la rigueur

Äußerung [ɔysəruŋ] *f* déclaration *f*

aussetzen ['auszɛtsən] *v* 1. *(Tier)* abandonner; 2. *(Arbeit)* interrompre; 3. *(Motor)* arrêter; 4. *(Urteil)* surseoir à; *an allem etw auszusetzen haben* trouver à redire à tout

Aussicht ['auszıçt] *f* 1. *(Ausblick)* vue *f*, perspective *f*, panorama *m*; *etw in - haben* avoir qc en vue; 2. *(fig)* chances *f/pl*

aussichtslos ['auszıçtslo:s] *adj* qui n'a aucune chance, voué à l'échec

Aussiedler ['auszi:dlər] *m* émigrant *m*

aussöhnen ['auszø:nən] *v* (se) réconcilier

aussondern ['auszɔndərn] *v* 1. trier, mettre à part; 2. CHEM extraire

aussortieren ['auszɔrti:rən] *v* trier

Aussprache ['ausʃpra:xə] *f* 1. LING prononciation *f*; 2. *(Gespräch)* discussion *f*

aussprechen ['ausʃprɛçən] *v* 1. LING prononcer; 2. *(äußern)* exprimer, déclarer; 3. *sich* - donner ses raisons

Ausstand ['ausʃtant] *m* 1. *(Forderung)* créance *f*; 2. *(Streik)* grève *f*

ausstatten ['ausʃtatən] *v* 1. *(einrichten)* équiper; 2. *(versehen)* pourvoir, équiper

Ausstattung ['ausʃtatuŋ] *f* équipement *m*, ameublement *m*

ausstehen ['ausʃte:ən] *v* 1. *(ertragen)* supporter qn, souffrir qn; *jdn nicht - können* ne pas pouvoir voir qn; 2. *(fehlen)* manquer

aussteigen ['ausʃtaɪgən] v (Fahrzeug) descendre

ausstellen ['ausʃtɛlən] v 1. (Waren) exposer; 2. (Dokumente) délivrer

Ausstellung ['ausʃtɛluŋ] f 1. (Gemälde, Kunst) exposition f; 2. (Dokumente) délivrance f; 3. (Rechnung) établissement m

aussterben ['ausʃtɛrbən] v (Tier, Pflanzenart) disparaître, mourir

Aussteuer ['ausʃtɔyər] f trousseau m, dot f

Ausstieg ['ausʃtiːk] m 1. sortie f; 2. (fig) rupture f

ausstoßen ['ausʃtosən] v 1. (Abgas) émettre; 2. (Nahrung) rejeter; 3. jdn ~ éliminer qn

ausstrahlen ['ausʃtraːlən] v 1. (Wärme) répandre; 2. (Sendung) diffuser

ausstrecken ['ausʃtrɛkən] v étendre

ausströmen ['ausʃtrøːmən] v (in Strömen) répandre, déverser

aussuchen ['auszuːxən] v choisir

Austausch ['austauʃ] m 1. échange m; 2. (Ersatz) rechange m

austauschen ['austauʃən] v 1. échanger; 2. (ersetzen) remplacer

austeilen ['austaɪlən] v distribuer

Auster ['austər] f huître f

austragen ['austraːgən] v 1. SPORT disputer; 2. (Streit) régler, vider; 3. (Pakete) distribuer

Australien [au'straːljən] n Australie f

austreten ['austreːtən] v 1. (Partei) quitter, rendre sa carte de membre; 2. (aus einem Verein) sortir de; 3. (ausströmen) déborder; 4. (Toilette) aller aux toilettes

austrinken ['austrɪŋkən] v vider son verre

Austritt ['austrɪt] m démission f

austrocknen ['austrɔknən] v sécher, assécher

ausüben ['ausyːbən] v exercer

Ausverkauf ['ausfɛrkauf] m soldes m/pl

ausverkauft ['ausfɛrkauft] adj épuisé

Auswahl ['ausvaːl] f choix m

auswählen ['ausvɛːlən] v choisir

Auswanderer ['ausvandərər] m émigrant m

auswandern ['ausvandərn] v émigrer

auswärts ['ausvɛrts] adv à l'extérieur

auswechseln ['ausvɛksəln] v échanger

Ausweg ['ausveːk] m issue f, échappatoire f

ausweglos ['ausveːkloːs] adj sans issue

ausweichen ['ausvaɪçən] v jdm ~ éviter; einer Frage ~ filer par la tangente

ausweichend ['ausvaɪçənt] adj évasif

Ausweis ['ausvaɪs] m pièce d'identité f

ausweisen ['ausvaɪzən] v 1. (aus Land) expulser; 2. sich ~ décliner son identité

Ausweisung ['ausvaɪzuŋ] f expulsion f

ausweiten ['ausvaɪtən] v répandre, étendre

auswendig ['ausvɛndɪç] adj par cœur; etw in und ~ kennen connaître qc par cœur

auswerten ['ausveːrtən] v exploiter

Auswertung ['ausveːrtuŋ] f évaluation f

auswirken ['ausvɪrkən] v sich ~ avoir un effet sur, exercer un effet sur

Auswirkung ['ausvɪrkuŋ] f effet m

Auswuchs ['ausvuːks] m excroissance f

auszahlen ['austsaːlən] v 1. payer; 2. sich ~ en valoir la peine, être payant

auszehren ['austseːrən] v consumer

auszeichnen ['austsaɪçnən] v 1. (würdigen) distinguer; 2. (Waren) étiqueter

Auszeichnung ['austsaɪçnuŋ] f distinction f, décoration f

ausziehen ['austsiːən] v 1. (Kleidung) enlever, ôter; 2. sich ~ se déshabiller; 3. (Wohnung wechseln) déménager

Auszubildende ['austsubɪldəndə] m/f apprenti(e) m/f

Auszug ['austsuːk] m 1. (Umzug) déménagement m; 2. (Zusammenfassung) extrait m; 3. (Konto~) extrait de compte m, relevé m

authentisch [au'tɛntɪʃ] adj authentique

Auto ['auto] n auto f, automobile f, voiture f

Autobahn ['autobaːn] f autoroute f

Autobahngebühr ['autobaːngəbyːr] f péage m

Autofahrer ['autofaːrər] m automobiliste m

Autogramm [auto'gram] n autographe m

Automat [auto'maːt] m appareil automatique m, distributeur automatique m

Automatik [auto'maːtik] f automatisme m

automatisch [auto'maːtiʃ] adj automatique

Autopsie ['autopsiː] f autopsie f

Autor ['autor] m auteur m

Autorität [autori'tɛːt] f autorité f; sich ~ verschaffen tenir en respect

Autowerkstatt ['autovɛrkʃtat] f garage m

Axt [akst] f hache f

B

Baby ['be:bi] n bébé m; noch ein richtiges ~ sein être encore au biberon
Babysitter ['be:bɪsɪtər] m babysitter m/f
Bach ['bax] m ruisseau m
Bachstelze ['baxʃteltsə] f bergeronnette f
Backbord ['bakbɔrt] n bâbord m
Backe ['bakə] f 1. ANAT joue f; 2. TECH mâchoire f
backen ['bakən] v faire cuire (au four)
Backenzahn ['bakəntsa:n] m molaire f
Bäckerei [bɛkə'raɪ] f boulangerie f
Backofen ['bako:fən] m four m
Backpulver ['bakpulvər] n levure f
Bad ['ba:t] n bain m, salle de bains f
Badeanzug ['ba:dəantsu:k] m maillot de bain m, tenue de bain f
Badehose ['ba:dəho:zə] f slip de bain m
Bademantel ['ba:dəmantəl] m peignoir m
Bademeister ['ba:dəmaɪstər] m maître-nageur m
baden ['ba:dən] v se baigner
Badeort ['ba:dəɔrt] m station balnéaire f
Badewanne ['ba:dəvanə] f baignoire f
Badezimmer ['ba:dətsɪmər] n salle de bains f, salle d'eau f
Bagger ['bagər] m drague f
Bahn ['ba:n] f 1. (Eisen-) chemin de fer m; 2. (Straßen-) tramway m; 3. (Fahr-) chaussée f; 4. (Umlauf-) révolution f
Bahndamm ['ba:ndam] m talus m
Bahnhof ['ba:nho:f] m gare f
Bahnsteig ['ba:nʃtaɪk] m quai m
Bahnübergang ['ba:nybərgaŋ] m passage à niveau m
Bahre [ba:rə] f 1. (Verletzte) brancard m, civière f; 2. (Tote) bière f
Baiser [baɪzər] n meringue f
Bakterie [bak'te:rjə] f bactérie f
Balance [ba'lansə] f équilibre m
bald [balt] adv bientôt; ~... tantôt...tantôt; ~ lachen ~ weinen rire et pleurer tour à tour
baldmöglichst [baldmø:klɪçst] adv dès que possible, le plus tôt possible
Baldrian [baldria:n] m valériane f
Balkan ['balkan] m Les Balkans m/pl
Balken ['balkən] m poutre f
Balkon [bal'ko:n] m balcon m

Ball [bal] m 1. balle f; 2. (Fuß-) ballon de football m, football m; 3. (Tanz) bal m
Ballast ['balast] m ballast m
Ballaststoffe ['balastʃtofə] f/pl BIO cellulose végétale f
Ballen ['balən] m 1. (Fuß) plante; 2. (Hand) paume f; 3. ECO balle f
Ballett [bal'lɛt] n ballet m
Ballon [ba'lɔŋ] m ballon m
Ballspiel ['balʃpi:l] n jeu de balle m
Balsam ['balza:m] m baume m
Baltikum ['baltikum] n pays baltes m/pl
Balustrade [balus'tra:də] f balustrade f
Bambus ['bambus] m bambou m
Banalität [banali'tɛ:t] f banalité f
Banane [ba'na:nə] f banane f
Band [bant] n 1. (Buch) tome m, volume m; 2. (Streifen) bande f, ruban m; 3. (Ton-) bande magnétique f
Bandage [ban'da:ʒə] f bandage m
Bande ['bandə] f (Gruppe) bande f
bändigen ['bɛndigən] v dompter, maîtriser
Bandscheibe ['bantʃaɪbə] f disque m
Bandwurm ['bantvurm] m ver solitaire m
bange ['baŋə] adj anxieux, inquiet
Bank [baŋk] f 1. banc m; 2. FIN banque f
Bankett [baŋ'kɛt] n banquettte f
Bankier ['baŋkjər] m banquier m
Bankkonto ['baŋkkɔnto] n compte bancaire m
Bankleitzahl [baŋklaɪtsa:l] f code bancaire m
Banknote ['baŋkno:tə] f billet de banque m
Bankrott ['baŋkrɔt] m banqueroute f; ~ machen faire faillite
Bar [ba:r] f bar m
Bär [bɛ:r] m ours m; jdm einen ~en aufbinden la bailler bonne à qn
Baracke [ba'rakə] f baraque f
barbarisch [bar'ba:rɪʃ] adj barbare
barfuß ['barfus] adv pieds nus
Bargeld ['bargɛlt] n espèces f/pl
bargeldlos ['bargɛltlo:s] adj par chèque
Bariton ['ba:rɪtɔn] m baryton m
Barkauf ['ba:rkauf] m achat au comptant m
barmherzig [barmhɛrtsɪŋ] adj charitable

Barmherzigkeit ['barmhɛrtsɪŋkaɪt] *f* charité *f*
barock [ba'rɔk] *adj* baroque
Barometer [baro'me:tər] *m* baromètre *m*
Barren ['barən] *m (Gold~)* lingot (d'or) *m*
Barriere [bar'jε:rə] *f* barrière *f*
Barrikade [bari'ka:də] *f* barricade *f*
barsch [barʃ] *adj* âpre, rude
Barsch [barʃ] *m* perche *f*
Bart [ba:rt] *m* barbe *f; einen Dreitage-haben* avoir une barbe de trois jours
bärtig ['bε:rtɪç] *adj* barbu
Base ['ba:zə] *f* CHEM base *f*
Basis ['ba:zɪs] *f* base *f,* fondement *m*
Baskenmütze ['baskənmytsə] *f* béret *m*
Baß [bas] *m* basse *f*
Bast [bast] *m* filasse *f,* raphia *m*
Bastard ['bastart] *m* bâtard *m*
basteln ['bastəln] *v* bricoler
Batist [ba'tɪst] *m* batiste *f*
Batterie [batə'ri:] *f* batterie *f*
Bau [bau] *m* construction *f,* édifice *m*
Bauch [baux] *m* ventre *m; sich den ~ vollschlagen* se bourrer de qc
Bauchschmerzen ['bauxʃmɛrtsən] *pl* colique *f,* mal au ventre *m*
Bauchspeicheldrüse ['bauxʃpaiçəldry:zə] *f* pancréas *m*
bauen [bauən] *v* construire, édifier
Bauer/Bäuerin [bauər] *m/f* 'paysan *m/*paysanne *f*
bäuerlich ['bɔyərlɪç] *adj* paysan
Bauernhof ['bauərnho:f] *m* ferme *f*
baufällig ['baufɛlɪŋ] *adj* vétuste, délabré
Baum ['baum] *m* arbre *m*
Baumstamm ['baumʃtam] *m* tronc *m*
Baumsterben [baumʃtɛrbən] *n* mort des arbres *f*
Baumwolle ['baumvɔlə] *f* coton *m*
Bausparkasse ['bauʃparkasə] *f* caisse d'épargne de construction *f*
Baustelle ['bauʃtɛlə] *f* chantier *m*
Baustil ['bauʃti:l] *m* style architectural *m*
Bauwerk ['bauvɛrk] *n* ouvrage *m,* édifice *m*
bayerisch ['baiərɪʃ] *adj* bavarois
Bayern ['baiərn] *n* Bavière *f*
Bazillus/Bazillen [ba'tsilus] *m/pl* bacille *m*
beabsichtigen [bə'apzɪçtigən] *v* avoir l'intention de, projeter de, compter faire qc
beachten [bə'axtən] *v* 1. faire attention à; *jdn ~* prêter attention à qn; 2. *(Rat)* écouter

beachtlich [bəaxtlɪŋ] *adj* important
Beachtung [bə'axtuŋ] *f* attention *f,* considération *f*
Beamte/Beamtin [bə'amtə] *m/f* fonctionnaire *m/f*
beanspruchen [bə'anʃpruxən] *v* 1. revendiquer, solliciter; 2. TECH fatiguer
beanstanden [bə'anʃtandən] *v* contester
Beanstandung [bə'anʃtanduŋ] *f* objection *f,* contestation *f*
beantragen [bə'antra:gən] *v* demander
beantworten [bə'antvɔrtən] *v* répondre à
bearbeiten [bə'arbaitən] *v* 1. travailler, façonner; 2. *(Thema)* traiter; 3. *(Akten)* s'occuper de; 4. AGR cultiver
Bearbeitung [bə'arbaituŋ] *f* 1. *(Stoff)* traitement *m;* 2. travail *m;* 3. *(Text)* adaptation *f*
beaufsichtigen [bə'aufzɪçtigən] *v* surveiller, contrôler
beauftragen [bə'auftra:gən] *v* charger
bebauen [bə'bauən] *v* 1. bâtir, construire sur; 2. *(Feld)* cultiver
beben ['be:bən] *v (Erde)* trembler
Becher ['bɛçər] *m* gobelet *m,* timbale *f*
Becken ['bɛkən] *n* 1. *(Wasch~)* lavabo *m;* 2. *(Schwimm~)* piscine *f;* 3. ANAT bassin *m*
bedächtig [bə'dɛçtɪŋ] *adj* circonspect
bedanken [bə'daŋkən] *v sich ~* remercier
Bedarf [bə'darf] *m* besoins *m/pl; bei ~* en cas de besoin
bedauerlich [bə'dauərlɪŋ] *adj* regrettable
Bedauern [bə'dauərn] *n* regret *m*
bedauern [bə'dauərn] *v* regretter, déplorer
bedenken [bə'dɛŋkən] *v* considérer, penser à
bedenklich [bə'dɛŋklɪŋ] *adj* 1. qui donne à penser, préoccupant; 2. *(Situation)* critique
bedeuten [bə'dɔytən] *v* signifier
bedeutend [bə'dɔytənt] *adj* important, considérable
Bedeutung [bə'dɔytuŋ] *f* 1. signification *f;* 2. *(Wichtigkeit)* importance *f; von größter ~ sein* être d'un intérêt capital
bedienen [bə'di:nən] *v* 1. *jdn ~* servir qn; 2. *sich ~* se servir; *~ Sie sich!* Servez-vous! 3. *(Maschine, Waffe)* TECH servir
Bedienung [bə'di:nuŋ] *f* 1. service *m,* maniement *m;* 2. *(Kellner/in)* garçon de café *m,* serveuse *f*
Bedienungsanleitung [bə'di:nuŋsanlaituŋ] *f* mode d'emploi *m*
Bedingung [bə'dɪŋuŋ] *f* condition *f*

bedrängen [bə'drɛŋən] *v* importuner
Bedrängnis [bə'drɛŋnis] *f* 1. embarras *m*, gêne *f*; 2. *(Not)* détresse *f*
bedrohen [bə'dro:ən] *v* menacer
Bedrohung [bə'dro:uŋ] *f* menace *f*
bedrücken [bə'drykən] *v* accabler, oppresser; *bedrückt* opprimé/accablé
Bedürfnis [bə'dyrfnis] *n* besoin *m*
bedürftig [bə'dyrftiç] *adj* nécessiteux, indigent
beeilen [bə'ailən] *v* sich ~ se dépêcher; *sich nicht* ~ prendre son temps
beeindrucken [bə'aindrukən] *v* impressionner, faire grande impression sur
beeinflussen [bə'ainflusən] *v* influencer
beeinträchtigen [be'aintrɛntigən] *v* nuire à, porter préjudice à
beenden [bə'ɛndən] *v* finir, terminer
beerben [bə'ɛrbən] *v* hériter qc de qn
beerdigen [bə'e:rdigən] *v* enterrer
Beerdigung [bə'e:rdiguŋ] *f* enterrement *m*
Beere ['be:rə] *f* baie *f*
Beet ['be:t] *n* parterre *m*, massif *m*
Befähigung [bə'fɛ:iguŋ] *f* aptitude à *f*
befahrbar [bə'fa:rba:r] *adj* praticable
befangen [bə'faŋən] *adj* 1. ~ sein être embarrassé; 2. *(voreingenommen)* être partial
Befangenheit [bə'faŋənhait] *f* 1. embarras *m*, perplexité *f*; 2. *(Unbeholfenheit)* gaucherie *f*; 3. *(Parteilichkeit)* partialité *f*
befassen [bə'fasən] *v* sich ~ mit s'occuper de
Befehl [bə'fe:l] *m* ordre *m*
befehlen [bəfe:lən] *v* ordonner, commander
befestigen [bə'fɛstigən] *v* fixer, attacher
Befestigung [bə'fɛstiguŋ] *f* 1. fixation *f*, attache *f*; 2. *MIL* fortification *f*
Befinden [bə'findən] *n* 1. *(Gesundheit)* état de santé *m*; 2. *(Meinung)* avis *m*
befinden [bə'findən] *v* sich ~ se trouver
beflecken [bə'flɛkən] *v* tacher, salir
befolgen [bə'fɔlgən] *v* 1. *(Befehl)* exécuter; 2. *(Regel)* obéir; 3. *(Beispiel)* suivre
befördern [bə'fœrdərn] *v* 1. *(Waren)* transporter; 2. *(Beruf)* promouvoir
Beförderung [bə'fœrdəruŋ] *f* 1. *(Waren)* transport *m*; 2. *(Beruf)* promotion *f*
Beförderungsmittel [bəfœrdəruŋsmittəl] *n* moyen de transport *m*
befreien [bə'fraiən] *v* 1. libérer, délivrer; 2. *(von Steuern)* exonérer

Befreiung [bə'fraiuŋ] *f* libération *f*
befreundet [bə'frɔyndət] *adj* mit jdm ~ sein être ami avec qn
befriedigen [bə'fri:digən] *v* satisfaire, contenter
Befriedigung [bə'fri:diguŋ] *f* satisfaction *f*
befristet [bə'fristən] *adj* à durée déterminée, à terme
Befruchtung [bə'fruxtuŋ] *f* fécondation *f*
befugt [bə'fukt] *adj* être en droit de
Befund [bə'funt] *m MED* diagnostique *m*
befürchten [bə'fyrntən] *v* craindre
Befürchtung [bə'fyrntuŋ] *f* crainte *f*
befürworten [bə'fyrvɔrtən] *v* appuyer
begabt [bə'ga:pt] *adj* doué
Begabung [bə'ga:buŋ] *f* don *m*, talent *m*
begegnen [bə'ge:gnən] *v* 1. jdm ~ rencontrer qn; 2. sich ~ se rencontrer
Begegnung [bə'ge:gnuŋ] *f* rencontre *f*
begehen [bə'ge:ən] *v* 1. *(Verbrechen)* commettre; 2. *(Fest)* célébrer, fêter
begehren [bə'ge:rən] *v* désirer
Begeisterung [bə'gaistəruŋ] *f* enthousiasme *m*
Begierde [bə'gi:rdə] *f* désir *m*, envie *f*
begierig [bə'gi:riç] *adj* très désireux de
Beginn [bə'gin] *m* commencement *m*
beginnen [bə'ginən] *v* commencer à
beglaubigen [bə'glaubigən] *v* certifier, attester; *beglaubigte Abschrift f* copie certifiée conforme *f*
Beglaubigung [bə'glaubiguŋ] *f* attestation *f*; *zur* ~ *dessen* en foi de quoi
begleichen [bə'glainən] *v* 1. *(Schuld)* rembourser; 2. *(Rechnung)* régler
begleiten [bə'glaitən] *v* accompagner
beglückwünschen [bə'glykvynʃən] *v* jdn ~ zu féliciter qn pour/de/au sujet de
begnadigen [bə'gna:digən] *v* gracier
Begnadigung [bə'gna:diguŋ] *f* grâce *f*
begnügen [bə'gny:gən] *v* sich ~ se contenter de
begraben [bə'gra:bən] *v* enterrer
Begräbnis [bə'grɛpnis] *n* enterrement *m*
begreifen [bə'graifən] *v* comprendre
begrenzen [bə'grɛntsən] *v* limiter, borner
Begrenzung [bə'grɛntsuŋ] *f* limitation *f*
Begriff [bə'grif] *m* notion *f*, concept *m*; *schwer von* ~ *sein* être lent à comprendre
begründen [bə'gryndən] *v* justifier
Begründung [bə'grynduŋ] *f* raisons *f/pl*

begrüßen [bə'gry:sən] v saluer
Begrüßung [bə'gry:suŋ] f salutàtions f/pl
begünstigen [bə'gynstɪgən] v favoriser, avantager
begutachten [bə'gu:taxtən] v expertiser
begütert [bə'gy:tərt] adj riche, fortuné
behaart [bə'ha:rt] adj 1. (Kopf) chevelu; 2. (Körper) velu, poilu; ~ wie ein Affe sein être poilu comme un singe/un ours
behalten [bə'haltən] v garder, conserver
Behälter [bə'hɛltər] m récipient m
behandeln [bə'handəln] v traiter, manier
Behandlung [bə'handluŋ] f traitement m
Beharrlichkeit [bə'harlɪŋkaɪt] f persévérance f, opiniâtreté f
behaupten [bə'hauptən] v 1. affirmer; 2. (Stellung) défendre; 3. sich ~ se maintenir, tenir ferme; 4. (Meinung) soutenir
Behauptung [bə'hauptuŋ] f affirmation f
behelfen [bə'hɛlfən] v sich ~ (savoir) se débrouiller
beherrschen [bə'hɛrʃən] v 1. sich ~ se maîtriser, se dominer; 2. POL dominer; 3. (fig: können) posséder
Beherrschung [bə'hɛrʃuŋ] f 1. maîtrise f; die ~ verlieren perdre son calme: 2. (Situation) POL contrôle m
beherzt [bə'hɛrtst] adj courageux, résolu
behilflich [be'hɪlflɪŋ] adj jdm ~ sein aider qn; Wenn ich Ihnen irgendwie ~ sein kann... Si je peux vous être utile en qc...
behindern [bə'hɪndərn] v empêcher, gêner
Behinderte [bə'hɪndərtə] ~m/f handicapé(e) m/f
Behörde [bɛhœrdə] f administration f, autorités f/pl
behüten [bə'hy:tən] v protéger, préserver
behutsam [bə'hu:tza:m] adj prudent
bei [baɪ] prep 1. (örtlich) près de, auprès de, contre, sur; 2. (zeitlich) lors de, par, en, pendant; 3. (während) pendant; 4. (Begleitumstand) par, à, en, de; 5. (Person) chez
beibehalten ['baibəhaltən] v conserver, garder
Beichte ['baɪçtə] f confession f
beide ['baɪdə] 1. pron tous deux, tous les deux, l'un et l'autre; 2. adj deux
beiderseitig ['baɪdərsaɪtɪŋ] adj des deux côtés, réciproque
Beifahrer ['baɪfa:rər] m 1. (Auto) passager avant m; 2. (Lastwagen) accompagnateur m

Beifall ['baɪfal] m 1. (Applaus) applaudissements m/pl; 2. (Billigung) approbation f
beifügen ['baɪfy:gən] v 1. joindre; 2. (Dokument) annexer
beige ['beɪʒə] adj beige
Beigeschmack ['baɪgəʃmak] m arrière--goût m
Beihilfe ['baɪhilfə] f 1. secours m; 2. (Unterstützung) aide f, assistance f; 3. JUR complicité f
Beil ['baɪl] n hache f
Beilage ['baɪla:gə] f 1. GAST garniture f; mit ~ garni ; 2. (Zeitung) supplément m
beiläufig ['baɪlɔyfɪŋ] 1. adj accessoire; 2. adv par/entre parenthèse, en passant
Beileid ['baɪlaɪt] n condoléances f/pl
beiliegend ['baɪli:gənt] adj ci-joint
Bein [baɪn] n jambe f; sich nicht mehr auf den ~en halten können ne plus tenir debout; sich die ~e vertreten se dérouiller les jambes; ~e machen donner des jambes; wieder auf die ~e kommen remonter la pente
beinahe [bai'na:ə] adv presque
beisammen [bai'zamən] adv ensemble
Beisetzung ['baizɛtsuŋ] f obsèques f/pl
Beispiel ['baɪʃpi:l] n exemple m; zum ~ par exemple
beispielhaft ['baɪʃpi:lhaft] adj exemplaire
beispiellos ['baɪʃpi:llo:s] adj inouï, sans précédent
beißen ['baɪsən] v 1. mordre; nichts zu ~ haben n'avoir rien à bouffer; 2. (Schlange) piquer
beißend ['baɪsənt] adj 1. (Geruch) caustique; 2. (fig: Spott) cinglant; ~er Schmerz douleur cuisante f
Beistand ['baɪʃtant] m assistance f, secours m
beistehen ['baɪʃe:hən] v seconder qn
beisteuern ['baɪʃtɔyərn] v contribuer à
Beitrag ['baɪtrak] m 1. contribution f; 2. article m; 3. (Versicherung) prime f
beitragen ['baɪtragən] v contribuer à
beitreten ['baɪtre:tən] v 1. adhérer à; 2. (Partei) entrer à
beizeiten [baɪtsaɪtən] adv à temps, de bonne heure
bejahen [bə'ja:ən] v 1. (Frage) répondre affirmativement; 2. (billigen) accepter
bekämpfen [bə'kɛmpfən] v combattre
bekannt [be'kant] adj connu; ~ sein wie ein bunter Hund être connu comme le loup blanc

Bekannte [bə'kantə] *m/f* ami(e) *m/f*
Bekanntgabe [bə'kantgaːbə] *f* proclamation *f*, publication *f*
bekanntlich [bə'kantlɪŋ] *adv* notoirement, comme on (le) sait
Bekanntschaft [bə'kantʃaft] *f* connaissance *f; die ~ von jdm machen* faire la connaissance de qn
bekehren [bə'keːrən] *v* convertir
bekennen [bə'kɛnən] *v* 1. *(zugeben)* avouer, reconnaître; 2. *sich ~ zu* professer
Bekenntnis [bə'kɛntnɪs] *n* 1. *(Zugeben)* aveu *m;* 2. REL confession *f*
beklagen [bə'klaːgən] *v* 1. *etw ~* regretter, déplorer; 2. *sich ~* se plaindre de qc
Bekleidung [bə'klaɪduŋ] *f* vêtements *m/pl*
beklemmend [be'klɛmənt] *adj* angoissant, étouffant
bekommen [bə'kɔmən] *v* 1. *(erhalten)* recevoir, obtenir; 2. *(finden)* trouver; 3. *(Hunger)* commencer à avoir
bekräftigen [bə'krɛftigən] *v* affirmer, confirmer
bekreuzigen [bə'krɔytsigən] *v sich ~* se signer
bekümmern [bə'kymərn] *v* affliger
belächeln [bə'lɛŋəln] *v* sourire de
beladen [bə'laːdən] *v* charger, accabler
Belag [bə'laːk] *m* 1. *(Schicht)* couche *f*, enduit *m;* 2. *(Brot~)* garniture *f;* 3. *(Boden~)* TECH revêtement *m;* 4. *(Zahn~)* MED tartre *m*
Belagerung [bə'laːgəruŋ] *f* siège *m*
belasten [bə'lastən] *v* 1. charger; 2. accabler; 3. *(Konto)* FIN débiter; 4. *(Haus)* hypothéquer
belästigen [bə'lɛstigən] *v* importuner
Belästigung [bə'lɛstiguŋ] *f* importunité *f*
Belastung [bə'lastuŋ] *f* 1. charge *f;* 2. *(fig: Beanspruchung)* travail *m;* 3. *(Konto)* débit *m;* 4. *(Steuer)* charges fiscales *f/pl*
belaufen [bə'laufən] *v sich ~ auf* ECO s'élever à
belauschen [bə'lauʃən] *v* épier
belebt [bə'leːpt] *adj* animé, plein de vie
Belebung [bə'leːbuŋ] *f* animation *f*
Beleg [bə'leːk] *m* 1. FIN talon *m;* 2. *(Beweis)* pièce justificative *f*
belegen [bə'leːgən] *v* 1. *(beweisen)* JUR prouver; 2. *(Brot)* tartiner; 3. *(Kurs)* s'inscrire à; 4. *(Platz)* réserver; 5. FIN prouver

Belegschaft [bə'leːkʃaft] *f* équipe *f*
belehren [bə'leːrən] *v* informer de
Belehrung [bə'leːruŋ] *f* avis *m*, leçon *f*
beleibt [bə'laɪpt] *adj* corpulent
beleidigen [bə'laɪdigən] *v* insulter, injurier, offenser, blesser
Beleidigung [bə'laɪdiguŋ] *f* insulte *f*, injure *f*, offense *f*
beleuchten [bə'lɔyntən] *v* éclairer, illuminer
Beleuchtung [bə'lɔyntuŋ] *f* éclairage *m*, illumination *f*
Belgien [ˈbɛlgjən] *n* Belgique *f*
belgisch [ˈbɛlgɪŋ] *adj* belge
Belieben [bə'liːbən] *n* plaisir *m*, gré *m*, goût *m; nach ~* au gré de
beliebig [bə'liːbɪŋ] *adj* n'importe quel(le)
beliebt [bə'liːpt] *adj* aimé, populaire
Beliebtheit [bə'liːpthaɪt] *f* popularité *f*
bellen [bɛ'lən] *v* aboyer
belohnen [bə'loːnən] *v* récompenser
Belohnung [bə'loːnuŋ] *f* récompense *f*
belügen [bə'lyːgən] *v* mentir à qn
belustigen [bə'lustigən] *v* divertir, amuser
bemalen [bə'maːlen] *v* peindre
bemängeln [bə'mɛŋəln] *v* critiquer
bemerken [bə'mɛrkən] *v* remarquer, s'apercevoir de
bemerkenswert [bə'mɛrkənsvərt] *adj* remarquable
Bemerkung [bə'mɛrkuŋ] *f* 1. *(Äußerung)* remarque *f*, observation *f;* 2. *(Anmerkung)* note *f*, annotation *f*
bemitleiden [bə'mɪtlaɪdən] *v* avoir pitié de
bemühen [bə'myːən] *v sich ~* s'efforcer de
Bemühung [bə'myːuŋ] *f* effort *m*
benachbart [bə'naxbart] *adj* voisin
benachrichtigen [bə'naxrɪŋtigən] *v* informer qn de qc
benachteiligen [bə'naxtaɪligən] *v* désavantager, défavoriser
Benehmen [bə'neːmən] *n* comportement *m*, conduite *f*
benehmen [bə'neːmən] *v sich (gut) ~* se conduire (bien), se tenir
beneiden [bə'naɪdən] *v* envier
beneidenswert [bə'naɪdənsvərt] *adj* enviable
benoten [bə'noːtən] *v (Schule)* noter
benötigen [bə'nøːtigən] *v* avoir besoin de
benutzen [bə'nutsən] *v* utiliser, employer
Benzin [bɛn'tsiːn] *n* essence *f*

Benzinkanister [bɛn'tsi:nkanɪstər] *m* jerrycan d'essence *m*, jerrican(e) *m*
beobachten [bə'o:baxtən] *v* observer
Beobachtung [bə'o:baxtuŋ] *f* 1. observation *f*; 2. *(Feststellung)* remarque *f*
bequem [bə'kve:m] *adj* 1. *(behaglich)* commode, pratique, confortable; 2. facile, paresseux; *Machen Sie es sich ~!* Mettez-vous à votre aise!
Bequemlichkeit [bə'kve:mlɪŋkaɪt] *f* 1. *(Behaglichkeit)* commodité *f*, confort *m*; 2. *(Trägheit)* paresse *f*
beraten [bə'ra:tən] *v* conseiller
Berater [bə'ra:tər] *m* conseiller *m*
Beratung [bə'ra:tuŋ] *f* délibération *f*
berauben [bə'raubən] *v* ravir, priver de
berechnen [bə'rɛɲnən] *v* 1. calculer; 2. *(vorhersehen)* prévoir
Berechnung [bə'rɛɲnuŋ] *f* calcul *m*
berechtigen [bə'rɛɲtɪgən] *v* autoriser à
Berechtigung [bə'rɛɲtɪguŋ] *f* 1. *(Befugnis)* autorisation *f*, droit *m*; 2. *(Begründetsein)* justification *f*
Bereich [bə'raɪç] *m* 1. *(Gebiet)* domaine *m*, sphère *f*; 2. *(Fach~)* U.E.R. (Unité d'Etudes et de Recherche) *f*, département *m*; 3. *(Amt)* ressort *m*
bereit [bə'raɪt] *adj* ~ *sein* (être) prêt à
bereiten [bə'raɪtən] *v* 1. *(zubereiten)* préparer; 2. *(zufügen)* causer; *jdm Schmerz ~* causer peine à qn
bereithalten [bə'raɪthaltən] *v* tenir prêt
bereits [bə'raɪts] *adv* déjà
Bereitschaft [bə'raɪtʃaft] *f* disposition *f*
bereuen [bə'rɔyən] *v* regretter, se repentir
Berg [bɛrk] *m* montagne *f*; *über den ~ sein* avoir passé le cap
bergab [bɛrk'ap] *adv* en descendant, à la descente; *Es geht mit ihm ~.* Ses affaires vont mal.
Bergarbeiter ['bɛrkarbaɪtər] *m* mineur *m*
bergauf [bɛrk'auf] *adv* en montant
Bergbau ['bɛrkbau] *m* industrie minière *f*
bergen ['bɛrgən] *v (retten)* sauver
bergig ['bɛrgɪç] *adj* montagneux
Bergkette ['bɛrkkɛtə] *f* chaîne de montagnes *f*
Bergsteiger ['bɛrkʃtaɪgər] *m* alpiniste *m*
Bergung ['bɛrguŋ] *f* sauvetage *m*
Bergwacht ['bɛrkvaxt] *f* secours en montagne *m*
Bergwerk ['bɛrkvɛrk] *n* mine *f*
Bericht [bə'rɪçt] *m* rapport *m*, récit *m*

berichten [bə'rɪçtən] *v* faire un rapport sur
Berichterstatter [bə'rɪçtərʃtatər] *m* 1. *(Zeitung)* reporter *m*; 2. *(Parlament)* rapporteur *m*
berichtigen [bə'rɪçtɪgən] *v* rectifier, corriger
Bernstein ['bɛrnʃtaɪn] *m* ambre jaune *m*
bersten ['bɛrstən] *v* crever, éclater
berüchtigt [bə'ryçtɪçt] *adj* mal famé
berücksichtigen [bə'rykzɪçtɪgən] *v* prendre en considération, tenir compte de
Beruf [bə'ru:f] *m* profession *f*, métier *m*
beruflich [bə'ru:flɪç] *adj* professionnel
berufstätig [bə'ru:fstɛ:tɪç] *adj* qui excerce un métier, actif
Berufung [bə'ru:fuŋ] *f* 1. *(Lebensaufgabe)* vocation *f*; 2. JUR pourvoi *m*
beruhen [bə'ru:ən] *v ~ auf* reposer sur
beruhigen [bə'ru:ɪgən] *v* 1. *jdn ~* rassurer; 2. *sich ~* se calmer, se tranquilliser
Beruhigung [bə'ru:ɪguŋ] *f* apaisement *m*, soulagement *m*
Beruhigungsmittel [bə'ru:ɪguŋsmɪtəl] *n* calmant *m*
berühmt [bə'ry:mt] *adj* célèbre, illustre, fameux
Berühmtheit [bə'ry:mthaɪt] *f* renom *m*, célébrité *f*
berühren [bə'ry:rən] *v* toucher
Berührung [bə'ry:ruŋ] *f* contact *m*; *in ~ bringen* mettre en contact
Besatzung [bə'zatsuŋ] *f* 1. *(Schiff)* équipage *m*; 2. *(Mannschaft)* équipe *f*; 3. MIL troupes d'occupation *f/pl*
beschädigen [bə'ʃɛ:dɪgən] *v* endommager, détériorer
Beschädigung [bə'ʃɛ:dɪguŋ] *f* 1. dommage *m*, endommagement *m*; 2. *(Schiff)* avarie *f*
beschaffen [bə'ʃafən] *v* procurer
Beschaffenheit [bə'ʃafənhaɪt] *f* état *m*, condition *f*
beschäftigen [bə'ʃɛftɪgən] *v* 1. *jdn ~* employer qn, occuper qn; 2. *sich ~* s'occuper de
Beschäftigung [bə'ʃɛftɪguŋ] *f* occupation *f*, activité *f*
beschämend [bə'ʃɛ:mənt] *adj* humiliant
Bescheid [bə'ʃaɪt] *m* 1. *(Auskunft)* renseignement *m*; 2. *(Nachricht)* information *f*, nouvelle *f*; 3. JUR jugement *m*
bescheiden [bə'ʃaɪdən] *adj* modeste
Bescheidenheit [bə'ʃaɪdənhaɪt] *f* modestie *f*, modération *f*

bescheinigen [bəˈʃaɪnɪgən] v certifier, attester

Bescheinigung [bəˈʃaɪnɪguŋ] f certificat m, attestation f

beschenken [bəˈʃɛŋkən] v faire un cadeau à qn

Bescherung [bəˈʃeːruŋ] f 1. (Geschenke) distribution de cadeaux f; 2. (fam: negatives Ereignis) cadeau m; Das ist eine schöne ~! Ce n'est pas un cadeau!

beschimpfen [bəˈʃɪmpfən] v insulter, injurier

beschlagnahmen [bəˈʃlaːknaːmən] v saisir, confisquer

beschleunigen [bəˈʃlɔʏnɪgən] v accélérer, presser, hâter

Beschleunigung [bəˈʃlɔʏnɪguŋ] f accélération f

beschließen [bəˈʃliːsən] v 1. (entscheiden) décider, décréter; 2. (beenden) finir

Beschluß [bəˈʃluːs] m décision f, arrêté m

beschmutzen [bəˈʃmutsən] v salir

beschränken [bəˈʃrɛnkən] v 1. (einschränken) limiter (à), restreindre; 2. sich ~ auf se limiter à

beschreiben [bəˈʃraɪbən] v décrire

Beschreibung [bəˈʃraɪbuŋ] f description f

beschuldigen [bəˈʃuldɪgən] v accuser qn de qc, incriminer

Beschuldigung [bəˈʃuldɪguŋ] f accusation f, inculpation f

beschützen [bəˈʃʏtsən] v protéger

Beschützer [bəˈʃʏtsər] m protecteur m

Beschwerde [bəˈʃveːrdə] f plainte f

Beschwerden [bəˈʃveːrdən] f/pl (Schmerzen) douleurs f/pl, malaise m

beschweren [bəˈʃveːrən] v sich ~ se plaindre

beschwerlich [bəˈʃveːrlɪç] adj pénible

beschwipst [bəˈʃvɪpst] adj éméché

beschwören [bəˈʃvøːrən] v 1. (anflehen) adjurer, conjurer; 2. JUR jurer; Man kann es nicht ~. On ne saurait jurer de rien.

beseitigen [bəˈzaɪtɪgən] v 1. (entfernen) enlever, éloigner; 2. (Zweifel) dissiper

Besen [ˈbeːzən] m balai m

besessen [bəˈzɛsən] adj ~ von possédé de

besetzen [bəˈzɛtsən] v occuper

besetzt [bəˈzɛtst] adj occupé

besichtigen [bəˈzɪçtɪgən] v 1. (Museum) visiter; 2. (überprüfen) inspecter

besiegen [bəˈziːgən] v vaincre

Besinnung [bəˈzɪnuŋ] f connaissance f; die ~ verlieren perdre connaissance

besinnungslos [bəˈzɪnuŋsloːs] adj sans connaissance, évanoui

Besitz [bəˈzɪts] m possession f, propriété f

besitzen [bəˈzɪtsən] v posséder. détenir

Besitzer [bəˈzɪtsər] m propriétaire m

besondere(r,s) [bəˈzɔndərə] adj particulier

Besonderheit [bəˈzɔndərhaɪt] f particularité f, singularité f

besonders [bəˈzɔndərs] adv 1. (sehr) particulièrement; 2. (außergewöhnlich) spécialement; 3. (vor allem) avant tout, surtout

besonnen [bəˈzɔnən] adj réfléchi, posé

besorgen [bəˈzɔrgən] v 1. (beschaffen) procurer; 2. (ausführen) s'occuper de

besorgniserregend [bəˈzɔrknɪsɛreːgənt] adj inquiétant, préoccupant

besorgt [bəˈzɔrkt] adj ~ sein être inquiet

Besorgung [bəˈzɔrguŋ] f 1. (Kauf) achat m, course f; ~en machen faire les courses; 2. (Erledigung) expédition f

besprechen [bəˈʃprɛçən] v discuter de, parler de

Besprechung [bəˈʃprɛçuŋ] f discussion f

besser [ˈbɛsər] 1. adj meilleur; 2. adv mieux; bis sich etw ~es findet en attendant mieux; immer ~ de mieux en mieux; um so ~ tant mieux

Besserung [ˈbɛsəruŋ] f 1. amélioration f; 2. MED rétablissement m; Gute ~! Bon rétablissement! / Meilleure santé!

beständig [bəˈʃtɛndɪç] adj 1. (dauerhaft) constant; 2. (widerstandsfähig) stable

Bestandteil [bəˈʃtanttaɪl] m composant m

bestärken [bəˈʃtɛrkən] v renforcer

bestätigen [bəˈʃtɛːtɪgən] v confirmer

Bestätigung [bəˈʃtɛːtɪguŋ] f 1. confirmation f; 2. ECO accusé de réception m

bestatten [bəˈʃtatən] v enterrer, inhumer

beste(r,s) [ˈbɛstə] 1. adj le/la meilleur(e); meine ~n Wünsche mes meilleurs vœux; 2. adv au mieux, pour le mieux

bestechen [bəˈʃtɛçən] v corrompre

Bestechung [bəˈʃtɛçuŋ] f corruption f

Besteck [bəˈʃtɛk] n (Eß-) couvert m

bestehen [bəˈʃteːən] v 1. ~ aus se composer de, être composé de; 2. ~ auf insister sur, exiger que; Wenn Sie darauf ~. Si vous y tenez. 3. (Prüfung) réussir

besteigen [bəˈʃtaɪgən] v gravir

bestellen [bə'ʃtɛlən] v 1. *(Auftrag geben)* commander; 2. *(ernennen)* nommer qn
Bestellung [bə'ʃtɛluŋ] f 1. *(Auftrag)* commande f; 2. *(Ernennung)* nomination f
bestens ['bɛstəns] *adv* du mieux possible
bestialisch [bɛsti'a:liʃ] *adj* bestial
Bestie ['bɛstjə] f bête féroce f, brute f
bestimmen [bə'ʃtɪmən] v 1. *(festlegen)* déterminer; 2. *(definieren)* définir; 3. *(zuweisen)* affecter à, destiner à
bestimmt [bə'ʃtɪmt] *adj* 1. *(entschieden)* décidé, catégorique; 2. *(gewiß)* certain, (bien) précis; 3. *adv (sicherlich)* sans faute; *Ich werde es ~ tun.* Je n'y manquerai pas.
Bestimmtheit [bə'ʃtɪmhait] f 1. *(Gewißheit)* certitude f, assurance f; 2. *(Entschiedenheit)* détermination f, décision f
Bestimmung [bə'ʃtɪmuŋ] f 1. *(Zweck)* destination f, affectation f; 2. *(Schicksal)* détermination f; 3. *(Vorschrift)* dispositions f/pl, prescription f
bestrafen [bə'ʃtra:fən] v punir
Bestrafung [bə'ʃtra:fuŋ] f punition f, châtiment m
Bestrahlung [bə'ʃtra:luŋ] f 1. exposition aux rayons f, irradiation f; 2. *MED* radiothérapie f
Bestreben [bə'ʃtre:bən] n ambition f
bestreichen [bə'ʃtraiçən] v 1. *(Brot)* tartiner; 2. enduire
bestreiten [bə'ʃtraitən] v 1. *(streitig machen)* contester; *Das ist nicht zu ~.* Il n'y a pas à dire. 2. *(Unterhalt)* subvenir à
bestürmen [bə'ʃtyrmən] v assaillir
bestürzt [bə'ʃtyrtst] *adj ~ sein* être consterné, être stupéfait
Besuch [bə'zu:x] m 1. *(Gäste)* invités m/pl; *~ haben* avoir de la visite/ avoir du monde; 2. *(Schule)* fréquentation f
besuchen [bə'zu:xən] v 1. *jdn ~* rendre visite à qn, aller voir qn; 2. *(besichtigen)* visiter; 3. *(Schule)* fréquenter, aller à
Besucher [bə'zu:xər] m 1. *(privat)* invité m; 2. *(Ausstellung)* visiteur m
betagt [bə'ta:kt] *adj* d'un âge avancé
betasten [bə'tastən] v tâter, palper
Betätigung [bətɛ:tɪguŋ] f 1. *(Aktivität)* activité f; 2. *TECH* mise en action f
betäuben [bə'tɔybən] v insensibiliser
Betäubung [bə'tɔybuŋ] f insensibilisation f
beteiligen [bə'tailɪgən] v 1. *sich ~* participer à; 2. *jdn ~* faire participer qn à qc

Beteiligung [bətailɪguŋ] f participation f
beten [be:tən] v prier
Beton [bə'tɔŋ] m béton m
betonen [bə'to:nən] v 1. *(hervorheben)* insister sur qc; 2. *(Aussprache)* accentuer
Betonung [bə'to:nuŋ] f 1. *(Hervorhebung)* insistance f; 2. *(Aussprache)* accentuation f; 3. *(Tonfall)* intonation f
betrachten [bə'traxtən] v 1. *(anschauen)* regarder; 2. *(fig: beurteilen)* juger
beträchtlich [bə'trɛçtlɪç] *adj* considérable
Betrag [bə'tra:k] m montant m
Betragen [bə'tra:gən] n conduite f
betragen [bə'tra:gən] v 1. *(sich belaufen auf)* faire, se monter à; 2. *sich ~* se comporter
Betreff [bə'trɛf] m *(Brief)* objet m; *im ~/ betreffs* à l'égard de/ en ce qui concerne
betreffen [bə'trɛfən] v concerner
betreten [bə'tre:tən] 1. *adj (fig) ~ sein* confus; 2. v *(hineingehen)* entrer dans
Betreten [bə'tre:tən] n accès m; *Das ~ des Rasens ist verboten.* Il est interdit de marcher sur la pelouse.
betreuen [bə'trɔyən] v s'occuper de
Betrieb [bə'tri:p] m 1. *(Firma)* entreprise f; 2. *(Werk)* service m, exploitation f; 3. *(Tätigkeit)* fonctionnement m; 4. *(Treiben)* animation f
betriebsam [bə'tri:pza:m] *adj* actif
Betriebsrat [bə'tri:psra:t] m *ECO* comité d'entreprise m
betroffen [bə'trɔfən] *adj ~ sein* être affecté
betrübt [bə'try:pt] *adj ~ sein* être désolé
Betrug [bə'tru:k] m tromperie f, tricherie f
betrügen [bə'try:gən] v tromper, tricher, escroquer; *jdn ~* mettre qn dedans
betrügerisch [bə'try:gəriʃ] *adj* trompeur, fourbe, frauduleux
betrunken [bə'truŋkən] *adj ~ sein* être ivre, (s')être enivré, être saoul
Bett [bɛt] n lit m
Bettdecke ['bɛtdɛkə] f couverture f
betteln ['bɛtəln] v mendier
bettlägerig [bɛtlɛgəriç] *adj* alité
Bettlaken ['bɛtla:kən] n drap de lit m
Bettler ['bɛtlər] m mendiant m
beugen ['bɔygən] v 1. *(biegen)* plier, courber; 2. *sich ~* s'incliner, se courber; 3. *(fig: brechen)* briser qn
Beule ['bɔylə] f bosse f
beunruhigen [bə'unru:ɪgən] v 1. *jdn ~* inquiéter, troubler; 2. *sich ~* s'inquiéter

beurlauben [bə'u:rlaubən] v congédier
beurteilen [bə'urtaɪlən] v 1. juger (de), porter un jugement sur; 2. *(Wert)* apprécier
Beurteilung ['bə'urtaɪluŋ] f jugement m
Beute ['bɔytə] f butin m, proie f
Beutel ['bɔytəl] m *(Geld-)* bourse f
Bevölkerung [bə'fœlkəruŋ] f population f
Bevollmächtigte [bə'fɔlmɛntɪntə] m/f mandataire m
Bevollmächtigung [bə'fɔlmɛntɪguŋ] f procuration f; *durch ~* par procuration
bevor [bə'fo:r] konj avant que, avant de
Bevormundung [bə'fo:rmunduŋ] f tutelle f
bevorstehen [bə'fo:rʃte:ən] v être sur le point d'arriver, être imminent
bevorzugen [bə'fo:rtsu:gən] v préférer, avantager, favoriser
bewachen [bə'vaxən] v garder, surveiller
Bewachung [bə'vaxuŋ] f garde f
bewaffnen [bə'vafnən] v armer
Bewaffnung [bə'vafnuŋ] f armement m
bewahren [bə'va:rən] v 1. *(aufheben)* garder, conserver; 2. *(beibehalten)* conserver
bewähren [bə'vɛ:rən] v sich ~ se confirmer, répondre à l'attente
bewährt [bə'vɛ:rt] adj 1. *(Sache)* éprouvé; 2. *(Person)* qui a fait ses preuves, confirmé
Bewährung [bə'vɛ:ruŋ] f 1. épreuve f; 2. JUR sursis m
bewältigen [bə'vɛltigən] v 1. *(Schwierigkeit)* surmonter; 2. *(Aufgabe)* assumer, faire face à; 3. *(Problem)* résoudre
bewandert [bə'vandərt] adj ~ sein être versé dans, posséder
bewässern [bə'vɛsərn] v arroser, irriguer
bewegen [bə've:gən] v 1. faire bouger, remuer, agiter; 2. sich ~ bouger, marcher; 3. *(fig: rühren)* émouvoir
beweglich [bə've:klɪŋ] adj 1. mobile; 2. *(flink)* agile; 3. *(fig: flexibel)* souple; geistig sehr ~ sein être souple comme une anguille
Bewegung [bə've:guŋ] f mouvement m; Es gerät etw in ~. Ça bouge. in ~ setzen mettre en branle
bewegungslos [bə've:guŋslo:s] adj immobile
Beweis [bə'vaɪs] m preuve f, argument m
beweisen [bə'vaɪzən] v prouver; etw klipp und klar ~ prouver qc par a+b
bewerben [bə'vɛrbən] v sich ~ poser sa candidature sur/à, postuler

Bewerbung [bə'vɛrbuŋ] f candidature f
bewerten [bə'vɛrtən] v évaluer
bewilligen [bə'vɪlɪgən] v accorder
bewirken [bə'vɪrkən] v produire, causer
bewirten [bə'vɪrtən] v héberger
bewirtschaften [bə'vɪrtʃaftən] v 1. *(verwalten)* administrer; 2. AGR exploiter
bewohnen [bə'vo:nən] v habiter (dans)
Bewohner [bə'vo:nər] m habitant m
Bewölkung [bə'vœlkuŋ] f nuages m/pl
bewundern [bə'vundərn] v admirer
Bewunderung [bə'vunduruŋ] f admiration f, émerveillement m
bewußt [bə'vust] adj conscient
bewußtlos [bəvustlo:s] adj 1. sans connaissance; 2. *(unbewußt)* inconscient
Bewußtlosigkeit [bə'vustlo:sɪŋkaɪt] f évanouissement m, perte de connaissance f
Bewußtsein [bə'vustzaɪn] n conscience f
bezahlen [bə'tsa:lən] v payer, rétribuer; bar ~ payer comptant
Bezahlung [bə'tsa:luŋ] f paiement m
bezaubernd [bə'tsaubərnt] adj charmant
bezeichnen [bə'tsaɪɲnən] v désigner
bezeichnend [bə'tsaɪɲnənt] adj significatif, caractéristique
Bezeichnung [bə'tsaɪɲnuŋ] f désignation f, qualification f
bezeugen [bə'tsɔygən] v attester
beziehen [bə'tsi:ən] v 1. *(einziehen)* s'installer, s'établir; 2. *(abonnieren)* être abonné à; 3. *(überziehen)* couvrir; ein Bett ~ mettre des draps à un lit; 4. *(Gehalt)* percevoir; 5. *(Meinung)* tirer de; sich auf etw ~ se référer à/ se rapporter à
Beziehung [bə'tsi:uŋ] f relation f
beziehungsweise [bə'tsi:uŋsvaɪzə] adv ou bien, ou encore
Bezirk [bə'tsɪrk] m district m
Bezug [bə'tsu:k] m 1. *(Kissen-)* taie d'oreiller f; 2. *(Überzug)* revêtement m, garniture f
bezüglich [bətsy:klɪŋ] prep quant à
bezwecken [bə'tsvɛkən] v avoir pour but
bezweifeln [bə'tsvaɪfəln] v douter de; Es ist nicht zu ~. C'est hors de doute.
bezwingen [bə'tsvɪŋən] v maîtriser
Bibel ['bi:bəl] f Bible f
Biber ['bi:bər] m castor m
Bibliothek [biblio'te:k] f bibliothèque f
biblisch [bi:blɪʃ] adj biblique
biegen ['bi:gən] v courber, arquer
biegsam ['bi:kza:m] adj flexible, souple

Biegung ['bi:guŋ] f 1. (Straße) virage m; 2. courbe f

Biene ['bi:nə] f abeille f

Bier [bi:r] n bière f

Bierbrauer [bi:rbrauər] m brasseur f

Bierkrug ['bi:rkru:k] m pot à bière m

bieten ['bi:tən] v offrir, proposer, présenter; Wer bietet mehr? Qui dit mieux?

Bikini [bi'ki:ni] m bikini m

Bilanz [bi'lants] f bilan m

bilanzieren [bilan'tsi:rən] v dresser le bilan, faire un/le bilan

Bild [bilt] n 1. (Gemälde) tableau m; 2. FOTO photo(graphie) f; 3. CINE image f

Bildband ['biltbant] m livre-album m

bilden ['bildən] v 1. (gestalten) former; 2. sich - (entstehen) se former; 3. sich - (lernen) s'instruire, se cultiver

Bilderbuch ['bildərbu:x] n livre d'images m

Bildhauer ['bilthauər] m sculpteur m

bildlich ['biltliç] adj figuratif, imagé

Bildschirm ['biltʃirm] m écran m

Bildung ['bilduŋ] f 1. (Gestaltung) formation f, façonnement m; 2. (Schul-) éducation scolaire f

Billard ['biljart] n billard m

billig ['biliç] adj bon marché

billigen ['biligən] v approuver, autoriser

Binde ['bində] f 1. (Damen-) serviette hygiénique f; 2. MED bande f

Bindehaut ['bindəhaut] f conjonctive f

binden ['bindən] v lier, attacher; Mir sind die Hände gebunden. J'ai les mains liées.

bindend ['bindənt] adj obligatoire

Bindestrich ['bindəʃtriç] m tiret m

Bindfaden ['bindfa:dən] m ficelle f

Bindung ['binduŋ] f 1. (Verbundenheit) lien m, liaison f; 2. (moralisch) engagement m; 3. (Verpflichtung) contrainte f

binnen ['binən] prep en, dans l'espace de

Binnengewässer ['binəngəvɛsər] n eaux continentales f/pl

Biochemie [bioçe'mi:] f biochimie f

Biographie [bio'gra:fi:] f biographie f

Biologie [biolo'gi:] f biologie f

Biotop [bio'tɔp] n biotope m

Birke ['birkə] f bouleau m

Birnbaum ['birnbaum] m poirier m

Birne ['birnə] f 1. (Obst) poire f; 2. (Glüh-) ampoule électrique f

bis [bis] 1. prep (zeitlich) jusqu'à, jusque; 2. konj jusqu'à ce que

Bischof ['biʃɔf] m évêque m

bisexuell [bizɛksu'ɛl] adj bisexuel

bisher ['bishe:r] adv jusqu'alors, jusqu'ici

Biskuit [bis'kvit] m biscuit m

Biß [bis] m 1. morsure f; 2. (Schlange) piqûre f

bißchen ['bisçən] un peu de

Bissen ['bisən] m bouchée f, morceau m

bissig ['bisiç] adj qui mord, mordant; ~ Hund! Chien méchant! ~ sein être teigneux comme un rat

bitte ['bitə] adv 1. (bittend) s'il vous plaît/ s'il te plaît; 2. (Antwort auf Dank) je vous en prie/ je t'en prie, il n'y a pas de quoi/ pas de quoi; 3. (tragend) pardon?, comment?, plaît-il? 4. (Bejahung) bien sûr

Bitte ['bitə] f demande f, prière f

bitten ['bitən] v prier de, demander de

bitter ['bitər] adj 1. (Geschmack) amer; 2. (fig: schmerzlich) douloureux

Bitterkeit ['bitərkait] f 1. (Geschmack) amertume f; 2. (fig) acrimonie f

Blähungen [blɛ:uŋən] pl vents m/pl

Blamage [bla'ma:ʒə] f honte f

blamieren [bla'mi:rən] v 1. jdn ~ discréditer, ridiculiser; 2. sich ~ se rendre ridicule

blank [blaŋk] adj clair, brillant

Blase ['bla:zə] f 1. bulle f; 2. MED ampoule f, cloque f; 3. ANAT vessie f

blasen ['bla:zən] v 1. souffler; 2. MUS jouer de

Blasinstrument ['bla:sinstrumɛnt] n instrument à vent m

Blasmusik ['bla:smuzi:k] f musique de fanfare f

blaß [blas] adj pâle, blême

Blässe ['blɛsə] f pâleur f

Blatt [blat] n feuille f; Das steht auf einem anderen ~. C'est une autre histoire.

blättern ['blɛtərn] v feuilleter

Blätterteig ['blɛtərtaik] m pâte feuilletée f

blau [blau] adj 1. bleu; ins Blaue hinein reden parler dans le vide; 2. (fam: betrunken) ivre; sternhagel- sein être rond comme une queue de pelle

blauäugig ['blauɔygiç] adj aux yeux bleus

Blech [blɛç] n tôle f, fer-blanc m

Blei [blai] n plomb m

bleiben ['blaibən] v rester; Ich bleibe dabei. J'en reste à ce que j'ai dit.

bleich ['blaiç] adj blême, blafard

bleichen ['blaiçən] v blanchir

bleifrei ['blaifrai] adj (Benzin) sans plomb

Bleistift ['blaɪʃtɪft] m crayon m

Blende ['blɛndə] f 1. (Abschirmung) écran m; 2. FOTO diaphragme m

blenden ['blɛndən] v aveugler, éblouir

blendend ['blɛndənt] adj éblouissant, aveuglant

Blick ['blɪk] m 1. (Schauen) regard m, coup d'œil m; die -e auf sich ziehen attirer les regards; Liebe auf den ersten ~ coup de foudre; jdn mit -en verschlingen manger qn des yeux; 2. (Aussicht) vue f

blicken [blɪkən] v regarder

Blickpunkt ['blɪkpuŋkt] m point de vue m

blind [blɪnt] adj aveugle

Blinddarmentzündung ['blɪntdarmɛnttsynduŋ] f appendicite f

Blinde ['blɪndə] m aveugle m

Blindenschrift ['blɪndənʃrɪft] f braille m

Blindheit ['blɪnthaɪt] f cécité f

blinken ['blɪŋkən] v 1. TECH clignoter; 2. (glitzern) briller, scintiller

Blinklicht ['blɪŋklɪçt] n (feu) clignotant m

blinzeln ['blɪntsəln] v cligner, clignoter

Blitz ['blɪts] m éclair m, foudre f

Blitzableiter ['blɪtsaplaɪtər] m paratonnerre m

blitzen ['blɪtsən] v 1. METEO faire des éclairs, étinceler; 2. FOTO prendre une photo à la lumière d'un flash

Blitzlicht ['blɪtslɪçt] n FOTO flash m

Block ['blɔk] m 1. bloc m, billot m; 2. (Gebäude) bloc m, pâté de maisons m; 3. (Papier) bloc de papier m, bloc-notes m

Blockade [blɔˈkadə] f blocus m

Blockflöte ['blɔkfløːtə] f flûte à bec f

blockieren [blɔˈkiːrən] v bloquer

blöd [bløːt] adj stupide, idiot

Blödsinn ['bløːtzɪn] m stupidité f, idiotie f

blond [blɔnt] adj blond

bloß [bloːs] 1. adj nu, découvert; ~stellen mettre à nu; 2. adv simplement, seulement

blühen ['blyːən] v 1. (Blume) fleurir; 2. prospérer, faire florès; Das kann dir auch ~! Cela peut t'arriver aussi!

blühend ['blyːənt] adj 1. fleuri, en fleur; 2. (Aussehen) éclatant

Blume ['bluːmə] f fleur f

Blumenhändler ['bluːmənhɛndlər] m fleuriste m

Blumenkohl ['bluːmənkoːl] m chou-fleur m

Blumentopf ['bluːməntɔpf] m pot de fleurs m

Bluse ['bluːzə] f chemisier m, corsage m

Blut [bluːt] n sang m

blutarm [bluːtarm] adj anémique

Blutdruck ['bluːtdruk] m tension artérielle f

Blüte ['blyːtə] f 1. (Blume) fleur f; 2. (fig) prospérité f

Blutegel ['bluːteːgəl] m sangsue f

bluten [bluːtən] v saigner

Bluter [bluːtɛr] m hémophile m

Bluterguß [bluːtɛrgus] m hématome m

Blutgruppe [bluːtgrupə] f groupe sanguin m

blutig [bluːtɪç] adj sanglant, ensanglanté

Blutprobe [bluːtproːbə] f prise de sang f

Blutung ['bluːtuŋ] f 1. MED saignement m, hémorragie f; 2. (Menstruation) menstruation f

Bö [bøː] f rafale f, grain m

Bob [bɔb] m bob(sleigh) m

Bock [bɔk] m 1. SPORT cheval d'arçons m; 2. ZOOL bouc m

Boden ['boːdən] m 1. (Erde) sol m, terre f; 2. (Fuß-) sol m, plancher m; 3. (Grund) base f

bodenlos ['boːdənloːs] adj 1. sans fond; 2. (unerhört) inouï

Bodenschätze ['boːdənʃɛtsə] pl richesses minières f/pl, richesses du sol f/pl

Bodensee ['boːdənzeː] m lac de Constance m

Bogen ['boːgən] m 1. (Kurve) courbe f; 2. (Waffe) arc m; 3. (Papier) feuille de papier f; 4. (Straße) virage m; 5. ARCH arc m

Bogengang ['boːgəngaŋ] m arcades f/pl

Bogenschießen ['boːgənʃiːsən] n tir à l'arc m

Bohle ['boːlə] f madrier m, planche épaisse f

Bohne ['boːnə] f 1. (Hülsenfrucht) haricot m; eine ~nstange sein être sec comme un haricot; 2. (Kaffee-) grain de café m

Bohnerwachs ['boːnərvaxs] n encaustique f

bohren [boːrən] v percer

Bohrer [boːrər] m perceuse f

Boiler ['bɔylər] m chauffe-eau électrique m

Boje ['boːjə] f bouée f, balise f

Bombe ['bɔmbə] f bombe f

Bombenangriff ['bɔmbənangrɪf] m raid aérien m

Bombenattentat ['bɔmbənatɛntaːt] n attentat à la bombe m, attentat à l'explosif m

Bon [bɔ] *m* bon *m*

Bonbon [bɔŋ'bɔŋ] *n* bonbon *m*

Boot [bo:t] *n* bateau *m*, barque *f*

Bord [bɔrt] *m* 1. *(Brett)* étagère *f*, rayon *m*; 2. *(Rand)* bord *m*, bordure *f*; 3. an ~ *(Auto, Schiff)* (à) bord *m*

Bordell [bɔr'dɛl] *n* bordel *m*, maison de tolérance *f*

Bordstein ['bɔrtʃtaɪn] *m* bordure de trottoir *f*, pierre de bordure *f*

borgen ['bɔrgən] *v* 1. *(verleihen)* prêter, faire crédit de; 2. *(entleihen)* emprunter

Borke ['bɔrkə] *f* écorce d'arbre *f*

Börse [bœrzə] *f* 1. *(Geld~)* bourse *f*, porte-monnaie *m*; 2. *FIN* Bourse *f*

Borste ['bɔrstə] *f (Schwein)* soie *f*

Borte ['bɔrtə] *f (Schneiderei)* bordure *f*

bösartig ['bø:sartɪŋ] *adj* 1. mauvais, malin; 2. *MED* maligne

Böschung [bøʃuŋ] *f* talus *m*, pente *f*

böse ['bø:zə] *adj* 1. *(verärgert)* fâché, irrité; *jdm ~ sein* en vouloir à qn; 2. *(schlimm)* mauvais, méchant, grave, fort

boshaft ['bo:shaft] *adj* méchant, mauvais

Bosheit [bo:shaɪt] *f* méchanceté *f*

böswillig ['bø:zvi:lɪŋ] *adj* 1. malveillant, qui est de mauvaise foi; 2. *~es Verlassen* abandon *m*

Botanik [bo'ta:nɪk] *f* botanique *f*

Bote ['bo:tə] *m* messager *m*, porteur *m*

Botschaft ['bo:tʃaft] *f* 1. *(Nachricht)* message *m*, nouvelle *f*; 2. *POL* ambassade *f*

Botschafter ['bo:tʃaftər] *m* ambassadeur *m*

Boxer ['bɔksər] *m* 1. *SPORT* boxeur *m*; 2. *ZOOL* boxer *m*

Boykott [bɔy'kɔt] *m* boycottage *m*

Branche [braŋʃə] *f ECO* branche *f*

Brand [brant] *m* incendie *m*

Brandblase ['brantbla:zə] *f* cloque *f*

Brandung ['branduŋ] *f* déferlement *m*

Branntwein ['brantvaɪn] *m* eau-de-vie *f*

brasilianisch [brazi'lja:nɪʃ] *adj* brésilien

Brasilien [bra'zi:ljən] *n* Brésil *m*

Braten ['bra:tən] *m* rôti *m*

braten ['bra:tən] *v* rôtir, frire

Brathuhn ['brathu:n] *n* poulet rôti *m*

Bratkartoffeln ['bratkartɔfəln] *pl* pommes de terre sautées *f/pl*

Bratpfanne ['bratpfanə] *f* poêle à frire *f*

Bratsche ['bratʃə] *m* alto *m*

Bratwurst ['bra:tvurst] *f* saucisse grillée *f*

Brauch/Bräuche ['braux] *m* usage *m*, coutume *f*

brauchbar ['brauxba:r] *adj* utilisable

brauchen ['brauxən] *v* 1. *(nötig haben)* avoir besoin de; 2. *(benutzen)* utiliser

Brauchtum ['brauxtum] *n* coutumes *f/pl*

Braue ['brauə] *f* sourcil *m*

Brauerei [brauə'raɪ] *f* brasserie *f*

braun ['braun] *adj* 1. *(Farbe)* brun; 2. *(sonnengebräunt)* bronzé

bräunen [brɔynən] *v* bronzer

Braunkohle ['braunko:lə] *f* lignite *m*

Brause ['brauzə] *f* 1. *(Dusche)* douche *f*; 2. *(Getränk)* boisson gazeuse *f*

Braut ['braut] *f* fiancée *f*, mariée *f*

Brautjungfer ['brautjunfər] *f* demoiselle d'honneur *f*

Brautkleid ['brautklaɪt] *n* robe de mariée *f*

Brautpaar ['brautpa:r] *n* fiancés *m/pl*

brav [bra:f] *adj* brave, gentil, sage

Brecheisen ['brɛçaɪsən] *n* pince-monseigneur *f*

brechen ['brɛçən] *v* 1. *(abbrechen)* rompre, briser, casser; 2. *(fig: Vertrag)* rompre; 3. *(sich übergeben)* vomir; 4. *(Knochen)* (se) briser

Brechreiz ['brɛçraɪts] *m* envie de vomir *f*

Brei ['braɪ] *m* bouillie *f*, purée *f*

breit [braɪt] *adj* 1. large; *lang und ~* en long et en large; 2. *(Stoffe)* ample; 3. *(ausgedehnt)* vaste, étendu

Breite ['braɪtə] *f* largeur *f*

Bremsbelag ['brɛmsbəla:k] *m* garniture de frein *f*

Bremse ['brɛmzə] *f* 1. *TECH* frein *m*; 2. *ZOOL* taon *m*

bremsen ['brɛmsən] *v* freiner

Bremslicht ['brɛmslɪçt] *n* feu (de) stop *m*

Bremsweg ['brɛmsve:k] *m* distance d'arrêt *f*

brennbar ['brɛnba:r] *adj* inflammable

brennen [brɛnən] *v* 1. brûler; 2. *(Licht)* être allumé; 3. *(Wunde)* cuire; 4. *(Schnaps)* distiller

Brennessel ['brɛnnɛsəl] *f* ortie *f*

Brennpunkt ['brɛnpunkt] *m* foyer *m*

Brennspiritus ['brɛnʃpi:ritus] *m* alcool à brûler *m*

Brennstoff ['brɛnʃtɔf] *m* 1. combustible *m*; 2. *(Auto)* carburant *m*

brenzlig ['brɛntslɪŋ] *adj* qui sent le roussi; *Die Sache wird ~.* L'affaire devient délicate.

Brett ['brɛt] n planche f
Brezel ['bre:tsəl] f bretzel m
Brief [bri:f] m lettre f
Briefkasten ['bri:fkastən] m boîte à lettre f
Briefmarke ['bri:fmarkə] f timbre m
Briefpapier ['bri:fpapi:r] n papier à lettre m
Brieftasche ['bri:ftaʃə] f portefeuille m
Briefträger ['bri:ftrɛ:gər] m facteur m
Briefumschlag ['bri:fumʃlak] m enveloppe f
Briefwechsel ['bri:fvɛksəl] m courrier m
Brikett [brɪ'kət] n (Kohle) briquette f
brillant [brɪl'jant] adj brillant, excellent
Brillant [brɪl'jant] m (Diamant) brillant m
Brille ['brɪlə] f lunettes f/pl
bringen ['brɪŋən] v 1. apporter, amener, mener; 2. (Gewinn) rapporter; 3. (begleiten) accompagner
Brise ['bri:zə] f brise f
britisch ['bri:tɪʃ] adj britannique
bröckeln ['brœkəln] v (s')émietter
Brocken ['brokən] m 1. morceau m, fragment m; 2. (fam: Bissen) bouchée f
brodeln ['bro:dəln] v bouillonner, bouillir
Brokat [bro'ka:t] m brocart m, lamé m
Brokkoli ['bro:kɔli] m brocoli m
Brombeere ['brombe:rə] f mûre sauvage f
Bronchitis [brɔn'çi:tɪs] f bronchite f
Bronze ['brɔsə] f bronze m
Brosche ['broʃə] f broche f
Broschüre [brɔ'ʃy:rə] f brochure f
Brot [bro:t] n pain m
Brötchen ['brø:tçən] n petit pain m
Brotlaib ['bro:tlaip] m miche f
brotlos ['bro:tlo:s] adj sans ressources
Bruch [brux] m 1. rupture f, cassure f; 2. (Knochen) fracture f; 3. MATH fraction f; 4. (Vertrags-) JUR rupture f
brüchig ['bryxɪç] adj cassant, fragile
Bruchlandung ['bruxlanduŋ] v eine ~ machen faire de la casse
bruchrechnen ['bruxrɛçnən] v faire un calcul de fractions
Bruchteil ['bruxtaɪl] m fraction f, partie f
Brücke ['brykə] f 1. pont m; alle ~n hinter sich abbrechen brûler ses vaisseaux; 2. (Teppich) carpette f; 3. (Zahn-) bridge m
Bruder ['bru:dər] m frère m
brüderlich ['bry:dərlɪç] adj fraternel
Brühe ['bry:ə] f bouillon m

brüllen ['brylən] v 1. hurler, vociférer; 2. (Tiere, Wind) mugir
brummen ['brumən] v bourdonner
brünett [bry'nɛt] adj brun, brunet(te)
Brunnen ['brunən] m fontaine f, puits m
brüsk ['brysk] adj brusque, rude
Brust [brust] f poitrine f
brüsten ['brystən] v sich ~ fanfaronner, se vanter; sich mit etw ~ faire étalage de qc
Brustkorb ['brustkɔrp] m cage thoracique f
Brustschwimmen ['brustʃvɪməm] n brasse f
Brüstung ['brystuŋ] f parapet m
Brustwarze ['brustvartsə] f mamelon m
Brut [bru:t] f 1. incubation f; 2. (Vögel) couvée f
brutal [bru'ta:l] adj brutal
Brutalität [brutalitɛt] f brutalité f
brüten ['bry:tən] v 1. couver; 2. (fig) méditer qc
Brüter ['bry:tər] m TECH Schneller ~ surgénérateur à haute compression m
Brutkasten ['brutkastən] m couveuse f
brutto ['bruto] adj brut(e)
Bruttoeinkommen ['brutoaɪnkɔmən] n FIN revenus bruts m/pl
Buch ['bu:x] n livre m
Buchbinder ['bu:xbɪndər] m relieur m
Bucheinband ['bu:xaɪnbant] m couverture f
buchen ['bu:xən] v comptabiliser
Bücherei [by:çə'raɪ] f bibliothèque f
Bücherregal ['by:çərrega:l] n rayon m, étagère f
Buchfink ['bu:xfɪŋk] m pinson m
Buchhaltung ['bu:xhaltuŋ] f comptabilité f
Buchhändler ['bu:xhɛndlər] m libraire m
Buchhandlung ['bu:xhandluŋ] f librairie f
Büchse ['byksə] f 1. boîte de conserve f; 2. (Gewehr) fusil m
Büchsenöffner ['byksənœfnər] m ouvre-boîte m
Buchstabe ['bu:xʃta:bə] m lettre f; großer ~ lettre majuscule/capitale
buchstabieren ['bu:xʃtabi:rən] v épeler
buchstäblich ['bu:xʃtɛplɪŋ] adj littéral
Bucht [buxt] f baie f
Buchung ['bu:xuŋ] f 1. (Bestellung) commande f, réservation f; 2. ECO comptabilisation f

Buckel ['bukəl] *m* bosse *f*
bücken ['bykən] *v sich ~* se baisser
Bude ['bu:də] *f* 1. *(Geschäft)* boutique *f*, échoppe *f*; 2. *(Zimmer)* chambre d'étudiant *f*
Büfett [by'fɛt] *n* buffet *m*
Büffel ['byfəl] *m* ZOOL buffle *m*
büffeln ['byfəln] *v* 1. *(Student)* travailler dur; 2. *(fam)* bosser
Bug [bu:k] *m* NAUT proue *f*
Bügel ['bygəl] *m* 1. *(Kleider~)* cintre *m*, porte-manteau *m*; 2. *(Steig~)* étrier *m*
Bügelbrett ['bygəlbrɛt] *n* planche à repasser *f*
Bügeleisen ['bygəlaızən] *n* fer à repasser *m*
Bügelfalte ['bygəlfaltə] *f* pli *m*
bügelfrei ['bygəlfraı] *adj* sans repassage
bügeln ['bygəln] *v* repasser
Bühne [by:nə] *f* scène *f*, théâtre *m*
Bühnenbild ['by:nənbılt] *n* décor *m*
Bulgarien [bul'ga:rıən] *n* Bulgarie *f*
bulgarisch [bul'ga:rıʃ] *adj* bulgare
Bullauge [bul'augə] *n* hublot *m*
Bulldogge ['buldɔgə] *f* bouledogue *m*
Bulle ['bulə] *m* 1. ZOOL taureau *m*; 2. *(fam: Polizist)* flic *m*, cognes *m/pl*
Bummel ['buməl] *m* balade *f*
bummeln ['buməln] *v* se balader, flâner
Bund [bunt] *m* 1. *(Rock~)* ceinture *f*; 2. POL union *f*
Bündel ['byndɛl] *n* faisceau *m*, petit paquet *m*
Bundes ['bundəs] *pref* fédéral
Bundesbahn ['bundəsba:n] *f* société des chemins de fer fédéraux *f*
Bundeskanzler ['bundəskantslər] *m* chancelier de l'Allemagne fédérale *f*
Bundespräsident ['bundəsprezidɛnt] *m* président de la République fédérale allemande
Bundesrat ['bundəsra:t] *m* conseil des länder *m*
Bundesrepublik ['bundəsrepubli:k] *f* République fédérale allemande *f*
Bundesstraße ['bundəsʃtra:sə] *f* route fédérale/nationale *f*
Bundestag ['bundəsta:k] *m* parlement fédéral *m*

Bundeswehr ['bundəsve:r] *f* armée fédérale *f*
bündig ['byndıŋ] *adj* concis, bref; *~ ab-schließen* arriver au même niveau que qc
Bündnis ['byntnıs] *n* union *f*
Bunker ['buŋkər] *m* blockhaus *m*
bunt [bunt] *adj* multicolore
Buntstift ['buntʃtıft] *m* crayon de couleur *m*
Burg [burk] *f* château fort *m*, château *m*
Bürge ['byrgə] *m (Person)*, garant *m*
Bürger ['byrgər] *m* citoyen *m*
Bürgerinitiative ['byrgərınıtsjati:və] *f* initiative citoyenne *f*
Bürgerkrieg ['byrgərkri:k] *m* guerre civile *f*
bürgerlich ['byrgərlıŋ] *adj* 1. *(mittelstän-disch)* bourgeois; 2. *(gesetzlich)* JUR civil
Bürgermeister ['byrgərmaıstər] *m* maire *m*
Bürgersteig ['byrgərʃtaık] *m* trottoir *m*
Bürgertum ['byrgərtum] *n* bourgeoisie *f*
Bürgschaft ['byrkʃaft] *f* caution *f*
Büro [by'ro:] *n* bureau *m*
Büroklammer [by'ro:klamər] *f* agrafe *f*
Bürokratie [byro:kra'ti:] *f* bureaucratie *f*
Bursche ['burʃə] *m* garçon *m*
Bürste ['byrstə] *f* brosse *f*
bürsten ['byrstən] *v* brosser
Bus [bus] *m* bus *m*, autobus *m*, car *m*
Busbahnhof ['busba:nho:f] *m* gare routière *f*
Busch [buʃ] *m* 1. buisson *m*; 2. *(Urwald)* brousse (tropicale) *f*, forêt vierge *f*
Busen ['bu:zən] *m* sein *m*
Bushaltestelle ['bushaltəʃtɛlə] *f* arrêt *m*
Bussard ['busart] *m* buse *f*
Buße ['bu:sə] *f* amende *f*, pénitence *f*
Bußgeld ['bu:sgɛlt] *n* amende *f*
Büste ['bystə] *f* buste *m*, poitrine *f*
Büstenhalter ['bystənhaltər] *m* soutien-gorge *m*
Butter ['butər] *m* beurre *m*
Butterblume ['butərblu:mə] *f* bouton-d'or *m*
Butterbrot ['butərbro:t] *n* tartine (de pain) beurrée *f*; *für ein ~* pour une bouchée de pain
Butterdose ['butərdo:zə] *f* beurrier *m*

C

Cadmium ['katmjum] *n CHEM* cadmium *m*

Café [ka'fe:] *n* café *m*

Cafeteria [kafətə'ri:a] *f* cafétéria *f*

campen ['kæmpən] *v* camper, faire du camping

Camper ['kæmpər] *m* campeur *m*

Camping ['kæmpɪŋ] *n* camping *m*

Campingbus ['kæmpɪŋbus] *m* minibus aménagé *m*

Cayennepfeffer ['ka'jɛnpfɛfər] *m* poivre de Cayenne *m*

CD-Spieler [tsədəˈʃpiːlər] *m* lecteur de disques compacts/de compact-discs *m*

Cellist [tʃɛ'lɪst] *m* violoncelliste *m*

Cello/Celli ['tsɛlo:] *n* violoncelle *m*

Cembalo/Cembali ['tʃɛmbalo] *n* clavecin *m*

Chamäleon [ka'mɛ:ljon] *n* caméléon *m*

Champagner [ʃam'panjər] *m* champagne *m*

Champignon [ʃampɪ'jɔ̃] *m* champignon de couche *m*

Champion [tʃæmpiən] *m* champion *m*

Chance ['ʃɑ̃sə] *f* chance *f*

Chancengleichheit [ʃɑ̃sənglaɪŋhaɪt] *f* égalité des chances *f*

Chaos ['ka:ɔs] *n* chaos *m*

Chaot [ka'o:t] *m* anarchiste *m*, personne qui vit de façon non conventionnelle *f*

chaotisch [ka'o:tɪʃ] *adj* chaotique, anarchique

Charakter [ka'raktər] *m* caractère *m*; *verträglicher* ~ caractère facile *m*

charakterfest [ka'raktərfɛst] *adj* d'un caractère ferme

charakterisieren [karaktɛri'zi:rən] *v* caractériser

charakteristisch [karaktər'ɪstɪʃ] *adj* caractéristique

charakterlos [ka'raktərlo:s] *adj* sans caractère, versatile

Charakterzug [ka'raktərtsu:k] *m* trait de caractère *m*

charmant [ʃar'mant] *adj* charmant

Charme ['ʃarm] *m* charme *m*

Charterflug ['ʃartərflu:k] *m* vol charter *m*, charter *m*

Chassis [ʃa'si:] *n* châssis *m*

Chauffeur [ʃɔ'fø:r] *m* chauffeur *m*

Chauvinismus [ʃovi'nɪsmus] *m* chauvinisme *m*

Chef [ʃɛf] *m* chef *m*, patron *m*

Chefarzt ['ʃɛfartst] *m* médecin (en) chef *m*

Chefredakteur ['ʃɛfredaktø:r] *m* rédacteur en chef *m*

Chefsekretärin ['ʃɛfzekretɛ:rɪn] *f* secrétaire de direction *f*

Chemie [ʃe'mi:] *f* chimie *f*

Chemiefaser [ʃe'mi:fa:zər] *f* fibre synthétique *f*

Chemieindustrie [ʃe'mi:industri:] *f* industrie chimique *f*

Chemikalie [ʃəmɪka:ljə] *f* produit chimique *m*

Chemiker ['ʃe:mɪkər] *m* chimiste *m*

chemisch ['ʃe:mɪʃ] *adj* chimique; *-e Reinigung f* pressing *m*

Chemotherapie ['ʃemɔterapi:] *f* chimiothérapie *f*

Chiffre ['ʃifrə] *f (Geheimzahl)* chiffre *m*; *unter* ~ sous le numéro

Chile ['ʃi:lə] *n* Chili *m*

Chilene [ʃile:nə] *m* Chilien *m*

China [ʃi:na] *n* Chine *f*

chinesisch [ʃɪ'nəzɪʃ] *adj* chinois

Chinin [ʃɪ'nin] *n* quinine *f*

Chip [ʃip] *m* 1. *(Spiel-)* jeton *m*; 2. *INFORM* puce *f*

Chips [ʃips] *pl (Kartoffel-)* chips *m/pl*

Chirurg [ʃi'rurk] *m* chirurgien *m*

Chirurgie [ʃirur'gi:] *f* chirurgie *f*

chirurgisch [ʃi'rurgɪʃ] *adj* chirurgical

Chlor [klo:r] *n CHEM* chlore *m*; *-wasser n* eau de Javel *f*

chlorhaltig ['klo:rhaltɪŋ] *adj* chloré

Chloroform [klo:ro'fɔrm] *n* chloroforme *m*

Chlorophyll [klo:ro'fyl] *n BIO* chlorophylle *f*

Cholera ['ko:ləra] *f* choléra *m*

Choleriker [ko'le:rɪkər] *m* colérique *m*

cholerisch [ko'le:rɪʃ] *adj* colérique

Cholesterin [koləstə'ri:n] *n* cholestérol *m*

Cholesterinspiegel [koləstə'rin:ʃpi:gəl] *m* taux de cholestérol *m*

Chor [koːr] *m* chœur *m*
Choral [koˈraːl] *m* choral *m*
Choreographie [koːrjɔgraphiː] *f* chorégraphie *f*
Chorleiter ['koːrlaɪtər] *m* directeur du chœur *m*
Christ [krɪst] *m* chrétien *m*
Christbaum ['krɪstbaurn] *m* arbre de Noël *m*
Christenheit ['krɪstənhaɪt] *f* chrétienté *f*
Christi Himmelfahrt ['krɪstɪ hɪməlfaːrt] *f* Ascension de Jésus Christ *f*
christlich ['krɪstlɪn] *adj* chrétien
Christus ['krɪstus] *m* Jésus Christ *m*
Chrom [kroːm] *n* chrome *m*
Chromatik [kroˈmaːtɪk] *f* chromatique *f*
Chromosom [kromɔˈsoːm] *n* chromosome *m*
Chronik [kroːnɪk] *f* chronique *f*
chronisch ['kroːnɪʃ] *adj* chronique

chronologisch [kronoˈloːgɪʃ] *adj* chronologique
Chrysantheme [kryzanˈteːmə] *f* chrysanthème *m*
circa [tsiːrka] *adv* environ, à peu près
Clou [kluː] *m* clou *m*
Clown [klaun] *m* clown *m*
Cocktail ['kɔkteːl] *m* cocktail *m*
Code [koːd] *m INFORM* code *m*
Comics ['kɔmɪks] *pl* bandes dessinées *f/pl*
Computer [kɔmˈpjuːtər] *m* ordinateur *m*
Computertomographie [kɔmˈpjuːtər-tɔmɔgrapfiː] *f* tomographie par ordinateur *f*
Container [kɔnˈteːnər] *m* conteneur *m*, container *m*
Cousin/Cousine [kuˈzɛ] *m/f* cousin(e) *m/f*
Creme [krɛːm] *f* crème *f*
Cutter ['katər] *m* monteur *m*

D

da [da:] *adv 1. (örtlich)* là, ici; *2. (zeitlich)* alors; *3. konj* comme, puisque

dabei [da'baɪ] *adv 1. (zeitlich)* sur le point de, en même temps; *2. (örtlich)* auprès, y; *Ich bin ~.* Je suis de la partie.

dableiben ['dablaɪbən] *v* rester auprès de

Dach [dax] *n* toit *m*, toiture *f*; *unter einem ~ wohnen* vivre sous le même toit

Dachboden ['daxbo:dən] *m* combles *m/pl*

Dachdecker ['daxdɛkər] *m* couvreur *m*

Dachfenster ['daxfɛnstər] *n* lucarne *f*

Dachgeschoß ['daxɡəʃɔs] *m* étage mansardé *m*

Dachgesellschaft ['daxɡəzɛlʃaft] *f* holding *m*

Dachrinne ['daxrɪnə] *f* gouttière *f*

Dachs ['daks] *m* blaireau *m*

Dachstuhl ['daxʃtu:l] *m* comble *m*

Dachziegel ['daxtsi:ɡəl] *m* tuile *f*

Dackel ['dakəl] *m* basset *m*

dadurch [da'durç] *adv 1. (örtlich)* par là, par ici; *2. (folglich)* en conséquence, par ce fait; *3. (so)* de cette façon, ainsi

dafür [da'fy:r] *adv 1.* pour cela; *2. (anstatt)* à la place, au lieu de cela

dagegen [da'ɡe:ɡən] *adv 1. (örtlich)* contre cela, à cela; *2. (im Vergleich)* en comparaison; *3. (dafür)* en échange, en retour; *4. konj* en revanche, au contraire, par contre

daheim [da'haɪm] *adv* à la maison, chez-soi

daher [da'he:r] *adv 1. (örtlich)* de là, de ce côté; *2. (kausal)* de là, d'où; *3. konj* c'est pourquoi, à cause de cela

dahin [da'hɪn] *adv* là, là-bas

dahinter [da'hɪntər] *adv* derrière, là derrière

Dahlie ['da:ljə] *f* dahlia *m*

Dalmatiner [dalma'ti:nər] *m* dalmatien *m*

damalig ['da:malɪç] *adj* de ce temps-là

damals ['da:mals] *adv* alors, à l'époque

Damast [da'mast] *m* damas *m*

Dame ['da:mə] *f* dame *f*, grande dame *f*

damit [da'mɪt] *adv 1.* avec cela; *2. (dadurch)* par là; *3. konj* afin que, pour que

dämlich [dɛ'mlɪç] *adj (fam)* stupide, idiot

Damm [dam] *m 1.* digue *f*, barrage *m*; *2. (Hafen)* quai *m*

dämmerig ['dɛmərɪç] *adj* crépusculaire; *Es wird ~.* La nuit tombe.

dämmern ['dɛmərn] *v 1. (Morgen)* poindre; *2. (Nacht)* venir

Dämmerung ['dɛməruŋ] *f 1. (Abend~)* crépuscule *m*; *2. (Morgen~)* aube *f*

Dämon ['dɛ:mɔn] *m* démon *m*

Dampf [dampf] *m* vapeur *f*

dampfen ['dampfən] *v* dégager de la vapeur

dämpfen ['dɛmpfən] *v 1. (Lärm)* étouffer, isoler; *2. GAST* (faire) cuire à l'étuvée; *3. (Schlag)* amortir

Dampfer ['dampfər] *m* bateau à vapeur *m*

Dampfkochtopf ['dampfkɔxtɔpf] *m* auto-cuiseur *m*, cocotte-minute *f*

Dampfmaschine ['dampfmaʃi:nə] *f* machine à vapeur *f*

Dämpfung ['dɛmpfuŋ] *f 1. (Verringerung)* atténuation *f*; *2. (Lärm)* isolation *f*; *3. (Schlag)* amortissement *m*

danach [da'na:x] *adv 1. (zeitlich)* après, après cela, après quoi; *2. (dementsprechend)* d'après, suivant, conformément à

daneben [da'ne:bən] *adv 1. (örtlich)* à côté; *2. (fig: außerdem)* en plus

Dänemark ['dɛ:nəmark] *n* Danemark *m*

dänisch ['dɛ:nɪʃ] *adj* danois

Dank ['daŋk] *m* remerciement *m*; *Haben Sie ~, daß Sie gekommen sind.* Merci d'être venu. *jdm ~ abstatten* rendre grâce à qn

dank [daŋk] *prep* grâce à

dankbar ['daŋkba:r] *1. adj* reconnaissant; *2. adv* avec reconnaissance

Dankbarkeit ['daŋkba:rkaɪt] *f* reconnaissance *f*

danke ['daŋkə] *interj* merci, merci bien

danken ['daŋkən] *v* remercier; *jdm für etw ~ remercier* qn de qc; *Ich weiß nicht, wie ich Ihnen ~ soll.* Je ne sais comment vous remercier.

dann [dan] *adv 1.* ensuite, alors, en outre; *~ und wann* par intervalles; *2. (Folge)* dans ce cas

daran [da'ran] *adv 1. (~ denken)* y, à cela; *Ich denke ~.* J'y pense. *2. (~ nängt etw);* hängt dein Glück. De cela dépend ta fortune. *Da ist etw Wahres ~.* Il y a du vrai là-dedans.

darauf [da'rauf] *adv* 1. *(örtlich)* là-dessus, sur cela; 2. *(zeitlich)* ensuite, après, là-dessus, puis; 3. *(folglich)* en conséquence, par conséquent, dès lors

darauffolgend [da'rauffɔlgənt] *adj* suivant; *am ~en Tag* le lendemain

daraufhin [darauf'hɪn] *adv* 1. *(zeitlich)* là-dessus, à ces mots; 2. *(folglich)* d'après cela, d'après quoi

daraus [da'raus] *adv* de là, de celà

darbieten ['da:rbi:tən] *v* 1. *(anbieten)* offrir; 2. *(aufführen)* présenter

Darbietung ['da:rbi:tuŋ] *f* 1. *(Angebot)* offre *f*; 2. *(Aufführung)* (re)présentation *f*

darin [da'rɪn] *adv* 1. *(örtlich)* là-dedans, dedans; 2. *(diesbezüglich)* en cela, en quoi

darlegen ['da:rle:gən] *v* exposer, faire voir

Darlehen ['da:rle:ən] *n* prêt *m*

Darm [darm] *m* intestin *m*

Darmgrippe ['darmgrɪpə] *f* grippe intestinale *f*

darstellen ['da:rʃtɛlən] *v* 1. *(beschreiben)* représenter, décrire; 2. *(fig: bedeuten)* figurer; 3. *CINE* jouer

Darsteller ['da:rʃtɛlər] *m* acteur *m*

darüber [dar'y:bər] *adv* (örtlich) au-dessus, dessus, sur cela; *~ sind wir uns einig.* Nous sommes d'accord là-dessus.

darüberhinaus [dar'y:bərhɪnaus] *adv* au delà

darum [da'rum] 1. *adv* (örtlich) autour; 2. *konj* (kausal), c'est pourquoi

darunter [da'runtər] *adv* 1. *(örtlich)* là-dessous, au-dessous, par-dessous, dessous; 2. *(mengenmäßig)* parmi, en, dans le nombre

das [das] *pron* 1. qui; 2. ce, ceci, cela, ça, celui-ci; *Auch ~ noch.* Il ne manque plus que ça. *~ kommt davon.* Cela tient à ce que. 3. *art* le

dasein ['da:zaɪn] *v* être présent, être là

Dasein [da:'zaɪn] *n* existence *f*, vie *f*

daß [das] *konj* que

dasselbe [das'zɛlbə] *pron* la même chose

Datei [da'taɪ] *f* 1. fichier *m*; 2. INFORM ensemble de données *m*

Daten ['da:tən] *pl* données *f/pl*

Datenschutz ['da:tənʃuts] *m* protection des données personnelles/sur la personne *f*

Datenverarbeitung ['da:tənfɛrarbaɪtuŋ] *f* INFORM traitement de données *m*

datieren [da'ti:rən] *v* dater

Dattel ['datəl] *f* datte *f*

Datum/Daten ['da:tum] *n* date *f*

Dauer ['dauər] *f* durée *f*

dauerhaft ['dauərhaft] *adj* 1. *(anhaltend)* durable; 2. *(widerstandsfähig)* solide, stable

dauern ['dauərn] *v* durer; *Das wird drei Stunden ~.* Nous en avons pour trois heures. *lange ~* faire long feu

dauernd ['dauərnt] 1. *adj* constant, durable; 2. *adv* constamment, en permanence

Dauerwelle ['dauərvɛlə] *f* permanente *f*

Daumen ['daumən] *m* pouce *m*

Daune ['daunə] *f* duvet *m*

davon [da'fɔn] *adv* 1. *(örtlich)* de là, en, par; 2. *(Teil von etw)* en; *Nimm ~!* Prends-en!

davonkommen [da'fɔnkomən] *v* (fig) s'en tirer

davonlaufen [da'fɔnlaufən] *v* s'enfuir, détaler, se sauver

davor [da'fo:r] *adv* 1. *(örtlich)* devant; 2. *(zeitlich)* avant

dazu [da'tsu:] *adv* 1. *(Sache)* à cela, auprès de cela; 2. *(Zweck)* pour cela, à cet effet; 3. *(außerdem)* en plus, de plus

dazugehören [da'tsu:gəhø:rən] *v* faire partie (de), être du nombre

dazutun [da'tsu:tu:n] *v* ajouter

dazwischen [da'tsvɪʃən] *adv* 1. *(örtlich)* entre (cela); 2. *(zeitlich)* entre temps, d'ici là

dazwischenkommen [da'tsvɪʃənkomən] *v* 1. *(fig)* survenir entre temps; 2. *(Ereignis)* s'interposer

dazwischentreten [da'tsvɪʃəntre:tən] *v* intervenir

Debatte [de'batə] *f* débat *m*, discussion *f*

Deck [dɛk] *n* pont *m*

Deckblatt ['dɛkblat] *n* couverture *f*

Decke ['dɛkə] *f* 1. *(Bett~)* couverture *f*; *mit jdm unter einer ~ stecken* être de connivence avec qn; 2. *(Tisch~)* nappe *f*; 3. *(Zimmer~)* plafond *m*

Deckel ['dɛkəl] *m* couvercle *m*

decken ['dɛkən] *v* 1. *(zu~)* couvrir, recouvrir; 2. *(Tisch ~)* mettre

Deckung ['dɛkuŋ] *f* 1. *MIL* couvert *m*; *in ~ gehen* se mettre à couvert; 2. *ECO* couverture *f*; *ohne ~* à découvert/ sans provision; 3. *(fig: Schutz)* protection *f*

defekt [de'fɛkt] *adj* défectueux, détérioré

Defekt [de'fɛkt] *m* défaut *m*, défectuosité *f*

Defensive [defɛn'zi:və] *f* défensive *f*; *in der ~ bleiben* être sur la défensive

definieren [defi'ni:rən] *v* définir

Definition [definit'jo:] *f* définition *f*

Defizit ['de:fɪtsɪt] *n* déficit *m*

Degen ['de:gən] *m* épée *f*
Degeneration [degenəratj'o:n] *f* dégénérescence *f*, dégénération *f*
dehnbar ['de:nba:r] *adj* 1. extensible, élastique; 2. *(fig)* mal défini
dehnen ['de:nən] *v* 1. *(strecken)* tendre, étirer; 2. *(verlängern)* allonger; 3. *(erweitern)* élargir
Dehnung ['de:nuŋ] *f* 1. *(Streckung)* extension *f*, étirement *m*; 2. *(Verlängerung)* allongement *m*; 3. *(Erweiterung)* élargissement *m*
Deich [daɪŋ] *m* digue *f*
Deichsel [daɪŋzəl] *f* timon *m*
dein(e,r) [daɪŋ] *pron* ton, ta, tes
deinerseits ['daɪŋərzaits] *adv* de ta part, de ton côté
deinetwegen ['daɪŋətve:gən] *adv* à cause de toi, pour l'amour de toi
Dekan [de'ka:n] *m* doyen *m*
deklarieren [dekla'ri:rən] *v* déclarer
Deklination [deklina'tjo:n] *f* GRAMM déclinaison *f*
Dekolleté [dekɔle'te:] *n* décolleté *m*
Dekor [de'ko:r] *n* décor *m*, ornement *m*
Dekorateur [dekɔra'tø:r] *m* décorateur *m*
Dekoration [dekɔratj'o:n] *f* décoration *f*
dekorieren [dekɔ'ri:rən] *v* décorer
Delegation [delegatj'o:n] *f* délégation *f*
Delegierte [dele'gi:rtə] *m/f* délégué *m*
delikat [deli'ka:t] *adj* délicat, fin
Delikatesse [delika'tɛsə] *f* 1. GAST friandise *f*, comestibles de choix *m/pl*; *-ngeschäft n* épicerie fine *f*; 2. *(fig)* délicatesse *f*
Delikt [de'likt] *n* délit *m*
Delinquent [delin'kvɛnt] *m* délinquant *m*
Delirium [de'li:rium] *n* délire *m*
Delphin [dɛl'fi:n] *m* dauphin *m*
dem [de:m] *art* au
dementieren [demɛnti:rən] *v* démentir
dementsprechend [de:mɛntʃprɛçənt] 1. *adj* conforme (à), correspondant; 2. *adv* en conséquence
demgemäß ['de:mgəmɛ:s] *adv* en conséquence, conformément à cela
demnach ['de:mnax] *adv* d'après cela, en conséquence
demnächst ['de:mnɛ:xst] *adv* sous peu
demographisch [demo'grafiʃ] *adj* démographique
Demokratie [demo'kra:ti:] *f* démocratie *f*

demokratisch [demo'kra:tiʃ] *adj* démocratique
Demonstration [demɔnstratj'o:n] *f* 1. *(Darlegung)* démonstration *f*; 2. POL manifestation *f*
Demonstrationsrecht [demɔnstratj'o:nsrɛçnt] *n* droit de manifester *m*
demonstrativ [demɔnstra'ti:f] *adj* démonstratif
demonstrieren [demɔn'stri:rən] *v* 1. *(darlegen)* démontrer; 2. POL manifester
Demoralisierung [demorali'zi:ruŋ] *f* démoralisation *f*, découragement *m*
demselben [de:m'zɛlbən] *pron* au même
demütig ['de:mytiŋ] *adj* humble
demütigen ['de:mytigən] *v* humilier
Demütigung ['de:mytiguŋ] *f* humiliation *f*
demzufolge ['de:mtsufɔlgə] *adv* en conséquence
den [de:n] *art* le
denkbar ['dɛŋkba:r] *adj* pensable, imaginable
Denken ['dɛŋkən] *n* pensée *f*
denken ['dɛŋkən] *v* penser (à qn/à qc); *Man denkt auch nicht an alles.* On ne s'avise jamais de tout. *Ich werde daran ~.* J'en prends bonne note.
Denkmal ['dɛŋkma:l] *n* monument *m*
Denkschrift ['dɛŋkʃrift] *f* mémoire *m*
Denkvermögen ['dɛŋkfərmø:gən] *n* capacités intellectuelles *f/pl*
denkwürdig ['dɛŋkvyrdiŋ] *adj* mémorable
denn [dɛn] *konj* car, en effet
dennoch ['dɛnɔx] *konj* cependant
Denunziant [denun'tsjant] *m* dénonciateur *m*
Deodorant [deodo'rant] *n* déodorant *m*
Deponie [depo'ni:] *f* décharge *f*, dépôt *m*
deponieren [depo'ni:rən] *v* déposer
deportieren [depor'ti:rən] *v* déporter
Depot [də'po:] *n* dépôt *m*, entrepôt *m*
Depression [deprəsj'o:n] *f* dépression *f*
depressiv [deprə'si:f] *adj* dépressif
deprimierend [depri'mi:rənt] *adj* déprimant
der [de:r] 1. *art* le; *pron* 2. celui (ci); 3. qui
derart ['de:ra:rt] *adv* 1. *(so sehr)* tellement, tant; 2. de telle manière, de cette façon-là
derartig ['de:ra:rtiŋ] 1. *adj* semblable, de cette espèce-là; 2. *adv* de ce genre

derb [dɛrp] *adj* vigoureux, ferme
dergleichen [deːrˈglaɪçən] 1. *adj* tel, pareil; 2. *pron* tel, pareil; *nichts ~ tun* n'en rien faire; *Nichts ~!* Pas de ça!
derjenige [ˈdeːrjeːnɪgə] *pron* celui
Dermatologe [ˈdeːrmatoˈloːgə] *m* dermatologue *m*
derselbe [deːrˈzɛlbə] *pron* le même
derzeit [ˈdeːrtsaɪt] *adv* à présent
des [dɛs] *art* du
Deserteur [dezɛrˈtøːr] *m* déserteur *m*
desgleichen [dɛsˈglaɪçən] *konj* de même
deshalb [ˈdeːshalp] 1. *konj* c'est pourquoi, pour cette raison, c'est pour ça que; 2. *adv* pour cela, à cette fin, à cet effet
Desinfektionsmittel [dɛsɪnfɛktjˈoːnsmɪtəl] *n* désinfectant *m*
desinfizieren [dɛzɪnfiˈsiːrən] *v* désinfecter
Desinteresse [ˈdɛsɪntərɛsə] *n* désintérêt *m*
dessen [ˈdɛsən] *pron* 1. son, duquel; 2. dont
Dessert [dɛˈsɛːr] *n* dessert *m*
destillieren [dɛstɪˈliːrən] *v* distiller
destruktiv [dɛstrukˈtiːf] *adj* destructif
deswegen [ˈdɛsveːgən] *konj* c'est pourquoi, à cause de cela
Detail [deˈtaːj] *n* détail *m*; *ins ~ gehen* entrer dans les détails
Detektiv [detɛkˈtiːf] *m* détective *m*
deuten [ˈdɔytən] *v* 1. *(auslegen)* expliquer, faire comprendre; 2. *(zeigen auf etw)* montrer, indiquer
deutlich [ˈdɔytlɪç] *adj* clair, distinct, net
Deutlichkeit [ˈdɔytlɪçkaɪt] *f* clarté *f*
deutsch [dɔytʃ] *adj* allemand
Deutschland [ˈdɔytʃlant] *n* Allemagne *f*
Deutung [ˈdɔytuŋ] *f* interprétation *f*
Devise [deˈviːzə] *f* devise *f*
Devisen [deˈviːzən] *pl* devises *f/pl*
Devisenkurs [deˈviːzənkurs] *m* taux de change *m*
Dezember [deˈtsɛmbər] *m* décembre *m*
dezent [deˈtsɛnt] *adj* décent, discret
dezimal [detsiˈmaːl] *adj* décimal
dezimieren [detsiˈmiːrən] *v* décimer
Diabetes [diaˈbɛtəs] *m* diabète *m*
Diabetiker [diaˈbɛtikər] *m* diabétique *m*
Diagnose [diagˈnoːzə] *f* diagnostic *m*
diagonal [diagoˈnaːl] 1. *adj* diagonal; 2. *adv* en diagonale
Diagramm [diaˈgram] *n* diagramme *m*

Diakonie [diakoˈniː] *f* diaconat *m*
Dialekt [diaˈlɛkt] *m* dialecte *m*
Dialog [diaˈloːk] *m* dialogue *m*
Dialyse [diaˈlyzə] *f* dialyse *f*
Diamant [diaˈmant] *m* diamant *m*
Diapositiv [diapoziˈtiːf] *n* FOTO dia(positive) *f*
Diät [diˈɛːt] *f* régime alimentaire *m*; *~ halten* suivre un régime/ être à la diète
Diäten [diˈɛːtən] *pl* POL indemnité parlementaire *f*, jeton de présence *m*
dich [dɪç] *pron* 1. *(unbetont)* te; 2. *(betont)* toi
dicht [dɪçt] *adj* 1. *(kompakt)* dense, compact, concentré; 2. *(undurchlässig)* étanche
Dichte [ˈdɪçtə] *f* 1. *(Kompaktheit)* densité *f*, concentration *f*; 2. *(Undurchlässigkeit)* étanchéité *f*, imperméabilité *f*
dichten [ˈdɪçtən] *v* LIT composer des vers
Dichter [ˈdɪçtər] *m* poète *m*, écrivain *m*
dichtgedrängt [ˈdɪçtgədrɛnkt] *adj* compact, serré
Dichtung [ˈdɪçtuŋ] *f* 1. TECH joint *m*; 2. LIT poésie *f*
dick [dɪk] *adj* 1. *(Gegenstand)* épais; 2. *(Person)* gros, corpulent; 3. *(Flüssigkeit)* épais, figé
Dickicht [ˈdɪkɪçt] *n* fourré *m*
Dickkopf [ˈdɪkkɔpf] *m* tête dure *f*
dicklich [ˈdɪklɪç] *adj* dodu, replet
Dickmilch [ˈdɪkmɪlç] *f* lait caillé *m*
die [diː] 1. *art* la/les; 2. *pron* qui, laquelle/lesquelles, lesquels
Dieb [diːp] *m* voleur *m*
diebisch [ˈdiːbɪʃ] 1. *adj* voleur; 2. *adv* *(schelmisch)* malin; *sich ~ freuen* s'amuser royalement/ se frotter les mains; *mit ~er Freude* avec un malin plaisir
Diebstahl [ˈdiːpʃtaːl] *m* vol *m*, larcin *m*
Diele [ˈdiːlə] *f* vestibule *m*, entrée *f*
dienen [ˈdiːnən] *v* servir (à); *ausgedient haben* avoir fait son temps
Diener [ˈdiːnər] *m* serviteur *m*
dienlich [ˈdiːnlɪç] *adj* utile (à), propre (à); *zu etw ~ sein* servir à qc
Dienst [ˈdiːnst] *m* 1. service *m*; 2. *Öffentlicher ~* service public *m*; 3. *(Stelle)* emploi *m*
Dienstag [ˈdiːnstaːk] *m* mardi *m*
dienstags [ˈdiːnstaːks] *adv* le mardi
dienstbeflissen [ˈdiːnstbəflɪsən] *adj* serviable, empressé
Dienstbote [ˈdiːnstboːtə] *m* domestique *m*
Dienstgrad [ˈdiːnstgraːt] *m* grade *m*

diensthabend ['diːnsthaːbənt] *adj* de service, de jour

Dienstleistung ['diːnstlaɪstuŋ] *f* service *m*

dienstlich ['diːnstlɪŋ] *1. adj* de service, de fonction; *2. adv* dans le cadre de sa profession

Dienststelle ['diːnstʃtɛlə] *f* bureau *m*, service *m*

Dienstweg ['diːnstvɛk] *m* voie hiérarchique *f*

dies(e,er,es) [diːs] *pron* ce, cet, cette, ces, ceci, celui-ci, ceux-ci, celle-ci, celles-ci; ~ *oder jenes* ceci ou cela; *und noch ~ und noch das* et patati et patata

diesbezüglich ['diːsbətsyːklɪŋ] *adj* concernant cette affaire, à ce sujet

dieselbe [diː'zɛlbə] *pron* la même, celle-ci

Dieselmotor ['diːzəlmoːtor] *m* moteur Diesel *m*

Dieselöl ['diːzəløːl] *n* gasoil *m*, mazout *m*

diesig ['diːzɪŋ] *adj* brumeux

diesjährig [diːsˈjɛːrɪŋ] *adj* de cette année

diesmal ['diːsmaːl] *adv* cette fois-ci

diesseits ['diːszaɪts] *adv* de ce côté, en deçà

Diesseits ['diːsːzaɪts] *n* ici-bas *m*

Dietrich ['diːtrɪŋ] *m* passe-partout *m*

Differential [dɪfərɛntsˈjaːl] *n* 1. *TECH* différentiel *m*; 2. *MATH* différentielle *f*

Differenz [dɪfəˈrɛnts] *f* 1. *(Unterschied)* différence *f*; 2. *(Streit)* différend *m*

Digitalrechner [dɪʒiˈtaːlrɛŋnər] *m* *INFORM* ordinateur *m*

Diktat [dɪkˈtaːt] *n* 1. dictée *f*; 2. *(Zwang)* injonction *f*; 3. *POL* traité imposé *m*

Diktator [dɪkˈtaːtor] *m* dictateur *m*

Diktatur [dɪktaˈtuːr] *f* dictature *f*

diktieren [dɪkˈtiːrən] *v* 1. dicter; 2. *(aufzwingen)* dicter (sa volonté), imposer

Dilettant [dɪlɛˈtant] *m* dilettante *m*

dilettantisch [dɪlɛˈtantɪʃ] *adv* en amateur

Dill [dɪl] *m* fenouil bâtard *m*, aneth *m*

Dimension [dɪmənzjoˈn] *f* dimension *f*

Ding [dɪŋ] *n (fam)* chose *f*, truc *m*, machin *m*, bidule *m*; *den ~en ihren Lauf lassen* laisser aller les choses

Diözese [diøtseˈzə] *f* diocèse *m*

Diphtherie [dɪftəˈriː] *f* diphtérie *f*

Diplom [dɪˈploːm] *n* diplôme *m*

Diplomat [diploˈmaːt] *m* diplomate *m*

diplomatisch [diploˈmaːtɪʃ] *adj* diplomatique

dir [diːr] *pron* à toi, te

direkt [diˈrɛkt] *adj* direct

Direktion [dirɛktsjoˈn] *f* direction *f*

Direktor [diˈrɛktor] *m* directeur *m*

Direktübertragung [diˈrɛktybɛrtraːguŋ] *f TEL* (re)transmission en direct *f*

Dirigent [diriˈgɛnt] *m* chef d'orchestre *m*

dirigieren [diriˈgiːrən] *v* 1. *(Konzert)* diriger; 2. *(Orchester)* conduire

Dirne ['dɪrnə] *f (fam)* fille *f*, femme légère *f*

Disharmonie [dɪsharmoˈniː] *f* disharmonie *f*

Diskette [dɪsˈkɛtə] *f INFORM* disquette *f*

Diskettenlaufwerk [dɪsˈkɛtənlaufvɛrk] *n* *INFORM* moteur d'entraînement *m*

Diskontsatz [dɪsˈkɔntzats] *m* taux d'escompte *m*

Diskothek [dɪskoˈtɛk] *f* 1. discothèque *f*; 2. *(fam)* boîte *f*; *in die ~ gehen* aller en boîte

Diskrepanz [dɪskreˈpants] *f* décalage *m*, différence *f*

diskret [dɪsˈkreːt] *adj* discret

diskriminieren [dɪskrɪmiˈniːrən] *v* discriminer

Diskussion [dɪskusjoˈn] *f* discussion *f*

diskutieren [dɪskuˈtiːrən] *v* discuter (de)

disponieren [dɪspoˈniːrən] *v* disposer

Disqualifikation [dɪskvalifikatsjoˈn] *f* *SPORT* disqualification *f*

Dissertation [dɪsɛrtatsjoˈn] *f* thèse de doctorat d'Université *f*, thèse *f*

Dissident [dɪsiˈdɛnt] *m* dissident *m*

Distanz [dɪsˈtants] *f* distance *f*

distanzieren [dɪstanˈtsiːrən] *v* *sich ~* prendre ses distances; *sich von jdm ~* prendre ses distances par rapport à qn

Distel ['dɪstəl] *f* chardon *m*

Disziplin [dɪstsiˈpliːn] *f* discipline *f*

Disziplinarverfahren [dɪstsipliˈnaːrfɛrfaːrən] *n JUR* procédure disciplinaire *f*

disziplinlos [dɪstsiˈpliːnloːs] *adj* indiscipliné

Diva ['diːva] *f* star *f*

divers [diˈvɛrs] *adj* divers

Dividende [diviˈdɛndə] *f* dividende *m*

dividieren [diviˈdiːrən] *v* diviser

Division [divɪtsjoˈn] *f* 1. *MATH* division *f*; 2. *MIL* division *f*

D-Mark [deːˈmark] *f* mark *m*

doch [dɔx] *konj* 1. *(bejahend)* si; *Ja ~!* Mais si!/ Mais oui! *Nicht ~!* Mais non! 2. pourtant; *Komm ~!* Viens donc! *Du weißt ~, daß...* Tu sais bien que... *Du wirst ~ kommen?* Tu viendras, j'espère? *Du hast es ihr ~ erzählt?* Tu le lui as raconté, au moins? *Wenn sie ~ nur aufhörte zu rauchen.* Si seulement elle arrêtait de fumer.

Docht [dɔxt] *m* mèche *f*

Dock [dɔk] *n* 1. *NAUT* bassin de construction; 2. dock *m*, cale *f*

Dogge ['dɔgə] *f* bouledogue *m*

Dogma/Dogmen ['dɔkma] *n* dogme *m*

Doktor ['dɔktɔr] *m* docteur *m; ~ der Philosophie* docteur ès lettres

Dokument [doku'mɛnt] *n* document *m*

Dokumentarfilm [dokumɛn'ta:rfɪlm] *m* documentaire *m*

Dolch [dɔlɲ] *m* poignard *m*

Dollar ['dɔlar] *m* dollar *m*

dolmetschen ['dɔlmɛtʃən] *v* interpréter

Dolmetscher ['dɔlmɛtʃər] *m* interprète *m*

Dolomiten [dolo'mi:tən] *pl* Dolomites *f/pl*

Dom [do:m] *m* cathédrale *f*

Domäne [do'mɛ:nə] *f* domaine *m*

dominant [domɪ'nant] *adj* dominant

dominieren [domi'ni:rən] *v* dominer

Donau ['do:nau] *f* Danube *m*

Donner ['dɔnər] *m* tonnerre *m*

donnern ['dɔnərn] *v* tonner, gronder

Donnerstag ['dɔnərsta:k] *m* jeudi *m*

donnerstags ['dɔnərsta:ks] *adv* le jeudi

doof [do:f] *adj (fam)* bête, idiot

Doping ['do:pɪŋ] *n* doping *m*

Doppel ['dɔpəl] *n* 1. *(Duplikat)* double *m*; 2. *(Tennis)* double *m*

Doppelbett ['dɔpəlbɛt] *n* lit à deux personnes *m*

doppeldeutig ['dɔpəldɔytɪŋ] *adj* équivoque, ambigu

Doppelgänger ['dɔpəlgɛŋər] *m* sosie *m*, double *m*

Doppelpunkt ['dɔpəlpuŋkt] *m* deux-points *m/pl*

doppelt ['dɔpəlt] *adj* double

Doppelzentner ['dɔpəltsɛntnər] *m* quintal *m*

Doppelzimmer ['dɔpəltsi:mər] *n* chambre pour deux personnes *f*

Dorf [dɔrf] *n* village *m; Das sind böhmische Dörfer für mich.* C'est du chinois pour moi.

Dorn [dɔrn] *m* 1. *TECH* ergot *m*; 2. *BOT* épine *f*

dornig ['dɔrnɪç] *adj* épineux

Dörrobst [dœr'o:pst] *n* fruits secs *m/pl*

Dorsch [dɔrʃ] *m* petite morue *f*

dort [dɔrt] *adv* là, là-bas, y

dorthin ['dɔrthɪn] *adv* là-bas, y

Dose ['do:zə] *f* boîte (de conserve) *f*

Dosenöffner ['do:zənœfnər] *m* ouvre-boîte(s) *m*

dosieren [do'zi:rən] *v* doser

Dosis/Dosen ['do:zɪs] *f* dose *f*

dotieren [do'ti:rən] *v* rémunérer

Dotter ['dɔtər] *m* jaune d'œuf *m*, vitellus *m*

Dozent [do'tsɛnt] *m* professeur d'université *m*, maître de conférence *m*

Drache ['draxə] *m* dragon *m*

Drachen ['draxən] *m (Spielzeug)* cerf-volant *m*

Draht ['dra:t] *m* fil de fer *m*, câble *m*

drahtlos ['dra:tlo:s] *adv* sans-fil

Drahtseilbahn [dra:tzailba:n] *n* téléférique *m*

Drama/Dramen ['dra:ma] *n* tragédie *f*

dramatisch [dra'ma:tɪʃ] *adj* dramatique

Dramaturg [drama'turk] *m* dramaturge *m*

Drang [draŋ] *m (im)pulsion *f*, poussée *f*

drängeln ['drɛŋəln] *v* pousser, bousculer

drängen ['drɛŋən] *v* pousser

drankommen ['drankɔmən] *v* 1. *(an der Reihe sein)* être le tour de qn; *Wer kommt dran?* C'est à qui le tour? 2. *(abgefragt werden)* être au tour de qn de faire qc; *Du kommst dran!* C'est à toi de répondre!

drastisch ['drastɪʃ] *adj* drastique

drauflos ['draflo:s] *adv* allez-y ! foncez !

draußen ['drausən] *adv* dehors, à l'extérieur

Drechsler ['drɛkslər] *m* tourneur *m*

Dreck [drɛk] *m* saleté *f*, ordure *f*

dreckig ['drɛkɪç] *adj* sale, crotté

Drehachse ['dre:aksə] *f* axe de rotation *m*

drehbar ['dre:ba:r] *adj* tournant, orientable

Drehbuch ['dre:bux] *n* scénario *m*

drehen ['dre:ən] *v* tourner

Drehscheibe ['dre:ʃaibə] *f* 1. *(Töpfern)* tour *m*; 2. *TECH* plaque tournante *f*; 3. *(Glücksspiel)* tourniquet *m*

Drehstrom ['dre:ʃtro:m] *m* courant triphasé *m*

Drehtür ['dre:ty:r] *f* porte tournante *f*

Drehung ['dre:uŋ] *f* 1. tour *m*, rotation *f*; 2. *(Tanz)* pirouette *f*

Drehwurm ['dre:vurm] *m (fam)* tournis *m; einen ~ haben* avoir le tournis

drei [drai] *num* trois

dreidimensional ['draɪdimɛnzjonal] *adj* tridimensionnel, en trois dimensions

Dreieck ['draɪɛk] *n* triangle *m*

dreieckig [draɪɛkɪŋ] *adj* triangulaire

Dreieinigkeit ['draɪaɪnɪŋkaɪt] *f* Trinité *f*

dreifach ['draɪfax] *adj* triple

dreihundert ['draɪhundərt] *num* trois cent(s)

dreimal ['draɪmaːl] *adv* trois fois

Dreirad ['draɪraːt] *n* tricycle *m*

dreißig ['draɪsɪŋ] *num* trente

dreist [draɪst] *adj* hardi, impertinent

dreiviertel [draɪfiːrtəl] *num* trois quarts

dreizehn [draɪˈtseːn] *num* treize

dreschen ['drɛʃən] *v (Getreide)* battre

dressieren [drɛˈsiːrən] *v* dresser

Dressur [drɛˈsuːr] *f* dressage *m*

driften ['drɪftən] *v* être en dérive

drillen ['drɪlən] *v* 1. *MIL* mener dur, entraîner; 2. *AGR* semer en ligne; 3. *TECH* forer

Drillinge ['drɪlɪŋə] *pl* triplés *m/pl*

dringend ['drɪŋənt] 1. *adj* urgent, pressé; 2. *adv* d'urgence

Dringlichkeit ['drɪŋlɪŋkaɪt] *f* urgence *f*

drinnen ['drɪnən] *adv* à l'intérieur

dritte(r,s) ['drɪtə] *adj* troisième

Drittel ['drɪtəl] *n* tiers *m*

Droge ['droːgə] *f* drogue *f*

Drogenhändler ['droːgənhɛndlər] *m* trafiquant de drogue *m*, dealer *m*

drogensüchtig ['droːgənzʏxtɪŋ] *adj* drogué

Drogerie [droːgəˈriː] *f* droguerie *f*

drohen ['droːən] *v* menacer

Drohne ['droːnə] *f* faux bourdon *m*

dröhnen ['drøːnən] *v* 1. *(Erde)* trembler; 2. *(Donner)* gronder, retentir

Drohung ['droːʊŋ] *f* menace *f*

drollig ['drɔlɪŋ] *adj* drôle, comique

Drossel ['drɔsəl] *f* grive *f*

drosseln ['drɔsəln] *v* réduire

drüben ['dryːbən] *adv* de l'autre côté

Druck [druk] *m* 1. *(fig)* pression *f*, oppression *f*; *auf jdn ~ ausüben* faire pression sur qn; *jdn unter ~ setzen* faire chanter qn; 2. *TECH* pression *f*; 3. impression *f*

drucken ['drukən] *v* imprimer

drücken ['drykən] *v* 1. appuyer, presser, serrer; *Da drückt der Schuh.* C'est là que le bât blesse. 2. *(fig: bedrücken)* oppresser, opprimer; 3. *(umarmen)* serrer qn contre soi; 4. *(Preise)* faire baisser

Drucker ['drukər] *m* 1. *(Person)* imprimeur *m*; 2. *(Gerät)* imprimante *f*

Druckerei [drukəˈraɪ] *f* imprimerie *f*

Druckfehler ['drukfeːlər] *m* faute d'impression *f*, coquille *f*

Druckknopf ['drukknɔpf] *m* 1. *(Kleid)* bouton-pression *m*; 2. *TECH* bouton-poussoir *m*

Druckluft ['drukluft] *f* air comprimé *m*

Drucksache ['drukzaxə] *f* imprimé *m*

Druckschrift ['drukʃrɪft] *f* caractères d'imprimerie *m/pl*

Drüse [dryːzə] *f* glande *f*

Dschungel ['dʒʊŋəl] *m* jungle *f*

du [duː] *pron* 1. *(unbetont)* tu; *mit jdm auf ~ und ~ sein* être à tu et à toi avec qn; 2. *(betont)* toi

Dübel [dyːbəl] *m* cheville *f*

ducken ['dukən] *v* 1. *sich ~* baisser la tête, courber l'échine; 2. *(r)abaisser

Duell [duˈɛl] *n* duel *m*

Duett [duˈɛt] *n* duo *m*

Duft [duft] *m* parfum *m*, odeur *f*, senteur *f*

duften ['duftən] *v* sentir bon, fleurer bon

dulden ['duldən] *v* 1. *(hinnehmen)* souffrir, subir; 2. *(ertragen)* tolérer, supporter

dumm [dum] *adj* sot, stupide, bête, idiot; *sehr ~ sein* être bête comme un âne; *dümmer sein als die Polizei erlaubt* être bête comme ses pieds; *~ wie Bohnenstroh sein* être bête à manger du foin; *sich ~ stellen* feindre de ne rien comprendre; *jdn für ~ verkaufen* prendre qn pour idiot

Dummheit ['dumhaɪt] *f* stupidité *f*, idiotie *f*

Dummkopf ['dumkɔpf] *m* 1. imbécile *m*; 2. *(fig)* âne *m*

dumpf [dumpf] *adj (fig)* morne, engourdi

Düne [dyːnə] *f* dune *f*

düngen ['dyːŋən] *v* mettre de l'engrais

Dünger ['dyːŋər] *m* engrais *m*

dunkel ['duŋkəl] *adj* 1. sombre, obscur, noir; 2. *(Farbe)* foncé

Dunkelheit ['duŋkəlhaɪt] *f* obscurité *f*

Dunkelkammer ['duŋkəlkamər] *f FOTO* chambre noire *f*

dünn [dyn] *adj* 1. *(Sache)* mince, peu épais, léger; 2. *(Person)* mince, fluet; 3. *(Flüssigkeit)* très fluide, très liquide; 4. *(spärlich)* clairsemé

Dunst [dunst] *m* vapeur *f*, exhalaison *f*

dünsten ['dynstən] *v* faire cuire à l'étuvée

Duplikat [dupliˈkaːt] *n* double *m*

Dur [du:r] *n* mode majeur *m*

durch [durŋ] *prep* 1. *(örtlich)* par, à travers; - *die Post* par la poste; - *einen Fluß schwimmen* traverser une rivière à la nage; - *und* - *naß sein* être trempé jusqu'aux os; - *und* - *kennen* connaître à fond; 2. *(zeitlich)* pendant, durant; *die ganze Nacht* - toute la nuit; 3. *(mittels)* par; - *Zufall* par hasard/accident; 4. *(kausal)* par

durchaus [durŋ'aus] *adv* tout-à-fait

durchblättern ['durŋblɛtərn] *v* feuilleter

Durchblutung ['durŋblutuŋ] *f* irrigation *f*

durchbrennen ['durŋbrɛnən] *v* 1. *(Sicherung)* fondre; 2. *(fig: davonlaufen)* filer

Durchbruch ['durŋbrux] *m* 1. *(Öffnung)* percement *m*, percée *f*; 2. *(fig)* percée *f*; *zum* - *kommen* percer/éclater; *der* - *neuer Gedanken* l'irruption d'idées nouvelles

durchdrehen ['durŋdre:ən] *v* 1. *(Räder)* patiner; 2. *(fam)* perdre la tête

durchdringen ['durŋdriŋən] *v* pénétrer

durcheinander [durŋain'andər] *adj* 1. *(unordentlich)* pêle-mêle; 2. *(fam: verwirrt)* bouleversé; - *sein* ne plus s'y retrouver/ ne plus savoir à quel saint se vouer; *ganz* - *aussehen* avoir l'air tout chose

Durcheinander [durŋain'andər] *n* désordre *m*, pêle-mêle *m*

durchfahren ['durŋfa:rən] *v* traverser

Durchfahrt ['durŋfa:rt] *f* passage *m*

Durchfall ['durŋfal] *m* diarrhée *f*

durchfallen [durŋfalən] *v* *(Prüfung)* échouer, se faire coller

durchführbar [durŋfy:rba:r] *adj* exécutable, réalisable

durchführen ['durŋfy:rən] *v* *(ausführen)* exécuter, réaliser

Durchführung ['durŋfy:ruŋ] *f* exécution *f*

Durchgang ['durŋgaŋ] *m* 1. *(Weg)* passage *m*; 2. *(Wahl-)* tour (de scrutin) *m*

Durchgangsverkehr ['durŋgaŋsfɛrkeːr] *m* transit *m*

durchgeben ['durŋge:bən] *v* passer

durchgehen [durŋge:ən] *v* 1. *(überprüfen)* examiner; 2. *(genehmigt werden)* être adopté après vérification, passer après examen; 3. *(durchqueren)* parcourir

durchgehend [durŋgeənt] *adj* sans interruption, en permanence

durchgreifen ['durŋgraifən] *v* prendre des mesures énergiques, trancher net

durchhalten ['durŋhaltən] *v* 1. tenir bon, ne pas céder; 2. *(fam)* tenir le coup

durchlaufen ['durŋlaufən] *v* parcourir

durchleuchten ['durŋlɔyŋtən] *v* MED radiographier

Durchmesser ['durŋmɛsər] *m* diamètre *m*

durchnässen ['durŋnɛsən] *v* tremper

durchqueren [durŋkve:rən] *v* traverser

Durchreise ['durŋraizə] *f* passage *m*

Durchsage ['durŋza:gə] *f* message *m*

durchschauen [durŋ'ʃauən] *v* percer

Durchschlag [durŋ'ʃla:k] *m* double *m*

Durchschnitt ['durŋʃnit] *m* moyenne *f*

durchschnittlich ['durŋʃnitliŋ] 1. *adj* moyen; 2. *adv* en moyenne

durchsetzen [durŋ'zɛtsən] *v* *sich* - s'imposer, prendre le dessus

durchsichtig ['durŋziŋtiŋ] *adj* transparent, clair

durchstreichen ['durŋʃtraiŋən] *v* barrer, rayer

durchsuchen [durŋ'zu:xən] *v* perquisitionner

durchweg ['durŋvɛk] *adv* tous, toutes, sans exception

dürfen ['dyrfən] *v* pouvoir, avoir le droit de, avoir la permission de

dürftig ['dyrftiŋ] *adj* maigre, pauvre

dürr [dyr] *adj* grêle, aride, desséché; *spindel-* *sein* être maigre comme un clou

Dürre ['dyrə] *f* sécheresse *f*

Durst [durst] *m* soif *f*

durstig ['durstiŋ] *adj* assoiffé, qui a soif

Dusche ['du:ʃə] *f* douche *f*

Düse ['dy:zə] *f* gicleur *m*

Düsenflugzeug ['dy:zənflu:ktsɔyk] *n* avion à réaction *m*

düster ['dy:stər] *adj* 1. sombre, obscur; 2. *(fig)* morne; 3. *adv* sans lumière

Dutzend ['dutsənt] *n* douzaine *f*

dynamisch [dy'na:miʃ] *adj* dynamique

Dynamit [dyna'mi:t] *n* dynamite *f*

Dynamo [dy'na:mo] *m* dynamo *f*

D-Zug ['de:tsu:k] *m* train express *m*

E

Ebbe ['εbə] f marée basse f

eben ['e:bən] 1. adj plat, lisse; 2. adv justement, juste

ebenbürtig ['e:bənbyrtıŋ] adj égal, de pair; *Die Frau ist dem Mann ~*. La femme est l'égale de l'homme. *einander ~ sein* se valoir

Ebene ['e:bənə] f 1. GEOL plaine f; 2. *(fig)* plan m

ebenfalls ['e:bənfals] adv aussi, de même

ebenso ['e:bənzo:] adv pareillement, tout autant

Eber ['e:bər] m sanglier m

ebnen ['e:bnən] v aplatir, aplanir

Echo ['εɲo:] n écho m

Echse ['εksə] f lézard m

echt [εɲt] adj vrai, authentique

Echtheit ['εɲthaıt] f authenticité f

Ecke ['εkə] f coin m, angle m

eckig ['εkıŋ] adj anguleux

edel ['e:dəl] adj noble, sélectionné

Edelmetall ['e:dəlmetal] n métal précieux m

Edelstahl ['e:dəlʃta:l] m acier m

Edelstein ['e:dəlʃtaın] m pierre précieuse f

Edelweiß ['e:dəlvaıs] n edelweiss m

EDV-Anlage [εdəfau an'la:gə] f ordinateur m

Efeu ['e:fɔy] n lierre m

Effekt [e'fεkt] m effet m

effektvoll [e'fεktfɔl] adj spectaculaire

egal [e'ga:l] adj égal, indifférent, pareil; *Das ist mir total ~.* Je m'en fiche pas mal. *jdm piep~ sein* s'en foutre comme de sa première chemise; *Ganz ~, wer Sie sind.* Qui que vous soyez. *Das Weitere kann Ihnen ~ sein.* Fichez-vous du reste.

Egoismus [ego'ısmus] m égoïsme m

egoistisch [ego'ıstıʃ] adj égoïste

Ehe ['e:ə] f mariage m, union (conjugale) f

ehe ['e:ə] konj avant que

Ehebruch ['e:əbrux] m adultère m

Ehefrau ['e:əfrau] f épouse f

ehelich ['e:əlıŋ] adj 1. conjugal; 2. légitime; *~es Kind* enfant légitime

ehemalig ['e:əma:lıŋ] adj ancien

ehemals ['e:əma:ls] adv autrefois

Ehemann ['e:əman] m époux m

Ehepaar ['e:əpa:r] n époux m/pl, couple m

eher ['e:ər] adv 1. *(früher)* plus tôt; 2. *(lieber)* plutôt; *~ wollte sie sterben als nachzugeben.* Elle préférait plutôt mourir que de céder.

Ehering ['e:rıŋ] m alliance f

ehrbar ['e:rba:r] adj honorable, respectable

Ehre ['e:rə] f honneur m

ehren ['e:rən] v honorer

ehrenamtlich ['e:rənamtlıŋ] 1. adj honorifique; 2. adv à titre honorifique

ehrenhaft ['e:rənhaft] adj honorable

Ehrenmal ['e:rənma:l] n monument (aux morts, aux victimes de la guerre) m

ehrenvoll ['e:rənfɔl] adj honorable

Ehrenwort ['e:rənvɔrt] n parole d'honneur f

Ehrfurcht ['e:rfurɲt] f respect m

ehrfürchtig ['e:rfyrɲtıŋ] adj respectueux, plein de vénération

Ehrgeiz ['e:rgaıts] m ambition f

ehrgeizig ['e:rgaıtsıŋ] adj ambitieux

ehrlich ['e:rlıŋ] adj honnête, sincère; *Seien wir ~!* Soyons franc!

Ehrlichkeit ['e:rlıŋkaıt] f honnêteté f

ehrlos ['e:rlo:s] adj déshonoré, malhonnête

Ehrung ['e:ruŋ] f 1. hommage m; 2. *(Medaille)* décoration f

ehrwürdig ['e:rvyrdıŋ] adj vénérable

Ei [aı] n œuf m

Eibe ['aıbə] f if m

Eiche ['aıɲə] f chêne m

Eichel ['aıɲəl] f gland m

eichen ['aıɲən] v étalonner

Eichhörnchen ['aıɲhœrnɲən] n écureuil m

Eid [aıt] m serment m; *einen ~ leisten* prêter serment

Eidechse ['aıdεksə] f lézard m

eidesstattlich ['aıdəsʃtatlıŋ] adj *(Erklärung)* sur l'honneur

Eidotter ['aıdɔtər] m jaune d'œuf m

Eierbecher ['aıərbεɲər] m coquetier m

Eierschale ['aıərʃa:lə] f coquille d'œuf f

Eierstock ['aıərʃtɔk] m ovaire m

Eifer ['aıfər] m zèle m; *im ~ des Gefechts* dans le feu de l'action

eifersüchtig ['aıfərzyɲtıŋ] adj jaloux;

schrecklich ~ sein être jaloux comme un tigre

eiförmig ['aɪfœrmɪŋ] *adj* ovale

eifrig ['aɪfrɪŋ] *adj* zélé

eigen ['aɪgən] *adj* propre, personnel

eigenartig ['aɪgənaːrtɪŋ] *adj* particulier

eigenhändig ['aɪgənhɛndɪŋ] *adv* de sa propre main, de ses mains

eigenmächtig ['aɪgənmɛŋtɪŋ] *1. adj* autoritaire, arbitraire; *2. adv* de sa propre autorité

Eigenname ['aɪgənaːmə] *m* nom propre *m*

eigens ['aɪgəns] *adv* exprès, spécialement

Eigenschaft ['aɪgənʃaft] *f* qualité *f*

Eigensinn ['aɪgənzɪn] *m* obstination *f*

eigensinnig ['aɪgənzɪnɪŋ] *adj* entêté, têtu

eigenständig ['aɪgənʃtɛndɪŋ] *adj* autonome, indépendant

eigentlich ['aɪgəntlɪŋ] *1. adj* propre, véritable, vrai; *2. adv* à proprement parler

Eigentum ['aɪgəntuːm] *n* propriété *f*

Eigentümer ['aɪgəntyːmər] *m* propriétaire *m*

eigentümlich ['aɪgəntyːmlɪŋ] *adj* propre (à), particulier

eigenwillig ['aɪgənvɪlɪŋ] *adj* entêté

eignen ['aɪgnən] *v sich ~* convenir (à)

Eignung ['aɪgnuŋ] *f* qualification *f*

Eilbote ['aɪlboːtə] *m* exprès *m*

Eile ['aɪlə] *f* hâte *f*, vitesse *f*; *in aller ~* à toute vitesse/ en toute hâte/ à toute blinde

eilen ['aɪlən] *v* se presser, se dépêcher

Eilgut ['aɪlguːt] *n* colis exprès *m*

eilig ['aɪlɪŋ] *adj* pressé, pressant, urgent; *Es ist nicht ~.* Il n'y a pas le feu à la maison.

Eilzug ['aɪltsuːk] *m* (train) express *m*

Eimer ['aɪmər] *m* seau *m*

ein(e) [aɪn] *art* un(e)

einander [aɪn'andər] *adv* l'un l'autre

einarbeiten ['aɪnarbaɪtən] *v 1. jdn ~* mettre au courant d'un travail, initier à un travail; *2. sich ~* se mettre au courant d'un travail

einatmen ['aɪnatmən] *v* inspirer, inhaler

Einbahnstraße ['aɪnbaːnʃtrasə] *f* sens unique *m*, rue à sens unique *f*

Einband ['aɪnbant] *m* reliure *f*

einberufen ['aɪnbəruːfən] *v 1. (Versammlung)* convoquer; *2. MIL* incorporer

einbiegen ['aɪnbiːgən] *v* plier; *in einen Weg ~* prendre un chemin

einbilden ['aɪnbɪldən] *v sich ~* s'imaginer, se croire; *Er bildet sich ein, bedeutend zu*

sein. Il se croit un grand homme. Darauf brauchst du dir gar nichts einzubilden. In n'y a pas de quoi être fier.

Einbildung ['aɪnbɪlduŋ] *f 1.* imagination *f*, fantaisie *f*; *2. (Eitelkeit)* vanité *f*

Einblick ['aɪnblɪk] *m 1. (fig)* aperçu *m*; *2.* coup d'œil *m*

einbrechen ['aɪnbrɛŋən] *v 1. (durchbrechen)* se rompre, s'effondrer, s'écrouler; *2. (stehlen)* cambrioler; *Bei mir ist eingebrochen worden.* J'ai été cambriolé.

Einbrecher ['aɪnbrɛŋər] *m* cambrioleur *m*

einbringen ['aɪnbrɪŋən] *v 1.* déposer, apporter; *2. (Geld)* rapporter

Einbruch ['aɪnbrux] *m 1. (Diebstahl)* effraction *f*, cambriolage *m*; *2. (Einsturz)* effondrement *m*, rupture *f*; *3. (Nacht)* tombée *f*

einbürgern ['aɪnbyrgərn] *v* naturaliser

Einbuße ['aɪnbuːsə] *f* dommage *m*, perte *f*

einbüßen ['aɪnbyːsən] *v* perdre

einchecken ['aɪntʃɛkən] *v* enregistrer

Eindeutigkeit ['aɪndɔytɪŋkaɪt] *f* netteté *f*

eindringen ['aɪndrɪŋən] *v* pénétrer

eindringlich ['aɪndrɪŋlɪŋ] *1. adj* pénétrant, pressant; *2. adv* avec insistance

Eindringling ['aɪndrɪŋlɪŋ] *m* intrus *m*

Eindruck ['aɪndruk] *m* impression *f*; *beim ersten ~* de premier abord

eindrucksvoll ['aɪndruksfɔl] *adj* impressionnant, qui fait de l'effet

eineinhalb [aɪnaɪn'halp] *num* un et demi/ une et demie

einengen ['aɪnɛŋən] *v* restreindre, réduire

einerlei ['aɪnərlaɪ] *adj* de (la) même espèce; *Das ist mir ~.* Cela m'est egal.

Einerlei ['aɪnərlaɪ] *n* monotonie *f*

einerseits ['aɪnərzaɪts] *adv* d'une part

einfach ['aɪnfax] *adj* simple; *Das ist ganz ~.* Cela va tout seul. *Das ist nicht so ~ wie es aussieht.* Cela ne s'enfile pas comme des perles.

Einfahrt ['aɪnfaːrt] *f 1. (Ankunft)* arrivée *f*; *2. (Zufahrt)* entrée *f*, accès *m*

Einfall ['aɪnfal] *m 1. (Idee)* idée *f*; *2. MIL* invasion *f*

einfallen ['aɪnfalən] *v 1. (Idee haben)* venir à l'esprit, venir à l'idée; *Was fällt dir ein?* Qu'est-ce qu'il te prend? *Das wäre mir nicht einmal im Traum eingefallen.* Cela ne me serait même pas venu à l'esprit. *Es ist mir eingefallen, daß ...* Il m'est revenu que... *2. MIL* envahir

einfallsreich ['aɪnfalsraɪŋ] *adj* plein de bonnes idées, rempli d'idées

einfältig ['aɪnfɛltɪŋ] *adj* simple d'esprit

Einfamilienhaus ['aɪnfami:ljənhaus] *n* maison individuelle *f*

einfarbig ['aɪnfarbɪŋ] *adj* uni

einfassen ['aɪnfasən] *v 1.* mettre une bordure à, encadrer; *2. (Edelsteine)* sertir

einfinden ['aɪnfɪndən] *v sich -* se trouver à

Einfluß ['aɪnflus] *m* influence *f; einen - ausüben auf* exercer une influence sur

einfrieren ['aɪnfri:rən] *v 1. (Nahrungsmittel)* congeler; *2. (Verhandlung)* geler

einfügen ['aɪnfy:gən] *v* introduire, insérer

einfühlsam ['aɪnfy:lsa:m] *adj* sensible

Einfuhr ['aɪnfu:r] *f* importation *f*

einführen ['aɪnfy:rən] *v 1. (hineinschieben)* introduire (dans); *2. (Person)* instaurer, introduire; *in eine Tätigkeit -* initier à un poste; *3. (etw Neues -)* lancer; *4. (importieren)* importer

Einführung ['aɪnfy:ruŋ] *f 1. (Hineinschieben)* introduction *f; 2. (von etw Neuem)* introduction *f*, installation *f; 3. (Import)* importation *f*

Einführungspreis ['aɪnfy:ruŋsprais] *m* prix de lancement *m*

Einfuhrzoll ['aɪnfu:rtsol] *m* droit de douane à l'importation *m*

einfüllen ['aɪnfylən] *v 1.* verser dans; *2. in Flaschen -* mettre en bouteille

Eingabe ['aɪnga:bə] *f 1. (Antrag)* demande par écrit *f*, pétition *f; 2. (Daten)* INFORM entrée *f*

Eingang ['aɪngaŋ] *m 1.* entrée *f*, accès *m; 2. (Waren-)* entrée de marchandise *f; 3. (Geld-)* rentrée *f*

eingeben ['aɪnge:bən] *v 1. (einreichen)* remettre; *2. (verabreichen)* administrer, faire prendre; *3. (Daten)* entrer

eingebildet ['aɪngəbɪldət] *adj 1. (unwirklich)* imaginaire; *2. (überheblich)* vaniteux, imbu de sa personne

Eingeborene ['aɪngəbo:rənə] *m/f* natif *m*, indigène *m*

Eingebung ['aɪnge:buŋ] *f (fig)* inspiration *f; seiner - folgen* suivre son inspiration

eingehen ['aɪnge:ən] *v 1. (sterben)* crever, mourir; *2. (Tierart)* disparaître; *3. (Pflanzen)* dépérir; *4. (kleiner werden)* (se) rétrécir (au lavage); *5. (auf Vorschlag)* admettre; *6. (Verpflichtung)* prendre un engagement; *7. (ankommen)* arriver

Eingeständnis ['aɪngəʃtɛntnɪs] *n* aveu *m*

eingestehen ['aɪngəʃte:ən] *v* avouer

Eingeweide ['aɪngəvaɪdə] *pl 1.* ANAT entrailles *f/pl; 2. (Tiere)* tripes *f/pl*

Eingeweihte ['aɪgəvaɪtə] *m/f* initié *m*

eingewöhnen ['aɪngəvø:nən] *v sich -* s'habituer (à)

eingießen ['aɪngi:sən] *v* verser (dans)

eingleisig ['aɪnglaɪzɪŋ] *adj 1. (Strecke)* à une seule voie, à voie unique; *2. (fig: Diskussion, Argument)* dans une seule direction

eingreifen ['aɪngraɪfən] *v 1. (einschreiten)* intervenir, entrer dans; *2.* TECH engrener

Eingriff ['aɪngrɪf] *m 1. (Einschreiten)* intervention *f; 2.* TECH engrenage *m; 3.* MED intervention (chirurgicale) *f*

einhalten ['aɪnhaltən] *v 1. (Frist)* respecter; *2. (beibehalten)* conserver, observer; *3. (Gesetz)* observer

Einhaltung ['aɪnhaltuŋ] *f 1. (Befolgung)* respect *m*, observation *f; 2. (Beibehaltung)* conservation *f*

einheimisch ['aɪnhaɪmɪʃ] *adj* du pays, local, natif

Einheimische ['aɪnhaɪmɪʃə] *m* personne du pays *f*, population locale *f*

Einheit ['aɪnhaɪt] *f* unité *f*

einheitlich ['aɪnhaɪtlɪŋ] *adj* homogène, cohérent

einhundert ['aɪnhundərt] *num* cent

einig ['aɪnɪŋ] *adj* uni, d'accord (sur, avec)

einige ['aɪnɪgə] *pron* quelques, quelques-uns *m/pl*, quelques-unes *f/pl*

einigen ['aɪnɪgən] *v sich -* s'entendre, se mettre d'accord

einigermaßen [aɪnɪgər'ma:sən] *adv* en quelque sorte, dans une certaine mesure

Einigkeit ['aɪnɪŋkaɪt] *f* union *f*, accord *m*

Einigung ['aɪnɪguŋ] *f* unification *f*, entente *f*

Einkauf ['aɪnkauf] *m* achat *m*

einkaufen ['aɪnkaufən] *v 1.* faire des achats; *2. (fam)* faire les (des/ses) courses

Einkaufsbummel ['aɪnkaufsbuməl] *m einen - machen* faire du lèche-vitrines

Einkaufstasche ['aɪnkaufstaʃə] *f* sac à provisions *m*

Einklang ['aɪnklaŋ] *m* harmonie *f*, unisson *m; im - sein* être en harmonie avec

Einkommen ['aɪnkomən] *n* revenu *m*, salaire *m*

Einkommenssteuer ['aɪnkomənsʃtɔyər] *f* impôt sur le revenu *m*

einkreisen ['aɪnkraɪzən] v encercler

Einkünfte ['aɪnkynftə] pl revenus m/pl

einladen ['aɪnlaːdən] v 1. (Gäste) inviter; 2. (Gepäck) charger, embarquer

Einladung ['aɪnlaːduŋ] f invitation f

Einlage ['aɪnlaːgə] f 1. (Programm-) intermède m; 2. (Suppen-) garniture f; 3. ECO dépôt m

einlassen ['aɪnlasən] v 1. (hereinlassen) faire entrer (dans), laisser entrer (dans); 2. (Schiff, Zug) faire entrer (dans), faire arriver (dans); 3. sich ~ auf/mit s'engager dans, s'embarquer dans

einleben ['aɪnleːbən] v sich ~ s'acclimater

einleiten ['aɪnlaɪtən] v 1. (ein.führen) introduire; 2. (beginnen) entamer, inaugurer

Einleitung ['aɪnlaɪtuŋ] f 1. introduction f; 2. MUS prélude m, ouverture f

einleuchtend ['aɪnlɔʏntənt] adj évident

einliefern ['aɪnliːfərn] v 1. (Krankenhaus) faire entrer à l'hôpital, conduire à l'hôpital; 2. (Gefängnis) conduire en prison

einlösen ['aɪnløːzən] v 1. (Versprechen) tenir (sa) parole; 2. (Scheck) encaisser

einmal ['aɪnmaːl] adv 1. une fois; Kommen Sie mich doch ~ besuchen! Venez donc me voir un jour! 2. (früher) autrefois, jadis

einmalig ['aɪnmaːlɪç] adj unique

einmischen ['aɪnmɪʃən] v sich ~ s'immiscer dans; sich nicht ~ rester en dehors

Einnahme ['aɪnnaːmə] f 1. (Ertrag) recette f, perception f; 2. MIL conquête f

einnehmen ['aɪnneːmən] v 1. (Arznei) prendre; 2. (Platz) prendre, occuper; 3. MIL s'emparer de; 4. (verdienen) percevoir; 5. (fig) sehr von sich eingenommen sein être infatué de sa personne; Er ist mächtig von sich eingenommen. Il ne se croit pas rien.

einordnen ['aɪnɔrdnən] v 1. ranger, classer; 2. sich ~ s'adapter; 3. sich ~ (Auto) se mettre dans la (bonne) file

einpacken ['aɪnpakən] v emballer, empaqueter

einprägen ['aɪnprɛːgən] v sich etw ~ graver qc dans sa mémoire

einreichen ['aɪnraɪçən] v 1. (Dokument) déposer; 2. (Entlassung) remettre

Einreise ['aɪnraɪzə] f entrée f

einreisen ['aɪnraɪzən] v entrer

einrichten ['aɪnrɪçtən] v aménager, installer, meubler

Einrichtung ['aɪnrɪçtuŋ] f aménagement m, installation f

eins ['aɪns] num un

einsam ['aɪnzaːm] adj solitaire, seul, retiré

Einsamkeit ['aɪnzaːmkaɪt] f solitude f, isolement m

Einsatz ['aɪnzats] m 1. (Glücksspiel) mise f, enjeu m; 2. (Aufwand) dépense f, déploiement m; mit vollem ~ arbeiten travailler à plein/ se donner à fond; 3. (Anwendung) emploi m, utilisation f; 4. (Topf-) panier m, accessoire m; 5. MIL intervention f

einsatzbereit ['aɪnzatsbəraɪt] adj disponible, prêt à intervenir

einschalten ['aɪnʃaltən] v 1. (anschalten) brancher; 2. (hinzuziehen) intercaler; 3. sich ~ intervenir dans, 4. (fam) allumer

einschätzen ['aɪnʃɛtsən] v estimer, évaluer

einschenken ['aɪnʃɛnkən] v verser à boire

einschlafen ['aɪnʃlaːfən] v s'endormir

einschlagen ['aɪnʃlaːgən] v 1. (Nagel) enfoncer; 2. (Fenster) casser les vitres; 3. (Richtung) prendre; 4. (Blitz) tomber

einschließen ['aɪnʃliːsən] v 1. inclure, renfermer; sich in seinem Zimmer ~ se boucler dans sa chambre; 2. (fig) comprendre

einschließlich ['aɪnʃliːslɪç] prep y compris

Einschnitt ['aɪnʃnɪt] m 1. (Schnitt) incision f, entaille f; 2. (fig) moment décisif m

einschränken ['aɪnʃrɛnkən] v limiter, restreindre

Einschreibebrief ['aɪnʃraɪbəbriːf] m lettre recommandée f

einschreiben ['aɪnʃraɪbən] v sich ~ s'inscrire

Einschreibung ['aɪnʃraɪbuŋ] f inscription f

einsehen ['aɪnseːən] v 1. (Einblick nehmen) jeter un coup d'œil dans/sur; 2. (fig: verstehen) comprendre

einseitig ['aɪnzaɪtɪç] adj d'un (seul) côté, qui n'a qu'un côté, unilatéral, déséquilibré

einsenden ['aɪnsɛndən] v envoyer

einsetzen ['aɪnzɛtsən] v 1. (anwenden) employer, utiliser; 2. (Amt übertragen) nommer qn à, installer qn; 3. (riskieren) miser

Einsicht ['aɪnzɪçt] f (fig) jugement m

einsichtig ['aɪnzɪçtɪç] adj compréhensif, intelligent

Einsiedler ['aɪnziːdlər] m ermite m

einsperren ['aɪnʃpɛrən] v (Gefängnis) enfermer, mettre en prison

einspringen ['aɪnʃprɪŋən] v remplacer qn

Einspruch ['aɪnʃprux] *m* 1. objection *f*, protestation *f*; 2. JUR pourvoir *m*; *gegen etw - erheben* faire/mettre opposition à qc
einspurig ['aɪnʃpuːrɪç] *adj* à voie unique
einst ['aɪnst] *adv* 1. *(Vergangenheit)* autrefois, jadis; 2. *(Zukunft)* un jour
einsteigen ['aɪnʃtaɪɡən] *v* 1. *(Auto)* monter; 2. *(Geschäft)* s'associer
einstellen ['aɪnʃtɛlən] *v* 1. *(regulieren)* régler, mettre au point; 2. *(Arbeitskräfte)* recruter, embaucher; 3. *(beenden)* cesser
Einstellung ['aɪnʃtɛlʊŋ] *f* 1. *(Regulierung)* réglage *m*, mise au point *f*; 2. *(Arbeitskräfte)* recrutement *m*, embauche *f*; 3. *(Beendigung)* suspension *f*; 4. *(Zahlungen)* cessation *f*
Einstieg ['aɪnʃtiːk] *m* entrée *f*
einstimmig ['aɪnʃtɪmɪç] *adj* unanime
einstufen ['aɪnʃtuːfən] *v* classer, grouper
Einsturz ['aɪnʃtʊrts] *m* écroulement *m*
einstürzen ['aɪnʃtyrtsən] *v* s'écrouler
einstweilig ['aɪnstvaɪlɪç] *adj* provisoire
eintauschen ['aɪntaʊʃən] *v* échanger
eintausend ['aɪntaʊzənt] *num* mille
einteilen ['aɪntaɪlən] *v* 1. diviser, partager; 2. *(Zeit)* organiser
Einteilung ['aɪntaɪlʊŋ] *f* division *f*, partage *m*
eintönig ['aɪntøːnɪç] *adj* monotone
einträchtig ['aɪntrɛçtɪç] *adj* uni, en accord
Eintrag ['aɪntraːk] *m* inscription *f*
eintragen ['aɪntraːɡən] *v* inscrire
eintreffen ['aɪntrɛfən] *v* 1. arriver, se réaliser; 2. *(Vorhersage)* se réaliser
eintreten ['aɪntreːtən] *v* 1. *(hineingehen)* entrer; *Bitte, treten Sie ein!* Entrez donc! 2. *(eintreffen)* arriver, avoir lieu; 3. *(beitreten)* entrer dans/à; 4. *(sich einsetzen)* s'employer
Eintritt ['aɪntrɪt] *m* entrée (dans) *f*; *sich den - erzwingen* forcer la porte de qn
Eintrittskarte ['aɪntrɪtskartə] *f* billet *m*
einverleiben ['aɪnfɛrlaɪbən] *v* incorporer
Einvernehmen ['aɪnfɛrneːmən] *n* accord *m*; *im gemeinsamen -* d'un accord commun
einverstanden ['aɪnfɛrʃtandən] *v* d'accord, entendu; *- sein* être d'accord
Einverständnis ['aɪnfɛrʃtɛntnɪs] *n* 1. accord *m*, bonne intelligence *f*; *im gegenseitigen -* à l'amiable; 2. JUR consentement *m*
Einwand ['aɪnvant] *m* objection *f*; *Keine Einwände?* Rien à objecter?
Einwanderer ['aɪnvandərər] *m* immigrant *m*, immigré *m*

Einwanderung ['aɪnvandərʊŋ] *f* immigration *f*
einwandfrei ['aɪnvantfraɪ] *adj* incontestable, irréprochable; *nicht -* pas net
Einwegverpackung ['aɪnvɛkfɛrpakʊŋ] *f* emballage perdu *m*
einweihen ['aɪnvaɪən] *v* inaugurer, bénir; *eine Wohnung -* pendre la crémaillère
Einweihung ['aɪnvaɪʊŋ] *f* inauguration *f*
einweisen ['aɪnvaɪzən] *v* 1. *(anleiten)* affecter, initier; 2. *(einliefern)* hospitaliser; 3. *(Psychiatrie)* interner
einwenden ['aɪnvɛndən] *v* objecter (à)
einwerfen ['aɪnvɛrfən] *v* 1. *(einschlagen)* casser, briser; 2. *(Post)* poster, mettre dans la boîte aux lettres; 3. *(Münze)* mettre dans un distributeur automatique; 4. *(fig)* objecter
einwickeln ['aɪnvɪkəln] *v* envelopper, entortiller
einwilligen ['aɪnvɪlɪɡən] *v* consentir à
Einwilligung ['aɪnvɪlɪɡʊŋ] *f* consentement *m*, assentiment *m*
Einwohner ['aɪnvoːnər] *m* habitant *m*
einzahlen ['aɪntsaːlən] *v* verser, payer
Einzahlung ['aɪntsaːlʊŋ] *f* paiement *m*
Einzelfall ['aɪntsəlfal] *m* cas isolé *m*
Einzelgänger ['aɪntsəlɡɛŋər] *m* solitaire *m*
Einzelhandel ['aɪntsəlhandəl] *m* commerce de détail *m*
Einzelheit ['aɪntsəlhaɪt] *f* détail *m*
einzeln ['aɪntsəln] 1. *adj* seul, séparé, isolé, différent; 2. *adv* individuellement
Einzelzimmer ['aɪntsəltsimər] *n* chambre pour une personne *f*
einziehen ['aɪntsiːən] *v* 1. *(Wohnung)* emménager; 2. *(Geld/Steuern)* encaisser, recouvrer; 3. MIL incorporer; 4. *(beschlagnahmen)* confisquer
einzig ['aɪntsɪç] *adj* seul, unique; *- und allein* purement et simplement
einzigartig ['aɪntsɪçartɪç] *adj* singulier
Einzug ['aɪntsuːk] *m* 1. *(Wohnung)* emménagement *m*; *- halten* faire son entrée; 2. *(Geld)* encaissement *m*; 3. *(Steuern)* perception *f*; 4. MIL incorporation *f*; 5. *(Beschlagnahmung)* confiscation *f*
Eis [aɪs] *n* glace *f*
Eisbär ['aɪsbɛːr] *m* ours blanc *m*
Eisbecher ['aɪsbɛçər] *m* coupe de glacée *f*
Eisbein ['aɪsbaɪn] *n* jarret de porc *m*
Eisberg ['aɪsbɛrk] *m* iceberg *m*
Eisdiele ['aɪsdiːlə] *f* glacerie *f*

Eisen ['aɪzən] n fer m
Eisenbahn ['aɪzənbaːn] f chemin de fer m
Eisenbahnwagen ['aɪzənbaːnvaːgən] m wagon de chemin de fer m
Eisenhandlung ['aɪzənhandluŋ] f quincaillerie f
Eisenwaren ['aɪzənvaːrən] pl quincaillerie f
eisern ['aɪzərn] adj en fer, de fer
eisgekühlt ['aɪsgəkyːlt] adj frappé, glacé
Eisheiligen ['aɪshaɪlɪgən] pl saints de glacé m/pl
Eishockey ['aɪshɔkeː] n hockey sur glace m
eisig ['aɪzɪŋ] adj 1. (kalt) glacé, glacial; 2. (fig) de glace
eiskalt ['aɪskalt] adj 1. (kalt) glacé, glacial; 2. (fig) de glace
Eiskunstlauf ['aɪskunstlauf] m patinage artistique m
Eisscholle ['aɪsʃɔlə] f glaçon m
Eisschrank ['aɪsʃraŋk] m 1. glacière f, réfrigérateur m, frigidaire m; 2. (fam) frigo m
Eiswürfel ['aɪsvyrfəl] m glaçon m
Eiszapfen ['aɪstsapfən] m glaçon m
Eiszeit ['aɪstsaɪt] f ère glaciaire f
eitel ['aɪtəl] adj vaniteux, coquet, vain; ~ wie ein Pfau sein être vaniteux comme un paon
Eitelkeit ['aɪtəlkaɪt] f vanité f, coquetterie f
Eiter ['aɪtər] m pus m
eitrig ['aɪtrɪŋ] adj purulent
Eiweiß ['aɪvaɪs] n 1. (Ei) blanc d'œuf m; 2. BIO protide m
Ejakulation [ɛjakulatɪ'oːn] f éjaculation f
Ekel ['eːkəl] m dégoût m, nausée f
ekelerregend [ɛ'kəlɛrɛːgənt] adj écœurant, nauséabond; Das ist ~. C'est à vomir.
Ekzem [ɛk'tsɛm] n eczéma m
elastisch [e'lastɪʃ] adj élastique
Elbe ['ɛlbə] f Elbe f
Elch ['ɛlç] m élan m
Elefant [ele'fant] m éléphant m
elegant [ele'gant] adj élégant
Eleganz [ele'gants] f élégance f
Elektriker [elɛk'trɪkər] m électricien m
elektrisch [e'lɛktrɪʃ] adj électrique
Elektrizität [elɛktritsi'tɛːt] f électricité f
Elektrofahrzeug [e'lɛktrofaːrtsɔyk] n voiture électrique f
Elektrogerät [e'lɛktrogərɛːt] n appareil électrique m

elektronisch [elɛk'troːnɪʃ] adj électronique
Elektrotechniker [elɛktro'tɛçnɪkər] m technicien en électronique m
Element [ele'mɛnt] n élément m
elementar [elemɛn'taːr] adj élémentaire
Elend ['eːlɛnt] n misère f, détresse f
Elendsviertel ['eːlɛntsfiːrtəl] n quartier sordide m
elf [ɛlf] num onze
Elfenbein ['ɛlfənbaɪn] n ivoire m
Elite [e'liːtə] f élite f
Ell(en)bogen [ɛl(ən)boːgən] m coude m
Elsaß ['ɛlzas] n Alsace f
Elster ['ɛlstər] f pie f
Eltern ['ɛltərn] pl parents m/pl
Email [e'maːj] n émail m, émaux m/pl
Emanze [ɛ'mantsə] f (fam) féministe f
Emanzipation [ɛmantsɪpatɪ'oːn] f émancipation f
Embargo [ɛm'baːrgo] n embargo m
Embryo ['ɛmbryːoː] m embryon m
Emigrant [emi'grant] m émigrant m
Emigration [emigratɪ'oːn] f émigration f
Empfang [ɛm'pfaŋ] m 1. réception f; den ~ bestätigen accuser réception; 2. (Begrüßung) accueil m; jdm einen festlichen ~ bereiten faire la fête à qn
empfangen [ɛm'pfaŋən] v 1. (erhalten) recevoir; 2. (begrüßen) accueillir; 3. (TV) capter
Empfänger [ɛm'pfɛŋər] m 1. (Post) destinataire m; 2. (Gerät) récepteur m
Empfängnis [ɛm'pfɛŋnɪs] f conception f
empfängnisverhütend [ɛm'pfɛŋnɪsfɛrhyːtənt] adj contraceptif
Empfangsbescheinigung [ɛm'pfaŋsbəʃaɪnɪguŋ] f accusé de réception m
empfehlen [ɛm'pfeːlən] v recommander
empfehlenswert [ɛm'pfeːlənsvɛrt] adj recommandable
Empfehlung [ɛm'pfeːluŋ] f recommandation f
empfinden [ɛm'pfɪndən] v éprouver, ressentir
empfindlich [ɛm'pfɪntlɪç] adj sensible à, délicat; ~ treffen toucher au point sensible
Empfindung [ɛm'pfɪnduŋ] f sensation f, sentiment m
empor [ɛm'poːr] adv en haut, vers le haut
empören [ɛm'pøːrən] v sich ~ s'indigner
Emporkömmling [ɛm'poːrkœmlɪŋ] m parvenu m

Empörung [ɛm'pøːruŋ] f indignation f

emsig ['ɛmzɪ̧] adj laborieux, actif

Ende ['ɛndə] n fin f; am ~ en fin de compte; einer Sache ein ~ setzen mettre fin à qc; Das nimmt kein ~. C'est à n'en plus finir. am ~ seiner Kraft sein être à bout de force; am falschen ~ anfassen prendre par le mauvais bout

enden ['ɛndən] v finir, se terminer

Endergebnis ['ɛndɛrgeːpnɪs] n résultat final m

endgültig [ɛnt'gyltɪ̧] adj définitif

Endlagerung ['ɛntlaːgəruŋ] f dépôt définitif des déchets atomiques m

endlich ['ɛntlɪ̧] 1. adj final, dernier, définitif; 2. adv enfin, finalement

endlos ['ɛntloːs] 1. adj sans fin, infini; ~ lang sein être long comme un jour sans pain; 2. adv à l'infini, à perte de vue

Endstation ['ɛntʃtatsjoːn] f terminus m

Energie [enɛr'giː] f énergie f

energisch [e'nɛrgɪ̧ʃ] adj énergique

eng [ɛŋ] adj étroit, enserré

Engagement [aŋgaʒ(ə)'maːŋ] n engagement m

engagieren [aŋgaʒiːrən] n 1. jdn ~ engager qn, embaucher qn; 2. sich ~ s'engager

Engel ['ɛŋəl] m ange m

Engherzigkeit ['ɛŋhɛrtsɪŋkaɪt] f sécheresse de cœur f

England ['ɛŋlant] n Angleterre f

englisch ['ɛŋlɪ̧ʃ] adj anglais

Engpaß ['ɛŋpas] m défilé m

engstirnig [ɛŋʃtɪrnɪ̧] adj borné

Enkel ['ɛŋkəl] m/pl petit-fils m

enorm [e'nɔrm] adj énorme

Entstehung [ɛnʃteːuŋ] f origine f, naissance f

entbehren [ɛnt'beːrən] v se passer de

entbehrlich [ɛnt'beːrlɪ̧] adj superflu

entbinden [ɛnt'bɪndən] v 1. (befreien) détacher, délier; 2. MED accoucher

Entbindung [ɛnt'bɪnduŋ] f 1. (Befreiung) délivrance f; 2. MED accouchement m

Entbindungsstation [ɛnt'bɪnduŋsʃtatsjoːn] f maternité f

entdecken [ɛnt'dɛkən] v découvrir

Entdeckung [ɛnt'dɛkuŋ] f découverte f

Ente ['ɛntə] f 1. ZOOL canard m; watscheln wie eine ~ marcher comme un canard; 2. (fig: Zeitungs-) fausse nouvelle f

entehren [ɛnt'eːrən] v déshonorer, diffamer

enteignen [ɛnt'aɪgnən] v déposséder

enterben [ɛnt'ɛrbən] v déshériter

entfallen [ɛnt'falən] v 1. (fallenlassen) échapper; 2. (ausfallen) n'avoir pas lieu; 3. (fig: vergessen) échapper à qn; Sein Name ist mir ~. Son nom m'a échappé.

entfernen [ɛnt'fɛrnən] v 1. (weggehen) (s') éloigner; 2. (wegnehmen) enlever

entfernt [ɛnt'fɛrnt] adj éloigné, distant

Entfernung [ɛnt'fɛrnuŋ] f distance f

entfliehen [ɛnt'fliːən] v s'enfuir

Entfremdung [ɛnt'frɛmduŋ] f 1. aliénation f; 2. (fig) refroidissement m

entführen [ɛnt'fyːrən] v enlever, ravir

Entführung [ɛnt'fyːruŋ] f 1. enlèvement m, rapt m; 2. (Flugzeug) détournement m

entgegen [ɛnt'geːgən] prep 1. (örtlich) au-devant de, à la rencontre de; 2. (wider) contraire (à), opposé (à)

entgegengesetzt [ɛnt'geːgəngəzɛtst] adj opposé, contraire

Entgegenkommen [ɛnt'geːgənkɔmən] n prévenance f, bienveillance f

entgegnen [ɛnt'geːgnən] v répondre, répliquer

entgehen [ɛnt'geːən] v échapper à, manquer; sich eine Gelegenheit nicht ~ lassen ne pas laisser échapper une occasion; Ihm entgeht nichts. Rien ne lui échappe.

Entgelt [ɛnt'gɛlt] n (Entschädigung) dédommagement m, rétribution f

entgleisen [ɛnt'glaɪzən] v dérailler

Enthaarungsmittel [ɛnt'haːruŋsmɪtəl] n crème épilatoire f, dépilatoire m

enthalten [ɛnt'haltən] v 1. (beinhalten) contenir; 2. sich ~ se retenir de, s'abstenir de

enthaltsam [ɛnt'haltzaːm] adj abstinent

Enthaltung [ɛnt'haltuŋ] f abstention f

enthüllen [ɛnt'hylən] v 1. (Denkmal) enlever le voile, dévoiler; 2. (fig) révéler

Enthüllung [ɛnt'hyluŋ] f 1. (Denkmal) dévoilement m; 2. (fig) découverte f

entkleiden [ɛnt'klaɪdən] v déshabiller

entkommen [ɛnt'kɔmən] v (s') échapper

entkräften [ɛnt'krɛftən] v affaiblir

entladen [ɛnt'laːdən] v 1. (abladen) décharger; 2. (fig: befreien) soulager

entlang [ɛnt'laŋ] prep le long de

entlarven [ɛnt'larfən] v démasquer

entlassen [ɛnt'lasən] v 1. (Arbeitskraft) licencier, renvoyer; 2. (Gefangene) libérer; 3. (Kranker) autoriser à sortir de l'hôpital; 4. MIL démobiliser

Entlassung [ɛnt'lasuŋ] f 1. (Arbeitskraft) licenciement m, renvoi m; 2. (Gefangene) libération f; 3. (Kranker) sortie de l'hôpital f; 4. MIL démobilisation f

entlasten [ɛnt'lastən] v 1. décharger, soulager; 2. JUR décharger; von einer Hypothek - purger une hypothèque; 3. (Steuern) exonérer

entlohnen [ɛnt'lo:nən] v rémunérer

Entmachtung [ɛnt'maxtuŋ] f privation du pouvoir f

entmündigen [ɛnt'myndɪgən] v mettre sous tutelle

entmutigen [ɛnt'mu:tɪgən] v décourager

Entnahme [ɛnt'na:mə] f prélèvement m

entnehmen [ɛnt'ne:mən] v 1. (herausnehmen) tirer de, prendre de; 2. (fig: schließen) conclure, tirer de

entrüsten [ɛnt'rystən] v sich - s'indigner

Entrüstung [ɛnt'rystuŋ] f indignation f

entschädigen [ɛnt'ʃɛ:dɪgən] v dédommager, indemniser

Entschädigung [ɛnt'ʃɛdɪguŋ] f dédommagement m, indemnisation f

entscheiden [ɛnt'ʃaɪdən] v décider; Das ist schon entschieden. C'est tout réfléchi.

entscheidend [ɛnt'ʃaɪdənt] adj décisif

Entscheidung [ɛnt'ʃaɪduŋ] f décision f; Die - liegt bei Ihnen. C'est à vous de choisir.

entschieden [ɛnt'ʃi:dən] décidé

Entschiedenheit [ɛnt'ʃi:dənhaɪt] f détermination f

entschließen [ɛnt'ʃli:sən] v sich - se décider à, se résoudre à

entschlossen [ɛnt'ʃlɔsən] 1. adj décidé, résolu; Ich bin fest dazu -. J'y suis décidé. 2. adv sans hésitation, délibérément

Entschluß [ɛnt'ʃlus] m décision f, résolution f

entschuldigen [ɛnt'ʃuldɪgən] v 1. etw - excuser qc, pardonner qc; 2. sich - s'excuser

Entschuldigung [ɛnt'ʃuldɪguŋ] f excuse f; -en stammeln balbutier des excuses

Entsetzen [ɛnt'zɛtsən] n effroi m, horreur f

entsetzlich [ɛnt'zɛtslɪ n] adj horrible

Entsorgung [ɛnt'zɔrguŋ] f (Atommüll) élimination f, stockage m

entspannen [ɛnt'ʃpanən] v sich - se détendre, se décontracter

Entspannung [ɛnt'ʃpanuŋ] f détente f

entsprechen [ɛnt'ʃprɛnən] v correspondre à

entsprechend [ɛnt'ʃprɛnənt] adj correspondant

entspringen [ɛnt'ʃprɪŋən] v 1. (herrühren) sortir de, venir de; 2. (Fluß) prendre sa source

entstehen [ɛnt'ʃte:ən] v 1. naître; 2. (verursacht sein) être causé par

Entstehung [ɛnt'ʃte:uŋ] f origine f, naissance f

entstellt [ɛnt'ʃtɛlt] adj défiguré

entstören [ɛnt'ʃtø:rən] v TECH antiparasiter

enttäuschen [ɛnt'tɔyʃən] v décevoir

enttäuscht [ɛnt'tɔyʃt] adj déçu

Enttäuschung [ɛnt'tɔyʃuŋ] f déception f

entwaffnen [ɛnt'vafnən] v désarmer

entwässern [ɛnt'vesərn] v 1. (Sumpf) drainer, assécher; 2. MED déshydrater

entweder [ɛnt've:dər] konj -...oder ou ... ou, soit ... soit, ou bien ... ou bien; - dies oder nichts! C'est à prendre ou à laisser!

entweihen [ɛnt'vaɪən] v profaner

entwenden [ɛnt'vɛndən] v dérober

entwerfen [ɛnt'vɛrfən] v ébaucher

entwerten [ɛnt'vɛrtən] v 1. (Fahrkarte) composter; 2. (Geld) dévaluer

entwickeln [ɛnt'vɪkəln] v développer

Entwicklung [ɛnt'vɪkluŋ] f développement m, évolution f

Entwicklungsland [ɛnt'vɪkluŋslant] n pays sous-développé m

entwürdigend [ɛnt'vyrdɪgənt] adj avilissant, dégradant

Entwurf [ɛnt'vurf] m plan m, projet m, ébauche f, esquisse f

entwurzeln [ɛnt'vurtsəln] v déraciner

Entziehungskur [ɛnt'tsi:uŋsku:r] f cure de désintoxication f

entziffern [ɛnt'tsɪfərn] v déchiffrer

Entzücken [ɛnt'tsykən] n ravissement m

entzückend [ɛnt'tsykənt] adj ravissant

Entzug [ɛnt'tsu:k] m sevrage m

entzünden [ɛnt'tsyndən] v 1. (Feuer) allumer; 2. sich - MED s'enflammer

Entzündung [ɛnt'tsynduŋ] f inflammation f

entzwei [ɛnt'tsvaɪ] adj en deux, cassé

entzweigehen [ɛnt'tsvaɪgeːən] v se casser

Enzian ['ɛntsjan] m gentiane f

Enzyklopädie [ɛntsyklope'di:] f encyclopédie f

Epidemie [epɪde'mi:] f épidémie f

Episode [epɪ'zo:də] f épisode m

Epoche [e'poxə] *f* époque *f*
er [e:r] *pron* il, lui
erachten [ɛr'axtən] *v* croire, juger
erarbeiten [ɛr'arbaɪtən] *v* élaborer
Erbarmen [ɛr'barmən] *n* pitié *f*
erbarmen [ɛr'barmən] *v sich* ~ avoir pitié (de)
erbärmlich [ɛr'bɛrmlɪŋ] *adj* pitoyable
erbaulich [ɛr'baulɪŋ] *adj* édifiant
Erbe ['ɛrbə] *n* 1. héritage *m*; *m* 2. (Person) héritier *m*
erben ['ɛrbən] *v* hériter; *ein Haus* ~ hériter d'une maison; *Er erbte von seiner Tante einen schönen Teppich.* Il hérita de sa tante un beau tapis. *Sie hat ihre Schönheit von ihrer Mutter geerbt.* Elle tient sa beauté de sa mère.
Erbfolge ['ɛrpfɔlgə] *f* succession *f*
erbittert [ɛr'bɪtərt] 1. *adj* acharné; 2. *adv* avec acharnement
erblich ['ɛrplɪŋ] *adj* héréditaire
erblinden [ɛr'blɪndən] *v* perdre la vue
erbrechen [ɛr'brɛŋən] *v* vomir, rendre
Erbschaft ['ɛrpʃaft] *f* héritage *m*
Erbse ['ɛrpsə] *f* pois *m*; *grüne* ~*n* petits--pois *m/pl*
Erdanziehungskraft ['e:rdantsi:ʊŋskraft] *f* attraction terrestre *f*
Erdbeben ['e:rtbe:bən] *n* tremblement de terre *m*
Erdbeere ['e:rtbe:rə] *f* fraise *f*
Erdboden ['e:rtbo:dən] *m* sol *m*
Erde ['e:rdə] *f* terre *f*
erden ['e:rdən] *v* relier à la terre
erdenklich [ɛr'dɛŋklɪŋ] *adj* imaginable
Erdgeschoß ['e:rtgəʃɔs] *n* rez-de-chaussée *m*
Erdkunde ['e:rtkundə] *f* géographie *f*
Erdnuß ['e:rtnus] *f* cacahuète *f*
Erdöl ['e:rtø:l] *n* pétrole brut *m*, brut *m*
Erdreich ['e:rtraɪŋ] *n* terre *f*, sol *m*
erdrosseln [ɛr'drɔsəln] *v* étrangler
erdrücken [ɛr'drykən] *v* écraser, étouffer
Erdrutsch ['e:rtrutʃ] *m* éboulement *m*
Erdteil ['e:rttaɪl] *m* continent *m*
erdulden [ɛr'duldən] *v* supporter, souffrir
ereifern [ɛr'aɪfərn] *v sich* ~ s'échauffer
ereignen [ɛr'aɪgnən] *v* arriver, survenir
Ereignis [ɛr'aɪknɪs] *n* événement *m*
Eremit [ere'mi:t] *m* ermite *m*
erfahren [ɛr'fa:rən] 1. *v* (Neuigkeit) apprendre; 2. *adj* expérimenté, expert; *in etw* ~ *sein* être versé dans qc

Erfahrung [ɛr'fa:ruŋ] *f* expérience *f*
erfassen [ɛr'fasən] *v* 1. (greifen) saisir, empoigner; 2. (fig: verstehen) concevoir
erfinden [ɛr'fɪndən] *v* inventer, découvrir, imaginer; *frei erfunden* forgé de toutes pièces; *Das hat er erfunden.* C'est de son invention.
Erfinder [ɛr'fɪndər] *m* inventeur *m*
erfinderisch [ɛr'fɪndərɪʃ] *adj* inventif
Erfindung [ɛr'fɪnduŋ] *f* invention *f*
Erfolg [ɛr'fɔlk] *m* succès *m*; *zum* ~ *führen* mener à bien; *überall* ~*e verbuchen können* gagner sur tous les tableaux
erfolgen [ɛr'fɔlgən] *v* 1. résulter, s'ensuivre; 2. (geschehen) se produire
erfolglos [ɛr'fɔlklo:s] 1. *adj* infructueux; 2. *adv* sans succès, sans résultat
erfolgreich [ɛr'fɔlkraɪŋ] *adj* couronné de succès, qui réussit, qui a réussi
erforderlich [ɛr'fɔrdərlɪŋ] *adj* nécessaire
erfordern [ɛr'fɔrdərn] *v* nécessiter, exiger; *viel Aufmerksamkeit* ~ avoir besoin de beaucoup d'attention
erforschen [ɛr'fɔrʃən] *v* 1. explorer; 2. (prüfen) examiner, sonder
Erforschung [ɛr'fɔrʃuŋ] *f* 1. exploration *f*; 2. (prüfen) examen *m*, sondage *m*
erfreulich [ɛr'frɔylɪŋ] *adj* réjouissant
erfreut [ɛr'frɔyt] *adj* enchanté; *Sehr* ~, *Sie kennenzulernen.* Enchanté de faire votre connaissance. *Ich bin* ~ *Sie wiederzusehen.* Je suis ravi de vous revoir.
erfrieren [ɛr'fri:rən] *v* 1. (Person) geler, mourir de froid; 2. (Pflanze) geler
erfrischen [ɛr'frɪʃən] *v sich* ~ se rafraîchir
Erfrischung [ɛr'frɪʃuŋ] *f* rafraîchissement *m*; ~*en reichen* servir des rafraîchissements
erfüllen [ɛr'fylən] *v* 1. remplir de; 2. (Pflicht) accomplir, faire
Erfüllung [ɛr'fyluŋ] *f* 1. ~ *finden* se réaliser, s'accomplir; 2. (Pflicht) accomplissement *m*; 3. (Wunsch) réalisation *f*
ergänzen [ɛr'gɛntsən] *v* compléter
Ergänzung [ɛr'gɛntsuŋ] *f* complément *m*
Ergebnis [ɛr'ge:pnɪs] *n* résultat *m*
ergebnislos [ɛr'ge:pnɪslo:s] *adj* infructueux, sans résultat
ergiebig [ɛrgi:bɪŋ] *adj* lucratif, rentable
ergrauen [ɛr'grauən] *v* grisonner
ergreifen [ɛr'graɪfən] *v* 1. (greifen) prendre, saisir; 2. (Maßnahmen) prendre; 3. (festnehmen) appréhender, arrêter; 4. (fig: bewegen) toucher

ergreifend [ɛr'graɪfənt] *adj (fig)* émouvant

erhalten [ɛr'haltən] *v 1. (bekommen)* recevoir; *2. (bewahren)* conserver, garder

erhältlich [ɛr'hɛltlɪŋ] *adj* en vente (chez)

Erhaltung [ɛr'haltuŋ] *f 1. (Erhalt)* réception *f*; *2. (Bewahrung)* conservation *f*, maintien *m*; *3. (Instandhaltung)* entretien *m*

erhängen [ɛr'hɛŋən] *v sich ~* se pendre

erheben [ɛr'he:bən] *v 1. (hochheben)* lever, élever; *2. (Steuern)* ECO prélever, lever; *3. (Klage)* porter plainte (contre); *4. sich ~* s'élever; *5. sich ~ (Flugzeug)* décoller

erheblich [ɛrhe:plɪŋ] *adj* considérable

Erhebung [ɛrhe:buŋ] *f 1. (Berg)* éminence *f*; *2. (Statistik)* sondage (statistique) *m*, enquête (statistique) *f*; *3. (Steuer)* ECO collecte *f*; *4.* JUR dépôt (d'une plainte) *m*

erheitern [ɛr'haɪtərn] *v* égayer, divertir

Erheiterung [ɛr'haɪtəruŋ] *f* réjouissance *f*

erhitzen [ɛr'hɪtsən] *v* (faire) chauffer

erhöhen [ɛr'hø:ən] *v 1.* élever, hausser; *2. (Preise)* augmenter

Erhöhung [ɛr'hø:uŋ] *f 1.* élévation *f*; *2. (Zunahme)* accroissement *m*; *3. (Preise)* augmentation *f*

erholen [ɛr'ho:lən] *v sich ~* se reposer

Erholung [ɛr'ho:luŋ] *f* repos *m*, détente *f*

Erholungsort [ɛrho:luŋsort] *m* lieu de repos *m*, lieu de vacances *m*

erinnern [ɛr'ɪnərn] *v 1. jdn ~* rappeler qc à qn; *2. sich ~* se souvenir de qc, se rappeler qc

Erinnerung [ɛr'ɪnəruŋ] *f* souvenir *m*

Erinnerungsvermögen [ɛr'ɪnəruŋsfermø:gən] *n* mémoire *f*

erkälten [ɛr'kɛltən] *v sich ~* prendre froid, s'enrhumer

Erkältung [ɛr'kɛltuŋ] *f* refroidissement *m*

erkennbar [ɛr'kɛnba:r] *adj* reconnaissable, perceptible

erkennen [ɛr'kɛnən] *v* reconnaître

erkenntlich [ɛr'kɛntlɪŋ] *adj* reconnaissant

Erkenntnis [ɛr'kɛntnɪs] *f 1.* connaissance *f*, cognition *f*; *2. (Entdeckung)* découverte *f*

erklären [ɛr'klɛ:rən] *v 1. (verdeutlichen)* expliquer, éclaircir; *2. (verkünden)* déclarer

Erklärung [ɛr'klɛ:ruŋ] *f 1. (Verdeutlichung)* explication *f*, éclaircissements *m/pl*; *2. (Verkündung)* déclaration *f*, proclamation *f*

erkranken [ɛr'kraŋkən] *v* tomber malade

Erkrankung [ɛr'kraŋkuŋ] *f* maladie *f*

erkundigen [ɛr'kundɪgən] *v sich ~* se renseigner. aller prendre des nouvelles

Erkundung [ɛr'kunduŋ] *f* exploration *f*

erlangen [ɛr'laŋən] *v* atteindre, obtenir

erlassen [ɛr'lasən] *v 1. (verordnen)* décréter, arrêter; *2. (befreien)* dispenser de

Erlaß [ɛr'las] *m 1. (Verordnung)* ordonnance *f*, arrêté *m*; *2. (Befreiung)* dispense *f*

erlauben [ɛr'laubən] *v* autoriser, permettre

Erlaubnis [ɛr'laupnɪs] *f* autorisation *f*, permission *f*

erläutern [ɛr'lɔytərn] *v* expliquer, éclaircir

Erläuterung [ɛr'lɔytəruŋ] *f* explication *f*, éclaircissements *m/pl*

Erle ['ɛrlə] *f* aulne *m*

erleben [ɛr'le:bən] *v* voir, vivre, faire l'expérience de

Erlebnis [ɛr'le:pnɪs] *n* événement *m*, expérience vécue *f*

erledigen [ɛr'le:dɪgən] *v* régler, expédier, liquider; *erledigt sein* être frit; *Die Sache ist so gut wie erledigt.* L'affaire est dans le sac. *Das ist ein für allemal erledigt.* C'est tout vu.

Erledigung [ɛr'le:dɪguŋ] *f 1. (Geschäft)* expédition *f*; *2. (Auftrag)* exécution *f*

erlegen [ɛr'le:gən] *v* abattre, tuer

erleichtern [ɛr'laɪntərn] *v* soulager

Erleichterung [ɛr'laɪntəruŋ] *f* soulagement *m*

erleiden [ɛr'laɪdən] *v 1.* subir; *2. (Schmerz)* supporter; *3. (Niederlage)* essuyer

erlernen [ɛr'lɛrnən] *v* apprendre

erleuchten [ɛr'lɔyntən] *v* éclairer, illuminer

Erlös [ɛr'lø:s] *m* produit *m*

erlöschen [ɛr'lœʃən] *v* s'éteindre, s'effacer

erlösen [ɛr'lø:zən] *v 1.* délivrer, sauver; *2.* REL racheter

Erlösung [ɛr'lø:zuŋ] *f 1.* délivrance *f*; *2.* REL rédemption *f*

ermächtigen [ɛrmɛntɪgən] *v 1.* autoriser à; *2.* JUR habiliter à

ermahnen [ɛr'ma:nən] *v* exhorter à

Ermahnung [ɛr'ma:nuŋ] *f* exhortation *f*, admonition *f*

Ermäßigung [ɛr'mɛ:sɪguŋ] *f* remise *f*, réduction *f*, rabais *m*

Ermessen [ɛr'mesən] *n* avis *m*, jugement *m; nach meinem ~* selon moi

ermitteln [ɛr'mɪtəln] *v 1.* découvrir, vérifier; *2.* JUR faire des recherches

Ermittlung [ɛr'mɪtluŋ] f 1. enquête f, recherche f; 2. JUR instruction f
ermöglichen [ɛr'møːglɪʃən] v permettre, faciliter, rendre possible
ermorden [ɛr'mɔrdən] v assassiner, tuer
Ermordung [ɛr'mɔrduŋ] f assassinat m
ermüdend [ɛr'myːdənt] adj fatigant, lassant
Ermüdung [ɛr'myːduŋ] f 1. fatigue f, lassitude f; 2. (Material) usure f
ermuntern [ɛr'muntərn] v encourager à, inciter à faire qc
ermutigen [ɛr'muːtɪgən] v encourager
ernähren [ɛr'nɛːrən] v 1. (se) nourrir, (s') alimenter; 2. jdn ~ faire vivre
Ernährung [ɛr'nɛːruŋ] f alimentation f
ernennen [ɛr'nɛnən] v nommer
Ernennung [ɛr'nɛnuŋ] f nomination f
erneuern [ɛr'nɔyərn] v remettre en état, remettre à neuf, renouveler, restaurer
Erneuerung [ɛr'nɔyəruŋ] f renouvellement m, remise à neuf f
erneut [ɛr'nɔyt] 1. adj répété, renouvelé; 2. adv de nouveau, à nouveau, une fois de plus
erniedrigen [ɛr'niːdrɪgən] v abaisser, humilier
Erniedrigung [ɛr'niːdrɪguŋ] f humiliation f, avilissement m
ernst [ɛrnst] adj 1. sérieux, grave; Jetzt wird es ~. C'est fini de rire. nicht mehr ~ bleiben können perdre son sérieux
Ernst [ɛrnst] m sérieux m, gravité f; in allem ~ pour tout de bon; Das ist doch nicht Dein ~! Tu rigoles!
Ernte ['ɛrntə] f 1. (Tätigkeit) récolte f, moisson f; 2. (Obst~) cueillette f; 3. (Ertrag) produit m, rendement m
Erntedankfest ['ɛrntədankfɛst] n REL fête de la moisson f
ernten ['ɛrntən] v récolter, moissonner
Ernüchterung [ɛr'nyntəruŋ] f (fig) retour à la raison m
Eroberer [ɛr'oːbərər] m conquérant m
erobern [ɛr'oːbərn] v conquérir
Eroberung [ɛr'oːbəruŋ] f conquête f
eröffnen [ɛr'œfnən] v ouvrir, inaugurer
Eröffnung [ɛr'œfnuŋ] f 1. ouverture f; 2. (Einweihung) inauguration f; 3. (Ansprache) discours d'ouverture/inaugural m
erörtern [ɛr'œrtərn] v discuter de
Erörterung [ɛr'œrtəruŋ] f discussion f
Erotik [ɛ'roːtik] f érotisme m
erotisch [ɛ'roːtiʃ] adj érotique

erpressen [ɛr'prɛsən] v jdn ~ exercer un chantage sur qn, faire chanter qn
Erpresser [ɛr'prɛsər] m maître chanteur m
Erpressung [ɛr'prɛsuŋ] f chantage m
erproben [ɛr'proːbən] v expérimenter
erraten [ɛr'raːtən] v deviner
errechnen [ɛr'rɛçnən] v calculer
erregen [ɛr're:gən] v 1. (Aufsehen ~) faire sensation, avoir du retentissement; 2. (aufregen) exciter, irriter; 3. sich ~ s'exciter
Erreger [ɛr're:gər] m agent pathogène m
erreichbar [ɛr'raɪŋba:r] adj accessible; Ich bin jederzeit ~. On peut toujours me joindre.
erreichen [ɛr'raɪŋən] v atteindre, joindre qn, parvenir à, accéder à; Wo kann ich ihn ~? Où puis-je le joindre?
errichten [ɛr'rɪçtən] v 1. élever, dresser; 2. (gründen) fonder, créer
Errungenschaft [ɛr'ruŋənʃaft] f 1. acquisition f; 2. (Wissenschaft) conquête f
Ersatz [ɛr'zats] m produit de remplacement m, substitut m, succédané m, ersatz m
Ersatzdienst [ɛr'zatsdiːnst] m MIL service civil m
Ersatzreifen [ɛr'zatsraɪfən] m roue de secours f
Ersatzteil [ɛr'zatstaɪl] n pièce de rechange f
erscheinen [ɛr'ʃaɪnən] v 1. (sich sehen lassen) apparaître, se montrer, se faire voir; 2. (scheinen) sembler; 3. (Buch, Artikel) paraître; 4. (vor Gericht) comparaître
Erscheinung [ɛr'ʃaɪnuŋ] f 1. (Aussehen) mine f, prestance f; 2. (Phänomen) apparition f, phénomène m
erschießen [ɛr'ʃiːsən] v fusiller
erschließen [ɛr'ʃliːsən] v 1. (Baugelände) viabiliser; 2. (Märkte) ouvrir
erschöpft [ɛr'ʃœpft] adj épuisé
Erschöpfung [ɛr'ʃœpfuŋ] f épuisement m
erschrecken [ɛr'ʃrɛkən] v effrayer
erschreckend [ɛr'ʃrɛkənt] adj effrayant
Erschütterung [ɛr'ʃytəruŋ] f 1. choc m, commotion f; 2. (fig) bouleversement m
erschweren [ɛr'ʃveːrən] v compliquer, rendre plus difficile
erschwinglich [ɛr'ʃvɪnlɪŋ] adj accessible
ersetzen [ɛr'zɛtsən] v 1. (austauschen) remplacer, substituer; 2. (entschädigen) réparer, dédommager
ersichtlich [ɛr'zɪçtlɪŋ] adj visible, évident
ersparen [ɛr'ʃpaːrən] v 1. économiser, épargner; 2. (fig) épargner; Es bleibt einem

doch nichts erspart. Qu'est-ce qu'il ne faut pas voir.

Ersparnis [ɛr'ʃpaːrnɪs] *f* économie *f*

erst [eːrst] *adv* premièrement, d'abord

Erstaufführung [eːrstauffyːruŋ] *f* première *f*

Erstaunen [ɛr'ʃtaunən] *n* étonnement *m*

erstaunlich [ɛr'ʃtaunlɪŋ] *adj* étonnant, surprenant

erste(r,s) ['eːrstər] *num* premier/-ère

erstens ['eːrstəns] *adv* premièrement

Erstgeborene ['eːrstgəboːrənə] *m/f* aîné/-e *m/f*

ersticken [ɛr'ʃtɪkən] *v* étouffer, suffoquer

erstklassig ['eːrstklasɪŋ] *adj* de première qualité, excellent

erstmals ['eːrstmaːls] *adv* pour la première fois

erstreben [ɛr'ʃtreːbən] *v* s'efforcer d'atteindre, s'efforcer d'obtenir

erstrebenswert [ɛr'ʃtreːbənsveːrt] *adj* digne d'être poursuivi, digne d'efforts

Ersuchen [ɛr'zuːxən] *n* demande *f*, sollicitation *f*

erteilen [ɛr'tailən] *v* 1. *(geben)* donner, accorder; 2. *(gewähren)* octroyer, accorder

Ertrag [ɛr'traːk] *m* produit *m*

ertragen [ɛr'traːgən] *v* supporter, endurer, tolérer

erträglich [ɛr'trɛːklɪŋ] *adj* supportable, tolérable

ertrinken [ɛr'trɪnkən] *v* se noyer, périr en mer

erwachen [ɛr'vaxən] *v* se réveiller

erwachsen [ɛr'vaksən] *adj* adulte

Erwachsene [ɛr'vaksənə] *m/f* adulte *m/f*

Erwachsenenbildung [ɛr'vaksənənbɪlduŋ] *f* formation pour adultes *f*

Erwägung [ɛr'vɛːguŋ] *f* considération *f*

erwähnen [ɛr'vɛːnən] *v* mentionner

erwärmen [ɛr'vɛrmən] *v* réchauffer

erwarten [ɛr'va·rtən] *v* attendre

Erwartung [ɛr'vartuŋ] *f* attente *f*, espoir *m*

erwartungsvoll [ɛr'vartuŋsfɔl] *adj* plein d'espoir, plein d'attente

erweitern [ɛr'vaitərn] *v* élargir, étendre

Erweiterung [ɛr'vaitəruŋ] *f* extension *f*

Erwerb [ɛr'vɛrp] *m* 1. *(Beruf)* gagne-pain *m*; 2. *(Kauf)* acquisition *f*

erwerben [ɛr'vɛrbən] *v* acquérir, gagner

erwerbslos [ɛr'vɛrpsloːs] *adj* sans travail, au chômage

Erwerbstätiger [ɛr'vɛrpʃtɛtɪgər] *m* salarié *m*

erwerbsunfähig [ɛr'vɛrpsunfɛːɪŋ] *adj* incapable de travailler

erwidern [ɛr'viːdərn] *v* 1. *(antworten)* répondre, répliquer; 2. *(Gleiches zurückgeben)* riposter, rendre la pareille

erwischen [ɛr'vɪʃən] *v* 1. (sur)prendre, attraper; 2. *(fam)* pincer

erwünscht [ɛr'vynʃt] *adj* souhaité, désiré

Erz [ɛrts] *n* minerai *m*

erzählen [ɛr'tsɛːlən] *v* raconter, dire

Erzählung [ɛr'tsɛːluŋ] *f* récit *m*, histoire *f*

Erzbischof [ɛrtsbɪʃɔf] *m* archevêque *m*

erzeugen [ɛr'tsɔygən] *v* 1. *(herstellen)* produire, fabriquer; 2. *(hervorrufen)* provoquer, causer

Erzeugnis [ɛr'tsɔyknɪs] *n* produit *m*

Erzfeind ['ɛrtsfaint] *m* ennemi juré *m*

erziehen [ɛr'tsiːən] *v* éduquer, élever

Erzieher [ɛr'tsiːər] *m* éducateur *m*

erzieherisch [ɛr'tsiːərɪʃ] *adj* éducatif

Erziehung [ɛr'tsiːuŋ] *f* éducation *f*

erzielen [ɛr'tsiːlən] *v* réaliser, parvenir à atteindre

erzwingen [ɛr'tsvɪŋən] *v* obtenir par la force, extorquer, forcer à

es [ɛs] *pron* 1. lui; 2. le; 3. il; 4. *(Sache)* cela, ce, ça

Esche [ɛ,ʃe] *f* frêne *m*

Esel ['eːzəl] *m* âne *m*, baudet *m*; *störrisch wie ein* - têtu comme un âne

Eskimo ['ɛskɪmo] *m* Eskimo *m*

Esoterik [ɛzo'teːrik] *f* ésotérisme *m*

Essay ['ɛseː] *n* essai *m*, étude *f*

eßbar ['ɛsbaːr] *adj* comestible, mangeable

Essen ['ɛsən] *n* repas *m*, manger *m*; *etw zum* - *kaufen* acheter de la bouffe

essen ['ɛsən] *v* manger; *gerne gut* - aimer la bonne chère

Essig ['ɛsɪŋ] *m* vinaigre *m*

Estragon ['ɛstragon] *m* estragon *m*

Estrich ['ɛstrɪŋ] *m* aire en ciment *f*

Eßkastanie ['ɛskastanjə] *f* châtaigne *f*

Eßlöffel ['ɛslœfəl] *m* cuiller à soupe *f*

Eßzimmer ['ɛstsɪmər] *n* salle à manger *f*

etablieren [eta'bliːrən] *v sich* - s'établir

Etage [e'taːʒə] *f* étage *m*

Etappe [e'tapə] *f* étape *f*

Etat [e'taː] *m* budget *m*

Ethik ['eːtɪk] *f* éthique *f*, morale *f*

ethisch ['eːtɪʃ] *adj* éthique

ethnisch ['eːtnɪʃ] *adj* ethnique

Etikett [ɛtiˈkɛt] *n* étiquette *f*
Etikette [ɛtiˈkɛtə] *f* protocole *m*
etliche [ˈɛtliŋə] *pron* quelques, quelques-uns, quelques-unes
etwa [ˈɛtva] *adv* environ, à peu près
etwaig [ˈɛtvaiŋ] *adj* éventuel
etwas [ˈɛtvas] *adv* 1. quelque chose; 2. un peu, quelque peu
euch [ɔyŋ] *pron* vous
Eucharistie [ɔynariˈstiː] *f* eucharistie *f*
euer [ɔyər] *pron* votre
Eukalyptus [ɔykaˈlyptus] *m* eucalyptus *m*
Eule [ˈɔylə] *f* hibou *m*
eure [ˈɔyrə] *pron* votre, vos
euretwegen [ɔyrɛtvegən] *adv* à cause de vous, pour l'amour de vous
Europa [ɔyˈroːpa] *n* Europe *f*
europäisch [ɔyroˈpɛːiʃ] *adj* européen
Europaparlament [ɔyˈroːpaparlamɛnt] *n* parlement européen *m*
Europarat [ɔyroːparaːt] *m* conseil de l'Europe *m*
Euroscheck [ˈɔyroʃɛk] *m* eurochèque *m*
Euter [ˈɔytər] *n* pis *m*
Evakuierung [evakuˈiːrən] *f* évacuation *f*
evangelisch [evanˈgeːliʃ] *adj* 1. REL protestant; 2. *(Evangelium)* évangélique
Evangelium [evanˈgeːljum] *n* Evangile *m*
eventuell [evɛntuˈɛl] *adj* éventuel
ewig [ˈeːvɪŋ] *adj* éternel
Ewigkeit [ˈeːvɪŋkait] *f* éternité *f*
exakt [ɛksˈakt] *adj* exact, précis
Examen [ɛkˈsaːmən] *n* examen *m*
Exemplar [ɛksemˈplaːr] *n* exemplaire *m*
Exhibitionist [ɛksɪbitioˈnist] *m* exhibitionniste *m*
Exil [ɛkˈsiːl] *n* exil *m*
Existenz [ɛksɪsˈtɛnts] *f* existence *f*
Existenzberechtigung [ɛksɪstɛntsbəˈrɛntiŋuŋ] *f* droit à l'existence *m*, droit de vivre *m*
Existenzminimum [ɛksɪsˈtɛntsminimum] *n* minimum vital *m*

existieren [ɛksisˈtiːrən] *v* 1. *(leben)* exister, vivre; 2. *(bestehen)* exister
exklusiv [ɛkskluˈziːf] 1. *adj* exclusif, distingué; 2. *adv* à l'exclusion de, exclusivement
Exklusivvertrag [ɛkskluˈziːffɛrtrak] *m* contrat d'exclusivité *m*
exkommunizieren [ɛkskɔmuˈnitsiːrən] *v* excommunier
Exkursion [ɛkskurtsiˈoːn] *f* excursion *f*
exotisch [ɛksˈoːtiʃ] *adj* exotique
Expansion [ɛkspantsiˈoːn] *f* expansion *f*
Expedition [ɛkspeditsiˈoːn] *f* expédition *f*
Experiment [ɛksperiˈmɛnt] *n* expérience *f*
experimentieren [ɛksperimɛntiːrən] *v* expérimenter, faire une expérience
Experte [ɛksˈpɛrtə] *m* expert *m*
explodieren [ɛksploˈdiːrən] *v* exploser, sauter
Explosion [ɛksplosiˈoːn] *f* explosion *f*, détonation *f*
Export [ɛksˈpɔrt] *m* exportation *f*
exportieren [ɛkspɔrˈtiːrən] *v* exporter
Exportwirtschaft [ɛksˈpɔrtvɪrtʃaft] *f* commerce d'exportation *m*
Expressionismus [ɛksprɛszjoˈnismus] *m* expressionnisme *m*
Expreßgut [ɛksˈpresguːt] *n* colis exprès *m*
extern [ɛksˈtɛrn] *adj* externe
extra [ˈɛkstra] 1. *adj* spécial, en supplément, à part; 2. *adv* exprès, spécialement, à part
Extrakt [ɛksˈtrakt] *m* extrait *m*, essence *f*
extravagant [ɛkstraˈvaˈgant] *adj* extravagant
Extrem [ɛksˈtrem] *n* extrême *m*; *von einem - ins andere fallen* passer du blanc en noir
Extremismus [ɛkstreˈmismus] *m* extrémisme *m*
exzellent [ɛkstsɛˈlɛnt] *adj* excellent
exzentrisch [ɛksˈtsɛntriʃ] *adj* excentrique
Exzeß [ɛksˈtsɛs] *m* excès *m*

F

Fabel ['fa:bəl] *f* fable *f*
fabelhaft ['fa:bəlhaft] 1. *adj* merveilleux, formidable; 2. *adv* à merveille, formidablement bien; *Das ist ja ~!* C'est chic alors!
Fabrik [fa'brɪk] *f* usine *f*, fabrique *f*
Fabrikant [fabri'kant] *m* fabricant *m*
Fach [fax] *n* 1. (*Ablage-*) casier *m*; 2. (*Unterrichts-*) matière *f*; 3. (*Wissensgebiet*) spécialité *f*, discipline *f*
Facharbeiter ['faxarbaɪtər] *m* ouvrier qualifié *m*, ouvrier spécialisé (O.S.) *m*
Facharzt ['faxartst] *m* spécialiste *m*
Fachausdruck ['faxausdruk] *m* terme technique *m*, terme spécial *m*
Fachhochschule ['faxho:xʃu:lə] *f* Ecole supérieure spécialisée *f*
fachlich ['faxlɪŋ] *adj* professionnel
Fachmann ['faxman] *m* spécialiste *m*
Fackel ['fakəl] *f* flambeau *m*, torche *f*
fade ['fa:də] *adj* 1. (*geschmacklos*) fade, insipide; 2. (*langweilig*) ennuyant
Faden ['fa:dən] *m* fil *m*, filament *m*; *Es hängt am seidenen ~.* Il s'en faut d'un cheveu. *Die Fäden in der Hand haben* tirer les ficelles; *den ~ verlieren* perdre le fil
fähig [fɛ:ɪŋ] *adj* capable, compétent
Fähigkeit ['fɛ:ɪŋkaɪt] *f* capacité *f*, aptitude
fahl [fa:l] *adj* blême, blafard
Fahndung [fa:nduŋ] *f* recherche *f*
Fahne ['fa:nə] *f* drapeau *m*, pavillon *m*; *sein Fähnchen in den Wind hängen* tourner comme une girouette
Fahrbahn ['fa:rba:n] *f* chaussée *f*
Fähre [fɛ:rə] *f* bac *m*, ferryboat *m*
fahren ['fa:rən] *v* 1. aller; *Der Wagen fährt 240 Kilometer in der Stunde.* La voiture fait du 240 à l'heure. 2. (*steuern*) rouler en, conduire
Fahrer ['fa:rər] *m* conducteur *m*, automobiliste *m*, chauffeur *m*
Fahrerflucht ['fa:rərfluxt] *f* délit de fuite *m*
Fahrgast ['fa:rgast] *m* client *m*, voyageur *m*
Fahrgeld ['fa:rgɛlt] *n* prix du transport *m*
Fahrkarte ['fa:rkartə] *f* billet *m*, ticket *m*
Fahrkartenschalter ['fa:rkartənʃaltər] *m* guichet des billets *m*

fahrlässig ['fa:rlɛsɪŋ] *adj* 1. négligent, imprudent; 2. *JUR* par imprudence
Fahrlehrer ['fa:rle:rər] *m* moniteur d'auto-école *m*
Fahrplan ['fa:rplan] *m* horaire *m*
fahrplanmäßig ['fa:rplanmɛ:sɪŋ] 1. *adj* régulier; 2. *adv* d'après l'horaire
Fahrrad ['fa:rra:t] *n* 1. bicyclette *f*; 2. (*fam*) vélo *m*, bécane *f*
Fahrschein ['fa:rʃaɪn] *m* billet *m*, ticket *m*
Fahrschule ['fa:rʃu:lə] *f* auto-école *f*
Fahrspur ['fa:rʃpur] *f* voie *f*
Fahrstuhl ['fa:rʃtu:l] *m* ascenseur *m*
Fahrstunde ['fa:rʃtundə] *f* leçon de conduite *f*
Fahrt [fa:rt] *f* voyage *m*, trajet *m*, course *f*; *in voller ~* à toute allure
Fährte [fɛ:rtə] *f* trace *f*, foulée *f*
Fahrverbot ['fa:rfɛrbɔt] *n* retrait du permis de conduire *m*, interdiction de conduire *f*
Fahrzeug ['fa:rtsɔyk] *n* véhicule *m*
Fahrzeugbrief ['fa:rtsɔykbri:f] *m* papiers du véhicule *m/pl*
Fahrzeugschein ['fa:rtsɔykʃaɪn] *m* carte grise *f*
fair [fɛ:r] 1. *adj* loyal, sportif; *~es Spiel* fair-play; 2. *adv* avec fairplay, loyalement
Faktor ['faktɔr] *m* facteur *m*
Fakultät [fakul'tɛ:t] *f* 1. (*Universität*) faculté *f*; 2. (*fam*) fac *f*
Falke ['falkə] *m* faucon *m*
Fall [fal] *m* 1. (*Sturz*) chute *f*; 2. (*fig: Niedergang*) chute *f*, décadence *f*; 3. (*Umstand*) cas *m*; *Wenn das der ~ ist...* Si tel est le cas... *für alle Fälle* à tout hasard; 4. *JUR* cause *f*
Falle ['falə] *f* piège *m*, traquenard *m*; *in die ~ geraten* tomber dans le panneau; *in die ~ gehen* tomber dans le piège
fallen ['falən] *v* 1. (*stürzen*) tomber, faire une chute; 2. (*fig: sinken*) baisser
fällen ['fɛlən] *v* 1. (*Baum*) abattre; 2. (*Entscheidung*) prendre; 3. (*Urteil*) prononcer
Fälligkeit ['fɛlɪŋkaɪt] *f* échéance *f*
falls [fals] *konj* au cas où, dans le cas où, si
Fallschirm ['falʃirm] *m* parachute *m*
falsch [falʃ] *adj* 1. (*unwahr*) faux; 2. (*feh-*

lerhaft) erroné, mauvais; *Sie liegen völlig ~.* Vous n'y êtes pas du tout. 3. *(unecht)* faux, imité; 4. *(fig: unaufrichtig)* faux

fälschen ['fɛlʃən] *v* falsifier, contrefaire

Falschgeld ['falʃgɛlt] *n* fausse monnaie *f*

Fälschung ['fɛlʃuŋ] *f* falsification *f*, contrefaçon *f*

Faltblatt ['faltblat] *n* dépliant *m*

Falte ['faltə] *f* 1. pli *m*; 2. *(Haut)* ride *f*

falten ['faltən] *v* 1. plier; 2. *(Hände)* joindre les mains

familiär [famil'jɛ:r] *adj* familier; *aus ~en Gründen* pour des raisons de famille

Familie [fa'mi:ljə] *f* famille *f*

Familienangehörige [fa'mi:ljənangəhø:rɪgə] *m/f* membre de la famille *m*

Familienname [fa'mi:ljənnamə] *m* nom de famille *m*

Familienstand [fa'mi:ljənʃtant] *m* situation de famille *f*, situation familiale *f*

Fan [fan] *m* fan *m*

fanatisch [fa'na:tiʃ] *adj* fanatique

fangen ['faŋən] *v* attraper, capturer, prendre

Farbband ['farpbant] *n* ruban encreur *m*

Farbe ['farbə] *f* couleur *f*; ~ *bekennen* montrer patte blanche

färben ['fɛrbən] *v* teindre, colorer; *ein Tuch blau ~* teindre un drap en bleu

farbenblind ['farbənblɪnt] *adj* daltonien

Farbfernseher ['farpfɛrnze:ər] *m* téléviseur couleur *m*

farbig ['farbɪŋ] *adj* coloré, en/de couleur

farblos ['farplo:s] *adj* 1. *(Sache)* incolore, sans couleur; 2. *(Person)* sans caractère

Färbung ['fɛrbuŋ] *f*, teinte *f* coloration *f*

Farn [farn] *m* fougère *f*

Fasan [fa'za:n] *m* faisan *m*

Fasching ['faʃiŋ] *m* carnaval *m*

Faschismus [fa'ʃismus] *m* fascisme *m*

Faser ['fa:zər] *f* fibre *f*

Faß [fas] *n* tonneau *m*, barrique *f*

Fassade [fa'sa:də] *f* façade *f*

fassen ['fasən] *v* 1. *(greifen)* prendre, saisir; 2. *(beinhalten)* contenir; 3. *(fig) sich ~ se* remettre

Fassung ['fasuŋ] *f* 1. *(Lampe)* douille *f*; 2. *(Schmuck)* monture *f*, sertissure *f*; 3. *(Selbstbeherrschung)* maîtrise de soi *f*, calme *m*

fassungslos ['fasuŋslo:s] *adj* déconte-nancé, déconcerté

fast [fast] *adv* presque, à peu près

fasten ['fastən] *v* jeûner

Fastenzeit ['fastəntsait] *f* carême *m*

Faszination [fastsinatj'o:n] *f* fascination *f*

Fatalismus [fata'lismus] *m* fatalisme *f*

faul [faul] *adj* 1. *(verdorben)* pourri, gâté; 2. *(träge)* paresseux, feignant

faulen ['faulən] *v* pourrir

faulenzen ['faulɛntsən] *v* paresser

Faulheit ['faulhait] *f* paresse *f*, fainéantise *f*

Faulpelz ['faulpɛlts] *m* paresseux *m*; *ein ~ sein* être paresseux comme un loir

Fauna ['fauna] *f* faune *f*

Faust [faust] *f* poing *m*; *sich ins Fäustchen lachen* rire dans sa barbe; *etw auf eigene ~ machen* faire qc de son propre chef; *passen wie die ~ auf's Auge* venir comme des cheveux sur la soupe

Fäustling ['foystlɪŋ] *m* moufle *f*, mitaine *f*

Favorit [favo'ri:t] *m* favori *m*

Fax [faks] *n* fax *m*

Fazit ['fatsit] *n* bilan *m*, résultat *m*; *das ~ ziehen* tirer le bilan/ faire le point de qc

Februar ['fe:bruar] *m* février *m*

Fechten ['fɛçtən] *n* escrime *f*

Feder ['fe:dər] *f* 1.ZOOL plume *f*; *~n lassen* y laisser des plumes; 2. *(Schreib~)* plume *f*; 3. *(Bett~)* duvet *m*; 4.TECH ressort *m*

Federbett ['fe:dərbɛt] *n* édredon *m*

Federhalter ['fe:dərhaltər] *m* porte-plume *m*

Federung ['fe:dəruŋ] *f* suspension *f*

Fee [fe:] *f* fée *f*

Fegefeuer [fe:gəfɔyər] *n* purgatoire *m*

fegen ['fe:gən] *v* balayer

Fehlbetrag [fe:lbətra:k] *m* déficit *m*

fehlen ['fe:lən] *v* manquer (de), faire defaut; *Es hat nicht viel gefehlt.* Il s'en est fallu de peu.

Fehler ['fe:lər] *m* 1. faute *f*, erreur *f*, défaut *m*; 2. *(Defekt)* défaut *m*, vice *m*

fehlerhaft ['fe:lərhaft] *adj* défectueux, in-correct

fehlerlos ['fe:lərlo:s] *adj* sans faute, correct

Fehlgeburt ['fe:lgəburt] *f* fausse couche *f*

Fehlstart ['fe:lʃtart] *m* faux départ *m*

Fehltritt ['fe:ltrɪt] *m* faux pas *m*

Feier ['faiər] *f* cérémonie *f*, fête *f*

Feierabend ['faiəra:bənt] *m* fin de la journée de travail *f*; *nach ~* après le travail

feierlich ['faiərlɪŋ] *adj* solennel

feiern ['faiərn] *v* fêter qc/qn, célébrer

Feiertag ['faɪərta:k] *m* jour férié *m*, jour de fête *m*

feig [faɪk] *adj* lâche, poltron, couard

Feige ['faɪgə] *f* figue *f*

Feigheit ['faɪkhaɪt] *f* lâcheté *f*, couardise *f*

Feigling ['faɪklɪŋ] *m* lâche *m*, poltron *m*

Feile ['faɪlə] *f* lime *f*

feilen ['faɪlən] *v* limer

feilschen ['faɪlʃən] *v* marchander qc

fein [faɪn] *adj* 1. *(dünn)* fin, mince; 2. *(zart)* délicat, subtil; 3. *(vornehm)* distingué, fin; 4. *(präzise)* précis, subtil

Feind [faɪnt] *m* ennemi *m; sich spinne-sein* être à couteaux tirés avec qn; *Das ist sein ärgster ~.* C'est son pire ennemi.

feindlich ['faɪntlɪç] 1. *adj* ennemi, hostile à; 2. *adv* en ennemi, avec hostilité

Feindschaft ['faɪndʃaft] *f* inimitié *f*, hostilité *f*

feinfühlig ['faɪnfy:lɪç] *adj* sensible

Feinkost ['faɪnkɔst] *f* produit d'épicerie fine *m*

Feinschmecker ['faɪnʃmɛkər] *m* gourmet *m*

Feld [fɛlt] *n AGR* champ *m*

Felge ['fɛlgə] *f (Rad)* jante *f*

Fell [fɛl] *n* peau *f*, fourrure *f; ein dickes ~ haben* ne se formaliser de rien

Felsen ['fɛlzən] *m* rocher *m*, roc *m; wie ein ~ in der Brandung stehen* être solide comme un roc

Felsspalte ['fɛlsʃpaltə] *f* crevasse *f*, fissure *f*

feminin [femɪ'ni:n] *adj* féminin

Feminismus [femɪ'nɪsmus] *m* féminisme *m*

Fenchel ['fɛnçəl] *m* fenouil *m*

Fenster ['fɛnstər] *n* fenêtre *f*

Fensterbrett ['fɛnstərbrɛt] *n* rebord de fenêtre *m*

Fensterladen ['fɛnstərla:dən] *m* volet *m*

Fensterrahmen ['fɛnstərra:mən] *m* châssis de (la) fenêtre *m*

Fensterscheibe ['fɛnstərʃaibə] *f* vitre *f*, carreau *m*

Ferien ['fe:rjən] *pl* vacances *f/pl*

Ferienort ['fe:rjnɔrt] *m* lieu de vacances *m*

Ferkel ['fɛrkəl] *n* 1. *ZOOL* porcelet *m; Span-* cochon de lait *m;* 2. *(fig)* cochon *m*

fern [fɛrn] 1. *adj* lointain, éloigné; 2. *prep* loin de; *Dieser Gedanke liegt mir völlig ~.* Loin de moi cette idée.

Ferne ['fɛrnə] *f* lointain *m; in der ~* au loin

ferner ['fɛrnər] *konj* de plus, en plus

Fernfahrer ['fɛrnfa:rər] *m* routier *m*.

Ferngespräch ['fɛrngəʃprɛŋ] *n* communication (téléphonique) interurbaine *f*

Fernglas ['fɛrngla:s] *n* jumelles *f/pl*

Fernlicht ['fɛrnlɪçt] *n (Auto)* feux de route *m/pl,* (pleins) phares *m/pl*

Fernmeldeamt ['fɛrnmɛldəamt] *n* bureau des télécommunications *m*

Fernost ['fɛrnɔst] *m* Extrême-Orient *m*

Fernrohr ['fɛrnro:r] *n* longue-vue *f*

Fernschreiber ['fɛrnʃraɪbər] *m* téléscripteur *m*, télex *m*

Fernsehen ['fɛrnze:ən] *n* télévision *f*

fernsehen ['fɛrnze:ən] *v* regarder la télévision

Fernseher ['fɛrnze:gərɛ:t] *n (fam)* télé *f*

Fernsprecher ['fɛrnʃprɛŋər] *m* appareil téléphonique *m*, téléphone *m; öffentlicher ~ m* poste téléphonique/ téléphone public *m*

Ferse ['fe:rzə] *f* talon *m; jdn auf den ~n haben* avoir qn à ses trousses

fertig ['fɛrtɪç] *adj* 1. *(beendet)* fini, terminé, achevé; *mit etw/jdm ~ werden* venir à bout de qc/qn; 2. *(bereit)* prêt, (tout) préparé; 3. *(fam: erschöpft)* pompé, crevé; *Ich bin völlig ~.* Ça m'a coupé bras et jambes. *völlig ~ sein* être brisé de fatigue; *fix und ~* tout fait

Fertighaus ['fɛrtɪçhaus] *n* maison préfabriquée *f*

fertigmachen ['fɛrtɪçmaxən] *v* 1. *etw ~* finir qc, terminer qc; 2. *(fig) jdn ~* écraser qn

Fertigprodukt ['fɛrtɪçprɔdukt] *n* produit fini *m*

Fertigung ['fɛrtɪguŋ] *f* fabrication *f*

fesseln ['fɛsəln] *v* lier, attacher

fest [fɛst] *adj* 1. *(hart)* ferme; 2. *(stark)* solide, résistant; 3. *(dicht)* consistant, compact, serré; 4. *(gleichbleibend)* stable, permanent

Fest [fɛst] *n* fête *f*

Festessen ['fɛstesən] *n* banquet *m*

festhalten ['fɛsthaltən] *v* 1. *(re)tenir, fixer, tenir à qn; 2. *(merken)* retenir, remarquer; 3. *sich ~* se tenir à, s'accrocher à

festigen ['fɛstɪgən] *v* 1. *(stärken)* consolider; 2. *sich ~* s'affirmir, se consolider

Festland ['fɛstlant] *n* continent *m*, terre ferme *f*

festlich ['fɛstlɪç] *adj* solennel, de fête

festnehmen ['fɛstne:mən] *v* arrêter qn

Festplatte ['fɛstplatə] *f* disque dur *m*

Festpreis ['fɛstpraɪs] *m* prix fixe *m*

festsetzen ['fɛstzɛtsən] v fixer, établir

feststehen ['fɛstʃteːən] v être certain

feststellen ['fɛstʃtɛlən] v constater, établir

fett [fɛt] adj (Person) gros

Fett [fɛt] n graisse f, matière grasse f; Er hat sein ~ weg. Il en a eu pour son compte. ins ~näpfchen treten mettre les pieds dans le plat

fettarm ['fɛtarm] adj peu gras

Fettfleck ['fɛtflɛk] m tache de graisse f

feucht [fɔʏçt] adj humide, moite

Feuchtigkeit ['fɔʏçtɪçkaɪt] f humidité f

Feuer [fɔʏər] n feu m; Haben Sie ~? Avez-vous du feu? sich wie ein Lauf~ verbreiten se répandre comme une traînée de poudre

feuerfest ['fɔʏərfɛst] adj réfractaire

feuergefährlich ['fɔʏərgəfɛːrlɪç] adj inflammable

Feuerlöscher ['fɔʏrlœʃər] m extincteur m

Feuermelder ['fɔʏərmɛldər] m avertisseur d'incendie m

Feuerwehr ['fɔʏərveːr] f pompiers m/pl

Feuerwerk ['fɔʏərvɛrk] n feu d'artifice m

Feuerzeug ['fɔʏərtsɔʏk] n briquet m

Fichte ['fɪçtə] f épicéa m

Fieber ['fiːbər] n fièvre f, température f; ~ haben faire de la température

Fieberthermometer ['fiːbərtarmomeːtər] n thermomètre médical m

Figur [fɪˈguːr] f 1. (Körper) figure f, silhouette f; eine gute ~ machen faire bonne figure; 2. (Statue) statue f

Filet [fɪˈleː] n filet m

Filiale [fɪlˈjaːlə] f succursale f

Film [fɪlm] m film m

filmen ['fɪlmən] v filmer

Filmschauspieler ['fɪlmʃaʊʃpiːlər] m acteur de cinéma m

Filter ['fɪltər] m/n filtre m

filtern ['fɪltərn] v filtrer

Filterpapier ['fɪltərpapiːr] n papier-filtre m

Filterzigarette ['fɪltərtsɪgarɛtə] f cigarette à bout filtre f

Filzstift ['fɪltsʃtɪft] m (crayon) feutre m

Finale [fɪˈnaːlə] n 1. finale f, final m; 2. SPORT finale f

Finanzamt [fɪˈnantsamt] n perception f

Finanzen [fɪˈnantsən] pl finances f/pl

finanziell [fɪnanˈtsjɛl] adj financier

finanzieren [fɪnanˈtsiːrən] v financer

Finanzminister [fɪˈnantsmɪnɪstər] m ministre des finances m

finden ['fɪndən] v trouver

Finger ['fɪŋər] m doigt m; keinen ~ rühren/ krumm machen ne pas lever le petit doigt; ~ weg! Bas les pattes!

Fingerabdruck ['fɪŋərapdruk] m empreintes digitales f/pl

Fingernagel ['fɪŋərnaːgəl] m ongle m

Fink [fɪŋk] m pinson m

finnisch ['fɪnɪʃ] adj finnois, finlandais

Finnland ['fɪnlant] n Finlande f

finster ['fɪnstər] adj 1. (dunkel) sombre, obscur, noir; stock~ sein faire noir comme dans un four; 2. (Miene) sombre, gris; ein ~es Gesicht machen faire grise mine à

Finsternis ['fɪnstərnɪs] f obscurité f

Firma ['fɪrma] f maison f

Firmament [fɪrmaˈmɛnt] n firmament m

Firmung ['fɪrmʊŋ] f confirmation f

Fisch [fɪʃ] m poisson m; munter sein wie ein ~ im Wasser être heureux comme un poisson dans l'eau

fischen ['fɪʃən] v pêcher

Fischer ['fɪʃər] m pêcheur m

Fischfang [ˈfɪʃfaŋ] m pêche f

Fischgeschäft ['fɪʃgəʃɛft] n poissonnerie f

Fiskus ['fɪskus] m fisc m

Fitneßcenter ['fɪtnəstsɛntər] n centre de gymnastique/de musculation m

Fixer ['fɪksər] m drogué m

fixieren [fɪˈksiːrən] v fixer, regarder qn fixement

flach [flax] adj plat

Fläche ['flɛçə] f surface f, superficie f

Flachland ['flaxlant] n pays plat m, plaine f

Flachs ['flaxs] m lin m

flackern ['flakərn] v vaciller, trembler

Flagge ['flagə] f pavillon m, drapeau m

Flamingo [flaˈmɪŋgo] m flamant rose m

Flamme ['flamə] f flamme f

Flanell [flaˈnɛl] m flanelle f

Flasche ['flaʃə] f bouteille f

Flaschenöffner ['flaʃənœfnər] m décapsuleur m, ouvre-bouteilles m

Flaschenpfand ['flaʃənpfant] n consigne f

flatterhaft ['flatərhaft] adj volage

flattern ['flatərn] v voltiger, voleter

Flaute ['flaʊtə] f 1. (Windstille) calme m, accalmie f; 2. ECO période creuse f

Flechte ['flɛçtə] f MED dartre f

flechten [flɛçtən] v tresser

Fleck [flɛk] m 1. *(Schmutz-)* tache f; 2. *(Stoff-)* pièce f; 3. *(blauer -)* bleu m; 4. *(Ort)* endroit m; *sich nicht vom - rühren* ne pas bouger

Fleckentferner [flɛkəntfɛrnər] m détachant m

fleckig [flɛkɪŋ] adj taché, maculé

Fledermaus ['fledərmaus] f chauve-souris f

Flegel ['fle:gəl] m voyou m, goujat m

flehen [fle:ən] v supplier, implorer

Fleisch [flaiʃ] n viande f; *nicht Fisch nicht - sein* n'être ni chair ni poisson

Fleischbrühe [flaisbry:ə] f bouillon m

Fleischwolf ['flaisvolf] m hachoir m

Fleiß [flais] m application f, assiduité f

fleißig ['flaisɪç] adj appliqué, assidu, zélé

flexibel [flɛk'si:bəl] adj flexible, souple

flicken ['flɪkən] v raccommoder

Flieder ['fli:dər] m lilas m

Fliege ['fli:gə] f 1. ZOOL mouche f; 2. *(Bekleidung)* nœud papillon m

fliegen ['fli:gən] v voler, aller (en avion) à

Fliegenpilz ['fli:gənpilts] m amanite fausse oronge, tue-mouches f

fliehen [fli:ən] v fuir, s'enfuir

Fliese [fli:zə] f carreau m, dalle f

Fliesenleger [fli:zənle:gər] m carreleur m

Fließband ['fli:sbant] n chaîne de montage f, tapis roulant m

fließen [fli:sən] v couler, s'écouler

flimmern ['flɪmərn] v scintiller

flink [flɪŋk] adj agile, alerte

flirten ['flɪrtən] v flirter

Flittchen ['flɪtʃən] n coureuse f, flirteuse f

Flitterwochen ['flɪtərvɔxən] pl lune de miel f

Flocke ['flɔkə] f flocon m

Floh [flo:] m puce f

Flohmarkt [flo:markt] m marché aux puces m

florieren [flo'ri:rən] v être florissant

Floskel ['flɔskəl] f formule toute faite f

Floß [flɔs] n radeau m

Flosse ['flɔsə] f 1. ZOOL nageoire f; 2. *(Taucher-)* palme f

Flöte ['flø:tə] f flûte f

flott [flɔt] adj 1. *(schick)* chic; 2. *(schnell)* rapide

Flotte ['flɔtə] f flotte f

Fluch [flu:x] m juron m

fluchen [flu:xən] v jurer, maudire qn

Flucht [fluxt] f fuite f

flüchten ['flyntən] v fuir, s'enfuir

flüchtig ['flyntɪç] adj 1. *(fliehend)* en fuite, fugitif; 2. *(kurz)* rapide; 3. *(oberflächlich)* superficiel; 4. adv *(kurz)* en passant

Flüchtling ['flyntlɪŋ] m réfugié m

Flüchtlingslager ['flyntlɪŋslagər] n camp de réfugiés m

Fluchtweg ['fluxtvɛk] m chemin pris par un fugitif m

Flug [flu:k] m vol m

Flugabwehr ['flu:kapvɛːr] f défense antiaérienne f

Flugblatt ['flu:kblat] n tract m

Flügel ['fly:gəl] m 1. aile f; 2. *(Klavier)* piano à queue m

Fluggesellschaft ['flu:kgəzɛlʃaft] f compagnie aérienne f

Flughafen ['flu:kha:fən] m aéroport m

Flugplan ['flu:kplan] m plan de vol m

Flugsteig ['flu:kʃtaik] m aire d'embarquement f

Flugverbindung ['flu:kvɛrbɪnduŋ] f correspondance aérienne f

Flugverkehr ['flu:kvɛrkeːr] m trafic aérien m

Flugzeug ['flu:ktsɔyk] n avion m

Flugzeugabsturz ['flu:ktsɔykapʃturts] m accident d'avion m, chute d'(un) avion f

Flugzeugentführung ['flu:ktsɔykəntfy:ruŋ] f détournement d'avion m

Flugzeugträger ['flu:ktsɔyktrɛ:gər] m porte-avions m

Flunder ['flundər] f flet m

Flur [flu:r] f *(Feld)* campagne f

Fluß [flus] m 1. GEO fleuve m, rivière f, cours d'eau m; 2. *(Fließen)* flux m

flüssig ['flysɪç] adj 1. *(nicht fest)* liquide, fondu; 2. *(fig: fließend)* aisé

Flüssigkeit ['flysɪçkait] f liquide m

flüstern ['flystərn] v chuchoter; *jdm etw zu-* glisser qc à l'oreille de qn

Flut [flu:t] f 1. *(Wasserhochstand)* marée haute f; 2. *(fig: große Menge)* flot m

Flutlicht ['flu:tlɪçt] n lumière de(s) projecteur(s) f

Flutwelle ['flu:tvɛlə] f raz de marée m

föderativ [fødəra'ti:f] adj fédératif

Fohlen ['fo:lən] n poulain m

Föhn [fø:n] m *(Fallwind)* fœhn m, föhn m

Folge ['fɔlgə] f 1. *(Auswirkung)* conséquence f, suites f/pl; 2. *(Reihen-)* série f, séquence f; 3. *(Fortsetzung)* suite f

folgen ['fɔlgən] v 1. (hinterhergehen) suivre; jdm auf Schritt und Tritt ~ suivre qn comme son ombre; 2. (aufeinander~) se suivre, se succéder; 3. (gehorchen) suivre
folgendermaßen ['fɔlgəndərmaːsən] adv de la façon suivante, de la manière suivante
folgern ['fɔlgərn] v déduire/conclure (de)
folglich ['fɔlklɪŋ] konj par conséquent, donc
folgsam ['fɔlkzaːm] adj obéissant, docile
Folie ['foːljə] f feuille f, feuille transparente f
Folter ['fɔltər] f torture f, supplice m
foltern ['fɔltərn] v torturer, supplicier
Fön [føːn] m sèche-cheveux m
Förderer ['fœdərər] m promoteur m
fördern ['fœdərn] v 1. (unterstützen) promouvoir, aider; 2. (abbauen) extraire
fordern ['fɔrdərn] v exiger, revendiquer
Förderung ['fœdəruŋ] f 1. (Unterstützung) aide f, encouragement m, promotion f; 2. (Abbau) extraction f, production f
Forderung ['fɔrdəruŋ] f 1. (Verlangen) exigence f, revendication f; 2. (Geld~) créance f
Forelle [foˈrɛlə] f truite f
Form [fɔrm] f 1. forme f; nicht in ~ sein ne pas être dans son assiette; 2. (Stil) forme f, formes f/pl; 3. (Guß~) moule m
formal [fɔrˈmaːl] adj formel, de forme
Formalität [fɔrmaliˈtɛːt] f formalité f
Format [fɔrˈmaːt] n 1. (Maß) format m; 2. (fig) classe f; ~ haben avoir de la classe
Formel ['fɔrməl] f formule f
formell [fɔrˈmɛl] adj formel
formen ['fɔrmən] v façonner, modeler
förmlich ['fœrmlɪŋ] adj dans les formes, en bonne et due forme
formlos ['fɔrmloːs] adj 1. sans forme, informe; 2. (fig) dépourvu de formes; ~er Antrag m demande sur papier libre f; 3. adv (fig) sans façon
Formular [fɔrmuˈlaːr] n formulaire m
forschen ['fɔrʃən] v faire de la recherche
Forscher ['fɔrʃər] m chercheur m
Forschung ['fɔrʃuŋ] f recherche f
Forst [fɔrst] m forêt f
Förster ['fœrstər] m garde forestier m
Forstwesen ['fɔrstveːzən] n eaux et forêts f/pl
fort [fɔrt] adv parti, sorti, absent
fortbestehen ['fɔrtbəʃteːən] v continuer à exister, se perpétuer

fortbewegen ['fɔrtbəveːgən] v (se) déplacer, (se) mouvoir
Fortbildung ['fɔrtbɪlduŋ] f formation continue f, formation pour adultes f
fortfahren ['fɔrtfaːrən] v 1. (wegfahren) partir; 2. (fortsetzen) continuer, poursuivre
fortgehen ['fɔrtgeːən] v s'en aller, partir
fortgeschritten ['fɔrtgəʃrɪtən] adj avancé
fortlaufen ['fɔrtlaufən] v prendre la fuite
Fortpflanzung ['fɔrtpflantsuŋ] f reproduction f, propagation f
Fortschritt ['fɔrtʃrɪt] m progrès m
fortschrittlich ['fɔrtʃrɪtlɪŋ] adj progressiste, avancé
fortsetzen ['fɔrtzɛtsən] v continuer, poursuivre
Fortsetzung ['fɔrtzɛtsuŋ] f suite f
fortwährend ['fɔrtvɛːrənt] adv continuel
Foto ['foːtoː] n photo(graphie) f
Fotoapparat ['foːtoːaparat] m appareil photo(graphique) m
Fotograf [foːtoːˈgraːf] m photographe m
fotografieren [foːtoːgraˈfiːrən] v photographier
Fotokopie [foːtoːkoˈpiː] f photocopie f
Fötus ['føːtus] m fœtus m
Fracht [fraxt] f 1. (Ware) marchandises (transportées) f/pl; 2. (Preis) frais de transport m/pl
Frachter ['fraxtər] m cargo m
Frack [frak] m habit m; im ~ en habit
Frage ['fraːgə] f 1. question f; Das kommt nicht in ~! C'est hors de question! 2. (Angelegenheit) question f, affaire f; eine ~ des Geschmacks une affaire de goût
Fragebogen ['fraːgəboːgən] m questionnaire m
fragen ['fraːgən] v demander, poser une question; nach jdm ~ demander après qn
Fragezeichen ['fraːgətsaɪŋən] n point d'interrogation m
fraglich ['fraːklɪŋ] adj douteux
frankieren [franˈkiːrən] v affranchir
Frankreich ['frankraɪx] n France f
französisch [franˈtsøːzɪʃ] adj français
Fräse ['frɛːzə] f fraise f
Frau [frau] f 1. femme f; 2. (meine ~) (ma) femme f, (mon) épouse f; zur ~ nehmen prendre pour femme; 3. (Anrede) Madame f
Frauenarzt ['frauənartst] m gynécologue m
Frauenbewegung ['frauənbəveguŋ] f mouvement pour la libération de la femme m

Frauenrechtlerin ['frauənrɛçtlərın] f féministe f, suffragette f

Fräulein ['frɔylaın] n demoiselle f, Mademoiselle f

frech [frɛç] adj effronté, insolent

Frechheit ['frɛçhaıt] f insolence f, impertinence f

frei [fraı] adj 1. libre; Es steht Ihnen ~... Libre à vous de... Sind Sie heute Abend ~? Etes-vous libre ce soir? 2. (kostenlos) gratuit, libre; 3. (Stelle) vacant; 4. (Platz) inoccupé

Freibad ['fraıba:t] n piscine (en plein air) f

Freihandelszone ['fraıhandəlstso:nə] f zone de libre-échange f

Freiheit ['fraıhaıt] f liberté f; volle Handlungs~ haben agir en toute liberté

Freiheitsstrafe ['fraıhaıtsʃtrafə] f peine d'emprisonnement f

Freikarte ['fraıkartə] f billet gratuit m

Freikörperkultur ['fraıkœrpərkultu:r] f nudisme m

freilassen ['fraılasən] v libérer, relâcher

freilich ['fraılıç] adv 1. (einräumend) il est vrai que; 2. (bestätigend) bien sûr, certes

Freilichtbühne ['fraılıçtby:nə] f théâtre de plein air m

freimachen ['fraımaxən] v 1. (befreien) sich ~ se libérer, s'émanciper (de); 2. (entkleiden) sich ~ se déshabiller; 3. (frankieren) affranchir

freimütig ['fraımytıç] 1. adj franc, sincère; 2. adv à cœur ouvert, franchement

Freispruch ['fraıʃprux] m acquittement m

Freitag ['fraıta:k] m vendredi m

freitags ['fraıta:ks] adv le vendredi

freiwillig ['fraıvılıç] 1.adj volontaire, bénévole, spontané; 2. adv de plein gré

Freizeit ['fraıtsaıt] f loisirs m/pl

fremd [frɛmt] adj 1. (unbekannt) inconnu, étranger; 2. (ausländisch) étranger

Fremde ['frɛmdə] m/f étranger/étrangère m/f, personne qui n'est pas d'ici f

Fremdenverkehr ['frɛmdənferke:r] m tourisme m

Fremdsprache ['frɛmtʃpra:xə] f langue étrangère f

Fremdwort ['frɛmtvo:rt] n mot étranger m

Frequenz [frɛ'kvɛnts] f fréquence f

fressen ['frɛsən] v 1. (Tiere) manger; 2. (fam) bouffer, (se) bâfrer; das große ~ n la grande bouffe f

Freude ['frɔydə] f joie f

freudig ['frɔydıç] 1. adj (Ereignis) joyeux, heureux; 2. adv avec joie, de bon cœur

freuen [frɔyən] v sich ~ être heureux, être content, se réjouir

Freund [frɔynt] m 1. ami m; unter ~en sein être entre amis; Sie sind nicht gerade dicke ~e. Ils ne sont pas copain-copain. 2. (fam) copain m, petit ami m

freundlich ['frɔyntlıç] adj aimable; Es ist sehr ~ von Ihnen, daß Sie gekom:men sind. C'est bien aimable à vous d'être venu.

Freundschaft ['frɔyndtʃaft] f amitié f

Frieden ['fri:dən] m paix f; ~ schließen faire la paix

Friedensvertrag [fri:dənsfɛrtra:k] m traité de paix m

Friedhof ['fri:tho:f] m cimetière m

friedlich ['fri:tlıç] adj paisible

frieren ['fri:rən] v 1. (Person) avoir froid; 2. geler; ganz durchgefroren sein être gelé jusqu'aux os/ être glacé; 3. (fam) cailler

frisch [frıʃ] adj frais/fraîche; tau~ sein être frais comme la rosée

Friseur/Friseuse [fri'zø:r] m coiffeur/coiffeuse m/f

frisieren [fri'zi:rən] v coiffer

Frist [frıst] f délai m, terme m

fristlos ['frıstlo:s] 1. adj sans préavis, immédiat; 2. adv sans préavis

Frisur [fri'zu:r] f coiffure f

froh [fro:] adj heureux, content, joyeux

fröhlich ['frø:lıç] adj joyeux, gai

fromm [frɔm] adj pratiquant; lamm~ sein être doux comme un agneau

Fronleichnam ['fro:nlaıxna:m] m Fête--Dieu f

Front [frɔnt] f 1. (Vorderseite) façade f; 2. MIL front m

Frosch [frɔʃ] m grenouille f; einen ~ im Hals haben avoir un chat dans la gorge

Frost [frɔst] m gelée f, gel m

frostig ['frɔstıç] adj 1. (kalt) gelé, glacé; 2. (fig) glacial

Frottee [frɔ'te:] n tissu éponge m

Frucht [fruxt] f fruit m

fruchtbar ['fruxtba:r] adj fertile, fécond

Fruchtsaft ['fruxtzaft] m jus de fruits m

früh [fry:] 1. adv tôt; in aller Herrgotts- de grand matin; von ~ bis spät du matin au soir; 2. adj précoce, de jeunesse

früher [fry:ər] 1. adj ancien; 2. adv autrefois, jadis

Frühjahr [fry:ja:r] *n* printemps *m*
Frühstück [fry:ʃtyk] *n* petit déjeuner *m*
frühzeitig ['fry:tsaitiɳ] 1. *adj* précoce, prématuré; 2. *adv* tôt, de bonne heure
Fuchs [fuks] *m* renard *m*
fühlen ['fy:lən] *v* sentir, ressentir; *sich wohl ~* se trouver à l'aise
führen ['fy:rən] *v* conduire (à), mener (à), guider; *Das würde zu weit ~.* Cela nous entraînerait trop loin. *glücklich zu Ende ~* mener à bien
Führer ['fy:rər] *m* 1. *(Chef)* leader *m*, chef *m*, dirigeant *m*; 2. *(Fahrer)* conducteur *m*; 3. *(Fremden-)* guide *m*
Führerschein ['fy:rərʃain] *m* permis de conduire *m*; *seinen ~ machen* passer son permis de conduire
Führung ['fy:ruɳ] *f* 1. *(Leitung)* direction *f*, commandement *m*; 2. *(Fremden-)* visite guidée *f*; 3. *(Benehmen)* conduite *f*
füllen ['fylən] *v* remplir (de), emplir
Füller ['fylər] *m* stylo *m*
Füllung ['fyluɳ] *f* 1. *(Füllen)* remplissage *m*; 2. *(Polsterung)* rembourrage *m*; 3. *(Zahn-)* plombage *m*; 4. GAST farce *f*; 5. *(Kuchen)* crème *f*
Fund [funt] *m* objet trouvé *m*
Fundament [funda'mɛnt] *n* 1. *(Haus)* fondations *f/pl*; 2. *(fig: Grundlage)* base *f*
Fundbüro ['funtbyro:] *n* bureau des objets trouvés *m*, objets trouvés *m/pl*
Fundgrube ['funtgru:bə] *f* 1. *(fig)* mine *f*; 2. coin des soldes *m*
fundiert [fun'di:rt] *adj* fondé, justifié
fünf [fynf] *num* cinq
fünftens ['fynftəns] *adv* cinquièmement
fünfzehn ['fynftse:n] *num* quinze
fünfzig ['fynftsiɳ] *num* cinquante
Funk [fuɳk] *m* radio *f*
Funke ['fuɳkə] *m* étincelle *f*; *keinen ~n gesunden Menschenverstand haben* n'avoir pas un grain de bon sens
funkeln ['fuɳkəln] *v* étinceler, scintiller
Funker ['fuɳkər] *m* 1. radio *m*, radiotéléphoniste *m*; 2. *(Amateur-)* cibiste *m*
Funkspruch ['fuɳkʃprux] *m* message radio *m*, radiotélégramme *m*

Funktion [fuɳkts'o:n] *f* fonction *f*
funktional [fuɳktsjo:'na:l] *adj* fonctionnel
Funktionär [fuɳktjo'nɛ:r] *m* fonctionnaire *m*
funktionell [fuɳktjo'nɛl] 1. *adj* fonctionnel; 2. *adv* sur le plan fonctionnel
funktionieren [fuɳktsjo'ni:rən] *v* fonctionner
für [fy:r] *prep* pour
Furche ['furçə] *f* sillon *m*
Furcht [furçt] *f* crainte *f*, peur *f*
fürchten ['fyrçtən] *v* craindre, redouter
fürchterlich ['fyrçtərliɳ] *adj* terrible, affreux, épouvantable, horrible
furchtsam ['furçtsa:m] *adj* craintif
Furnier [fur'ni:r] *n* feuille de placage *f*
Fürsorge ['fy:rzɔrgə] *f* assistance *f*, aide *f*
fürsorglich ['fy:rzɔrgliɳ] *adj* plein de sollicitude, qui prend bien soin de
Fürsprecher ['fyrʃprɛɳər] *m* intercesseur *m*
Fürst [fyrst] *m* prince *m*
fürstlich ['fyrstliɳ] *adj* 1. princier, de prince; 2. *(fig: üppig)* comme un prince
Furunkel [fu'ruɳkəl] *m* furoncle *m*
Fusion [fu'zjo:n] *f* fusion (nucléaire) *f*
Fuß [fu:s] *m* 1. pied *m*; *keinen ~ vor die Türe setzen* ne pas fourrer le nez dehors; *Ich kann keinen ~ mehr vor den anderen setzen.* Je ne peux plus mettre un pied devant l'autre. *mit jdm auf schlechtem ~ stehen* être en mauvais terme avec qn; *auf großem ~ leben* mener grand train; 2. *(Sockel)* pied *m*, socle *m*; 3. *(Zoll)* pied *m*
Fußball ['fu:sbal] *m* 1. *(Spiel)* football *m*; 2. *(Ball)* ballon de football *m*
Fußboden ['fu:sbo:dən] *m* plancher *m*
Fußgänger ['fu:sgɛɳər] *m* piéton *m*
Fußgängerzone ['fu:sgɛɳgərtso:nə] *f* zone piétonne *f*
Fußpilz ['fu:spilts] *m* champignon *m*
Fußtritt ['fu:strit] *m* coup de pied *m*; *jdm einen ~ versetzen* botter les fesses de qn
Futter ['futər] *n* 1. *(Nahrung)* fourrage *m*, nourriture *f*; 2. *(Material)* rembourrage *m*
füttern ['fytərn] *v (Tier)* donner à manger

G

Gabe ['ga:bə] *f* 1. *(Geschenk)* cadeau *m*, présent *m*; 2. *(Talent)* don *m*, talent *m*

Gabel ['ga:bəl] *f* 1. *(Besteck)* fourchette *f*; 2. *(Fahrrad)* fourche *f*

Gabelstapler ['ga:bəlʃta:plər] *m* élévateur à fourche *m*

Gabelung ['ga:bəluŋ] *f* bifurcation *f*

Gage ['ga:ʒə] *f* gages *m/pl*

gähnen ['gɛ:nən] *v* bâiller; *mehrmals herzlich ~* bâiller comme une carpe

Galerie [galə'ri:] *f* galerie *f*

Galgen ['galgən] *m* potence *f*, gibet *m*

Galle ['galə] *f* bile *f*

Galopp [ga'lɔp] *m* galop *m*; *im ~ reiten* aller au galop; *in gestrecktem ~* au grand galop

Gammler ['gamlər] *m (fam)* clochard *m*

Gang [gaŋ] *m* 1. *(Gehen)* mouvement *m*, marche *f*; *in ~ bringen* mettre en action; 2. *(Verlauf)* cours *m*; *seinen normalen ~ gehen* aller son train; 3. *(Flur)* corridor *m*; 4. *(Auto)* vitesse *f*; *erster ~* première vitesse *f*; 5. *GAST* mets *m*

gängig [gɛŋɪŋ] *adj* 1. courant; 2. *ECO* de bon débit

Gangschaltung ['gaŋʃaltuŋ] *f (Auto)* changement de vitesse *m*

Gans [gans] *f* oie *f*

Gänseblümchen ['gɛnzəbly:mjən] *n* pâquerette *f*

Gänseleberpastete ['gɛnzələ:bərpaste:tə] *f* pâté de foie gras *m*

Gänsemarsch ['gɛnzəmarʃ] *m* file indienne *f*; *im ~ gehen* marcher à la queue leu leu/ à la file indienne

ganz [gants] 1. *adj* entier, total, complet, tout; 2. *adv* tout à fait, absolument

gar [ga:r] 1. *adj (gekocht)* bien cuit, prêt (à manger); 2. *adv ~ nicht* ne … pas du tout; *sich ~ nicht um die Meinung der Leute kümmern* se moquer du tiers et du quart

Garage [ga'ra:ʒə] *f* garage *m*

Garantie [garan'ti:] *f* garantie *f*

garantieren [garan'ti:rən] *v* garantir

Gardasee ['gardase:] *m* lac de Garde *m*

Garderobe [gardə'ro:bə] *f* garde-robe *f*

Gardine [gar'di:nə] *f* rideau *m*

gären [gɛ:rən] *v* lever, fermenter; *Es gärt im Volke.* Le peuple s'agite.

Garn [garn] *n* fil *m*

Garnele [gar'ne:lə] *f* crevette *f*

garnieren [gar'ni:rən] *v* garnir

Garnitur [garni'tu:r] *f (Wäsche)* parure *f*

Garten ['gartən] *m* jardin *m*

Gartenbau ['gartənbau] *m* jardinage *m*

Gartenfest ['gartənfest] *n* fête champêtre *f*

Gartenhaus ['gartənhaus] *n* pavillon *m*

Gärtnerei [gɛrtnə'rai] *f* horticulture *f*

Gärung ['gɛruŋ] *f* fermentation *f*

Gas [ga:s] *n* gaz *m*

Gasheizung ['ga:shaitsuŋ] *f* chauffage au gaz *m*

Gasherd ['ga:shɛrt] *m* réchaud à gaz *m*

Gasmaske ['ga:smaskə] *f* masque à gaz *m*

Gaspedal ['ga:speda:l] *n* accélérateur *m*

Gasse ['gasə] *f* ruelle *f*

Gast [gast] *m* 1. visiteur *m*, hôte *m*; 2. *(Restaurant)* consommateur *m*, client *m*

Gastarbeiter ['gastarbaitər] *m* main--d'œuvre étrangère *f*

Gastfreundschaft ['gastfrɔyntʃaft] *f* hospitalité *f*

Gastgeber(in) ['gastge:bər] *m/f* hôte/ hôtesse *m/f*

Gasthaus ['gasthaus] *n* hôtel *m*, auberge *f*

Gastronomie [gastrɔnɔ'mi:] *f* gastronomie *f*

Gastspiel ['gastʃpi:l] *n* tournée *f*

Gaststätte ['gastʃtɛtə] *f* restaurant *m*, auberge *f*

Gastwirt ['gastvɪrt] *m* hôte *m*, hôtelier *m*

Gatte/Gattin ['gatə] *m/f* époux/-se *m/f*

Gattung ['gatuŋ] *f* espèce *f*, sorte *f*

Gaukler ['gauklər] *m* jongleur *m*

Gaul [gaul] *m* vieux cheval *m*; *einem geschenkten ~ schaut man nicht ins Maul* à cheval donné on ne regarde pas à la bride

Gaumen ['gaumən] *m* palais *m*

Gaumenfreude ['gaumənfrɔydə] *f* gourmandise *f*, friandise *f*

Gauner ['gaunər] *m* escroc *m*, filou *m*

Gazelle [ga'tsɛlə] *f* gazelle *f*

Gebäck [gə'bɛk] *n* pâtisserie *f*

Gebärde [gə'bɛ:rdə] *f* geste *m*; *~n machen* gesticuler

gebären [gə'bɛ:rən] v accoucher de

Gebärmutter [gə'bɛ:rmutər] f utérus m

Gebäude [gə'bɔydə] n bâtiment m, édifice m

geben ['ge:bən] v donner, offrir, présenter

Gebet [gə'be:t] n prière f

Gebiet [gə'bi:t] n 1. domaine m, région f, territoire m; 2. (fig: Sach~) ressort m

gebieterisch [gə'bi:təriʃ] adj impérieux

gebildet [gə'bɪldət] adj cultivé, instruit

Gebirge [gə'bɪrgə] n montagne f, monts m/pl; Hoch~ n haute montagne f

Gebirgskette [gə'bɪrgskɛtə] f chaîne de montagnes f

Gebiß [gə'bɪs] n 1. ANAT dents f/pl, denture f; 2. (künstliches ~) prothèse f, dentier m

geboren [gə'bo:rən] adj né

Geborgenheit [gə'bɔrgənhaɪt] f abri m

Gebot [gə'bo:t] n commandement m; die zehn ~e pl les dix commandements m/pl

Gebrauch [gə'braux] m emploi m

gebrauchen [gə'brauxən] v employer, utiliser, faire usage de, se servir de

gebräuchlich [gə'brɔylɪŋ] adj usuel

Gebrauchsanweisung [gə'brauxsan-vaɪzuŋ] f mode d'emploi m, instruction f

gebraucht [gə'brauxt] adj usé

Gebrauchtwagen [gə'brauxtva:gən] m voiture d'occasion f

Gebrechen [gə'brɛŋən] n défaut physique m

gebrechlich [gə'brɛŋlɪŋ] adj fragile

Gebühr [gə'by:r] f taxe f, tarif m, frais m/pl

gebührenfrei [gə'by:rənfraɪ] adj exempt de taxes, sans frais

gebührenpflichtig [gə'by:rənpflɪŋtɪŋ] adj 1. soumis à une taxe; ~e Verwarnung f sommation avec frais f; 2. (Autobahn) à péage

Geburt [gə'burt] f naissance f

Geburtenrate [gə'burtənra:tə] f natalité f

gebürtig [gə'byrtɪŋ] adj originaire de

Geburtsdatum ['gəburtsdatum] n date de naissance f

Geburtshilfe ['gəburtshɪlfə] f aide obstétrique f, aide à l'accouchée f

Geburtsort [gə'burtsɔrt] m lieu de naissance m

Geburtstag [gə'burtsta:k] m anniversaire m

Geburtsurkunde [gə'burtsu:rkundə] f acte de naissance m

Gebüsch [gə'byʃ] n buissons m/pl

Gedächtnis [gə'dɛŋtnɪs] n mémoire f; ein ~ wie ein Sieb haben avoir une mémoire de lièvre; etw im ~ behalten garder qc en mémoire

Gedanke [gə'daŋkə] m pensée f, idée f; Er ist mit den ~n ganz woanders. Le cœur n'y est pas. mit den ~n woanders sein avoir la tête ailleurs; immer auf schlechte ~n kommen avoir l'esprit mal tourné

Gedankenlosigkeit [gə'daŋkənlo:zɪŋ-kaɪt] f étourderie f, irréflexion f

Gedankenstrich [gə'daŋkənʃtrɪŋ] m tiret m

Gedeck [gə'dɛk] n couvert m

gedeihen [gə'daɪən] v prospérer

gedenken [gə'dɛŋkən] v 1. (erinnern) garder le souvenir de; 2. (vorhaben) avoir l'intention de

Gedenkfeier [gə'dɛŋkfaɪər] f fête commémorative f

Gedicht [gə'dɪŋt] n poème m

Gedränge [gə'drɛŋə] n foule f, cohue f

gedrungen [gə'druŋən] adj trapu

Geduld [gə'dult] f 1. patience f; Meine ~ geht allmählich zu Ende. Ma patience commence à s'épuiser. die ~ verlieren prendre le mors aux dents; Meine ~ ist nun wirklich zu Ende. Ma patience est à bout. 2. (Nachsicht) indulgence f

geduldig [gə'duldɪŋ] adj patient

geeignet [gə'aɪgnət] adj approprié, apte, propre à; ~ sein avoir de l'étoffe

Gefahr [gə'fa:r] f danger m, péril m; der ~ ins Auge sehen regarder le danger en face

gefährden [gə'fɛ:rdən] v mettre en danger

gefährlich [gə'fɛ:rlɪŋ] adj dangereux, périlleux, risqué

Gefälle [gə'fɛlə] n pente f, inclinaison f

Gefallen [gə'falən] m service m, plaisir m; jdm einen ~ tun rendre un service à qn; an etw ~ finden prendre goût à qc

gefallen [gə'falən] v plaire (à qn)

gefällig [gə'fɛlɪŋ] adj 1. (zuvorkommend) prévenant; 2. (angenehm) agréable

Gefälligkeit [gə'fɛlɪŋkaɪt] f complaisance f, obligeance f

Gefangene [gə'faŋənə] m prisonnier m, captif m

gefangennehmen [gəfaŋənne:mən] v arrêter, capturer

Gefangenschaft [gə'faŋənʃaft] f détention f

Gefängnis [gə'fɛŋnɪs] n prison f

Gefängniszelle [gəfɛŋnɪstsɛlə] f cellule f

Gefäß [gə'fɛːs] n 1. vase m, récipient m; 2. ANAT vaisseau m

gefaßt [gə'fast] adj ~ sein calme, préparé à; auf etw ~ sein s'attendre à qc

Gefecht [gə'fɛçt] n combat m

Gefieder [gə'fiːdər] n plumage m

Geflügel [gə'flyːgəl] n volaille f

Geflügelfarm [gəflyːgəlfarm] f ferme avicole f, élevage de volaille m

Geflüster [gə'flystər] n chuchotement m

Gefolge [gə'fɔlgə] n suite f, cortège m

gefrieren [gə'friːrən] v geler

Gefrierfach [gə'friːrfax] n congélateur m

Gefriertruhe [gə'friːrtruːə] f surgélateur m

gefügig [gə'fyːgɪŋ] adj docile

Gefühl [gə'fyːl] n 1. (körperlich) sensation f; 2. (seelisch) sentiment m; 3. (Ahnung) impression f

gefühllos [gə'fyːlloːs] adj 1. (körperlich) insensible, froid; 2. (seelisch) impassible

gefühlvoll [gə'fyːlsfɔl] adj sensible

gegebenenfalls [gə'geːbənfals] adv le cas échéant, à l'occasion

gegen [geːgən] prep 1. (zeitlich) vers, autour de; 2. contre; 3. (im Austausch) en échange de

Gegend ['geːgənt] f 1. (Landschaft) région f, contrée f; 2. (Nähe) environs m/pl

gegeneinander ['geːgənainandər] adv l'un contre l'autre, l'un envers l'autre

Gegenkandidat ['geːgənkandidaːt] m candidat de l'opposition m

Gegenleistung ['geːgənlaɪstuŋ] f compensation f, contrepartie f

Gegenlicht ['geːgənlɪçt] n contre-jour m

Gegenmaßnahme ['geːgənmasnaːmə] f contre-mesure f, réaction f

Gegenmittel ['geːgənmɪtəl] n antidote m

Gegensatz ['geːgənzats] m contraire m, opposé m; Gegensätze ziehen sich an. Les contraires s'attirent.

gegensätzlich ['geːgənzɛtslɪŋ] adj contraire, opposé

gegenseitig ['geːgənzaɪtɪŋ] 1. adj mutuel, réciproque; 2. adv par réciprocité

Gegenstand [geːgənʃtant] m 1. objet m; 2. (Thema) objet m, thème m

gegenstandslos ['geːgənʃtantloːs] adj sans objet, sans intérêt

Gegenstimme ['geːgənʃtɪmə] f voix contre f

Gegenstück ['geːgənʃtyk] n pendant m

Gegenteil ['geːgəntaɪl] n contraire m

gegenüber [geːgən'yːbər] prep 1. (örtlich) en face, vis-à-vis; 2. (im Hinblick) envers, à l'égard de; 3. (im Vergleich) par rapport à

gegenüberstellen [geːgən'yːbərʃtelən] v 1. (vergleichen) comparer, opposer à; 2. (konfrontieren) confronter

Gegenverkehr ['geːgənfɛrkeːr] m circulation en sens inverse f

Gegenwart ['geːgənvart] f 1. GRAMM présent m; 2. (Anwesenheit) présence f; in ~ von en présence de

gegenwärtig ['geːgənvɛrtɪŋ] adj 1. (jetzig) actuel; 2. (anwesend) présent

Gegenwehr ['geːgənveːr] f défense f

Gegenwert ['geːgənvert] m équivalent m

Gegner ['geːgnər] m adversaire m; einen ebenbürtigen ~ finden trouver son égal

gegnerisch ['geːgnərɪʃ] adj adverse

Gehalt [gə'halt] n 1. (Lohn) salaire m, traitement m; 2. (Inhalt) contenu m

gehaltvoll [gə'haltfɔl] adj substantiel

gehässig [gə'hɛsɪŋ] adj haineux, hargneux

Gehäuse [gə'hɔyzə] n boîtier m

Gehege [gə'heːgə] n enceinte f, parc m

geheim [gə'haɪm] adj secret, confidentiel

Geheimdienst [gə'haɪmdiːnst] m services secrets m/pl

geheimhalten [gə'haɪmhaltən] v garder/tenir secret

Geheimnis [gə'haɪmnɪs] n secret m, mystère m

geheimnisvoll [gə'haɪmnɪsfɔl] adj mystérieux

gehen ['geːən] v aller, marcher, partir; zu jdm ~ aller chez qn; es geht um... il y a de; Wie geht es Ihnen? Comment allez-vous? Wie geht's? Ça va? auf und ab ~ faire les cent pas; zu weit ~ passer les bornes

geheuer [gə'hɔyər] adj nicht ~ sein ne pas inspirer confiance

Gehilfe [gə'hiːlfə] m aide m/f, assistant m

Gehirn [gə'hɪrn] n cerveau m

Gehirnerschütterung [gə'hɪrnerʃyːtəruŋ] f commotion cérébrale f

Gehirntumor [gə'hɪrntuːmɔr] m tumeur au cerveau f

Gehör [gə'h r] n ouïe f, oreille f; ein

gutes ~ haben avoir l'ouïe/l'oreille fine; *sich ~ verschaffen* se faire entendre

gehorchen [gə'hɔrŋən] *v* obéir

gehören [gə'høːrən] *v* appartenir (à); *wie es sich gehört* comme de juste

gehörlos [gə'høːrloːs] *adj* sourd

gehorsam [gə'hoːrza:m] *adj* obéissant

Gehorsam [gə'hoːrza:m] *m* obéissance *f*

Gehweg [ge:veːk] *m* trottoir *m*, chemin *m*

Geier [gaiər] *m* vautour *m*

Geige ['gaigə] *f* violon *m*

Geiger ['gaigər] *m* violoniste *m*

Geisel ['gaizəl] *f* otage *m*

Geiselnahme ['gaizəlnaːmə] *f* prise d'otage(s) *f*

Geist [gaist] *m* 1. *(Seele)* esprit *m*, âme *f*; 2. *(Verstand)* intelligence *f*, entendement *m*; *sich auf die ~esstufe von jdm begeben se* mettre à la portée de qn; 3. *(Gespenst)* fantôme *m*, spectre *m*, revenant *m*

Geisterfahrer ['gaistərfaːrər] *m* qui conduit à contre-sens *m*

geistesabwesend ['gaistəsapveːzənt] 1. *adj* absent, distrait; 2. *adv* d'un air distrait

Geistesblitz ['gaistəsblits] *m* saillie *f*

geistesgegenwärtig ['gaistəsgeːgənvɛrtiŋ] *adj* qui fait preuve de présence d'esprit

geistesgestört ['gaistəsgəʃtørt] *adj* aliéné

Geisteskrankheit ['gaistəskraŋkhait] *f* maladie mentale *f*

Geisteswissenschaften ['gaistəsvisənʃaftən] *f/pl* sciences humaines *f/pl*, lettres *f/pl*

Geisteszustand ['gaistəstsuʃtant] *m* état mental *m*

geistig ['gaistiŋ] *adj* intellectuel

Geistliche ['gaistliŋə] *m/f* 1. *REL* ecclésiastique *m*; 2. *(katholisch) REL* prêtre *m*; 3. *(evangelisch) REL* pasteur *m*

Geistlichkeit ['gaistliŋkait] *f* clergé *m*

geistreich ['gaistraiŋ] *adj* spirituel

Geiz [gaits] *m* avarice *f*

geizig ['gaitsiŋ] *adj* avare, avaricieux

Gejammer [gə'jamər] *n* plaintes *f/pl*

Gekicher [gə'kiŋər] *n* ricanements *m/pl*

gekünstelt [gə'kynstəlt] *adj* artificiel

Gelächter [gə'lɛŋtər] *n* rires *m/pl*

gelähmt [gə'lɛːmt] *adj* paralysé

Gelände [gə'lɛndə] *n* terrain *m*

Geländer [gə'lɛndər] *n* balustrade *f*

gelangen [gə'laŋən] *v* parvenir, atteindre

gelassen [gə'lasən] *adj* calme

Gelassenheit [gə'lasənhait] *f* calme *m*

geläufig [gə'lɔyfiŋ] *adj* courant

gelaunt [gə'launt] *adj* 1. *schlecht ~ sein* être de mauvaise humeur, être mal disposé; 2. *gut ~ sein* être de bonne humeur, être bien disposé

gelb [gɛlp] *adj* jaune

Gelbsucht ['gɛlpsuxt] *f* jaunisse *f*

Geld [gɛlt] *n* argent *m*; *hinter dem ~ her sein* courir après l'argent; *in ~schwierigkeiten sein* avoir des ennuis d'argent; *viel ~ verdienen* faire beaucoup d'argent; *~ wie Heu haben* avoir des ronds

Geldautomat ['gɛltautomaːt] *m* distributeur automatique de billets *m*

Geldbeutel ['gɛltbɔytəl] *m* bourse *f*

Geldinstitut ['gɛltinstitu:t] *n* institut bancaire/monétaire *m*

Geldschein ['gɛltʃain] *m* billet de banque *m*

Geldstrafe ['gɛltʃtraːfə] *f* amende *f*

Geldstück ['gɛltʃtyk] *n* pièce de monnaie *f*

Geldwechsel ['gɛltvɛksəl] *m* change *m*

gelegen [gə'leːgən] *adj* 1. *(liegend)* situé; 2. *(fig) ~ kommen* opportun; *Das kommt mir sehr ~.* Cela m'arrive à propos.

Gelegenheit [gə'leːgənhait] *f* occasion *f*; *die ~ beim Schopf ergreifen* saisir la balle au bond; *bei passender ~* en temps et lieu; *Wenn sich die ~ bietet.* Si l'occasion se présente. *bei jeder sich bietenden ~* à tout propos

gelegentlich [gə'leːgəntliŋ] 1. *adj* occasionnel; 2. *adv* de temps en temps, des fois

gelehrig [gə'leːriŋ] *adj* docile, intelligent

Gelehrte [gə'leːrtə] *m* savant *m*, érudit *m*

Geleit [gə'lait] *n* convoi *m*

Gelenk [gə'lɛŋk] *n* 1. *TECH* joint *m*; 2. *ANAT* articulation *f*

gelenkig [gə'lɛŋkiŋ] *adj* articulé, souple

Geliebte(r) [gə'liːptə] *m/f* amant/e *m/f*

gelingen [gə'liŋən] *v* réussir

gelockt [gə'lɔkt] *adj* 1. *(Haare)* bouclé; 2. *(angezogen von)* attiré

gelten ['gɛltən] *v* être valable; *Das gilt ein für allemal.* C'est dit une fois pour toutes.

geltend ['gɛltənt] *adj* en vigueur, valable

Geltung ['gɛltuŋ] *f* 1. *(Gültigkeit)* validité *f*; 2. *(Ansehen)* importance *f*, autorité *f*

Geltungsbedürfnis ['gɛltuŋsbədyrfnis] *n* besoin de se faire valoir *m*

Gelübde [gə'lypdə] *n* vœu *m*
gemächlich [gə'mɛɲlıɲ] *1. adj* nonchalant; *2. adv* à son aise
Gemahl/Gemahlin [gə'ma:l] *m/f* époux/ épouse *m/f*
Gemälde [gə'mɛ:ldə] *n* peinture *f*, toile *f*
gemäß [gə'mɛ:s] *prep* conforme (à), selon
gemäßigt [gə'mɛ:sıɲt] *adj* 1. modéré; 2. *(Klima)* tempéré
gemein [gə'maın] *adj* 1. commun, ordinaire; 2. *(böse)* vil(ain), infâme, méchant; *Sei nicht so –!* Ne sois pas vache!
Gemeinde [gə'maındə] *f* commune *f*
Gemeinheit [gə'maınhaıt] *f* bassesse *f*
gemeinnützig [gə'maınnytsıɲ] *adj* d'utilité publique, d'intérêt général
Gemeinplatz [gə'maınplats] *m* lieu commun *m*, banalité *f*
gemeinsam [gə'maınsa:m] *1. adj* commun; 2. *adv* en commun, ensemble
Gemeinschaft [gə'maınʃaft] *f* communauté *f*, collectivité *f*
Gemeinwohl [gə'maınvo:l] *n* bien public *m*
Gemetzel [gə'mɛtsəl] *n* massacre *m*
Gemisch [gə'mıʃ] *n* mélange *m*, mixture *f*
gemischt [gə'mıʃt] *adj* mélangé, mixte
Gemse ['gɛmzə] *f* chamois *m*
Gemüse [gə'my:zə] *n* légume(s) *m/(pl)*
Gemüsegarten [gə'my:zəgartən] *m* (jardin) potager *m*
gemustert [gə'mustərt] *adj* façonné
Gemüt [gə'my:t] *n* âme *f*
gemütlich [gə'my:tlıɲ] *adj* 1. *(Person)* agréable; 2. *(Sache)* intime
gemütskrank [gəmy:tskrank] *adj* aliéné
Gen [gɛn] *n* gène *m*
genau [gə'nau] *adj* exact, précis, juste
Genauigkeit [gə'nauıɲkaıt] *f* exactitude *f*, précision *f*
genauso [gə'nauso:] *adv* aussi; *– gut* aussi bien; *–gut könnte man..* autant vaudrait
genehmigen [gə'ne:mıgən] *v* autoriser
Genehmigung [gə'ne:mıgun] *f* autorisation *f*, consentement *m*, approbation *f*
General [genə'ra:l] *m* général *m*
Generaldirektor [genə'ra:ldırɛktor] *m* directeur général *m*
Generalprobe [genə'ra:lpro:bə] *f* THEAT répétition générale *f*
Generalstreik [genə'ra:lʃtraık] *m* grève générale *f*

Generalvertretung [genə'ra:lfɛrtrɛtuɲ] *f* ECO représentation générale *f*
Generation [genəratsj'o:n] *f* génération *f*
Generator [gene'ra:tor] *m* générateur *m*
generell [genə'rɛl] *adj* général
Genesung [gə'ne:zuɲ] *f* guérison *f*
genetisch [gə'ne:tıʃ] *adj* génétique
Genforschung ['gɛnforʃuɲ] *f* recherche génétique *f*
genial [gen'ja:l] *adj* génial
Genick [gə'nık] *n* nuque *f*
genieren [ʒə'ni:rən] *v sich -* être gêné
genießbar [gə'ni:sba:r] *adj* 1. mangeable, comestible; 2. *(Getränk)* potable
genießen [gə'ni:sən] *v* 1. etw *-* manger, boire, savourer; 2. *(fig: etw erhalten)* jouir de
Genitalien [gəni'ta:ljən] *pl* parties génitales *f/pl*
genormt [gə'nɔrmt] *adj* standardisé
Genosse [gə'nɔsə] *m* camarade *m*
Genossenschaft [gə'nɔsənʃaft] *f* association *f*, coopérative *f*
genug [gə'nu:k] *adv* assez, suffisamment; *Lassen wir's - sein!* Restons-en là!
genügen [gə'ny:gən] *v* suffire
genügsam [gə'ny:kza:m] *adj* sobre
Genugtuung [gə'nu:ktuu:ɲ] *f* satisfaction *f*
Genuß [gə'nus] *m* jouissance *f*, plaisir *m*
Geographie [geogra'fi:] *f* géographie *f*
Geologie [geolo'gi:] *f* géologie *f*
Geometrie [geome'tri:] *f* géométrie *f*
Gepäck [gə'pɛk] *n* bagage *m*
Gepäckannahme [gə'pɛkanna:mə] *f* enregistrement des bagages *m*
Gepäckausgabe [gə'pɛkausga:bə] *f* livraison des bagages *f*
Gepäckträger [gə'pɛktrɛ:gər] *m* 1. porteur *m*; 2. *(Fahrrad)* porte-bagages *m*
Gepard [gə'part] *m* guépard *m*
gepflegt [gə'pflɛkt] *adj* 1. soigné; 2. *(Sache)* bien (entre)tenu
Gerade [ge'ra:də] *f* MATH (ligne) droite *f*
gerade [gə'ra:də] *adj* 1. droit, aligné; 2. *(Charakter)* droit, sincère; 3. *adv* juste(ment), précisément
geradeaus [gə'ra:daaus] *adv* tout droit
geradewegs [gə'ra:dəvɛks] *adv* directement
geradlinig [gə'ra:dlınıɲ] *adj (fig)* en ligne droite
Geranie [gə'ra:njə] *f* géranium *m*

Gerät [gə'rɛ:t] *n* outil *m*, appareil *m*

Geratewohl [gə'ra:təvo:l] *n* aufs - au hasard; *aufs - losgehen* aller à l'aventure

geräumig [gə'rɔymɪŋ] *adj* vaste, spacieux

Geräusch [gə'rɔyʃ] *n* bruit *m*

geräuschlos [gərɔyʃlo:s] *adj* sans bruit

geräuschvoll [gə'rɔyʃfɔl] *adj* bruyant

gerecht [gə'rɛçt] *adj* juste, équitable, légitime; *Das ist nur -.* Ce n'est que justice. *wenn man - sein will* en bonne justice

Gerechtigkeit [gə'rɛçtɪŋkaɪt] *f* justice *f*

Gerede [gə're:də] *n* 1. bavardage *m*; 2. *(Gerücht)* racontars *m/pl*

Gereiztheit [gə'raɪtshaɪt] *f* irritation *f*

Gericht [gə'rɪçt] *n* 1. JUR tribunal *m*; 2. GAST mets *m*

gerichtlich [gə'rɪçtlɪŋ] *adj* judiciaire

Gerichtsbarkeit [gə'rɪçtsba:rkaɪt] *f* juridiction *f*

Gerichtsbeschluß [gə'rɪçtsbəʃlus] *m* ordonnance de justice *f*

Gerichtshof [gə'rɪçtsho:f] *m* cour *f*

Gerichtsverhandlung [gə'rɪçtsfɛrhandluŋ] *f* audience *f*

Gerichtsvollzieher [gə'rɪçtsfɔltsi:ər] *m* huissier *m*

gering [gə'rɪŋ] *adj* 1. *(kurz)* petit, mince; 2. *(wenig)* faible; 3. *(niedrig)* bas

geringfügig [gə'rɪŋfy:gɪŋ] 1. *adj* insignifiant, futile; 2. *adv* de peu d'importance

Geringschätzung [gə'rɪŋʃɛtsuŋ] *f* dédain *m*

gerinnen [gə'rɪnən] *v* se figer, se coaguler

Gerippe [gə'rɪpə] *n* squelette *m*

gern [gɛrn] *adv* volontiers, avec plaisir, de bon gré; *etw - tun* adorer faire qc

Geröll [gə'rœl] *n* éboulis *m*

Gerste ['gɛrstə] *f* orge *f*

Gerstenkorn ['gɛrstənkɔrn] *n* orgelet *m*

Geruch [gə'ru:x] *m* 1. odeur *f*; 2. *(-ssinn)* odorat *m*

geruchlos [gə'ru:xlo:s] *adj* inodore

Gerücht [gə'ryxt] *n* bruit *m*, rumeur *f*; *Es geht ein -.* Il court un bruit.

geruhsam [gə'ru:sa:m] *adj* paisible

Gerüst [gə'ryst] *n* échafaudage *m*

gesamt [gə'zamt] *adj* total, (tout) entier

Gesamtbetrag [gə'zamtbətra:k] *m* montant total *m*, somme totale *f*

Gesamtheit [gə'zamthaɪt] *f* totalité *f*, ensemble *m*

Gesandte [gə'zantə] *m/f* 1. POL envoyé(e) *m/f*; 2. *(Geheimbote)* émissaire *m*

Gesang [gə'zaŋ] *m* chant *m*

Geschäft [gə'ʃɛft] *n* 1. *(Laden)* magasin *m*, commerce *m*, boutique *f*; 2. *(Handels-)* ECO affaire *f*; 3. JUR contrat *m*

geschäftig [gə'ʃɛftɪŋ] *adj* affairé

geschäftlich [gə'ʃɛftlɪŋ] 1. *adj* commercial; 2. *adv* pour affaire(s)

Geschäftsabschluß [gə'ʃɛftsapʃlus] *m* 1. ECO conclusion d'une affaire *f*; 2. *(Bilanz)* fin de l'exercice *f*

Geschäftsführer [gə'ʃɛftsfy:rər] *m* directeur *m*

Geschäftsleitung [gə'ʃɛftslaɪtuŋ] *f* direction *f*

Geschäftsreise [gə'ʃɛftsraɪzə] *f* voyage d'affaires *m*, déplacement pour affaires) *m*

Geschehen [gə'ʃe:ən] *n* événement *m*

geschehen [gə'ʃe:ən] *v* se passer, se produire, avoir lieu; *Das geschieht ihm recht.* C'est bien fait pour lui. *- ist -!* Ce qui est fait est fait! *Es ist um ihn -.* C'en est fait de lui.

gescheit [gə'ʃaɪt] *adj* intelligent

Geschenk [gə'ʃɛŋk] *n* cadeau *m*, présent *m*

Geschichte [gə'ʃɪçtə] *f* 1. *(Vergangenheit)* histoire *f*; 2. *(Erzählung)* histoire *f*, conte *m*; *schöne -n machen* en faire de belles; *Das ist eine lange -.* C'est toute une histoire.

geschichtlich [gə'ʃɪçtlɪŋ] *adj* historique

Geschick [gə'ʃɪk] *n* sort *m*, destin *m*; *sein - selbst in die Hand nehmen* prendre son destin en main

Geschicklichkeit [gə'ʃɪklɪŋkaɪt] *f* habileté *f*, adresse *f*

geschickt [gə'ʃɪkt] *adj* habile, adroit

Geschirr [gə'ʃɪr] *n* vaisselle *f*

Geschirrspülmaschine [gə'ʃɪrʃpy:lmaʃi:nə] *f* lave-vaisselle *m*

Geschlecht [gə'ʃlɛçt] *n* 1. sexe *m*; 2. *(Adels-)* famille *f*, race *f*

Geschlechtskrankheit [gə'ʃlɛçtskraŋkhaɪt] *f* maladie vénérienne *f*

Geschlechtsorgan [gə'ʃlɛçtsɔrga:n] *n* organe/appareil génital *m*

Geschlechtsverkehr [gə'ʃlɛçtsfɛrke:r] *m* relation(s) sexuelle(s) *f/(pl)*

Geschmack [gə'ʃmak] *m* goût *m*, saveur *f*; *Das ist ganz nach meinem -.* C'est à mon goût.

geschmacklos [gə'ʃmaklo:s] *adj* 1. *(fade)* fade, insipide; 2. *(fig: häßlich)* de mauvais goût; 3. *(fig: taktlos)* sans tact

Geschmacksache [gə'ʃmakzaxə] f affaire de goût f, question de goût f
geschmackvoll [gə'ʃmakfɔl] adj (fig) de bon goût
Geschöpf [gə'ʃœpf] n créature f
Geschrei [gə'ʃraɪ] n cris m/pl, tapage m
geschwätzig [gə'ʃvɛtsɪŋ] adj bavard, loquace; Sie ist -. C'est une vraie concierge.
geschweige [gə'ʃvaɪɡə] konj - denn encore moins, sans parler de ... Er kann kaum reden, - denn singen. Il peut à peine parler, encore moins chanter.
Geschwindigkeit [gə'ʃvɪndɪŋkaɪt] f vitesse f, rapidité f
Geschwister [gə'ʃvɪstər] pl frère(s) et sœur(s) m/pl
geschwollen [gə'ʃvɔlən] adj enflé
Geschworene [gə'ʃvoːrənə] m/f juré m
Geschwür [gə'ʃvyːr] n ulcère m
Geselle/Gesellin [gə'zɛlə] m/f compagnon/compagne m/f
gesellig [gə'zɛlɪŋ] adj (Person) sociable; -es Beisammensein n réunion amicale f
Gesellschaft [gə'zɛlʃaft] f 1. société f, association f; 2. (Begleitung) compagnie f; jdm - leisten tenir compagnie à qn
gesellschaftlich [gə'zɛlʃaftlɪŋ] adj social, mondain
Gesellschaftsschicht [gə'zɛlʃaftsʃɪŋt] f couche sociale f
Gesetz [gə'zɛts] n loi f, législation f
Gesetzbuch [gə'zɛtsbuːx] n code m
Gesetzentwurf [gə'zɛtsɛntvurf] m projet de loi m
gesetzgebend [gə'zɛtsgeːbənt] adj législatif
Gesetzgeber [gə'zɛtsgeːbər] m POL législateur m
gesetzlich [gə'zɛtslɪŋ] adj légal, légitime
gesetzlos [gə'zɛtsloːs] adj sans loi, anarchique
gesetzmäßig [gə'zɛtsmɛːsɪŋ] 1. adj conforme à la loi, légal; 2. adv d'après la loi
gesetzwidrig [gə'zɛtsviːdrɪŋ] adj contraire aux lois, illégal
Gesicht [gə'zɪŋt] n visage m, figure f, face f; Er ist seinem Vater wie aus dem - geschnitten. C'est son père tout craché. Er hat es ihm ins - gesagt. Il le lui a dit en face. ein runzliges - haben être ridé comme une pomme
Gesichtspunkt [gə'zɪŋtspunkt] m point de vue m, aspect m

Gesichtszüge [gə'zɪŋtstsyːgə] pl traits m/pl
Gesindel [gə'zɪndəl] n canaille f, racaille f
Gesinnung [gə'zɪnuŋ] f conviction f
Gespann [gə'ʃpan] n attelage m
Gespenst [gə'ʃpɛnst] n fantôme m
Gespräch [gə'ʃprɛːŋ] n conversation f, entretien m, discussion f
gesprächig [gə'ʃprɛŋɪŋ] adj bavard
Gestalt [gə'ʃtalt] f 1. (Figur) forme f, figure f; 2. (Aussehen) allure f, apparence f
gestalten [gə'ʃtaltən] v 1. (formen) former, façonner; 2. (einrichten) organiser, arranger; 3. (verwirklichen) réaliser
Gestaltung [gə'ʃtaltuŋ] f 1. (Formgebung) formation f; 2. (Einrichtung) organisation f; 3. (Verwirklichung) réalisation f
geständig [gə'ʃtɛndɪŋ] adj - sein faire/passer des aveux/ avouer qc
Geständnis [gə'ʃtɛntnɪs] n aveu m
Gestank [gə'ʃtaŋk] m mauvaise odeur f
gestatten [gə'ʃtatən] v permettre, accorder: - Sie, daß ich mich vorstelle. Permettez-moi de me présenter.
Geste ['gɛstə] f geste m
gestehen [gə'ʃteːən] v avouer, confesser
Gestein [gə'ʃtaɪn] n roche(s) f/(pl)
Gestell [gə'ʃtɛl] n 1. support m, bâti m; 2. (Brille) monture f
gestern ['gɛstərn] adv hier
gestikulieren [gɛstikuliːrən] v gesticuler
Gestirn [gə'ʃtɪrn] n astre m
Gestrüpp [gə'ʃtryp] n broussailles f/pl
Gestüt [gə'ʃtyːt] n haras m
Gesuch [gə'zuːx] n demande f, requête f
gesund [gə'zunt] adj 1. (Person) sain, en bonne santé, bien portant; 2. (Nahrung) sain
Gesundheit [gə'zunthaɪt] f santé f
Gesundheitsamt [gə'zundthaɪtsamt] n office de la santé m, service d'hygiène m
Getränk [gə'trɛŋk] n boisson f
Getränkeautomat [gə'trɛŋkəautomaːt] m distributeur de boissons m
getrauen [gə'trauən] v sich - oser
Getreide [gə'traɪdə] n céréales f/pl
Getriebe [gə'triːbə] n engrenage m, transmission f, boîte de vitesses f
Gewächs [gə'vɛks] n 1. MED excroissance f; 2. BOT plante f
Gewächshaus [gə'vɛkshaus] n serre f
Gewähr [gə'veːr] f garantie f, caution f; ohne jede - sous toutes réserves

gewähren [gə'vɛːrən] v accorder
gewährleisten [gə'vɛːrlaɪstən] v garantir
Gewahrsam [gə'vaːrzaːm] m 1. garde f; 2. (Haft) détention f
Gewalt [gə'valt] f 1. violence f, force f; **mit roher ~ de** vive force; 2. (Macht) pouvoir m
Gewaltherrschaft [gə'valthɛrʃaft] f POL autocratie f
gewaltig [gə'valtɪŋ] 1. adj puissant, fort, violent; adv 2. grandement; 3. (fam) sacrément
gewaltsam [gə'valtzaːm] adj 1. violent; 2. (blutig) sanglant; 3. adv de/par force
gewalttätig [gə'valttɛtɪŋ] adj violent, brutal
gewandt [gə'vant] adj adroit; **in Geschäften sehr ~ sein** être rompu aux affaires
Gewässer [gə'vɛsər] n eaux f/pl
Gewebe [gə've:bə] n tissu m
Gewehr [gə'veːr] n fusil m
Geweih [gə'vaɪ] n bois m, ramure f
Gewerbe [gə'vɛrbə] n ECO métier m
Gewerbebetrieb [gə'vɛrbəbətriːp] m exploitation industrielle/commerciale f
gewerblich [gə'vɛrplɪŋ] adj professionnel
Gewerkschaft [gə'vɛrkʃaft] f syndicat m
gewerkschaftlich [gə'vɛrkʃaftlɪŋ] adj syndical(iste)
Gewicht [gə'vɪŋt] n 1. poids m; 2. (fig: Wichtigkeit) importance f
Gewimmer [gə'vɪmər] n gémissements m/pl
Gewinde [gə'vɪndə] n 1. (Schrauben-) pas de vis m, filet m; 2. (Blumen-) guirlande f
Gewinn [gə'vɪn] m 1. (Spiel) gain m; **den ~ teilen** partager le gâteau; 2. ECO profit m, bénéfice m; 3. (fig: Nutzen) avantage m
gewinnbringend [gə'vɪnbrɪŋənt] adj profitable, lucratif
gewinnen [gə'vɪnən] v 1. gagner; **jdn für eine Sache ~** gagner qn à une cause; 2. (siegen) gagner, remporter; **mit Abstand ~** gagner haut la main; 3. (fig: profitieren) profiter; 4. (fördern) MIN extraire
Gewinner [gə'vɪnər] m gagnant m
Gewirr [gə'vɪr] n 1. (Durcheinander) embrouillement m; 2. (Straßen-) labyrinthe m
gewiß [gə'vɪs] 1. adj certain, sûr, assuré; 2. adv sûrement, assurément, à coup sûr
Gewissen [gə'vɪsən] n conscience f
gewissenhaft [gə'vɪsənhaft] adj consciencieux, scrupuleux, méticuleux

gewissenlos [gə'vɪsənloːs] adj sans scrupule(s)
Gewissensbisse [gə'vɪsənsbɪsə] pl remords m/pl, scrupules m/pl
Gewißheit [gə'vɪshaɪt] f certitude f
Gewitter [gə'vɪtər] n orage m, tempête f
gewitterig [gə'vɪtrɪŋ] adj orageux; **Es ist ~.** Il y a de l'orage dans l'air.
gewöhnen [gə'vøːnən] v sich ~ s'habituer (à qc), se familiariser (avec); **Man gewöhnt sich an alles.** On se fait à tout. **Ich bin es gewohnt.** J'y suis habitué.
Gewohnheit [gə'voːnhaɪt] f habitude f, usage m, pratique f; **jdm zur ~ werden** entrer dans les habitudes de qn; **eine schlechte ~ annehmen** prendre un mauvais pli
gewöhnlich [gə'vøːnlɪŋ] adj 1. (gebräuchlich) habituel, usuel; 2. (normal) ordinaire, commun; 3. (unfein) vulgaire; 4. (üblicherweise) adv d'habitude, d'ordinaire
Gewöhnung [gə'vøːnuŋ] f accoutumance f
Gewölbe [gə'v lbə] n voûte f
Gewürze [gə'vyrtsə] pl épice f
Gewürzgurke [gə'vyrtsgurkə] f cornichon m
Gezeiten [gə'tsaɪtən] pl marées f/pl
Gezwitscher [gə'tsvɪtʃər] n gazouillement m
gezwungenermaßen [gə'tsvuŋənərmaːsən] adv obligatoirement
Gicht [gɪŋt] f goutte f
Giebel [ˈgiːbəl] m pignon m, fronton m
Gier [giːr] f avidité f, soif f
gierig [ˈgiːrɪŋ] adj avide (de), âpre (à)
gießen [ˈgiːsən] v 1. (Blumen) arroser; 2. (einschenken) verser; 3. (schmelzen) fondre
Gießerei [giːsəraɪ] f fonderie f
Gießkanne [ˈgiːskanə] f arrosoir m
Gift [gɪft] n poison m, venin m; **eine ~spritze sein** être mauvais comme une teigne
Giftgas [ˈgɪftgaːs] n gaz toxique m
giftig [ˈgɪftɪŋ] adj 1. ZOOL venimeux; 2. BOT vénéneux; 3. CHEM toxique; 4. (fig) envenimé
Giftmüll [ˈgɪftmyl] m déchets toxiques m/pl
Ginster [ˈgɪnstər] m genêt m
Gipfel [ˈgɪpfəl] m 1. GEO sommet m, cime f, point culminant m; 2. POL sommet m; 3. (fig: Höhepunkt) point culminant m
Gips [ˈgɪps] m gypse m
Giraffe [giˈrafə] f girafe f

Girlande [gɪr'landə] f guirlande f

Giro ['ʒi:ro:] n virement m

Girokonto ['ʒi:ro:kɔnto] n compte courant m

Gitarre [gi'tarə] f guitare f

Gitter ['gɪtər] n grille f, grillage m

Gladiole [glad'jo:lə] f glaïeul m

Glanz [glants] m 1. éclat m; 2. (fig) splendeur f

glänzen ['glɛntsən] v briller, resplendir; durch Abwesenheit ~ briller par son absence

glänzend ['glɛntsənt] brillant

Glas [gla:s] n verre m

gläsern [glɛzərn] adj 1. de verre; 2. (Klang) cristallin

glasig ['gla:zɪŋ] adj vitreux

glasklar [gla:skla:r] adj limpide

Glasscheibe ['gla:sʃaɪbə] f vitre f

Glasur [gla'zu:r] f 1. TECH émail m; 2. GAST glace f

glatt [glat] adj 1. (faltenlos) lisse, plat, sans rides; 2. (rutschig) glissant; 3. (fig: eindeutig) net; 4. (fig: mühelos) simple

Glätte ['glɛtə] f (Schnee~) état glissant m

Glatteis ['glataɪs] n verglas m

glätten ['glɛtən] v lisser, polir

Glatze ['glatsə] f tête chauve f; eine ~ haben être poilu comme un œuf

glatzköpfig ['glatskœpfɪç] adj chauve

Glaube ['glaubə] m REL croyance f; einer Sache ~n schenken ajouter foi à qc

glauben ['glaubən] v croire, penser, supposer; ich möchte fast ~ j'aime à croire; an Gott ~ croire en Dieu

glaubhaft ['glauphaft] adj croyable

gläubig ['glɔybɪç] adj croyant

Gläubiger ['glɔybɪgər] m créancier m

glaubwürdig ['glaupvyrdɪç] adj digne de foi, authentique

gleich [glaɪç] 1. adj égal, pareil; sich ~bleiben revenir au même; 2. adv aussitôt, tout à l'heure, tout de suite

gleichberechtigt ['glaɪçbərɛçtɪçt] adj égal en droits

gleichen ['glaɪçən] v ressembler (à), être semblable (à); sich ~ wie ein Ei dem anderen se ressembler comme deux gouttes d'eau

gleichfalls ['glaɪçfals] adv également

Gleichgewicht ['glaɪçgəvɪçt] n équilibre m

gleichgültig ['glaɪçgyltɪç] adj indifférent, désintéressé; völlig ~ sein se moquer de qc comme de l'an 40; einer Sache ~ gegenü-

berstehen être indifférent à qc; Das ist mir ~. Peu m'importe.

Gleichgültigkeit ['glaɪçgyltɪçkaɪt] f indifférence f, désintéressement m

gleichmäßig ['glaɪçmɛːsɪç] adj régulier

Gleichnis ['glaɪçnɪs] n parabole f

gleichrangig ['glaɪçraŋɪç] adj du même rang

Gleichstellung ['glaɪçʃtɛluŋ] f assimilation f, émancipation f

Gleichstrom ['glaɪçʃtrom] m courant continu m

Gleichung ['glaɪçuŋ] f MATH équation f

gleichzeitig ['glaɪçtsaɪtɪç] 1. adj simultané, concomitant; zwei Dinge ~ tun faire deux choses à la fois; 2. adv en même temps

Gleis [glaɪs] n voie (ferrée) f

gleiten ['glaɪtən] v 1. glisser; 2. (Auto) déraper

Gleitzeit ['glaɪttsaɪt] f horaire flexible m

Gletscher ['glɛtʃər] m glacier m

Glied [gli:t] n 1. (Bestandteil) partie f, élément m; 2. (Ketten~) maillon m

gliedern ['gli:dərn] v 1. (aufteilen) diviser; 2. (anordnen) classer, grouper

Gliederung ['gli:dəruŋ] f 1. (Aufbau) organisation f; 2. (Anordnung) groupement m

Gliedmaßen ['gli:tma:sən] pl membres m/pl

glimpflich ['glɪmpflɪç] adj modéré; ~ davonkommen s'en tirer à bon compte; jdn ~ behandeln user de bons procédés envers qn

glitzern ['glɪtsərn] v étinceler, scintiller

Globus/Globen [glo:bus] m globe m

Glocke ['glɔkə] f cloche f; etw an die große ~ hängen crier qc sur les toits

Glockenblume ['glɔkənblu:mə] f campanule f

Glockenturm ['glɔkənturm] m clocher m

glorreich ['glo:raɪç] adj glorieux

Glück [glyk] n chance f, fortune f, bonheur m; Es war sein ~. Bien lui en prit. auf gut ~ au petit bonheur; Viel ~! Bonne chance! sein ~ versuchen tenter sa chance; eine ~ssträhne haben être dans une bonne passe; ~ haben avoir de la veine; ~ bringen porter bonheur

glücken ['glykən] v réussir

glücklich ['glyklɪç] adj heureux, favorable; über~ sein être jouasse comme un pou

glücklicherweise ['glyklɪçərvaɪzə] adv heureusement, par bonheur

glückselig [glyk'ze:lıŋ] adj bienheureux
Glücksspiel ['glyksʃpi:l] n jeu de hasard m
Glückwunsch ['glykvunʃ] m vœux m/pl
Glühbirne ['gly:bırnə] f ampoule f
glühen ['gly:ən] v 1. être ardent; 2. (fig)
brûler
glühend ['gly:ənt] adj 1. rouge, ardent; 2.
(fig) fervent; 3. adv ardemment
Glühwürmchen ['gly:vyrmŋən] n ver
luisant m
Glut [glu:t] f 1. (Feuer) braise f, ardeur f;
2. (Hitze) chaleur f; 3. (fig) ardeur f
Glyzerin [glytsə'ri:n] n glycérine f
Gnade ['gna:də] f 1. (Nachsicht) indulgence f, clémence f; 2. grâce f
gnadenlos ['gna:dənlo:s] adj impitoyable
gnädig ['gnɛ:dıŋ] adj 1. (nachsichtig) indulgent, clément; 2. (wohlwollend) bienveillant, complaisant; 3. REL pitoyable
Gold [gɔlt] n or m
golden ['gɔldən] adj 1. d'or, en or; 2. (Farbe) doré
Goldfisch ['gɔltfıʃ] m poisson rouge m
goldig ['gɔldıŋ] adj 1. doré; 2. (fig) mignon
Goldschmied ['gɔltʃmi:t] m orfèvre m
Goldschmuck ['gɔltʃmuk] m bijou en or
m
Golf [gɔlf] n 1. SPORT golf m; m 2. GEO
golfe m
Gondel ['gɔndəl] f 1. gondole f; 2. (Luftfahrt) nacelle f
gönnen ['gœnən] v 1. sich etw ~ s'accorder
qc; 2. jdm etw ~ accorder qc à qn
Gosse ['gɔsə] f 1. ruisseau m; 2. (fig) rue
f; durch die ~ ziehen traîner dans la boue
Gott [gɔt] m Dieu m; Ach ~ ! Mon dieu! ~
helfe Ihnen! Dieu vous aide! Das wissen die
Götter! Dieu seul le sait!
Gottesdienst ['gɔtəsdi:nst] m office religieux m
göttlich ['gœtlıŋ] adj 1. REL divin; 2.
(köstlich) sublime
gottlob ['gɔtlo:p] interj Dieu soit loué!
gottlos ['gɔtlo:s] adj athée, impie
Götze ['gœtsə] m idole f, faux dieu m
Götzendienst ['gœtsəndi:nst] m idolâtrie
f
Grab [gra:p] n tombe f, tombeau m,
sépulcre m; sich sein eigenes ~ schaufeln
creuser sa tombe
Graben ['gra:bən] m fossé m, tranchée f
graben ['gra:bən] v creuser, fouiller
Grabstein ['gra:pʃtaın] m pierre tombale f

Grad [gra:t] m 1. degré m; 2. (Abstufung)
grade m
Graf [gra:f] m comte m
grämen ['grɛ:mən] v sich ~ se chagriner
Gramm [gram] n gramme m
Grammatik [gra'matık] f grammaire f
Granate [gra'na:tə] f grenade f
grandios [grandi'o:s] adj grandiose
Granit [gra'ni:t] m granit(e) m
Grapefruit [gre:pfru:t] f pamplemousse
m/f
Graphiker ['gra:fikər] m dessinateur m
graphisch ['gra:fıʃ] adj graphique
Gras [gra:s] n herbe f; ins ~ beißen aller
manger les pissenlits par la racine
grasen ['gra:zən] v paître, brouter
grassieren [gra'si:rən] v régner, sévir
gräßlich ['grɛslıŋ] adj horrible, affreux
Grat [gra:t] m crête f, arête f
Gräte ['grɛ:tə] f arête f
gratis ['gra:tıs] adj gratis, gratuit
Gratulation [gratula'tsjo:n] f félicita-
tion(s) f(pl)
gratulieren [gratu'li:rən] v féliciter
Gratwanderung ['gra:tvandəruŋ] f (fig)
eine ~ machen être sur le fil du rasoir
grau [grau] adj gris
Grauen ['grauən] n horreur f, effroi m
grauenhaft ['grauənhaft] adj horrible
grauhaarig ['grauha:rıŋ] adj aux cheveux
gris, grisonnant
grausam ['grauza:m] adj cruel, féroce
Grausamkeit ['grauza:mkaıt] f cruauté
f
gravierend [gra'vi:rənt] adj grave
Grazie ['gra:tsjə] f grâce f
graziös [gra'tsjø:s] adj gracieux, charmant
greifbar ['graıfba:r] adj palpable
greifen ['graıfən] v prendre, saisir
Greis [graıs] m vieillard m
grell [grɛl] adj cru, voyant
Grenzbezirk ['grɛntsbətsırk] m région
frontalière/limitrophe f, district frontalier m
Grenze ['grɛntsə] f 1. frontière f; 2. (fig)
limite f; Alles hat eine ~. Il y a des limites à
tout.
grenzen ['grɛntsən] v 1. toucher, être attenant à; 2. (fig) friser; Das grenzt an Unverschämtheit. Cela frise l'insolence.
grenzenlos ['grɛntsənlo:s] adj 1. adj sans
bornes, infini; 2. (fig) immense; 3. adv à l'infini, sans bornes
Grenzfall ['grɛntsfal] m cas limite m

Grenzkontrolle ['grɛntskɔntrolə] f contrôle à la frontière m
Grenzübertritt ['grɛntsy:bərtrɪt] m passage de la frontière m
Grenzverkehr ['grɛntsfɛrke:r] m trafic frontalier m
Grenzwert ['grɛntsvert] m valeur limite f
Greuel [grɔyəl] m/pl horreur f, atrocité f; *~ begehen* commettre des atrocités
Griechenland ['gri:nənlant] n Grèce f
griechisch ['gri:nɪʃ] adj grec/grecque
griesgrämig ['gri:sgrɛ:mɪŋ] adj grognon
Grieß [gri:s] m 1. gravier m; 2. GAST semoule f
Griff [grɪf] m 1. (Stiel) manche m; 2. (Tür~) poignée f; 3. (Zugriff) prise f
griffbereit ['grɪfbərait] adj à portée de main
griffig ['grɪfɪŋ] adj 1. (handlich) maniable; 2. (nicht rutschig) antidérapant
Grill [grɪl] m gril m
Grille ['grɪlə] f grillon m
grillen ['grɪlən] v griller
Grimasse [grɪ'masə] f grimace f; *~n schneiden* faire des grimaces
grinsen ['grɪnzən] v (fam) ricaner
Grippe ['grɪpə] f grippe f
Grippewelle ['grɪpəvɛlə] f MED vague de grippe f
grob [grɔp] adj 1. (derb) gros; 2. (rauh) rêche, rugueux; 3. (fig: unhöflich) grossier; 4. (fig: ungefähr) approximatif
Groll [grɔl] m ressentiment m, amertume f
grollen ['grɔlən] v gronder; *Der Donner grollt.* Le tonnerre gronde.
groß [gro:s] adj 1. grand; *~e Augen machen* ouvrir de grands yeux; 2. (großgewachsen) de grande taille; 3. (fig: älter) grand; *mein ~er Bruder* mon grand frère; 4. (fig: berühmt) grand; *~e Männer* de grands hommes
großartig ['gro:sa:rtɪŋ] 1. adj magnifique, grandiose; 2. adv à merveille; *Das haben Sie ~ gemacht.* Vous vous en êtes tiré à merveille.
Großbritannien [gro:sbri'tanjən] n Grande-Bretagne f
Größe ['grø:sə] f 1. grandeur f, grosseur f; 2. (Körper~) taille f, pointure f; *Welche ~ haben Sie?* Quelle est votre taille/pointure? 3. (fig: Wichtigkeit) importance f
Großeltern ['gro:sɛltərn] pl grands-parents m/pl

Größenwahn ['grø:sənva:n] m folie des grandeurs f
großflächig ['gro:sflɛçɪç] adj vaste
Großgrundbesitzer [gro:s'gruntbəzɪtsər] m grand propriétaire m
Großhandel ['gro:shandel] m ECO commerce de/en gros m
Großindustrie ['gro:sɪndustri:] f grande industrie f
Großmacht ['gro:smaxt] f grande puissance f
Großmutter ['gro:smutər] f grand-mère f
Großrechner ['gro:srɛçnər] m INFORM superordinateur m
Großstadt ['gro:sʃtat] f grande ville f
größtenteils ['grø:stəntails] adv en majeure partie
Großvater ['gro:sfa:tər] m grand-père m
großzügig ['gro:stsy:gɪç] adj généreux, large d'esprit; *~ sein* avoir l'esprit large
Grube [gru:bə] f 1. fosse f, trou m; *Wer anderen eine ~ gräbt, fällt selbst hinein.* Tel est pris qui croyait prendre. 2. MIN mine f
grübeln ['gry:bəln] v ruminer
Gruft [gruft] f caveau m, tombe f
grün [gry:n] adj vert
Grünanlage ['gry:nanla:gə] f espace vert m
Grund [grunt] m 1. (Erdboden) terre f, sol m; *auf eigenem ~ und Boden* sur mes terres; 2. (Meeresboden) fond m; *~ haben* avoir pied; 3. (Motiv) raison f, cause f; *auf ~ en* raison (de); *aus diesem ~* pour cette raison; *Aus welchem ~?* Pour quel motif? *Was ist der ~?* Quelle en est la cause? *den Dingen auf den ~ gehen* aller au fond des choses; *Das hat einen ganz einfachen ~.* C'est pour une raison bien simple.
Grundbesitz ['gruntbəzɪts] m propriété foncière f
gründen ['gryndən] v fonder, créer; *sich ~ auf* reposer sur
Gründer ['gryndər] m fondateur m
Grundfläche ['gruntflɛçə] f base f
Grundgesetz ['gruntgəzɛts] n constitution f
Grundlage ['gruntla:gə] f fondement m, base f; *die ~n legen* jeter les fondements
gründlich ['gryntlɪç] 1. adj profond, détaillé; 2. adv à fond
grundlos ['gruntlo:s] 1. adj sans fond, insondable; 2. (ohne Motiv) adv sans raison

Grundsatz ['gruntzats] *m* principe *m*, maxime *f*; *ein Mensch mit Grundsätzen* *m* quelqu'un qui a des principes *m*

grundsätzlich ['gruntzɛtslɪŋ] *adv* en principe

Grundschule ['gruntʃulə] *f* école primaire *f*

Grundstück ['gruntʃtyk] *n* bien foncier *m*

Gründung ['grynduŋ] *f* fondation *f*

Grüne ['gry:nə] *m/f* POL Les Verts *m/pl*

Gruppe ['grupə] *f* 1. groupe *m*; 2. (*Gattung*) catégorie *f*; 3. (*Mannschaft*) équipe *f*

gruppieren [gru'pi:rən] *v* grouper, masser

Gruß [gru:s] *m* salut *m*, salutation *f*; *mit freundlichem ~* avec toutes mes amitiés

grüßen [gry:sən] *v* saluer

gültig ['gyltɪŋ] *adj* valable

Gültigkeit ['gyltɪŋkaɪt] *f* validité *f*

Gummi ['gumi:] *m* caoutchouc *m*

Gummierung [gu'mi:ruŋ] *f* gommage *m*

Gummistiefel ['gumiʃti:fəl] *m* bottes en caoutchouc *f/pl*

Gunst [gunst] *f* faveur *f*, grâce *f*; *eine ~ gewähren* accorder une faveur; *zu jds -en* en faveur de qn; *jds ~ genießen* être dans les bonnes grâces de qn

günstig ['gynstɪŋ] *adj* propice, favorable

Gurke [gurkə] *f* concombre *m*

Gurt [gurt] *m* 1. sangle *f*, courroie *f*, ceinture *f*; 2. (*Sicherheits~*) ceinture de sécurité

Gürtel ['gyrtəl] *m* ceinture *f*; *den ~ enger schnallen* serrer sa ceinture

Guß [gus] *m* 1. (*Gießen*) fonte *f*, coulée *f*; 2. (*Regen~*) averse *f*; 3. (*Zucker~*) glace *f*

Gußeisen ['gusaɪzən] *n* fonte *f*

gut [gu:t] *adj* 1. bon; 2. (*Mensch*) brave; 3. *adv* bon, bien; *Hier ist ~ leben.* Il fait bon vivre ici. *Dieses Kleid steht ihr ~.* Cette robe lui va bien. *Ende ~, alles ~.* Tout est bien qui finit bien.

Gut/Güter [gu:t] *n/pl* 1. (*Besitz*) bien *m*; *materielle Güter pl* biens matériels *m/pl*; *gei-*

stige Güter pl biens immatériels *m/pl*; 2. (*Landbesitz*) terre *f*

Gutachten ['gu:taxtən] *n* avis *m*

gutartig ['gu:ta:rtɪŋ] *adj* 1. d'un bon naturel, inoffensif; 2. MED bénin

gutaussehend ['gu:tausze:ənt] *adj* qui a bonne mine

gutbezahlt ['gu:tbəza:lt] *adj* bien payé

gutbürgerlich ['gu:tbyrgərlɪŋ] *adj* bourgeois; *eine ~e Küche f* cuisine bourgeoise *f*

Gutdünken ['gu:tdyŋkən] *n* bon plaisir *m*, fantaisie *f*; *nach Ihrem ~* à votre guise

Güte ['gy:tə] *f* 1. (*Qualität*) bonne qualité *f*; 2. bonté *f*; *Du meine ~!* Mon Dieu! *die ~ Gottes* la bonté divine

Gutenachtlied [gu:tə'naxtli:t] *n* berceuse *f*

Gütergemeinschaft ['gy:tərgəmaɪnʃaft] *f* communauté de biens *f*

Gütertrennung ['gy:tərtrɛnuŋ] *f* séparation de biens *f*

Güterverkehr ['gy:tərfɛrke:r] *m* trafic des marchandises *m*

Güterwagen ['gy:tərva:gən] *m* wagon de marchandises *m*

gutgelaunt ['gu:tgəlaunt] *adj* de bonne humeur

gutgläubig ['gu:tglɔybɪŋ] *adj* de bonne foi

Guthaben ['gu:tha:bən] *n* avoir *m*

gutheißen ['gu:thaɪsən] *v* approuver

gutherzig ['gu:thɛrtsɪŋ] *adj* doux, bon

gutmütig ['gu:tmy:tɪŋ] *adj* débonnaire, bonhomme; *~ aussehen* avoir l'air bon enfant

Gutschein ['gu:tʃaɪn] *m* bon *m*

gutschreiben ['gu:tʃraɪbən] *v* créditer

Gutschrift ['gu:tʃrɪft] *f* ECO créance *f*

Gutshof ['gu:tsho:f] *m* ferme *f*

gutwillig ['gu:tvɪlɪŋ] *adj* complaisant

Gymnasium [gym'na:zjum] *n* lycée *m*

Gymnastik [gym'nastɪk] *f* gymnastique *f*

Gynäkologe [gynɛkɔ'lo:gə] *m* gynécologue *m*

H

Haar [ha:r] *n* 1. cheveu *m*, poil *m*; *sich die -e schneiden lassen* se faire couper les cheveux; *an den -en herbeigezogen* tiré par les cheveux; *immer ein ~ in der Suppe finden* chercher la petite bête; *sich die -e raufen* s'arracher les cheveux; *sich graue -e wachsen lassen* se faire des cheveux (blancs); *kein gutes ~ an jdm lassen* dire pis que pendre de qn; *um -esbreite* d'un cheveu; *2. (Pferd)* crin *m*

Haarbürste ['ha:rbyrstə] *f* brosse à cheveux *f*

haarklein ['ha:rklaɪn] *adv* très exactement; *~ erzählen* raconter dans les moindres détails

Haarnadelkurve ['ha:rna:dəlkurvə] *f* virage en épingle à cheveux *m*

Haarschnitt ['ha:rʃnɪt] *m* coupe de cheveux *f*

Haarspalterei ['ha:rʃpaltəraɪ] *f* critique mesquine *f*; *~ betreiben* couper les cheveux en quatre

Haarspray ['ha:rʃpre:] *n* laque *f*

haarsträubend ['ha:rʃtrɔybənt] *adj* horrible, monstrueux; *Das ist ja ~!* C'est à vous faire dresser les cheveux sur la tête!

Habe ['ha:bə] *f* avoir *m*, bien *m*; *liegende ~ f* bienfonds *m* ; *fahrende ~ f* biens mobiliers *m/pl*

haben ['ha:bən] *v* avoir, posséder; *Zeit ~* avoir le temps; *Mitleid ~* avoir pitié; *Je mehr man hat, umso mehr will man.* L'appétit vient en mangeant. *Jetzt ~ wir's!* Ça y est! *Das hätten wir!* C'est dans la poche! *Ich habe die Schnauze voll!* J'en ai marre! *Jetzt hab'ich Sie!* Je vous y prends! *Sie hat viel von ihrer Mutter.* Elle tient beaucoup de sa mère. *Das ist nicht mehr zu ~.* On n'en trouve plus. *Ich habe zu tun.* J'ai à faire. *Den wievielten ~ wir?* Quel jour sommes-nous? *Wir ~ den 20. November.* Nous sommes le 20 novembre. *Ich habe es eilig.* Je suis pressé. *gern ~* aimer; *lieber ~* préférer/aimer mieux; *Geld bei sich ~* avoir de l'argent sur soi

Habgier ['ha:pgi:r] *f* cupidité *f*, avidité *f*

Hacke ['hakə] *f (Werkzeug)* pioche *f*

Hacken ['hakən] *m* talon *m*

hacken ['hakən] *v* 1. *(Holz)* fendre; 2. *(Erde)* piocher

Hacker ['hakər] *m* pirate de l'informatique *m*

Hackfleisch ['hakflaɪʃ] *n* viande hachée *f*

Hafen ['ha:fən] *m* port *m*; *aus dem ~ auslaufen* sortir du port

Hafenarbeiter ['ha:fənarbaɪtər] *m* docker *m*

Hafenstadt ['ha:fənʃtat] *f* ville portuaire *f*

Hafer ['ha:fər] *m* avoine *f*

Haferflocken ['ha:fərflɔkən] *pl* flocons d'avoine *m/pl*

Haft [haft] *f* emprisonnement *m*; *zu acht Tagen ~ verurteilen* condamner à huit jours de prison

haften ['haftən] *v* 1. *(kleben)* adhérer, coller; 2. *(bürgen)* se porter garant

Haftpflicht ['haftpflɪçt] *f* responsabilité civile *f*

Haftung ['haftuŋ] *f* responsabilité *f*; *die ~ ablehnen* décliner la responsabilité; *Gesellschaft mit beschränkter ~ (GmbH)* Société à responsabilité limitée (S.A.R.L.)

Hagel ['ha:gəl] *m* grêle *f*

hager ['ha:gər] *adj* maigre, sec

Hahn [ha:n] *m* 1. ZOOL coq *m*; *der ~ im Korb* le coq du village; *1. (Wasser-)* robinet *m*; *den ~ aufdrehen* ouvrir le robinet

Hai [haɪ] *m* requin *m*

häkeln ['hɛkəln] *v* faire du crochet

Haken ['ha:kən] *m* 1. crochet *m*; 2. *(Kleider-)* porte-manteau *m*; 3. *(Angel-)* hameçon *m*

Hakenkreuz ['ha:kənkrɔyts] *n* croix gammée *f*

halb [halp] *1. adj* demi; *-er Preis* demi-tarif; *um ~ drei* à deux heures et demie; *zum -en Preis* à moitié prix; *2. adv* à demi, à moitié

halbieren [hal'bi:rən] *v* partager en deux

Halbinsel ['halpɪnzəl] *f* presqu'île *f*

Halbjahr ['halpja:r] *n* semestre *m*

Halbkreis ['halpkraɪs] *m* demi-cercle *m*

Halbkugel ['halpku:gəl] *f* hémisphère *m*

Halbmond ['halpmo:nt] *m* demi-lune *f*

Halbpension ['halppensjo:n] *f* demi-pension *f*

Halbtagsbeschäftigung ['halpta:ksbə-ʃɛftiguŋ] f travail à mi-temps m
Halbwertszeit ['halpvɛrtstsait] f période radioactive f
Halbzeit ['halptsait] f mi-temps f
Hälfte ['hɛlftə] f moitié f
Halle ['halə] f salle f, hall m
hallen ['halən] v résonner
Hallenbad ['halənbat] n piscine couverte f
hallo ['halo:] allô
Halm [halm] m brin m
Hals [hals] m 1. ANAT cou m; jdn auf dem ~ haben avoir qn/qc sur les bras; jdm um den ~ fallen sauter au cou de qn; 2. (Kehle) gorge f, gosier m; im ~ stecken bleiben rester dans la gorge de qn; 3. (Flaschen~) col m
Halsband ['halsbant] n collier m
Halsschmerzen ['halsʃmɛrtsən] pl mal de gorge m; ~ haben avoir mal à la gorge
halsstarrig ['halsʃtariŋ] adj obstiné
Halstuch ['halstu:x] n foulard m, écharpe f
halt [halt] interj halte! stop!
haltbar ['haltba:r] adj durable, résistant
halten ['haltən] v 1. tenir, soutenir; jdn an der Hand ~ tenir par la main; ge~ werden für passer pour; es für angebracht ~ juger à propos bon de; 2. (frisch bleiben) se conserver; Das hält lange. Cela se conserve longtemps. 3. (Rede) faire; eine Rede ~ tenir un discours; 4. (dauern) durer
Haltestelle ['haltəʃtɛlə] f arrêt m, station f
Halteverbot ['haltəfɛrbo:t] n interdiction de stationner f
haltmachen ['haltmaxən] v s'arrêter
Haltung ['haltuŋ] f 1. attitude f; 2. (Körper ~) tenue f, maintien m; 3. (Verhalten) conduite f; 4. (Selbstbeherrschung) contenance f; die ~ verlieren perdre contenance
Halunke [ha'luŋkə] m (fam) coquin m
hämisch ['hɛ:miʃ] adj malicieux
Hammel ['haməl] m mouton m
Hammer ['hamər] m marteau m
hämmern ['hɛmərn] v marteler
Hämorrhoiden [hɛmo'roi:dən] pl hémorroïdes f/pl
Hampelmann ['hampəlman] m pantin m
Hamster ['hamstər] m hamster m
hamstern ['hamstərn] v accaparer
Hand [hant] f main f; mit beiden Händen des deux mains; aus erster ~ de première main; jdm freie ~ lassen laisser les mains

libres à qn; das Heft fest in der ~ haben mener la barque; Hände weg! Bas les mains! die Hände in den Schoß legen se croiser les bras; von der Hand in den Mund leben vivre au jour le jour; von ~ zu ~ gehen passer de main au main; Dafür könnte ich meine ~ ins Feuer legen. J'en mettrais la main au feu. ~ in ~ gehen aller de pair; Ich lasse Ihnen freie Hand. Je vous laisse quartier libre. weder ~ noch Fuß haben n'avoir ni queue ni tête
Handarbeit ['hantarbait] f travail manuel m
Handball ['hantbal] m handball m
Handbremse ['hantbrɛmzə] f frein à main m
Handbuch ['hantbu:x] n manuel m
Handel ['handəl] m commerce m; nicht im ~ hors commerce; in den ~ bringen lancer sur le marché
handeln ['handəln] v 1. (tätig sein) agir; unüberlegt ~ agir en l'air; 2. (Handel treiben) faire du commerce; 3. (feilschen) marchander; 4. sich ~ um s'agir de; Es handelt sich um... Il s'agit de/ il y va de...
Handelsbilanz ['handəlsbilants] f balance commerciale f
Handelskammer ['handəlskamər] f chambre de commerce f
Handgelenk ['hantgələŋk] n ANAT poignet m
Handgepäck ['hantgəpɛk] n bagage à main m
Handgriff ['hantgrif] m 1. (Griff) poignée f; 2. (kleine Mühe) tour de main m
handhaben ['hantha:bən] v manier, employer; leicht zu ~ maniable
Händler ['hɛndlər] m marchand m
handlich ['hantliŋ] adj maniable
Handlung ['handluŋ] f 1. (Tat) acte m, fait m; 2. (Geschehen) action f; Einheit der ~ unité d'action
Handschellen ['hantʃɛlən] pl menottes f/pl
Handschrift ['hantʃrift] f 1. écriture f; 2. (Text) manuscrit m
Handschuh ['hantʃu:] m gant m
Handtasche ['hanttaʃə] f sac à main m
Handtuch ['hanttu:x] n serviette f, essuie-main m
Handwerk ['hantvɛrk] n métier m, artisanat m; ein ~ lernen apprendre un métier; sein ~ verstehen connaître son métier

Handwerker ['hantvɛrkər] m artisan m
Handwerksbetrieb ['hantvɛrksbətri:p] m entreprise artisanale f
Handzeichen ['hanttzaɪnən] n signe de la main m; Abstimmung per ~ vote à main levée e
Hanf [hanf] m chanvre m
Hang [han] m 1. (Abhang) pente f; 2. (fig: Neigung) penchant m
Hängematte ['hɛŋəmatə] f hamac m
hängen ['hɛŋən] v 1. (herabhängen) pendre, être suspendu; 2. (aufhängen) (sus)pendre, accrocher; 3. (befestigt sein) être accroché; 4. (fig: gern haben) tenir à
Happen ['hapən] m morceau m, bouchée f
Harfe ['harfə] f harpe f
harmlos ['harmlo:s] adj inoffensif
Harmonie [harmo'ni:] f harmonie f
harmonisch [har'mɔnɪʃ] adj harmonique, harmonieux
Harn [harn] m urine f
Harpune [har'pu:nə] f harpon m
harren [harən] v attendre
hart [hart] adj 1. dur, ferme; 2. (schwierig) difficile; 3. (streng) sévère
Härte ['hɛrtə] f 1. dureté f, trempe f; 2. (Strenge) sévérité f, dureté f
hartherzig ['harthɛrtsɪŋ] adj dur, impitoyable
hartnäckig [hartnɛkɪŋ] 1. adj opiniâtre, tenace ; 2. adv avec acharnement
Harz [harts] m résine f
harzig ['hartsɪŋ] adj résineux
Haschisch ['haʃɪʃ] n haschisch m
Hase ['ha:zə] m lièvre m
Haselnuß ['hazəlnu:s] f noisette f
Haß [has] m haine f
hassen ['hasən] v haïr, détester
häßlich ['hɛslɪŋ] adj laid, affreux; pottsein être belle comme un camion; ~ wie die Nacht sein être laid à faire peur
Hast [hast] f hâte f, précipitation f
hastig ['hastɪŋ] 1. adj précipité; 2. adv en hâte
Haube ['haubə] f 1. bonnet m, coiffe f; 2. (Motor-) capot m
Hauch [haux] m 1. souffle m; 2. (Duft) odeur f, parfum m; 3. (geringe Menge) soupçon m, trace f
hauchen ['hauxən] v 1. souffler; 2. (flüstern) chuchoter
hauen [hauən] v battre, frapper; sich ~ se battre; jdn übers Ohr ~ duper qn

Haufen ['haufən] m tas m, amas m, masse f; einen ~ Geld ausgeben dépenser une fortune; Alle unsere Pläne sind über den ~ geworfen. Voilà tous nos projets par terre.
häufen ['hɔyfən] v entasser, accumuler
häufig ['hɔyfɪŋ] 1. adj fréquent, répété; 2. adv souvent; Das kommt ~ vor. C'est courant.
Häufigkeit ['hɔyfɪŋkaɪt] f fréquence f
Häufung ['hɔyfuŋ] f accumulation f
Haupt/Häupter [haupt] n tête f, patron m; mit entblößtem ~ à tête nue
Hauptbahnhof ['hauptba:nho:f] m gare centrale f
Hauptdarsteller ['hauptdarʃtɛlər] m CINE premier rôle m
Haupteingang ['hauptaɪŋan] m entrée principale f
Hauptgericht ['hauptgərɪŋt] n plat de résistance m
Hauptgewinn ['hauptgəvɪn] m gros lot m
Häuptling ['hɔyptlɪŋ] m chef de tribu m
Hauptsache ['hauptzaxə] f principal m
hauptsächlich ['hauptzɛŋlɪŋ] 1. adj principal, essentiel, majeur; 2. adv surtout
Hauptsaison ['hauptzɛzɔ] f haute saison f
Hauptschule ['hauptʃu:lə] f école primaire f
Hauptstadt ['hauptʃtat] f capitale f
Hauptstraße ['hauptʃtrasə] f grand-rue f
Hauptverkehrszeit ['hauptfɛrke:rstsait] f heures d'affluence/de pointe f/pl
Haus [haus] n 1. (Gebäude) maison f, bâtiment m, édifice m; jdm sein ~ verbieten défendre sa porte à qn; 2. (Zuhause) zu/nach ~e à la maison/ chez soi; Kommen Sie gut nach ~e! Bon retour!
Hausarbeit ['hausarbait] f travaux domestiques/ménagers m/pl
Hausaufgaben ['hausaufga:bən] pl devoirs m/pl
Hausbesitzer ['hausbəzɪtsər] m propriétaire (de la maison) m
Hausbewohner ['hausbəvo:nər] m habitant (d'une maison) m
Hausflur ['hausflu:r] m vestibule m
Hausfrau ['hausfrau] f ménagère f
Haushalt ['haushalt] m 1. ménage m; 2. (Staats-) budget m
Haushälterin ['haushɛltərɪn] f femme de ménage f
Haushaltsgerät ['haushaltgərɛ:t] n appareil ménager m, ustensile de ménage m

Hausierer [haus'zi:rər] m colporteur m

häuslich ['hɔyslıŋ] adj 1. domestique, sédentaire; 2. (Mensch) casanier

Hausmann ['hausman] m homme au foyer m

Hausmannskost ['hausmanskɔst] f nourriture maison f

Hausmeister ['hausmaıstər] m concierge m

Hausordnung ['hausɔrdnuŋ] f règlement intérieur m

Hausschuh ['hausʃu:] m chausson m

Haustier ['hausti:r] n animal domestique m

Haut [haut] f peau f; mit heiler - davonkommen l'échapper belle; Davon bekomme ich Gänse-. Ça me donne la chair de poule. Ich möchte nicht in seiner - stecken. Je ne voudrais pas être dans sa peau.

Hautarzt ['hautartst] m dermatologue m

Hautkrebs ['hautkrɛps] m cancer de la peau m

Hebamme ['hɛ:pamə] f sage-femme f

Hebel ['he:bəl] m levier m; alle - in Bewegung setzen mettre tout en œuvre pour faire qc

heben ['he:bən] v 1. (hochheben) (sou)lever, hausser; 2. (steigern) hausser, augmenter; 3. (bergen) renflouer

hebräisch [hə'brɛ:ıʃ] adj hébraïque

Hecht [hɛnt] m brochet m

Heck [hɛk] n 1. (Auto) arrière m; 2. (Schiff) poupe f

Hecke ['hɛkə] f haie f

Heckenschütze ['hekənʃytsə] m franc-tireur m

Heckscheibe ['hɛkʃaıbə] f (Auto) lunette/vitre arrière f

Heer [he:r] n armée f

Hefe ['he:fə] f levure f

Heft [hɛft] n 1. (Schreib-) cahier m; 2. (Griff) manche m

heften ['hɛftən] v 1. (befestigen) fixer, agrafer; 2. (nähen) bâtir

Hefter ['hɛftər] m classeur m

heftig ['hɛftıŋ] adj violent, fort

Heftklammer ['hɛftklamər] f agrafe f

Heftpflaster ['hɛftplastər] n sparadrap m

Hehler ['he:lər] m receleur m

Heide ['haıdə] m 1. païen m; f 2. GEOL lande(s) f/(pl)

Heidelbeere ['haıdəlbe:rə] f myrtille f

Heidentum ['haıdəntum] n paganisme m

heikel ['haıkəl] adj délicat, épineux

heil [haıl] adj 1. (ganz) entier; 2. (unbeschädigt) intact; 3. (gesund) sain et sauf

Heiland ['haılant] m le Sauveur m

heilbar ['haılba:r] adj guérissable. curable

heilen ['haılən] v guérir

heilig ['haılıŋ] adj saint

Heilige ['haılıgə] m/f saint(e) m/f

Heiligtum ['haılıŋtu:m] n sanctuaire m

heillos ['haıllo:s] adj (fam) sans remède

Heilmittel ['haılmıtəl] n remède m, médicament m

Heilpraktiker ['haılpraktıkər] m guérisseur m

heilsam ['haılsa:m] adj salutaire

Heilsarmee ['haılsarme:] f armée du salut f

Heilung ['haıluŋ] f guérison f

heim [haım] adv à la maison, chez soi

Heim [haım] n domicile m, habitation f

Heimarbeit ['haımarbaıt] f travail à domicile m

Heimat ['haımat] f pays m, patrie f

heimatlos ['haımatlo:s] adj sans patrie

heimisch ['haımıʃ] adj 1. (heimatlich) local, du pays; 2. (vertraut) familier

heimlich ['haımlıŋ] 1. adj secret, clandestin; etw - tun faire qc à la dérobée; 2. adv en secret, en cachette

heimtückisch ['haımtykıʃ] 1. adj malicieux, malin; 2. adv en traître

Heimweg ['haımvɛ:k] m (chemin du) retour m

Heimweh ['haımve:] n mal du pays m, nostalgie f

Heirat ['haıra:t] f mariage m

heiraten ['haıra:tən] v épouser, se marier

Heiratsantrag ['haıra:tsantra:k] m demande en mariage f

Heiratsurkunde ['haıra:tsu:rkundə] f acte de mariage m

Heiratsvermittlung ['haıra:tsfɛrmıtluŋ] f agence matrimoniale f

heiser ['haızər] adj enroué, rauque

Heiserkeit ['haızərkaıt] f enrouement m

heiß [haıs] adj 1. chaud, brûlant; 2. (heftig) ardent, fervent, passionné

heißen ['haısən] v 1. (bezeichnen) appeler, nommer; Wie heißt das auf französisch? Comment ça se dit en français? 2. (bedeuten) vouloir dire, signifier; das heißt cela revient à dire que/ c'est-à-dire

heiter ['haıtər] adj 1. (sonnig) clair, serein, ensoleillé; 2. (fröhlich) gai, joyeux

Heiterkeit ['haɪtərkaɪt] *f* sérénité *f*
heizen ['haɪtsən] *v* chauffer
Heizkissen ['haɪtskɪsən] *n* coussin électrique *m*
Heizkörper ['haɪtskœrpər] *m* radiateur *m*
Heizkraftwerk ['haɪtskraftvɛrk] *n* centrale thermique *f*
Heizöl ['haɪtsø:l] *n* mazout *m*, fuel *m*
Heizung ['haɪtsuŋ] *f* chauffage *m*
Hektar ['hɛktar] *n* hectare *m*
hektisch ['hɛktɪʃ] *adj 1.* agité, nerveux; *2. MED* hectique; *3. adv* fiévreusement, fébrilement
Held ['hɛlt] *m* héros *m*
heldenhaft ['hɛldənhaft] *adj* héroïque
helfen ['hɛ:lfən] *v* aider, assister, secourir; *sich zu ~ wissen* savoir se débrouiller; *jdm ~* donner un coup de main à qn
Helfer ['hɛ:lfər] *m* aide *m/f*, assistant *m*
hell [hɛl] *adj 1. (Licht)* vif, éclatant; *2. (beleuchtet)* éclairé; *3. (fig: aufgeweckt)* éveillé; *4. (Klang)* clair
hellblau ['hɛlblau] *adj* bleu clair
hellhörig ['hɛlhø:rɪŋ] *adj 1. (schalldurchlässig)* sonore; *2. (fig: wachsam)* vigilant
Helligkeit ['hɛlɪŋkaɪt] *f* clarté *f*
Hellseher ['hɛlse:ər] *m* voyant *m*
Helm [hɛlm] *m* casque *m*
Hemd [hɛmt] *n* chemise *f*
hemdsärmelig ['hɛmtsɛrməlɪŋ] *adj* en manches de chemise
hemmen ['hɛmən] *v 1.* arrêter, retenir, freiner; *2. (hindern)* empêcher
Hemmung ['hɛmuŋ] *f* inhibition *f*; *keine ~en kennen* être sans gêne
hemmungslos ['hɛmuŋslo:s] *1. adj* effréné; *2. adv* sans frein, avec impétuosité
Hengst [hɛŋkst] *m* étalon *m*
Henkel ['hɛŋkəl] *m* anse *f*, oreille *f*
Henker ['hɛŋkər] *m* bourreau *m*
Henne ['hɛnə] *f* poule *f*
her [he:r] *adv 1. (örtlich)* (par) ici, de ce côté(ci); *Komm ~!* Viens ici!/ Approche! *von weit ~* de loin; *Wo kommen Sie ~?* De quel pays venez-vous? *hinter jdm ~ sein* être aux trousses de qn; *hinter etw ~ sein* être à la poursuite de qc; *hin und ~* ça et là/ de côté et d'autre; *hin und ~ gehen* aller et venir; *hin und ~ überlegen* ruminer qc; *2. (zeitlich: es ist ..~)* il y a ... *von alters ~* de tout temps; *Wie lange ist es ~, daß ...?* Combien de temps y a-t-il que...? *Es ist einen Monat ~, daß...* Il y a un mois que...; *3. (von .. ~)* depuis

herab [hɛ'rap] *adv* en bas, vers le bas
herablassen [hɛ'raplasən] *v 1.* descendre, abaisser; *2. (fig)* condescendre à
herablassend [hɛ'raplasənt] condescendant, dédaigneux
herabsetzen [hɛ'rapzɛtsən] *v 1. (vermindern)* abaisser, réduire, diminuer; *2. (herabwürdigen)* abaisser, dégrader
herabsteigen [hɛ'rapʃtaɪgən] *v* descendre
heran [hɛ'ran] *adv (örtlich)* tout près (de)
herankommen [hɛr'ankomən] *v 1.* (s') approcher, arriver; *2. (jdm gleichkommen)* égaler qn
heranschleichen [hɛ'ranʃlaɪçən] *v sich ~* (s')approcher à pas de loup
heranwachsen [hɛr'anvaksən] *v* grandir
Heranwachsende [hɛr'anvaksəndə] *m/f* jeune homme/fille *m/f*
herauf [hɛr'auf] *adv* en haut, vers le haut
heraufbeschwören [hɛr'aufbəʃvø:rən] *v* évoquer, provoquer
heraufkommen [hɛr'aufkomən] *v* monter
heraufsetzen [hɛr'aufzɛtsən] *v 1. (erhöhen)* hausser, augmenter; *2. (Preise)* majorer
heraufsteigen [hɛr'aufʃtaɪgən] *v* monter
heraus [hɛr'aus] *adv* (en) dehors
herausbekommen [hɛr'ausbəkomən] *v 1. (Geld)* revenir; *Ich bekomme ... heraus.* Il me revient... *2. (fig: herausfinden)* trouver
herausbringen [hɛr'ausbrɪŋən] *v 1.* porter dehors, sortir; *2. (Menschen)* faire partir, faire sortir; *3. (veröffentlichen)* éditer; *4. (Film)* porter à l'écran; *5. (fig: herausfinden)* deviner
herausfinden [hɛr'ausfɪndən] *v 1.* trouver, découvrir; *2. (fig)* s'en sortir
herausfordern [hɛr'ausfordərn] *v* réclamer, exiger
herausfordernd [hɛr'ausfordərnt] *adj* provocant, provocateur
herausgeben [hɛr'ausge:bən] *v 1. (Geld)* rendre; *2. (Buch)* éditer, publier; *3. (Waren)* délivrer
Herausgeber [hɛr'ausge:bər] *m* éditeur *m*
herauskommen [hɛr'auskomən] *v 1.* sortir, déboucher de; *2. (resultieren)* résulter de; *3. (bekannt werden)* transpirer; *4. (Buch)* paraître
herausnehmen [hɛr'ausne:mən] *v 1. (nehmen)* sortir, retirer; *2. sich ~* prendre des libertés

herausragend [hɛrˈausraːgənt] *adj* dominant, qui s'élève audessus de

herausstrecken [hɛrˈausʃtrɛkən] *v* 1. tendre, présenter; 2. *(Zunge)* tirer la langue

herausziehen [hɛrˈaustsiːən] *v* (re)tirer

herb [hɛrp] *adj* 1. *(Geschmack)* âpre, amer; 2. *(fig)* amer

herbei [hɛrˈbaɪ] *adv* (par) ici, de ce côté-ci

herbeieilen [hɛrˈbaɪaɪlən] *v* accourir

herbeiführen [hɛrˈbaɪfyːrən] *v* causer

Herberge [ˈhɛrbɛrgə] *f* 1. gîte *m*, logis *m*; 2. *(Jugend-)* auberge de jeunesse *f*

herbestellen [ˈhɛrbəʃtɛlən] *v* faire venir

herbringen [ˈhɛrbrɪŋən] *v* 1. *(Sache)* apporter; 2. *(Person)* amener

Herbst [hɛrpst] *m* automne *m*

herbstlich [ˈhɛrpstlɪç] *adj* automnal

Herbstzeitlose [hɛrpsttsaɪtloːsə] *f* colchique *m*

Herd [ˈheːrt] *m* 1. *(Koch-)* fourneau *m*, cuisinière *f*; 2. foyer *m*, âtre *m*

Herde [ˈheːrdə] *f* troupe *f*, troupeau *m*

herein [hɛˈraɪn] 1. *adv* (en) dedans, à l'intérieur; 2. *interj* entrez! par ici!

hereinbitten [hɛˈraɪnbɪtən] *v* jdn ~ prier qn d'entrer

hereinbrechen [hɛˈraɪnbrɛ jən] *v* 1. faire irruption; 2. *(fig)* tomber

hereinfallen [hɛˈraɪnfalən] *v* 1. tomber dedans; 2. *(fig: getäuscht werden)* tomber/donner dans le piège/dans le panneau

hereinkommen [hɛˈraɪnkɔmən] *v* entrer

hereinlassen [hɛˈraɪnlasən] *v* faire/laisser entrer

hereinlegen [hɛˈraɪnleːgən] *v* jdn ~ tromper, duper, attraper qn

hereintreten [hɛˈraɪntreːtən] *v* entrer (dans), pénétrer (dans)

Hergang [ˈhɛrgaŋ] *m (Verlauf)* marche *f*

hergeben [ˈhɛrgeːən] *v* donner, passer

Hering [ˈheːrɪŋ] *m* hareng *m*

herkommen [ˈheːrkɔmən] *v* 1. *(näher kommen)* (s') approcher (de); 2. *(herstammen)* (pro)venir, être issu de

herkömmlich [ˈheːrkœmlɪç] *adj* traditionnel, d'usage

Herkunft [ˈheːrkunft] *f* origine *f*, provenance *f*

hermetisch [hɛrˈmeːtɪ ʃ] *adj* hermétique

Heroin [heroˈiːn] *n* héroïne *f*

Herr [hɛr] *m* 1. monsieur *m*; 2. maître *m*; ~ der Lage sein être maître de la situation; einer Sache ~ werden avoir raison de qc

herrisch [ˈhɛrɪ ʃ] *adj* 1. *(~er Ton)* magistral; 2. de maître

herrlich [ˈhɛrlɪç] *adj* magnifique, superbe

Herrschaft [ˈhɛrʃaft] *f* 1. domination *f*, règne *m*; 2. *(Beherrschung)* maîtrise *f*

herrschaftlich [ˈhɛrʃaftlɪç] *adj* seigneurial, de maître

herrschen [ˈhɛrʃən] *v* régner, gouverner

Herrscher [ˈhɛrʃər] *m* souverain *m*

herrühren [ˈhɛrryːrən] *v* (pro)venir de

herstellen [ˈhɛrʃtɛlən] *v (erzeugen)* produire, fabriquer

Hersteller [ˈhɛrʃtɛlər] *m* fabricant *m*, producteur *m*

Herstellung [ˈhɛrʃtɛluŋ] *f* fabrication *f*, production *f*

herüber [hɛˈryːbər] *adv* de ce côté-ci

herum [hɛˈrum] *adv* 1. autour (de); 2. *(ungefähr)* vers, autour

herumdrehen [hɛˈrumdreːən] *v* 1. (re)tourner; 2. sich ~ faire (de)mi-tour

herumführen [hɛˈrumfyːrən] *v* mener, conduire; jdn an der Nase ~ mener qn par le bout du nez

herumgehen [hɛˈrumgeːən] *v* flâner

herumkommen [hɛˈrumkɔmən] *v* 1. *(reisen)* courir le monde, voyager beaucoup; 2. *(fig)* um etw ~ échapper/couper à qc

herumreichen [hɛˈrumraɪçən] *v* faire passer/circuler

Herumtreiber [hɛˈrumtraɪbər] *m* vagabond *m*

herunter [hɛˈruntər] *adv* en bas, à terre

herunterfallen [hɛˈruntərfalən] *v* tomber (par terre)

herunterklappen [hɛˈruntərklapən] *v* rabattre, baisser

hervor [hɛrˈfoːr] *adv* en avant, dehors

hervorbringen [hɛrfoˈrbrɪŋən] *v* 1. *(erzeugen)* produire, créer; 2. *(sagen)* proférer

hervorheben [hɛrˈfoːrheːbən] *v* faire ressortir, mettre en valeur/en évidence

hervorragend [hɛrˈfoːrraːgənt] *adj* 1. saillant, proéminent; 2. *(fig)* remarquable

hervorrufen [hɛrˈfoːrruːfən] *v (fig)* provoquer

Herz [hɛrts] *n* cœur *m*; gebrochenes ~ cœur brisé; seinem ~en folgen écouter son cœur; sich ein ~ fassen prendre son courage à deux mains; sich etw zu ~en nehmen en avoir gros sur le cœur; sein ~ ausschütten vider son sac; Das liegt mir sehr am ~en. Cela me tient à cœur.

Herzanfall ['hɛrtsanfal] m crise/attaque cardiaque f
herzhaft ['hɛrtshaft] adj 1. (Geschmack) savoureux; 2. (Lachen) de bon cœur
Herzklopfen ['hɛrtsklɔpfən] n palpitations f/pl, battements de cœur m/pl
herzlich ['hɛrtslɪŋ] adj cordial, sincère
Herzog ['hɛrtso:k] m duc m
hetzen ['hɛtsən] v 1. (eilen) être pressé, se dépêcher; 2. jdn ~ pourchasser
Heu [hɔy] n foin m
Heuchelei ['hɔyçəlai] f hypocrisie f
Heuchler ['hɔyçlər] m hypocrite m
heulen ['hɔylən] v 1. (fam: weinen) pleurer, pleurnicher; wie ein Schloßhund ~ pleurer comme un veau; 2. (Sirene) hurler
Heuschnupfen ['hɔyʃnupfən] m rhume des foins m
Heuschrecke ['hɔyʃrɛkə] f sauterelle f
heute ['hɔytə] adv aujourd'hui; von ~ auf morgen du jour au lendemain
heutzutage ['hɔytsuta:gə] adv de nos jours
Hexe ['hɛksə] f sorcière f
Hexenschuß ['hɛksənʃus] m lumbago m
Hieb [hi:p] m coup m
hier [hi:r] adv ici, en ce lieu
hierauf ['hi:rauf] adv après quoi, là-dessus
hierdurch ['hi:rdurŋ] adv (kausal) ainsi
hierher ['hi:rher] adv (par) ici
hiermit ['hi:rmɪt] adv 1. avec cela, en cela; 2. (Brief) par la présente
hiervon ['hi:rfɔn] adv de cela, à ce sujet
hierzu ['hi:rtsu:] adv 1. à ceci; 2. (außerdem) en outre
hiesig ['hi:zɪŋ] adj 1. d'ici; 2. (fam) du coin
Hilfe ['hɪlfə] f 1. aide f, secours m, assistance f; ohne fremde ~ sans aucune aide; jdm zu ~ kommen venir en aide à qn; 2. (Sozial-) assistance/aide (sociale) f; 3. (Katastrophen-) assistance aux personnes sinistrées; interj 4. au secours! à l'aide!
hilflos ['hɪlflo:s] adj 1. (ohne Hilfe) impuissant, embarrassé; 2. (verlassen) abandonné, délaissé; 3. (krank) impotent
Hilfsarbeiter ['hɪlfsarbaitər] m manœuvre m, aide m/f
hilfsbereit ['hɪlfsbərait] adj serviable
Hilfsmittel ['hɪlfsmɪtəl] n 1. moyen m, expédient. m; 2. (Werkzeug) outil m
Himbeere ['hɪmbe:rə] f framboise f
Himmel ['hɪməl] m 1. ciel m; im siebten ~ sein être aux anges; Dich schickt der ~. C'est

le ciel qui t'envoie. ~ und Hölle in Bewegung setzen remuer ciel et terre; jdn bis in den ~ heben porter qn aux nues; 2. REL cieux m/pl
Himmelfahrt ['hɪməlfa:rt] f 1. Christi ~ Ascension (de Jésus-Christ) f; 2. Mariä ~ Assomption (de la Vierge) f
Himmelsrichtung ['hɪməlsrɪçtuŋ] f point cardinal m
himmlisch ['hɪmlɪʃ] adj 1. REL céleste; 2. (göttlich) divin; 3. (fig) sublime
hin [hɪn] adv 1. (örtlich) y, là; Wo ist er ~? Où est-il allé? ~ und zurück aller et retour; ~ und her schwanken hésiter; auf die Gefahr ~, daß... au risque de … 2. (zeitlich) ~ und wieder de loin en loin, de temps en temps
hinab [hɪn'ap] adv vers le bas, en bas
hinauf [hɪn'auf] adv vers le haut, en haut
hinaufsteigen [hɪn'aufʃtaigən] v monter
hinaus [hɪn'aus] adv (en) dehors
hinausbeugen [hɪnausbɔygən] v sich ~ se pencher dehors
hinausgehen [hɪn'ausge:ən] v sortir, aller dehors
hinausschieben [hɪn'ausʃi:bən] v 1. pousser dehors; 2. (zeitlich) remettre
hinauswerfen [hɪn'ausverfən] v 1. jeter dehors; 2. (Person) mettre à la porte
Hinblick ['hɪnblɪk] m im ~ auf en considération de, eu égard à
hindern ['hɪndərn] v empêcher, gêner
Hindernis ['hɪndərnɪs] n obstacle m, empêchement m
hindurch [hɪn'durŋ] adv 1. (örtlich) à/au travers de; 2. (zeitlich) pendant, durant
hinein [hɪn'ain] adv (de)dans
hineingehen [hɪn'ainge:ən] v entrer
hineingeraten [hɪn'aingəra:tən] v tomber (dans)
hineinstecken [hɪn'ainʃtɛkən] v 1. mettre/fourrer dans; 2. (fig: investieren) engager son argent
hineinversetzen [hɪn'ainfɛrzɛtsən] v sich ~ se mettre à la place de
hineinziehen [hɪn'aintsi:ən] v 1. traîner dans; 2. (fig) jdn in etw ~ impliquer qn dans qc
Hinfahrt ['hɪnfa:rt] f aller m; auf der ~ à l'aller
hinfallen ['hɪnfalən] v 1. tomber par terre; 2. (sich fallen lassen) s'affaler
hinfällig ['hɪnfɛlɪŋ] adj 1. (gebrechlich) décrépit; 2. (gegenstandslos) vain, insoutenable

Hingabe ['hɪnga:bə] f don de soi m
hingegen ['hɪnge:gən] konj par contre
hinhalten ['hɪnhaltən] v 1. tendre, présenter; 2. jdn ~ faire attendre qn, retenir qn
hinken ['hɪŋkən] v boiter
hinlänglich ['hɪnlɛŋlɪç] 1. adj suffisant; 2. adv assez
hinlegen ['hɪnle:gən] v 1. etw ~ mettre, (dé)poser; 2. sich ~ se coucher, s'allonger
hinnehmen ['hɪnne:mən] v accepter
hinreißend ['hɪnraɪsənt] adj ravissant
Hinrichtung ['hɪnrɪçtuŋ] f exécution f
hinsetzen ['hɪnzɛtsən] v sich ~ s'asseoir
hinsichtlich ['hɪnzɪçtlɪç] prep à l'égard de
hinstellen ['hɪnʃtɛlən] v 1. mettre, poser, placer; 2. sich ~ se mettre debout
hinten ['hɪntən] adv derrière, à l'arrière
hinter ['hɪntər] prep 1. (örtlich) derrière; 2. (zeitlich) après
Hinterachse ['hɪntəraksə] f (Auto) essieu/pont arrière m
Hinterbliebene ['hɪntərbli:bənə] m/f 1. (Erbe) héritier/-ière m/f; 2. JUR ayants droit m/pl, famille (du défunt) f
hintere(r,s) ['hɪntərə] adj arrière
hintereinander ['hɪntəraɪnandər] adv 1. l'un derrière l'autre; 2. (zeitlich) l'un après l'autre
Hintergedanke ['hɪntərgədaŋkə] m arrière-pensée f; einen ~n haben avoir une idée de derrière la tête
Hintergrund ['hɪntərgrunt] m 1. fond m; 2. (fig) arrière-plan m; die Hintergründe kennen connaître le dessous des cartes
hinterhältig ['hɪntərhɛltɪç] adj sournois
hinterher ['hɪntərhe:r] adv 1. après les autres; 2. (örtlich) à la queue; 3. (zeitlich) plus tard
Hinterland ['hɪntərlant] n arrière-pays m
hinterlassen ['hɪntərlasən] v laisser
hinterlegen ['hɪntərle:gən] v déposer
hinterlistig ['hɪntərlɪstɪç] adj rusé
Hintern ['hɪntərn] m (fam) derrière m
hinterziehen ['hɪntərtsi:ən] v (Steuern) détourner, frauder
hinüber [hɪn'y:bər] adv au-delà, de l'autre côté
hinuntergehen [hɪn'untərge:ən] v descendre
hinunterschlucken [hɪn'untərʃlukən] v avaler
hinunterwerfen [hɪn'untərvɛrfən] v jeter en bas

hinwegsetzen [hɪn'vɛkzɛtsən] v sich ~ se mettre au-dessus de, passer par-dessus qc; sich über etw ~ passer outre qc
Hinweis ['hɪnvaɪs] m 1. indication f, mention f; 2. (Auskunft) renseignement m
hinweisen ['hɪnvaɪzən] v signaler, indiquer; jdn auf etw ~ faire observer qc à qn
hinziehen ['hɪntsi:ən] v sich ~ se prolonger
hinzu [hɪn'tsu:] adv de plus, en outre
hinzufügen [hɪn'tsu:fygən] v ajouter
hinzuziehen [hɪn'tsu:tsi:ən] v faire prendre part, faire appel à
Hirn [hɪrn] n cerveau m; ein Spatzen~ haben avoir une cervelle d'oiseau
Hirsch [hɪrʃ] m cerf m
Hirse ['hɪrzə] f mil(let) m
Hirt(e) [hɪrt] m 1. berger m; 2. (fig) pasteur m
hissen ['hɪsən] v hisser, arborer
Historiker [hɪ'sto:rɪkər] m historien m
historisch [hɪ'sto:rɪʃ] adj historique
Hitze ['hɪtsə] f (grande) chaleur f; vor ~ umkommen crever de chaleur
Hitzewelle ['hɪtsəvɛlə] f vague de chaleur f
hitzig ['hɪtsɪç] adj 1. (ungestüm) impétueux, ardent; 2. (reizbar) irritable; 3. (fiebrig) fébrile
Hitzschlag ['hɪtsʃla:k] m insolation f
Hobel ['ho:bəl] m 1. (Küchen~) râpe f; 2. TECH rabot m
hoch [ho:x] adj haut, élevé; Das ist mir zu ~. C'est trop calé pour moi.
hochachtungsvoll ['ho:xaxtuŋsfɔl] adv (Brief) veuillez agréer l'expression de mes/nos sentiments distingués
Hochbau ['ho:xbau] m construction au-dessus du sol f; Hoch- und Tiefbau m génie civil m
Hochdeutsch ['ho:xdɔytʃ] n haut allemand m
Hochdruck ['ho:xdruk] m haute pression f
Hochebene ['ho:xe:bənə] f haut plateau m
Hochgebirge ['ho:xgəbɪrgə] n haute montagne f
hochgradig ['ho:xgra:dɪç] adj 1. d'un haut degré; 2. (fig) intense
Hochhaus ['ho:xhaus] n immeuble m
Hochleistung ['ho:xlaɪstuŋ] f 1. haut rendement m; 2. SPORT haute performance f

Hochmut ['ho:xmut] *m* orgueil *m*
hochmütig ['ho:xmytɪŋ] *adj* hautain, orgueilleux
Hochofen ['ho:xo:fən] *m* haut fourneau *m*
Hochrechnung ['ho:xrɛŋnuŋ] *f (Schätzung)* estimation *f*
Hochsaison ['ho:xzazɔ] *f* pleine saison *f*
Hochschule ['ho:xʃu:lə] *f* université *f*, école supérieure *f*
Hochseefischerei ['ho:xze:fɪʃəraɪ] *f* grande pêche *f*, pêche hauturière *f*
Hochsommer ['ho:xzɔmər] *m* plein été *m; im ~* en plein été
Hochspannung ['ho:xʃpanuŋ] *f* haute tension *f*
höchst [hø:xst] *adv* tout à fait, extrêmement
Hochstapler ['ho:xʃtaplər] *m* escroc *m*
höchste(r,s) ['hø:xstə] *adj* le (la) plus haut(e)/grand(e)
höchstens ['hø:xstəns] *adv* tout au plus
Höchstgeschwindigkeit ['hø:xstgəʃvɪndɪŋkaɪt] *f* vitesse maximum *f*
Hochverrat ['ho:xfɛra:t] *m* haute trahison *f*
Hochwasser ['ho:xvasər] *n* 1. crue *f*, inondation *f;* 2. *(Flut)* marée haute *f*
hochwertig ['ho:xvɛrtɪŋ] *adj* de haute qualité
Hochwürden ['ho:xvyrdən] *m* Monseigneur *m*
Hochzeit ['ho:xtsaɪt] *f* mariage *m*, noce(s) *f/(pl)*
Hocker ['hɔkər] *m* tabouret *m*, escabeau *m*
Hoden ['ho:dən] *pl* testicules *m/pl*
Hof [ho:f] *m* 1. cour *f;* 2. *(Bauern~)* ferme *f*
hoffen ['hɔfən] *v* espérer
hoffentlich ['hɔfəntlɪŋ] *adv* espérons que, il faut espérer que, j'espère que
Hoffnung ['hɔfnuŋ] *f* espoir *m*, espérance *f*
hoffnungslos ['hɔfnuŋslo:s] *adj* désespéré, sans espoir; *Das ist ~.* C'est sans espoir.
hoffnungsvoll ['hɔfnuŋsfɔl] *adj* 1. plein/rempli d'espoir; 2. *(vielversprechend)* prometteur; 3. *adv* l'espoir que..., en espérant que...
höflich ['hø:flɪŋ] 1. *adj* poli, courtois; *so ~ sein, wie man nur kann* être on ne peut plus poli; 2. *adv* poliment, avec courtoisie
Höflichkeit ['hø:flɪŋkaɪt] *f* politesse *f*

Höhe [hø:ə] *f* 1. hauteur *f*, altitude *f; die ~n und Tiefen* les hauts et les bas; 2. *(Gipfel)* sommet *m*
Hoheit ['ho:haɪt] *f* 1. *(Anrede)* (Votre) Altesse/Majesté *f;* 2. POL grandeur *f*
Hoheitsgebiet ['ho:haɪtsgəbi:t] *n* territoire national *m*
Höhepunkt ['hø:əpuŋkt] *m* 1. *(fig)* comble *m;* 1. point culminant *m; auf dem ~ seines Ruhms sein* être au zénith de sa gloire
hohl [ho:l] *adj* creux
Höhle [hø:lə] *f* 1. caverne *f*, cavité *f*, creux *m;* 2. *(Bau)* terrier *m*
Hohlraum ['ho:lraum] *m* espace vide *m*
Hohn [ho:n] *m* dérision *f*, moquerie *f*
höhnisch [hø:nɪʃ] 1. *adj* railleur, moqueur; 2. *adv* d'un air moqueur/ironique
holen ['ho:lən] *v* aller chercher
Holland ['hɔlant] *n* Hollande *f*
holländisch [hɔ'lɛndɪʃ] *adj* hollandais
Hölle ['hœlə] *f* enfer *m*
holperig ['hɔlpərɪŋ] *adj* 1. cahoteux, rude; 2. *(ruckweise)* par à-coups; 3. *(fig: stockend)* hésitant
Holunder [ho'lundər] *m* sureau *m*
Holz [hɔlts] *n* 1. bois *m;* 2. *(Brenn~)* bois de chauffage *m*
hölzern ['hœltsərn] *adj* 1. en/de bois; 2. *(fig)* raide
Holzfäller ['hɔltsfɛlər] *m* bûcheron *m*
Holzkohle ['hɔltsko:lə] *f* charbon de bois *m*
Homöopathie [homø:opa'ti:] *f* homéopathie *f*
homosexuell [homozɛksu'ɛl] *adj* homosexuel
Honig ['ho:nɪŋ] *m* miel *m*
Honorar [hono'ra:r] *n* honoraires *m/pl*
honorieren [hono'ri:rən] *v* honorer
Hopfen ['hɔpfən] *m* houblon *m*
hörbar ['hø:rba:r] *adj* perceptible, audible
hören ['hø:rən] *v* 1. entendre; *Ich habe davon gehört.* J'en ai entendu parler. 2. *(es von jdm gehört haben)* le tenir de qn; 3. *(zuhören)* écouter; *~ Sie nicht auf ihn!* N'écoutez pas ce qu'il dit! 4. apprendre
Hörer ['hø:rər] *m* 1. *(Person)* auditeur *m;* 2. *(Telefon~)* récepteur *m*
hörig ['hø:rɪŋ] *adj* asservi (à); *jdm ~ sein* être entièrement soumis à qn
Horizont [hori'tsɔnt] *m* horizon *m; einen beschränkten ~ haben* ne pas voir plus loin que son nez

horizontal [horitsɔn'ta:l] *adj* horizontal
Hormon [hɔr'mo:n] *n* hormone *f*
Horn [hɔrn] *n* 1. ZOOL corne *f*; 2. MUS
cor *m*
Hörnchen ['hœrnŋən] *n* croissant *m*
Hornhaut ['hɔrnhaut] *f* 1. (Schwiele) du-
rillon *m*; 2. (Auge) cornée *f*
Hornisse [hɔr'nɪsə] *f* frelon *m*
Horoskop [horos'ko:p] *n* horoscope *m*
Hörsaal ['hø:rsa:l] *m* amphithéâtre *m*
Hörspiel ['hø:rʃpi:l] *n* pièce radiophonique
f
Hort [hɔrt] *m* 1. (Kinder-) crèche *f*, garde-
rie *f*; 2. (Kleinkinder-) pouponnière *f*; 3.
(Zuflucht) asile *m*
Hose ['ho:zə] *f* pantalon *m*, culotte *f*
Hosenträger ['ho:zəntrɛgər] *m/pl* bre-
telles *f/pl*
Hospital [hɔspi'ta:l] *n* hôpital *m*
Hostie ['hɔstjə] *f* hostie *f*
Hotel [ho'tɛl] *n* hôtel *m*
Hubraum ['hu:praum] *m* cylindrée *f*
hübsch [hypʃ] *adj* joli, beau, mignon; sich
- machen se faire beau
Hubschrauber ['hu:pʃraubər] *m* héli-
coptère *m*
Huf [hu:f] *m* sabot *m*
Hüfte ['hyftə] *f* hanche *f*
Hügel ['hy:gəl] *m* colline *f*, butte *f*
hügelig ['hy:gəlɪŋ] *adj* vallonné, accidenté
Huhn [hu:n] *n* poule *f*
Hühnchen [hy:nŋən] *n* poulet *m*; mit jdm
ein - zu rupfen haben avoir un compte à
régler avec qn
Hühnerauge ['hy:nəraugə] *n* cor *m*
Huldigung ['huldɪguŋ] *f* hommage(s)
m/(pl)
Hülle ['hylə] *f* enveloppe *f*, étui *m*
Hülse ['hylzə] *f* 1. (Schote) cosse *f*, gous-
se *f*; 2. (Waffen-) douille *f*
Hülsenfrucht ['hylzənfruxt] *f* légumineu-
se(s) *f/(pl)*
human [hu'ma:n] *adj* humain
Humanismus [huma'nɪsmus] *m* huma-
nisme *m*
Hummel ['huməl] *f* bourdon *m*
Hummer ['humər] *m* homard *m*

Humor [hu'mo:r] *m* humour *m*
humpeln ['humpəln] *v* boiter, clopiner
Hund/Hündin [hunt] *m/f* chien/chienne
m/f; wie ein Schloß- heulen pleurer comme
un veau
Hundehütte ['hunthytə] *f* niche *f*
hundert ['hundərt] *num* cent
Hundertjahrfeier ['hundərtja:rfaɪər] *f*
centenaire *m*
Hundewetter ['hundəvɛtər] *n (fam)* temps
de chien *m*
Hunger ['huŋər] *m* faim *f*; einen Bären-
haben avoir l'estomac dans les talons
hungern ['huŋərn] *v* 1. ne pas manger à sa
faim; 2. (fig) - nach avoir soif de; 3. (fasten)
jeûner
Hungersnot ['huŋərsno:t] *f* famine *f*
Hungerstreik ['huŋərʃtraik] *m* grève de la
faim *f*
hungrig ['huŋrɪç] *adj* affamé, ayant faim
Hupe ['hu:pə] *f* avertisseur *m*, klaxon *m*
hupen ['hu:pən] *v* klaxonner, corner
hüpfen ['hypfən] *v* sautiller, bondir, sauter
Hürde ['hyrdə] *f* haie *f*
Hure ['hu:rə] *f* 1. prostituée *f*; 2. (fam) putain *f*
hurtig ['hurtiŋ] *adj* agile, leste
huschen ['huʃən] *v* (se) glisser
Husten ['hustən] *m* toux *f*
husten ['hustən] *v* tousser
Hut [hu:t] *m* chapeau *m*; seinen - nehmen
rendre son tablier
hüten ['hy:tən] *v* garder, surveiller
Hütte ['hytə] *f* 1. (Häuschen) cabane *f*,
hutte *f*; 2. (Eisen/Stahl-) aciérie *f*
Hyäne [hy'ɛ:nə] *f* hyène *f*
Hyazinthe [hyat'sɪntə] *f* jacinthe *f*
Hydrant [hy'drant] *m* bouche d'incendie *f*
Hygiene [hyg'je:nə] *f* hygiène *f*
hygienisch [hyg'je:nɪʃ] *adj* hygiénique
Hymne ['hymnə] *f* hymne *m*
hypnotisieren [hypno:ti'zi:rən] *v* hypnoti-
ser
Hypothek [hypo'te:k] *f* hypothèque *f*
Hypothese [hypo'te:zə] *f* hypothèse *f*
hysterisch [hyste:'rɪʃ] *adj* PSYCH
hystérique

I/J

ich [ɪŋ] *pron* 1. *(mit Verb verbunden)* je; 2. *(unverbunden)* moi
ichbezogen [ˈɪŋbətsoːgən] *adj* égocentrique
ideal [ideˈaːl] *adj* idéal, parfait
Ideal [ideˈaːl] *n* idéal *m*
Idealismus [ideaˈlɪsmus] *m* idéalisme *m*
idealistisch [ideaˈlɪstɪʃ] *adj* idéaliste
Idee [iˈdeː] *f* 1. idée *f*; 2. *(Vorstellung)* conception *f*; 3. *(Begriff)* notion *f*
identifizieren [idɛntifiˈtsiːrən] *v* identifier
identisch [iˈdɛntɪʃ] *adj* identique
Identität [idɛntiˈtɛːt] *f* identité *f*
Ideologie [ideoloˈgiː] *f* idéologie *f*
Idiot [idˈjoːt] *m* idiot *m*, imbécile *m*
idiotisch [idˈjoːtɪʃ] *adj* idiot, fou/folle
Idol [iˈdoːl] *n* idole *f*
Idyll [iˈdyl] *n* idylle *f*
Igel [ˈiːgəl] *m* hérisson *m*
ignorieren [ignoˈriːrən] *v* ignorer
ihm [iːm] *pron* lui, à lui
ihn [iːn] *pron* le, lui; *An ~ richte ich das Wort.* C'est à lui que j'adresse la parole.
Ihnen [ˈiːnən] *pron (Höflichkeitsform)* vous, à vous
ihnen [ˈiːnən] *pron* leur, à eux/elles
Ihr [iːr] *pron (Höflichkeitsform)* votre
ihr [iːr] *pron* 1. lui, à elle; 2. leur, leurs, le/la leur; 3. vous; 4. son, sa
Ihre(r,s) [ˈiːrə] *pron (Höflichkeitsform)* vos, le/la vôtre
ihrerseits [ˈiːrərzaits] *adv* 1. de sa part, de son côté; 2. *pl* de leur part/côté
Ihrerseits [ˈiːrərzaits] *adv (Höflichkeitsform)*, de votre part/côté
illegal [ileˈgaːl] *adj* illégal
illegitim [ileˈgiˈtiːm] 1. *adj* illégitime; 2. ~ *adv* indûment
Illusion [iluzˈjoːn] *f* illusion *f*
Illustration [ilustratsˈjoːn] *f* illustration *f*
Illustrierte [ilusˈtriːrtə] *f* revue illustrée *f*
Imbiß [ˈɪmbɪs] *m* collation *f*, casse-croûte *m*
Imbißstube [ˈɪmbɪsˈʃtuːbə] *f* buvette *f*, bar *m*
Imitation [imitatjˈoːn] *f* imitation *f*
imitieren [imiˈtiːrən] *v* imiter, contrefaire
Imker [ˈɪmkər] *m* apiculteur *m*

immer [ˈɪmər] *adv* toujours, sans cesse, en permanence; *Auf ~!* A tout jamais!
immerhin [ˈɪmərhɪn] *adv* toutefois
Immobilie [ɪmoˈbiːljən] *f* immeuble *m*
immun [ɪˈmuːn] *adj* immunisé (contre)
Immunität [ɪmuːniˈtɛːt] *f* immunité *f*
Immunschwäche [ɪˈmuːnʃvɛnə] *f* déficience immunitaire *f*
Immunsystem [ɪˈmuːnsystɛm] *n* système immunitaire *m*
Imperialismus [ɪmperjaˈlɪsmus] *m* impérialisme *m*
impfen [ˈɪmpfən] *v* vacciner (contre)
Impfschein [ˈɪmpfʃain] *m* certificat de vaccination *m*, carnet de vaccination *m*
Impfstoff [ˈɪmpfʃtɔf] *m* vaccin *m*
Impfung [ˈɪmpfuŋ] *f* vaccination *f*
imponieren [ɪmpoˈniːrən] *v* impressionner
Import [ɪmˈpɔrt] *m* importation *f*
importieren [ɪmpɔrˈtiːrən] *v* importer
impotent [ˈɪmpotɛnt] *adj* 1. MED impuissant; 2. *(gebrechlich)* impotent
improvisieren [ɪmproviˈziːrən] *v* improviser
impulsiv [ɪmpulˈsiːf] *adj* impulsif
imstande [ɪmˈʃtandə] *adj* ~ *sein* être en mesure de, être capable de; *Er ist ~ und hat es vergessen.* Il est capable de l'avoir oublié.
in [ɪn] *prep* 1. *(örtlich)* dans, en, à; *im Garten* au jardin; *im Garten unserer Nachbarn* dans le jardin de nos voisins; ~ *München* à Munich; ~ *Deutschland* en Allemagne; ~ *Brasilien* au Brésil; ~ *den USA* aux Etats-Unis; ~ *der Stadt* dans la ville; ~ *der Stadt (außer Haus)* en ville; ~ *der Stadt (Gegensatz zu Land)* à la ville; 2. *(zeitlich)* dans, pendant; ~ *zwei Wochen (nach Ablauf von)* dans deux semaines; ~ *zwei Wochen (innerhalb von)* en deux semaines; *im Jahr 1970* en 1970; *im Februar* en février/au mois de février; *im Sommer* en été; *im Frühling* au printemps; ~ *der Nacht* dans/pendant la nuit; *im Alter von* à l'âge de; ~ *diesen Tagen* ces jours-ci; ~ *der nächsten Woche* la semaine prochaine; ~ *diesem Jahr* cette année; ~ *meinem ganzen Leben* de toute ma vie; ~ *kurzem* sous peu; 3. *(Stoff)* de; ~ *Holz* de/en bois

Inbegriff ['ınbəgrif] *m* 1. substance *f*; 2. *(Verkörperung)* incarnation *f*
inbegriffen ['ınbəgrifən] *adj* compris
inbrünstig ['ınbrYnstıŋ] *adj* fervent, ardent
indem [ın'de:m] *konj* 1. *(dadurch, daß...)* grâce à; 2. pendant que
indessen [ın'dɛsən] 1. *konj* tandis que; *adv* 2. *(während)* pendant ce temps, en attendant; 3. *(dennoch)* pourtant
Index ['ındɛks] *m* index *m*, indice *m*
Indianer [ın'dja:nər] *m* Indien *m*
Indien ['ındjen] *n* Indes *f/pl*
indirekt ['ındırɛkt] *adj* indirect
Individualismus [ındıvidua'lısmus] *m* individualisme *m*
individuell [ındıvidu'ɛl] *adj* individuel
Individuum [ındi'vi:duum] *n* individu *m*
Indiz [ın'di:ts] *n JUR* indice *m*
Indonesien [ındo'ne:zjən] *n* Indonésie *f*
Industrialisierung [ındustriali'zi:ruŋ] *f* industrialisation *f*
Industrie [ındus'tri:] *f* industrie *f*
Industriegebiet [ındus'tri:gəbi:t] *n* zone industrielle *f*, région industrielle *f*
industriell [ındustri'ɛl] *adj* industriel
Industriezweig [ındus'tri:tsvaık] *m* branche industrielle *f*, secteur industriel *m*
ineinander [ınaı'andər] *adj* l'un(e) dans l'autre, les un(e)s dans les autres
Infarkt [ın'farkt] *m* infarctus *m*
Infektion [ınfɛktj'o:n] *f* infection *f*
infizieren [ınfi'tsi:rən] *v* infecter
Inflation [ınflatsj'o:n] *f* inflation *f*
Inflationsrate [ınflatsj'o:nsra:tə] *f* taux d'inflation *m*
infolge [ın'fɔlgə] *prep* par suite de
infolgedessen [ın'fɔlgədɛsən] *konj* dès lors, par conséquent
Informatik [ınfɔr'ma:tık] *f* informatique *f*
Information [ınfɔrmatj'o:n] *f* information *f*; *zur ~* à titre d'information
informieren [ınfɔr'mi:rən] *v* informer
Infusion [ınfuzj'o:n] *f* perfusion *f*
Ingenieur [ınʒen'jø:r] *m* ingénieur *m*
Inhaber ['ınha:bər] *m* 1. *(Eigentümer)* propriétaire *m*; 2. *(Besitzer)* possesseur *m*, détenteur *m*; 3. *(Amts-)* titulaire *m*
inhaftieren [ınhaf'ti:rən] *v* arrêter, emprisonner
inhalieren [ınha'li:rən] *v* inhaler
Inhalt ['ınhalt] *m* contenu *m*
Inhaltsangabe ['ınhaltsanga:bə] *f* résumé *m*, sommaire *m*

Inhaltsverzeichnis ['ınhaltsfɛrtsaıŋnıʃ] *n* table des matières *f*
Initiative [ınıtsja'ti:və] *f* initiative *f*
Injektion [ınjɛkts'jo:n] *f* injection *f*
Inkonsequenz [ınkɔnzə'kvɛnts] *f* inconséquence *f*
Inland ['ınlant] *n* intérieur (du pays) *m*
inmitten [ın'mıtən] *prep* au milieu de
innen ['ınən] *adv* à l'intérieur, (au/en) dedans
Innenarchitekt ['ınənarʃıtɛkt] *m* architecte-décorateur *m*
Innenministerium ['ınənministe:rjum] *n* Ministère de l'Intérieur *m*
Innenpolitik ['ınənpoliti:k] *f* politique intérieure *f*
Innenstadt ['ınənʃtat] *f* 1. centre de la ville *m*, centre-ville *m*; 2. *(Altstadt)* vieille ville *f*
inner(e,er,es) ['ınər] *adj* 1. intérieur, interne; 2. *(fig)* intime
innerhalb ['ınərhalp] *prep* 1. *(örtlich)* à l'intérieur de, dans, au sein de; 2. *(zeitlich)* en l'espace de, en
innig ['ınıŋ] *adj* 1. *(herzlich)* cordial; 2. fervent, intime; 3. *(aufrichtig)* sincère
Innung ['ınuŋ] *f* corporation *f*
Insasse ['ınzasə] *m* 1. *(einer Anstalt)* pensionnaire *m/f*; 2. *(Fahrgast)* occupant *m*; 3. *(Fluggast)* passager *m*
insbesondere [ınsbə'zɔndərə] *adv* surtout, particulièrement
Inschrift ['ınʃrıft] *f* inscription *f*
Insekt [ın'zɛkt] *n* insecte *m*
Insektenvertilgungsmittel [ın'tsɛktənfɛrtılguŋsmıtəl] *f* insecticide *m*
Insel ['ınzəl] *f* île *f*
Inselwelt ['ınzəlvɛlt] *f* archipel *m*
Inserat [ınzə'ra:t] *n* annonce *f*
insgesamt [ınsgə'zamt] *adv* en tout
insofern [ınzo'fɛrn] *konj* en tant que
Inspektion [ınʃpɛktsj'o:n] *f* 1. inspection *f*, contrôle *m*; 2. *(Auto)* révision *f*
Installateur [ınstala'tø:r] *m* 1. installateur *m*; 2. *(Elektriker)* électricien *m*
installieren [ınsta'li:rən] *v* installer
Instandhaltung [ın'ʃtanthaltuŋ] *f* entretien *m*, maintenance *f*
inständig ['ınʃtɛndıŋ] 1. *adj* pressant, instant; 2. *adv* instamment, avec insistance
Instandsetzung [ın'ʃtantzɛtsuŋ] *f* 1. (re)mise en état *f*, réparation *f*; 2. *(Auto)* dépannage *m*

Instanz [ɪnˈʃtants] *f* instance *f*
Instinkt [ɪnsˈtɪŋkt] *m* instinct *m*
Institut [ɪnstiˈtuːt] *n* institut *m*
Instrument [ɪnstruˈmɛnt] *n* 1. *MUS* instrument; *ein ~ spielen* jouer d'un instrument; 2. *(Werkzeug)* outil *m*
inszenieren [ɪnstseˈniːrən] *v* mettre en scène, monter
intellektuell [ɪntɛlɛktuˈɛl] *adj* intellectuel
intelligent [ɪntɛliˈgɛnt] *adj* intelligent
intensiv [ɪntɛnˈziːf] *adj* intensif, intense
interessant [ɪntarɛˈsant] *adj* 1. intéressant; 2. *(anziehend)* attirant, attrayant
Interesse [ɪntarɛsə] *n* intérêt *m; einer Sache ~ entgegenbringen* attacher de l'intérêt à qc; *Das liegt in Ihrem eigenen ~.* C'est dans votre propre intérêt.
interessieren [ɪntarɛˈsiːrən] *v* 1. intéresser; 2. *sich für etw ~* s'intéresser à qc
Internat [ɪntɛrˈnaːt] *n* internat *m*
international [ɪntɛrnatjoˈnaːl] *adj* international
Interpretation [ɪntɛrprɛtatsjˈoːn] *f* interprétation *f*
interpretieren [ɪntɛrprɛˈtiːrən] *v* interpréter
Intervall [ɪntɛrˈval] *n* intervalle *m*
Interview [ɪntɛrˈvjuː] *n* interview *f*
intim [ɪnˈtiːm] *adj* intime
Intimität [ɪntimiˈtɛːt] *f* intimité *f*
intolerant [ɪntolaˈrant] *adj* intolérant
Intrige [ɪnˈtriːgə] *f* intrigue *f*
Invalide [ɪnvaˈliːdə] *m* invalide *m*
Invasion [ɪnvazjˈoːn] *f* invasion *f*
Inventur [ɪnvɛnˈtuːr] *f* inventaire *m*
investieren [ɪnvɛsˈtiːrən] *v* investir, placer
Investition [ɪnvɛstitsjˈoːn] *f* investissement *m*, placement *m*
inzwischen [ɪnˈtsviːʃən] *adv* entre-temps
Irak [iˈraːk] *m* Iraq *m*
Iran [iˈraːn] *m* Iran *m*
irdisch [ˈɪrdɪʃ] *adj* terrestre, de ce monde
irgend [ˈɪrgɛnt ɛtvas] *adj* 1. ~ *etw* n'importe quoi, quelque chose; 2. ~ *jdm* n'importe qui, quelqu'un; 3. *adv* peu importe, n'importe ...
irgendein [ɪrgɛntˈaɪn] *adj* quelconque
irgendwie [ˈɪrgɛntviː] *adv* n'importe comment
irgendwo [ˈɪrgɛntvoː] *adv* quelque part
Irland [ˈɪrlant] *n* Irlande *f*
Ironie [irɔˈniː] *f* ironie *f*
irre [ˈɪrə] *adj* 1. *(verrückt)* fou, dément

irreführen [ˈɪrəfyːrən] *v* induire en/une erreur, égarer; *jdn ~* donner le change à qn
irren [ˈɪrən] *v* 1. errer; *Ich müßte mich sehr ~. Où je ne m'y connais pas.* 2. *sich ~* être dans l'erreur, se tromper
Irrer [ˈɪrər] *m* fou *m*, folle *f*
Irrsinn [ˈɪrzɪn] *m* folie *f*, démence *f*
Irrtum [ˈɪrtum] *m* 1. erreur *f;* 2. *(Mißverständnis)* malentendu *m*
irrtümlich [ˈɪrtyːmlɪç] 1. *adj* erroné; *adv* 2. par erreur
Ischias [ˈɪʃnias] *m* sciatique *f*
islamisch [ɪsˈlaːmɪʃ] *adj* islamique
Island [ˈiːslant] *n* Islande *f*
Isolation [izolatsjˈoːn] *f* 1. isolement *m;* 2. *TECH* isolation *f*
isolieren [izoˈliːrən] *v* isoler
Israel [ˈɪsraeːl] *n* Israël *m*
Italien [iˈtaːljən] *n* Italie *f*
italienisch [itaˈljeːnɪʃ] *adj* italien, d'Italie
ja [jaː] *adv* oui, bien; *aber ~* mais si
Jacht [jaxt] *f* yacht *m*
Jacke [ˈjakə] *f* 1. *(Stoff-)* veste *f*, veston *m*, blouson *m;* 2. *(Woll-)* cardigan *m*
Jackett [ˈjakət] *n* veste *f*, veston *m*
Jagd [jaːkt] *f* chasse *f*
Jagdflugzeug [ˈjaːktfluːktsɔyk] *n* avion de chasse *m*
Jagdrevier [ˈjaːktreviːr] *n* terrain de chasse *m*
jagen [ˈjaːgən] *v* chasser
Jäger [ˈjɛːgər] *m* chasseur *m*
Jahr [jaːr] *n* 1. an *m;* 2. *(Dauer)* année *f*
Jahrestag [ˈjaːrəstaːk] *m* anniversaire *m*
Jahreszeit [ˈjaːrəstsait] *f* saison *f*
Jahrgang [ˈjaːrgaŋ] *m* 1. année *f;* 2. *(Schule)* promotion *f;* 3. *MIL* classe *f*
Jahrhundert [ˈjaːrhundərt] *n* siècle *m*
jährlich [ˈjɛːrlɪç] 1. *adj* annuel; 2. *adv* par an
Jahrmarkt [ˈjaːrmarkt] *m* foire *f*
Jahrtausend [ˈjaːrtauzənt] *n* millénaire *m*
Jahrzehnt [ˈjaːrtseːnt] *f* décennie *f*
jähzornig [ˈjɛːtsɔrnɪç] *adj* colérique, coléreux, irascible
Jalousie [ʒaluˈziː] *f* jalousie *f*, persienne *f*
jämmerlich [ˈjɛmərlɪç] *adj* lamentable, pitoyable
jammern [ˈjamərn] *v* se plaindre
Januar [ˈjanuaːr] *m* janvier *m*
Japan [ˈjaːpan] *n* Japon *m*
japanisch [jaˈpaːnɪʃ] *adj* japonais, nippon

jauchzen ['jauxtsən] *v* exulter
jaulen ['jaulən] *v* glapir
je [je:] *1. adv (jemals)* jamais; *2. prep (pro)* par, chaque; *konj 3. - nachdem, ob...* selon que; *4. -..., desto...* plus..., plus...
jede(r,s) ['je:də] *1. pron* chacun; *2. adj* chaque, tout
jedenfalls ['je:dənfals] *adv* en tout cas
jederzeit ['je:dərtsait] *adv* à tout moment
jedesmal ['je:dəsmal] *adv* chaque fois
jedoch ['jedɔx] *konj* pourtant, cependant
jemals ['je:mals] *adv* jamais
jemand ['je:mant] *pron* quelqu'un
jene(r,s) ['je:nə] *1. pron* celui-là, celle-là, ceux-là; *2. adj* ce, cette, ces
Jenseits ['jɛnzaits] *n* l'au-delà *m*
jenseits ['jɛnzaits] *prep* au-delà de
jetzt [jɛtst] *adv* maintenant, à présent; *- oder nie!* C'est le cas ou jamais!
Joghurt ['jo:gurt] *n* yaourt *m*
Johannisbeere [jo'hanisbe:rə] *f 1.* groseille *f; 2. (schwarze ~)* cassis *m*
Jongleur [ʒɔ'glø:r] *m* jongleur *m*
Jordanien [jor'da:njən] *n* Jordanie *f*
Journalismus [ʒurna'lismus] *m* journalisme *m*
Journalist [ʒurna'list] *m* journaliste *m*
Jubel ['ju:bəl] *m* jubilation *f*, exultation *f*
jubeln ['ju:bəln] *v* jubiler, exulter, pousser des cris de joie
Jubiläum [ju:bi'lɛ:um] *n* jubilé *m*
jucken ['jukən] *v* démanger
Juckreiz ['jukraits] *m* démangeaison(s) *f/(pl)*
Jude ['ju:də] *m* Juif *m*
Judenverfolgung ['ju:dənfɛrfɔlguŋ] *f* persécution des Juifs *f*
jüdisch ['jy:dɪʃ] *adj 1.* juif; *2. REL* judaïque
Jugend ['ju:gənt] *f* jeunesse *f*
jugendfrei ['ju:gəntfrai] *adj* permis/autorisé aux mineurs

Jugendherberge ['ju:gənthɛrbɛrgə] *f* auberge de jeunesse *f*
jugendlich ['ju:gəntlɪç] *adj* juvénile, jeune
Jugendliche ['ju:gəntlɪçə] *m* adolescent *m*
Juli ['ju:li] *m* juillet *m*
jung [juŋ] *adj* jeune; *~ geblieben* être jeune de caractère; *~ und alt* jeunes et vieux
Junge ['juŋə] *m 1.* garçon *m; n 2. (beim Tier)* petit *m; ~ bekommen* faire des petits
Jünger ['jyŋər] *m REL* disciple *m*
Jungfer ['juŋfər] *f* fille *f*, pucelle *f; alte ~* une vieille fille
Jungfrau ['juŋfrau] *f* vierge *f*, pucelle *f*
Junggeselle ['juŋgəzɛlə] *m* célibataire *m*, vieux garçon *m*
Jüngling ['jyŋlıŋ] *m* adolescent *m*
jüngst ['jyŋst] *adv* dernièrement
jüngste(r,s) ['jyŋstə] *adj* le/la plus jeune, le dernier/la dernière
Juni ['ju:ni] *m* juin *m*
Jura ['ju:ra] *n* droit *m; ~student m* étudiant en droit *m*
Jurist [ju:'rıst] *m* juriste *m*
Jury ['ʒy:ri] *f* jury *m*
justieren [jus'ti:rən] *v* ajuster, régler
Justiz [jus'ti:ts] *f* justice *f*
Justizbeamte [jus'ti:tsbəamtə] *m* magistrat/officier de justice *m*
Justizbehörde [jus'ti:tsbəhørdə] *f* autorité(s) judiciaire(s) *f(pl)*
Justizirrtum [jus'ti:tsırtum] *m* erreur judiciaire/de justice *f*
Justizministerium [jus'ti:tsministe-rjum] *n* Ministère de la Justice *m*
Jute ['ju:tə] *f BOT* jute *m*
Juwel [ju've:l] *n* joyau *m*, bijou *m*, pierre précieuse *f*
Juwelier [juvə'li:r] *m* bijoutier *m*, joaillier *m*
Jux [juks] *m* plaisanterie *f*, farce *f; einen ~ machen* faire une farce

K

Kabarett [kaba'rɛt] *n* cabaret *m*
Kabel ['ka:bəl] *n* câble *m*
Kabelfernsehen ['ka:bəlfɛrnse:ən] *n* télévision par câble *f*
Kabeljau ['ka:bəljau] *m* cabillaud *m*
Kabine [ka'bi:nə] *f* cabine *f*
Kabinett [kabɪ'nɛt] *n* cabinet *m*
Kabriolett [kabrio'lɛt] *n* cabriolet *m*
Kachel ['kaxel] *f* carreau (de faïence) *m*
Kachelofen ['kaxəlo:fən] *m* poêle en/de faïence *m*
Kadaver [ka'da:vər] *m* 1. cadavre *m*; 2. (Aas) charogne *f*
Käfer ['kɛfər] *m* coléoptère *m*
Kaffee ['kafe:] *m* café *m*; Das ist ja kalter ~. C'est du réchauffé.
Kaffeekanne ['kafe:kanə] *f* cafetière *f*
Kaffeelöffel ['kafe:lœfəl] *m* cuiller à café *f*
Kaffeemaschine ['kafe:maʃɪnə] *f* machine à café *f*
Käfig ['kɛfɪŋ] *m* cage *f*
kahl [ka:l] *adj* 1. (unbewachsen) pelé, dégarni, nu; 2. (glatzköpfig) chauve; 3. (ohne Blätter) sans feuilles/défeuillé, nu
Kahn [ka:n] *m* 1. canot *m*, barque *f*; 2. (Schlepp~) péniche *f*
Kai [kaɪ] *m* quai *m*
Kaiser ['kaɪzər] *m* empereur *m*
kaiserlich ['kaɪzərlɪŋ] *adj* impérial
Kaiserreich ['kaɪzərraɪŋ] *n* empire *m*
Kaiserschnitt ['kaɪzərʃnɪt] *m* (opération) césarienne *f*
Kajüte [ka'jyːtə] *f* cabine *f*
Kakao [ka'ka:o] *m* cacao *m*
Kaktus/Kakteen ['kaktus] *m* cactus *m*/cactées *f/pl*
Kalb ['kalp] *n* veau *m*
Kalbfleisch ['kalpflaɪʃ] *n* veau *m*
Kalender [ka'lɛndər] *m* 1. calendrier *m*; 2. (Taschen~) agenda *m*
Kalk [kalk] *m* chaux *f*
Kalkstein ['kalkʃtaɪn] *m* calcaire *m*
Kalkulation [kalkulatsjo:n] *f* calcul des coûts *m*
Kalorie [kalo'ri:] *f* calorie *f*
kalorienarm [kalo'ri:ənarm] *adj* pauvre en calories

kalt [kalt] *adj* froid; Es ist hunde~. Il fait un froid de canard.
kaltblütig ['kaltbly:tɪŋ] 1. *adj* qui a du sang-froid, qui garde la tête froide; 2. *adv* de/avec sang-froid, froidement
Kälte ['kɛltə] *f* froid *m*, froideur *f*; Man kommt hier vor ~ um. On se gèle ici.
kaltlassen ['kaltlasən] *v* 1. ne pas toucher/émouvoir qn; 2. (fam) laisser froid (qn)
Kaltluft ['kaltluft] *f* air froid *m*
kaltstellen ['kaltʃtɛlən] *v* 1. (fig) mettre sur la touche; 2. (fam) dégommer qn
Kamel [ka'me:l] *n* chameau *m*
Kamera [ka'me:ra] *f* 1. (Foto-) appareil photo(graphique) *m*; 2. (Film-) caméra *f*
Kamerad [kamə'ra:t] *m* 1. camarade *m*, compagnon *m*; 2. (fam) copain *m*
Kameradschaft [kamə'ra:tʃaft] *f* camaraderie *f*
Kameramann ['kaməraman] *m* cameraman *m*
Kamille [ka'mɪlə] *f* camomille *f*
Kamin [ka'mi:n] *m* cheminée *f*
Kaminkehrer [ka'mi:nke:rər] *m* ramoneur *m*
Kamm [kam] *m* 1. (Haar~) peigne *m*; 2. (Berg~) crête *f*, arête *f*
kämmen ['kɛmən] *v* (se) peigner
Kammer ['kamər] *f* 1. petite pièce *f*, petite chambre *f*; 2. POL chambre *f*; 3. (Herz-) ventricule du cœur *m*
Kammerkonzert ['kamərkɔntsɛrt] *n* concert de chambre *m*
Kammersänger ['kamərzɛŋər] *m* chanteur d'opéra *m*
Kammerspiel ['kamərʃpi:l] *n* THEAT petit théâtre *m*
Kampf [kampf] *m* 1. combat *m*, lutte *f*; 2. (Wett~) compétition *f*, championnat *m*
kämpfen ['kɛmpfən] *v* combattre, lutter
kämpferisch ['kɛmpfərɪʃ] *adj* combatif
Kampfrichter ['kampfrɪŋtər] *m* arbitre *m*, juge *m*
kampieren [kam'pi:rən] *v* camper
Kanada ['kanada] *n* Canada *m*
kanadisch [ka'na:dɪʃ] *adj* canadien
Kanal [ka'na:l] *m* 1. canal *m*; 2. (Abwasser) égout *m*

Kanalisation [kanalizats'joːn] *f 1.* canalisation *f; 2. (Abwasser)* égouts *m/pl*

Kanarienvogel [ka'naːrjənfoːgəl] *m* canari *m*

Kandidat [kandi'daːt] *m* candidat *m*

kandidieren [kandi'diːrən] *v* faire acte de candidature, poser sa candidature

Känguruh ['kɛŋguruː] *n* kangourou *m*

Kaninchen [ka'niːnçən] *n* lapin *m*

Kanister [ka'nistər] *m 1.* bidon *m; 2. (Benzin~)* jerrycan *m*

Kanne ['kanə] *f 1.* pot *m*, bidon *m; 2. (Gieß~)* arrosoir *m*

Kanon ['kaːnɔn] *m* canon *m*

Kanone [ka'noːnə] *f* canon *m*

Kante ['kantə] *f 1.* arête *f*, angle *m; 2. (Rand)* (re)bord *m*, bordure *f*

Kantine [kan'tiːnə] *f* cantine *f*

Kanu [ka'nuː] *n* canoë *m*

Kanzel ['kantsəl] *f* chaire *f*

Kanzlei ['kants'laɪ] *f 1.* cabinet *m; 2. (Anwalt, Notar)* étude *f*, bureau *m; 3. (Ministerium)* chancellerie *f*

Kanzler ['kantslər] *m* chancelier *m*

Kap [kap] *n* cap *m*

Kapazität [kapatsi'tɛːt] *f 1. (Person)* expert *m*, autorité *f; 2.* capacité *f; 3. (fam)* as *m*

Kapelle [ka'pɛlə] *f 1.* REL chapelle *f; 2.* MUS orchestre *m; 3.* MIL fanfare *f*

Kaper ['kaːpər] *f* câpre *f*

kapern ['kaːpərn] *v (fam)* prendre, capturer

kapieren [ka'piːrən] *v 1.* comprendre, saisir; *2. (fam)* piger

Kapital [kapi'taːl] *n* capital/aux *m*, fonds *m/pl*

Kapitalgesellschaft [kapi'taːlgəzɛlʃaft] *f* société de capitaux *f*

Kapitalismus [kapita'lɪsmus] *m* capitalisme *m*

Kapitän [kapi'tɛːn] *m 1. (Schiffs~)* capitaine *m; 2. (Flug~)* commandant de bord *m*

Kapitel [ka'pɪtəl] *n* chapitre *m*

kapitulieren [kapitu'liːrən] *v* capituler

Kaplan [kap'laːn] *m* vicaire *m*

Kappe ['kapə] *f 1. (Kopfbedeckung)* bonnet *m*, toque *f; etw auf seine ~ nehmen* prendre qc sous son bonnet/à son compte; *2. (Mönch)* calotte *f; 3. (Verschluß~)* chape *f; 4. (Stöpsel)* bouchon *m*

Kapsel ['kapzəl] *f 1.* capsule *f; 2. (Behältnis)* boîte *f*, étui *m; 3. (Hülle)* enveloppe *f*

kaputt [ka'put] *adj 1. (entzwei)* cassé; *~ sein* être en panne; *2. (fam)* fichu; *3. (fam: müde)* crevé

kaputtgehen [ka'putgeːən] *v* se casser

kaputtmachen [ka'putmaxən] *v 1. etw ~* casser, abîmer; *2. sich ~ (fam)* se tuer

Kapuze [ka'puːtsə] *f* capuchon *m*

Karaffe [ka'rafə] *f* carafe *f*, carafon *m*

Karambolage [karambo'laːʒə] *f 1.* carambolage *m; 2. (Auto)* collision *f*

Karat [ka'raːt] *n* carat *m*

Karawane [kara'vaːnə] *f* caravane *f*

Kardinal [kardi'naːl] *m* cardinal *m*

Karfreitag ['kaːrfraɪtaːk] *m* Vendredi saint *m*

karg [kark] *adj 1.* maigre, pauvre; *2. (trocken)* aride; *3. (geizig)* avare

kariert [ka'riːrt] *adj 1.* à carreaux; *2. (Papier)* quadrillé

Karies ['kaːriɛs] *f* carie *f*

karikieren [kari'kiːrən] *v* caricaturer

Karneval ['karnəval] *m* carnaval *m*

Karosserie [karosə'riː] *f* carrosserie *f*

Karotte [ka'rotə] *f* carotte *f*

Karpfen ['karpfən] *m* carpe *f*

Karren [ka'rən] *m 1.* charrette *f*, chariot *m; 2. (Schub~)* brouette *f*

Karriere [ka'rjɛːrə] *f* carrière *f*

Karte ['kartə] *f 1. (Eintritts~)* billet *m*, ticket *m; 2. (Ansichts~)* carte postale *f; 3. (Land~)* carte (géographique) *f; 4. (Speise~)* menu *m; 5. (Spiel~)* carte à jouer *f; mit offenen -n spielen* jouer cartes sur table; *wie ein -nhaus zusammenstürzen* s'écrouler comme un château de cartes; *alles auf eine ~ setzen* jouer le tout pour le tout; *seine -n auf den Tisch legen* découvrir son jeu

Kartei [kar'taɪ] *f* fichier *m*

Karteikarte [kar'taɪkartə] *f* fiche *f*

Kartenspiel ['kartənʃpiːl] *n* jeu de cartes *m*

Kartoffel [kar'tɔfəl] *f* pomme de terre *f*

Kartoffelbrei [kar'tɔfəlbraɪ] *m* purée de pommes de terre *f*

Karton [kar'tɔn] *m* carton *m*

Karussell [karu'sɛl] *n* manège *m*

kaschieren [ka'ʃiːrən] *v* cacher

Käse ['kɛːzə] *m 1.* fromage *m; 2. (fam: Unsinn)* idioties *f/pl*, bêtises *f/pl*

Kaserne [ka'zɛrnə] *f* caserne *f*

Kasino [ka'ziːnoː] *n (Spiel~)* casino *m*

Kaskoversicherung ['kaskɔfɛrzɪçərʊŋ] *f* assurance tous risques *f*

Kasse ['kasə] f 1. caisse f; 2. (Spar~) caisse d'épargne f; 3. (Kranken~) caisse d'assurance maladie f
Kassenzettel ['kasəntsetəl] m bordereau de vente m, bon de caisse m
Kassette [ka'setə] f cassette f
kassieren [ka'si:rən] v encaisser
Kassierer [ka'si:rər] m caissier m
Kastanie [kas'tanjə] f 1. BOT châtaigne f; 2. (Eß~) marron m
Kasten ['kastən] m boîte f, coffre m
kastrieren [kas'tri:rən] v castrer
Katalog [kata'lo:k] m catalogue m
Katalysator [kataly'za:to:r] m catalyseur m
Katarrh [ka'tar] m catarrhe m
Katastrophe [katas'tro:fə] f catastrophe f; Was für eine ~! Quelle catastrophe!
Katastrophengebiet [katas'tro:fəngəbi:t] n région/zone sinistrée f
Kategorie [katego'ri:] f catégorie f
Kater ['ka:tər] m 1. ZOOL chat (mâle) m, matou m; 2. (fam) gueule de bois f; einen ~ haben avoir la gueule de bois
Kathedrale [kate'dra:lə] f cathédrale f
katholisch [ka'to:lɪʃ] adj catholique
Katholizismus [katolɪ'tsɪsmus] m catholicisme m
Katze ['katsə] f chat m
Kauderwelsch ['kaudərvɛlʃ] n charabia m, baragouin m; ~reden parler du petit nègre
kauen ['kauən] v mâcher, mastiquer
kauern ['kauərn] v s'accroupir
Kauf [kauf] m achat m, acquisition f
kaufen ['kaufən] v acheter, acquérir
Käufer ['kɔyfər] m acheteur m, acquéreur m
Kaufhaus ['kaufhaus] n grand magasin m
käuflich ['kɔyflɪç] adj 1. achetable, à vendre; 2. (fig: bestechlich) corruptible
Kaufmann ['kaufman] m marchand m, commerçant m, négociant m
Kaufvertrag ['kauffɛrtra:k] m contrat de vente m
Kaugummi ['kaugumi] m chewing-gum m
Kaulquappe ['kaulkvapə] f têtard m
kaum [kaum] adv à peine, ne...guère
Kaution [kau'tsjo:n] f caution f, garantie f
Kauz [kauts] m 1. ZOOL chat-huant m, hulotte f, chevêche f; 2. (fig) drôle de citoyen m
Kavalier [kava'li:r] m cavalier m

Kaviar ['ka:vja:r] m caviar m
keck [kɛk] 1. adj hardi; 2. adv hardiment
Kegel ['ke:gəl] m MATH cône m
kegeln ['ke:gəln] v jouer aux quilles
Kehle ['ke:lə] f gorge f
Kehlkopf ['ke:lkopf] m larynx m
Kehre ['ke:rə] f (Kurve) tournant m
kehren ['ke:rən] v balayer
Kehrschaufel ['ke:rʃaufəl] f pelle f
Kehrseite ['ke:rzaitə] f 1. (Rückseite) envers m; 2. (fig) revers m; die ~ einer Angelegenheit le revers de la médaille
Kehrtwendung ['ke:rtvɛnduŋ] f (fig) volte-face f
Keil [kail] m coin m, cale f
Keilriemen ['kailri:mən] m (Auto) courroie trapézoïdale f
Keim [kaim] m germe m; etw im ~ ersticken étouffer qc dans l'œuf
keimen ['kaimən] v germer
keimfrei ['kaimfrai] adj stérilisé
Keimzelle ['kaimtsɛlə] f 1. BIO cellule germinale f, gamète m; 2. (fig) foyer m
kein(e) [kain] adj (ne) pas...de
keiner ['kainər] pron aucun, nul
keinerlei ['kainərlai] adj aucun, nul
keinesfalls ['kainəsfals] adv en aucun cas, nullement
keineswegs ['kainəsve:ks] adv en aucune façon, nullement
Keks [ke:ks] m biscuit m
Kelch [kɛlç] m calice m, coupe f
Kelle ['kɛlə] f 1. (Schöpf~) louche f; 2. (Maurer~) truelle f
Keller ['kɛlər] m cave f, cellier m
Kellner ['kɛlnər] m garçon m, serveur m
keltern ['kɛltərn] v presser, pressurer
kennen ['kɛnən] v connaître
kennenlernen ['kɛnənlɛrnən] v jdn ~ faire la connaissance de qn
Kenner ['kɛnər] m connaisseur m, expert m
Kenntnis ['kɛntnɪs] f connaissance f; in voller ~ der Sachlage en connaissance de cause
Kennwort ['kɛnvort] n mot de passe m
Kennzeichen ['kɛntsaiçən] n 1. (Merkmal) caractéristique f, signe particulier m; 2. (Auto) plaque d'immatriculation f
kennzeichnen ['kɛntsaiçnən] v marquer
Kennziffer ['kɛntsifər] f index m
kentern ['kɛntərn] v chavirer
Keramik [ke'ra:mɪk] f céramique f
Kerbe ['kɛrbə] f entaille f, encoche f

Kerker ['kɛrkər] *m* cachot *m*, geôle *f*
Kerl [kɛrl] *m (fam)* gars *m*, type *m*
Kern [kɛrn] *m* 1. *(Obst-)* noyau *m*, pépin *m*;
2. *(fig: Mittelpunkt)* noyau *m*; 3. *(fig: We-sentliche)* cœur *m*
Kernenergie ['kɛrnenɛrgi:] *f* énergie nu-cléaire *f*
Kernforschung ['kɛrnfɔrʃuŋ] *f* recherche nucléaire *f*
kerngesund ['kɛrngəzunt] *adj* (foncière-ment) sain, en pleine forme
Kernkraftwerk ['kɛrnkraftvɛrk] *n* cen-trale nucléaire/atomique *f*
Kernreaktor ['kɛrnreaktɔr] *m* réacteur nucléaire *m*
Kernseife ['kɛrnzaıfə] *f* savon de Marseil-le *m*
Kerze ['kɛrtsə] *f* bougie *f*, chandelle *f*
Kerzenständer ['kɛrtsənʃtɛndər] *m* chandelier *m*, bougeoir *m*
Kessel ['kɛsəl] *m* 1. *(Kochgefäß)* marmite *f*, chaudron *m*; 2. *(Heiz-)* chaudière *f*
Kette ['kɛtə] *f* 1. chaîne *f*; 2. *(Hals-)* chaîne(tte) *f*, collier *m*; 3. *(Serie)* chaîne *f*, enchaînement *m*, suite *f*
Kettenraucher ['kɛtənrauxər] *m* person-ne qui fume comme un sapeur *m*
keuchen ['kɔynən] *v* haleter
Keuchhusten ['kɔynhustən] *m* coque-luche *f*
Keule ['kɔylə] *f* 1. massue *f*; 2. GAST cuisse *f*, gigot *m*
keusch ['kɔyʃ] *adj* chaste, pudique
Kichererbse ['kıçərɛrpsə] *f* pois chiche *m*
kichern ['kıçərn] *v* ricaner
kidnappen ['kıtnɛpən] *v* enlever
Kiefer ['ki:fər] 1. *m* ANAT mâchoire *f*; 2. *f* BOT pin *m*
Kieferorthopädie ['ki:fərɔrtopɛdi:] *f* or-thodontie *f*
Kieme ['ki:mə] *f* branchie(s) *f/(pl)*
Kies [ki:s] *m* gravier *m*, cailloux *m/pl*
Kieselstein ['ki:zəlʃtaın] *m* caillou *m*
Kilogramm ['ki:lógram] *n* kilo(gramme) *m*
Kilometer [ki:lome:tər] *m* kilomètre *m*
Kind [kınt] *n* enfant *m*
Kinderarzt ['kındərartst] *m* pédiatre *m*
Kindergarten ['kındərgartən] *m* jardin d'enfants *m*, (école) maternelle *f*
Kindergeld ['kındərgɛlt] *n* allocations fa-miliales *f/pl*

Kinderheim ['kındərhaım] *n* maison d'enfants *f*, foyer d'enfants *m*
Kinderhort ['kındərhɔrt] *m* crèche *f*
Kindermädchen ['kındərmɛ:tpən] *n* bonne d'enfant *f*
kinderreich ['kındərraıp] *adj eine -e Fa-milie f* une famille nombreuse *f*
Kindheit ['kınthaıt] *f* enfance *f*
kindisch ['kındıʃ] *adj* enfantin, puéril; *Sei nicht -!* Ne fais pas l'enfant!
kindlich ['kıntlıp] *adj* enfantin
Kinn [kın] *n* menton *m*
Kino ['ki:no] *n* cinéma *m*
Kiosk [kjɔsk] *m* kiosque *m*
kippen ['kıpən] *v* 1. (faire) basculer, ren-verser; 2. *(um-)* culbuter
Kirche ['kırpə] *f* église *f*
Kirchenlied ['kırpənli:t] *n* cantique *m*
kirchlich ['kırplıp] *adj* 1. de l'Eglise, ec-clésiastique; 2. *(religiös)* religieux
Kirchturm ['kırpturm] *m* clocher *m*
Kirchweih ['kırpvaı] *f* kermesse *f*
Kirsche ['kırʃə] *f* cerise *f*
Kirschwasser ['kırʃvasər] *n* kirsch *m*
Kissen ['kısən] *n* 1. coussin *m*; 2. *(Kopf-)* oreiller *m*
Kiste ['kıstə] *f* caisse *f*, boîte *f*
Kitsch [kıtʃ] *m* kitsch *m*, tape-à-l'œil *m*
Kittel ['kıtəl] *m* blouse *f*, tablier *m*
kitzelig ['kıtsəlıp] *adj* 1. chatouilleux; 2. *(fig)* délicat
kitzeln ['kıtsəln] *v* 1. chatouiller; 2. *(fig: Gaumen)* flatter (le palais)
Kiwi ['ki:vi] *f* kiwi *m*
klaffen ['klafən] *v* être béant, béer
Klage ['kla:gə] *f* plainte *f*, lamentation *f*; *- erheben* intenter une action
klagen ['kla:gən] *v* 1. se plaindre (de), se lamenter; 2. JUR porter plainte
Kläger ['klɛgər] *m* plaignant *m*
kläglich ['klɛ:klıp] *adj* 1. *(beklagenswert)* lamentable, déplorable; 2. *(jammernd)* plain-tif
klamm [klam] *adj* 1. *(Wetter)* froid et hu-mide; 2. *(Finger)* engourdi
Klamm [klam] *f* gorge *f*
Klammer ['klamər] *f* 1. *(Büro-)* trombone *m*; 2. *(Heft-)* agrafe *f*; 3. *(Wäsche-)* pin-ce/épingle à linge *f*; 4. *(Zeichen)* parenthèse *f*
Klamotten [kla'mɔtən] *pl* fringues *f/pl*
Klang [klaŋ] *m* 1. ton *m*, son *m*; 2. *(Klang-farbe)* timbre *m*, tonalité *f*

klangvoll ['klaŋfɔl] *adj 1.* sonore, vibrant; *2. (Stimme)* étoffé; *3. (fig)* qui sonne bien

Klappe ['klapə] *f 1. (Tisch)* abattant *m; 2. (Tür)* trappe *f; 3. TECH* clapet *m; 4. (fam: Mund)* bec *m; Halt die -!* Boucle-la!

klappen ['klapən] *v (fig: gelingen)* réussir; *Nichts klappt.* Rien ne marche.

klappern ['klapərn] *v* claquer

Klapperschlange ['klapərʃlaŋə] *f* serpent à sonnettes *m*

Klappstuhl ['klapʃtuːl] *m* chaise pliante *f*

klar [klaːr] *adj 1. (Wetter)* clair, dégagé, serein; *2. (Luft)* pur; *3. (Flüssigkeit)* clair; *4. (Aussage)* clair; *Ich habe klipp und - gesagt, was ich dachte.* J'ai dit carrément ce que je pensais. *es klipp und - sagen* mettre les points sur les i; *sich - ausdrücken* parler clair; *um im -en zu sein* pour en avoir le cœur net

Kläranlage ['klɛːranlaːgə] *f* station d'épuration *f*

klären [klɛːrən] *v 1.* décanter, clarifier; *2. (reinigen)* nettoyer, épurer

Klarheit [klaːrhait] *f 1. (Luft)* pureté *f; 2. (Flüssigkeit)* clarté *f*, limpidité *f; 3. (Verstand)* lucidité *f*

Klarinette [klariˈnɛtə] *f* clarinette *f*

klarstellen ['klaːrʃtɛlən] *v* éclaircir

Klasse ['klasə] *f 1. (Kategorie)* classe *f*, catégorie *f*, groupe *m*, division *f; 2. (Schul-)* classe (scolaire) *f; 3. (soziale -)* classe sociale *f*

Klassik ['klasɪk] *f 1. (Zeitabschnitt)* époque classique *f*, classicisme *m; 2. (Stil)* style classique *m; 3. MUS* musique classique *f*

klassisch ['klasɪʃ] *adj* classique

klatschen ['klatʃən] *v 1. (Geräusch)* claquer; *2. (Beifall -)* applaudir; *3. (negativ reden)* caqueter, jaser, rapporter

Klausur [klauˈzuːr] *f 1. (Abgeschiedenheit)* clôture *f*, ermitage *m; 2. (Prüfung)* examen (écrit) *m*, épreuve écrite *f*

Klavier [klaˈviːr] *n* piano *m*

Klebeband ['kleːbəbant] *n* ruban adhésif *m*

kleben [kleːbən] *v* coller

klebrig ['kleːbrɪç] *adj* collant, adhésif

Klebstoff ['kleːpʃtɔf] *m* colle *f*, glu *f*

Klecks ['klɛks] *m 1.* tache *f; 2. (Tinten-)* pâté *m*

Kleeblatt [kleːblat] *n* feuille de trèfle *f*

Kleid [klait] *n* robe *f*

kleiden ['klaidən] *v 1. sich - s'habiller, se vêtir; schlecht gekleidet sein être mal ficelé; 2. jdn - (gut aussehen)* aller bien (à qn)

Kleiderbügel ['klaidərbyːgəl] *m* cintre *m*

Kleiderschrank ['klaidərʃraŋk] *m* garde-robe *f*

Kleidung ['klaiduŋ] *f 1.* habits *m/pl*, vêtements *m/pl*, habillement *m; 2. (Frau)* toilette *f*

klein [klain] *adj* petit, minuscule; *winzigsein* être grand comme un mouchoir de poche

kleinbürgerlich ['klainbyrgərlɪç] *adj* petit bourgeois, de la petite bourgeoisie

Kleingedruckte ['klaingədruktə] *n* ce qui est imprimé en petits caractères

Kleingeld ['klaingɛlt] *n* (petite) monnaie *f*

Kleinigkeit ['klainɪçkait] *f* (petit) rien *m*, bagatelle *f; Er regt sich wegen jeder - auf.* Il se fâche pour un rien. *bei der geringsten -* pour un oui ou pour un non

kleinlaut ['klainlaut] *adj* décontenancé

kleinlich ['klainlɪç] *adj 1. (engstirnig)* borné; *Man sollte nicht zu - sein.* Il ne faut pas être chien. *2. (geizig)* mesquin

Kleinstadt ['klainʃtat] *f* petite ville *f*

Kleinwagen ['klainvaːgən] *m* voiture de faible cylindrée *f*, petite cylindrée *f*

Klemme ['klɛmə] *f 1.* pince *f; 2. (fig)* pétrin *m*

klemmen ['klɛmən] *v 1. (einzwängen)* serrer; *2. (festsitzen)* se coincer

Klempner ['klɛmpnər] *m* plombier-zingueur *m*

Klerus ['kleːrus] *m* clergé *m*

Klette ['klɛtə] *f 1.* bardane *f*, glouteron *m; 2. (fam)* crampon *m*, pot de colle *m*

klettern ['klɛtərn] *v* grimper, escalader

Kletterpflanze ['klɛtərpflantsə] *f* plante grimpante *f*

Klient [kliˈɛnt] *m* client *m*

Klima ['kliːma] *n* climat *m*

Klimaanlage ['kliːmaanlaːgə] *f* climatisation *f*, climatiseur *m*

Klimaveränderung ['kliːmafɛrɛndəruŋ] *f* changement de climat *m*

Klinge ['klɪŋə] *f* lame *f*

Klingel ['klɪŋəl] *f* sonnette *f*

klingeln ['klɪŋəln] *v* sonner

klingen ['klɪŋən] *v* sonner, résonner

Klinik ['kliːnɪk] *f* clinique *f*

Klinke ['klɪŋkə] *f* poignée *f*, loquet *m*

Klippe ['klɪpə] *f* falaise *f*, écueil *m*

klirren ['klɪrən] *v (Ton)* tinter, vibrer

klirrend ['klɪrənt] *adj 1. (Ton)* vibrant; 2. *(Kälte)* glacial; -e *Kälte f* froid de canard *m*

Klo [klo:] *n (fam)* cabinets *m/pl*

klopfen ['klɔpfən] *v 1.* frapper, battre; 2. *(Herz)* battre, palpiter; 3. *(Motor)* cogner

Klosett [klo'zɛt] *n* WC *m*, cabinets *m/pl*

Kloß [klo:s] *m 1.* boule *f*; einen ~ im Hals haben avoir une boule dans la gorge; 2. *GAST* boulette *f*

Kloster ['klo:stər] *n* couvent *m*

Klotz [klɔts] *m* bloc de bois *m*, bûche *f*

Klub [klup] *m* club *m*, cercle *m*

Kluft [kluft] *f 1. (Abgrund)* faille *f*, crevasse *f*, ravin *m*; 2. *(fig: Gegensatz)* fossé *m*

klug [klu:k] *adj* intelligent, sage, prudent; super- sein jouer au plus fin

Klugheit ['klu:khait] *f* intelligence *f*

knabbern ['knabərn] *v* grignoter

Knabe ['kna:bə] *m* garçon *m*

Knäckebrot ['knɛkəbro:t] *n* pain suédois *m*

knacken ['knakən] *v 1. (knarren)* craquer; 2. *(Nüsse)* casser; 3. *(aufbrechen)* forcer

Knacks [knaks] *m 1. (Sprung)* fêlure *f*; 2. *(fig)* einen ~ haben être une tête fêlée

Knall [knal] *m 1.* éclatement *m*; 2. *(Schuß)* coup de feu *m*; 3. *(Aufprall)* choc *m*

knallen ['knalən] *v 1.* éclater, claquer; 2. *(Schuß)* détoner

Knallkörper ['knalkœrpər] *m* pétard *m*

knapp [knap] *adj 1. (eng)* étroit, serré, trop juste; 2. *(gering)* maigre, rare; ~ bei Kasse sein être à court d'argent; 3. *(fig: Stil)* concis; 4. *adv* peu

knarren ['knarən] *v* grincer, craquer

Knast [knast] *m (fam)* taule/tôle *f*, cabane *f*

knattern ['knatərn] *v* pétarader

Knäuel ['knɔyəl] *n/m 1. (Woll-)* pelote (de laine) *f*; 2. *(fig: Menschen-)* attroupement *m*

Knecht [knɛçt] *m* valet *m*, serviteur *m*

kneifen ['knaifən] *v 1. (zwicken)* pincer; 2. *(fam: sich drücken)* se dérober, se dégonfler

Kneifzange ['knaiftsaŋə] *f* tenaille(s) *f/(pl)*

Kneipe ['knaipə] *f* bar *m*, bistro(t) *m*

kneten ['kne:tən] *v* pétrir, malaxer

Knick ['knɪk] *m 1. (Biegung)* coude *m*; 2. *(Papier-)* pli *m*, pliure *f*; 3. *(Straßen-)* virage *m*

knicken ['knɪkən] *v 1. (falten)* plier, plisser; 2. *(ab-)* briser; 3. *(fig)* affliger

Knie [kni:] *n* genou *m*; in die ~ zwingen mettre à genoux

Kniekehle ['kni:ke:lə] *f* jarret *m*

knien ['kni:n] *v 1.* être à genoux; 2. sich ~ s'agenouiller, se mettre à genoux

Kniescheibe ['kni:ʃaibə] *f* rotule *f*

Kniestrumpf ['kni:ʃtrumpf] *m* demi-bas *m*

kniffelig ['knɪfəlɪŋ] *adj* difficile

knipsen ['knɪpsən] *v 1. (Fahrkarte)* composter; 2. *(fotografieren)* photographier

knirschen ['knɪrʃən] *v 1.* crisser; 2. *(Zähne)* grincer (des dents)

knistern ['knɪstərn] *v 1. (Feuer)* crépiter, pétiller; 2. *(Papier)* craqueter

knittern ['knɪtərn] *v* (se) froisser

Knoblauch ['kno:blaux] *m* ail *m*

Knöchel ['knœçəl] *m 1.* cheville *f*; 2. *(Finger)* nœud *m*

Knochen ['knɔxən] *m* os *m*; meine alten ~ *pl* ma vieille carcasse *f*

Knochenbruch ['knɔxənbrux] *m* fracture *f*

Knolle ['knɔlə] *f* tubercule *m*

Knopf [knɔpf] *m* bouton *m*

Knopfloch ['knɔpflɔx] *n* boutonnière *f*

Knorpel ['knɔrpəl] *m* cartilage *m*

Knospe ['knɔspə] *f* bouton *m*

Knoten ['kno:tən] *m* nœud *m*

knoten ['kno:tən] *v* nouer

knüpfen [knypfən] *v* nouer, attacher

Knüppel ['knypəl] *m 1. (Stock)* bâton *m*, gourdin *m*; einen ~ zwischen die Beine werfen mettre des bâtons dans les roues; 2. *(Schalt-)* levier de commande *m*

knurren ['knurən] *v 1. (Hund)* gronder, grogner; 2. *(fig: Magen)* gargouiller

knusprig ['knusprɪŋ] *adj* croustillant

Koch/Köchin [kɔx] *m/f* cuisinier/-ère *m/f*

Kochbuch ['kɔxbux] *n* livre de cuisine *m*

kochen ['kɔxən] *v 1. (zubereiten)* cuisiner, faire la cuisine; 2. *(garen)* (faire) cuire; 3. *(sieden)* (faire) bouillir

Kocher ['kɔxər] *m* réchaud *m*

Kochtopf ['kɔxtɔpf] *m 1.* casserole *f*, fait-tout *m*, marmite *f*; 2. *(Schnell-)* cocotte (minute) *f*

Köder ['kø:dər] *m 1.* appât *m*, amorce *f*; 2. *(fig)* leurre *m*

koffeinfrei [kɔfə'i:nfrai] *adj* décaféiné

Koffer ['kɔfər] *m* valise *f*

Kofferraum ['kɔfərraum] *m* coffre *m*

Kohl [ko:l] *m* chou *m*

Kohle ['ko:lə] f 1. charbon m; 2. (Stein-) houille f

Kohlepapier ['ko:ləpapi:r] n papier carbone m

Kohlrabi [ko:l'ra:bi] m chou-rave m

Koje ['ko:jə] f cabine f, couchette f

Kokain [koka'i:n] n cocaïne f

Kokosnuß ['ko:kɔsnus] f noix de coco f

Kolben ['kɔlbən] m 1. (Mais) épi (de maïs) m; 2. (Gewehr) crosse f; 3. (Motor) piston m

Kollege [kɔ'le:gə] m 1. collègue m; 2. (Fach-) confrère m

Kollision [kɔlɪsj'o:n] f 1. collision f; 2. (fig: Streit) conflit m

Kolonialismus [kolonja'lɪsmus] m colonialisme m

Kolonie [kolo'ni:] f colonie f

Kolonne [ko'lɔnə] f colonne f, équipe f

Kombination [kɔmbina'tsjo:n] f combinaison f

kombinieren [kɔmbi'ni:rən] v combiner

Kombiwagen ['kɔmbivagən] m voiture familiale/commerciale f, break m

Komfort [kɔm'fo:r] m confort m

Komiker ['ko:mıkər] m comique m

komisch ['ko:mɪʃ] adj 1. (spaßig) comique, drôle; 2. (eigenartig) bizarre

Komma ['kɔma] n virgule f

Kommandant [kɔman'dant] m commandant m

kommandieren [kɔman'di:rən] v commander; jdn herum- mener qn à la baguette

kommen ['kɔmən] v venir, arriver; Ich komme schon! J'arrive! - wie gerufen venir à point nommé; Komm' mal her! Viens voir!

Kommentar [kɔmen'ta:r] m commentaire m

Kommentator [kɔmen'ta:tor] m commentateur m

Kommissar [kɔmɪ'sa:r] m commissaire m

Kommission [kɔmɪs'jo:n] f commission f, comité m

Kommode [kɔ'mo:də] f commode f

kommunal [kɔmu'na:l] adj communal

Kommunalwahl [kɔmu'na:lva:l] f élections municipales/communales f/pl

Kommune [kɔ'mu:nə] f 1. (Wohngemeinschaft) communauté f; 2. (Gemeinde) commune f

Kommunikation [kɔmunikatsj'o:n] f communication f

Kommunion [kɔmunj'o:n] f communion f

kommunistisch [kɔmu'nɪstɪʃ] adj communiste

kommunizieren [kɔmunı'tsi:rən] v 1. communiquer; 2. REL communier

Komödie [ko'mø:djə] f comédie f

Kompagnon ['kɔmpanjɔ] m associé m

Kompaß ['kɔmpas] m boussole f

Kompetenz [kɔmpə'tɛnts] f compétence f

komplett [kɔm'plɛt] adj complet

Komplex [kɔm'plɛks] m 1. PSYCH complexe m; 2. ARCH ensemble m; Häuser- pâté de maisons m

Kompliment [kɔmplı'mɛnt] n compliment m; jdm ein - machen adresser un compliment à qn; Mein -! Mes compliments!

Komplize [kɔm'pli:tsə] m complice m

kompliziert [kɔmplı'tsi:rt] adj compliqué

Komplott [kɔm'plɔt] n 1. POL complot m; 2. (Verschwörung) conspiration f

komponieren [kɔmpo'ni:rən] v composer

Komponist [kɔmpo'nıst] m compositeur m

Komposition [kɔmpozıtsj'o:n] f composition f

Kompost [kɔm'pɔst] m compost m

Kompott [kɔm'pɔt] n compote f

Kompresse [kɔm'prɛsə] f compresse f

Kompromiß [kɔmpro'mıs] m compromis m; einen - schließen couper la poire en deux

Kondensmilch [kɔn'dɛnsmılŋ] f lait condensé/concentré m

Kondition [kɔndı'tsjo:n] f condition f

Konditorei [kɔndıto'raı] f pâtisserie(-confiserie) f

Kondom [kɔn'dɔm] n préservatif m, capote (anglaise) f

Konfekt [kɔn'fɛkt] n GAST confiserie f

Konfektion [kɔnfɛk'tsjo:n] f confection f

Konferenz [kɔnfe'rɛnts] f conférence f

Konfirmation [kɔnfırmats'jo:n] f confirmation f

Konfitüre [kɔnfı'ty:rə] f confiture f

Konflikt [kɔn'flıkt] m conflit m

Konfrontation [kɔnfrɔntats'jo:n] f confrontation f

Kongreß [kɔn'grɛs] m congrès m

Kongreßhalle [kɔn'grɛsha:lə] f palais des congrès m

König/Königin ['kø:nıŋ] m/f roi/reine m/f; sich wie ein Schnee- freuen être heureux comme un roi

königlich ['køːnɪglɪŋ] *adj* royal, du roi

Königreich ['køːnɪgraɪŋ] *n* royaume *m*

Konjunktur [kɔnjuŋk'tuːr] *f* conjoncture *f*

konkret [kɔn'kreːt] *adj* concret

Konkurrenz [kɔnku'rɛnts] *f* 1. *(Wettbewerb)* compétition *f*, rivalité *f*; 2. concurrence *f*

konkurrenzfähig [kɔnku'rɛntsfɛːɪŋ] *adj* compétitif

konkurrieren [kɔnku'riːrən] *v* concurrencer, faire concurrence à, concourir

Konkurs [kɔn'kurs] *m* faillite *f*

Können ['kœnən] *n* pouvoir *m*, capacité *f*; *an jds ~ zweifeln* douter de la capacité de qn

können ['kœnən] *v* 1. *(in der Lage sein)* pouvoir, être capable de; *Wir ~ doch nichts dafür.* Nous, on n'y peut rien. 2. *(beherrschen/wissen)* pouvoir, savoir; 3. *(dürfen)* pouvoir, avoir le droit/la permission de

konsequent [kɔnze'kvɛnt] *adj* conséquent, logique

Konsequenz [kɔnze'kvɛnts] *f* 1. *(Folge)* conséquence *f*, suite (logique) *f*; 2. *(Folgerichtigkeit)* logique *f*; 3. *(fig)* résultat *m*

konservativ [kɔnzɛrva'tiːf] *adj* conservateur/trice

Konserve [kɔn'zɛrvə] *f* conserve *f*

Konservendose [kɔn'zɛrvəndoːzə] *f* boîte de conserve *f*

Konservierungsmittel [kɔnzɛr'viːruŋsmɪtəl] *n* conservateur *m*

konstant [kɔns'tant] *adj* constant, stable

Konstellation [kɔnstɛlats'joːn] *f* constellation *f*

konstruieren [kɔnstru'iːrən] *v* 1. construire; 2. *(Auto)* concevoir; 3. *(fig)* inventer

Konstruktion [kɔnstrukts'joːn] *f* 1. construction *f*; 2. *(Auto)* conception *f*; 3. *(fig)* invention *f*

Konsulat [kɔnzu'laːt] *n* consulat *m*

Konsum [kɔn'zuːm] *m* consommation *f*

Konsument [kɔnzu'mɛnt] *m* consommateur *m*

Konsumgesellschaft [kɔn'zuːmgəzɛlʃaft] *f* société de consommation *f*

Kontakt [kɔn'takt] *m* 1. contact *m*; 2. *(fig: Beziehung)* relation *f*, rapport *m*

kontaktfreudig [kɔn'taktfrɔydɪŋ] *adj* qui noue facilement des relations

Kontaktlinsen [kɔn'taktlɪnzən] *pl* lentilles de contact *f/pl*, verres de contact *m/pl*

Kontamination [kɔntaminats'joːn] *f* contamination *f*

Kontinent [kɔnti'nɛnt] *m* continent *m*

kontinuierlich [kɔntinu'iːrlɪŋ] *adj* continu, incessant

Konto ['kɔnto] *n* compte *m*

Kontoauszug ['kɔntoaustsuːk] *m* extrait/relevé de compte *m*

Kontrast [kɔn'trast] *m* contraste *m*

Kontrolle [kɔn'troːlə] *f* contrôle *m*

Kontrolleur [kɔntro'løːr] *m* contrôleur *m*

kontrollieren [kɔntro'liːrən] *v* contrôler

Kontroverse [kɔntro'vɛrzə] *f* controverse *f*

Konvention [kɔnvɛnts'joːn] *f* convention *f*, coutume *f*

konventionell [kɔnvɛntsjo'nɛl] *adj* conventionnel

Konversation [kɔnvɛrza'tsjoːn] *f* conversation *f*

Konzentration [kɔntsɛntrats'joːn] *f* concentration *f*

Konzentrationslager [kɔntsɛntrats'joːnslaːgər] *n* camp de concentration *m*

konzentrieren [kɔntsɛn'triːrən] *v* 1. concentrer; 2. *sich ~* se concentrer

Konzept [kɔn'tsɛpt] *n* ébauche *f*

Konzern [kɔn'tsɛrn] *m* groupe industriel *m*

Konzert [kɔn'tsɛrt] *n* concert *m*

konzipieren [kɔntsi'piːrən] *v* concevoir

koordinieren [koːɔrdi'niːrən] *v* coordonner

Kopf [kɔpf] *m* tête *f*; *sich den ~ zerbrechen* se creuser la tête; *nicht mehr wissen, wo einem der ~ steht* ne plus savoir où donner de la tête; *sich etw in den ~ setzen* se fourrer qc dans la tête; *einen kühlen ~ bewahren* garder la tête froide; *vor den ~ stoßen* heurter de front; *zu ~ steigen* monter à la tête; *den ~ verlieren* perdre le nord; *alles auf den ~ stellen* mettre tout sens dessus dessous

Kopfhörer ['kɔpfhøːrər] *m* écouteur(s) *m/(pl)*

Kopfkissen ['kɔpfkɪsən] *n* oreiller *m*

kopflos ['kɔpfloːs] 1. *adj* écervelé, étourdi; *~ handeln* y aller tête baissée; 2. *adv* sans réfléchir, par étourderie

Kopfrechnen ['kɔpfrɛŋnən] *n* calcul mental *m*

Kopfsalat ['kɔpfzalaːt] *m* laitue *f*

Kopfschmerzen ['kɔpfʃmɛrtsən] *pl* mal/maux de tête *m/pl*

Kopfsprung ['kɔpfʃpruŋ] *m* plongeon *m*
Kopfstütze ['kɔpfʃtytsə] *f* appui(e)-tête *m*
Kopftuch ['kɔpftux] *n* foulard *m*, fichu *m*
Kopfzerbrechen ['kɔpftsɛrbrɛŋən] *n* casse-tête *m*; *jdm viel ~ bereiten* être un casse-tête pour qn
Kopie [ko'pi:] *f* copie *f*
kopieren [ko'pi:rən] *v* copier, imiter
Kopierer [ko'pi:rər] *m* photocopieur *m*
Kopilot ['ko:pilo:t] *m* copilote *m*
Koppel ['kɔpəl] *f* 1. *(Weide)* pâture *f*, pâturage *m*; 2. *(Gürtel)* ceinturon *f*
Koproduktion ['kɔproduktsjo:n] *f* co-production *f*
Koralle [ko'ralə] *f* corail/-raux *m/pl*
Korb [kɔrp] *m* panier *m*, corbeille *f*; *einen ~ bekommen* essuyer un refus
Kork [kɔrk] *m* liège *m*
Korken ['kɔrkən] *m* bouchon *m*; *nach ~ schmecken* sentir le bouchon
Korkenzieher ['kɔrkəntsi:ər] *m* tire-bouchon *m*
Korn [kɔrn] *n* 1. *(Krümchen)* grain *m*; 2. *(Getreide)* grains *m/pl*, céréales *f/pl*
körnig ['kœrnıç] *adj* granuleux, granulé
Körper ['kœrpər] *m* corps *m*
Körperbehinderte ['kœrpərbəhındərtə] *m* handicapé physique *m*, infirme *m*
körperlich ['kœrpərlıç] *adj* corporel, physique
Körperpflege [kœrpərpflɛgə] *f* hygiène corporelle *f*, soins corporels *m/pl*
Körperschaft ['kœrpərʃaft] *f* corporation *f*
korrekt [kɔ'rɛkt] *adj* correct
Korrespondent [kɔrɛspɔn'dɛnt] *m* correspondant *m*
Korrespondenz [kɔrɛspɔn'dɛnts] *f* correspondance *f*, courrier *m*
korrespondieren [kɔrɛspɔn'di:rən] *v* correspondre (avec)
Korridor ['kɔrido:r] *m* couloir *m*
korrigieren [kɔri'gi:rən] *v* corriger
korrupt [kɔ'rupt] *adj* corrompu
Kosmetik [kɔs'me:tık] *f* cosmétique *f*
Kosmos ['kɔsmos] *m* cosmos *m*, univers *m*
Kost [kɔst] *f* nourriture *f*, aliments *m/pl*
kostbar ['kɔstba:r] *adj* précieux
Kosten ['kɔstən] *pl* coûts *m/pl*, frais *m/pl*; *auf ~ anderer leben* vivre aux dépens d'autrui; *nicht auf seine ~ kommen* rester sur sa faim

kosten ['kɔstən] *v* 1. *(Preis)* coûter; *Koste es, was es wolle.* Coûte que coûte. *Es kostet Überwindung.* Il en coûte. 2. *(versuchen)* goûter; 3. *(wert sein)* valoir
kostenlos ['kɔstənlo:s] *adj* gratuit
köstlich ['kœstlıç] *adj* 1. *(hervorragend)* délicieux, savoureux, exquis; 2. *(amüsant)* amusant, drôle
kostspielig ['kɔstʃpi:lıç] *adj* coûteux
Kostüm [kɔs'ty:m] *n* 1. *(Kleidungsstück)* tailleur *m*, costume *m*; 2. *(Masken~)* costume *m*, déguisement *m*
Kot [ko:t] *m* 1. excréments *m/pl*, matières fécales *f/pl*; 2. *(Schmutz)* boue *f*
Kotelett [kɔt'lɛt] *n* côtelette *f*
Kotflügel ['ko:tfly:gəl] *m* garde-boue *m*
Krabbe ['krabə] *f* crabe *m*
Krach [krax] *m* 1. *(Lärm)* bruit *m*, chahut *m*, tapage *m*; 2. *(Streit)* dispute *f*, grabuge *m*
krachen ['kraxən] *v* 1. *(knallen)* gronder, éclater; 2. *(fam) sich ~* se disputer
Kraft [kraft] *f* force *f*, puissance *f*, énergie *f*; *seine Kräfte mißbrauchen* abuser de ses forces; *mit seinen Kräften haushalten* économiser ses forces; *Das geht über meine Kräfte.* C'est plus fort que moi. *nach besten Kräften* de son mieux; *Kräfte sammeln* prendre des forces
kraft [kraft] *prep* en vertu de, par
Kraftfahrer ['kraftfa:rər] *m* 1. chauffeur *m*, conducteur *m*; 2. *(LKW-Fahrer)* camionneur *m*
Kraftfahrzeug ['kraftfa:rtsɔyk] *n* véhicule *m*
kräftig ['krɛftıç] *adj* fort, vigoureux
kraftlos ['kraftlo:s] *adj* sans force
Kraftstoff ['kraftʃtɔf] *m* carburant *m*
Kraftwerk ['kraftvɛrk] *n* 1. centrale électrique *f*; 2. *(Kern~)* centrale nucléaire *f*
Kragen ['kra:gən] *m* col *m*
Krähe ['krɛ:ə] *f* corneille *f*
krähen ['krɛ:ən] *v (Hahn)* chanter
Kralle ['kralə] *f* griffe *f*; *die ~n zeigen* montrer les griffes
Krampf [krampf] *m* crampe *f*
Krampfader ['krampfa:dər] *f* varice *f*
krampfhaft ['krampfhaft] *adj* convulsif
Kran [kra:n] *m* grue *f*
Kranich ['kra:nıç] *m* grue *f*
krank [kraŋk] *adj* 1. malade, souffrant; *sich ~ stellen* faire le malade; 2. *(fig)* blessé
Kranke ['kraŋkə] *m/f* malade *m/f*
kränken ['krɛŋkən] *v* blesser, froisser

Krankenhaus ['kraŋkənhaus] *n* hôpital *m*

Krankenkasse ['kraŋkənkasə] *f* caisse d'assurance maladie *f*

Krankenpfleger ['kraŋkənpflɛgər] *m* infirmier *m*, aide soignante *f*, garde-malade *m*

Krankenschein ['kraŋkənʃaɪn] *m* feuille de maladie *f*

Krankenschwester ['kraŋkənʃvɛstər] *f* infirmière *f*

Krankenversicherung ['kraŋkənfɛrzɪçəruŋ] *f* assurance maladie *f*

Krankenwagen ['kraŋkənvagən] *m* ambulance *f*

krankhaft ['kraŋkhaft] *adj* maladif

Krankheit ['kraŋkhaɪt] *f* maladie *f*

Kränkung ['krɛŋkuŋ] *f* offense *f*

Kranz [krants] *m* couronne *f*

kraß [kras] *adj* (fig) fort, extrême

kratzen ['kratsən] *v* gratter

kraulen ['kraulən] *v* 1. (streicheln) caresser; 2. (schwimmen) nager le crawl

kraus [kraus] *adj* frisé, crépu

Kraut [kraut] *n* 1. (Kohl) chou *m*; 2. (Würz/Heil-) herbe(s) *f/pl*

Krawall [kra'val] *m* tumulte *m*

Krawatte [kra'vatə] *f* cravate *f*

Kreativität [kreatɪvɪ'tɛt] *f* créativité *f*

Krebs [krɛps] *m* 1. ZOOL crabe *m*, écrevisse *f*; 2. MED cancer *m*

Kredit [kre'diːt] *m* crédit *m*

Kreditkarte [kre'diːtkartə] *f* carte de crédit *f*

Kreide ['kraɪdə] *f* craie *f*

Kreis [kraɪs] *m* cercle *m*

kreisen ['kraɪzən] *v* tourner (autour de)

Kreislauf ['kraɪslauf] *m* 1. MED circulation (sanguine) *f*; 2. (fig) circuit *m*

Kreisstadt ['kraɪsʃtat] *f* chef-lieu *m*

Kreisverkehr ['kraɪsfɛrkeːr] *m* trafic circulaire *m*, sens giratoire *m*

Kresse ['krɛsə] *f* cresson *m*

Kreuz [krɔyts] *n* 1. croix *f*; 2. (Spielkarte) trèfle *m*

kreuzen ['krɔytsən] *v* 1. croiser; 2. (nautisch) traverser

Kreuzfahrt ['krɔytsfaːrt] *f* croisière *f*

Kreuzgang ['krɔytsgaŋ] *m* cloître *m*

Kreuzigung ['krɔytsɪguŋ] *f* crucifixion *f*

Kreuzung ['krɔytsuŋ] *f* 1. (Straßen-) croisement *m*, carrefour *m*; 2. BIO croisement *m*

Kreuzworträtsel ['krɔytsvɔrtrɛtsəl] *n* mots croisés *m/pl*

Kreuzzug ['krɔytstsuːk] *m* croisade *f*

kriechen ['kriːɲən] *v* 1. ramper; 2. (sich schleppen) se traîner

Krieg [kriːk] *m* guerre *f*

kriegen ['kriːgən] *v* 1. (bekommen) obtenir, recevoir; 2. (fangen) attraper

kriegerisch ['kriːgərɪʃ] *adj* guerrier

Kriegsgefangenschaft ['kriːksgəfaŋənʃaft] *f* captivité *f*

kriegsversehrt ['kriːksvɛrzeːrt] *adj* mutilé de guerre

Krimi ['krɪmi] *m* (Roman, Film) policier *m*

Kriminalität [krɪminalɪ'tɛt] *f* criminalité *f*

Kriminalpolizei [krɪmi'nalːpolitsaɪ] *f* police judiciaire *f*

kriminell [krɪmi'nɛl] *adj* criminel

Krippe ['krɪpə] *f* 1. (Futter-) mangeoire *f*; 2. crèche *f*

Krise ['kriːzə] *f* crise *f*

Krisenherd ['kriːzənhɛrt] *m* foyer de crise *m*

Kristall [krɪs'tal] *m* cristal/-taux *m/pl*

Kritik [kri'tiːk] *f* critique *f*; Er wurde mit - überschüttet. Les critiques pleuvaient sur lui.

Kritiker ['kriːtɪkər] *m* critique *m*

Krokodil [kroko'diːl] *n* crocodile *m*

Krone ['kroːnə] *f* couronne *f*

krönen ['krøːnən] *v* couronner

Kronprinz ['kroːnprɪnts] *m* 1. prince héritier *m*; 2. (Frankreich) dauphin *m*

Kröte ['krøːtə] *f* crapaud *m*

Krücke ['krykə] *f* béquille *f*

Krug [kruːk] *m* cruche *f*, pichet *m*

Krümel ['kryːməl] *m* miette *f*

krumm [krum] *adj* 1. courbé, voûté; 2. (verbogen) tordu; 3. (schief) de travers

krümmen ['kryːmən] *v* courber, plier

Krüppel ['krypəl] *m* estropié *m*, infirme *m*

Kruste ['krustə] *f* croûte *f*

Kruzifix [kruːtsi'fɪks] *n* crucifix *m*

Kübel ['kyːbəl] *m* seau *m*, baquet *m*

Kubikmeter [ku'biːkmɛtər] *m* mètre cube *m*

Küche ['kyɲə] *f* cuisine *f*

Kuchen ['kuːɲən] *m* gâteau *m*

Küchenschrank ['kyɲənʃraŋk] *m* buffet *m*

Kuckuck ['kukuk] *m* coucou *m*

Kugel ['kuːgəl] *f* 1. (Spiel) boule *f*, bille *f*; eine ruhige - schieben se la couler douce; 2. (Erd-) globe *m*; 3. MATH sphère *f*; 4. MIL balle *f*

Kugellager ['ku:gəlla:gər] *n* roulement à billes *m*
Kugelschreiber ['ku:gəlʃraɪbər] *m* stylo à bille *m*
Kuh [ku:] *f* vache *f*
kühl [ky:l] *adj* 1. *(kalt)* frais/fraîche; 2. *(fig)* froid
kühlen ['ky:lən] *v* refroidir, réfrigérer
Kühler ['ky:lər] *m (Auto)* radiateur *m*
Kühlschrank ['ky:lʃraŋk] *m* 1. réfrigérateur *m*, frigidaire *m*; 2. *(fam)* frigo *m*
Kühltruhe ['ky:ltru:ə] *f* congélateur *m*
Kühlwasser ['ky:lvasər] *n (Auto)* liquide de refroidissement *m*, eau du radiateur *f*
kühn ['ky:n] *adj* hardi, audacieux
Küken ['kykən] *n* poussin *m*
Kulisse [ku'lɪsə] *f* 1. *THEAT* coulisse *f*, décors *m/pl;* 2. *(fig)* coulisses *f/pl; hinter die ~n schauen* regarder derrière les coulisses
Kult [kult] *m* culte *m*
Kultfigur ['kultfigu:r] *f* idole *f*
kultivieren [kulti'vi:rən] *v* cultiver
Kultur [kul'tu:r] *f* culture *f*, civilisation *f*
kulturell [kultu'rɛl] *adj* culturel
Kulturgut [kul'tu:rgut] *n* patrimoine/bien culturel *m*
Kulturinstitut [kul'tu:rɪnstitu:t] *n* institut culturel *m*
Kultusministerium ['kultusmɪnɪste:rjum] *n* Ministère de l'Education nationale *m*
Kümmel ['kyməl] *m* cumin *m*
Kummer ['kumər] *m* chagrin *m*, peine *f; jdm ~ bereiten* faire du chagrin à qn; *großen ~ haben* en avoir gros sur le cœur
kümmern ['kymərn] *v sich ~ um* s'occuper de qc/qn; *~ Sie sich um Ihre eigenen Angelegenheiten!* Mêlez-vous de ce qui vous re-

garde! *Ich kümmere mich darum.* Je m'en occupe.
kummervoll ['kumərfɔl] *adj* 1. plein de chagrin; 2. *(besorgt)* soucieux
Kumpel ['kumpəl] *m* 1. *(Bergmann)* mineur *m;* 2. *(fam)* copain *m*
Kunde ['kundə] *m* client *m*
Kundgebung ['kuntge:buŋ] *f* 1. manifestation *f*, démonstration *f;* 2. *(Erklärung)* déclaration *f*
kündigen ['kyndɪgən] *v* 1. *(Arbeitnehmer)* démissionner; 2. *(Arbeitgeber)* congédier (qn); 3. *(Vertrag)* résilier
Kündigung ['kyndɪguŋ] *f* 1. *(Stellung)* démission *f;* 2. *(Vertrag)* résiliation *f;* 3. *(Entlassung)* licenciement *m*
künftig ['kynftɪŋ] 1. *adj* futur, à venir; 2. *adv* à l'avenir, dorénavant
Kunst [kunst] *f* art *m*
Künstler ['kynstlər] *m* artiste *m*
künstlerisch ['kynstlərɪʃ] *adj* artistique
Künstlername ['kynstlərna:mə] *m* pseudonyme *m*, nom d'artiste *m*
künstlich ['kynstlɪŋ] *adj* artificiel
Kürbis ['kyrbɪs] *m* potiron *m*
Kürze ['kyrtsə] *f* 1. *(zeitlich)* brièveté *f; in ~* sous peu; 2. *(räumlich)* petitesse *f*
kürzen ['kyrtsən] *v* 1. *(kürzer machen)* raccourcir; 2. *(zeitlich)* écourter, abréger; 3. *(herabsetzen)* diminuer, réduire
kürzlich ['kyrtslɪŋ] *adv* récemment
Kürzung ['kyrtsuŋ] *f* 1. raccourcissement *m;* 2. *(Herabsetzung)* réduction *f*
küssen ['kysən] *v* 1. embrasser, baiser, donner un baiser; 2. *(fam)* se faire la bise
Küste ['kystə] *f* côte *f*, littoral *m*
Küster ['kystər] *m* sacristain *m*

L

Labor [la'bo:r] *n* labo(ratoire) *m*
Laborant [labo'rant] *m* chimiste *m*
Lache ['la:xə] *f* 1. *(Pfütze)* flaque *f;* 2. *(fam: Lachen)* rire *m*
lächeln ['lɛɲəln] *v* sourire; *gezwungen ~* rire du bout des lèvres
Lachen ['la:xən] *n* rire *m; sich biegen vor ~* être plié en deux
lachen ['la:xən] *v* 1. rire; *Das ist zum Tot~.* C'est à crever de rire. *aus vollem Halse ~* rire aux éclats; *sich krank~* se payer une tranche; *jdm ins Gesicht ~* rire au nez de qn; *sich tot~* se pâmer de rire; *sich schief~* rire aux larmes; *sich ins Fäustchen ~* rire sous cape; 2. *(fam)* rigoler
lächerlich ['lɛɲərlɪŋ] *adj* ridicule, risible; *Das ist ja ~!* Vous me faites rire! *etw ins ~e ziehen* tourner qc au ridicule
Lachs [laks] *m* saumon *m*
Lack [lak] *m* laque *f*, vernis *m*
lackieren [la'ki:rən] *v* laquer, vernir
laden ['la:dən] *v* 1. charger; 2. *NAUT* embarquer; 3. *(ein~)* inviter; 4. *(vor~)* citer
Ladenhüter ['la:dənhy:tər] *m* rossignol *m*
Ladenschluß ['la:dənʃlus] *m* (heure de) fermeture des magasins *f*
Ladentisch ['la:dəntɪʃ] *m* comptoir *m*
Ladung ['la:duŋ] *f* 1. charge *f*, chargement *m;* 2. *elektrische ~* charge (électrique) *f;* 3. *(Schiffs~)* cargaison *f;* 4. *(Vorladung)* citation *f*
Lage ['la:gə] *f* 1. *(Situation)* situation *f*, état *m; die ~ meistern* faire face à la situation; *in einer kritischen ~ sein* n'être pas à la noce; *in einer peinlichen ~ sein* être dans ses petits souliers; 2. *(Umstände)* circonstances *f/pl;* 3. *(Bedingungen)* conditions *f/pl;* 4. *(Position)* position *f;* 5. *(Schicht)* couche *f*
Lager ['la:gər] *n* 1. *(Bett)* lit *m*, couche *f;* 2. *(Waren~)* magasin *m;* 3. *TECH* palier *m*
Lagerfeuer ['la:gərfoyər] *n* feu de camp *m*
lagern ['la:gərn] *v ECO* stocker
Lagune [la'gu:nə] *f* lagon *m*
lahm [la:m] *adj* 1. *(hinkend)* boiteux; *~ sein* aller/marcher mal; 2. *(gelähmt)* paralysé; 3. *(fam: langweilig)* languissant
Lähmung ['lɛ:muŋ] *f* paralysie *f*

Laib [laip] *m* 1. *(Brot~)* miche (de pain) *f;* 2. *(Käse~)* meule (de fromage) *f*
Laie ['laiə] *m* 1. *REL* laïc/laïque *m;* 2. profane *m*, amateur *m;* 3. *(Neuling)* novice *m*
laienhaft ['laiənhaft] *adj* profane
Laken ['la:kən] *n* drap *m*, toile *f*
lallen ['lalən] *v* bégayer, balbutier
Lamm [lam] *n* agneau *m*
Lampe ['lampə] *f* lampe *f*
Lampenfieber ['lampənfi:bər] *n* trac *m; ~ haben* avoir le trac
Lampenschirm ['lampənʃirm] *m* abat-jour *m*
Land [lant] *n* 1. *(Staat)* pays *m;* 2. *(ländliche Gegend)* campagne *f; aufs ~ fahren* aller à la campagne; 3. *(Grundstück)* terre *f*
Landbevölkerung ['lantbəfœlkəruŋ] *f* population rurale *f*, habitants de la campagne *m/pl*
Landebahn ['landəba:n] *f* piste d'atterrissage *f*
landen ['landən] *v* 1. *(Flugzeug)* atterrir; 2. *(Schiff)* toucher terre, accoster
Ländereien [lɛndə'raiən] *pl* terres *f/pl*
Länderspiel ['lɛndərʃpi:l] *n* match international *m*, rencontre internationle *f*
Landesgrenze ['landəsgrɛntsə] *f* frontière *f*
Landflucht ['lantfluxt] *f* exode rural *m*
Landkarte ['lantkartə] *f* carte (géographique) *f*
Landkreis ['lantkrais] *m* district *m*
ländlich ['lɛndlɪŋ] *adj* champêtre, rural
Landschaft ['lantʃaft] *f* 1. paysage *m;* 2. *(Gebiet)* contrée *f*
Landsmann ['lantsman] *m* compatriote *m*
Landstraße ['lantʃtrasə] *f* route nationale/départementale *f*, grand-route *f*
Landstreicher ['lantʃtraiɲər] *m* vagabond *m*
Landung ['landuŋ] *f* 1. *(Flugzeug)* atterrissage *m;* 2. *(Schiff)* accostage *m;* 3. *MIL* débarquement *m*
Landungssteg ['landuŋsʃte:k] *m* passerelle *f*
Landwirt ['lantvirt] *m* agriculteur *m*
Landwirtschaft ['lantvirtʃaft] *f* agriculture *f*

landwirtschaftlich ['lantvɪrtʃaftlɪŋ] *adj*
1. agricole, agronomique; *2. (ländlich)* rural
lang [laŋ] *adj 1. (örtlich)* long, grand; *10 m*
~ d'une longueur de 10 mètres; 2. (zeitlich)
long/ue, de longue durée
lange ['laŋə] *adv* longtemps, longuement;
Es ist schon ~ her, daß ... Il y a beau temps
que ... *~ brauchen, um etw zu tun* être long
à faire qc; *Ich brauche nicht mehr ~.* Je n'en
ai pas pour longtemps.
Länge ['lɛŋə] *f 1. (örtlich)* longueur *f; 2.*
(zeitlich) durée *f*
Längengrad ['lɛŋəngraːt] *m* degré de longitude *m*
Langeweile ['laŋəvailə] *f* ennui *m; vor ~*
umkommen mourir d'ennui
langfristig ['laŋfrɪstɪç] *adj* à long terme
langjährig ['laŋjɛːrɪç] *adj* qui dure depuis
des années; *-er Freund* vieil ami *m*
Langlauf ['laŋlauf] *m* course de fond *f*
länglich ['lɛŋlɪç] *adj* allongé
längs [lɛŋs] *1. prep* le long de; *2. adv* en
longueur, dans le sens de la longueur
langsam ['laŋzaːm] *adj* lent
längst [lɛŋst] *adv 1. (schon lange)* depuis
longtemps, il y a longtemps; *2. ~ nicht* beaucoup moins, loin d'être
Langstreckenrakete ['laŋʃtrɛkənra-
keːtə] *f* fusée à longue portée *f*
Languste [laŋˈgustə] *f* langouste *f*
langweilen ['laŋvailən] *v sich ~* s'ennuyer
langweilig ['laŋvailɪç] *adj 1.* ennuyeux, insipide; *Das ist ~!* Quelle barbe! *sterbens-*
sein être ennuyeux comme la pluie; *2.*
(ermüdend) fatigant
Lanze ['lantsə] *f* lance *f*
Lappalie [laˈpaljə] *f* bagatelle *f*
Lappen ['lapən] *m 1.* chiffon *m; 2. (Putz-)*
torchon *m; 3.* ANAT lobe *m*
Lärche ['lɛrçə] *f* mélèze *m*
Lärm [lɛrm] *m* bruit *m*, vacarme *m*, tapage
m; viel ~ um nichts machen faire beaucoup
de bruit pour rien
lärmen ['lɛrmən] *v* faire du bruit
Lärmschutz ['lɛrmʃuts] *m* protection
contre le bruit *f*, mesures contre le bruit *f/pl*
Larve ['larvə] *f 1.* ZOOL larve *f; 2. (Mas-*
ke) masque *m*
Laserstrahl ['leːzərʃtraːl] *m* rayon laser *m*
lassen ['lasən] *v 1. (zulassen)* laisser; *die*
Dinge nicht so weit kommen ~ ne pas laisser
les choses aller si loin; *sich alles gefallen ~*
se laisser faire; *2. (überlassen)* laisser,

céder; *jdn im Stich ~* laisser en plan qn: *3.*
(veranlassen) faire; *4. (aufhören)* abandonner; *Laß' mich damit in Ruhe!* Ne m'embête
pas avec ça!
lässig ['lɛsɪç] *adj* nonchalant, indolent
Last [last] *f 1.* charge *f*, poids *m; 2. (Bür-*
de) fardeau *m*
Laster ['lastər] *1. n* vice *m; 2. m (fam)* camion *m*, poids lourd *m*
lästern ['lɛstərn] *v* médire (de qn)
lästig ['lɛstɪç] *adj* désagréable; *~ sein* être
casse-pieds
Lastkraftwagen ['lastkraftvaːgən] *m* camion *m*, poids lourd *m*
Latein [laˈtain] *n* latin *m; mit seinem ~ am*
Ende sein être au bout de son latin
Lateinamerika [laˈtainamɛrika] *n*
Amérique latine *f*
Laterne [laˈtɛrnə] *f 1.* lanterne *f; 2. (Stra-*
ßen-) lampadaire *m*, réverbère *m*
Latte ['latə] *f 1.* latte *f*, tringle *f*
Lätzchen ['lɛtsçən] *n* bavoir *m*, bavette *f*
lau [lau] *adj 1. (lauwarm)* tiède; *2. (mild)*
doux
Laub [laup] *n* feuilles *f/pl*, feuillage *m*
Laube ['laubə] *f* tonnelle *f*
Laubfrosch ['laupfrɔʃ] *m* rainette *f*
lauern [lauərn] *v* guetter, épier; *auf etw ~*
attendre qc avec impatience
Lauf [lauf] *m 1. (Laufen)* course *f*, marche
f; 2. (fig: Verlauf) cours *m*, marche *f; 3.*
(Gewehr-) canon *m*
Laufbahn ['laufbaːn] *f* carrière *f; eine ~*
einschlagen suivre une carrière
laufen ['laufən] *v 1. (gehen)* aller, marcher;
Alles läuft wie am Schnürchen. Tout
marche à la baguette. *2. (rennen)* courir; *3.*
(fließen) couler
laufend ['laufənt] *adj* courant; *auf dem ~en*
sein être au courant
Läufer ['lɔyfər] *m 1.* SPORT coureur *m; 2.*
(Teppich) tapis d'escalier *m; 3. (Tisch-)* chemin de table *m*
Laufmasche ['laufmaʃə] *f* maille filée *f*
Laufwerk ['laufvɛrk] *n* INFORM platine *f*
Lauge ['laugə] *f 1. (Seifen-)* lessive *f; 2.*
CHEM base *f*
Laune ['launə] *f* humeur *f*, caprice *m; ei-*
ner ~ nachgeben suivre son caprice
launenhaft ['launənhaft] *adj* capricieux
Laus [laus] *f* pou *m*
lauschen ['lauʃən] *v 1. (zuhören)* écouter;
2. (horchen) tendre l'oreille

laut [laut] *adj 1. (geräuschvoll)* bruyant, fort; *2. (hörbar)* perceptible; *3. adv* fort; *4. prep* conformément à

Laut [laut] *m (Ton)* son *m*

lauten ['lautən] *v (besagen)* dire, exprimer

läuten ['lɔytən] *v* sonner

lauthals ['lauthals] *adj* à tue-tête

lautlos ['lautlo:s] *1. adj* silencieux, sans bruit; *2. adv* en silence

Lautsprecher ['lautʃprɛnər] *m* haut-parleur *m*

Lautstärke ['lautʃtɛrkə] *f* volume *m*, intensité (du son) *f*

lauwarm ['lauvarm] *adj* tiède

Lava ['la:va] *f* lave *f*

Lavendel [la'vɛndəl] *m* lavande *f*

Lawine [la'vi:nə] *f* avalanche *f*

Lazarett [la:tsa'rɛt] *n* hôpital *m*

Leben ['le:bən] *n* vie *f*, existence *f*; *jdn das ~ kosten* coûter la vie à qn; *Das ~ meint es gut mit ihm.* La vie lui sourit. *So ist das ~.* C'est la vie. *Das ist doch kein ~.* Ce n'est pas une vie. *Zeit meines ~s* de ma vie

leben ['le:bən] *v* vivre, exister; *~ wie Gott in Frankreich* vivre comme un coq en pâte; *Man muß schließlich ~!* Il faut bien vivre!

lebendig [le'bɛndɪç] *adj 1. (lebend)* vivant, vif; *2. (lebhaft)* plein de vie, actif

Lebensbedingungen ['le:bənsbədɪŋuŋən] *pl* conditions de vie *f/pl*

Lebensfreude ['le:bənsfrɔydə] *f* joie de vivre *f*

Lebensgefahr ['le:bənsgəfa:r] *f* danger de mort *m*

lebensgefährlich ['le:bənsgəfɛ:rlɪç] *adj* périlleux, très dangereux; *Das ist ja ~!* C'est casse-gueule!

Lebensgefährte ['le:bənsgəfɛ:rtə] *m 1.* compagnon *m*; *2. (Gatte/Gattin)* époux/se *m/f*

Lebenshaltungskosten ['le:bənshaltuŋskostən] *pl* coût de la vie *m*

lebenslänglich ['le:bənslɛŋlɪç] *adj 1.* perpétuel, à vie; *2. JUR* à perpétuité

Lebenslauf ['le:bənslauf] *m* curriculum vitae *m*, vie *f*

Lebensmittel ['le:bənsmɪtəl] *pl* aliments *m/pl*, nourriture *f*, denrées alimentaires *f/pl*

Lebensmittelgeschäft ['le:bənsmɪtəlgəʃɛft] *n* épicerie *f*

lebensmüde ['le:bənsmydə] *adj* las de vivre, dégoûté de la vie

Lebensretter ['le:bənsrɛtər] *m* sauveur *m*

Lebensstandard ['le:bənsʃtandart] *m* standard/niveau de vie *m*

Lebensunterhalt ['le:bənuntərhalt] *m* moyens d'existence *m/pl*, subsistance *f*

Lebensversicherung ['le:bənsfɛrzɪçəruŋ] *f* assurance-vie *f*

Leber ['le:bər] *f* foie *m*

Lebewesen ['le:bəvezən] *n* être vivant *m*

lebhaft ['le:phaft] *adj 1. (munter)* plein de vie/de vivacité, vif, éveillé, actif; *2. (rege)* fort, intense, animé

Lebhaftigkeit ['le:phaftɪŋkaɪt] *f* vivacité *f*

leblos ['le:plo:s] *adj 1.* sans vie, inanimé; *2. (tot)* mort

Leck [lɛk] *n* trou *m*, voie d'eau *f*; *ein ~ bekommen* faire eau

lecken ['lɛkən] *v 1. (schlecken)* lécher; *2. (auslaufen)* laisser fuir, couler

lecker ['lɛkər] *adj* délicieux, appétissant

Leckerbissen ['lɛkərbɪsən] *m* friandise *f*

Leder ['le:dər] *n* cuir *m*

ledig ['le:dɪç] *adj* célibataire

lediglich ['le:dɪglɪç] *adv* uniquement

leer [le:r] *adj 1. (nichts enthaltend)* vide, vidé; *2. (frei)* libre, inoccupé, vacant

Leere ['le:rə] *f 1.* vide *m*; *2. (fig)* vanité *f*

leeren ['le:rən] *v* vider, vidanger

Leergut ['le:rgut] *n* emballage vide *m*

Leerung ['le:ruŋ] *f 1.* vidage *m*, vidange *f*; *2. (Briefkasten)* levée *f*

legal [le'ga:l] *adj* légal

Legalität [legali'tɛ:t] *f* légalité *f*

legen ['le:gən] *v 1.* mettre, placer, poser; *2. (Ei)* pondre

Legende [le'gɛndə] *f* légende *f*

Legislative [legisla'ti:və] *f (pouvoir)* législatif *m*

legitim [le:gi'ti:m] *adj* légitime

Lehm [le:m] *m* argile *f*, glaise *f*

Lehne ['le:nə] *f 1. (Arm~)* accoudoir *m*, bras *m*; *2. (Rücken~)* dos *m*, dossier *f*

lehnen ['le:nən] *v 1.* appuyer, adosser; *2. sich ~* s'appuyer, s'adosser (contre); *sich aus dem Fenster ~* se pencher par la fenêtre

Lehre ['le:rə] *f 1. (Unterrichtung)* enseignement *m*, instruction *f*; *2. (Ausbildung)* apprentissage *m*; *3. (Lehrsatz)* morale *f*; *4. (fig: Ermahnung)* avertissement *m*

lehren ['le:rən] *v* apprendre, enseigner

Lehrer ['le:rər] *m 1.* enseignant *m*; *2. (Grundschule)* instituteur *m*; *3. (höhere Schule)* professeur *m*

Lehrfach ['le:rfax] *n* matière *f*, discipline *f*

Lehrgang ['le:rgaŋ] *m* stage *m*

Lehrling ['le:rlɪŋ] *m* apprenti *m*

lehrreich ['le:rraɪç] *adj* instructif

Lehrstelle ['le:rʃtɛlə] *f* place d'appren-ti(ssage) *f*

Lehrstuhl ['le:rʃtu:l] *m* chaire *f*

Leib [laip] *m 1.* corps *m; 2. (Bauch)* ventre *m; 3.* abdomen *m*

Leibgericht ['laipgərɪçt] *n* mets favori *m*

Leibwächter ['laipvɛçtər] *m* garde du corps *m*

Leiche ['laɪçə] *f* cadavre *m*, corps d'un mort *m; Er gleicht einer wandelnden ~.* Il a l'air d'un cadavre ambulant.

Leichenhalle ['laɪçənhalə] *f* morgue *f*

Leichenwagen ['laɪçənva:gən] *m* corbil-lard *m*, fourgon funéraire *m*

Leichnam ['laɪçnam] *m* cadavre *m*

leicht [laɪçt] *adj 1. (Gewicht)* léger; *2. (nicht schwierig)* facile, simple; *Nichts ~er als das!* C'est du beurre! *Das ist kinder~.* C'est simple comme bonjour. *kinder~ sein* être facile comme tout; *~ zu verstehen* être facile à comprendre; *Das ist ~er gesagt als getan.* C'est plus facile à dire qu'à faire. *3. (geringfügig)* insignifiant

Leichtathletik ['laɪçtatletɪk] *f* athlétisme *m*

leichtfertig ['laɪçtfɛrtɪç] *adj 1.* étourdi; *2. (unüberlegt)* irréfléchi, inconsidéré; *3. adv* à la légère

leichtgläubig ['laɪçtgləybɪç] *adj* naïf/ive, crédule

Leichtigkeit ['laɪçtɪçkaɪt] *f 1. (Unge-zwungenheit)* légèreté *f*, souplesse *f; 2. (Mühelosigkeit)* facilité *f*

Leichtmetall ['laɪçtmeta:l] *n* métal léger *m*

Leichtsinn ['laɪçtzɪn] *m* insouciance *f*, im-prudence *f*

leid [laɪt] *adv 1. ~ tun* faire de la peine; *Er tut mir ~.* Je le plains. *Es tut mir ~.* J'en suis désolé. *2. ~tun (bedauern)* regretter

Leid [laɪt] *n 1.* peine *f; 2. (Schmerz)* dou-leur *f*

Leiden ['laɪdən] *n 1.* MED mal *m; 2. (Kum-mer)* peine *f*

leiden ['laɪdən] *v 1. (ertragen)* souffrir, su-bir, supporter, endurer; *2. (mögen)* aimer; *jdn nicht ~ können* prendre qn en grippe

Leidenschaft ['laɪdənʃaft] *f* passion *f*

leidenschaftlich ['laɪdənʃaftlɪç] *adj 1.* passionné, fougueux; *2. (verrückt)* fou

leider ['laɪdər] *1. adv* malheureusement; *2. interj* hélas!

leidlich ['laɪdlɪç] *1. adj* passable, suppor-table; *2. adv* passablement, pas trop mal

leihen ['laɪən] *v 1. (ver-)* prêter; *2. (ver- ge-gen Geld)* louer; *3. sich etw ~ (gegen Geld)* emprunter

Leihwagen ['laɪva:gən] *m* voiture de loca-tion *f*

Leim [laɪm] *m* colle *f*, glu *f*

Leine ['laɪnə] *f 1.* corde *f*, cordeau *m; 2. (Hunde-)* laisse *f*

Leinen ['laɪnən] *n* toile *f*

Leinwand ['laɪnvant] *f 1.* CINE écran *m; 2.* ART toile *f*

leise ['laɪzə] *adj 1. (nicht laut)* bas, faible; *ganz ~ sprechen* parler tout bas; *2. (ruhig)* léger, doux; *3. adv* tout bas, à voix basse, sans bruit

Leiste ['laɪstə] *f 1.* tringle *f*, liteau *m; 2. (Zier-)* baguette *f; 3.* ANAT aine *f*

leisten ['laɪstən] *v 1.* faire, accomplir; *2. sich etw ~* s'offrir, se permettre qc

Leistung ['laɪstuŋ] *f 1. (Ergebnis)* résultat *m; 2. (Ertrag)* rendement *m; 3. (Produktion)* production *f; 4.* TECH puissance *f; 5.* SPORT performance *f*

Leistungsgesellschaft ['laɪstuŋsgəzel-ʃaft] *f* société de rendement *f*

Leitartikel ['laɪtartɪkəl] *m* éditorial *m*

Leitbild ['laɪtbɪlt] *n* modèle *m*

leiten ['laɪtən] *v 1. jdn ~ (führen)* conduire; *2.* diriger, être à la tête de; *3. (lenken)* diri-ger; *4. (Strom)* conduire

leitend ['laɪtənt] *adj 1.* dirigeant, directeur; *2.* TECH conducteur

Leiter ['laɪtər] *m 1. (Vorgesetzter)* directeur *m*, chef *m*, supérieur *m; 2.* TECH conducteur *m; 3. f* échelle *f*

Leitmotiv ['laɪtmoti:f] *n* leitmotiv *m*

Leitplanke ['laɪtplaŋkə] *f* glissière de sécurité *f*

Leitspruch ['laɪtʃprux] *m* principe *m*

Leitung ['laɪtuŋ] *f 1. (Geschäfts-)* direc-tion *f*, gestion *f; 2. (Rohr-)* tuyauterie *f*, conduit *m*, conduite *f; 3. (Kabel)* fil élec-trique *m*

Lektion [lɛks'tjo:n] *f* leçon *f*

Lektüre [lɛk'ty:rə] *f* lecture *f*

Lende ['lɛndə] *f 1.* ANAT reins *m/pl*, lombes *m/pl; 2. (Braten)* filet *m*

lenken ['lɛŋkən] v 1. (steuern) conduire, piloter; 2. (leiten) conduire, diriger, mener; 3. (Aufmerksamkeit, Blick) attirer

Lenkrad ['lɛŋkraːt] n (Auto) volant m

Lenkung ['lɛŋkuŋ] f 1. (Auto) conduite f; 2. (Leitung) direction f

Leopard [le:o'part] m léopard m

Lerche ['lɛrçə] f alouette f

lernen ['lɛrnən] v apprendre, étudier

Lesebuch ['le:zəbux] n 1. livre de lecture m; 2. (Fibel) abécédaire m

lesen ['le:zən] v 1. lire; zwischen den Zeilen ~ lire entre les lignes; 2. (entziffern) déchiffrer; 3. (ernten) cueillir; Ähren ~ glaner; Wein ~ vendanger

Leser ['le:zər] m lecteur m

leserlich ['le:zərlıç] adj lisible

Lesung ['le:zuŋ] f lecture f; in erster ~ en première lecture

letzte(r,s) ['lɛtstə] adj 1. dernier, final, ultime; 2. (vorig) passé

letztens ['lɛtstəns] adv dernièrement

letztlich ['lɛtslıç] adv au bout du compte

Leuchte ['lɔʏtə] f 1. lumière f, lampe f; 2. (fig) lumière f; Er ist keine große ~. Ce n'est pas un génie.

leuchten ['lɔʏtən] v 1. (be~) éclairer; 2. (glänzen) luire

Leuchter ['lɔʏtər] m chandelier m

Leuchtreklame ['lɔʏntrekla:mə] f réclame/publicité lumineuse f

Leuchtturm ['lɔʏntturm] m phare m

leugnen ['lɔʏgnən] v nier, dénier

Leukämie [lɔʏkɛ'mi:] f leucémie f

Leukoplast [lɔʏko'plast] n sparadrap m

Leumund ['lɔʏmunt] m réputation f

Leute ['lɔʏtə] pl gens m/pl, monde m

Leutnant ['lɔʏtnant] m sous-lieutenant m

leutselig ['lɔʏtze:lıç] adj 1. affable; 2. (wohlwollend) bienveillant

Lexikon/Lexika ['lɛksıkən] n 1. (Wörterbuch) dictionnaire m; 2. (Enzyklopädie) encyclopédie f

Libanon ['li:banɔn] m Liban m

Libelle [li'bɛlə] f libellule f

liberal [libə'ra:l] adj 1. libéral; 2. (großzügig) généreux; 3. adv libéralement, avec générosité

Liberalisierung [libərali'zi:ruŋ] f libéralisation f

Liberalismus [libəra'lısmus] m libéralisme m

Libyen ['li:bjən] n Libye f

licht [lıçt] adj 1. (hell) clair; 2. (nicht dicht) clairsemé

Licht [lıçt] n 1. lumière f; Du stehst mir im ~. Tu me caches le jour; grünes ~ geben donner le feu vert; das ~ der Welt erblicken voir le jour; 2. (Beleuchtung) éclairage m; 3. (Helligkeit) clarté f

Lichtbild ['lıçtbilt] n 1. (Foto) photo(graphie) f; 2. (Dia) diapositive f

Lichtblick ['lıçtblık] m trait de lumière m

Lichtgeschwindigkeit ['lıçtgəʃvindıgkait] f vitesse de la lumière f

Lichtschalter ['lıçtʃaltər] m interrupteur m

Lichtschranke ['lıçtʃraŋkə] f barrière optique f, barrage photo-électrique m

Lichtschutzfaktor ['lıçtʃutsfaktɔr] m indice de protection m

Lichtstrahl ['lıçtʃtra:l] m rayon lumineux/de lumière m, trait de lumière m

Lichtung ['lıçtuŋ] f 1. (Wald~) clairière f; 2. (Anker) levée f

Lid [li:t] n paupière f

Lidschatten ['li:tsʃatən] m fard à paupières m

lieb [li:p] adj 1. cher, aimé; 2. (liebenswürdig) gentil, aimable

liebäugeln ['li:pɔʏgəln] v 1. mit jdm ~ faire les yeux doux à qn; 2. mit etw ~ convoiter qc

Liebe ['li:bə] f amour m

lieben ['li:bən] v aimer, chérir

liebenswert ['li:bənsvɛrt] adj digne d'amour, digne d'être aimé

liebenswürdig ['li:bənsvyrdıç] adj aimable, gentil

Liebenswürdigkeit ['li:bənsvyrdıŋkait] f amabilité f, gentillesse f

lieber ['li:bər] adv plutôt, mieux, de préférence, plus volontiers; nichts, was ich ~ täte je ne demande pas mieux

Liebesbrief ['li:bəsbri:f] m lettre d'amour f, billet doux m

Liebeskummer ['li:bəskumər] m chagrin d'amour m, dépit amoureux m

Liebeslied ['li:bəsli:t] n chanson d'amour f

Liebespaar ['li:bəspa:r] n couple d'amoureux m

liebevoll ['li:bəfɔl] adj affectueux, tendre

Liebhaber ['li:phabər] m 1. (Geliebter) amant m, amoureux m; 2. (Kenner) expert m

Liebhaberei ['li:habərai] f passion f

Liebkosung ['li:pkoːzuŋ] *f 1.* caresse *f*, câlin *m; jdn mit -en überschütten* couvrir qn de caresses; *2. (fam)* mamours *m/pl*

lieblich ['li:plɪç] *adj* gracieux. agréable

Liebling [li:plɪŋ] *m 1.* chéri/e *m/f*, bien-aimé/e *m/f; 2. (Anrede)* chéri/e *m/f*

lieblos ['li:ploːs] *adj 1.* sans cœur, insensible; *2. (kaltherzig)* froid; *3. adv* avec froideur

Lieblosigkeit ['li:ploːzɪŋkaɪt] *f* sécheresse de cœur *f*, dureté de cœur *f*

Liebreiz ['li:praɪts] *m* charme(s) *m/(pl)*

Liebschaft ['li:pʃaft] *f 1.* liaison (amoureuse) *f; 2. (fam)* amourette *f*

Liebster ['li:pstə(r)] *m* bien-aimé *m*

Lied [li:t] *n 1.* chanson *f*, chant *m; ein Lobauf jdn singen* faire l'éloge de qn; *2. (Kirchen-)* cantique *m*

liederlich ['li:dərlɪŋ] *adj 1.* débauché, libertin; *2. (unordentlich)* désordonné

Liedermacher ['li:dərmaxər] *m* chansonnier *m*, auteur-compositeur *m*

Lieferant [li:fəˈrant] *m* fournisseur *m*

lieferbar ['li:fərbaːr] *adj* livrable

liefern ['li:fərn] *v* livrer, fournir

Lieferung ['li:fəruŋ] *f 1.* livraison *f*, fourniture *f; 2. (Zusendung)* envoi *m*

Lieferwagen ['li:fərvaːgən] *m* voiture de livraison *f*, camionnette *f*

Liege ['li:gə] *f 1.* chaise longue *f*, divan *m; 2. (Schiff, Zug)* couchette *f*

liegen ['li:gən] *v 1.* être couché/allongé; *2. (ausruhen)* reposer

Liegestuhl ['li:gəʃtuːl] *m* chaise longue *f*

Liegewagen ['li:gəvaːgən] *m* voiture-couchettes *f*

Lift [lɪft] *m 1.* ascenseur *m; 2. (Lastenaufzug)* monte-charge *m*

liften ['lɪftən] *v* se faire faire un lifting

Likör [lɪˈkøːr] *m* liqueur *f*

lila ['liːla] *adj* lilas

Lilie ['liːljə] *f* lis *m*

Limonade [limoˈnaːdə] *f* limonade *f*

Limousine [limuˈziːnə] *f* berline *f*

Linde ['lɪndə] *f* tilleul *m*

lindern ['lɪndərn] *v* apaiser, calmer

Lineal [lineˈaːl] *n* règle *f*

Linie ['liːnjə] *f 1. (Strich)* trait *m*, ligne *f; 2. (Zeile)* ligne *f; 3. (Reihe)* rangée *f*

Linienflug ['liːnjənfluːk] *m* vol régulier *m*

linientreu ['liːnjəntrɔy] *adj* dans la ligne

Linke(r) ['lɪŋkə] *f/m* parti de gauche *m*

linke(r,s) ['lɪŋkə] *adj* gauche

links ['lɪŋks] *adv 1.* à gauche. du côté gauche; *jdn - liegen lassen* laisser qn de côté; *2. (Rückseite)* à l'envers

Linkshänder ['lɪŋkshɛndər] *m* gaucher *m*

Linse ['lɪnzə] *f* lentille *f*

Lippe ['lɪpə] *f* lèvre *f*

Lippenstift ['lɪpənʃtɪft] *m* (bâton de) rouge à lèvres *m*

lispeln ['lɪspəln] *v 1.* zézayer; *2. (fam)* zozoter; *3. (flüstern)* susurrer

List [lɪst] *f* ruse *f*, astuce *f*

Liste ['lɪstə] *f 1.* liste *f*, relevé *m; 2. (Katalog)* catalogue *m*

listig ['lɪstɪŋ] *adj 1.* rusé, astucieux; *2. (verschlagen)* malin; *3. (klug)* fin; *4. adv* astucieusement, avec ruse

Liter ['liːtər] *m* litre *m*

literarisch [litəˈraːrɪʃ] *adj* littéraire

Literatur [litəraˈtuːr] *f* littérature *f*

Litfaßsäule ['lɪtfaszɔylə] *f* colonne d'affichage *f*

Liturgie [liturˈgiː] *f* liturgie *f*

Live-Sendung ['laɪfzɛnduŋ] *f* émission en direct *f*

Lizenz [lɪˈtsɛnts] *f* licence *f*

Lob [loːp] *n* louange *f*, éloge *m*

loben ['loːbən] *v 1.* louer, faire l'éloge de; *übermäßig -* porter qn aux nues; *2. (rühmen)* vanter, célébrer

lobenswert ['loːbənsvɛrt] *adj* louable

Loch [lɔx] *n* trou *m*

Locher ['lɔxər] *m* perforatrice *f*

Lochkarte ['lɔxkartə] *f* carte perforée *f*

Locke ['lɔkə] *f* boucle *f; Schnittlauch-e haben* être raides comme des baguettes de tambour

locken ['lɔkən] *v 1. (Haare)* boucler; *2. (in Wellen legen)* faire des boucles, friser; *3. (fig)* allécher; *4. (verführen)* séduire

locker ['lɔkər] *adj 1. (lose)* lâche, mal serré, desserré; *2. (entspannt)* détendu, relâché; *3. (fig: ungezwungen)* léger

lockig ['lɔkɪŋ] *adj* bouclé, frisé

lodern ['loːdərn] *v* flamboyer, flamber

Löffel ['lœfəl] *m 1.* cuiller *f; 2. (Menge)* cuillère *f; 3. (Schöpf-)* louche *f*

Loge ['loːgə] *f* loge *f*

logisch ['loːgɪʃ] *adj* logique

Lohn [loːn] *m 1. (Bezahlung)* salaire *m*, paie/paye *f*, rémunération *f; 2. (Belohnung)* récompense *f*

lohnen ['loːnən] *v sich -* être profitable/rentable, valoir la peine; *Es lohnt, es zu versu-*

chen. C'est une chance à courir. *Es lohnt sich.* Ça vaut le coup.

Lohnsteuer ['lo:nʃtɔyər] *f* impôt sur les salaires *m*

Lohnstreifen ['lo:nʃtraifən] *m* bulletin de paie *m*

lokal [lo'ka:l] *adj* local

Lokal [lo'ka:l] *n* local *m*, bar *m*, café *m*

Lokalnachrichten [lo'ka:lnaxrɪntən] *pl* nouvelles locales *f/pl*, chronique locale *f*

Lokomotive [lokɔmɔtivə] *f* locomotive *f*

Lorbeer ['lɔrbe:r] *m* laurier *m*

Los [lo:s] *n* 1. *(Lotterie-)* billet de loterie *m*, lot *m*; 2. *(Schicksal)* sort *m*, destin *m*

los! [lo:s] *interj* allons! allez! vas-y! allez-y! partez! en avant (marche)!

löschen ['lœʃən] *v* 1. *(Feuer)* éteindre, étouffer; 2. *(Licht)* éteindre; 3. *(Fracht)* décharger; 4. INFORM annuler

lose ['lo:zə] *adj* 1. *(locker)* lâche, relâché; 2. *(beweglich)* volant; 3. *(unverpackt)* sans emballage; 4. *(fig: leichtfertig)* frivole

Lösegeld ['lø:zəgɛlt] *n* rançon *f*

lösen ['lø:zən] *v* 1. *(losbinden)* détacher, desserrer, dénouer; 2. *(beenden)* annuler, rompre; 3. *(klären)* résoudre; 4. *(Rätsel)* deviner; 5. *(zergehen lassen)* dissoudre

losen ['lo:zən] *v* tirer au sort

losfahren ['lo:sfa:rən] *v* 1. partir; 2. *(Fahrzeug)* démarrer

loslassen ['lo:slasən] *v* lâcher, lâcher prise

löslich ['lø:slɪŋ] *adj* soluble

losreißen ['lo:sraisən] *v* 1. arracher, détacher; 2. *(fig)* se détacher de

lossprechen ['lo:sʃpreŋən] *v* absoudre

Lösung ['lø:zuŋ] *f* 1. *(Losmachen)* séparation *f*, desserrage *m*; 2. solution *f*

Lot [lo:t] *n* fil à plomb *m*

löten ['lø:tən] *v* souder

Lotse ['lo:tsə] *m* pilote *m*

Lotterie [lotə'ri:] *f* loterie *f*

Löwe ['lø:və] *m* lion *m*

Löwenmaul ['lø:vənmaul] *n* gueule-de-loup *f*

Löwenzahn ['lø:vəntsa:n] *m* pissenlit *m*

Luchs [luks] *m* lynx *m*

Lücke ['lykə] *f* 1. lacune *f*, brèche *f*; 2. *(Leere)* vide *m*

lückenhaft ['lykənhaft] *adj* 1. lacunaire; 2. *(fehlerhaft)* défectueux; 3. *(unvollständig)* incomplet

Luft [luft] *f* air *m*, atmosphère *f*; *frische ~ schöpfen* prendre l'air; *jdn an die ~ setzen* ficher qn à la porte

Luftangriff ['luftangrɪf] *m* attaque aérienne *f*

Luftballon ['luftbalɔ] *m* ballon *m*

luftdicht ['luftdɪʃt] *adj* hermétique

Luftdruck ['luftdruk] *m* pression atmosphérique *f*

lüften ['lyftən] *v* 1. *(Raum)* aérer, renouveler l'air; 2. *(Kleider)* aérer, mettre à l'air; 3. *(fig: enthüllen)* lever le voile

Luftfahrt ['luftfa:rt] *f* aviation *f*

Luftfeuchtigkeit ['luftfɔyntɪŋkait] *f* humidité de l'air *f*, humidité atmosphérique *f*

Luftfracht ['luftfraŋt] *f* fret aérien *m*

Luftkurort ['luftku:rɔrt] *m* station climatique *f*

Luftmatratze ['luft:natratsə] *f* matelas pneumatique *m*

Luftpost ['luftpɔst] *f* poste aérienne *f*

Luftröhre ['luftrø:rə] *f* trachée-artère *f*

Luftschiff ['luftʃif] *n* aéronef *m*

Luftschutzkeller ['luftʃutskɛlər] *m* cave-abri *f*, abri anti-aérien *m*

Lüftung ['lyftuŋ] *f* aération *f*, ventilation *f*

Luftverschmutzung ['luftfɛrʃmutsuŋ] *f* pollution de l'air *f*

Luftzug ['lufttsu:k] *m* courant d'air *m*

Lüge ['ly:gə] *f* mensonge *m*

lügen ['ly:gən] *v* mentir

Lumpen ['lumpən] *m* lambeau *m*

Lunge ['luŋə] *f* poumon *m*

Lungenentzündung ['luŋənɛntsynduŋ] *f* pneumonie *f*

Lupe ['lu:pə] *f* loupe *f*

Lust [lust] *f* 1. *(Freude)* joie *f*, plaisir *m*; *Wenn Sie ~ dazu haben!* Si ça vous chante! *Ich habe keine ~ dazu.* Je n'en ai pas envie. 2. *(Verlangen)* désir *m*, envie *f*

lustig ['lustɪŋ] *adj* 1. *(fröhlich)* joyeux, gai, enjoué; 2. *(komisch)* amusant, drôle

lustlos ['lustlo:s] *adj* sans envie

Lustspiel ['lustʃpi:l] *n* comédie *f*

lutherisch ['lutərɪʃ] *adj* luthérien

lutschen ['lutʃən] *v* sucer

Lutscher ['lutʃər] *m* sucette *f*, tétine *f*

luxuriös [luksur'jø:s] *adj* luxueux

Luxus ['luksus] *m* luxe *m*, somptuosité *f*

Lyrik ['ly:rɪk] *f* poésie lyrique *f*

lyrisch ['ly:rɪʃ] *adj* lyrique

M

machbar ['maxba:r] *adj* réalisable
machen ['ma:xən] *v* faire; *nichts zu ~* rien à faire; *Er glaubte, es richtig zu ~.* Il a cru bien faire. *Gut gemacht.* Bien joué. *sich gar nichts aus etw ~* se moquer de qc comme de sa première chemise; *Ich mache mir nichts daraus.* Je m'en bats l'œil. *Das macht nichts!* Qu'à cela ne tienne!
Macht [maxt] *f* 1. *(Herrschaft)* empire *m*, autorité *f*, pouvoir *m*; 2. *(Stärke)* puissance *f*, force *f*; 3. *(Einfluß)* influence *f*
Machthaber ['maxthabər] *m* 1. *(Herrscher)* maître *m*, souverain *m*
mächtig ['mɛntɪŋ] *adj* 1. *(stark)* puissant; 2. *(gewaltig)* énorme, colossal; 3. *(einflußreich)* influent; 4. *(fig: sehr groß)* énorme
machtlos ['maxtlo:s] *adj* 1. impuissant, sans autorité; 2. *(schwach)* faible
Machtübernahme ['maxty:bərna:mə] *f* prise du pouvoir *f*
Machtwort ['maxtvɔrt] *n* parole énergique *f*; *ein ~ sprechen* faire acte d'autorité
Mädchen ['mɛːtɲən] *n* fille *f*, gamine *f*
Mädchenname ['mɛːtɲənna:mə] *m* nom de jeune fille *m*
Made ['ma:də] *f* asticot *m*
Madonna [ma'dɔna] *f* Vierge *f*
Magazin [maga'tsi:n] *n* 1. *(Lager)* magasin *m*, dépôt *m*; 2. *(Waffe)* chargeur *m*; 3. *(Zeitschrift)* magazine *m*; 4. *(Trommel)* barillet *m*
Magen ['ma:gən] *m* estomac *m*; *schwer im ~ liegen* rester sur l'estomac
Magenbitter ['ma:gənbɪtər] *m* digestif *m*
Magenschmerzen ['ma:gənʃmɛrtsən] *pl* maux d'estomac *m/pl*
mager ['ma:gər] *adj* 1. *(dünn)* maigre; 2. *(abgezehrt)* décharné; 3. *(dürftig)* pauvre
Magermilch ['ma:gərmɪlç] *f* lait écrémé *m*
Magnet [mag'ne:t] *m* aimant *m*
magnetisch [mag'ne:tɪʃ] *adj* magnétique
Mahagoni [maha'go:ni] *n* acajou *m*
mähen ['mɛ:ən] *v* faucher
mahlen ['ma:lən] *v* 1. moudre, broyer; 2. *(zermalmen)* écraser
Mahlzeit ['ma:ltsaɪt] *f* repas *m*; *~!* Bon appétit!

mahnen ['ma:nən] *v* 1. *(warnen)* avertir, exhorter; 2. *(auffordern)* sommer (de faire qc)
Mahnung ['ma:nuŋ] *f* 1. *(Warnung)* avertissement *m*; 2. *(Aufforderung)* sommation *f*
Mai [maɪ] *m* mai *m*
Maikäfer ['maɪkɛfər] *m* hanneton *m*
Mais [maɪs] *m* maïs *m*
Maiskolben ['maɪskɔlbən] *m* épi de maïs *m*
Majestät [majɛs'tɛ:t] *f* majesté *f*
Majoran [majo'ra:n] *m* marjolaine *f*
Make-up ['meɪk'ap] *n* maquillage *m*
Makel ['ma:kəl] *m* 1. tache *f*, tare *f*; 2. *(Fehler)* défaut *m*
Makler ['ma:klər] *m* courtier *m*, agent *m*
Makrele [ma'kre:lə] *f* maquereau *m*
Mal [ma:l] *n* 1. *(Zeichen)* signe *m*, marque *f*; 2. *(Zeitpunkt)* fois *f*
malen ['ma:lən] *v* peindre
Malerei [ma:lə'raɪ] *f* peinture *f*
malnehmen ['ma:lne:mən] *v* multiplier (par)
Malz [malts] *n* malt *m*
Mama ['mama] *f* *(fam)* maman *f*
man [man] *pron* on; *Wie ~ so sagt.* Comme dit l'autre.
Manager ['mɛnɛdʒər] *m* 1. manager *m*; 2. *(Leiter)* dirigeant *m*; 3. *(höherer Angestellter)* cadre supérieur *m*
manche(r,s) ['manɲə] *adj* maint, certain
manchmal ['manɲma:l] *adv* parfois, quelquefois
Mandarine [manda'ri:nə] *f* mandarine *f*
Mandat [man'da:t] *n* mandat *m*
Mandel ['mandəl] *f* 1. BOT amande *f*; 2. ANAT amygdale *f*
Mandelentzündung ['mandəlɛnttsynduŋ] *f* amygdalite *f*
Manege [ma'ne:ʒə] *f* manège *m*
Mangel ['maŋəl] *m* 1. *(Fehlen)* absence *f*, manque *m*, défaut *m*; 2. *(Fehler)* défaut *m*, vice *m*; 3. *(Unvollkommenheit)* imperfection *f*; 4. *f (Heiß-)* calandre *f*
mangelhaft ['maŋəlhaft] *adj* 1. *(fehlerhaft)* défectueux; 2. *(unvollständig)* incomplet, imparfait; 3. *(Schulnote)* insuffisant
mangels ['maŋəls] *prep* faute de

Manieren [ma'ni:rən] pl manières f/pl
Maniküre [maɲi'ky:rə] f manucure m
manipulieren [manipu'li:rən] v manipu-
ler
Mann [man] m 1. homme m; 2. (Ehe-) mari
m, époux m
Mannequin [manə'lɛ] n mannequin m
männlich ['mɛnlɪŋ] adj mâle, masculin
Mannschaft ['manʃaft] f 1. SPORT
équipe f; 2. (Besatzung) équipage m
Manöver [ma'nø:vər] n manœuvre f
Mansarde [man'zardə] f mansarde f
Manschette [man'ʃɛtə] f 1. (Hemd) man-
chette f; 2. (Blumentopf) cache-pot m; 3.
(Dichtung) manchon m
Mantel ['mantəl] m 1. (Kleidung) manteau
m; 2. (Überzieher) pardessus; 3. (Hülle,
Verkleidung) gaine f
Manteltarif ['mantəltari:f] m tarif collec-
tif m
manuell [manu'e:l] 1. adj manuel; 2. adv
manuellement, à la main
Manuskript [manus'krɪpt] n manuscrit m
Mappe ['mapə] f 1. (Tasche) serviette f,
cartable m; 2. (Sammel-) chemise f
Marathonlauf ['maratɔnlauf] m mara-
thon m
Märchen ['mɛrçən] n 1. conte m; 2. (Le-
gende) légende f; 3. (Fabel) fable f
märchenhaft ['mɛːrçənhaft] adj fabu-
leux, féerique
Marder ['mardər] m martre f
Margarine [marga'ri:nə] f margarine f
Margerite [margə'ri:tə] f marguerite f
Marienkäfer [ma'ri:ənkɛːfər] m 1. cocci-
nelle f; 2. (fam) bête à bon Dieu f
Marinade [mari'na:də] f marinade f
Marine [ma'ri:nə] f marine f
Mark [mark] f 1. (Deutsche ~) mark (alle-
mand) m; 2. (Gebiet) pays limitrophe m; n 3.
GAST concentré m; 4. ANAT moelle f; ins ~
getroffen sein être touché au vif
Marke ['markə] f (Warenzeichen) marque
f
markieren [mar'ki:rən] v 1. (kennzeich-
nen) marquer; 2. (fam: vortäuschen) faire
semblant de; 3. (abstecken) jalonner
Markierung [mar'ki:ruŋ] f marquage m
Markise [mar'ki:zə] f marquise f, store m
Markt [markt] m marché m
marktfähig ['marktfɛːɪŋ] adj vendable
Marktwirtschaft ['marktvɪrtʃaft] f économie de marché f

Marmelade [marmə'la:də] f confiture f
Marmor ['marmɔr] m marbre m
Marokko [ma'rɔko] n Maroc m
Marsch [marʃ] m 1. (Wanderung) ran-
donnée f, marche f; 2. marche f
marschieren [mar'ʃi:rən] v marcher
Märtyrer ['mɛrtyrər] m martyr/martyre m
Marxismus [mɑrk'sɪsmus] m marxisme
m
März [mɛrts] m mars m
Marzipan ['martsɪpan] n massepain m
Masche ['maʃə] f 1. (Handarbeit) maille
f; durch die ~n gehen passer à travers les
mailles du filet; 2. (fig) combine f
Maschine [ma'ʃi:nə] f 1. machine f; 2.
(Motor) moteur m; 3. (Apparat) appareil m
Maschinengewehr [ma'ʃi:nəngəvɛːr] n
mitrailleuse f
maschineschreiben [ma'ʃi:nəʃraɪbən] v
écrire/taper à la machine
Maschinist [maʃi'ni:st] m machiniste m
Masern ['ma:zərn] pl rougeole f
Maske ['maskə] f masque m
maskieren [mas'ki:rən] v sich ~ se
masquer, se déguiser
Maskottchen [mas'kɔtʃən] n mascotte f
Massage [ma'sa:ʒə] f massage m
Massaker [ma'sa:kər] n massacre m
Masse ['masə] f 1. masse f; 2. (Volks-
menge) masse f, foule f
massenhaft ['masənhaft] 1. adj (riesig)
énorme; 2. adv en masse, massivement
Massenmedien ['masənmɛːdiən] pl
moyens de diffusion de masse m/pl
massieren [ma'si:rən] v masser
massiv [ma'si:f] adj massif, solide
Maß [ma:s] n mesure f; Das ~ ist voll! La
mesure est comble!
maßgebend ['ma:sge:bənt] adj 1. (entscheidend) décisif, déterminant; 2. (zuständig) compétent; ~ sein faire autorité
mäßig ['mɛːsɪŋ] adj 1. modéré; 2. (maßvoll) mésuré; 3. (bescheiden) modeste
maßlos ['ma:slo:s] 1. adj démesuré, immodéré; 2. adv démesurément, outre mesure
Maßnahme ['ma:sna:mə] f mesure f;
vorzeitig ~n ergreifen prendre les devants
maßregeln ['ma:srɛgəln] v rappeler à
l'ordre, prendre des mesures
Maßstab ['ma:sʃtap] m échelle f
Mast [mast] m 1. (Schiffs-) mât m; 2. (Te-
lefon-) poteau m, pylône m; 3. (Fahnen-) mât
de drapeau m, hampe f

mästen ['mɛstən] v 1. engraisser; 2. *(sich vollstopfen)* gaver

Material [matə'rjaːl] n 1. matériel m; 2. *(Stoff)* matière f; 3. *(Werkstoff)* matériaux m/pl; 4. *(Beweis-)* documentation f

Materialismus [matərja'lısmus] m matérialisme m

Materie [ma'tɛrjə] f 1. matière f, substance f; 2. *(Thema)* sujet m, thème m

materiell [matə'rjɛl] adj matériel

Mathematik [matema'tiːk] f mathématiques f/pl

Matratze [ma'tratsə] f matelas m

Matrose [ma'troːzə] m marin m

matt [mat] adj 1. *(trübe)* mat, terne, sans éclat; 2. *(schwach)* faible, épuisé

Matte [ma'tə] f 1. *(Fuß-)* paillasson m; 2. *(Wiese)* pâturage m; 3. SPORT tapis m

Mauer [mauər] f mur m, muraille f

Maul [maul] n gueule f, museau m; jdm das ~ stopfen clore le bec à qn

Maulesel ['maulə:zəl] m mule f

Maulkorb ['maulkɔrp] m muselière f

Maulwurf ['maulvurf] m taupe f

Maurer ['maurər] m maçon m

Maus [maus] f souris f

Mausefalle ['mauzəfalə] f souricière f

Mautgebühr ['mautgəby:r] f péage m

Mayonnaise [majo'nɛːzə] f mayonnaise f

Mechaniker [me'ɲa:nɪkər] m mécanicien m

mechanisch [me'ɲa:nɪʃ] adj mécanique

Mechanismus [meɲa'nɪsmus] m mécanisme m

meckern ['mɛkərn] v 1. *(Tier)* bêler, chevroter; 2. *(fig: nörgeln)* rouspéter

Medaille [me'daljə] f médaille f

Medaillon [medal'jɔ] n médaillon m

Medikament [medika'mɛnt] n médicament m, remède m

Medium/Medien ['mɛdjum] 1. pl *(Massen-)* médias m/pl, mass media m/pl; n 2. *(Okkultismus)* médium m; 3. *(Mittel)* milieu m

Medizin [medi'tsiːn] f 1. *(Heilkunde)* médecine f; 2. *(Medikament)* médicament m

Meer [meːr] n mer f, océan m

Meerenge ['meːrəŋə] f détroit m

Meeresfrüchte ['meːrəsfryntə] pl fruits de mer m/pl

Meeresspiegel ['meːrəsˌpiːgəl] m niveau de la mer m, surface de la mer f

Meerrettich ['meːrrɛtɪŋ] m raifort m

Meerschweinchen [meːrʃvainɲən] n cochon d'Inde m

Mehl [meːl] n farine f

mehr [meːr] adv plus, davantage

mehrdeutig ['meːrdɔytɪŋ] adj ambigu

mehrere ['meːrərə] pron plusieurs

mehrfach ['meːrfax] 1. adj multiple, répété; 2. adv plusieurs fois

Mehrheit ['meːrhait] f majorité f

mehrmalig ['meːrmaːlɪŋ] adj répété

mehrmals ['meːrmaːls] adv plusieurs fois

mehrstellig ['meːrʃtelɪŋ] adj *(Zahl)* à plusieurs chiffres, à plusieurs caractères

Mehrwertsteuer ['meːrvɛrtʃtɔyər] f taxe à la valeur ajoutée f

Mehrzahl ['meːrtsaːl] f 1. *(Mehrheit)* majorité f; 2. *(Grammatik)* pluriel m

meiden ['maidən] v éviter, fuir

Meile ['mailə] f mille m, lieue f

mein(e) ['main(ə)] pron mon, ma, le mien, la mienne, mes

meinen ['mainən] v penser, croire, vouloir dire; es gut mit jdm ~ vouloir du bien à qn

meinerseits ['mainərzaits] adv pour ma part, de ma part

meinetwegen ['mainetveːgən] adv à cause de moi, soit!

Meinung ['mainuŋ] f 1. avis m, opinion f; der ~ sein, daß être d'avis que; sich eine ~ bilden se faire une opinion; Ich bin Ihrer ~. Je suis de votre opinion. Ich habe Sie nicht um Ihre ~ gefragt. On ne vous a pas sonné. 2. *(Standpunkt)* point de vue m

Meise ['maizə] f mésange f

Meißel ['maisəl] m ciseau m, burin m

meist [maist] adv le plus souvent

meist(e) [maist] adj la plupart de

meistbietend ['maistbiːtənt] adj le plus offrant; ~ verkaufen vendre au plus offrant

meistens ['maistəns] adv le plus souvent

Meister ['maistər] m 1. *(Handwerk)* maître m, patron m; 2. SPORT champion m; 3. *(Könner)* as m; Es ist noch kein ~ vom Himmel gefallen. Il y a un commencement à tout.

meistern ['maistərn] v 1. *(mit etw fertig werden)* venir à bout de; 2. maîtriser, vaincre

Meisterschaft ['maistərʃaft] f SPORT championnat m

melancholisch [melaŋ'koːlɪʃ] adj mélancolique

Meldebehörde ['mɛldəbəhœrdə] f bureau des déclarations m

melden ['mɛldən] v 1. (ankündigen) annoncer qc; 2. (mitteilen) signaler, avertir; 3. (sich anmelden) s'inscrire à

Meldepflicht ['mɛldəpflıçt] f inscription obligatoire f, déclaration obligatoire f

Meldung ['mɛlduŋ] f 1. (Ankündigung) annonce f; 2. (Mitteilung) message m, nouvelle f; 3. (Anmeldung) inscription f

melken ['mɛlkən] v traire

Melodie [mɛlo'di:] f mélodie f, air m

Melone [me'lo:nə] f melon m

Menge ['mɛŋə] f 1. (bestimmte Anzahl) quantité f; 2. (große Anzahl) grand nombre m, masse f, multitude f; 3. (Volks-) foule f

Mengenlehre ['mɛŋənle:rə] f théorie des ensembles f

Mensa ['mɛnza] f restaurant universitaire (R.U) m

Mensch [mɛnʃ] m 1. homme m, être humain m; Der ~ ist das Maß aller Dinge. L'homme est la mesure de toute chose. 2. (Person) personne f, individu m; Es ist kein ~ da. Il n'y a pas un chat. Was für ein lästiger ~! Quelle scie!

Menschenmenge ['mɛnʃənmɛngə] f foule f, masse f, multitude f

Menschenrechte ['mɛnʃənrɛçtə] pl droits de l'Homme m/pl

Menschenwürde ['mɛnʃənvyrdə] f dignité humaine f

Menschheit ['mɛnʃhaɪt] f humanité f

menschlich ['mɛnʃlıç] adj humain

Menschlichkeit ['mɛnʃlıçkaɪt] f humanité f

Menstruation [mɛnstruats'jo:n] f menstruation f, règles f/pl

Menü [me'ny:] n menu m

Merkblatt ['mɛrkblat] n 1. feuille de renseignements f, aide-mémoire m; 2. (Notiz) notice f

merken ['mɛrkən] v 1. (wahrnehmen) apercevoir qc, s'apercevoir de qc, remarquer qc; Sie ~ aber auch alles. On ne peut rien vous cacher. gar nichts ~ n'y voir que du feu; Das merkt man. Cela se voit. 2. sich etw ~ retenir, prendre (bonne) note de qc; 3. (auf etw achten) faire attention à

merklich ['mɛrklıç] adj 1. sensible, perceptible; 2. (sichtbar) visible

Merkmal ['mɛrkma:l] n marque f, signe m

merkwürdig ['mɛrkvyrdıç] adj curieux, singulier, étrange

meßbar ['mɛsba:r] adj mesurable

Messe ['mɛsə] f 1. REL messe f, office religieux m; 2. (Ausstellung) foire f

Messegelände ['mɛsəgəlɛndə] n palais de foire m, terrain de la foire m

messen ['mɛsən] v 1. mesurer; 2. (fig) sich ~ mit se mesurer avec qn

Messer ['mɛsər] n 1. couteau m; 2. MED bistouri m; 3. (Rasier-) rasoir m

Messestand ['mɛsəʃtant] m stand m

Messing ['mɛsıŋ] n laiton m

Metall [me'tal] n métal m

metallisch [me'talıʃ] adj métallique

Metastase [metas'ta:zə] f métastase f

Meteor [mete'o:r] m météore m

Meter ['me:tər] m mètre m

Methode [me'to:də] f méthode f

Metzgerei [mɛtsgə'raɪ] f boucherie-charcuterie f

Meute ['mɔʏtə] f meute f

Meuterei [mɔʏtə'raɪ] f mutinerie f

mexikanisch [mɛksi'ka:nıʃ] adj mexicain, du Mexique

Mexiko ['mɛksıko:] n Mexique m

mich [mıç] pron 1. (betont) moi; 2. (unbetont) me

Miene ['mi:nə] f mine f, air m

mies [mi:s] adj (fam) moche

Miesmuschel ['mi:smuʃəl] f moule f

Miete ['mi:tə] f 1. (Mietpreis) loyer m; 2. (Mieten) location f

mieten ['mi:tən] v louer

Mieter ['mi:tər] m locataire m

Mietvertrag ['mi:tfɛrtra:k] m contrat de location m, bail m

Mietwagen ['mi:tva:gən] m voiture de location f

Mietwohnung ['mi:tvo:nuŋ] f appartement loué m

Migräne [mı'grɛ:nə] f migraine f

Mikrofon [mikro'fo:n] n microphone m

Mikroskop [mikros'ko:p] n microscope m

Mikrowellenherd [mikro'vɛlənhɛrt] m four à micro-ondes m

Milch [mılç] f lait m

Milchprodukt ['mılçprodukt] n produit laitier m

Milchzahn ['mılçtsa:n] m dent de lait f

mild [mılt] adj 1. (Wetter) doux, tempéré, clément; 2. (Wesen) indulgent, clément

mildern ['mıldərn] v 1. (abschwächen) atténuer, alléger; 2. (lindern) adoucir

Milieu [mı'ljø:] n milieu m

Militär [mili'tɛːr] *n* troupes *f/pl*, armée *f*

Milliarde [mil'jardə] *f* milliard *m*

Millimeter [mili'meːtər] *m* millimètre *m*; *keinen - zurückweichen* ne pas reculer d'une semelle

Million [mil'joːn] *f* million *m*

Milz [mɪlts] *f* rate *f*

Minderheit ['mɪndərhaɪt] *f* minorité *f*

minderjährig ['mɪndərjɛːrɪŋ] *adj* mineur

mindern ['mɪndərn] *v 1. (verringern)* diminuer, réduire; *2. (mildern)* atténuer

minderwertig ['mɪndərvɛrtɪŋ] *adj* inférieur, d'une valeur inférieure

mindest ['mɪndəst] *adv* le moins

Mindestalter ['mɪndəstaːltər] *n* âge minimum *m*

mindeste(r,s) ['mɪndəstə] *adj* le/la moindre

mindestens ['mɪndəstəns] *adv* au moins

Mindestlohn ['mɪndəstloːn] *m* salaire minimum interprofessionel garanti (SMIG) *m*

Mine ['miːnə] *f* mine *f*

Mineral [minə'raːl] *n* minéral *m*

Mineralwasser [mine'raːlvasər] *n* eau minérale *f*

minimal [mini'maːl] *adj* minimum

Minister [mi'nɪstər] *m* ministre *m*

Ministerium [mini'steːrjum] *n* ministère *m*

minus ['miːnus] *adv* moins

Minus ['miːnus] *n* déficit *m*

Minute [mi'nuːtə] *f* minute *f*

mir [miːr] *pron 1. (betont)* moi; *2. (unbetont)* me

mischen ['mɪʃən] *v* mélanger, mêler

Mischling ['mɪʃlɪŋ] *m* métis *m*

Mischung ['mɪʃuŋ] *f* mélange *m*, mixture *f*

Mischwald ['mɪʃvalt] *m* forêt mixte *f*

miserabel [mizə'raːbəl] *adj* misérable

mißachten [mɪs'axtən] *v 1.* mépriser, dédaigner; *2. (vernachlässigen)* négliger

Mißbildung ['mɪsbɪlduŋ] *f* malformation *f*

mißbilligen ['mɪsbɪlɪɡən] *v* désapprouver

Mißbrauch ['mɪsbraux] *m 1.* abus *m*; *2. (Schändung)* profanation *f*

mißbrauchen ['mɪsbrauxən] *v* abuser de

missen ['mɪsən] *v 1.* être privé de; *2. (auf etw verzichten)* se passer de

Mißerfolg ['mɪsɛrfolk] *m* échec *m*; *einen - haben* faire un four

Mißgeburt ['mɪsɡəburt] *f* avorton *m*

Mißgeschick ['mɪsɡəʃik] *n* malchance *f*

mißglücken [mɪs'ɡlykən] *v* échouer

mißgönnen [mɪs'ɡœnən] *v* envier qc à qn

Mißgunst ['mɪsɡunst] *f* envie *f*, jalousie *f*

mißhandeln ['mɪshandəln] *v* maltraiter

Mission [mɪs'joːn] *f* mission *f*

Missionar [mɪsjoː'nar] *m* missionnaire *m*

mißlingen [mɪs'lɪŋən] *v* échouer

mißraten [mɪs'raːtən] *v* mal tourner

Mißstand ['mɪsʃtant] *m* inconvénient *m*

Mißtrauen [mɪs'trauən] *n* méfiance *f*

mißtrauen [mɪs'trauən] *v* se méfier de

mißtrauisch ['mɪstrauɪʃ] *1. adj* méfiant, défiant; *2. adv* avec méfiance

Mißverständnis ['mɪsfɛrʃtɛntnɪs] *n* malentendu *m*, méprise *f*; *um -sen vorzubeugen* pour éviter toute équivoque

mißverstehen ['mɪsfɛrʃteːən] *v* mal comprendre, se méprendre sur

Mißwirtschaft ['mɪsvɪrtʃaft] *f* mauvaise gestion *f*, mauvaise administration *f*

Mist [mɪst] *m 1.* fumier *m*; *2. (Pferde-)* crottin *m*; *3. (fig: Unsinn)* bêtises *f/pl*; *So ein -!* Mince alors!

mit [mɪt] *prep* avec, à, par, de

Mitarbeit ['mɪtarbaɪt] *f* collaboration *f*

mitarbeiten ['mɪtarbaɪtən] *v* collaborer

Mitarbeiter ['mɪtarbaɪtər] *m* collaborateur *m*

mitbestimmen ['mɪtbəʃtɪmən] *v 1.* prendre part à une décision; *2. ECO* cogérer

mitbringen ['mɪtbrɪŋən] *v* (r)amener, (r)apporter

Mitbürger ['mɪtbyrɡər] *m* concitoyen *m*

miteinander [mɪtaɪn'andər] *adv* ensemble, en commun, les uns avec les autres

miterleben ['mɪtɛrleːbən] *v 1.* assister à, vivre; *2. (sehen)* voir

mitfahren ['mɪtfaːrən] *v* accompagner qn

Mitgefühl ['mɪtɡəfyːl] *n* compassion *f*

mitgehen ['mɪtɡeːən] *v 1. mit jdm - aller avec qn, accompagner qn; *2. (folgen)* suivre

Mitgift ['mɪtɡɪft] *f* dot *f*

Mitglied ['mɪtɡliːt] *n* membre *m*

Mitgliedsbeitrag ['mɪtɡliːtsbaɪtraːk] *m* cotisation *f*, contribution *f*

Mithilfe ['mɪthɪlfə] *f* aide *f*, assistance *f*

Mitinhaber ['mɪtinhaːbər] *m* associé *m*

mitkommen ['mɪtkɔmən] *v 1. mit jdm - venir avec qn, accompagner qn; *2. (fam: begreifen)* suivre, arriver à, comprendre; *Da komme ich nicht mehr mit.* Je m'y perds.

Mitläufer ['mɪtlɔyfər] *m* sympathisant *m*

Mitleid ['mɪtlaɪt] *n* pitié *f*, compassion *f*

mitleiderregend ['mɪtlaɪtɛre:gənt] *adj* pitoyable, qui fait pitié

mitmachen ['mɪtmaxən] *v 1. (sich beteiligen)* participer à, prendre part à; *Da mache ich nicht mit. Je ne marche pas. 2. (fig: leiden)* subir

Mitmensch ['mɪtmɛnʃ] *m* prochain *m*

mitnehmen ['mɪtne:mən] *v 1. (Ding)* emporter; *2. (Mensch)* emmener

mitreißend ['mɪtraɪsənt] *adj* captivant

mitschuldig ['mɪtʃuldɪç] *adj* complice

Mitschüler ['mɪtʃy:lər] *m* condisciple *m*

Mittag ['mɪta:k] *m* midi *m*; *heute* ~ ce midi; *gestern* ~ hier à midi

Mittagessen ['mɪta:kɛsən] *n* déjeuner *m*

mittags ['mɪta:ks] *adv* à midi, le midi

Mitte ['mɪtə] *f 1. (örtlich)* milieu *m*, centre *m*; *2. (zeitlich)* milieu *m*; ~ *Mai* à la mi-mai; ~ *40* entre 40 et 50 ans

mitteilen ['mɪttaɪlən] *v* communiquer, faire part, informer; *jdm etw* ~ faire part à qn de qc

Mitteilung ['mɪttaɪluŋ] *f* communication *f*, avis *m*, message *m*, information *f*

Mittel ['mɪtəl] *n 1. (Hilfs-)* moyen *m*; *ein* ~ *finden* trouver un biais; *2. (Heil-)* remède *m*; *3. (Ausweg)* expédient *m*; *n 4. (Durchschnitt)* moyenne *f*; *im* ~ en moyenne; *5. pl (Geld)* moyens financiers *m/pl*

Mittelalter ['mɪtəla:ltər] *n* Moyen-Age *m*

mittelalterlich ['mɪtəla:ltərlɪç] *adj* médiéval, moyenâgeux

mittelbar ['mɪtəlba:r] *adj* indirect

Mitteleuropa ['mɪtəlɔyro:pa] *n* Europe centrale *f*

mittellos ['mɪtəllo:s] *adj* sans moyens

mittelmäßig ['mɪtəlmɛsɪç] *adj* moyen

Mittelmeer ['mɪtəlme:r] *n* Méditerranée *f*

Mittelpunkt ['mɪtəlpuŋkt] *m* centre *m*

mittels ['mɪtəls] *prep* à l'aide de

Mittelstand ['mɪtəlʃtant] *m* classe moyenne *f*

Mitternacht ['mɪtərnaxt] *f* minuit *m*

mittlere(r,s) ['mɪtlərə] *adj 1.* médian, du milieu; *2. (verbindend)* intermédiaire

mittlerweile ['mɪtlərvaɪlə] *adv* entre-temps, en attendant

Mittwoch ['mɪtvɔx] *m* mercredi *m*

mittwochs ['mɪtvɔxs] *adv* le mercredi

mitunter [mɪt'untər] *adv* parfois

mitwirken ['mɪtvɪrkən] *v* contribuer à

Mitwirkung ['mɪtvɪrkuŋ] *f 1.* concours *m*, collaboration *f*; *2. (Teilnahme)* participation *f*

Mitwisser ['mɪtvɪsər] *m 1.* confident *m*; *2. (Mittäter)* complice *m*

mixen ['mɪksən] *v 1.* mélanger; *2.* mixer

Möbel ['møbəl] *n* meuble *m*, mobilier *m*

mobil [mo'bi:l] *adj 1.* mobile; *2. (flink)* alerte

mobilisieren [mobili'zi:rən] *v* mobiliser

möbliert [mø'bli:rt] *adj* meublé, garni

Mode ['mo:də] *f* mode *f*; *in* ~ *sein* être en vogue; *von* ~ *reden* parler chiffons; *aus der* ~ *kommen* passer de mode

Modell [mo'dɛl] *n 1. (Vorbild)* modèle *m*; *2. (Mannequin)* mannequin *m*

modellieren [modɛ'li:rən] *v* modeler

Modenschau ['mo:dənʃau] *f* présentation de mode *f*, défilé de mode *m*

modern [mo'dɛrn] *adj* moderne, à la mode, d'aujourd'hui

modernisieren [modɛrni'zi:rən] *v* moderniser, mettre au goût du jour

Modeschöpfer ['mo:dəʃœpfər] *m* couturier *m*, créateur de mode *m*

modisch ['mo:dɪʃ] *1. adj* moderne, à la mode; *2. adv* au goût du jour

Modus/Modi ['mo:dus] *m* mode *m*

mögen ['mø:gən] *v 1. (gern haben)* bien aimer, apprécier; *2. (wollen)* vouloir (bien)

möglich ['mø:klɪç] *adj 1.* possible; *Wir werden alles Menschen~ tun.* Nous ferons l'impossible. *2. (machbar)* faisable

möglicherweise ['mø:glɪçərvaɪzə] *adv* éventuellement, le cas échéant

Möglichkeit ['mø:klɪçkaɪt] *f* possibilité *f*

möglichst ['mø:klɪçst] *adv 1.* le plus... possible; *2. (äußerst)* au possible

Mohn [mo:n] *m* pavot *m*

Möhre ['mø:rə] *f* carotte *f*

Mole ['mo:lə] *f* môle *m*, jetée *f*

Molkerei [mɔlkə'raɪ] *f* laiterie *f*

Moll [mɔl] *n* mode mineur *m*

mollig ['mɔlɪç] *adj 1. (behaglich)* douillet; *2. (warm)* à bonne température

Moment [mo'mɛnt] *m 1.* moment *m*, instant *m*; *n 2. PHYS* moment *m*; *3. (fig: Umstand)* facteur *m*

momentan [momɛn'ta:n] *1. adj* momentané, actuel; *2. adv* pour le moment

Monarch [mo'narç] *m* monarque *m*

Monarchie [monar'çi:] *f* monarchie *f*

Monat ['mo:nat] *m* mois *m*
monatelang ['mo:natəlaŋ] 1. *adj* qui dure des mois entiers; 2. *adv* pendant des mois
monatlich ['mo:natlɪŋ] 1. *adj*. mensuel; 2. *adv* par mois, tous les mois, mensuellement
Mönch [mœnç] *m* moine *m*
Mond [mo:nt] *m* lune *f*
Mondfinsternis ['mo:ntfɪnstərnɪs] *f* éclipse de lune *f*
Mondschein ['mo:ntʃaɪn] *m* clair de lune *m*
Monitor ['mo:nito:r] *m* moniteur *m*
Monolog [mono'lo:k] *m* monologue *m*
Monopol [mono'po:l] *n* monopole *m*
monoton [mono'to:n] *adj* monotone
Montag ['mo:nta:k] *m* lundi *m*
Montage [mɔn'ta:ʒə] *f* montage *m*
montags ['mo:ntaks] *adv* le lundi
Monteur [mɔn'tø:r] *m* monteur *m*
montieren [mɔn'ti:rən] *v* monter, installer
Monument [monu'mɛnt] *n* monument *m*
Moor [mo:r] *n* marais *m*, marécage *m*
Moorbad ['mo:rba:t] *n* bain de boue *m*
Moos [mo:s] *n* mousse *f*
Moped ['mo:pɛt] *n* cyclomoteur *m*
Moral [mo'ra:l] *f* morale *f*, moralité *f*
moralisch [mo'ra:lɪʃ] *adj* moral
Moralpredigt [mo'ra:lprɛdɪkt] *f* homélie *f*
Morast [mo'rast] *m* bourbe *f*, boue *f*
Mord [mɔrt] *m* meurtre *m*, assassinat *m*
Mordanschlag ['mɔrtanʃla:k] *m* attentat à/contre la vie *m*, tentative de meurtre *f*
Mörder ['mœrdər] *m* meurtrier *m*
mörderisch ['mœrdərɪʃ] *adj* meurtrier
morgen ['mɔrgən] *adv* demain; ~ früh demain matin
Morgen ['mɔrgən] *m* matin *m*, matinée *f*
Morgengrauen ['mɔrgəngrauən] *n* aube *f*, aurore *f*; im ~ à l'aube/ au petit jour
Morgenland ['mɔrgənlant] *n* Orient *m*
Morgenrock ['mɔrgənrɔk] *m* peignoir *m*
morgens ['mɔrgəns] *adv* le matin; um sieben Uhr ~ à sept heures du matin
morsch ['mɔrʃ] *adj* (Holz) pourri
Mörtel ['mœrtəl] *m* mortier *m*
Mosaik [moza'i:k] *n* mosaïque *f*
Moschee [mo'ʃe:] *f* mosquée *f*
Moskito [mɔs'ki:to] *m* moustique *m*
Moslem ['mɔslɛm] *m* musulman *m*
moslemisch [mɔs'lemɪʃ] *adj* musulman
Motiv [mo'ti:f] *n* 1. motif *m*; 2. *LIT* thème *m*; 3. (Anlaß) mobile *m*

motivieren [moti'vi:rən] *v* motiver
Motor ['mo:tɔr] *m* moteur *m*
Motorboot ['mo:tɔrbo:t] *n* bateau à moteur *m*
motorisiert [motɔrɪ'zi:rt] *adj* motorisé
Motorrad ['mo:tɔrra:t] *n* moto(cyclette) *f*
Motorroller ['mo:tɔrrɔlər] *m* scooter *m*
Motorschaden ['mo:tɔrʃadən] *m* panne de moteur *f*, avarie de moteur *f*
Motte ['mɔtə] *f* mite *f*
Möwe ['mø:və] *f* mouette *f*
Mücke ['mykə] *f* moucheron *m*, moustique *m*; aus einer ~ einen Elefanten machen faire d'une mouche un éléphant
müde ['my:də] *adj* fatigué, las; Ich bin es ~. J'en suis las. zum Umfallen ~ sein dormir debout; tod~ sein être sur les genoux
Müdigkeit ['my:dɪkaɪt] *f* fatigue *f*
Mühe ['my:ə] *f* 1. peine *f*; Es ist nicht der ~ wert. Le jeu n'en vaut pas la chandelle. Er hat sich keine große ~ gegeben. Il ne s'est pas trop fatigué. Das ist verlorene Liebes~. C'est peine perdue. 2. (Anstrengung) effort *m*; 3. (Schwierigkeit) difficulté *f*
mühelos ['my:əlo:s] 1. *adj* facile, aisé; 2. *adv* sans peine; scheinbar ~ sans le moindre effort
mühevoll ['my:əfɔl] *adj* pénible, laborieux
Mühle ['my:lə] *f* moulin *m*
Mühsal ['my:za:l] *f* peines *f/pl*
mühsam ['my:za:m] 1. *adj* pénible, laborieux; 2. *adv* avec peine, avec difficulté
Mulde ['muldə] *f* (Vertiefung) creux *m*
Müll [myl] *m* ordures *f/pl*
Müllabfuhr ['mylapfu:r] *f* ramassage des ordures ménagères *m*
Mullbinde ['mulbɪndə] *f* gaze *f*
Mülldeponie ['myldeponi:] *f* décharge publique *f*
Mülleimer ['mylaɪmər] *m* poubelle *f*
Müller ['mylər] *m* meunier *m*
Müllschlucker ['mylʃlukər] *m* vide-ordures *m*
Müllverbrennung ['mylfɛrbrɛnuŋ] *f* incinération des ordures *f*
multiplizieren [multiplɪ'tsi:ərn] *v* multiplier
Mumps [mumps] *m* MED oreillons *m/pl*
Mund [munt] *m* bouche *f*; in aller ~e sein être dans toutes les bouches; Sprich nicht mit vollem ~! Ne parle pas la bouche pleine! einen Schmoll~ machen faire du boudin; jdm den ~stopfen rabattre le caquet à qn;

jdm den ~ wässerig machen faire venir l'eau à la bouche; *Sie täten besser daran, den ~ zu halten.* Vous feriez mieux de vous taire. *nicht auf den ~ gefallen sein* n'avoir pas sa langue dans sa poche; *kein Blatt vor den ~ nehmen* ne pas mâcher ses mots; *jdm über den ~ fahren* couper le siffle à qn; *von ~ zu ~ gehen* voler de bouche en bouche

münden ['myndən] *v* 1. *(Fluß)* se jeter dans; 2. *(Straße)* déboucher dans
Mundharmonika ['mundharmɔnika] *f* harmonica *m*
mündig ['myndɪŋ] *adj* majeur
mündlich ['myndlɪŋ] *adj* oral, verbal
Mündung ['mynduŋ] *f* 1. *(Fluß-)* embouchure *f*; 2. *(Gewehr-)* bouche *f*, gueule *f*
Munition [munits'joːn] *f* munition *f*
munkeln ['munkəln] *v* chuchoter; *Man munkelt, daß...* On raconte que... *Es wird gemunkelt, daß...* On chuchote que...
munter ['muntər] *adj* 1. éveillé, vif, alerte, allègre; 2. *(fröhlich)* gai; 3. *adv* avec entrain
Münze ['myntsə] *f* monnaie *f*, pièce (de monnaie) *f*; *etw für bare ~ nehmen* prendre qc comme argent comptant
mürbe ['myrbə] *adj* 1. tendre, fondant; 2. *(zerbrechlich)* friable; *jdn ~ machen* mater/briser qn
Mürbteig ['myrbətaɪk] *m* pâte brisée *f*
murmeln ['murməln] *v* murmurer
Murmeltier ['murmltiːr] *n* marmotte *f*; *schlafen wie ein ~* dormir comme une marmotte/ dormir à poings fermés
murren ['murən] *v* gronder, grogner
mürrisch ['myrɪʃ] 1. *adj* hargneux, grognon; 2. *adv* avec morosité, d'un air grognon
Mus [muːs] *n* compote *f*, marmelade *f*
Muschel ['muʃəl] *f* 1. coquillage *m*; 2. *(Weichtier)* mollusque *m*
Muse ['muːzə] *f* muse *f*
Museum [mu'zeːum] *n* musée *m*
Musik [mu'ziːk] *f* musique *f*
musikalisch [muzi'kaːlɪʃ] *adj* musical; *~ sein* être doué pour la musique
Musikinstrument [mu'ziːkɪnstrumɛnt] *n* instrument de musique *m*
Musikkapelle [mu'ziːkkapɛlə] *f* 1. orchestre *m*; 2. *(Blechmusik)* fanfare *f*; 3. MIL musique *f*
Musikkassette [mu'ziːkkasɛtə] *f* (mini-) cassette *f*

musisch ['muːzɪʃ] *adj* sensible aux arts
musizieren [muzi'tsiːrən] *v* faire de la musique
Muskatnuß [mus'kaːtnus] *f* (noix) muscade *f*
Muskel ['muskəl] *m* muscle *m*
Muskelkater ['muskəlkaːtər] *m* douleur musculaire *f*, courbature *f*
muskulös [musku'løːs] *adj* musclé, musculeux
Muße ['muːsə] *f* loisir *m*, temps libre *m*; *in meinen ~stunden* à mes moments perdus
müssen ['mysən] *v* devoir, être obligé de, falloir; *Da muß man durch.* Il faut en passer par là.
müßig ['mysɪŋ] *adj* 1. oisif, inactif; 2. *(überflüssig)* inutile
Muster ['mustər] *n* 1. *(Design)* dessin *m*; 2. *(Vorlage)* modèle *m*; 3. *(Probe)* échantillon *m*
mustergültig ['mustərgyltɪŋ] *adj* exemplaire, parfait
Musterung ['mustəruŋ] *f* MIL revue *f*
Mut [muːt] *m* 1. courage *m*, bravoure *f*; *jdm wieder ~ machen* remonter le moral à qn; 2. *(Kühnheit)* audace *f*, hardiesse *f*
mutig ['muːtɪŋ] 1. *adj* courageux, brave; 2. *adv* avec courage
mutlos ['muːtloːs] *adj* 1. sans courage, abattu 2. *(entmutigt)* découragé
mutmaßen ['muːtmaːsən] *v* présumer
Mutter ['mutər] *f* 1. mère *f*; 2. TECH écrou *m*
Muttergottes ['mutərgɔtəs] *f* REL Mère de Dieu *f*
mütterlich ['mytərlɪŋ] *adj* maternel
Muttermal ['mutərmaːl] *n* envie *f*, marque de naissance *f*
Mutterschaft ['mutərʃaft] *f* maternité *f*
Mutterschutz ['mutərʃuts] *m* protection de la maternité *f*, assistance maternelle *f*
Muttersprache ['mutərʃpraːxə] *f* langue maternelle *f*
Muttertag ['mutərtaːk] *m* fête des mères *f*
mutwillig ['muːtvɪlɪŋ] *adj* 1. *(boshaft)* malicieux; 2. *(schelmisch)* espiègle; 3. *adv* exprès
Mütze ['mytsə] *f* casquette *f*, bonnet *m*
mysteriös [mɪster'jøːs] *adj* mystérieux
mystisch ['mɪstɪʃ] *adj* mystique
Mythos/Mythen ['myːtɔs] *m* mythe *m*

N

na [na] *interj* allons! eh bien! ~ *so was!* Ça alors! ~ *und?* Et alors? ~ *wenn schon!* Qu'à cela ne tienne!

Nabel ['na:bəl] *m* nombril *m*

nach [na:x] *prep* 1. *(örtlich)* vers, à destination de, à; 2. *(zeitlich)* après, au bout de; ~ *dem Essen* après manger; ~ *und* ~ au fur et à mesure; 3. *(gemäß)* d'après, selon, suivant

nachahmen ['na:xa:mən] *v* imiter, copier

Nachbar ['na:xba:r] *m* voisin *m*

Nachbarschaft ['na:xba:rʃaft] *f* voisinage *m*

Nachbestellung ['na:xbəʃtɛluŋ] *f* seconde/nouvelle commande *f*

Nachbildung ['na:xbɪlduŋ] *f* reproduction *f*

nachdem [na:x'de:m] 1. *adv* je ~ selon le cas; 2. *konj* après que

nachdenken ['na:xdɛŋkən] *v* réfléchir

nachdenklich ['na:xdɛŋklɪŋ] *adj* 1. pensif, méditatif; 2. *(träumerisch)* rêveur

Nachdruck ['na:xdruk] *m* 1. *(Kopie)* reproduction *f*, copie *f*; 2. *(Betonung)* insistance *f*

nachdrücklich ['na:xdryklɪŋ] 1. *adj* insistant, ferme; 2. *adv* avec insistance

nacheinander ['na:xaɪnandər] *adv* l'un après l'autre, à tour de rôle

nacherzählen ['na:xɛrtsɛ:lən] *v* 1. *(wiederholen)* répéter; 2. réciter, raconter

Nachfahre ['na:xfa:rə] *m* descendant *m*

Nachfolge ['na:xfɔlgə] *f* succession *f*

nachfolgen ['na:xfɔlgən] *v* 1. suivre qn; 2. *(zum Vorbild nehmen)* suivre l'exemple de

Nachfolger ['na:xfɔlgər] *m* successeur *m*

Nachforschung ['na:xfɔrʃuŋ] *f* recherche *f*

Nachfrage ['na:xfra:gə] *f* 1. *(Erkundigung)* informations *f/pl*; 2. *(Bedarf)* demande *f*

nachfüllen ['na:xfylən] *v* 1. remplir; 2. *(Benzintank)* refaire le plein

nachgeben ['na:xge:bən] *v* 1. fléchir, ployer; 2. *(Boden)* se dérober; 3. *(fig)* céder

Nachgebühr ['na:xgəby:r] *f* surtaxe *f*

nachgehen ['na:xge:ən] *v* 1. *(folgen)* suivre qn; 2. *(erforschen)* faire des recherches, enquêter; 3. *(Uhr)* retarder

Nachgeschmack ['na:xgəʃmak] *m* 1. arrière-goût *m*; 2. *(fig: Eindruck)* souvenir *m*

nachgiebig ['na:xgi:bɪŋ] *adj* conciliant

nachhaltig ['na:xhaltɪŋ] *adj* 1. durable, persistant; 2. *(beharrlich)* persévérant; 3. *adv* avec persévérance

nachher ['na:xhe:r] *adv* plus tard, après

Nachhilfe ['na:xhɪlfə] *f* aide *f*, soutien *m*

nachholen ['na:xho:lən] *v* 1. rattraper; 2. *(wiedererlangen)* récupérer

Nachkomme ['na:xkɔmə] *m* descendant *m*

nachkommen ['na:xkɔmən] *v* 1. suivre qn, rejoindre qn; 2. *(fig: Verpflichtungen)* satisfaire à; 3. *(Gesetz)* suivre

Nachkriegszeit ['na:xkri:kstsaɪt] *f* après-guerre *m*

nachlassen ['na:xlasən] *v* 1. *(schwächer werden)* tomber, diminuer; 2. *(lockern)* (re)lâcher; 3. *(Preis)* faire une remise; 4. laisser

nachlässig ['na:xlesɪŋ] *adj* négligent

Nachlaß ['na:xlas] *m* 1. *(Preis~)* réduction *f*, remise *f*; 2. *(Erbe)* succession *f*

nachlaufen ['na:xlaufən] *v* 1. courir après qn; 2. *(verfolgen)* poursuivre qn

Nachlieferung ['na:xli:fəruŋ] *f* livraison complémentaire *f*

nachmachen ['na:xmaxən] *v* imiter

Nachmittag ['na:xmɪta:k] *m* après-midi *m*; *jeden* ~ tous les après-midi

nachmittags ['na:xmɪta:ks] *adv* (dans) l'après-midi

Nachnahme ['na:xna:mə] *f* remboursement *m*; *per* ~ contre remboursement

Nachname ['na:xna:mə] *m* nom de famille *m*

nachprüfen ['na:xpry:fən] *v* vérifier

Nachrede ['na:xre:də] *f* üble ~ propos malveillants *m/pl*, propos médisants *m/pl*

Nachricht ['na:xrɪçt] *f* 1. nouvelle *f*, information *f*; *keine* ~ pas de nouvelles; *gute* ~ bonnes nouvelles; 2. *(Botschaft)* message *m*

Nachrichtenagentur ['na:xrɪçtənagentu:r] *f* agence de presse *f*

Nachruf ['na:xru:f] *m* éloge posthume *m*

Nachsaison ['na:xsɛzo] *f* arrière-saison *f*; *in der* ~ hors saison

nachschlagen ['naːʃlaːgən] v consulter (dans), compulser

Nachschlagewerk ['naːʃlaːgəvɛrk] n ouvrage de référence m

Nachschub ['naːʃup] m ravitaillement m

nachsehen ['naːxzeːən] v 1. (nachblicken) suivre qn du regard; 2. (fig: verzeihen) pardonner; fermer l'œil (sur qc)

nachsenden ['naːxzeːndən] v faire suivre; Bitte ~! Prière de faire suivre!

Nachsicht ['naːxzɪçt] f indulgence f

nachsichtig ['naːxzɪçtɪç] adj indulgent

Nachspeise ['naːxʃpaɪzə] f dessert m

Nachspiel ['naːxʃpiːl] n 1. (Folge) suite f; 2. THEAT épilogue m

nachspionieren ['naːxʃpioniːrən] v épier qn, espionner qn

nächste(r,s) ['nɛːɲstə] adj suivant, prochain, le/la plus proche

nachstellen ['naːxʃtɛlən] v 1. (regulieren) régler, ajuster; 2. (fig) jdm ~ poursuivre qn

Nächstenliebe ['nɛːɲstənliːbə] f 1. amour du prochain m; 2. (Mildtätigkeit) charité f

nächstens ['nɛːɲstəns] adv sous peu

Nacht [naxt] f nuit f; schwarz wie die ~ sein être noir comme du charbon; jede ~ toutes les nuits

Nachtdienst ['naxtdiːnst] m service de nuit m

Nachteil ['naːxtaɪl] m désavantage m, inconvénient m; ~e haben avoir des inconvénients

nachteilig ['naːxtaɪlɪç] adj désavantageux

Nachthemd ['naxthɛmt] n chemise de nuit f

Nachtigall ['naxtɪgal] f rossignol m

nächtlich ['nɛːɲtlɪç] adj nocturne

Nachtlokal ['naxtloka:l] n boîte de nuit f

Nachtportier ['naxtportjeː] m veilleur de nuit m

Nachtrag ['naːxtraːk] m supplément m

nachtragen ['naːxtraːgən] v compléter, ajouter

nachträglich ['naːxtrɛːklɪç] 1. adj ultérieur, postérieur; 2. adv plus tard

nachts [naxts] adv la nuit, de nuit

Nachtwächter ['naxtvɛçtər] m gardien de nuit m, veilleur de nuit m

nachweisbar ['naːxvaɪsbaːr] adj démontrable, vérifiable

nachweisen ['naːxvaɪzən] v 1. prouver, démontrer; 2. (rechtfertigen) justifier

Nachwelt ['naːxvɛlt] f postérité f

Nachwirkung ['naːxvɪrkuŋ] f 1. (Folgen) retombées f/pl, suites f/pl; 2. (Rückwirkung) répercussions f/pl

Nachwort ['naːxvɔrt] n postface f

Nachwuchs ['naːxvuːks] m jeunes m/pl

nachziehen ['naːxtsiːən] v 1. (hinterherziehen) traîner après soi; 2. (Schraube) resserrer; 3. (nach sich ziehen) entraîner

Nachzügler ['naːxtsyglər] m retardataire m

Nacken ['nakən] m nuque f

nackt [nakt] adj nu, dénudé

Nadel ['naːdəl] f aiguille f, épingle f

Nadelwald ['naːdəlvalt] m forêt de conifères f

Nagel ['naːgəl] m 1. TECH clou m; den ~ auf den Kopf treffen mettre le doigt dessus/ taper dans le mille; 2. ANAT ongle m

Nagellack ['naːgəllak] m vernis à ongles m

Nagellackentferner ['naːgəllakɛntfernər] m dissolvant m

nageln ['naːgəln] v clouer

nagelneu ['naːgəlnɔy] adj flambant neuf

Nagelschere ['naːgəlʃeːrə] f onglier m

nagen ['naːgən] v ronger

Nagetier ['naːgətiːr] n rongeur m

nah(e) [naːə] adj 1. proche 2. (benachbart) voisin; 3. adv près (de); 4. prep près de

Nahaufnahme ['naːaufnaːmə] f (Foto) gros-plan m

Nähe ['nɛːə] f 1. proximité f; etw aus nächster ~ miterleben être aux premières loges; Das ist ganz in der ~. C'est à deux pas d'ici. 2. (Nachbarschaft) voisinage m; 3. (Umgebung) environs m/pl

nahelegen ['naːələgən] v donner à entendre qc à qn, faire comprendre qc à qn

nahen ['naːən] v (s')approcher

nähen ['nɛːən] v 1. coudre; 2. MED suturer

nähern ['nɛːərn] v sich - (s')approcher

Nähgarn ['nɛːgarn] n fil à coudre m

Nähmaschine ['nɛːmaʃiːnə] f machine à coudre f

Nähnadel ['nɛːnaːdəl] f aiguille (à coudre) f

nähren ['nɛːrən] v nourrir

nahrhaft ['naːrhaft] adj nutritif, nourrissant

Nahrung ['naːruŋ] f nourriture f

Nahrungsmittel ['naːruŋsmɪtəl] n aliment m, denrée f

Naht [na:t] *f* 1. couture *f*; 2. *(Schweiß-)* soudure *f*; 3. *MED* suture *f*

Nahverkehr ['na:fɛrke:r] *m* trafic local *m*

Nähzeug ['nɛ:tsɔyk] *n* nécessaire de couture *m*, trousse de couture *f*

naiv [na'i:f] *adj* naïf, ingénu

Name ['na:mə] *m* nom *m*, appellation *f*, dénomination *f*; *im -n von* au nom de

namenlos ['na:mənlo:s] *adj* anonyme

namens ['na:məns] *adv* du nom de, appelé

Namenstag ['na:mənsta:k] *m* fête *f*

namentlich ['na:məntlɪŋ] 1. *adj* nominal, nominatif; 2. *adv* nommément

namhaft ['namhaft] *adj* 1. renommé, connu; 2. *(berühmt)* réputé

nämlich ['nɛmlɪŋ] *konj* à savoir

Napf [napf] *m* écuelle *f*, bol *m*

Narbe ['narbə] *f* cicatrice *f*

Narkose [nar'ko:zə] *f* narcose *f*

Narr [nar] *m* fou *m*, bouffon *m*, pitre *m*; *jdn zum -en halten* tourner qn en dérision

närrisch ['nɛrɪʃ] *adj* fou, comique

naschen ['naʃən] *v* manger des friandises

Nase ['na:zə] *f* nez *m*; *seine - in alles stecken* fourrer son nez partout; *sich nicht auf der - herumtanzen lassen* ne pas se laisser marcher sur les pieds; *die - voll haben* en avoir marre; *eine Stups- haben* avoir le nez en pied de marmite; *Es steht vor deiner -.* Tu às le nez dessus.

Nashorn ['nashɔrn] *n* rhinocéros *m*

naß [nas] *adj* mouillé, trempé, humide; *völlig durchnäßt sein* être trempé jusqu'aux os

Nässe ['nɛsə] *f* humidité *f*

Nation [nats'jo:n] *f* nation *f*

national [natsjo'na:l] *adj* national

Nationalfeiertag [natsjo'na:lfaiərta:k] *m* fête nationale *f*

Nationalhymne [natsjo'na:lhymnə] *f* hymne national *m*

Nationalität [natsjonali'tɛ:t] *f* nationalité *f*

Nationalmannschaft [natsjo'na:lmanʃaft] *f* équipe nationale *f*

Nationalsozialismus [natsjo'na:lzotsialismus] *m* national-socialisme *m*

Natur [na'tu:r] *f* 1. nature *f*; *Das liegt in der - der Sache.* C'est dans la nature même de la chose. 2. *(Wesen)* caractère *m*

Naturereignis [na'tu:rɛraiknɪs] *n* phénomène naturel *m*

Naturheilkunde [na'tu:rhailkundə] *f* thérapeutique naturelle *f*

natürlich [na'tyrlɪŋ] *adj* naturel

Natürlichkeit [na'tyrlɪŋkait] *f* 1. naturel *m*, naïveté *f*; 2. *(Einfachheit)* simplicité *f*

Naturprodukt [na'tu:rprodukt] *n* produit naturel *m*

naturrein [na'tu:rrain] *adj* naturel

Naturschutz [na'tu:rʃuts] *m* protection de la nature *f*, défense de la nature *f*

Naturschutzgebiet [na'tu:rʃutsgəbi:t] *n* site protégé *m*, réserve naturelle *f*

Naturwissenschaft [na'tu:rvisənʃaft] *f* sciences physiques et naturelles *f/pl*

Nebel ['ne:bəl] *m* brouillard *m*, brume *f*

nebelig ['ne:bəlɪŋ] *adj* brumeux, nébuleux

Nebelscheinwerfer ['ne:bəlʃainvɛrfər] *m (Auto)* phare antibrouillard *m*

neben ['ne:bən] *prep* près de, à côté de

nebenan ['ne:bənan] *adv* à côté; *von -* d'à côté

Nebenbeschäftigung ['ne:bənbəʃɛftiguŋ] *f* occupation secondaire *f*

Nebenbuhler ['ne:bənbu:lər] *m* rival *m*

nebeneinander [ne:bənain'andər] *adv* l'un à côté de l'autre, côte à côte

Nebenfach ['ne:bənfax] *n* matière secondaire *f*

Nebenfluß ['ne:bənflus] *m* affluent *m*

nebenher [ne:bən'he:r] *adv* 1. à côté; 2. *(im Vorbeigehen)* en passant

Nebensache ['ne:bənzaxə] *f* chose accessoire/secondaire *f*, bagatelle *f*

nebensächlich ['ne:bənzɛŋlɪŋ] *adj* 1. accessoire, secondaire; *Das ist völlig -.* C'est tout à fait accessoire. *seine Zeit mit -en Dingen vertun* perdre son temps à des bagatelles; 2. *(unwichtig)* sans importance

Nebenwirkung ['ne:bənvirkuŋ] *f* effet secondaire *m*

necken ['nɛkən] *v* taquiner, agacer

Neffe ['nɛfə] *m* neveu *m*

negativ [nega'ti:f] *adj* négatif

Negativ [nega'ti:f] *n* négatif *m*

nehmen ['ne:mən] *v* prendre, recevoir

Neid [nait] *m* envie *f*, jalousie *f*

neidisch ['naidɪʃ] *adj* envieux, jaloux

neigen ['naigən] *v* 1. pencher, incliner; 2. *(Kopf)* baisser; 3. *(zu Ende gehen)* baisser; 4. *(fig: zu etw -)* tendre

Neigung ['naiguŋ] *f* 1. pente *f*, inclinaison *f*; 2. *(fig)* penchant *m*

nein [nain] *adv* non; *Da kann man ja nicht - sagen!* Ce n'est pas de refus!

Nektarine [nɛkta'ri:nə] *f* nectarine *f*

Nelke ['nɛlkə] f œillet m
nennen ['nɛnən] v 1. (benennen) nommer; *die Dinge beim rechten Namen ~* dire les choses tout rond; 2. (heißen) (s')appeler; *das Kind beim Namen ~* appeler un chat un chat
nennenswert ['nɛnənsvɛrt] adj notable
Nenner ['nɛnər] m dénominateur m
Neonlicht ['ne:ɔnlɪçt] n tube au néon m
Nerv [nɛrf] m nerf m; *jdm auf die -en gehen* casser les pieds/la tête à qn; *Seine -en waren zum Zerreißen gespannt.* Il avait les nerfs en boule. *jdm auf die -en gehen* taper sur les nerfs à qn
Nervenheilanstalt ['nɛrfənhaɪlanʃtalt] f maison de santé f
nervenkrank ['nɛrfənkraŋk] adj malade des nerfs, neurasthénique
Nervenzusammenbruch ['nɛrfəntsuza:mənbrux] m dépression nerveuse f
nervös [nɛr'vø:s] adj nerveux; *~ sein* avoir les nerfs en pelote
Nervosität [nɛrvozi'tɛ:t] f nervosité f
Nerz [nɛrts] m vison m
Nest [nɛst] n nid m
nett [nɛt] adj 1. gentil; 2. (niedlich) mignon, coquet; 3. (hübsch) joli; 4. adv gentiment; *Das ist nicht sehr ~ von dir.* C'est moche de ta part.
netto ['nɛto] adj net
Netz [nɛts] n 1. filet m; 2. (Straßen~) réseau m
Netzhaut ['nɛtshaut] f rétine f
Netzspannung ['nɛtsʃpanuŋ] f tension du réseau/du secteur f
neu [nɔy] adj neuf, nouveau; *funkelnagelsein* être tout flambant neuf; *Was gibt es -es?* Qu'y a-t-il de nouveau? *der -este Schrei* le dernier cri
Neubau ['nɔybau] m nouvelle construction f
Neuerung ['nɔyəruŋ] f innovation f
Neugier ['nɔygi:r] f curiosité f
neugierig ['nɔygi:rɪç] adj curieux
Neuheit ['nɔyhaɪt] f nouveauté f
Neuigkeit ['nɔyɪçkaɪt] f nouvelle f
Neujahr ['nɔyja:r] n nouvel an m
neulich ['nɔylɪç] adj récent, dernier
Neumond ['nɔymo:nt] m nouvelle lune f
neun [nɔyn] num neuf
neunzehn ['nɔyntse:n] num dix-neuf
neunzig ['nɔyntsɪç] num quatre-vingt-dix
neureich ['nɔyraɪç] adj nouveau riche
neurotisch [nɔy'ro:tɪʃ] adj névrosé

Neuseeland ['nɔyze:lant] n Nouvelle-le-Zélande f
neutral [nɔyt'tra:l] adj neutre, objectif
Neuwert ['nɔyvɛrt] m valeur à l'état neuf f
Neuzeit ['nɔytsaɪt] f temps modernes m/pl
nicht [nɪçt] adv ne … pas, non …; *gar ~* peu ou prou
Nichte ['nɪçtə] f nièce f
nichtig ['nɪçtɪç] adj vain, futile
Nichtraucher ['nɪçtrauxər] m non-fumeur m
Nichts [nɪçts] n néant m
nichts [nɪçts] pron rien; *Das macht ~.* Il n'y a pas de mal. *Für ~ und wieder ~.* Pour des prunes. *überhaupt ~ wissen* ne savoir rien de rien; *arbeiten für ~ und wieder ~* travailler pour le roi de Prusse
Nichtschwimmer ['nɪçtʃvɪmər] m non-nageur m
nicken ['nɪkən] v faire un signe de tête
nie [ni:] adv jamais; *Jetzt oder ~!* Maintenant ou jamais! *~ und nimmer (plus)* de jamais de la vie; *~ im Leben!* Jamais de la vie!
nieder ['ni:dər] adj 1. bas, inférieur; 2. (fig) vil; 3. adv en bas
Niedergang ['ni:dərgaŋ] m décadence f
niedergeschlagen ['ni:dərgəʃlagən] adj découragé, abattu
Niederlage ['ni:dərla:gə] f défaite f
Niederlande ['ni:dərlandə] pl Pays-Bas m/pl
niederländisch ['ni:dərlɛndɪʃ] adj néerlandais, hollandais
niederlassen ['ni:dərlasən] v 1. (herunterlassen) (a)baisser; 2. sich ~ s'établir, s'installer; 3. (sich hinsetzen) s'asseoir
Niederlassung ['ni:dərlasuŋ] f 1. établissement m; 2. (Filiale) succursale f
niederlegen ['ni:dərle:gən] v 1. (Kranz) déposer; 2. (fig: Amt) démissionner; *die Arbeit ~* cesser le travail
Niederschlag ['ni:dərʃla:k] m précipitations f/pl
niederschlagen ['ni:dərʃla:gən] v 1. (Feind) (a)battre; 2. (Augen) baisser
niederträchtig ['ni:dərtrɛxtɪç] adj 1. bas, vil; 2. (verächtlich) méprisable
niedlich ['ni:dlɪç] adj mignon, joli
niedrig ['ni:drɪç] adj bas
niemals ['ni:ma:ls] adv jamais
niemand ['ni:mant] pron personne, aucun
Niere ['ni:rə] f 1. GAST rognon m; 2. ANAT rein m

nieseln ['ni:zəln] v bruiner
Niete ['ni:tə] f billet non gagnant m, numéro perdant m
Nikolaus ['nɪkolaus] m (Saint) Nicolas m
Nikotin [niko'ti:n] n nicotine f
Nilpferd ['ni:lpfe:rt] n hippopotame m
Nippes ['nɪpəs] m bibelots m/pl
nirgends ['nɪrgənts] adv nulle part
nirgendwo ['nɪrgəntvo:] adv nulle part
Nische ['nɪʃə] f niche f
nisten ['nɪstən] v nicher, faire son nid
Niveau [ni'vo:] n niveau m, hauteur f
nobel [no:bəl] adj 1. noble, distingué; 2. (großzügig) généreux
noch [nɔx] 1. adv encore; Alles muß ~ einmal gemacht werden. Tout est à refaire. 2. konj ~ bevor avant même que
nochmalig ['nɔxma:lɪŋ] adj répété, réitéré
nochmals ['nɔxma:ls] adv encore une fois
nominell [nomi'nɛl] adj nominal
Nonne ['nɔnə] f nonne f
Nordamerika ['nɔrtamɛrɪka] n Amérique du Nord f
Norden ['nɔrdən] m nord m
nördlich ['nœrtlɪn] 1. adj septentrional, du nord, boréal; 2. adv au nord (de)
Nordpol ['nɔrtpo:l] m pôle nord m
Nordsee ['nɔrtze:] f mer du Nord f
nörgeln ['nœrgəln] v ergoter, chicaner
Norm [nɔrm] f norme f, règle f
normal [nɔr'ma:l] adj normal
Norwegen ['nɔrve:gən] n Norvège f
Not [no:t] f 1. (Armut) misère f, pauvreté f; 2. (Mangel) besoin m, nécessité f, manque m, pénurie f; aus der ~ eine Tugend machen faire de nécessité vertu; zur ~ à la rigueur
Notar [no'ta:r] m notaire m
Notarzt ['no:tartst] m médecin du SAMU (service d'assistance médicale d'urgence) m
Notausgang ['no:tausgaŋ] m sortie de secours f
Notbremse ['no:tbrɛmzə] f frein de secours m
Notdienst ['no:tdi:nst] m service de secours m, permanence f
Note ['no:tə] f 1. note f; 2. (Bank~) billet m

Notfall ['no:tfal] m im ~ en cas d'urgence
notfalls ['no:tfals] adv au besoin
notieren [no'ti:rən] v 1. noter, prendre note
nötig ['nø:tɪŋ] adj nécessaire; ~ haben avoir besoin de; ~ machen rendre nécessaire
Nötigung ['nø:tɪguŋ] f obligation f
Notiz [no'ti:ts] f 1. (Angabe) note f; von etw ~ nehmen prende acte de qc; 2. (Zeitungs~) notice f
Notizbuch [no'ti:tsbux] n carnet m
Notlage ['no:tla:gə] f situation critique f
Notlandung ['no:tlanduŋ] f atterrissage forcé m
notleidend ['no:tlaɪdənt] adj indigent
Notlösung ['no:tlø:zuŋ] f expédient m
Notruf ['no:truf] m appel au secours m
Notstand ['no:tʃtant] m état d'urgence m
Notunterkunft ['no:tuntərkunft] f logement de fortune m, refuge m
Notwehr ['no:tve:r] f légitime défense f
notwendig ['no:tvɛndɪŋ] adj nécessaire
Novelle [no'vɛlə] f nouvelle f
November [no'vɛmbər] m novembre m
nüchtern ['nɥntərn] adj 1. (ohne Alkohol) sobre; 2. (ohne Essen) à jeun
Nudeln ['nu:dəln] pl nouilles f/pl
Null [nul] f 1. zéro m; in ~ Komma nichts en un rien de temps; 2. (Person) nullité f
Nullpunkt ['nulpuŋkt] m (point) zéro m
numerieren [numə'ri:rən] v numéroter
Nummer ['numər] f 1. numéro m; 2. (Größe) taille f, pointure f
Nummernschild ['numərʃɪlt] n plaque minéralogique f, plaque d'immatriculation f
nun [nu:n] adv maintenant, à présent; von ~ an désormais/ à l'avenir
nur [nu:r] adv seulement
Nuß [nus] f noix f
Nußknacker ['nusknakər] m casse-noix/ -noisettes m
Nutzen ['nutsən] m utilité f, profit m; ~ aus etw ziehen tirer bénéfice/parti de qc
nutzen ['nutsən] v utiliser, exploiter
nützlich ['nytslɪŋ] adj utile, profitable
nutzlos ['nutslo:s] adj inutile, vain
Nylon ['naɪlɔn] n nylon m

O

Oase [o'aːzə] *f* oasis *f*

ob [ɔp] *konj* si; *als* ~ comme si

Obdachlose ['ɔpdaxloːzə] *m* sans-abri *m*

Obdachlosenasyl ['ɔpdaxloːzənazyːl] *n* asile *m*, refuge *m*

Obduktion [ɔpdukts'joːn] *f* autopsie *f*

oben ['oːbən] *adv* en haut (de); *Der Befehl kommt von ~.* L'ordre vient d'en haut.

obendrein ['oːbənraɪn] *adv* de plus

Ober ['oːbər] *m* garçon *m*

Oberarzt ['oːbərarts] *m* médecin-chef *m*

Oberbegriff ['oːbərbəgrɪf] *m* terme général/générique *m*

Oberbürgermeister ['oːbərbyrgərmaɪstər] *m* 1. président du conseil; 2. *(Deutschland)* premier bourgmestre *m*; 3. *(Frankreich)* maire *m*

obere(r,s) ['oːbərə] *adj* supérieur, d'en haut

Oberfläche ['oːbərflɛnə] *f* surface *f*

oberflächlich ['oːbərflɛnlɪŋ] *adj* superficiel, léger

oberhalb ['oːbərhalp] *prep* au-dessus de

Oberhaupt ['oːbərhaupt] *n* chef *m*

Oberin ['oːbərɪn] *f* (Mère) supérieure *f*

Oberkörper ['oːbərkœrpər] *m* buste *m*

Oberschenkel ['oːbərʃɛŋkəl] *m* cuisse *f*

Oberschule ['oːbərʃuːlə] *f* lycée *m*, collège *m*

oberst(e,r,s) ['oːbərst] *adj* 1. (le/la) plus haut/e, (le/la) plus élevé/e; 2. *(erste)* premier/ière

Oberteil ['oːbərtaɪl] *n* partie supérieure *f*, dessus *m*

Oberwasser ['oːbərvassər] *n* ~ *haben* avoir le dessus

obgleich [ɔp'glaɪn] *konj* bien que, quoique

Obhut ['ɔphuːt] *f* garde *f*, protection *f*; *jdn in seine* ~ *nehmen* prendre qn sous sa protection

Objekt [ɔp'jɛkt] *n* 1. GRAMM complément (d'objet) *m*; 2. *(Gegenstand)* objet *m*

objektiv [ɔpjɛk'tiːf] *adj* 1. objectif; 2. *(un parteiisch)* impartial

Objektivität [ɔpjɛktivi'tɛːt] *f* 1. objectivité *f*; 2. *(Unvoreingenommenheit)* impartialité *f*

Obligation [ɔbliga'tjoːn] *f* ECO obligation *f*

obligatorisch [ɔbliga'toːrɪʃ] *adj* obligatoire

Obrigkeit ['oːbrɪŋkaɪt] *f* autorité(s) *f/(pl)*, pouvoir(s) public(s) *m/(pl)*

obschon [ɔp'ʃoːn] *konj* bien que, quoique

observieren [ɔpzɛr'viːrən] *v* observer

obskur [ɔps'kuːr] *adj* obscur, peu clair

Obst [oːpst] *n* fruit(s) *m/(pl)*

Obstgarten ['oːpstgartən] *m* verger *m*, jardin fruitier *m*

obszön [ɔps'tsøːn] *adj* obscène

obwohl [ɔp'voːl] *konj* bien que, quoique

Ochse ['ɔksə] *m* bœuf *m*

öde ['øːdə] *adj* 1. désert, désertique, aride, désolé; 2. *(fig)* monotone

oder [oːdər] *konj* ou, sinon, autrement

Ofen ['oːfən] *m* 1. *(Back~)* four *m*; 2. *(Heiz~)* poêle *m*, fourneau *m*

offen ['ɔfən] *adj* 1. *(geöffnet)* ouvert; 2. *(fig: aufrichtig)* franc; 3. *(fig: unentschieden)* ouvert; 4. *(fig: nicht besetzt)* vacant

offenbar ['ɔfənbaːr] *adj* évident

offenbaren [ɔfən'baːrən] *v* 1. *etw* ~ découvrir, dévoiler; 2. *sich* ~ (se) révéler

Offenheit ['ɔfənhaɪt] *f* 1. franchise *f*, sincérité *f*; 2. *(Ehrlichkeit)* loyauté *f*

offenherzig ['ɔfənhɛrtsɪŋ] *adj* franc, sincère

offenkundig ['ɔfənkundɪŋ] *adj* public, notoire

offenlassen ['ɔfənlasən] *v* 1. *(Tür)* laisser ouvert; 2. *(fig)* laisser en suspens

offensichtlich ['ɔfənzɪŋtlɪŋ] *adj* manifeste, évident, qui saute aux yeux

offensiv [ɔfən'ziːf] *adj* offensif

Offensive [ɔfən'ziːvə] *f* offensive *f*

offenstehen ['ɔfənʃteːən] *v* 1. *(Tür)* être ouvert; 2. *(fig: Rechnung)* être non payée; 3. *(fig: Möglichkeiten)* être libre de; *Es steht ihm offen zu...* Libre à lui de...

öffentlich ['œfəntlɪŋ] 1. *adj* public; 2. *adv* en public

Öffentlichkeit ['œfəntlɪŋkaɪt] *f* public *m*; *in der* ~ en public; *unter Ausschluß der* ~ à huis clos; *in aller* ~ au vu et au su de tout le monde

Öffentlichkeitsarbeit ['œfəntlɪŋkaɪtsarbaɪt] *f* relations publiques *f/pl*

Offerte [ɔ'fɛrtə] f 1. offre f; 2. (Ausschreibung) soumission f
offiziell [ɔfɪts'jɛl] adj officiel
Offizier [ɔfɪts'i:r] m officier m
öffnen ['œfnən] v 1. etw ~ ouvrir; 2. (Flasche) déboucher; 3. sich ~ s'ouvrir; 4. (sich entfalten) se déployer
Öffner ['œfnər] m 1. (Dosen~) ouvre-boîtes m; 2. (Flaschen~) ouvre-bouteilles m
Öffnung ['œfnʊŋ] f 1. ouverture f, orifice m; 2. (Mündung) embouchure f
Öffnungszeiten ['œfnʊŋstsaɪtən] pl heures f d'ouverture f/pl
oft [ɔft] adv souvent, fréquemment
oftmals ['ɔftma:ls] adv assez souvent, à maintes reprises
ohne ['o:nə] prep sans; ~ daß sans que
ohnehin ['o:nəhɪn] adv de toute façon, sans cela
Ohnmacht ['o:nmaxt] f évanouissement m, syncope f
ohnmächtig ['o:nmɛçtɪç] adj 1. (bewußtlos) évanoui, sans connaissance; 2. (fig: machtlos) impuissant
Ohr [o:r] n oreille f; sich übers ~ hauen lassen se laisser tondre; jdm etw ins ~ flüstern dire qc dans le tuyau de l'oreille
Ohrenschmerzen ['o:rənʃmɛrtsən] pl mal d'oreilles m
Ohrfeige ['o:rfaɪgə] f claque f, gifle f
Ohrläppchen ['o:rlɛpnən] n lobe de l'oreille m
Ohrmuschel ['o:rmuʃəl] f pavillon m
Ohrring ['o:rrɪŋ] m boucle d'oreille f
Ohrwurm ['o:rvurm] m (fam) rengaine f
Okkultismus [ɔkul'tɪsmus] m occultisme m
Ökologie [ø:kolo'gi:] f écologie f
ökologisch [øko'lo:gɪʃ] adj écologique
ökonomisch [øko'no:mɪʃ] adj économique
Oktober [ɔk'to:bər] m octobre m
Oktoberfest [ɔk'to:bərfɛst] n (München) fête de la bière f
Öl [ø:l] n 1. (Erd~) pétrole m; 2. (Heiz~) mazout m, fuel m; 3. (Speise~) huile f
Oldtimer ['o:ldtaɪmər] m voiture de collection f, voiture ancienne f
ölen ['ø:lən] v huiler, lubrifier
Ölgemälde ['ø:lgəmɛ:ldə] n peinture à l'huile f
Olive [o'li:və] f olive f
Olivenöl [o'li:vənø:l] n huile d'olive f

Ölpest ['ø:lpɛst] f marée noire f
Ölsardine ['ø:lzardɪnə] f sardine à l'huile f
Öltanker ['ø:ltaŋkər] m pétrolier m
Ölung ['ø:lʊŋ] f Letzte ~ extrême-onction f
Ölwechsel ['ø:lvɛksəl] m (Auto) vidange de l'huile f
Olympische Spiele [o'lɪmpɪʃə 'ʃpi:lə] f Jeux Olympiques m/pl
Oma ['o:ma] f 1. grand-maman f; 2. (Kindersprache) mémère f
Omelett [ɔmə'lɛt] n omelette f
Omen ['o:mən] n augure m, présage m
Omnibus ['ɔmnɪbus] m omnibus m, autobus m
Onkel ['ɔŋkəl] m 1. oncle m; 2. (Kindersprache) tonton m
Opa ['o:pa] m 1. grand-papa m; 2. (Kindersprache) pépère m
Oper ['o:pər] f 1. (Werk) opéra m; 2. (Gebäude) Opéra m
Operation [opərats'jo:n] f 1. opération f; 2. MED opération chirurgicale f
Operette [opə'rɛtə] f opérette f
operieren [opə'ri:rən] v opérer
Opernglas ['o:pərnglas] n jumelles de théâtre f/pl
Opfer ['ɔpfər] n 1. (Verzicht) sacrifice m; 2. (Person) victime f
Opferbereitschaft ['ɔpfərbəraɪtʃaft] f dévouement m, abnégation f
Opfergabe ['ɔpfərgaːbə] f offrande f
opfern ['ɔpfərn] v 1. (spenden) offrir; 2. (verzichten) sacrifier; 3. (fig) sich ~ se dévouer
Opportunist [oportu'nɪst] m opportuniste m
Opposition [ɔpozɪts'jo:n] f opposition f
Optiker ['ɔptɪkər] m opticien m
optimal [ɔptɪ'ma:l] adj optimal, optimum
Optimismus [ɔptɪ'mɪsmus] m optimisme m
optimistisch [ɔptɪ'mɪstɪʃ] adj optimiste
Option [ɔpts'jo:n] f option f
optisch ['ɔptɪʃ] adj optique, d'optique
oral [o'ra:l] adj oral
orange [o'ranʒə] adj orange, orangé
Orange [o'ranʒə] f orange f
Orangensaft [o'ranʒənsaft] m jus d'orange m
Orchester [ɔr'kɛstər] n orchestre m
Orden ['ɔrdən] m 1. (Auszeichnung) ordre m, décoration f; 2. REL ordre m

ordentlich ['ɔrdəntlɪŋ] *adj* 1. *(aufgeräumt)* bien rangé; 2. *(sorgfältig)* soigné; *nichts -es zustande bringen* ne faire rien qui vaille; 3. *(Mensch)* ordonné; 4. *adv* bien

ordinär [ɔrdi'nɛːr] *adj* commun, vulgaire

ordnen ['ɔrdnən] *v* 1. ranger, mettre en ordre; 2. *(ein-)* classer

Ordner ['ɔrdnər] *m* 1. *(Person)* ordonnateur *m*, organisateur *m*; 2. *(Hefter)* classeur *m*

Ordnung ['ɔrdnuŋ] *f (Zustand)* ordre *m*, bon état *m*

ordnungsgemäß ['ɔrdnuŋsgəmɛːs] 1. *adj* conforme au règlement, réglementaire; 2. *adv* dûment, en bonne et due forme

Ordnungsstrafe ['ɔrdnuŋsʃtraːfə] *f* peine disciplinaire *f*

ordnungswidrig ['ɔrdnuŋsviːdrɪŋ] *adj* non conforme à l'ordre, non conforme au règlement

Ordnungszahl ['ɔrdnuŋstsaːl] *f* nombre ordinal *m*

Organ [ɔr'gaːn] *n* organe *m*

Organisation [ɔrganizats'joːn] *f* organisation *f*

organisatorisch [ɔrganiza'toːrɪʃ] *adj* organisateur, d'organisation

organisch [ɔr'gaːnɪʃ] *adj* organique

organisieren [ɔrgani'ziːrən] *v* organiser

Organist [ɔrga'nɪst] *m* organiste *m*

Organspender [ɔr'ganʃpɛndər] *m* donneur d'organes *m*, personne faisant don de ses organes *f*

Orgasmus/Orgasmen [ɔr'gasmus] *m* orgasme *m*

Orgel ['ɔrgəl] *f* orgue *f*

Orgie ['ɔrgjə] *f* orgie *f*

Orient ['oːrjɛnt] *m* Orient *m*

orientalisch [ɔrjɛn'taːlɪʃ] *adj* oriental

orientieren [ɔrjɛn'tiːrən] *v sich ~* s'orienter

Orientierung [ɔrjɛn'tiːruŋ] *f* orientation *f*

original [origi'naːl] *adj* original, d'origine

originalgetreu [origi'naːlgətrɔy] *adj* fidèle à l'original, conforme à l'original

Originalität [originali'tɛːt] *f* originalité *f*

originell [origi'nɛl] *adj* original, singulier, curieux

Orkan ['ɔrkaːn] *m* ouragan *m*

Ornament [ɔrna'mɛnt] *n* ornement *m*

Ort [ɔrt] *m* 1. *(Stelle)* lieu *m*, endroit *m*, place *f*; *sich an ~ und Stelle begeben* se rendre sur les lieux; *Hier ist nicht der ~, darüber zu sprechen*. Ce n'est pas le lieu de parler de cela. 2. *(Ortschaft)* localité *f*

orthodox [ɔrto'dɔks] *adj* orthodoxe

Orthographie [ɔrtogra'fiː] *f* orthographe *f*

Orthopäde [ɔrto'pɛːdə] *m* orthopédiste *m*

örtlich ['ø:rtlɪŋ] *adj* local

Örtlichkeiten ['ø:rtlɪŋkaitən] *pl* lieux *m/pl*

Ortschaft ['ɔrtʃaft] *f* localité *f*, agglomération *f*

Ortsgespräch ['ɔrtsgəʃprɛŋ] *n* communication locale/urbaine *f*

ortskundig ['ɔrtskundɪŋ] *adj* connaissant les lieux

Osten ['ɔstən] *m* 1. est *m*; 2. POL Est *m*; 3. *Naher ~* Proche-Orient *m*; 4. *Mittlerer ~* Moyen-Orient *m*; 5. *Ferner ~* Extrême-Orient *m*

Osterei ['ɔstarai] *n* œuf de Pâques *m*

Osterglocke ['ɔstərglɔkə] *f* narcisse *m*

Osterhase ['ɔstərhaːzə] *m* lièvre/lapin de Pâques *m*

Ostern ['ɔstərn] *n* Pâques *f/pl*

Österreich ['øːstərraiŋ] *n* Autriche *f*

österreichisch ['øːstərraiŋɪʃ] *adj* autrichien, d'Autriche

Osteuropa ['ɔstɔyroːpa] *n* Europe orientale/de l'est *f*

östlich ['œstlɪŋ] *adj* oriental, de l'est, d'est; *~ von* à l'est de

Ostsee ['ɔstzeː] *f* (mer) Baltique *f*

Otter ['ɔtər] 1. *m* ZOOL loutre *f*; 2. *f (Schlange)* vipère *f*

Ottomotor ['ɔtomoːtər] *m* moteur à essence *m*

oval [o'vaːl] *adj* ovale

Overall ['oːvərɔːl] *m (Arbeits~)* salopette *f*, combinaison *f*

oxidieren [ɔksy'diːrən] *v (s')* oxyder

Ozean ['oːtsea:n] *m* océan *m*

Ozon [o'tsoːn] *n* ozone *m*

Ozonloch [o'tsoːnlɔx] *n* trou dans la couche d'ozone *m*

Ozonschicht [o'tsoːnʃiŋt] *f* couche d'ozone *f*

P

paar [pa:r] *adv* quelques; *mit ein - Worten* en peu de mots; *die - Groschen, die er verdient hat* les quelques sous qu'il a gagnés

Paar [pa:r] *n* 1. (*Ehe-*) couple *m*; 2. (*Schuhe*) paire *f*

paarmal ['pa:rma:l] *adv ein - quelquefois*

Paarung ['pa:ruŋ] *f* accouplement *m*

paarweise ['pa:rvaizə] *adv* par couples

Pacht [paxt] *f* bail *m*, fermage *m*

Pächter ['pɛçtər] *m* 1. preneur *m*, tenancier *m*; 2. AGR fermier *m*

Päckchen ['pɛkŋən] *n* petit paquet *m*

packen ['pakən] *v* 1. (*greifen*) saisir, empoigner; 2. (*einpacken*) emballer, empaqueter; 3. (*Koffer*) faire des valises

Packpapier ['pakpapi:r] *n* papier d'emballage *m*

Packung ['pakuŋ] *f* 1. emballage *m*; 2. (*Paket*) paquet *m*; 3. MED enveloppement *m*

pädagogisch [pɛda'go:gɪʃ] *adj* pédagogique

Paddel ['padəl] *n* pagaie *f*

Paddelboot ['padəlbo:t] *n* canoë *m*

Page ['pa:ʒə] *m* page *m*, groom *m*

Paket [pa'ke:t] *n* paquet *m*, colis postal *m*

Pakistan ['pakɪstaŋ] *n* Pakistan *m*

Pakt [pakt] *m* pacte *m*, accord *m*

Palast/Paläste [pa'last] *m* palais *m*

Palästina [palɛ'sti:na] *n* Palestine *f*

Palette [pa'lɛtə] *f* 1. palette *f*; 2. (*Auswahl*) choix *m*

Palme ['palmə] *f* palmier *m*

Pampelmuse ['pampəlmu:zə] *f* pamplemousse *m*

Panik ['pa:nɪk] *f* panique *f*

Panne ['panə] *f* panne *f*

Pannenhilfe ['panənhɪlfə] *f* service de dépannage *m*

Panorama [pano'ra:ma] *n* panorama *m*

Panther ['pantər] *m* panthère *f*

Pantoffel [pan'tɔfəl] *m* pantoufle *f*

Panzer ['pantsər] *m* 1. (*Schutz-*) cuirasse *f*; 2. MIL char (d'assaut) *m*; 3. (*Tiere*) carapace *f*

Papa ['pa:pa] *m* papa *m*

Papagei [papa'gaɪ] *m* perroquet *m*

Papier [pa'pi:r] *n* 1. papier *m*; 2. (*Dokument*) papiers *m/pl*; 3. (*Wert-*) titre *m*

Papierkorb [pa'pi:rkɔrp] *m* corbeille à papier(s) *f*

Pappe ['papə] *f* carton *m*

Pappel ['papəl] *f* peuplier *m*

Pappkarton ['papkarto:n] *m* carton *m*

Paprika ['paprɪka] 1. *m* (*Gewürz*) paprika *m*; 2. *f* poivron *m*

Papst [pa:pst] *m* pape *m*; *päpstlicher als der - sein* être plus royaliste que le roi

päpstlich ['pɛ:pstlɪŋ] *adj* pontifical

Parade [pa'ra:də] *f* 1. MIL prise d'armes *f*; 2. parade *f*, défilé *m*

Paradies [para'di:s] *n* paradis *m*

paradiesisch [para'di:zɪʃ] *adj* paradisiaque

Paragraph [para'gra:f] *m* paragraphe *m*

parallel [para'le:l] *adj* parallèle

Parfüm [par'fy:m] *n* parfum *m*

parieren [pa'ri:rən] *v* 1. (*Schlag*) parer; 2. (*fam: gehorchen*) obéir

Park [park] *m* parc *m*

parken ['parkən] *v* (se) garer, stationner

Parkett [par'kɛt] *n* 1. (*Fußboden*) parquet *m*; 2. THEAT orchestre *m*

Parkhaus ['parkhaus] *n* parking sur plusieurs niveaux *m*

Parkplatz ['parkplats] *m* place de parking/de stationnement *f*

Parkuhr ['parku:r] *f* parcmètre *m*

Parkverbot ['parkfɛrbo:t] *n* interdiction de stationner *f*, stationnement interdit *m*

Parlament [parla'mɛnt] *n* parlement *m*

parlamentarisch [parlamɛn'ta:rɪʃ] *adj* parlementaire

Parodie [paro'di:] *f* parodie *f*

Parole [pa'rolə] *f* 1. mot d'ordre *m*; 2. (*Motto*) devise *f*; 3. MIL mot de passe *m*

Partei [par'taɪ] *f* parti (politique) *m*; *für etw - ergreifen* prendre fait et cause pour qc

Parteienverkehr [par'taɪənfɛrke:r] *m* (*Amt*) heures d'audience/de consultation *f/pl*

parteiisch [par'taɪɪʃ] *adj* partial

Parteinahme [par'taɪna:mə] *f* prise de parti/de position *f*

Parterre [par'tɛrə] *n* 1. (*Erdgeschoß*) rez-de-chaussée *m*; 2. THEAT parterre *m*

Partie ['parti:] *f* partie *f*, match *m*

Partisan [parti'za:n] *m* partisan *m*

Partner ['partnər] *m* partenaire *m*

Party ['pa:rti] *f* soirée *f*, surprise-partie *f*

Paß [pas] *m* 1. *(Ausweis)* passeport *m*, carte d'identité *f*; 2. *(Berg-)* col *m*; 3. *(Durchgang)* passage *m*; 4. *(Eng-)* défilé *m*

Passage [pa'sa:ʒə] *f* 1. *(Durchgang)* passage *m*; 2. *(Überfahrt)* traversée *f*

Passagier [pasa'ʒi:r] *m* passager *m*; *blinder* ~ *m* passager clandestin *m*

Passant [pa'sant] *m* passant *m*

passen ['pasən] *v* 1. *(Kleidung)* être à la (bonne) taille (de qn), aller (bien); *Das paßt mir wie angegossen.* Ça ne va comme un gant. 2. *(angemessen sein)* convenir, être de mise; 3. *(recht sein)* convenir (à qn), aller; 4. *(Angelegenheit)* être convenable

passend ['pasənt] *adj* approprié, adéquat

passieren [pa'si:rən] *v* 1. *(geschehen)* se passer, arriver; *Das kann jedem* ~. Cela peut arriver à tout le monde. *Wie ist das passiert?* Comment cela s'est-il-passé? *Das soll mir nun wirklich keinesfalls wieder* ~. On ne m'y reprendra plus. 2. *(überqueren)* passer

passiv [pa'si:f] *adj* passif

Paste ['pastə] *f* pâte *f*

Pastete [pa'ste:tə] *f* 1. pâté *m*; 2. *(Fleisch-)* bouchée à la reine *f*

Pastor ['pastɔr] *m* 1. *(evangelisch)* pasteur *m*; 2. *(katholisch)* curé *m*

Pate/Patin ['pa:tə] *m/f* parrain *m*/marraine *f*

Patenkind ['pa:tənkɪnt] *n* filleul *m*

Patent [pa'tɛnt] *n* brevet (d'invention) *m*

Pater/Patres ['pa:tər] *m* père *m*

Patient [pats'jɛnt] *m* patient *m*, malade *m*

Patriarch [patri'arç] *m* patriarche *m*

patriotisch [patri'o:tiʃ] *adj* patriotique

Patrone [pa'tro:nə] *f* cartouche *f*

Pauke ['paukə] *f* timbale *f*

pauken ['paukən] *v (fam)* bachoter

pauschal [pau'ʃa:l] 1. *adj* forfaitaire, global; 2. *adv* à forfait, en bloc

Pause ['pauzə] *f* 1. pause *f*; *sich eine kleine Atem- gönnen* s'accorder un peu de répit; 2. *(Schule)* récréation *f*

pausenlos ['pauzənlo:s] 1. *adj* continu/continuel, incessant; 2. *adv* sans repos

Pazifik [pa'tsi:fik] *m (océan)* Pacifique *m*

pazifistisch [patsi'fɪstiʃ] *adj* pacifiste

Pech [pɛç] *n* 1. poix *f*; 2. *(Mißgeschick)* malchance *f*; ~ *haben* jouer de malheur

Pedal [pe'da:l] *n* pédale *f*

pedantisch [pe'dantiʃ] *adj* tatillon

Pegel ['pe:gəl] *m* niveau *m*

peilen ['pailən] *v (fig)* sonder, mesurer; *über den Daumen* ~ mesurer à vue de nez

peinlich ['painlɪç] *adj* 1. *(unangenehm)* désagréable, pénible, gênant; 2. ~ *genau* minutieux, méticuleux, scrupuleux

Peitsche ['paitʃə] *f* fouet *m*

Pelle ['pɛlə] *f* pelure *f*; *jdm auf der* ~ *sitzen* être collant/être pendu aux basques de qn

Pelz [pɛlts] *m* 1. *(Fell)* peau *f*, pelage *m*, poil *m*; 2. *(-mantel)* manteau de fourrure *m*

Pendel ['pɛndəl] *n* pendule *m*

pendeln ['pɛndəln] *v* 1. *(baumeln)* osciller, balancer; 2. *(fig)* faire la navette

Penis ['pe:nɪs] *m* pénis *m*

Penizillin [penitsi'li:n] *n* pénicilline *f*

Pension [pɛn'sjo:n] *f* 1. *(Ruhestand)* retraite *f*; 2. *(Rente)* pension (de retraite) *f*; 3. *(Fremdenheim)* pension *f*, maison de repos *f*

perfekt [pɛr'fɛkt] *adj* parfait, accompli

Perfektion [pɛrfɛkts'jo:n] *f* perfection *f*

Pergament [pɛrga'mɛnt] *n* parchemin *m*

Periode [per'jo:də] *f* période *f*

Perle ['pɛrlə] *f* perle *f*

Perlmutt ['pɛrlmut] *n* nacre *f*

perplex [pɛr'plɛks] *adj* perplexe, stupéfait

Perser ['pɛrzər] *m* 1. *(Person)* Persan *m*, Perse *m*; 2. *(Teppich)* tapis persan/de Perse *m*

Persien ['pɛrzjən] *n* Perse *f*

Person [pɛr'zo:n] *f* personne *f*, individu *m*

Personal [pɛrzo'na:l] *n* 1. personnel *m*; 2. *(Angestellte)* employés *m/pl*; 3. *(Haus-)* domestiques *m/pl*

Personalabteilung [pɛrzo'na:laptailuŋ] *f* service du personnel *m*

Personalausweis [pɛrzo'na:lausvais] *m* carte d'identité *f*, pièce d'identité *f*

Personalien [pɛrzo'na:ljən] *pl* identité *f*

persönlich [pɛr'zø:nlɪç] *adj* personnel

Persönlichkeit [pɛr'zø:nlɪçkait] *f* personnalité *f*

Perspektive [pɛrspɛk'ti:və] *f* perspective *f*; *aus der Vogel-* à vol d'oiseau

Perücke [pe'rykə] *f* perruque *f*

pervers [pɛr'vɛrs] *adj* pervers

Pessimismus [pɛsi'mɪsmus] *m* pessimisme *m*

Pest [pɛst] *f* peste *f*

Petersilie [petər'zi:ljə] *f* persil *m*

Petroleum [pe'tro:leum] *n* pétrole *m*

Pfad [pfa:t] *m* sentier *m*, chemin (étroit) *m*

Pfadfinder ['pfa:tfɪndər] *m* (boy) scout *m*

Pfahl [pfa:l] *m* poteau *m*, piquet *m*
Pfand [pfant] *n* gage *m*, garantie *f*
pfänden ['pfɛndən] *v* saisir
Pfandflasche ['pfa:ntflaʃə] *f* bouteille consignée *f*
Pfandhaus ['pfanthaus] *n* mont-de-piété *m*
Pfanne ['pfanə] *f* poêle *f*
Pfannkuchen ['pfanku:xən] *m* crêpe *f*
Pfarrer ['pfarər] *m* 1. *(evangelisch)* pasteur *m*; 2. *(katholisch)* curé *m*
Pfau [pfau] *m* paon *m*; *stolz wie ein ~ sein* être fier comme un pou
Pfeffer ['pfɛfər] *m* poivre *m*
Pfefferminze ['pfɛfərmɪntsə] *f* menthe *f*
Pfeife ['pfaifə] *f* 1. *(Tabak~)* pipe *f*; 2. *(Triller~)* sifflet *m*; 3. *(Orgel~)* tuyau *m*
pfeifen ['pfaifən] *v* siffler; *auf etw ~* faire fi de qc; *sehr gut ~* siffler comme un merle
Pfeil [pfail] *m* flèche *f*, trait *m*
Pfeiler ['pfailər] *m* pilier *m*, pilastre *m*
Pfennig ['pfɛnɪҫ] *m* pfennig *m*; *keinen ~ Geld haben* n'avoir ni sou ni maille
Pferd [pfɛrt] *n* cheval *m*
Pferderennbahn ['pfɛrdərɛnba:n] *f* hippodrome *m*
Pferdeschwanz ['pfɛrdəʃvants] *m (fig: Haar)* queue de cheval *f*
Pfiff [pfɪf] *m (Pfeifen)* coup de sifflet *m*
Pfifferling ['pfɪfərlɪŋ] *m* chanterelle *f*
Pfingsten ['pfɪŋstən] *n* Pentecôte *f*
Pfirsich ['pfɪrzɪҫ] *m* pêche *f*
Pflanze ['pflantsə] *f* plante *f*, végétal *m*
pflanzen ['pflantsən] *v* 1. planter; 2. *(an~)* cultiver
Pflanzenschutzmittel ['pflantsənʃutsmɪtəl] *n* pesticide *m*
pflanzlich ['pflantslɪҫ] *adj* végétal
Pflaster ['pflastər] *n* 1. *(Wund~)* pansement adhésif *m*, sparadrap *m*; 2. *(Straßen~)* pavé *m*
Pflaume ['pflaumə] *f* prune *f*; *getrocknete ~ f* pruneau *m*
Pflege ['pfle:gə] *f* soin *m*
Pflegefall ['pfle:gəfal] *m* personne nécessitant des soins *f*
Pflegeheim ['pfle:gəhaim] *n* hospice *m*
Pflegekind ['pfle:gəkɪnt] *n* enfant en nourrice *m*
pflegen ['pfle:gən] *v* soigner
Pfleger ['pfle:gər] *m* infirmier *m*
Pflicht [pflɪҫt] *f* devoir *m*, obligation *f*; *Die ~ ruft.* Le devoir nous appelle. *etw für seine ~ halten* se mettre en devoir de qc

pflichtbewußt ['pflɪҫtbəwust] 1. *adj* consciencieux; 2. *adv* par devoir
pflücken ['pflʏkən] *v* cueillir
Pflug [pflu:k] *m* charrue *f*
pflügen ['pflʏgən] *v* labourer
Pforte ['pfɔrtə] *f* porte *f*
Pförtner ['pfœrtnər] *m* portier *m*, concierge *m*
Pfosten ['pfɔstən] *m* poteau *m*, montant *m*
Pfote ['pfɔtə] *f* patte *f*
Pfund [pfunt] *n* 1. *(Maßeinheit)* livre *f*; 2. *(Währungseinheit)* livre sterling *f*
pfuschen ['pfuʃən] *v (fam)* bâcler, gâcher
Pfütze ['pfʏtsə] *f* flaque (d'eau) *f*, mare *f*
Phänomen [fɛ:no'me:n] *n* phénomène *m*
Phantasie [fanta'zi:] *f* 1. imagination *f*, fantaisie *f*; 2. *(Trugbild)* chimère *f*
phantasieren [fanta'zi:rən] *v* 1. s'abandonner à son imagination; 2. *MED* délirer
phantastisch [fan'tastɪʃ] *adj* fantastique
Phantom [fan'to:m] *n* fantôme *m*
Phase ['fa:zə] *f* phase *f*, stade *m*
Philosophie [filozo'fi:] *f* philosophie *f*
philosophisch [filo'zo:fɪʃ] *adj* philosophique
phosphatfrei [fɔs'fa:tfrai] *adj* sans phosphate
Physik [fy'zi:k] *f* physique *f*
physikalisch [fyzi'ka:lɪʃ] *adj* physique
physisch ['fy:zɪʃ] *adj* physique
Pianist [pia'nɪst] *m* pianiste *m*
Pickel ['pɪkəl] *m* 1. *(Werkzeug)* pic *m*, pioche *f*; 2. *(Pustel)* petit bouton *m*, pustule *f*
picken ['pɪkən] *v* becqueter, picorer
Picknick ['pɪknɪk] *n* pique-nique *m*
pietätlos [pie'tɛ:tlo:s] *adj* impie, sans piété
Pilger ['pɪlgər] *m* pèlerin *m*
Pilgerfahrt ['pɪlgərfa:rt] *f* pèlerinage *m*
Pille ['pɪlə] *f* pilule *f*; *die bittere ~ schlucken* avaler la pilule
Pilot [pi'lo:t] *m* pilote *m*
Pilotprojekt [pi'lo:tprojɛkt] *n* projet-pilote *m*
Pilz [pɪlts] *m* champignon *m*
Pinguin [pɪŋgu'i:n] *m* pingouin *m*
Pinie ['pi:njə] *f* pin (parasol) *m*
Pinsel ['pɪnzəl] *m* pinceau *m*, brosse *f*
Pinzette [pɪn'tsɛtə] *f* pincette(s) *f/(pl)*
Pionier [pio'ni:r] *m* pionnier *m*, sapeur *m*
Pirat [pi'ra:t] *m* pirate *m*
Pistazie [pɪs'ta:tsiə] *f* 1. *(Frucht)* pistache *f*; 2. *(Baum)* pistachier *m*

Piste ['pɪstə] f piste f
Pistole [pɪs'toːlə] f pistolet m
plädieren [plɛ'diːrən] v plaider
Plädoyer [plɛː'doaˈjeː] n plaidoirie f
Plage ['plaːgə] f peine f, mal m
plagen ['plaːgən] v sich ~ se tourmenter
Plakat [pla'kaːt] n affiche f, pancarte f
Plan [plaːn] m 1. plan m, projet m; 2. (Absicht) dessein m
Plane ['plaːnə] f bâche f
planen ['plaːnən] v planifier, projeter
Planet [pla'neːt] m planète f
planmäßig ['plaːnmɛːsɪŋ] 1. adj conforme au plan (établi), conforme aux prévisions; 2. adv selon le plan, comme prévu
planschen ['planʃən] v patauger, barboter
Planspiel ['plaːnʃpiːl] n jeu tactique m
Plantage [plan'taːʒə] f plantation f
Planung ['plaːnuŋ] f planification f
plappern ['plapərn] v bavarder, jaser; etw nach~ wie ein Papagei répéter qc comme un perroquet
Plastik ['plastɪk] n 1. matière plastique f, plastique m; f 2. sculpture f
plastisch ['plastɪʃ] adj 1. plastique; 2. (fig) en relief
Platane [pla'taːnə] f platane m
plätschern ['plɛtʃərn] v clapoter
platt [plat] adj plat, aplati
Platte ['platə] f 1. (Holz-/Metall-) plaque f; 2. (Fliese) dalle f, carreau m; 3. (Schall-) disque m; 4. (Torten-) plat m
Plattenspieler ['platənʃpiːlər] m tourne-disque m
Plattform ['platfɔrm] f plate-forme f
Platz [plats] m 1. (Stelle) place f, endroit m, emplacement m; jdm seinen ~ überlassen céder sa place à qn; Räume mir Deinen ~ ein. Ote-toi de là que je m'y mette. 2. (Spielfeld), stade m; 3. (Markt-) place du marché f; 4. (freier Raum) espace libre m
Plätzchen ['plɛtsʃən] n (Gebäck) petit gâteau m, petit four m
platzen ['platsən] v 1. crever, éclater; 2. (mißlingen) échouer, rater
Platzkarte ['platskartə] f ticket de location m
Platzwunde ['platsvundə] f plaie f
plaudern ['plaudərn] v causer, bavarder; aus der Schule ~ vendre la mèche
plausibel [plau'ziːbəl] adj plausible
Pleite ['plaɪtə] f 1. faillite f; ~ machen faire faillite; 2. (fig: Mißerfolg) échec m

plombieren [plɔm'biːrən] v plomber
plötzlich ['plœtslɪŋ] adj 1. subit, brusque; 2. (unerwartet) inattendu; 3. adv soudain
plump [plump] adj 1. (unförmig) lourd, pesant; 2. (ungeschickt) lourdaud, balourd
plündern ['plyndərn] v piller, dépouiller
Plünderung ['plyndəruŋ] f pillage m
Plural ['pluːraːl] m pluriel m
plus [plus] adv plus
Plus [plus] n 1. (Überschuß) surplus m; 2. (fig: Vorzug) bon point m
Plüsch [plyʃ] m peluche f
Plutonium [plu'toːnjum] n plutonium m
Po [poː] m (fam) derrière m
Pöbel ['pøːbəl] m plèbe f, populace f
pochen ['pɔxən] v 1. (Herz) battre, palpiter; 2. (fig: bestehen auf) réclamer
Pocken ['pɔkən] pl variole f
Podest [po'dɛst] n 1. (Bühne) estrade f; 2. (Treppenabsatz) palier m
Podium ['poːdjum] n 1. podium m, tribune f; 2. (Bühne) scène f
Poesie [poe'ziː] f poésie f
poetisch [po'eːtɪʃ] adj poétique
Pokal [po'kaːl] m coupe f
Pol [poːl] m pôle m
Polarkreis [po'laːrkraɪs] m cercle polaire m
Polemik [po'leːmɪk] f polémique f
Polen ['poːlən] n Pologne f
Police [po'liːsə] f police (d'assurance) f
polieren [po'liːrən] v faire briller, polir
Politik [poli'tiːk] f politique f
Politiker [po'liːtikər] m homme politique m
politisch [po'liːtɪʃ] adj politique
Polizei [poli'tsaɪ] f police f; Achtung, da kommt die ~! Vingt-deux, voilà les flics!
Polizeipräsidium [poli'tsaɪprɛziːdjum] n préfecture de police f
Polizeirevier [poli'tsaɪreviːr] n poste de police m, commissariat de police m
Polizeistunde [poli'tsaɪʃtundə] f heure de fermeture f
Polizist [poli'tsɪst] m agent de police m
polnisch ['pɔlnɪʃ] adj polonais
Polster ['pɔlstər] n 1. coussin m, rembourrage m; 2. (finanzielles ~) réserves f/pl
Pomade [po'maːdə] f pommade f
Pommes frites [pɔm'friːt] pl frites f/pl
pompös [pɔm'pøːs] adj pompeux
Pony ['pɔniː] 1. n ZOOL poney m; 2. m (Frisur) frange f

populär [popu'lɛːr] *adj* populaire
Popularität [populariˈtɛːt] *f* popularité *f*
Pore ['poːrə] *f* pore *m*
Pornographie [pɔrnograˈphiː] *f* pornographie *f*
porös [poˈrøːs] *adj* poreux
Porree ['pɔreː] *m* poireau *m*
Portal [pɔrˈtaːl] *n* portail *m*
Portemonnaie [pɔrtmɔˈneː] *n* porte-monnaie *m*, bourse *f*
Portier [pɔrˈtjeː] *m* portier *m*, concierge *m*
Portion [pɔrtsˈjoːn] *f* portion *f*
Porto ['pɔrto] *n* port *m*, affranchissement *m*
Porträt [pɔrˈtrɛː] *n* portrait *m*
Portugal ['pɔrtugal] *n* Portugal *m*
portugiesisch [pɔrtuˈgiːzɪʃ] *adj* portugais, du Portugal
Portwein ['pɔrtvaɪn] *m* vin de Porto *m*
Porzellan [pɔrtsəˈlaːn] *n* porcelaine *f*
Posaune [poˈzaunə] *f* trombone *m*
Pose ['poːzə] *f* pose *f*
Position [pozitsˈjoːn] *f* position *f*
positiv [poziˈtiːf] *adj* positif, affirmatif
Posse ['pɔsə] *f* 1. farce *f*, facétie *f*; 2. THEAT pièce burlesque *f*
Post [pɔst] *f* 1. poste *f*; 2. (Gebäude) bureau de poste *m*; 3. (Briefe) courrier *m*
Postamt ['pɔstamt] *n* bureau de poste *m*
Postbote ['pɔstboːtə] *m* facteur *m*
Posten ['pɔstən] *m* 1. (Anstellung) poste *m*, emploi *m*, place *f*; 2. (Wach-) poste *m*, sentinelle *f*; 3. (Warenmenge) lot *m*; 4. (Einzelziffer) article *m*, entrée *f*
Postfach ['pɔstfax] *n* boîte postale *f*
Postkarte ['pɔstkartə] *f* carte postale *f*
postlagernd ['pɔstlagərnt] 1. *adj* poste restante; 2. *adv* (en) poste restante
Postleitzahl ['pɔstlaɪtsaːl] *f* code postal *m*
Postsparbuch ['pɔstʃpaːrbux] *n* livret de caisse d'épargne de la poste *m*
potentiell [potɛntsˈjɛːl] *adj* potentiel
Pracht [praxt] *f* magnificence *f*, splendeur *f*
prächtig ['prɛçtɪç] *adj* magnifique
Prädikat [prɛdiˈkaːt] *n* 1. (Bewertung) titre *m*, note *f*; 2. GRAMM prédicat *m*
prägen ['prɛːgən] *v* (Münzen) frapper
prägnant [prɛgˈnant] *adj* significatif
prähistorisch [prɛhɪsˈtoːrɪʃ] *adj* préhistorique
prahlen ['praːlən] *v* se vanter, fanfaronner
Praktikant [praktiˈkant] *m* stagiaire *m*

Praktikum/Praktika ['praktikum] *n* stage (pratique) *m*
praktisch ['praktɪʃ] 1. *adj* pratique; 2. *adv* dans la practique
praktizieren [praktiˈtsiːrən] *v* pratiquer
Praline [praˈliːnə] *f* chocolat *m*
Prämie ['prɛːmjə] *f* 1. prime *f*; 2. (Belohnung) récompense *f*
Pranke ['praŋkə] *f* griffe *f*
Präparat [prɛpaˈraːt] *n* préparation *f*
präparieren [prɛpaˈriːrən] *v* préparer
Präposition [prɛpozitsˈjoːn] *f* préposition *f*
Prärie ['prɛri] *f* prairie *f*
Präsentation [prɛzəntatsˈjoːn] *f* présentation *f*
präsentieren [prɛzənˈtiːrən] *v* présenter
Präservativ [prɛzɛrvaˈtiːf] *n* préservatif *m*
Präsident ['prɛzidɛnt] *m* président *m*
Präsidium [prɛˈzidjum] *n* 1. (Vorsitz) présidence *f*; 2. (Polizei-) préfecture de police *f*
prassen ['prasən] *v* mener joyeuse vie
Praxis ['praksis] *f* 1. (Anwendung) pratique *f*, exercice *m*; in die - umsetzen mettre en pratique; 2. (Erfahrung) expérience *f*; 3. (Anwalt) cabinet (d'affaires) *m*, étude *f*; 4. (Arzt) cabinet de consultation *m*
predigen ['preːdigən] *v* 1. REL prêcher, faire un sermon; 2. (fig) sermonner
Predigt ['preːdɪçt] *f* 1. sermon *m*,; 2. (Bibelinterpretation) homélie *f*
Preis [praɪs] *m* 1. (Wertangabe) prix *m*; 2. (Auszeichnung) prix *m*, prime *f*
Preisanstieg ['praɪsanʃtiːk] *m* hausse des prix *f*, montée des prix *f*
Preisausschreiben ['praɪsausʃraɪbən] *n* concours *m*
Preiselbeere ['praɪzəlbeːrə] *f* airelle rouge *f*
preisen ['praɪzən] *v* louer, vanter
preisgeben ['praɪsgeːbən] *v* 1. (aufgeben) abandonner, sacrifier; 2. (enthüllen) révéler; 3. (aussetzen) livrer en proie à qn
preisgekrönt ['praɪsgəkrønt] *adj* primé
preisgünstig ['praɪsgynstɪç] *adj* 1. bon marché; 2. (lohnend) avantageux
Preisliste ['praɪslɪstə] *f* liste des prix *f*
Preisschild ['praɪsʃɪlt] *n* étiquette *f*
Preisträger ['praɪstrɛːgər] *m* 1. lauréat *m*, titulaire d'un prix *m*; 2. SPORT champion *m*
preiswert ['praɪsvɛrt] *adj* bon marché

Prellbock ['prɛlbɔk] *m (fig)* butoir *m*
Prellung ['prɛluŋ] *f* contusion *f*
Premiere [prəm'jɛːrə] *f* première *f*
Premierminister [prəm'jɛːrministər] *m* premier ministre *m*
Presse ['prɛsə] *f* 1. *(Zeitungswesen)* presse *f*, journaux *m/pl*; 2. *TECH* presse *f*
pressen ['prɛsən] *v* 1. presser; 2. *(zusammendrücken)* serrer
Pressesprecher ['prɛsəʃprɛʃər] *m* porte-parole *m*
Prestige [prɛs'tiːʒə] *n* prestige *m*
Preßluft ['presluft] *f* air comprimé *m*
Preßlufthammer ['preslufthamər] *m* marteau pneumatique *m*
prickeln ['prɪkəln] *v* 1. picoter; 2. *(Flüssigkeit)* pétiller
Priester ['priːstər] *m* prêtre *m*
prima [priːma] *adj* 1. fameux, épatant; 2. *ECO* de premier choix; 3. *(fam)* chouette; 4. *adv* à merveille
primär [pri'mɛːr] *adj* primaire
Primel ['priːməl] *f* primevère *f*
primitiv [primi'tiːf] *adj* primitif
Prinz [prints] *m* prince *m*
Prinzessin [prin'tsɛsin] *f* princesse *f*
Prinzip [prin'tsiːp] *n* principe *m*
prinzipiell [printsi'pjɛl] 1. *adj* de principe; 2. *adv* en principe, par principe
Priorität [pri:ɔri'tɛːt] *f* priorité *f*
Prise ['priːzə] *f* prise *f*, pincée *f*
privat [pri'vaːt] *adj* 1. privé, personnel; 2. *(einzeln)* particulier; 3. *(vertraulich)* confidentiel; *adv* 4. en privé; 5. *(einzeln)* en particulier
Privatisierung [privati'ziːruŋ] *f* privatisation *f*
Privatleben [pri'vaːtleːbən] *n* vie privée *f*
Privileg [privi'leːk] *n* privilège *m*
pro [proː] *prep* par, pour
Probe ['proːbə] *f* 1. *(Versuch)* essai *m*, épreuve *f*; 2. *THEAT* répétition *f*; 3. *(Muster)* échantillon *m*
proben ['proːbən] *v* répéter
probeweise ['proːbəvaizə] *adv* à titre d'essai
Probezeit ['proːbətsait] *f* période d'essai *f*
probieren [proː'biːrən] *v* 1. *(versuchen)* essayer, éprouver; 2. *(kosten)* goûter
Problem [proː'bleːm] *n* problème *m*
problematisch [proble'maːtiʃ] *adj* problématique

problemlos [proː'bleːmloːs] *adj* sans (aucun) problème
Produkt [proː'dukt] *n* produit *m*
Produktion [produkts'joːn] *f* production *f*
produktiv [produk'tiːf] *adj* productif
Produktivität [produktivi'tɛːt] *f* productivité *f*
Produzent [produ'tsɛnt] *m* producteur *m*
produzieren [produ'tsiːrən] *v* produire
professionell [profɛsio'nɛl] 1. *adj* professionnel; 2. *adv* en professionnel
Professor [proː'fɛsɔr] *m* professeur *m*
Profi ['proːfi] *m* professionnel *m*
Profil [proː'fiːl] *n* 1. *(Seitenansicht)* profil *m*; 2. *TECH* coupe *f*; 3. *(fig)* profil *m*
profilieren [profi'liːrən] *v sich* - se profiler
Programm [proː'gram] *n* programme *m*
programmieren [progra'miːrən] *v* programmer
Projekt [proː'jɛkt] *n* projet *m*
Projektor [proː'jɛktɔr] *m* projecteur *m*
Proklamation [proklamats'joːn] *f* proclamation *f*
Prokura [proː'kuːra] *f* procuration *f*
Promille [proː'mɪlə] *n* pour mille *m*
prominent [promi'nɛnt] *adj* renommé
Prominenz [promi'nɛnts] *f* notables *m/pl*
Promotion [promo:ts'joːn] *f* promotion *f*
prompt [prɔmt] *adj* prompt, immédiat
Pronomen [proː'noːmən] *n* pronom *m*
Propaganda [propa'ganda] *f* 1. propagande *f*; 2. *(Werbung)* réclame *f*
Propeller [proː'pɛlər] *m* hélice *f*
Prophet [proː'feːt] *m* prophète *m*
Prophezeiung [profe'tsaiuŋ] *f* prophétie *f*
Proportion [propɔrts'joːn] *f* proportion *f*
proportional [propɔrtsjo:'naːl] *adj* proportionnel
Prosa ['proːza] *f* prose *f*
Prospekt [proː'spɛkt] *m* prospectus *m*
prost! [proːst] *interj* (à votre/ta) santé!
Prostituierte [prostitu'iːrtə] *f* prostituée *f*
Prostitution [prostituts'joːn] *f* prostitution *f*
Protest [proː'tɛst] *m* protestation *f*
protestantisch [protɛs'tantiʃ] *adj* protestant
protestieren [protɛs'tiːrən] *v* protester
Prothese [proː'teːzə] *f* prothèse *f*

Protokoll [proto'kɔl] *n 1. POL* protocole *m; 2. JUR* procès-verbal *m*
protokollieren [protokɔ'li:rən] *v 1.* verbaliser; *2. JUR* dresser un procès-verbal
Proviant [prov'jant] *m* provisions *f/pl*
Provinz [pro'vints] *f* province *f*
provinziell [provin'tsjɛl] *adj* provincial
Provision [proviz'jo:n] *f* commission *f*
provisorisch [provi'zo:rɪʃ] *adj* provisoire
Provokation [provokats'jo:n] *f* provocation *f*
Prozent [pro'tsɛnt] *n* pour-cent *m*
prozentual [protsɛntu'a:l] *adj 1.* exprimé en pour cent; *2. (proportional)* proportionnel; *3. adv* en pour cent
Prozession [protsɛs'jo:n] *f* procession *f*
Prozeß [pro'tsɛs] *m 1. JUR* procès *m; in einen ~ verwickelt sein* être en cause; *2. (Vorgang)* processus *m*, procédé *m*
prüfen ['pry:fən] *v 1.* examiner, inspecter, vérifier; *2. (kontrollieren)* contrôler
Prüfung ['pry:fuŋ] *f 1.* examen *m*, test *m*, épreuve *f; bei einer ~ durchfallen* rater un examen; *2. (Kontrolle)* contrôle *m*
Prügel ['pry:gəl] *1. m (Stock)* bâton *m; 2. pl* coups de bâton *m/pl*
prügeln ['pry:gəln] *v 1. jdn ~* donner des coups de bâton à qn, battre qn; *2. sich ~* se battre, en venir aux mains
Prunk [pruŋk] *m* pompe *f*, apparat *m*
prunkvoll ['pruŋkfɔl] *adj* fastueux
Psalm [psalm] *m* psaume *m*
Pseudonym [psɔydo'ny:m] *n* pseudonyme *m*
Psychiater [psyçi'a:tər] *m* psychiatre *m*
psychisch ['psy:çɪʃ] *adj* psychique
Psychoanalyse [psyçoana'ly:zə] *f* psychanalyse *f*
Psychologe [psyço'lo:gə] *m* psychologue *m*
Psychologie [psyçolo'gi:] *f* psychologie *f*
psychologisch [psyço'lo:gɪʃ] *adj* psychologique
Psychopharmaka [psyço'fa:rmaka] *pl* produits neuroleptiques *m/pl*
Psychotherapeut [psyçotera'pɔyt] *m* psychothérapeute *m*
Pubertät [pubɛr'tɛ:t] *f* puberté *f*
Publikation [publikats'jo:n] *f* publication *f*

Publikum ['publikum] *n 1.* public *m*, assistance *f; 2. (Zuhörer)* auditoire *m; 3. (Zuschauer)* spectateurs *m/pl*
publizieren [publi'tsi:rən] *v* publier
Pudding ['pudiŋ] *m* flan *m*
Pudel ['pu:dəl] *m* caniche *m*
Puder ['pu:dər] *m* poudre *f*
Pullover [pu'lo:vər] *m* pullover *m*, pull *m*
Puls [puls] *m* pouls *m*
Pulsader ['pulsa:dər] *f* artère *f*
Pulver ['pulfər] *n* poudre *f*
pulverig ['pulferiŋ] *adj 1.* pulvérulent; *2. (Schnee)* poudreux
Pulverschnee ['pulfərʃne:] *m* neige poudreuse *f*
Puma ['puma] *m* puma *m*
Pumpe ['pumpə] *f* pompe *f*
pumpen ['pumpən] *v 1.* pomper; *2. (fig: leihen)* emprunter qc à qn; *3. (fig: verleihen)* prêter qc à qn
Punkt [puŋkt] *m* point *m; Mach aber mal einen ~! Mets un bouchon! den toten ~ erreicht haben* être au point mort; *etw auf den ~ bringen* mettre les choses au point
pünktlich ['pyŋktlɪŋ] *1. adj* ponctuel; *2. adv* à l'heure; *~ sein* être à l'heure
Pupille [pu'pi:lə] *f* pupille *f*
Puppe ['pupə] *f 1. (Spielzeug)* poupée *f; 2. ZOOL* cocon *m*
Puppenspieler ['pupənʃpi:lər] *m* marionnettiste *m*, montreur de marionnettes *m*
pur [pu:r] *adj* pur
Püree [py're:] *n* purée *f*
puritanisch [puri'ta:nɪʃ] *adj* puritain
Purzelbaum ['purtsəlbaum] *m* culbute *f; einen ~ machen/schlagen* faire une culbute
purzeln ['purtsəln] *v 1.* culbuter, faire une culbute; *2. (fallen)* tomber
Puste ['pu:stə] *f* souffle *m*, haleine *f; aus der ~* hors d'haleine
Putsch [putʃ] *m* coup d'Etat *m*
Putschist [put'ʃist] *m* putschiste *m*
Putz [puts] *m 1. (Zier)* toilette *f*, parure *f; 2. (Mörtel)* enduit *m*, crépi *m*
putzen ['putsən] *v 1.* nettoyer; *2. (Zähne)* brosser; *3. (Nase)* moucher
Putzmittel ['putsmɪtəl] *n* produit(s) de nettoyage *m/(pl)*
Pyjama [py'dʒa:ma] *m* pyjama *m*
Pyramide [pyra'mi:də] *f* pyramide *f*

Q

Quacksalber ['kvakzalbər] *m (fam)* guérisseur *m*, charlatan *m*

Quadrat [kva'dra:t] *n* carré *m*

quadratisch [kva'dra:tıʃ] *adj* carré

Quadratmeter [kva'dra:tme:tər] *m* mètre carré *m*

quaken ['kva:kən] *v* 1. *(Frosch)* coasser; 2. *(Ente)* faire coin-coin

Qual [kva:l] *f* peine *f*, souffrance *f; ~ der Wahl f* embarras du choix *m*

quälen ['kvɛ:lən] *v* 1. tourmenter, torturer; 2. *(beunruhigen)* inquiéter

Quälerei [kvɛlə'raı] *f* 1. tourments *m/pl*, tracasserie *f;* 2. *(fig: mühsame Arbeit)* torture *f*

Quälgeist ['kvɛ:lgaıst] *m* persécuteur *m*

Qualifikation [kvalifikats'jo:n] *f* 1. qualification *f;* 2. *(Eignung)* aptitude *f*

qualifizieren [kvalifi'tsi:rən] *v sich ~ se* qualifier

Qualität [kvali'tɛ:t] *f* qualité *f*

qualitativ [kvalita'ti:f] *adj* qualitatif

Qualitätsbezeichnung [kvali'tɛ:tsbə tsaıçnuŋ] *f* label (de qualité) *m*

Qualitätswein [kvali'tɛ:tsvaın] *m* vin de qualité (supérieure) *m*

Qualle ['kvalə] *f* méduse *f*

Qualm [kvalm] *m* fumée épaisse *f*, vapeur épaisse *f*

qualvoll ['kvalfɔl] *adj* très douloureux, cuisant

quantitativ [kvantita'ti:f] *adj* quantitatif

Quarantäne [kvaran'tɛ:nə] *f* quarantaine *f; unter ~ stellen* mettre en quarantaine

Quark [kvark] *m* fromage blanc *m*

Quartal [kvar'ta:l] *n* trimestre *m*

Quartett [kvar'tɛt] *n* quatuor *m*

Quartier [kvar'ti:r] *n* 1. logement *m*, gîte *m;* 2. MIL cantonnement *m*

Quarz [kvarts] *m* quartz *m*

Quarzuhr ['kvartsu:r] *f* montre à quartz *f*

quasseln ['kvasəln] *v (fam)* radoter, jacasser

Quaste ['kvastə] *f* houppe *f*, houppette *f*

Quatsch [kvatʃ] *m (fam)* sottises *f/pl*, bêtises *f/pl*

Quelle ['kvɛlə] *f* 1. source *f*, fontaine *f;* 2. *(fig: Herkunft)* source *f*

quellen ['kvɛlən] *v* 1. *(hervor-)* jaillir, émaner; 2. *~ lassen* tremper, faire gonfler

quer [kve:r] *adv* de/en travers, à/au travers de

Quere ['kve:rə] *f* travers *m; jdm in die ~ kommen* contrecarrer les projets de qn

querfeldein ['kve:rfɛltaın] *adv* à travers (les) champs

Querflöte ['kve:rflø:tə] *f* flûte traversière *f*

Querkopf ['kve:rkɔpf] *m (fam)* esprit de travers *m*, tête carrée *f*

querschießen ['kve:rʃi:sən] *v (fam)* mettre des bâtons dans les roues

Querschnitt ['kve:rʃnıt] *m* coupe transversale *f*, section transversale *f*

Querschnittslähmung ['kve:rʃnıtslɛ:- muŋ] *f* paraplégie *f*

Querstraße ['kve:rʃtrasə] *f* rue transversale *f*

Querverbindung ['kve:rfɛrbinduŋ] *f* jonction/liaison transversale *f*, traverse *f*

quetschen ['kvɛtʃən] *v* 1. presser, serrer; 2. *(zer-)* écraser

quicklebendig ['kvıklebɛndıŋ] *adj (fam)* vif, alerte

quietschen ['kvi:tʃən] *v* 1. pousser des cris aigus; 2. *(Tür)* grincer

Quirl [kvırl] *m (Gerät)* moulinet *m*

quirlig ['kvırlıŋ] *adj* qui remue tout le temps, turbulent

quitt [kvıt] *adj ~ sein* être quitte

Quitte ['kvıtə] *f* coing *m*

quittieren [kvı'ti:rən] *v* 1. *(Rechnung)* acquitter, donner quittance; 2. *(Dienst)* quitter

Quittung ['kvıtuŋ] *f* quittance *f*, reçu *m*

Quiz [kvıts] *n (Rätsel)* devinette *f*, rébus *m*

Quote ['kvo:tə] *f* 1. quota *m*, quote-part *f;* 2. *(Anteil)* portion *f*

R

Rabatt [ra'bat] *m* 1. rabais *m; einen ~ erhalten* obtenir une remise; 2. *(Rückvergütung)* ristourne *f*

Rabe ['ra:bə] *m* corbeau *m*

Rache ['raxə] *f* vengeance *f*

rächen ['rɛ:ŋən] *v* venger qn/qc

Rachen ['raxən] *m* 1. ANAT pharynx *m;* 2. *(Kehle)* gosier *m*

rachsüchtig ['raxzyŋtɪŋ] *adj* vindicatif

Rad [ra:t] *n* 1. roue *f; das fünfte ~ am Wagen sein* être la cinquième roue de la charrette; 2. *(Fahrrad)* bicyclette *f*, vélo *m*

Radau [ra'dau] *m (fam)* chahut *m*

radfahren ['ra:tfa:rən] *v* aller à bicyclette

Radfahrer ['ra:tfa:rər] *m* cycliste *m*

radieren [ra'di:rən] *v* effacer, gommer

Radiergummi [ra'di:rgumi] *m* gomme *f*

Radierung [ra'di:ruŋ] *f* estampe à l'eau-forte *f*

Radieschen [ra'di:sŋən] *n* radis *m*

radikal [radi'ka:l] *adj* 1. radical; 2. POL extrémiste

Radio ['ra:djo] *n* radio *f; im ~* à la radio

radioaktiv [radjoak'ti:f] *adj* radioactif; *~e Abfälle pl* déchets radioactifs *m/pl*

Radius/Radien ['radjus] *m* rayon *m*

Radnabe ['ra:tna:bə] *f* moyeu *m*

Radrennen ['ra:trɛnən] *n* course cycliste *f*

raffiniert [rafi'ni:rt] *adj* 1. *(verfeinert)* raffiné; 2. *(schlau)* astucieux

ragen ['ra:gən] *v* se dresser

Rahm [ra:m] *m* crème *f*

Rahmen ['ra:mən] *m* 1. cadre *m;* 2. *(Fenster-)* châssis *m; im ~ von...* dans le cadre de...

Rakete [ra'ke:tə] *f* fusée *f*

Raketenstützpunkt [ra'ke:tənʃtytspuŋkt] *m* base de missiles *f*

rammen ['ramən] *v (Auto)* percuter

Rampe ['rampə] *f* rampe *f*

Rampenlicht ['rampənlɪŋt] *n* feux de la rampe *m/pl*

Ramsch [ramʃ] *m (fam)* camelote *f*

Rand [rant] *m* bord *m; am ~e* en marge

Randbemerkung ['rantbəmɛrkuŋ] *f* note marginale *f*

Randgruppe ['rantgrupə] *f* groupe marginal *m*

Rang [raŋ] *m* 1. *(Qualität)* rang *m*, classe *f; ersten ~s* de première classe; *von hohem ~* de haut rang; 2. *(Stellung)* condition *f; jdm den ~ ablaufen* couper l'herbe sous le pied de qn; 3. THEAT galerie *f*

rangieren [ran'ʒi:rən] *v (Zug)* garer, trier

Rangliste ['raŋlɪstə] *f* classement *m*

Rangordnung ['raŋɔrdnuŋ] *f* ordre de préséance *m*, hiérarchie *f*

Ranke ['raŋkə] *f (Wein-)* sarment *m*

ranken ['raŋkən] *v* grimper

Ranzen ['rantsən] *m (Schultasche)* sac *m*

ranzig ['rantsɪŋ] *adj* rance

rar [ra:r] *adj* rare

Rarität [rari'tɛ:t] *f* rareté *f*

rasch [raʃ] 1. *adj* rapide; 2. *adv* vite

rascheln ['raʃəln] *v* faire un léger bruit

Rasen ['ra:zən] *m* gazon *m*

rasen ['ra:zən] *v* 1. *(schnell fahren)* rouler très vite; *wie ein Irrer ~* rouler à tombeau ouvert; 2. *(wütend sein)* rager

rasend ['ra:zənt] *adj* 1. *(sehr schnell)* très rapide; 2. *(wütend)* enragé, furieux; 3. *(sehr stark)* frénétique; *adv* 4. *(sehr schnell)* très vite; 5. *(wütend)* avec rage; *~ machen* faire enrager qn

Rasenmäher ['ra:zənmɛ:ər] *m* tondeuse à gazon *f*

Rasierapparat [ra'zi:rapara:t] *m* rasoir mécanique/électrique *m*

rasieren [ra'zi:rən] *v* 1. raser, faire la barbe; 2. *sich ~* se raser

Rasierschaum [ra'zi:rʃaum] *m* mousse à raser *f*

Rasierwasser [ra'zi:rvasər] *n* lotion *f*

Raspel ['raspəl] *f* râpe *f*

Rasse ['rasə] *f* race *f*

Rassendiskriminierung ['rasəndɪskrimini:ruŋ] *f* discrimination raciale *f*

Rassismus [ra'sɪsmus] *m* racisme *m*

Rast [rast] *f* repos *m*, pause *f*

rasten ['rastən] *v* se reposer

Rasthaus ['rasthaus] *n* auberge *f*

Rastplatz ['rastplats] *m* aire de repos *f*

Rat [ra:t] *m* 1. *(Ratschlag)* conseil *m*, avis *m; jdn um ~ bitten* demander conseil à qn; *Guter ~ kommt über Nacht.* La nuit porte conseil. 2. *(Titel)* conseiller *m*

Rate ['ra:tə] *f* 1. acompte *m; auf -n zahlen* payer par acomptes; 2. *(Monats-)* mensualité *f*

raten ['ra:tən] *v* 1. *(Rat geben)* conseiller; 2. *(empfehlen)* recommander; 3. *(er-)* deviner; *Das - Sie nicht!* Je vous le donne à deviner en mille! *- Sie!* Devinez!

Ratgeber ['ra:tge:bər] *m* conseiller *m*

Rathaus ['ra:thaus] *n* hôtel de ville *m*

rational [ratsjo'na:l] *adj* rationnel

rationalisieren [ratsjonali'zi:rən] *v* rationaliser

ratlos ['ra:tlo:s] *adj* perplexe

ratsam ['ra:tza:m] *adj* opportun

Ratschlag ['ra:tʃla:k] *m* conseil *m*

Rätsel ['rɛ:tzəl] *n* énigme *f*, mystère *m; vor einem - stehen* se trouver devant une énigme

rätselhaft ['rɛ:tzəlhaft] *adj* énigmatique

Ratte ['ratə] *f* rat *m*

Raub [raup] *m* 1. *(Diebstahl)* vol *m*; 2. *(Entführung)* rapt *m*

Raubbau ['raupbau] *m* exploitation abusive *f*

rauben ['raubən] *v* 1. *(stehlen)* voler, dérober; *etw -* faire main basse sur qc; 2. *(entführen)* enlever

Räuber ['rɔybər] *m* brigand *m*

Raubkopie ['raupkopi:] *f* copie pirate *f*

Raubmord ['raupmɔrt] *m* vol et assassinat *m*

Raubtier ['raupti:r] *n* carnassier *m*

Raubüberfall ['raupy:bərfal] *m* attaque à main armée *f*

Rauch [raux] *m* fumée *f*

rauchen ['rauxən] *v* fumer

Raucher ['rauxər] *m* fumeur *m*

räuchern ['rɔyçərn] *v* fumer, saurer

raufen ['raufən] *v* 1. *sich -* se chamailler, se battre; 2. arracher; *sich die Haare -* s'arracher les cheveux

Rauferei [raufə'rai] *f* rixe *f*

rauh [rau] *adj* 1. *(nicht glatt)* rugueux; 2. *(Hals)* rauque, enroué; 3. *(grob)* grossier

Rauhreif ['raurai f] *m* givre *m*

Raum [raum] *m* 1. *(Platz)* place *f*; 2. *(Zimmer)* pièce *f*, local *m*; 3. *(Gebiet)* région *f*

räumen ['rɔymən] *v* 1. *(entfernen)* enlever; 2. *(verlassen)* quitter; 3. *(evakuieren)* évacuer

Raumfahrt ['raumfa:rt] *f* navigation spatiale *f*

räumlich ['rɔymlıŋ] *adj* spatial

Räumung ['rɔymuŋ] *f* évacuation *f*

Raupe ['raupə] *f* chenille *f*

Rausch [rauʃ] *m* ivresse *f*, griserie *f*, enivrement *m*

rauschen ['rauʃən] *v* 1. *(Blätter)* susurrer, frémir; 2. *(Bach)* bruire, murmurer

Rauschgift ['rauʃgıft] *n* drogue *f*

Rauschgifthandel ['rauʃgıfthandəl] *m* trafic de stupéfiants *m*

rauschgiftsüchtig ['rauʃgıftzyŋtıŋ] *adj* drogué, toxicomane

räuspern ['rɔyspərn] *v sich -* toussoter

Razzia/Razzien ['ratsia] *f* rafle *f*

reagieren [rea'gi:rən] *v* réagir (à qc)

Reaktion [reakts'jo:n] *f* réaction *f*

Reaktor [re'aktor] *m* réacteur *m*

real [re'a:l] *adj* réel, effectif

realisieren [reali'zi:rən] *v* réaliser

realistisch [rea'lıstıʃ] *adj* réaliste

Realität [reali'tɛ:t] *f* réalité *f*

Rebe ['re:bə] *f* vigne *f*

Rebell [re'bɛl] *m* rebelle *m*

rebellieren [rebɛ'li:rən] *v* se rebeller

Rebhuhn ['rɛphu:n] *n ZOOL* perdrix *f*

Rechen ['rɛnən] *m* râteau *m*

Rechenschaft ['rɛnənʃaft] *f* raison *f*

rechnen ['rɛnən] *v* 1. compter, calculer; *mit jdm -* compter sur qn; 2. *(mit etw/jdm -)* s'attendre à; *mit dem Schlimmsten -* envisager le pire; *Damit mußte man -* Il fallait s'y attendre.

Rechner ['rɛnər] *m* calculateur *m*

Rechnung ['rɛnuŋ] *f* 1. *MATH* calcul *m*; 2. *ECO* compte *m*, facture *f*; *auf eigene -* pour son propre compte; *eine - ausstellen* établir un compte; *einer Sache - tragen* tenir compte de qc; *Seine - ist nicht aufgegangen.* Il s'est trompé dans ses calculs. 3. *(Restaurant)* addition *f*

recht [rɛçt] *adj* 1. *(richtig)* droit; *ganz -* tout juste; *- behalten* avoir le dernier mot; *Gehe ich hier -?* Est-ce que je suis sur le bon chemin? *Das ist nicht mehr als - und billig.* Ce n'est que trop juste. *Das geschieht ihm -.* Il l'a bien mérité. *Das ist mir -.* Je veux bien. 2. *(passend)* convenable

Recht [rɛçt] *n* 1. droit *m; mit - avec raison; sein - behaupten* faire valoir ses droits; *jdm zu seinem - verhelfen* rendre justice à qn; *das - auf seiner Seite haben* avoir la loi pour soi; *mit vollem -* à juste titre; *mit - oder Unrecht* à tort ou à raison; 2. *(Gerechtigkeit)* justice *f*

rechte(r,s) ['rɛçtə] *adj* droit
rechteckig ['rɛçtɛkɪç] *adj* rectangulaire
rechtfertigen ['rɛçtfɛrtɪɡən] *v* justifier
Rechtfertigung ['rɛçtfɛrtɪɡuŋ] *f* justification *f*, disculpation *f*
rechtlich ['rɛçtlɪç] *adj* juridique
rechtmäßig ['rɛçtmɛːsɪç] *adj* légitime, légal
rechts [rɛçts] *adv* à droite; ~ *fahren* tenir sa droite
Rechtsanwalt ['rɛçtsanvalt] *m* avocat *m*
rechtschaffen ['rɛçt ʃafən] *adj* droit
Rechtschreibung ['rɛçt ʃraɪbuŋ] *f* orthographe *f*
Rechtsextremist ['rɛçtsɛkstremɪst] *m* extrémiste de droite *m*
rechtsgültig ['rɛçtsɡyltɪç] *adj* valide
rechtskräftig ['rɛçtskrɛftɪç] *adj* passé en loi
Rechtsweg ['rɛçtsveːk] *m* voie légale *f*
rechtswidrig ['rɛçtsviːdrɪç] *adj* contraire au droit
rechtwinklig ['rɛçtvɪŋklɪç] *adj* rectangulaire, orthogonal
rechtzeitig ['rɛçttsaɪtɪç] 1. *adj* opportun; 2. *adv* à temps; *Ich habe ~ geschaltet.* J'ai réalisé à temps.
Recycling [rɪ'saɪklɪŋ] *n* recyclage *m*
Redakteur [redak'tøːr] *m* rédacteur *m*
Redaktion [redak'tsjoːn] *f* rédaction *f*
Rede ['reːdə] *f* 1. discours *m; eine ~ halten* tenir un discours; *es ist die ~ von* il est question de; ~ *und Antwort stehen müssen* être sur la sellette; 2. *(Ausdrucksweise)* langage *m;* 3. *(Unterhaltung)* conversation *f*
redegewandt ['reːdəɡavant] *adj* éloquent
reden ['reːdən] *v* parler; *Gutes über jdn ~* dire du bien de qn; *in den Wind ~* parler en l'air; *Er hat gut ~.* Il en parle à son aise. *von sich ~ machen* faire parler de soi; *Darüber läßt sich ~.* Cela peut se discuter.
Redensart ['reːdənsart] *f* locution *f*
redigieren [redi'ɡiːrən] *v* rédiger
redlich ['reːtlɪç] *adj* honnête
Redner ['reːdnər] *m* orateur *m*
redselig ['reːtzeːlɪç] *adj* loquace, bavard
Reeder ['reːdər] *m* armateur *m*, affréteur *m*
Reederei [reːdə'raɪ] *f* armement *m*
reell [re'ɛl] *adj* 1. réel; 2. *ECO* honnête, loyal; 3. *(Unternehmen)* respectable
Referat [refe'raːt] *n* compte rendu *m*
Referent [refe'rɛnt] *m* 1. *(Redner)* rapporteur *m;* 2. *(Sachbearbeiter)* conseiller *m*

reflektieren [reflɛk'tiːrən] *v* refléter
Reflex [re'flɛks] *m* 1. reflet *m;* 2. *(~bewegung)* réflexe *m*
Reform [re'fɔrm] *f* réforme *f*
Reformhaus [re'fɔrmhaus] *n* magasin d'alimentation de régime *m*
reformieren [refɔr'miːrən] *v* réformer
Regal [re'ɡaːl] *n* étagère *f*, rayon *m*
rege ['reːɡə] *adj* actif, vif
Regel ['reːɡəl] *f* 1. règle *f; keine ~ ohne Ausnahme* Il n'y a pas de règle sans exception. 2. *(Menstruation)* règles *f/pl*
regelmäßig ['reːɡəlmɛːsɪç] *adj* régulier
regeln ['reːɡəln] *v* régler; *genau geregelt sein* être réglé comme une horloge
regelrecht ['reːɡəlrɛçt] *adv (fam: völlig)* complètement
Regelung ['reːɡəluŋ] *f* règlement *m*
Regen ['reːɡən] *m* pluie *f; bei ~* par temps de pluie; *Es wird gleich ~ geben.* Il va pleuvoir.
regen ['reːɡən] *v sich ~* se remuer, bouger
Regenbogen ['reːɡənboːɡən] *m* arc-en-ciel *m*
Regenmantel ['reːɡənmantəl] *m* imperméable *m*
Regenschirm ['reːɡənʃɪrm] *m* parapluie *m*
Regenwald ['reːɡənvalt] *m* forêt tropicale *f*
Regenzeit ['reːɡəntsaɪt] *f* saison des pluies *f*
Regie [re'ʒiː] *f* mise en scène *f*
regieren [re'ɡiːrən] *v* 1. *(Kanzler)* gouverner; 2. *(König)* régner
Regierung [re'ɡiːruŋ] *f* gouvernement *m*
Region [reɡi'oːn] *f* région *f*
regional [reɡio'naːl] *adj* régional
Regisseur [reʒi'søːr] *m* metteur en scène *m*
Register [re'ɡɪstər] *n* 1. registre *m*, rôle *m;* 2. *(Verzeichnis)* index alphabétique *m*
regnen ['reːɡnən] *v* pleuvoir
regungslos ['reːɡuŋsloːs] *adj* immobile
Reh [reː] *n* chevreuil *m*
Rehabilitation [rehabilitats'joːn] *f* réhabilitation *f*, rééducation *f*
reiben ['raɪbən] *v* 1. frotter, frictionner; 2. *(raspeln)* râper
Reibung ['raɪbuŋ] *f* frottement *m*, friction *f*
reibungslos ['raɪbuŋsloːs] *adj* 1. sans frottement; 2. *(ohne Probleme)* sans anicroches
reich [raɪç] *adj* riche

Reich [raɪ̯ŋ] n 1. empire m; 2. (König-) royaume m

reichen ['raɪ̯ŋən] v 1. (geben) tendre, passer, donner, offrir; 2. (ausreichen) suffire; 3. (sich erstrecken) aller (jusqu'à)

reichlich ['raɪ̯ŋlıŋ] adj copieux, abondant

Reichtum ['raɪ̯ŋtum] m richesse f

Reichweite ['raɪ̯ŋvaɪ̯tə] f portée f

reif [raɪ̯f] adj mûr

Reife ['raɪ̯fə] f maturité f

reifen ['raɪ̯fən] v mùrir

Reifen ['raɪ̯fən] m 1. (Auto) pneu m; 2. (Kreis) cercle m

Reifenpanne ['raɪ̯fənpanə] f crevaison f

Reifezeugnis ['raɪ̯fətsɔyknıs] n diplôme de bachelier m

Reihe ['raɪ̯ə] f 1. (von Dingen) suite f, enfilade f; 2. (Serie) série f, succession f; 3. (von Menschen) file f

Reihenfolge ['raɪ̯ənfɔlgə] f suite f

reimen ['raɪ̯mən] v rimer

rein [raɪ̯n] adj net, propre, pur

reinigen ['raɪ̯nıgən] v nettoyer, décrasser

Reinigung ['raɪ̯nıguŋ] f 1. (Reinigen) nettoyage m; 2. (Geschäft) pressing m

Reinigungsmittel ['raɪ̯nıguŋsmıtəl] n produit pour nettoyer m, détergent m

Reis [raɪ̯s] m riz m

Reise ['raɪ̯zə] f 1. voyage m; Gute -! Bon voyage! 2. (Rundfahrt) tour m

Reisebüro ['raɪ̯zəbyro:] n agence de tourisme f

Reiseführer ['raɪ̯zəfy:rər] m guide m

Reisegesellschaft ['raɪ̯zəgəzɛlʃaft] f groupe de voyageurs m

reisen ['raɪ̯zən] v voyager, partir en voyage

Reisender ['raɪ̯zəndər] m voyageur m

Reisepaß ['raɪ̯zəpas] m passeport m

Reiseroute ['raɪ̯zəru:tə] f itinéraire m

Reisescheck ['raɪ̯zəʃɛk] m chèque de voyage m

Reisig ['raɪ̯zıŋ] m brindilles f/pl

reißen ['raɪ̯sən] v (zerreißen) déchirer

Reißverschluß ['raɪ̯sfɛrʃlus] m fermeture éclair f, zip m

Reißzwecke ['raɪ̯stsvɛkə] f punaise f

reiten ['raɪ̯tən] v aller à cheval, monter à cheval, faire de l'équitation; sich selbst hinein- se mettre dans de beaux draps

Reiter ['raɪ̯tər] m cavalier m

Reiz [raɪ̯ts] m 1. (Reizung) excitation f; 2. (Anreiz) stimulation f, attrait m; 3. (Anmut) charme m, attrait m

reizen ['raɪ̯tsən] v 1. (anregen) stimuler; 2. (irritieren) agacer, énerver; 3. (herausfordern) provoquer

reizend ['raɪ̯tsənt] adj ravissant, charmant

reizvoll ['raɪ̯tsfɔl] adj charmant

Reklamation [reklamats'jo:n] f réclamation f

Reklame [re'kla:mə] f publicité f

Rekord [re'kɔrt] m record m

Rekrut [re'kru:t] m recrue f

relativ [rela'ti:f] adj relatif

Religion [reli'gjo:n] f religion f

religiös [reli'gjø:s] adj religieux

Reling ['re:lıŋ] f bastingage m

Rennbahn ['rɛnba:n] f 1. (Pferde-) hippodrome m; 2. (Auto-) circuit m; 3. (Rad-) vélodrome m

Rennen ['rɛnən] n course f

rennen ['rɛnən] v courir

Rennfahrer ['rɛnfa:rər] m coureur m

renovieren [reno'vi:rən] v restaurer

rentabel [rɛn'ta:bəl] adj rentable, lucratif

Rente ['rɛntə] f 1. (Ruhestand) retraite f; 2. (Geld) pension f

Rentenversicherung ['rɛntənfɛrzıŋəruŋ] f assurance vieillesse f

Rentner ['rɛntnər] m retraité m

Reparatur [repara'tu:r] f réparation f

Reparaturwerkstatt [repara'tu:rvɛrkʃtat] f atelier de réparation m

reparieren [repa'ri:rən] v réparer

Reportage [repɔr'ta:ʒə] f reportage m

Reporter [re'pɔrtər] m reporter m

repräsentieren [reprɛzɛn'ti:rən] v représenter

Reptil [rɛp'ti:l] n reptile m

Republik [repu'bli:k] f république f

Reserve [re'zɛrvə] f 1. (Rücklage) réserves f/pl; 2. (Zurückhaltung) réserve f, retenue f

Reservereifen [re'zɛrvəraɪ̯fən] m (Auto) roue de secours f

reservieren [rezɛr'vi:rən] v réserver

Resignation [rezıgnats'jo:n] f résignation f

resignieren [rezıg'ni:rən] v se résigner (à)

Respekt [re'spɛkt] m respect m

respektieren [respɛk'ti:rən] v respecter

respektlos [res'pɛktlo:s] adj irrespectueux

respektvoll [res'pɛktfɔl] 1. adj respectueux; 2. adv avec respect

Rest [rɛst] m reste m, restant m

Restaurant [rɛsto'ra] n restaurant m

restaurieren [rɛsto'riːrən] v restaurer
restlich ['rɛstlɪŋ] adj restant, de reste
restlos ['rɛstloːs] adj 1. sans reste; 2. (völlig) complet; 3. adv sans laisser de reste
Resultat [rɛzul'taːt] n résultat m
resultieren [rɛzul'tiːrən] v résulter (de)
Retorte [re'tɔrtə] f cornue f, éprouvette f
retten ['rɛtən] v sauver
Retter ['rɛtər] m sauveur m, sauveteur m
Rettich ['rɛtɪŋ] m radis m
Rettung ['rɛtuŋ] f sauvetage m
Rettungsring ['rɛtuŋsrɪŋ] m bouée de sauvetage f
Reue ['rɔyə] f repentir m, regret m
reumütig ['rɔymytɪŋ] 1. adj repentant; 2. adv avec repentir
Revier [re'viːr] n 1. (Gebiet) secteur m, district m; 2. (Polizei-) commissariat de police m
Revision [revis'joːn] f 1. révision f; 2. ECO vérification f
Revolution [revoluts'joːn] f révolution f
revolutionär [revolutsjo'nɛːr] adj révolutionnaire
Revolver [re'vɔlvər] m revolver m
Rezept [re'tsɛpt] n 1. GAST recette (de cuisine) f; 2. MED ordonnance f
Rezession [retsɛs'zjoːn] f récession f
Rhabarber [ra'barbər] m rhubarbe f
Rhein [raɪn] m Rhin m
Rheuma ['rɔyma] n rhumatisme m
Rhinozeros [ri'nɔtsərɔs] n rhinocéros m
rhythmisch ['rytmɪʃ] adj rythmique
Rhythmus ['rytmus] m rythme m
richten ['rɪŋtən] v 1. (in Ordnung bringen) réparer; 2. (herrichten) arranger, aménager; 3. (wenden an) diriger (vers, sur); 4. (urteilen) juger; 5. (verurteilen) condamner
Richter ['rɪŋtər] m juge m
richtig ['rɪŋtɪŋ] adj 1. juste, exact, vrai; Das war wohl ~. Bien m'en a pris. 2. (gut) bon
Richtigkeit ['rɪŋtɪŋkaɪt] f justesse f
richtigstellen ['rɪŋtɪŋʃtɛlən] v rectifier
Richtung ['rɪŋtuŋ] f 1. direction f, sens m; 2. LIT, POL orientation f
riechen ['riːŋən] v sentir (qc); den Braten ~ éventer la mèche; jdn nicht ~ können avoir qn dans le nez
Riegel ['riːgəl] m 1. petite poutre f, verrou m; 2. (Schokolade) barre f
Riemen ['riːmən] m 1. courroie f; 2. (Schuhe) bride f, cordon m

Riese ['riːzə] m géant m, colosse m
rieseln ['riːzəln] v s'écouler, ruisseler
riesig ['riːzɪŋ] adj géant, gigantesque
Riff [rɪf] n récif m
Rille ['rɪlə] f 1. rainure f, rigole f; 2. (Schallplatte) sillon m
Rind ['rɪnt] n bœuf m
Rinde ['rɪndə] f 1. (Kruste) croûte f; 2. BOT écorce f
Rindfleisch ['rɪntflaɪʃ] n viande de bœuf f
Ring [rɪŋ] m 1. (Kreis) anneau m, cercle m; 2. (Schmuck) bague f, anneau m
ringen ['rɪŋən] v lutter
Ringfinger ['rɪŋfɪŋər] m annulaire m
Ringkampf ['rɪŋkampf] m lutte romaine f
ringsherum ['rɪŋshɛrum] adv 1. tout autour, à la ronde; 2. (überall) partout
Rinne ['rɪnə] f 1. rigole f; 2. (Dach-) gouttière f, chéneau m
rinnen ['rɪnən] v couler, ruisseler
Rinnsal ['rɪnzaːl] n ruisseau m
Rinnstein ['rɪnʃtaɪn] m caniveau m
Rippe ['rɪpə] f côte f
Risiko ['riːziko] n risque m
riskant [rɪs'kant] adj risqué, hasardeux
riskieren [rɪs'kiːrən] v risquer
Riß [rɪs] m 1. déchirure f, accroc m; 2. (Spalte) crevasse f
rissig ['rɪsɪŋ] adj fendillé, crevassé
Ritt [rɪt] m chevauchée f
Ritter ['rɪtər] m chevalier m
ritterlich ['rɪtərlɪŋ] adj chevaleresque
Ritze ['rɪtsə] f fêlure f, fissure f
Rivale [ri'vaːlə] m rival m, concurrent m
Robbe ['rɔbə] f phoque m
Roboter ['rɔbɔtər] m robot m
robust [ro'bust] adj robuste, solide
Rock [rɔk] m jupe f
Rodelschlitten ['roːdəlʃliːtən] m luge f
Roggen ['rɔgən] m seigle m
roh [roː] adj 1. (nicht gekocht) cru; 2. (nicht bearbeitet) brut; 3. (fig) grossier; 4. adv à l'état brut
Rohbau ['roːbau] m gros œuvre m, maçonnerie brute f
Rohr [roːr] n 1. (Leitung) conduite f, tuyau m, tube m; 2. BOT roseau m
Röhre ['røːrə] f 1. (Rohr) tuyau m, tube m; 2. (Back-) four m
Rohstoff ['roːʃtɔf] m matières premières f/pl

Rolladen ['rɔla:dən] m volet roulant m
Rolle ['rɔlə] f 1. rouleau m; 2. THEAT rôle m
rollen ['rɔlən] v rouler
Roller ['rɔlər] m 1. (Motor~) scooter m; 2. (Kinder~) trottinette f
Rollfeld ['rɔlfɛlt] n aire de trafic f
Rollschuh ['rɔlʃu:] m patin à roulettes m
Rollstuhl ['rɔlʃtu:l] m fauteuil roulant m
Rolltreppe ['rɔltrɛpə] f escalier roulant m
Roman [ro'ma:n] m roman m
romanisch [ro'ma:nɪʃ] adj roman
romantisch [ro'mantɪʃ] adj romantique
römisch ['rø:mɪʃ] adj romain
röntgen ['rœntgən] v radiographier
Röntgenbild ['rœntgənbɪlt] n radiographie f
rosa ['ro:za] adj rose; alles durch eine ~ Brille sehen voir tout en rose
Rose ['ro:zə] f rose f
Rosenkohl ['ro:zənko:l] m chou de Bruxelles m
Rosenkranz ['ro:zənkrants] m rosaire m
rosig ['ro:zɪç] adj rosé, rose
Rosine [ro'zi:nə] f raisin sec m
Rosmarin [rosma'ri:n] m romarin m
Rost [rɔst] m 1. (Brat~) gril m; 2. CHEM rouille f
rösten ['rø:stən] v 1. griller, rôtir; 2. (Kaffee) torréfier
rosten ['rɔstən] v rouiller, s'oxyder
rostfrei ['rɔstfraɪ] adj inoxydable
rostig ['rɔstɪç] adj rouillé
rot [ro:t] adj rouge; ~ werden piquer un fard
Röteln ['rø:təln] f rubéole f
Rotkohl ['ro:tko:l] m chou rouge m
Rotlicht ['ro:tlɪçt] n 1. lumière rouge f; 2. (Ampel) feu rouge m
Rotwein ['ro:tvaɪn] m vin rouge m
Roulade [ru'la:də] f paupiette f
Routine [ru'ti:nə] f routine f, pratique f
routiniert [ruti'ni:rt] adj 1. (erfahren) expérimenté; 2. (geschickt) habile
Rübe ['ry:bə] f rave f
Rubrik [ru'bri:k] f rubrique f, titre m
Rückblende ['rykblɛndə] f rétrospective f
rückblickend ['rykblɪkənt] adj rétrospectif
rückdatieren ['rykdati:rən] v antidater
Rücken ['rykən] m dos m; hinter jds ~ en cachette de qn; einer Sache den ~ kehren tourner le dos à qc

rücken ['rykən] v 1. bouger, déplacer; 2. (nähern) approcher
Rückenlehne ['rykənle:nə] f dossier m
Rückenmark ['rykənmark] n moelle épinière f
rückerstatten ['rykɛrʃtatən] v rembourser
Rückfahrkarte ['rykfa:rkartə] f billet aller et retour m
Rückfahrt ['rykfa:rt] f retour m
Rückfall ['rykfal] m 1. MED rechute f; 2. JUR récidive f
Rückgabe ['rykga:bə] f restitution f
Rückgang ['rykgaŋ] m 1. recul m, diminution f; 2. (fig: Rückschritt) régression f
rückgängig ['rykgɛŋɪç] adj ~ machen annuler, résilier
Rückgrat ['rykgra:t] n colonne vertébrale f
Rückkehr ['rykke:r] f retour m
rückläufig ['ryklɔyfɪç] adj régressif
Rücklicht ['ryklɪçt] n (Auto) feu arrière m
Rücknahme ['rykna:mə] f reprise f
Rucksack ['rukzak] m sac à dos m
Rückschlag ['rykʃla:k] m 1. contrecoup m; 2. (Mißerfolg) revers m
Rückseite ['rykzaɪtə] f verso m
Rücksicht ['rykzɪçt] f égard m, considération f
rücksichtslos ['rykzɪçtslo:s] 1. adj sans égards, brutal; 2. adv sans aucun égard
rücksichtsvoll ['rykzɪçtsfɔl] adj 1. attentionné, plein d'égards; 2. (taktvoll) délicat
Rücksitz ['rykzɪts] m siège arrière m
Rückspiegel ['rykʃpi:gəl] m rétroviseur m
Rückstand ['rykʃtant] m 1. (Rest) restant m; 2. (Abfallprodukt) résidu m
rückständig ['rykʃtɛndɪç] adj 1. (Zahlung) en retard, impayé; 2. (fig: überholt) dépassé
Rücktritt ['ryktrɪt] m démission f
rückwärts ['rykvɛrts] adv en arrière
Rückwärtsgang ['rykvɛrtsgaŋ] m (Auto) marche arrière f
ruckweise ['rukvaɪzə] adj par à-coups
Rückzahlung ['ryktsa:luŋ] f remboursement m
Rückzug ['ryktsu:k] m retraite f
Rudel ['ru:dəl] n troupe f, bande f
Ruder ['ru:dər] n 1. (Riemen) rame f, aviron m; 2. (Steuer~) gouvernail m, barre f; ans ~ kommen prendre la barre
Ruderboot ['ru:dərbo:t] n canot à rames m

rudern ['ru:dərn] *v* ramer
Ruf [ru:f] *m 1.* cri *m*, appel *m; 2. (Ansehen)* réputation *f*
rufen ['ru:fən] *v* crier, appeler
Rufname ['ru:fna:mə] *m* prénom (usuel) *m*
Rufnummer ['ru:fnumər] *f* numéro de téléphone *m*
Rüge ['ry:gə] *f* blâme *m*, réprimande *f*
Ruhe ['ru:ə] *f 1. (Stille)* calme *m*, paix *f*, silence *m; Immer mit der ~! Du calme! Laß' mich in ~! Fiche-moi la paix; 2. (Ausruhen)* repos *m*, détente *f; 3. (Frieden)* paix *f*
ruhen ['ru:ən] *v 1. (ausruhen)* se reposer; *2. (stillstehen)* être immobile, se reposer; *3. (lasten)* reposer sur
Ruhestand ['ru:əʃtant] *m* retraite *f*
Ruhestörung ['ru:əʃtø:ruŋ] *f* trouble *m*
Ruhetag ['ru:əta:k] *m* jour de repos *m*
ruhig ['ru:ɪŋ] *adj 1. (still)* tranquille; *2. (friedvoll)* calme, paisible; *nicht ~ bleiben können* ne pas tenir en place
Ruhm [ru:m] *m* gloire *f*, renommée *f; Das ist wirklich kein ~esblatt.* Il n'y a pas de quoi se vanter.
rühmen ['ry:mən] *v* louer, glorifier
ruhmreich ['ru:mraɪŋ] *adj* glorieux
Rührei [ry:raɪ] *n* œufs brouillés *m/pl*
rühren ['ry:rən] *v 1. (umrühren)* remuer, délayer; *2. (bewegen)* bouger, remuer; *sich nicht mehr ~* ne remuer ni pied ni patte; *3. (fig: be~)* toucher
rührselig ['ry:rzelɪŋ] *adj* sentimental
Rührung ['ry:ruŋ] *f* émotion *f*
Ruin [ru'i:n] *m* chute *f*, perte *f*
Ruine [ru'i:nə] *f* ruine *f*
ruinieren [rui'ni:rən] *v* ruiner
Rumänien [ru'mɛ:njən] *n* Roumanie *f*
rumänisch [ru'mɛ:nɪʃ] *adj* roumain

Rummel ['ruməl] *m* foire *f*
Rumpf [rumpf] *m 1. ANAT* tronc *m; 2. (Schiffs~)* coque *f; 3. (Flugzeug~)* fuselage *m*
rund [runt] *1. adj* rond; *2. adv (circa)* environ
Runde ['rundə] *f 1. (Rundgang)* ronde *f; gerade so über die ~n kommen* joindre les deux bouts; *2. (Gesellschaft)* cercle *m; 3. (Wettkampf)* round *m*
Rundfahrt ['runtfa:rt] *f* circuit *m*
Rundfunk ['runtfuŋk] *m 1. (Übertragung)* radiodiffusion *f; 2. (Anstalt)* radio *f*
Rundfunkgerät ['runtfuŋkgərɛ:t] *n* récepteur radio *m*
Rundfunksender ['runtfuŋkzɛndər] *m* émetteur radio *m*
Rundgang ['runtgaŋ] *m* tour *m*, ronde *f*
rundherum ['runthɛrum] *adv* tout autour
rundlich ['ɪuntlɪŋ] *adj* arrondi, dodu; *~ sein* être bien en chair
Rundschreiben ['runtʃraɪbən] *n* circulaire *f*
Runzel ['runtsəl] *f* ride *f*
Ruß [ru:s] *m* suie *f*
Rüssel ['rysəl] *m* trompe *f*
russisch ['rusɪʃ] *adj* russe
Rußland ['ru:slant] *n* Russie *f*
rüstig ['rystɪŋ] *adj* vigoureux, alerte
Rüstung ['rystuŋ] *f 1. MIL* armement *m; 2. (Ritter~)* armure *f*
Rüstungsindustrie ['rystuŋsɪndustri:] *f* industrie d'armement *f*
Rüstungskontrolle ['rystuŋskɔntrɔlə] *f* contrôle des armements *m*
Rute ['ru:tə] *f 1. (Zweig)* baguette *f; 2. (Angel~)* canne à pêche *f*
Rutschbahn ['rutʃba:n] *f* toboggan *m*
rutschen ['rutʃən] *v* glisser
rütteln ['rytəln] *v* secouer, agiter

S

Saal [zaːl] *m* salle *f*

Saat [zaːt] *f* semailles *f/pl*, semence *f*

Säbel ['zɛːbəl] *m* sabre *m*

Sachbuch ['zaxbux] *n* livre spécialisé *m*

Sache ['zaxə] *f* 1. *(Gegenstand)* objet *m*, chose *f*; 2. *(Angelegenheit)* affaire *f*; *mit einer ~ liebäugeln* caresser une idée; *gemeinsame ~ machen* faire cause commune; *Die ~ ist die...* Le fait est que... *Das ist eine ~ für sich.* C'est un fait à part. *Die ~ läßt sich gut an.* L'affaire part bien. 3. JUR affaire *f*

Sachgebiet ['zaxɡəbiːt] *n* domaine *m*

sachkundig ['zaxkundɪŋ] *adj* expert (en)

sachlich ['zaxlɪŋ] *adj* objectif, matériel

Sachlichkeit ['zaxlɪŋkaɪt] *f* objectivité *f*

Sachverhalt ['zaxfɛrhalt] *m* faits *m/pl*

Sachverständige ['zaxfɛrʃtɛndɪɡə] *m* expert *m*

Sack ['zak] *m* sac *m*

Sackgasse ['zakɡasə] *f* impasse *f*

säen ['zɛːən] *v* semer

Safari [zaˈfaːri] *f* safari *m*

Safe [seːf] *m* coffre-fort *m*

Saft [zaft] *m* jus *m*

saftig ['zaftɪŋ] *adj* juteux

Sage ['zaːɡə] *f* légende *f*, saga *f*

Säge ['zɛːɡə] *f* scie *f*

Sägemehl ['zɛːɡəmeːl] *n* sciure *f*

sagen ['zaːɡən] *v* dire; *Lassen Sie sich das gesagt sein!* Tenez-vous pour averti! *Das wäre zuviel gesagt.* C'est beaucoup dire. *Das kann man wohl ~.* C'est bien le cas de le dire. *Das sagt alles.* C'est tout dire. *Wie soll ich ~?* Comment dirais-je? *Sag doch mal!* Dis donc! *Weiter~!* Qu'on se le dise! *Das sagt mir nichts.* Cela ne me dit rien. *weder ja noch nein ~* faire une réponse de normand; *sich etw gesagt sein lassen* se tenir qc pour dit

sägen ['zɛːɡən] *v* scier

sagenhaft ['zaːɡənhaft] *adj* 1. légendaire, fabuleux; 2. *(wunderbar)* merveilleux

Sägewerk ['zɛːɡəvɛrk] *n* scierie *f*

Sahne ['zaːnə] *f* crème *f*

Saison [sɛˈzɔŋ] *f* saison *f*

Sakrament [zakraˈmɛnt] *n* sacrement *m*

Salat [zaˈlaːt] *m* salade *f*

Salbe ['zalbə] *f* pommade *f*, baume *m*

Salmonellen [zalmoˈnɛlən] *pl* salmonelle *f*

Salz [zalts] *n* sel *m*; *zur ~säule erstarrt sein* être raide comme un mort

salzen ['zaltsən] *v* saler

salzig ['zaltsɪŋ] *adj* salé

Salzstange ['zaltsʃtaŋə] *f* stick salé *m*

Salzstreuer ['zaltsʃtrɔyər] *m* salière *f*

Samen ['zaːmən] *m* semence *f*

Sammelband ['zaməlbant] *m* anthologie *f*

sammeln ['zaməln] *v* 1. assembler, rassembler, collecter, réunir; 2. *(fig) sich ~* se rassembler

Sammlung ['zamluŋ] *f* 1. collection *f*; 2. *(Geld-)* collecte *f*

Samstag ['zamstaːk] *m* samedi *m*

samstags ['zamstaːks] *adv* le samedi

Samt [zamt] *m* velours *m*

sämtlich ['zɛmtlɪŋ] *adj* tout entier

Sanatorium [zanaˈtoːrjum] *n* sanatorium *m*

Sand [zant] *m* sable *m*

Sandale [zanˈdaːlə] *f* sandale *f*

Sandbank ['zantbaŋk] *f* banc de sable *m*

sandig ['zandɪŋ] *adj* sableux, sablonneux

Sandmännchen ['zantmɛnɲən] *n* marchand de sable *m*

sanft [zanft] *adj* doux, tendre

sanftmütig ['zanftmytɪŋ] *adj* doux

Sänger ['zɛŋər] *m* chanteur *m*

sanieren [zaˈniːrən] *v* 1. assainir; 2. *(Unternehmen)* redresser

Sanitäter [zaniˈtɛːtər] *m* ambulancier *m*

Sardelle [zarˈdɛlə] *f* anchois *m*

Sardine [zarˈdiːnə] *f* sardine *f*

Sardinien [zarˈdiːnjən] *n* Sardaigne *f*

Sarg [zark] *m* cercueil *m*, bière *f*

sarkastisch [zarˈkastɪʃ] *adj* sarcastique

Satan ['zaːtan] *m* Satan *m*

Satellit [zatɛˈliːt] *m* satellite *m*

Satire [zaˈtiːrə] *f* satire *f*

satt [zat] *adj* rassasié, repu; *es ~ haben* en avoir plein le dos/ en avoir marre/ en avoir ras le bol; *alles ~ haben* être las de tout/ être revenu de tout; *Ich habe es mehr als ~.* J'en ai plus qu'assez. *sich ~ essen* manger à sa faim

Sattel ['zatəl] *m* selle *f; fest im ~ sitzen* être bien en selle

satteln ['zatəln] *v* seller

sättigen ['zɛtɪgən] *v* 1. rassasier; 2. *CHEM* saturer

sättigend ['zɛtɪgənt] *adj* nourrissant

Satz [zats] *m* 1. *GRAMM* phrase *f*, proposition *f;* 2. (*Menge*) jeu *m*, série *f;* 3. (*Reifen*) train *m;* 4. (*Sprung*) saut *m;* 5. (*Druck*) composition *f*

Satzung ['zatsuŋ] *f* statut *m*, règlement *m*

Satzzeichen ['zatstsaɪnən] *n* signe de ponctuation *m*

Sau [zau] *f* truie *f*

sauber ['zaubər] *adj* propre, net, soigné

Sauberkeit ['zaubərkaɪt] *f* propreté *f*

saubermachen ['zaubərmaxən] *v* nettoyer

Säuberung ['zɔybəruŋ] *f* nettoyage *m*

Sauce ['zo:sə] *f* sauce *f*

Saudi-Arabien ['zaudia'ra:bjən] *n* Arabie Séoudite *f*

sauer [zauər] *adj* acide, aigre

Sauerkraut ['zauərkraut] *n* choucroute *f*

Sauerstoff ['zauərʃtɔf] *m* oxygène *m*

saufen ['zaufən] *v* 1. (*Tier*) boire, s'abreuver; 2. (*fam*) chopiner, picoler

Säufer ['zɔyfər] *m* buveur *m*, ivrogne *m*

saugen ['zaugən] *v* 1. sucer, téter; 2. (*staub~*) passer l'aspirateur

Säugetier ['zɔygəti:r] *n* mammifère *m*

Säugling ['zɔyklɪŋ] *m* nourrisson *m*

Säule ['zɔylə] *f* colonne *f*

Saum [zaum] *m* (*Kleidung*) ourlet *m*

säumig ['zɔymɪŋ] *adj* 1. négligent, retardataire; 2. (*abwesend*) défaillant

Sauna ['zauna] *f* sauna *m*

Säure ['zɔyrə] *f* 1. (*Geschmack*) acidité *f*, aigreur *f;* 2. *CHEM* acide *m*

schäbig ['ʃɛ:bɪŋ] *adj* 1. (*armselig*) minable, misérable; 2. (*abgetragen*) usé, râpé

Schach [ʃax] *n* échecs *m/pl; ~ spielen* jouer aux échecs

Schacht [ʃaxt] *m* fosse *f*, puits *m*

Schachtel ['ʃaxtəl] *f* boîte *f*

schade ['ʃa:də] *adj* dommage, tant pis; *Das ist sehr ~.* C'est bien dommage.

Schädel ['ʃɛ:dəl] *m* crâne *m*

Schaden ['ʃa:dən] *m* mal *m*, dommage *m*, dégât *m; Es war sein ~.* Mal lui en prit.

schaden ['ʃa:dən] *v* nuire (à qn), léser qn

Schadenersatz ['ʃa:dənɛrzats] *m* dommages-intérêts *m/pl*

schadenfroh ['ʃa:dənfro:] *adj* malicieux

schadhaft ['ʃa:thaft] *adj* endommagé

schädigen ['ʃɛ:dɪgən] *v* léser qn, nuire

schädlich ['ʃɛ:dlɪŋ] *adj* nuisible, nocif

Schädling ['ʃɛ:dlɪŋ] *m* parasite *m*

Schadstoff ['ʃa:tʃtɔf] *m* polluant *m*

schadstoffarm ['ʃa:tʃtɔfarm] *adj* non polluant

Schaf [ʃa:f] *n* mouton *m*

Schäfer ['ʃɛ:fər] *m* berger *m*

Schäferhund ['ʃɛ:fərhunt] *m* berger allemand *m*

schaffen ['ʃafən] *v* créer, faire, travailler; *Wir ~ es gerade noch.* On a juste le temps.

Schaffner ['ʃafnər] *m* 1. (*Zug*) contrôleur *m;* 2. (*Bus*) receveur *m*

Schafskäse ['ʃafskɛ:zə] *m* fromage de brebis *m*

Schal [ʃa:l] *m* écharpe *f*, châle *m*

Schale ['ʃa:lə] *f* 1. (*Schüssel*) coupe *f;* 2. (*Kartoffel~*) pelure *f; sich in ~ geworfen haben* être bien sapé; 3. (*Abfall*) épluchure *f*

schälen ['ʃɛ:lən] *v* éplucher, peler

Schall [ʃal] *m* son *m*, bruit *m*

Schalldämpfer [ʃaldɛmpfər] *m* 1. silencieux *m;* 2. *TECH* amortisseur acoustique *m*

schalldicht ['ʃaldɪçt] *adj* insonore

Schallmauer ['ʃalmauər] *f* mur du son *m*

Schallplatte ['ʃalplatə] *f* disque *m*

schalten ['ʃaltən] *v* (*Auto*) embrayer, changer de vitesse

Schalter ['ʃaltər] *m* 1. (*Vorrichtung*) interrupteur *m;* 2. (*Bank~*) guichet *m*

Schalterhalle ['ʃaltərhalə] *f* hall des guichets *m*

Schaltjahr ['ʃaltja:r] *n* année bissextile *f*

Scham [ʃa:m] *f* honte *f*, pudeur *f*

schämen ['ʃɛ:mən] *v* (*sich ~*) avoir honte

schamhaft ['ʃa:mhaft] *adj* honteux

schamlos ['ʃa:mlo:s] 1. *adj* éhonté, impudent; 2. *adv* sans pudeur

Schande ['ʃandə] *f* honte *f*, déshonneur *m*

schändlich ['ʃɛ:ndlɪŋ] *adj* 1. honteux, ignoble; 2. (*abscheulich*) abominable

Schändung ['ʃɛ:nduŋ] *f* 1. (*Entweihung*) outrage *m*, profanation *f;* 2. (*Vergewaltigung*) viol *m*

Schanze ['ʃantsə] *f* *SPORT* tremplin *m*

Schar [ʃa:r] *f* 1. (*Vögel*) vol *m;* 2. troupe *f*, bande *f*

scharf [ʃarf] *adj* 1. (*Messer*) tranchant; coupant; 2. (*Gewürz*) épicé, piquant, fort

schärfen ['ʃɛrfən] *v* aiguiser

scharfsinnig ['ʃarfzınıŋ] *adj* perspicace
Scharlach ['ʃarlax] *m* scarlatine *f*
Scharnier [ʃar'ni:r] *n* charnière *f*
Schatten ['ʃatən] *m* ombre *f*
schattig ['ʃatıŋ] *adj* ombragé
Schatz [ʃats] *m* 1. (Kostbarkeit) trésor *m*, richesses *f/pl*; 2. (Kosewort) chéri *m*
schätzen ['ʃɛtsən] *v* 1. (hochachten) estimer; *solche Scherze nicht ~* ne pas apprécier ce genre de plaisanterie; 2. (ungefähr berechnen) évaluer, estimer; 3. (annehmen) supposer
Schätzung ['ʃɛtsuŋ] *f* 1. (Hochachtung) estime *f*; 2. (ungefähre Berechnung) estimation *f*, évaluation *f*; 3. (Annahme) supposition *f*
schätzungsweise ['ʃɛtsuŋsvaizə] *adv* 1. approximativement; 2. (fam) à vue de nez
Schau [ʃau] *f* exposition *f*
schauderhaft ['ʃaudərhaft] *adj* horrible
schauen ['ʃauən] *v* regarder, contempler
Schauer ['ʃauər] *m* 1. (Regen) averse *f*; 2. (Frösteln) frisson *m*; 3. (Schreck) peur *f*
Schaufel ['ʃaufəl] *f* pelle *f*
Schaufenster ['ʃaufɛnstər] *n* vitrine *f*
Schaufensterbummel ['ʃaufɛnstərbuməl] *m* lèche-vitrines *m*
Schaukel ['ʃaukəl] *f* balançoire *f*
schaukeln ['ʃaukəln] *v* se balancer
Schaukelstuhl ['ʃaukəlʃtu:l] *m* rocking-chair *m*
Schaulustige ['ʃaulustıgə] *m* 1. badaud *m*; 2. (Neugierige) curieux *m*
Schaum [ʃaum] *m* mousse *f*, écume *f*
Schaumbad ['ʃaumba:t] *n* bain moussant *m*
schäumen ['ʃɔymən] *v* mousser, pétiller
Schaumgummi ['ʃaumgumi] *m* caoutchouc mousse *m*
Schaumkrone ['ʃaumkro:nə] *f* crête frangée d'écume *f*; *Das Meer bildet ~n. La* mer moutonne.
Schaumwein ['ʃaumvain] *m* mousseux *m*
Schauplatz ['ʃauplats] *m* théâtre *m*, scène *f*
Schauspiel ['ʃauspi:l] *n* spectacle *m*
Schauspieler ['ʃauspi:lər] *m* acteur *m*
Schauspielhaus ['ʃauʃpi:lhaus] *n* théâtre *m*
Scheck [ʃɛk] *m* chèque *m*
Scheckkarte ['ʃɛkkartə] *f* carte bancaire *f*
Scheibe ['ʃaibə] *f* 1. disque *m*; 2. (Wurst~) tranche *f*; 3. (Fenster~) vitre *f*

Scheibenwischer ['ʃaibənvıʃər] *m* (Auto) essuie-glace *m*
Scheide ['ʃaidə] *f* 1. (Messer~) fourreau *m*; gaine *f*; 2. ANAT vagin *m*
scheiden ['ʃaidən] *v* 1. séparer; 2. (Ehe) prononcer le divorce; *sich ~ lassen* divorcer
Scheidung ['ʃaiduŋ] *f* divorce *m*
Schein [ʃain] *m* 1. (Licht) lumière *f*; lueur *f*; 2. (Bescheinigung) certificat *m*; 3. (Banknote) billet *m*; 4. (fig: Anschein) apparence *f*
scheinbar ['ʃainba:r] *adj* apparent
scheinen ['ʃainən] *v* 1. (leuchten) briller, éclairer; 2. (fig: Anschein haben) sembler; *wie es scheint* à ce qu'il paraît
scheinheilig ['ʃainhailıŋ] *adj* hypocrite
Scheinwerfer ['ʃainvɛrfər] *m* 1. (Auto) phare *m*; 2. CINE projecteur *m*
Scheiße ['ʃaisə] *f* (fam) merde *f*; *in der ~ sitzen* être emmerdé/ être dans la merde
Scheitel ['ʃaitəl] *m* 1. (Haare) raie *f*; 2. sommet *m*; *vom ~ bis zur Sohle* de la tête aux pieds
Scheitelpunkt ['ʃaitəlpuŋkt] *m* 1. zénith *m*; 2. (fig) apogée *m*; 3. MATH sommet *m*
scheitern ['ʃaitərn] *v* 1. (fig) échouer; 2. faire faillite
Schelm [ʃɛlm] *m* coquin *m*, fripon *m*
schelten ['ʃɛltən] *v* gronder, réprimander
Schema ['ʃe:ma] *n* schéma *m*
schematisch [ʃe'ma:tıʃ] *adj* schématique
Schemel ['ʃeməl] *m* tabouret *m*
Schenkel ['ʃɛŋkəl] *m* cuisse *f*
schenken ['ʃɛŋkən] *v* offrir, faire cadeau de, accorder
Scherbe ['ʃɛrbə] *f* 1. tesson *m*; 2. (Glas~) éclat de verre *m*
Schere ['ʃe:rə] *f* ciseaux *m/pl*
Scherz [ʃɛrts] *m* plaisanterie *f*; *Das ist kein ~.* Je ne plaisante pas.
scherzen ['ʃɛrtsən] *v* plaisanter; *immer zum ~ aufgelegt sein* avoir toujours le mot pour rire
scherzhaft ['ʃɛrtshaft] *adj* 1. plaisant; 2. (spöttisch) railleur; 3. *adv* (spöttisch) avec raillerie
scheu [ʃɔy] *adj* 1. (schüchtern) timide; 2. (ängstlich) peureux, craintif
scheuen ['ʃɔyən] *v* 1. (Pferd) s'emballer; 2. (fürchten) redouter, craindre
scheuern ['ʃɔyərn] *v* nettoyer, frotter
Scheune ['ʃɔynə] *f* grange *f*
scheußlich ['ʃɔyslıŋ] *adj* horrible
Schicht [ʃıçt] *f* 1. couche *f*; 2. (Klasse) classe sociale *f*; 3. (Arbeits~) équipe *f*

Schichtarbeit ['ʃɪŋtarbaɪt] f travail par équipes m
schick [ʃɪk] 1. adj chic, élégant; 2. adv avec chic, avec élégance
schicken ['ʃɪkən] v envoyer, expédier
Schicksal ['ʃɪkza:l] n destin m, sort m, fortune f; Seinem ~ kann man nicht entgehen. On n'échappe pas à son destin.
schieben ['ʃi:bən] v pousser; die Schuld auf jdn ~ rejeter la faute sur qn
Schiebung ['ʃi:buŋ] f trafic illicite m
Schiedsrichter ['ʃi:tsrɪçtər] m arbitre m
schief [ʃi:f] adj oblique, incliné
schiefgehen ['ʃi:fge:ən] v 1. (fig) rater; 2. (fam) mal tourner
schieflachen ['ʃi:flaxən] v sich ~ (fam) s'en payer une bonne tranche
schielen ['ʃi:lən] v loucher
Schienbein ['ʃi:nbaɪn] n tibia m
Schiene ['ʃi:nə] f 1. (Bahn-) rail m; 2. MED éclisse f
schießen ['ʃi:sən] v 1. (Waffe) tirer, faire du tir; scharf ~ tirer à balles; 2. (Ball) shooter, tirer au but; ein Tor ~ marquer un but
Schießerei ['ʃi:sə'raɪ] f fusillade f
Schiff [ʃɪf] n bateau m, navire m
Schiffahrt ['ʃɪfa:rt] f navigation f
Schiffbruch ['ʃɪfbrux] m naufrage m
Schiffbrüchige ['ʃɪfbryŋɪgə] m naufragé m
Schikane [ʃi'ka:nə] f chicane f
schikanieren [ʃika'ni:rən] v chicaner, faire des chicanes; jdn ~ faire des misères à qn
Schild [ʃɪlt] n 1. (Schutz-) bouclier m; 2. (Tür-) panneau m, enseigne f; 3. (Straßen-) panneau de circulation m
Schilddrüse ['ʃɪltdry:zə] f glande thyroïde f
schildern ['ʃɪldərn] v présenter, décrire
Schilderung ['ʃɪldəruŋ] f exposé m
Schildkröte ['ʃɪltkrø:tə] f tortue f
schillern ['ʃɪlərn] v miroiter
Schimmel ['ʃɪməl] m 1. ZOOL cheval blanc m; 2. BOT moisissure f
schimmeln ['ʃɪməln] v moisir
Schimmer ['ʃɪmər] m lueur f, éclat m
Schimpanse [ʃɪm'panzə] m chimpanzé m
schimpfen ['ʃɪmpfən] v gronder, rouspéter; auf jdn ~ pester contre qn
Schimpfwort ['ʃɪmpfvɔrt] n injure f
Schinken ['ʃɪŋkən] m jambon m
Schippe ['ʃɪpə] f pelle f; eine ~ machen (Gesicht verziehen) faire la moue

Schirm [ʃɪrm] m 1. (Regen-) parapluie m; 2. (Sonnen-) parasol m
Schirmherrschaft ['ʃɪrmhɛrʃaft] f protection f, patronage m; unter der ~ von sous le patronage de
Schirmständer ['ʃɪrmʃtɛndər] m porte-parapluies m
Schlacht [ʃlaxt] f bataille f
schlachten ['ʃlaxtən] v abattre, tuer
Schlachtenbummler ['ʃlaxtənbumlər] m supporter m
Schlachtfeld ['ʃlaxtfɛlt] n champ de bataille m
Schlachthof ['ʃlaxtho:f] m abattoir m
Schlaf [ʃla:f] m sommeil m
Schlafanzug ['ʃla:fantsu:k] m pyjama m
Schläfchen ['ʃlɛfŋən] n 1. petit somme m; 2. (fam) roupillon m; 3. (Mittags-) sieste f
Schläfe ['ʃlɛfə] f tempe f
schlafen ['ʃla:fən] v 1. dormir; getrennt ~ faire chambre à part; die ganze Nacht nicht ~ ne pas dormir de la nuit; Das ist nicht der richtige Augenblick, um zu ~! Ce n'est pas le moment de s'endormir! bis in die Puppen ~ faire la grasse matinée; 2. (fam: Heia machen) faire dodo
schlaff [ʃlaf] adj 1. flasque, mou/molle; 2. (entspannt) distendu
schlaflos ['ʃla:flo:s] adj sans sommeil
Schlaflosigkeit ['ʃla:flo:zɪŋkaɪt] f insomnie f
schläfrig ['ʃlɛfrɪŋ] adj 1. somnolent, qui a sommeil; 2. (verschlafen) ensommeillé
Schlafsack ['ʃla:fzak] m sac de couchage m
Schlaftablette ['ʃla:ftablɛtə] f somnifère m
Schlafwagen ['ʃla:fva:gən] m wagon-lit m
Schlafzimmer ['ʃla:ftsɪmər] n chambre à coucher f
Schlag [ʃla:k] m 1. (Hieb) coup m, tape f; Das ist ein ~ ins Wasser. C'est un coup d'épée dans l'eau. 2. (Aufprall) choc m; 3. (Pochen) battement m; 4. (elektrischer ~) décharge électrique f; 5. (fig: schwerer ~) coup dur m; Was für ein harter ~! Quelle tuile!
Schlagader ['ʃla:ka:dər] f artère f
Schlaganfall ['ʃla:kanfal] m attaque d'apoplexie f
schlagartig ['ʃla:ka:rtɪŋ] adj brusque, subit

schlagen ['ʃlaːgən] v 1. (hauen) battre; frapper; jdn windelweich ~ battre qn comme plâtre; jdn mit seinen eigenen Waffen ~ battre qn avec ses propres armes; wie wild um sich ~ se débattre comme un beau diable; blindlings drauflos ~ frapper comme un sourd; 2. (fig: siegen) battre, vaincre; 3. (Uhr) sonner

Schlager [ʃlaːgər] m 1. MUS tube m; 2. (Erfolgsartikel) succès m

Schlägerei [ʃlɛgˈəraɪ] f rixe f, bagarre f

schlagfertig ['ʃlaːkfɛrtɪç] adj qui a la repartie prompte

schlagkräftig ['ʃlaːkkrɛftɪç] adj 1. puissant; 2. (Argument) concluant

Schlagloch ['ʃlaːklɔx] n nid de poule m

Schlagsahne ['ʃlaːkzaːnə] f crème fouettée f

Schlagwort ['ʃlaːkvɔrt] n slogan m

Schlagzeile ['ʃlaːktsaɪlə] f manchette f

Schlagzeug ['ʃlaːktsɔyk] n batterie f

Schlamm [ʃlam] m limon m, vase f, boue f

schlammig ['ʃlamɪç] adj vaseux, boueux

Schlamperei [ʃlampəˈraɪ] f négligence f

schlampig ['ʃlampɪç] adj 1. négligé, débraillé; 2. (Arbeit) bâclé; Das ist ~ gemacht. C'est bâclé.

Schlange ['ʃlaŋə] f 1. ZOOL serpent m; 2. (Menschen~) file f, queue f; ~ stehen faire la queue

schlängeln ['ʃlɛŋəln] v 1. sich ~ serpenter; 2. sich um etw ~ s'entortiller autour de

schlank [ʃlaŋk] adj mince, svelte

schlapp [ʃlap] adj 1. mou/molle, avachi; 2. (fig: erschöpft) épuisé

Schlappe ['ʃlapə] f (fam: Mißerfolg) échec m; eine ~ einstecken ramasser une veste

Schlaraffenland ['ʃlarafənlant] n pays de cocagne m

schlau [ʃlau] adj 1. fin, rusé, subtil; 2. (geschickt) habile

Schlauch [ʃlaux] m tuyau m

Schlauchboot ['ʃlauxboːt] n canot pneumatique m

Schlaufe [ʃlaufə] f boucle f

schlecht [ʃlɛçt] 1. adj mauvais, médiocre, méchant; 2. adv mal; ~ und recht tant bien que mal/ vaille que vaille; ~ und recht leben vivre tant bien que mal

schlechtmachen ['ʃlɛçtmaxən] v jdn ~ médire de qn, dire du mal de qn

Schleckerei [ʃlɛkəˈraɪ] f friandise f

Schleckermaul ['ʃlɛkərmaul] n gourmet m

schleichen ['ʃlaɪçən] v se glisser

schleichend ['ʃlaɪçənt] adj (heimlich) furtif, sournois

Schleier ['ʃlaɪər] m voile m, voilette f

schleierhaft ['ʃlaɪərhaft] adj mystérieux

Schleife ['ʃlaɪfə] f nœud m, boucle f

schleifen ['ʃlaɪfən] v 1. (schärfen) aiguiser, tailler, affiler; 2. TECH meuler, polir

Schleim [ʃlaɪm] m mucosité f, glaire f

schleimig ['ʃlaɪmɪç] adj 1. glaireux, muqueux; 2. (fig: scheinheilig) douceureux

schlemmen ['ʃlɛmən] v faire ripaille

schlendern ['ʃlɛndərn] v traîner

Schlendrian ['ʃlɛndriaːn] m 1. train-train m; 2. (Routine) routine f

schleppen ['ʃlɛpən] v 1. (schwer tragen) traîner; 2. (ab~) remorquer, dépanner; 3. (Polizei) mettre en fourrière

schleudern ['ʃlɔydərn] v 1. (werfen) lancer; 2. (Auto) déraper; 3. (Wäsche) essorer

schlicht [ʃlɪçt] adj simple, sans artifice

schlichten ['ʃlɪçtən] v 1. (Streit) aplanir, arranger; 2. (Holz) équarrir

schließen ['ʃliːsən] v 1. (zumachen) fermer, clore; 2. (beenden) terminer, fermer; 3. (Vertrag) conclure; 4. (folgern) conclure

Schließfach ['ʃliːsfax] n (Bahnhof) consigne automatique f

schließlich ['ʃliːslɪç] adv enfin

schlimm [ʃlɪm] adj 1. mauvais, grave; Das ist nicht ~. Ce n'est pas grave. Ich finde nichts ~es dabei. Je n'y vois aucun mal. 2. (ärgerlich) fâcheux; 3. (schwierig) difficile

schlimmstenfalls ['ʃlɪmstənfals] adv au pire, dans le pire des cas

Schlinge ['ʃlɪŋə] f 1. nœud coulant m; 2. (Jagd) collet m; 3. (fig: Falle) piège m

Schlingpflanze ['ʃlɪŋpflantsə] f plante grimpante f

Schlips [ʃlɪps] m cravate f

Schlitten ['ʃlɪtən] m traîneau m, luge f

Schlittschuh ['ʃlɪtʃuː] m patin à glace m

Schlitz ['ʃlɪts] m fente f, fissure f

Schlosser ['ʃlɔsər] m serrurier m

Schloß [ʃlɔs] n 1. (Gebäude) château m; Luftschlösser bauen bâtir des châteaux en Espagne; 2. (Verschluß) serrure f

Schlot ['ʃloːt] m cheminée d'usine f

schlottern ['ʃlɔtərn] v 1. (zittern) flageoler, trembler; 2. (zu große Kleidung) flotter

Schlucht [ʃluxt] f ravin m, gorge f
schluchzen [ʃluxtsən] v sangloter
Schluck [ʃluk] m gorgée f, trait m
Schluckauf [ʃlukauf] m hoquet m
schlucken [ʃlukən] v avaler
schlummern [ʃlumərn] v sommeiller
Schlüpfer [ʃlypfər] m culotte f, slip m
Schlupfwinkel [ʃlupfvɪŋkəl] m refuge m
schlürfen [ʃlyrfən] v laper
Schlüssel [ʃlysəl] m clé/clef f
Schlüsselbein [ʃlysəlbaɪn] n clavicule f
Schlüsselbund [ʃlysəlbunt] m trousseau de clés m
Schlüsselkind [ʃlysəlkɪnt] n enfant livré à lui-même m
Schlüsselloch [ʃlysəlɔx] n trou de serrure m
Schlüsselposition [ʃlysəlpozitsjoːn] f poste-clé m, poste de commande m
Schluß [ʃlus] m fin f
Schlußfolgerung [ʃlusfɔlgəruŋ] f conclusion f
Schlußverkauf [ʃlusfɛrkauf] m soldes m/pl
schmächtig [ʃmɛçtɪç] adj grêle, fluet; ~ sein être gros comme un moineau
schmackhaft [ʃmakhaft] adj savoureux
schmal [ʃmaːl] adj étroit, mince
schmälern [ʃmɛːlərn] v diminuer, réduire
Schmalz [ʃmalts] n 1. graisse fondue f; 2. (Schweine-) saindoux m
Schmarotzer [ʃmaˈrɔtsər] m parasite m
schmecken [ʃmɛkən] v 1. ~ nach avoir le goût de, sentir le goût de; 2. gut ~ être bon
schmeichelhaft [ʃmaɪçəlhaft] adj 1. flatteur; 2. (vorteilhaft) avantageux
schmeicheln [ʃmaɪçəln] v flatter
schmelzen [ʃmɛltsən] v fondre
Schmelztiegel [ʃmɛltstiːgəl] m (fig) creuset m
Schmerz [ʃmɛrts] m douleur f, mal m
schmerzempfindlich [ʃmɛrtsɛmpfɪntlɪç] adj 1. sensible à la douleur; 2. (zimperlich) douillet
schmerzen [ʃmɛrtsən] v 1. (körperlich) faire mal; 2. (seelisch) faire de la peine
schmerzhaft [ʃmɛrtshaft] adj douloureux
schmerzlich [ʃmɛrtslɪç] adj 1. douloureux, cuisant; 2. (fig) pénible
schmerzlindernd [ʃmɛrtslɪndərnt] adj apaisant, calmant

Schmetterling [ʃmɛtərlɪŋ] m papillon m
Schmied [ʃmiːt] m forgeron m
Schmiede [ʃmiːdə] f forge f
schmieden [ʃmiːdən] v forger
schmieren [ʃmiːrən] v 1. (bestreichen) enduire; 2. (einfetten) graisser; gehen wie geschmiert ne faire pas un pli/ tourner comme une petite machine à coudre; Das läuft wie geschmiert. Ça va comme sur du velours. 3. (fam: bestechen) corrompre; 4. (kritzeln) griffonner
Schmiergeld [ʃmiːrgɛlt] n pot-de-vin m
schmierig [ʃmiːrɪç] adj 1. (fettig) graisseux; 2. (fig: dreckig) crasseux
Schminke [ʃmɪŋkə] f fard m
schminken [ʃmɪŋkən] v (se) maquiller, (se) farder
Schmuck [ʃmuk] m bijou m, parure f
schmücken [ʃmykən] v décorer, orner
schmuggeln [ʃmugəln] v faire de la contrebande, frauder
Schmuggler [ʃmuglər] m contrebandier m
schmunzeln [ʃmuntsəln] v sourire d'aise
schmusen [ʃmuːzən] v câliner
Schmutz [ʃmuts] m saleté f, boue f; etw/jdn in den ~ ziehen traîner qc/qn dans la boue
schmutzig [ʃmutsɪç] adj 1. sale, malpropre; 2. (ekelhaft) dégoûtant
Schnabel [ʃnaːbəl] m bec m
schnappen [ʃnapən] v 1. (beißen) happer; 2. (zu/auf-) faire ressort
Schnappschuß [ʃnapʃus] m FOTO instantané m
Schnaps [ʃnaps] m eau-de-vie f
schnarchen [ʃnarçən] v ronfler; fürchterlich ~ ronfler comme une forge
schnaufen [ʃnaufən] v haleter
Schnauze [ʃnautsə] f gueule f, museau m
Schnecke [ʃnɛkə] f escargot m
Schneckentempo [ʃnɛkəntempoː] n (fam) allure d'escargot f; im ~ vorankommen avancer comme une tortue
Schnee [ʃneː] m neige f
Schneebesen [ʃneːbeːzən] m batteur m
Schneeflocke [ʃneːflɔkə] f flocon de neige m
Schneeglöckchen [ʃneːglœkçən] n perce-neige m
Schneekette [ʃneːkɛtə] f (Auto) chaînes antidérapantes f/pl

schneiden ['ʃnaɪdən] v couper
Schneider ['ʃnaɪdər] m tailleur m
schneien ['ʃnaɪən] v neiger
schnell [ʃnɛl] 1. adj rapide, prompt; *So ~ geht das nicht.* Ce n'est pas pour demain. 2. adv vite
Schnelligkeit ['ʃnɛlɪŋkaɪt] f rapidité f, vitesse f, promptitude f
Schnellimbiß ['ʃnɛlɪmbɪs] m casse-croûte m
Schnellstraße ['ʃnɛlʃtrasə] f voie rapide f
Schnellzug ['ʃnɛltsuːk] m express m
Schnitt [ʃnɪt] m coupe f
Schnittlauch ['ʃnɪtlaux] m ciboulette f
Schnittstelle ['ʃnɪtʃtɛlə] f interface f
Schnittwunde ['ʃnɪtvundə] f entaille f
Schnitzel ['ʃnɪtsəl] n escalope f
schnitzen ['ʃnɪtsən] v sculpter sur bois
Schnorchel ['ʃnɔrçəl] m 1. (Taucher) tuba m; 2. (U-Boot) schnorchel m
schnüffeln ['ʃnyfəln] v 1. (schnuppern) flairer, renifler; 2. (fig) fouiner
Schnuller ['ʃnulər] m sucette f
Schnupfen ['ʃnupfən] m rhume m
schnuppern ['ʃnupərn] v 1. flairer, renifler; 2. (fig) fouiner
Schnur [ʃnuːr] f cordon m, lacet m
schnüren ['ʃnyːrən] v ficeler, lier
Schnurrbart ['ʃnurbart] m moustache f
schnurren ['ʃnurən] v ronronner
Schock [ʃɔk] m choc m
schockieren [ʃɔk'iːrən] v choquer
Schöffe ['ʃœfə] m 1. JUR juré m; 2. HIST échevin m
Schokolade [ʃoko'laːdə] f 1. (Tafel ~) chocolat m; 2. (Heiße ~) chocolat chaud m
Scholle ['ʃɔlə] f 1. (Erd-) motte de terre f; 2. (Eis~) glaçon m; 3. ZOOL sole f
schon [ʃoːn] adv déjà, bien, depuis; *~ jetzt* dès maintenant; *Es ist ~ lange her, daß...* Il y a bien/déjà longtemps que... *Ich weiß ~, daß...* Je sais bien que... *Sie wird ~ kommen.* Elle viendra bien. *~ gut!* C'est bon!/ Ça suffit! *~ der Gedanke, daß...* La seule idée que... / Rien que d'y penser...
schön [ʃøːn] adj 1. beau/ belle, joli; *Das ist zu ~ um wahr zu sein.* C'est trop beau pour être vrai. *Das ist alles recht ~ und gut.* C'est bel et bon. *~es Wetter haben* avoir beau temps; 2. (angenehm) agréable; 3. adv bien
schonen ['ʃoːnən] v 1. jdn ~ ménager qn; 2. etw ~ soigner; 3. sich ~ se ménager

Schönheit ['ʃøːnhaɪt] f beauté f
Schonkost ['ʃoːnkɔst] f régime m, diète f
Schöpfer ['ʃœpfər] m créateur m
schöpferisch ['ʃœpfərɪʃ] adj créateur
Schöpfung ['ʃœpfuŋ] f 1. (Welt) monde m; 2. création f
Schornstein ['ʃɔrnʃtaɪn] m cheminée f
Schornsteinfeger ['ʃɔrnʃtaɪnfeːgər] m ramoneur m
Schoß [ʃoːs] m giron m, sein m
Schottland ['ʃɔtlant] n Ecosse f
schräg [ʃrɛːk] 1. adj oblique, incliné; 2. adv en biais, en diagonale
Schramme ['ʃramə] f éraflure f
Schrank [ʃraŋk] m 1. armoire f; 2. (Wand-) placard m; 3. (Küchen-) buffet m
Schranke ['ʃraŋkə] f barrière f
Schraube ['ʃraubə] f 1. vis f; *Bei dir ist wohl eine ~ locker.* Ça ne tourne pas rond chez toi. 2. (Schiffs~) hélice f
schrauben ['ʃraubən] v visser
Schraubenzieher ['ʃraubəntsiːər] m tournevis m
Schraubstock ['ʃraubʃtɔk] m étau m
Schreck [ʃrɛk] m frayeur f; *mit dem ~en davonkommen* en être quitte pour la peur
schrecklich ['ʃrɛklɪç] adj terrible, effrayant, épouvantable; *Wie ~!* Quelle horreur!
Schrei [ʃraɪ] m cri m
Schreiben ['ʃraɪbən] n lettre f
schreiben ['ʃraɪbən] v écrire; *etw in den Wind ~* faire une croix sur qc
Schreibmaschine ['ʃraɪpmaʃiːnə] f machine à écrire f
Schreibtisch ['ʃraɪptɪʃ] m bureau m
Schreibwaren ['ʃraɪpvaːrən] pl articles de papeterie m/pl
schreien ['ʃraɪən] v crier, pousser des cris, vociférer; *jdn an~* engueuler qn
Schreiner ['ʃraɪnər] m menuisier m
Schrift [ʃrɪft] f 1. écriture f; *eine krakelige ~ haben* écrire comme un chat; 2. (-stück) écrit m, œuvre f
schriftlich ['ʃrɪftlɪç] 1. adj écrit; 2. adv par écrit
Schriftsteller ['ʃrɪftʃtɛlər] m écrivain m
Schriftstück ['ʃrɪftʃtʏk] n écrit m, pièce f
Schriftverkehr ['ʃrɪftfɛrkeːr] m correspondance f
schrill [ʃrɪl] adj strident, aigu/aiguë
Schritt [ʃrɪt] m 1. (Gangart) pas m, enjambée m; *Jetzt sind Sie keinen ~ weitergekommen.* Vous voilà bien avancé. *jdm auf*

- *und Tritt folgen* suivre qn comme son ombre; 2. *(fig: Maßnahme)* démarche *f; die einleitenden -e tun* faire des ouvertures à qc
Schrittempo ['ʃrɪttɛmpoː] *n* vitesse très lente *f; im ~* au pas
schrittweise ['ʃrɪtvaɪzə] *adv* pas à pas
schroff [ʃrɔf] *adj* 1. *(Felsen)* raide, escarpé; 2. *(fig: kurzangebunden)* bourru; 3. *(arrogant)* rogue
Schrott [ʃrɔt] *m* ferraille *f*
schrubben ['ʃrubən] *v* frotter, astiquer
schrumpfen ['ʃrumpfən] *v* 1. *(eingehen)* se rétrécir; 2. *(fig: vermindern)* diminuer
Schub [ʃup] *m* poussée *f*
Schubkarre ['ʃupkarə] *f* brouette *f*
Schublade ['ʃuplaːdə] *f* tiroir *m*
schüchtern ['ʃʏntərn] *adj* timide
Schuft [ʃuft] *m* misérable *m*, gredin *m*
schuften ['ʃuftən] *v* se tuer au travail; *wie ein Ochse ~* bosser comme un nègre
Schuh [ʃuː] *m* chaussure *f*, soulier *m; jdm etw in die -e schieben* mettre qc sur le dos de qn
Schuhcreme ['ʃuːkreːm] *f* cirage *m*
Schuhgröße ['ʃuːgrøːsə] *f* pointure *f; ~ 38 haben* chausser du 38
Schuhmacher ['ʃuːmaxər] *m* cordonnier *m*
Schulanfang ['ʃuːlanfaŋ] *m* rentrée scolaire *f*, rentrée des classes *f*
Schulaufgabe ['ʃuːlaufgaːbə] *f* devoir *m*
schuld [ʃult] *adj ~ sein* être fautif, être responsable; *Wer ist ~ daran?* A qui la faute?
Schuld [ʃult] *f* 1. *(Geld~)* dette *f;* 2. JUR culpabilité *f; Das ist nicht meine ~.* Ce n'est pas de ma faute.
Schulden ['ʃuldən] *pl* dettes *f/pl*
schulden ['ʃuldən] *v* devoir (qc à qn)
schuldig ['ʃuldɪŋ] *adj* coupable; *jdm etw ~ sein* devoir qc à qn; *jdm nichts ~ bleiben* ne pas être en reste avec qn
schuldlos ['ʃultloːs] *adj* innocent
Schuldner ['ʃultnər] *m* débiteur *m*
Schule ['ʃuːlə] *f* école *f*
Schüler ['ʃyːlər] *m* élève *m*, écolier *m*
Schüleraustausch ['ʃyːləraustauʃ] *m* échange scolaire *m*
Schulferien ['ʃuːlfɛrjən] *pl* vacances scolaires *f/pl*
schulfrei ['ʃuːlfraɪ] *adj* congé *m*
Schulter ['ʃultər] *f* épaule *f; die Dinge auf die leichte ~ nehmen* prendre les choses à la légère

Schulterblatt ['ʃultərblaːt] *n* omoplate *f*
Schulung ['ʃuːluŋ] *f* formation *f*
Schulzeugnis ['ʃuːltsɔyknɪs] *n* bulletin scolaire *m*, certificat scolaire *m*
Schuppe ['ʃupə] *f* 1. *(Haar~)* pellicule *f;* 2. *(Fisch~)* écaille *f*
Schuppen ['ʃupən] *m* remise *f*
Schurke ['ʃurkə] *m* coquin *m*, gredin *m*
Schürze ['ʃyrtsə] *f* tablier *m*
Schuß [ʃus] *m* coup de feu *m*
Schüssel ['ʃysəl] *f* plat *m*, terrine *f*
Schußwaffe ['ʃusvafə] *f* arme à feu *f*
Schuster ['ʃustər] *m* cordonnier *m*
Schutt [ʃut] *m* décombres *m/pl*, gravats *m/pl*
Schüttelfrost ['ʃytəlfrɔst] *m* frissons *m/pl*
schütteln ['ʃytəln] *v* secouer, agiter
schütten ['ʃytən] *v* 1. verser: 2. *(aus~)* répandre
Schutthalde ['ʃuthaldə] *f* crassier *m*
Schutz [ʃuts] *m* protection *f*, abri *m*
Schutzblech ['ʃutsblɛç] *n* garde-boue *m*
schützen ['ʃytsən] *v* 1. protéger, préserver, garantir; *sich vor etw ~* se mettre à l'abri de qc; 2. *(verteidigen)* défendre
Schutzengel ['ʃutsɛŋəl] *m* ange gardien *m*
Schutzimpfung ['ʃutsɪmpfuŋ] *f* vaccination préventive *f*
schutzlos ['ʃutsloːs] *adj* 1. sans protection; 2. *(ausgesetzt)* exposé
schwach [ʃvax] *adj* faible, frêle, délicat
Schwäche ['ʃvɛnə] *f* 1. faiblesse *f; eine ~ für jdn haben* avoir un faible pour qn; 2. *(Ohnmacht)* défaillance *f*
schwächlich ['ʃvɛnlɪŋ] *adj* faible, fragile
Schwager/Schwägerin ['ʃvaːgər] *m/f* beau-frère *m/* belle-sœur *f*
Schwalbe ['ʃvalbə] *f* hirondelle *f*
Schwamm [ʃvam] *m* éponge *f; ~ drüber!* Passons l'éponge!
Schwan [ʃvan] *m* cygne *m*
schwanger ['ʃvaŋər] *adj* enceinte, grosse
Schwangerschaft ['ʃvaŋərʃaft] *f* grossesse *f*
Schwangerschaftsabbruch ['ʃvaŋərʃaftsapbrux] *m* interruption volontaire de grossesse *f*
schwanken ['ʃvaŋkən] *v* 1. *(taumeln)* chanceler, vaciller; 2. *(abweichen)* varier, fluctuer; 3. *(fig: zaudern)* être indécis
Schwanz [ʃvants] *m* queue *f*
schwänzen ['ʃvɛntsən] *v (fam: Schule)* faire l'école buissonnière

Schwarm [ʃvarm] *m* 1. *(Bienen-)* essaim *m*; 2. *(Vogel-)* nuée *f*, vol *m*; 3. *(Fisch-)* banc *m*; 4. *(Menschen-)* troupe *f*; 5. *(fig)* passion *f*; 6. *(fig/fam)* Sie ist sein -. Il a le béguin pour elle.

schwärmen [ʃvɛrmən] *v (fig)* se passionner pour

schwarz [ʃvarts] *adj* noir; *ins -e treffen* taper dans le mille; *Da steht es - auf weiß.* C'est écrit noir sur blanc. *allzu - sehen* voir tout en noir

Schwarzarbeit [ʃvartsarbaɪt] *f* travail au noir *m*

Schwarzbrot [ʃvartsbroːt] *n* pain noir *m*

Schwarzmarkt [ʃvartsmarkt] *m* marché noir *m*

schweben [ʃveːbən] *v* planer, flotter

Schweden [ʃveːdən] *n* Suède *f*

schwedisch [ʃveːdɪʃ] *adj* suédois

Schwefel [ʃveːfəl] *m* soufre *m*

Schweigen [ʃvaɪɡən] *n* silence *m*; *zum - bringen* réduire au silence

schweigen [ʃvaɪɡən] *v* se taire, ne rien dire; *ganz zu - von...* sans parler de...

schweigsam [ʃvaɪkzaːm] *adj* taciturne

Schwein [ʃvaɪn] *n* 1. ZOOL cochon *m*, porc *m*; *wie ein - essen* manger comme un porc; 2. *(Fleisch)* porc *m*; 3. *(fig: Glück)* veine *f*

Schweinebraten [ʃvaɪnəbraːtən] *m* rôti de porc *m*

Schweinerei [ʃvaɪnəraɪ] *f (fam)* cochonnerie *f*, saleté *f*

Schweiß [ʃvaɪs] *m* sueur *f*, transpiration *f*

schweißen [ʃvaɪsən] *v* souder

Schweiz [ʃvaɪts] *f* Suisse *f*

schweizerisch [ʃvaɪtsərɪʃ] *adj* suisse

Schwelle [ʃvɛlə] *f* 1. *(Eisenbahn-)* traverse *f*; 2. *(Übergang)* seuil *m*

schwenken [ʃvɛnkən] *v* agiter

schwer [ʃveːr] *adj* 1. *(Gewicht)* lourd; 2. *(schwierig)* difficile, pénible; *- zu sagen* difficile à dire; *Das ist - für mich.* Cela m'est difficile. *es einem - machen* tenir la dragée haute; 3. *(mühsam)* pénible; 4. *(ernst)* grave

schwerbeschädigt [ʃveːrbəʃeːdɪçt] *adj* grand mutilé, invalide

Schwerelosigkeit [ʃveːrəloːzɪçkaɪt] *f* apesanteur *f*

schwerfällig [ʃveːrfɛlɪç] *adj* lourd

schwerhörig [ʃveːrhøːrɪç] *adj* mal entendant; *- sein* être dur de la feuille

Schwerkraft [ʃveːrkraft] *f* pesanteur *f*

Schwermut [ʃveːrmuːt] *f* mélancolie *f*

Schwert [ʃveːrt] *n* épée *f*

Schwester [ʃvɛstər] *f* sœur *f*

Schwiegereltern [ʃviːɡərɛltərn] *pl* beaux-parents *m/pl*

Schwiegermutter [ʃviːɡərmutər] *f* belle-mère *f*

Schwiegersohn [ʃviːɡərzoːn] *m* gendre *m*, beau-fils *m*

Schwiegertochter [ʃviːɡərtɔxtər] *f* belle-fille *m*, bru *f*

Schwiegervater [ʃviːɡərfaːtər] *m* beau-père *m*

schwierig [ʃviːrɪç] *adj* difficile

Schwierigkeit [ʃviːrɪçkaɪt] *f* difficulté *f*; *Da gibt es noch -en.* Il y a du tirage.

Schwimmbad [ʃvɪmbaːt] *n* piscine *f*

schwimmen [ʃvɪmən] *v* nager

Schwimmweste [ʃvɪmvɛstə] *f* gilet de sauvetage *m*

Schwindel [ʃvɪndəl] *m* 1. MED vertige *m*; 2. *(Lüge)* duperie *f*, escroquerie *f*

schwindeln [ʃvɪndəln] *v (lügen)* mentir

schwindlig [ʃvɪndlɪç] *adj* sujet au vertige; *Mir ist -.* J'ai le vertige/ La tête me tourne.

Schwingung [ʃvɪŋuŋ] *f* oscillation *f*, vibration *f*

Schwips [ʃvɪps] *m* griserie *f*; *einen - haben* être éméché

schwitzen [ʃvɪtsən] *v* transpirer, suer; *Blut und Wasser -* avoir des sueurs froides

schwören [ʃvøːrən] *v* jurer; *Stein und Bein -, daß...* jurer ses grands dieux que...

schwul [ʃvuːl] *adj (fam)* homosexuel

schwül [ʃvyːl] *adj* 1. *(Wetter)* lourd; 2. *(erdrückend)* oppressant

Schwung [ʃvuŋ] *m* 1. élan *m*; 2. *(fig: Tatkraft)* énergie *f*; *- haben* avoir de l'allant

schwungvoll [ʃvuŋfɔl] 1. *adj* enthousiaste, dynamique; 2. *adv* avec entrain

Schwur [ʃvuːr] *m* serment *m*

See [zeː] 1. *m* lac *m*; 2. *f* mer *f*; océan *m*

Seefahrt [zeːfaːrt] *f* navigation *f*

Seehund [zeːhunt] *m* phoque *m*

Seeigel [zeːiːɡəl] *m* oursin *m*

seekrank [zeːkraŋk] *adj* - *sein* avoir le mal de mer

Seele [zeːlə] *f* âme *f*; *die - aushauchen* rendre l'âme

seelisch [zeːlɪʃ] *adj* psychique, moral; *- auf dem Nullpunkt angelangt sein* avoir le moral à zéro

Seemann ['ze:man] *m* marin *m*

Seenot ['ze:no:t] *f* péril en mer *m; in ~ sein* être en détresse

Seerose ['ze:ro:zə] *f* nénuphar *m*

Seestern ['ze:ʃtɛrn] *m* étoile de mer *f*

Seezunge ['ze:tsuŋə] *f* sole *f*

Segel ['ze:gəl] *n* voile *f*

Segelboot ['ze:gəlbo:t] *n* voilier *m*

Segelflugzeug ['ze:gəlflu:ktsɔyk] *n* planeur *m*

segeln ['ze:gəln] *v* faire de la voile

Segen ['ze:gən] *m* bénédiction *f; Meinen ~ hast du.* Je te donne ma bénédiction.

segnen ['ze:gnən] *v* bénir

sehen ['ze:ən] *v* voir, regarder; *Man muß den Dingen ins Auge ~.* Il faut voir les choses en face. *nicht die Hand vor Augen ~* n'y voir goutte; *die Dinge ~, wie sie sind* voir les choses comme elles sont

sehenswert ['ze:ənsvɛrt] *adj* digne d'être vu, intéressant

Sehenswürdigkeit ['ze:ənsvyrdɪŋkaɪt] *f* curiosité *f*

Sehne ['ze:nə] *f* tendon *m*

sehnen ['ze:nən] *v sich ~* soupirer après (qn/qc); *Ich sehne mich nach...* Il me tarde de...

Sehnsucht ['ze:nzuxt] *f* nostalgie *f*

sehnsuchtsvoll ['ze:nzuxtsfɔl] *adj* 1. nostalgique; *2. (ungeduldig)* impatient

sehr [ze:r] *adv* très, fort, vivement

seicht [zaɪçt] *adj* peu profond, bas

Seide ['zaɪdə] *f* soie *f*

Seife ['zaɪfə] *f* savon *m*

Seil [zaɪl] *n* corde *f*, câble *m*

Seilbahn ['zaɪlba:n] *f* funiculaire *m*, téléphérique *m*

sein [zaɪn] *v* 1. être; *20 Jahre alt ~* avoir 20 ans; *Mir ist kalt/heiß.* J'ai froid/chaud. *Es ist lange her, daß...* Il y a longtemps que ... *Wenn dem so ist...* S'il en est ainsi... *Mir ist nicht gut.* Je me sens mal. *2. (leben)* exister; *3. (sich befinden)* se trouver; *4. (Wetter)* faire; *Das Wetter ist schön.* Il fait beau. *Es ist kalt/heiß.* Il fait froid/chaud. *5. pron jdn wie ~esgleichen behandeln* traiter qn d'égal à égal

seinetwegen ['zaɪnətve:gən] *adv* à cause de lui, pour lui

seit [zaɪt] *1. prep* depuis; *~ eh und je* d'ores et déjà; *2. konj* depuis que

seitdem ['zaɪtde:m] *1. adv* depuis ce temps-là; *2. konj* depuis que

Seite ['zaɪtə] *f* 1. *(Vorder/Rück~)* côté *m; jdn auf die ~ nehmen* prendre qn à part; *2. (Buch~)* page *f; 3. (fig: Aspekt)* côté *m; auf beiden ~n* de part et d'autre

seitens ['zaɪtəns] *prep* du côté de

Seitensprung ['zaɪtənʃpruŋ] *m (fig)* écart de conduite *m*

Seitenstechen ['zaɪtənʃtɛçən] *n* point de côté *m*

Seitenstraße ['zaɪtənʃtra:sə] *f* rue latérale *f*

seitlich ['zaɪtlɪç] *adj* latéral

Sekretär [zekre'tɛ:r] *m* secrétaire *m*

Sekt [zɛkt] *m* mousseux *m*

Sekte ['zɛktə] *f* secte *f*

Sektor ['zɛkto:r] *m* secteur *m*, branche *f*

Sekunde [ze'kundə] *f* seconde *f*

selbst [zɛlpst] *pron* même

Selbstachtung ['zɛlpstaxtuŋ] *f* respect de soi-même *m*, amour-propre *m*

selbständig ['zɛlpʃtɛndɪç] *adj* indépendant, autonome

Selbständigkeit ['zɛlpʃtɛndɪŋkaɪt] *f* indépendance *f*, autonomie *f*

Selbstbedienung ['zɛlpstbədi:nuŋ] *f* libre-service *m*

Selbstbefriedigung ['zɛlpstbəfri:dɪguŋ] *f* masturbation *f*

Selbstbeherrschung ['zɛlpstbəhɛrʃuŋ] *f* maîtrise de soi *f*

selbstbewußt ['zɛlpstbəvust] *adj* conscient de sa propre valeur, sûr de soi

Selbstgespräch ['zɛlpstgəʃprɛ:ç] *n* monologue *m*

selbstklebend ['zɛlpstkle:bənt] *adj* autocollant

selbstlos ['zɛlpstlo:s] *1. adj* désintéressé, altruiste; *2. adv* avec altruisme

Selbstmord ['zɛlpstmɔrt] *m* suicide *m*

selbstsicher ['zɛlpstzɪçər] *adj* assuré

selbstsüchtig ['zɛlpstzyçtɪç] *adj* égoïste

selbstverständlich ['zɛlpstfɛrʃtɛntlɪç] *adj* 1. naturel; *2. (offensichtlich)* évident

Selbstvertrauen ['zɛlpstfɛrtrauən] *n* confiance en soi *f*, assurance en soi *f*

Selbstverwaltung ['zɛlpstfɛrvaltuŋ] *f* autogestion *f*

selig ['ze:lɪç] *adj* bienheureux

Sellerie ['zɛləri:] *m* céleri *m*

selten ['zɛltən] *adj* rare, curieux; *ausgesprochen ~* rare comme les beaux jours

Seltenheit ['zɛltənhaɪt] *f* rareté *f*, curiosité *f*

seltsam ['zɛltza:m] *adj* bizarre, étrange
Semester [ze'mɛstər] *n* semestre *m*
Semmel ['ze:məl] *f* petit pain *m; weggehen wie warme -n* se vendre comme des petits pains
Senat [zɛ'na:t] *m* sénat *m*
senden ['zɛndən] *v* 1. *(Brief)* envoyer; 2. *(Radio/TV)* diffuser, retransmettre
Sender ['zɛndər] *m (Radio/TV)* émetteur *m*
Sendung ['zɛnduŋ] *f* 1. *(Versand)* envoi *m*; 2. *(Radio/TV)* émission *f*
Senf [zɛnf] *m* moutarde *f*
Senior ['ze:njor] *m* doyen *m*, ancien *m*
senken ['zɛŋkən] *v* abaisser, baisser
senkrecht ['zɛŋkrɛnt] *adj* vertical
Sensation [zɛnzats'jo:n] *f* sensation *f*
sensibel [zɛn'zi:bəl] *adj* sensible
sentimental [zɛntimɛn'ta:l] *adj* sentimental
separat [zepa'ra:t] *adj* séparé, à part
September [zɛp'tɛmbər] *m* septembre *m*
Serie ['ze:rjə] *f* série *f*
Serpentine [zɛrpən'ti:nə] *f* lacet *m*
Serum/Seren ['ze:rum] *n* sérum *m*
Service [zɛr'vi:s] *n* 1. *(Geschirr)* service de table *m*, vaisselle *f; m* 2. *(Kundendienst)* service après-vente *m*
servieren [zɛr'vi:rən] *v* servir
Serviette [zɛrv'jɛtə] *f* serviette de table *f*
Sessel ['zɛsəl] *m* fauteuil *m*
Sessellift ['zɛsəllɪft] *m* télésiège *m*
setzen ['zɛtsən] *v* 1. *sich ~* s'asseoir, se placer; 2. *(etw ab~)* mettre; 3. *(Text)* composer
Setzer ['zɛtsər] *m* typographe *m*
Seuche ['zɔynə] *f* épidémie *f*
seufzen ['zɔyftsən] *v* soupirer, gémir
Seufzer ['zɔyftsər] *m* soupir *m*
Sex [zɛks] *m* sexe *m*
Sexualität [zɛksuali'tɛ:t] *f* sexualité *f*
sexuell [zɛksu'ɛl] *adj* sexuel
Shampoo [ʃam'pu] *n* shampooing *m*
Shorts [ʃɔ:rts] *pl* short *m*
Show [ʃo:] *f* show *m*, spectacle *m*
sich ['zɪç] *pron* 1. *(unbetont)* se; 2. *(betont)* soi
sicher ['zɪçər] *adj* 1. *(zweifellos)* certain, sûr; 2. *(gefahrlos)* sûr, solide, protégé; 3. *adv (gefahrlos)* en sécurité
Sicherheit ['zɪçərhaɪt] *f* 1. *(Gewißheit)* certitude *f*, assurance *f*; 2. *(Schutz)* sécurité *f*; *etw in ~ bringen* mettre à couvert qc; 3. *(Gewähr)* sûreté *f*; 4. *(Pfand)* nantissement *m*

Sicherheitsgurt ['zɪçərhaɪtsgurt] *m (Auto)* ceinture de sécurité *f*
Sicherheitsnadel ['zɪçərhaɪtsna:dəl] *f* épingle de sûreté *f*
sicherlich ['zɪçərlɪç] *adv* sûrement, certainement
sichern ['zɪçərn] *v* assurer, garantir
Sicherung ['zɪçəruŋ] *f* 1. *(Sichern)* préservation *f*; 2. TECH fusible *m*; 3. *(Vorrichtung)* dispositif de sécurité *m*
Sicht [zɪçt] *f* 1. vue *f*; 2. *(-barkeit)* visibilité *f*
sichtbar ['zɪçtba:r] *adj* visible
Sichtweite ['zɪçtvaɪtə] *f* rayon de visibilité *m*
sickern ['zɪkərn] *v* suinter
Sie [zi:] *pron (Höflichkeitsform)* vous
sie [zi:] *pron* 1. *f* elle; 2. *f* la; 3. *pl* ils; 4. *pl* les
Sieb ['zi:p] *n* passoire *f*, crible *m*, tamis *m*
sieben ['zi:bən] 1. *num* sept; 2. *v* tamiser, filtrer
sieden ['zi:dən] *v* faire bouillir
Siedepunkt ['zi:dəpuŋkt] *m* point d'ébullition *m*
Siedler ['zi:dlər] *m* colon *m*
Siedlung ['zi:dluŋ] *f* lotissement *m*, cité *f*
Sieg [zi:k] *m* victoire *f; den - davontragen* remporter la palme
Siegel ['zi:gəl] *n* sceau *m*, cachet *m*
Siegelring ['zi:gəlrɪŋ] *m* bague à cacheter *f*
siegen ['zi:gən] *v* vaincre, triompher
Sieger ['zi:gər] *m* vainqueur *m*
siegreich ['zi:kraɪç] *adj* victorieux
siezen ['zi:tsən] *v* vouvoyer, dire vous à qn
Signal [zɪg'na:l] *n* signal *m*
Silbe ['zɪlbə] *f* syllabe *f*
Silber ['zɪlbər] *n* argent *m*
silbern ['zɪlbərn] *adj* argenté, en argent
Silo ['zi:lo] *n* AGR silo *m*
Silvester [zɪl'vɛstər] *n* Saint-Sylvestre *f*
Sims [zɪms] *n* 1. rebord *m*; 2. ARCH corniche *f*
Sinfonie [zɪnfo'ni:] *f* symphonie *f*
singen ['zɪŋən] *v* chanter
Singular ['zɪŋula:r] *m* singulier *m*
Singvogel ['zɪŋfo:gəl] *m* oiseau chanteur *m*
sinken ['zɪŋkən] *v* 1. couler, baisser, tomber; 2. *(Preise)* baisser; 3. *(fam: Preise)* chuter; 4. *(Schiff)* couler; 5. *(fig)* baisser; *Er ist tief gesunken.* Il est tombé bien bas.

Sinn [zɪn] m 1. *(Empfinden)* sens m; den sechsten ~ haben avoir des antennes; 2. *(Empfänglichkeit)* sentiment m, penchant m; 3. *(Bedeutung)* signification f; Was hat das für einen ~? A quoi ça rime?

Sinnbild ['zɪnbɪlt] n symbole m, emblème m

sinnbildlich ['zɪnbɪltlɪç] adj symbolique

Sinnesorgan ['zɪnəsɔrgaːn] n organe des sens m

sinngemäß ['zɪngəmɛːs] adj conforme au sens, analogique

sinnlich ['zɪnlɪç] adj 1. sensuel; 2. *(fühlbar)* sensible

sinnlos ['zɪnloːs] adj insensé, absurde

Sinnlosigkeit ['zɪnloːzɪçkaɪt] f absurdité f

sinnvoll ['zɪnfɔl] adj 1. *(bedeutsam)* significatif; 2. *(vernünftig)* raisonnable; 3. *(nützlich)* utile

Sintflut ['zɪntfluːt] f déluge m

Sippe ['zɪpə] f parenté f, famille f

Sirene [zɪˈreːnə] f sirène f

Sirup ['ziːrup] m sirop m

Sitte ['zɪtə] f 1. *(Brauch)* usage m, habitude f; 2. *(Sittlichkeit)* mœurs f/pl

sittenwidrig ['zɪtənviːdrɪç] adj contraire aux bonnes mœurs

sittsam ['zɪtzaːm] adj moral

Situation [zɪtuatsˈjoːn] f situation f

Sitz [zɪts] m 1. *(Platz)* place f, siège m; 2. *(Wohn-)* domicile m; 3. *(Firmen-)* siège social m

sitzen ['zɪtsən] v 1. être assis (dans, sur); être placé; 2. *(sich befinden)* se trouver, être situé; 3. *(Kleidung)* aller bien

sitzenbleiben ['zɪtsənblaɪbən] v *(Schule)* redoubler une classe

Sitzplatz ['zɪtsplats] m place assise f

Sitzstreik ['zɪtsʃtraɪk] m grève sur le tas f

Sitzung ['zɪtsuŋ] f séance f, réunion f

Sizilien [zɪˈtsiːljən] n Sicile f

Skala ['skaːla] f échelle f

Skandal [skanˈdaːl] m scandale m

Skandinavien [skandɪˈnaːvjən] n Scandinavie f

Skelett [skeˈlɛt] n squelette m

skeptisch ['skɛptɪʃ] adj sceptique

Ski [ʃiː] m ski m

Skianzug ['ʃiːantsuːk] m combinaison de ski f

Skigebiet ['ʃiːgəbiːt] n domaine skiable m

Skilift ['ʃiːlɪft] m téléski m

Skischuh ['ʃiːʃuː] m chaussure de ski f

Skizze ['skɪtsə] f esquisse f, ébauche f

Sklave ['sklaːvə] m esclave m

Sklaverei [sklaːvəˈraɪ] f esclavage m

Skonto ['skɔnto] n/m escompte m

skrupellos ['skruːpəloːs] adj sans scrupules

Skulptur [skulpˈtuːr] f sculpture f

Slum [slam] m bidonville m

Smaragd [smaˈrakt] m émeraude f

Smog [smɔk] m brouillard m, smog m

so [zoː] adv 1. ainsi, de cette manière, comme cela; Da dem ~ ist... Puisqu'il en est ainsi ... ~ endet diese Geschichte. Ainsi finit cette histoire. Sieh mich nicht ~ an! Ne me regarde pas comme cela! 2. *(Vergleich)* aussi; autant; 3. konj de sorte que

sobald [zoˈbalt] konj dès que

Socke ['zɔkə] f chaussette f

Sodbrennen ['zoːtbrɛnən] n brûlures d'estomac f/pl

soeben [zoˈeːbən] adv à l'instant même

Sofa ['zoːfa] n canapé m, divan m, sofa m

sofern [zoˈfɛrn] konj dans la mesure où, si

sofort [zoˈfɔrt] adv aussitôt, tout de suite

sogar [zoˈgaːr] adv même

sogenannt [zoːgənant] adj ainsi nommé

Sohle ['zoːlə] f 1. *(Fuß-)* plante des pieds f; 2. *(Schuh-)* semelle f; 3. MIN fond m

Sohn [zoːn] m fils m

solange [zoːˈlaŋə] konj tant que

Solarzelle [zoˈlaːrtsɛlə] f cellule solaire f

solche(r,s) ['zɔlçə] 1. pron tel/-le; 2. adj tel/-le, pareil/-le, semblable.

Soldat [zɔlˈdaːt] m soldat m

Solidarität [zolidariˈtɛːt] f solidarité f

solide [zoˈliːdə] adj solide, robuste

Solist [zoˈlɪst] m soliste m

Soll [zɔl] n débit m

sollen ['zɔlən] v devoir, avoir le devoir de

somit [zoˈmɪt] konj ainsi

Sommer ['zɔmər] m été m

Sommerferien ['zɔmərfeːrjən] pl vacances d'été f/pl

sommerlich ['zɔmərlɪç] adj estival

Sommersprossen ['zɔmərʃprɔsən] f/pl taches de rousseur f/pl

Sommerzeit ['zɔmərtsaɪt] f heure d'été f/pl

Sonderangebot ['zɔndərangəboːt] n offre spéciale f

sonderbar ['zɔndərbaːr] adj étrange, bizarre

Sonderfall ['zɔndərfal] m cas spécial m

Sonderling ['zɔndərlɪŋ] *m* personne étrange *f*

Sondermüll ['zɔndərmyl] *m* ordures nocives *f/pl*, déchets spéciaux *m/pl*

sondern ['zɔndərn] *konj* mais, mais aussi

Sonnabend ['zɔna:bənt] *m* samedi

sonnabends ['zɔna:bənts] *adv* le samedi

Sonne ['zɔnə] *f* soleil *m*

sonnen ['zɔnən] *v sich ~* se bronzer

Sonnenaufgang ['zɔnənaufgaŋ] *m* lever du soleil *m*, aube *f*

Sonnenblume ['zɔnənblu:mə] *f* tournesol *m*

Sonnenbrand ['zɔnənbrant] *m* coup de soleil *m*

Sonnenbrille ['zɔnənbrɪlə] *f* lunettes de soleil *f/pl*

Sonnenfinsternis ['zɔnənfɪnstərnɪs] *f* éclipse de soleil *f*

Sonnenkollektor ['zɔnənkɔlɛkto:r] *m* capteur solaire *m*

Sonnenschirm ['zɔnənʃɪrm] *m* parasol *m*

Sonnenstich ['zɔnənʃtɪç] *m* insolation *f*

Sonnenuntergang ['zɔnənuntərgaŋ] *m* coucher du soleil *m*

sonnig ['zɔnɪç] *adj* ensoleillé

Sonntag ['zɔnta:k] *m* dimanche *m*

sonntags ['zɔnta:ks] *adv* le dimanche

sonst [zɔnst] *adv* sinon

sooft [zo:ɔft] *konj* aussi souvent que

Sorge ['zɔrgə] *f* 1. *(Kummer)* inquiétude *f*, souci *m*; *sich ~n machen (fam)* se faire de la bile; *andere ~n haben* avoir d'autres chats à fouetter; *jeder ~ enthoben sein* être dégagé de tout souci; *Es besteht kein Grund zur ~*. Il n'y a pas de quoi s'inquiéter. *Das ist meine geringste ~*. C'est le dernier de mes soucis. 2. *(Pflege)* soin *m*, sollicitude *f*

sorgen ['zɔrgən] *v* 1. *~ für jdn* prendre soin de qn, s'occuper de qn; 2. *~ für etw* s'occuper de qc, veiller à faire qc; 3. *sich ~ um* s'occuper de; 4. *sich ~* être inquiet

sorgenvoll ['zɔrgənfɔl] *adj* soucieux

Sorgerecht ['zɔrgərɛçt] *n* droit de garde *m*

Sorgfalt ['zɔrkfalt] *f* soin *m*, scrupule *m*

sorgfältig ['zɔrkfɛltɪç] *adj* soigneux

sorglos ['zɔrklo:s] *adj* insouciant

Sorte ['zɔrtə] *f* sorte *f*, espèce *f*

Sorten ['zɔrtən] *pl FIN* devises étrangères *f/pl*

sortieren [zɔr'ti:rən] *v* trier, classer

Sortiment [zɔrti'mɛnt] *n* assortiment *m*

sosehr [zo'ze:r] *konj* tant, tellement

Soße ['zo:sə] *f* sauce *f*

Souveränität [su:vərɛ:ni'tɛ:t] *f* souveraineté *f*

soviel [zo'fi:l] 1. *adv* autant; 2. *konj* autant que

soweit [zo'vait] 1. *adv* dans cette mesure; 2. *konj* (pour) autant que

sowie [zo'vi:] *konj* ainsi que, aussi bien que

sowieso [zovi:'zo] *adv* de toute façon

sowohl [zo'vo:l] *konj ~ ... als auch ...* non seulement... mais encore/aussi

sozial [zo'tsja:l] *adj* social

Sozialismus [zo'tsja:lɪsmus] *m* socialisme *m*

Sozialversicherung [zo'tsja:lfɛrzɪçəruŋ] *f* assurance sociale *f*

sozusagen ['zo:tsuza:gən] *adv* pour ainsi dire

Spalt [ʃpalt] *m* fente *f*

Spalte ['ʃpaltə] *f* 1. *(Gletscher~)* crevasse *f*; 2. *(Zeitungs~)* colonne *f*

spalten ['ʃpaltən] *v* 1. *(auseinanderbrechen)* fendre, diviser; 2. *(fig: teilen)* diviser; 3. *(Atom)* subir une fission

Span [ʃpa:n] *m* copeau *m*

Spange ['ʃpaŋə] *f* 1. *(Haar~)* barrette *f*; 2. *(Schließe)* fermoir *m*

Spanien ['ʃpa:njən] *n* Espagne *f*

spanisch ['ʃpa:nɪʃ] *adj* espagnol; *Das kommt mir ~ vor.* C'est de l'hébreu pour moi.

Spanne ['ʃpanə] *f* 1. *(Zeitraum)* laps de temps *m*; 2. *(Unterschied)* différence *f*; 3. *(Preis~)* marge *f*

spannen ['ʃpanən] *v* tendre, étirer

spannend ['ʃpanənt] *adj* passionnant

Spannung ['ʃpanuŋ] *f* tension *f*

Spannungsgebiet ['ʃpanuŋsgəbi:t] *n* zone de tension *f*

Spannweite ['ʃpanvaitə] *f* portée *f*

Sparbuch ['ʃpa:rbux] *n* livret de caisse d'épargne *m*

Sparbüchse ['ʃpa:rbyksə] *f* tirelire *f*

sparen ['ʃpa:rən] *v* épargner, économiser

Sparer ['ʃpa:rər] *m* épargnant *m*

Spargel ['ʃpargəl] *m* asperge *f*

Sparkasse ['ʃpa:rkasə] *f* caisse d'épargne *f*

sparsam ['ʃpa:rza:m] *adj* économe

Sparte ['ʃpartə] *f* section *f*

Spaß [ʃpa:s] *m* 1. *(Witz)* blague *f*; 2. *(Vergnügen)* plaisir *m*; *etw aus ~ sagen* dire qc pour rire

spaßen ['ʃpaːsən] *v* plaisanter, rire

spät [ʃpɛːt] 1. *adv* tard; *Wie ~ ist es?* Quelle heure est-il? Avez-vous l'heure? *zu ~* après coup; *erst ~* sur le tard; 2. *adj* tardif, avancé

Spaten ['ʃpaːtən] *m* bêche *f*

später ['ʃpɛːtər] *adv* plus tard, à venir; *Bis ~!* A tout à l'heure!

spätestens ['ʃpɛːtəstəns] *adv* au plus tard

Spatz [ʃpats] *m* moineau *m*

spazierengehen [ʃpaˈtsiːrənɡeːən] *v* aller se promener, se promener

Spaziergang [ʃpaˈtsiːrɡan] *m* promenade *f*

Specht [ʃpɛçt] *m* pivert *m*

Speck [ʃpɛk] *m* lard *m*

Spediteur [ʃpediˈtøːr] *m* transporteur *m*

Speer [ʃpeːr] *m* javelot *m*

Speiche ['ʃpaɪçə] *f (Rad~)* rayon *m*

Speichel ['ʃpaɪçəl] *m* salive *f*

Speicher ['ʃpaɪçər] *m* 1. *(Dachboden)* grenier *m*; 2. *(Lager)* entrepôt *m*; 3. INFORM mémoire *f*

speichern ['ʃpaɪçərn] *v* 1. *(einlagern)* entreposer, stocker; 2. INFORM mémoriser

Speise ['ʃpaɪzə] *f* mets *m*, plat *m*

Speiseeis ['ʃpaɪzəaɪs] *n* glace *f*

Speisekammer ['ʃpaɪzəkamər] *f* garde-manger *m*

Speisekarte ['ʃpaɪzəkartə] *f* carte *f*

speisen ['ʃpaɪzən] *v* manger

Speiseöl ['ʃpaɪzəøːl] *n* huile de table *f*

Speisesaal ['ʃpaɪzəzaːl] *m* salle à manger *f*

Speisewagen ['ʃpaɪzəvaːɡən] *m* wagon-restaurant *m*

Spektrum ['ʃpɛktrum] *n (fig)* spectre *m*

spekulieren [ʃpekuˈliːrən] *v* spéculer (sur)

spendabel [ʃpɛnˈdaːbəl] *adj* généreux

Spende ['ʃpɛndə] *f* don *m*

spenden ['ʃpɛndən] *v* donner, faire un don

Spender ['ʃpɛndər] *m* donateur *m*

spendieren [ʃpɛnˈdiːrən] *v (fam)* offrir

Sperma/Spermen ['ʃpɛrma] *n* sperme *m*

Sperre ['ʃpɛrə] *f* 1. *(Vorrichtung)* barrage *m*; barrière *f*; 2. *(Verbot)* interdiction *f*, défense *f*; 3. *(Embargo)* embargo *m*

sperren ['ʃpɛrən] *v* 1. *(abriegeln)* barrer, fermer; 2. *(verbieten)* interdire; 3. *(Konto)* bloquer; 4. *(unterbrechen)* suspendre

Sperrgebiet ['ʃpɛrɡəbiːt] *n* zone interdite *f*

Sperrgut ['ʃpɛrɡuːt] *n* marchandises encombrantes *f/pl*

sperrig ['ʃpɛrɪç] *adj* encombrant

Sperrmüll ['ʃpɛrmyl] *m* déchets encombrants *m/pl*

Sperrstunde ['ʃpɛrʃtundə] *f* couvre-feu *m*

Spesen ['ʃpeːzən] *pl* frais *m/pl*

spezialisieren [ʃpetsjaliˈziːrən] *v sich ~* se spécialiser dans

Spezialität [ʃpetsjaliˈtɛːt] *f* spécialité *f*

speziell [ʃpetsjˈɛl] *adj* spécifique, spécial

Sphäre ['sfɛːrə] *f* sphère *f*

spicken ['ʃpikən] *v* 1. GAST barder; 2. *(fam: abschreiben)* copier

Spiegel ['ʃpiːɡəl] *m* miroir *m*, glace *f*

Spiegelbild ['ʃpiːɡəlbɪlt] *n* reflet *m*

Spiegelei ['ʃpiːɡəlaɪ] *n* œuf sur le plat *m*

spiegeln ['ʃpiːɡəln] *v sich ~* se refléter

Spiegelung ['ʃpiːɡəluŋ] *f* miroitement *m*

Spiel [ʃpiːl] *n* 1. jeu *m*; *ein falsches ~ spielen* cacher son jeu; *ins ~ bringen* faire entrer en jeu; *ein gewagtes ~ spielen* jouer gros jeu; *leichtes ~ haben* avoir beau jeu; 2. SPORT match *m*, jeu *m*; 3. THEAT spectacle *m*; 4. MUS jeu *m*

spielen ['ʃpiːlən] *v* 1. jouer; *~d* en se jouant; 2. MUS jouer (d'un instrument)

Spieler ['ʃpiːlər] *m* joueur *m*

spielerisch ['ʃpiːlərɪʃ] *adv* sans problèmes

Spielfeld ['ʃpiːlfɛlt] *n* terrain de sport *m*

Spielkamerad [ʃpiːlkamərat] *m* camarade de jeu *m*

Spielkasino [ʃpiːlkaziːno] *n* casino *m*

Spielplan ['ʃpiːlplan] *m* répertoire *m*

Spielplatz ['ʃpiːlplats] *m* terrain de jeux *m*

Spielraum ['ʃpiːlraum] *m* 1. TECH jeu *m*; 2. *(fig)* latitude *f*

Spielregeln ['ʃpiːlreɡəln] *pl* règles du jeu *f/pl*; *sich an die ~ halten* jouer le jeu

Spielverderber ['ʃpiːlfɛrdɛrbər] *m* trouble-fête *m*, rabat-joie *m*

Spielzeug ['ʃpiːltsɔyk] *n* jouet *m*

Spieß [ʃpiːs] *m* 1. *(Speer)* javelot *m*, pique *f*; 2. *(Brat~)* broche *f*, brochette *f*

Spießbürger ['ʃpiːsbyrɡər] *m (fig)* petit bourgeois *m*

Spinat [ʃpiˈnaːt] *m* épinard *m*

Spinne ['ʃpɪnə] *f* araignée *f*

spinnen ['ʃpɪnən] *v* 1. filer; 2. *(fig)* ourdir; 3. *(fig: verrückt sein)* avoir une araignée au plafond

Spinnennetz ['ʃpɪnənnɛts] *n* toile d'araignée *f*

Spion [ʃpi'o:n] *m* espion *m*
Spionage [ʃpio'na:ʒə] *f* espionnage *m*
spionieren [ʃpio'ni:rən] *v* espionner
Spirale [ʃpi'ra:lə] *f* spirale *f*
Spirituosen [ʃpiritu'o:zən] *pl* spiritueux *m/pl*
Spiritus [ʃpi:ritus] *m* alcool à brûler *m*
spitz [ʃpɪts] *adj* 1. pointu, acéré, piquant; 2. *(fig)* perçant
Spitzbube [ʃpɪtsbu:bə] *m* 1. *(Gauner)* filou *m*, voleur *m*; 2. *(Schelm)* coquin *m*
Spitze [ʃpɪtsə] *f* 1. pointe *f*; 2. *(Berg-)* sommet *m*, cime *f*; 3. *(Stoff)* dentelle *f*; 4. *(fig)* pointe *f*; sich an die ~ stellen ouvrir la marche
Spitzel [ʃpɪtsəl] *m* espion *m*, mouchard *m*
spitzen [ʃpɪtsən] *v* aiguiser, tailler
Spitzer [ʃpɪtsər] *m* taille-crayons *m*
spitzfindig [ʃpɪtsfɪndɪŋ] *adj* pointilleux; *Das ist mir zu ~.* C'est trop subtil pour moi.
Spitzname [ʃpɪtsna:mə] *m* surnom *m*
Splitter [ʃplɪtər] *m* éclat *m*; Glas~ *m* éclat de verre *m*
splittern [ʃplɪtərn] *v* voler en éclats
spontan [ʃpɔn'ta:n] *adj* spontané
Sport [ʃpɔrt] *m* sport *m*
Sportler [ʃpɔrtlər] *m* sportif *m*
sportlich [ʃpɔrtlɪŋ] *adj* sportif
Sportplatz [ʃpɔrtplats] *m* stade *m*
Sportverein [ʃpɔrtfəraɪn] *m* association sportive *f*, club sportif *m*
Spott [ʃpɔt] *m* raillerie *f*, moquerie *f*
spotten [ʃpɔtən] *v* railler (qn), se moquer de
spöttisch [ʃpœtɪʃ] 1. *adj* moqueur, railleur; 2. *adv* avec raillerie
Sprache [ʃpra:xə] *f* langue *f*; wieder zur ~ bringen remettre sur le tapis
sprachgewandt [ʃpra:xgəvant] *adj* beau parleur
sprachlos [ʃpra:xlo:s] *adj (fig)* muet
Spray [ʃpre:] *n* aérosol *m*
sprechen [ʃprɛŋən] *v* parler; fließend französisch ~ parler français comme père et mère; Ich bin für niemanden zu ~. Je n'y suis pour personne.
Sprecher [ʃprɛŋər] *m* porte-parole *m*
Sprechstunde [ʃprɛŋtundə] *f* 1. heure d'audience *f*; 2. *(Arzt)* heure de consultation *f*
Sprechzimmer [ʃprɛŋtsɪmər] *n (Arzt)* cabinet de consultation *m*
sprengen [ʃprɛŋən] *v* faire sauter

Sprengstoff [ʃprɛŋʃtɔf] *m* explosif *m*
Sprengung [ʃprɛŋuŋ] *f* dynamitage *m*
Sprichwort [ʃprɪŋvɔrt] *n* proverbe *m*
Springbrunnen [ʃprɪŋbrunən] *m* jet d'eau *m*
springen [ʃprɪŋən] *v* 1. *(hüpfen)* sauter, bondir; 2. *(fig: bersten)* éclater
Spritze [ʃprɪtsə] *f* 1. seringue *f*; 2. *MED* piqûre *f*
spritzen [ʃprɪtsən] *v* 1. arroser; 2. *MED* faire une piqûre
spröde [ʃprø:də] *adj* 1. *(Material)* cassant; 2. *(fig: abweisend)* revêche
Sprößling [ʃprœslɪŋ] *m (fig)* rejeton *m*
Spruch [ʃprux] *m* 1. *(Wahl-)* maxime *f*; sentence *f*; 2. *JUR* arrêt *m*
sprudeln [ʃpru:dəln] *v* bouillonner, pétiller
sprühen [ʃpry:ən] *v* 1. jaillir; 2. *(fig)* étinceler; 3. *(zerstäuben)* vaporiser
Sprühregen [ʃpry:re:gən] *m* bruine *f*
Sprung [ʃpruŋ] *m* 1. *(Springen)* saut *m*, bond *m*; auf dem ~ sein être sur le point de partir; jdm auf die Sprünge helfen mettre qn sur la voie; 2. *(fig: Riß)* fente *f*
Sprungbrett [ʃpruŋbret] *n* tremplin *m*
sprunghaft [ʃpruŋhaft] *adj* versatile
Sprungschanze [ʃpruŋʃantsə] *f* tremplin de ski *m*
Sprungtuch [ʃpruŋtu:x] *n* toile de sauvetage *f*
Spucke [ʃpukə] *f* salive *f*, crachat *m*
spucken [ʃpukən] *v* cracher, saliver
Spuk [ʃpu:k] *m* fantôme *m*, spectre *m*
spuken [ʃpu:kən] *v* hanter
Spülbecken [ʃpy:lbekən] *n* évier *m*
Spule [ʃpu:lə] *f* 1. bobine *f*; 2. *TECH* tuyau *m*
spülen [ʃpy:lən] *v* laver, rincer
Spülmaschine [ʃpy:lmaʃinə] *f* lave-vaisselle *m*
Spülmittel [ʃpy:lmɪtəl] *n* détersif *m*
Spülung [ʃpy:luŋ] *f* 1. *(Toiletten-)* chasse d'eau *f*; 2. *MED* lavement *m*
Spur [ʃpu:r] *f* 1. *(Abdruck)* trace *f*, empreinte *f*; 2. *(Fahr-)* voie *f*
spürbar [ʃpy:rba:r] *adj* sensible
spüren [ʃpy:rən] *v* sentir, éprouver
spurlos [ʃpu:rlo:s] *adj* sans trace
Staat [ʃta:t] *m* Etat *m*
staatenlos [ʃta:tənlo:s] *adj* apatride
staatlich [ʃta:tlɪŋ] *adj* 1. national, gouvernemental; 2. *(öffentlich)* public

Staatsangehörige [ˈʃtaːtsangəhøːrɪgə] m 1. ressortissant m; 2. (Staatsbürger) citoyen m

Staatsangehörigkeit [ˈʃtaːtsangəhørɪŋkaɪt] f nationalité f

Staatsanwalt [ˈʃtaːtsanvalt] m procureur de la République m

Staatsbürger [ˈʃtaːtsbyrgər] m citoyen m

Staatsdienst [ˈʃtaːtsdiːnst] m service public m

Staatsmann [ˈʃtaːtsman] m homme d'Etat m

Staatsoberhaupt [ˈʃtaːtsoːbərhaupt] n 1. (Republik) chef de l'Etat m; 2. (Monarchie) souverain m

Staatsstreich [ˈʃtaːtsʃtraɪŋ] m coup d'Etat m

Stab [ʃtaːp] m 1. (Stock) bâton m; 2. (fig: Führungs-) état-major m

stabil [ʃtaˈbiːl] adj solide, robuste

Stabilität [ʃtabiliˈtɛːt] f stabilité f

Stachel [ˈʃtaxəl] m 1. BOT épine f; 2. ZOOL dard m

Stachelbeere [ˈʃtaxəlbeːrə] f groseille à maquereau f

Stacheldraht [ˈʃtaxəldraːt] m fil de fer barbelé m

stachelig [ˈʃtaxəlɪŋ] adj 1. (dornig) armé de piquants; 2. (kratzig) piquant, mordant

Stadion [ˈʃtaːdjon] n stade m

Stadium [ˈʃtaːdjum] n stade m

Stadt [ʃtat] f ville f

Stadtbummel [ˈʃtatbuməl] m tour en ville m

Städtebau [ˈʃtɛtəbau] m urbanisme m

städtisch [ˈʃtɛtɪʃ] adj urbain

Stadtmauer [ˈʃtatmauər] f enceinte f

Stadtplan [ˈʃtatplan] m plan d'une ville m

Stadtrand [ˈʃtatrant] m périphérie f

Stadtrat [ˈʃtatraːt] m 1. (Versammlung) POL conseil municipal m; 2. (Funktion) conseiller municipal m

Stadtviertel [ˈʃtatfiːrtəl] n quartier m

Staffellauf [ˈʃtafəllauf] m course de relais f

Staffelung [ˈʃtafəluŋ] f échelonnement m

Stahl [ʃtaːl] m acier m

Stall [ʃtal] m 1. étable f; 2. (Pferde-) écurie f

Stamm [ʃtam] m 1. (Baum-) tronc m; 2. (Volks-) race f, tribu f

Stammbaum [ˈʃtambaum] m arbre généalogique m

Stammkunde [ˈʃtamkundə] m habitué m

Stand [ʃtant] m 1. (Situation) situation f, état m; 2. (Rang) classe f, condition sociale f; 3. (Messe-) stand m

Standard [ˈʃtandart] m standard m

Ständchen [ˈʃtɛntŋən] n 1. (morgens) aubade f; 2. (abends) sérénade f

Standesamt [ˈʃtandəsamt] n bureau de l'état-civil m, mairie f

standhaft [ˈʃtanthaft] adj constant, stable

Standhaftigkeit [ˈʃtanthaftɪŋkaɪt] f fermeté f, constance f

standhalten [ˈʃtanthaltən] v 1. tenir ferme, tenir bon; 2. (widerstehen) résister (à)

ständig [ˈʃtɛndɪŋ] adj 1. (ununterbrochen) permanent, continuel; 2. (fest) fixe; 3. adv en permanence

Standlicht [ˈʃtantlɪŋt] n feu de position m

Standort [ˈʃtantɔrt] m emplacement m

Standpunkt [ˈʃtantpuŋkt] m point de vue m

Standspur [ˈʃtantʃpuːr] f bande d'arrêt d'urgence f

Standuhr [ˈʃtantuːr] f pendule f

Stange [ˈʃtaŋə] f 1. perche f, tige f; 2. (Vorhang-) tringle f

stanzen [ˈʃtantsən] v estamper

Stapel [ˈʃtaːpəl] m 1. (Haufen) pile f, tas m; 2. NAUT chantier m

Stapellauf [ˈʃtaːpəllauf] m NAUT lancement d'un navire m

stapeln [ˈʃtaːpəln] v empiler

Star [ʃtaːr] m 1. (Film-) star de cinéma f, vedette de cinéma f; 2. MED affection oculaire f; grauer ~ m cataracte f; grüner ~ m glaucome m; 3. ZOOL sansonnet m

stark [ʃtark] adj fort, puissant, résistant, solide; Das ist dann doch ein bißchen ~! C'est un peu fort quand même! bären- sein être fort comme un taureau

Stärke [ˈʃtɛrkə] f 1. force f, puissance f; Das ist seine ~. C'est son fort. 2. (Wäsche-) empois m; 3. GAST fécule f

stärken [ˈʃtɛrkən] v 1. renforcer, consolider; 2. (Wäsche) amidonner, empeser

Starkstrom [ˈʃtarkʃtroːm] m courant de haute tension m

Stärkung [ˈʃtɛrkuŋ] f 1. (Festigung) renforcement m, consolidation f; 2. (Erfrischung) rafraîchissements m/pl

starr [ʃtar] adj 1. raide 2. (unbeweglich) immobile; 3. (fig: unnachgiebig) rigide; adv 4. avec raideur; 5. (fig) avec rigidité

starren ['ʃtarən] v fixer qn/qc

starrköpfig ['ʃtarkœpfɪŋ] adj têtu, obstiné

Starrsinn ['ʃtarzɪn] m entêtement m

Start [ʃtart] m 1. départ m; 2. (Flugzeug) décollage m

Startbahn ['ʃtartbaːn] f piste d'envol f

startbereit ['ʃtartbəraɪt] adj prêt à partir

starten ['ʃtartən] v 1. (abreisen) partir; 2. (Auto) démarrer; 3. (aktivieren) lancer

Station [ʃtatsˈjoːn] f 1. (Haltestelle) arrêt m; 2. (Abteilung) service m, division f

Statist [ʃtaˈtɪst] m figurant m

Statistik [ʃtaˈtɪstɪk] f statistique f

statistisch [ʃtaˈtɪstɪʃ] adj statistique

Stativ [ʃtaˈtiːf] n support m, trépied m

statt [ʃtat] prep au lieu de, à la place de

Stätte ['ʃtɛtə] f lieu m, endroit m

stattfinden ['ʃtatfɪndən] v avoir lieu

stattlich ['ʃtatlɪŋ] adj 1. (ansehnlich) somptueux; 2. (zahlreich) considérable

Statue ['ʃtatuə] f statue f

Statur [ʃtaˈtuːr] f stature f

Status ['ʃtaːtus] m état m, position sociale f

Statussymbol ['ʃtaːtussymboːl] n symbole de statut m

Statut [ʃtaˈtuːt] n statut m

Stau [ʃtau] m embouteillage m, bouchon m

Staub [ʃtaup] m poussière f; sich aus dem ~ machen foutre le camp

staubig ['ʃtaubɪç] adj poussiéreux

Staubsauger ['ʃtaupzauɡər] m aspirateur m

Staudamm ['ʃtaudam] m digue de retenue f, barrage m

Staunen ['ʃtaunən] n étonnement m

staunen ['ʃtaunən] v s'étonner (de)

Steak [ʃteːk] n bifteck m

stechen ['ʃtɛçən] v piquer

Stechmücke ['ʃtɛçmykə] f moustique m

Stechuhr ['ʃtɛçuːr] f pointeuse f

Steckbrief ['ʃtɛkbriːf] m 1. mandat d'arrêt m; 2. HIST lettre de cachet f

Steckdose ['ʃtɛkdoːzə] f prise de courant f

stecken ['ʃtɛkən] v (hinein-) mettre dans; unter einer Decke ~ s'entendre comme larrons en foire

steckenbleiben ['ʃtɛkənblaɪbən] v rester en panne, rester bloqué

Stecker ['ʃtɛkər] m fiche de prise de courant f

Stecknadel ['ʃtɛknaːdəl] f épingle f

Stegreif ['ʃteːkraɪf] m (fig) aus dem ~ au pied levé; aus dem ~ sprechen improviser

stehen ['ʃteːən] v 1. (aufrecht ~) être debout; 2. (sich befinden) se trouver, être

stehenbleiben ['ʃteːənblaɪbən] v s'arrêter; nicht auf halbem Weg ~ aller jusqu'au bout

stehlen ['ʃteːlən] v voler, dérober

steif [ʃtaɪf] adj 1. raide; 2. (fig) guindé

steigen ['ʃtaɪɡən] v 1. monter; 2. (erklimmen) gravir

steigend ['ʃtaɪɡənt] adj croissant

steigern ['ʃtaɪɡərn] v 1. (erhöhen) augmenter, accroître; 2. GRAMM mettre au comparatif/au superlatif; 3. (ersteigern) acheter aux enchères; 4. (zunehmen) croître

Steigerung ['ʃtaɪɡəruŋ] f 1. (Erhöhung) augmentation f, accroissement m; 2. GRAMM degré de comparaison m

Steigung ['ʃtaɪɡuŋ] f montée f, pente f

steil [ʃtaɪl] adj abrupt, raide, escarpé

Steilküste ['ʃtaɪlkystə] f falaise f

Stein [ʃtaɪn] m pierre f; einen ~ im Schuh haben avoir un caillou dans sa chaussure

Steinbock ['ʃtaɪnbɔk] m bouquetin m

Steinbruch ['ʃtaɪnbrux] m carrière f

steinig ['ʃtaɪnɪç] adj pierreux, rocailleux

Steinkohle ['ʃtaɪnkoːlə] f houille f

Steinmetz ['ʃtaɪnmɛts] m tailleur de pierres m

Steinschlag ['ʃtaɪnʃlaːk] m chute de pierres f

Steinzeit ['ʃtaɪntsaɪt] f âge de pierre m

Stelle ['ʃtɛlə] f 1. (Ort) place f, lieu m, endroit m; auf der ~ treten marquer le pas; auf der ~ (sofort) séance tenante; 2. (Anstellung) travail m, place f; 3. (Dienst-) autorité f, bureau m, service m

stellen ['ʃtɛlən] v poser, placer, mettre

Stellenangebot ['ʃtɛlənanɡəboːt] n offre d'emplois f

Stellengesuch ['ʃtɛlənɡəzuːx] n demande d'emploi f

Stellenwert ['ʃtɛlənvert] m importance f

Stellung ['ʃtɛluŋ] f 1. (Haltung) position f; 2. (Anstellung) emploi m, charge f

Stellungnahme ['ʃtɛluŋnaːmə] f prise de position f

Stellvertreter ['ʃtɛlfɛrtreːtər] m remplaçant m, suppléant m

Stempel ['ʃtɛmpəl] m tampon m, cachet m

Stempelkissen [ʃtɛmpəlkɪsən] n tampon encreur m

stempeln ['ʃtɛmpəln] v tamponner
Stengel ['ʃtɛŋəl] m tige f
Stenographie [ʃtenogra'fi:] f sténo(gra-phie) f
Steppdecke ['ʃtɛpdɛkə] f couvre-pieds m
Steppe ['ʃtɛpə] f steppe f
Stepptanz ['ʃtɛptants] m danse de claquettes f
sterben ['ʃtɛrbən] v mourir, décéder; *wie die Fliegen ~* tomber comme des mouches
sterblich ['ʃtɛrblɪç] adj mortel
Stereoanlage ['ʃtereoanla:gə] f chaîne stéréo f, chaîne hifi f
stereotyp [ʃtereo'ty:p] adj stéréotypé
steril [ʃte'ri:l] adj stérile
sterilisieren [ʃterili'zi:rən] v stériliser
Stern [ʃtɛrn] m étoile f
Sternbild ['ʃtɛrnbɪlt] n constellation f
Sternschnuppe ['ʃtɛrnʃnupə] f étoile filante f
Sternwarte ['ʃtɛrnvartə] f observatoire m
stets [ʃte:ts] adv toujours, en permanence
Steuer ['ʃtɔyər] 1. f impôt m, taxe f; n 2. (Auto) volant m; 3. gouvernail m
Steuerberater ['ʃtɔyərbəra:tər] m conseiller fiscal m
Steuerbord ['ʃtɔyərbɔrt] n tribord m
Steuererklärung ['ʃtɔyərɛrklɛruŋ] f déclaration d'impôts f
steuerfrei ['ʃtɔyərfraɪ] adj exonéré d'impôts
Steuerhinterziehung ['ʃtɔyərhɪntər-tsi:uŋ] f fraude fiscale f
steuerlich ['ʃtɔyərlɪç] adj fiscal
Steuermann ['ʃtɔyərman] m 1. NAUT timonier m, skipper m; 2. pilote m
steuern ['ʃtɔyərn] v 1. (lenken) gouverner; 2. (regulieren) régler; 3. INFORM contrôler
Steuerung ['ʃtɔyəruŋ] f 1. pilotage m; 2. (Auto) conduite f; 3. (Kontrolle) contrôle m
Steuerzahler ['ʃtɔyərtsa:lər] m contribuable m
Steward/Stewardeß ['stju:ərt] m/f steward/stewardess m/f, hôtesse de l'air f
Stich [ʃtɪç] m 1. (Wespen-) piqûre f; 2. (Näh-) point m; 3. (Messer-) coup de couteau m; 4. ART gravure f
sticheln ['ʃtɪçəln] v (fig) lancer des allusions perfides
Stichprobe ['ʃtɪçpro:bə] f échantillon pris au hasard m

Stichtag ['ʃtɪçta:k] m jour fixé m
Stichwahl ['ʃtɪçva:l] f ballottage m
Stichwort ['ʃtɪçvɔrt] n mot clé m
sticken ['ʃtɪkən] v broder
stickig ['ʃtɪkɪç] adj étouffant
Stickstoff ['ʃtɪkʃtɔf] m azote m
Stiefel ['ʃti:fəl] m botte f
Stiefmutter ['ʃti:fmutər] f belle-mère f
Stiefvater ['ʃti:ffa:tər] m beau-père m
Stiel [ʃti:l] m 1. queue f; 2. (Blume) tige f; 3. (Griff) manche m
Stier [ʃti:r] m taureau m
Stierkampf ['ʃti:rkampf] m corrida f
Stift [ʃtɪft] m 1. (Blei-) crayon m; 2. (Nagel ohne Kopf) clou sans tête m; 3. n fondation f, hospice m
stiften ['ʃtɪftən] v 1. (schenken) faire un don, faire une donation; 2. (gründen) fonder, établir; 3. (fig: verursachen) produire
Stifter ['ʃtɪftər] m fondateur m, donateur m
Stiftung ['ʃtɪftuŋ] f 1. (Schenkung) don m; 2. (Gründung) fondation f, création f
Stil [ʃti:l] m style m
still [ʃtɪl] adj 1. (ruhig) tranquille; 2. (geräuschlos) calme, silencieux; 3. (friedlich) paisible; 4. adv (geräuschlos) sans bruit
Stille ['ʃtɪlə] f 1. (Ruhe) calme m, tranquillité f; 2. (Geräuschlosigkeit) silence m; 3. (Frieden) paix f
Stilleben ['ʃtɪlle:bən] n nature morte f
stillegen ['ʃtɪlle:gən] v arrêter, stopper
stillen ['ʃtɪlən] v 1. (Kind) allaiter; 2. (Bedürfnis) apaiser, assouvir
stillschweigend ['ʃtɪlʃvaɪgənt] adj tacite, sous-entendu; *etw ~ übergehen* passer qc sous silence
Stillstand ['ʃtɪlʃtant] m arrêt m
stilvoll ['ʃti:lfɔl] 1. adj qui a du style; 2. adv avec style
Stimmbruch ['ʃtɪmbrux] m mue de la voix f
Stimme ['ʃtɪmə] f voix f
stimmen ['ʃtɪmən] v 1. (wahr sein) être vrai, être exact; *Da stimmt etw nicht!* C'est louche! 2. (Instrument) accorder
Stimmrecht ['ʃtɪmrɛçt] n droit de vote m
Stimmung ['ʃtɪmuŋ] f ambiance f, atmosphère f
Stimmzettel ['ʃtɪmtsetəl] m bulletin de vote m
stinken ['ʃtɪŋkən] v 1. sentir mauvais, empester; *Das stinkt mir ganz gewaltig!* Ça m'embête drôlement! 2. (fam) puer

Stipendium [ʃtɪ'pɛndjum] n bourse f
Stirn [ʃtɪrn] f front m
Stock [ʃtɔk] m 1. (Stab) bâton m; am ~ gehen marcher avec une canne; 2. (Etage) étage m
stockend ['ʃtɔkənt] adj 1. (zögernd) hésitant; 2. (gleichbleibend) stagnant; 3. adv (zögernd) avec hésitation
Stockwerk ['ʃtɔkvɛrk] n étage m
Stoff [ʃtɔf] m 1. (Materie) matériau m, matière f; 2. (Textil) tissu m, étoffe f; 3. (fam: Rauschgift) drogue f; 4. (fam) dope f
Stoffwechsel ['ʃtɔfvɛksəl] m métabolisme m
stöhnen ['ʃtøːnən] v gémir
stolpern ['ʃtɔlpərn] v trébucher (sur)
stolz [ʃtɔlts] adj 1. fier (de); 2. (hochmütig) hautain, altier; 3. adv (hochmütig) avec hauteur
Stolz [ʃtɔlts] m 1. fierté f; 2. (Hochmut) orgueil m
stopfen ['ʃtɔpfən] v 1. (füllen) remplir, bourrer; 2. (flicken) repriser, ravauder
stoppen ['ʃtɔpən] v 1. (anhalten) s'arrêter, stopper; 2. (messen) chronométrer
Stoppuhr ['ʃtɔpuːr] f chronomètre m
Stöpsel ['ʃtœpzəl] m bouchon m
Storch [ʃtɔrç] m cigogne f
stören ['ʃtøːrən] v gêner, déranger
störend ['ʃtøːrənt] adj gênant, importun
Störenfried ['ʃtøːrənfriːt] m trouble-fête m
Störfaktor ['ʃtøːrfaktor] m facteur perturbateur m
störrisch ['ʃtœrɪʃ] 1. adj opiniâtre, entêté; 2. adv avec opiniâtreté
Störung ['ʃtøːruŋ] f 1. gêne f, dérangement m; 2. TECH panne f
Stoß [ʃtoːs] m choc m, coup m
Stoßdämpfer ['ʃtoːsdɛmpfər] m amortisseur m
stoßen ['ʃtoːsən] v cogner, heurter
Stoßstange ['ʃtoːsʃtaŋə] f (Auto) pare-chocs m
Stoßverkehr ['ʃtoːsfɛrkeːr] m heures de pointe f/pl
stottern ['ʃtɔtərn] v bégayer
Strafanstalt ['ʃtraːfanʃtalt] f pénitencier m
Strafanzeige ['ʃtraːfantsaɪgə] f plainte f
strafbar ['ʃtraːfbaːr] adj répréhensible
Strafe ['ʃtraːfə] f punition f, peine f
strafen ['ʃtraːfən] v punir, corriger, châtier

Straferlaß ['ʃtraːfərlas] m remise de peine f
straff [ʃtraf] adj 1. (gespannt) tendu; 2. (streng) sévère, rigoureux; 3. (kurz) sobre
Strafgefangene ['ʃtraːfgəfaŋənə] m détenu m, prisonnier m
sträflich ['ʃtrɛːflɪç] adj (fig) impardonnable
Strafporto ['ʃtraːfpɔrto] n surtaxe f
Strafprozeß ['ʃtraːfprotsɛs] m procès pénal m
Strafrecht ['ʃtraːfrɛçt] n droit pénal m
Strafstoß ['ʃtraːfʃtøs] m coup franc m
Straftat ['ʃtraːftaːt] f délit m, crime m
Strahl [ʃtraːl] m 1. (Sonnen~) rayon m; 2. (Wasser~) jet m
strahlen ['ʃtraːlən] v 1. rayonner, émettre des rayons; 2. (glänzen) briller
Strahlenbelastung ['ʃtraːlənbəlastuŋ] f exposition aux radiations f
strahlenverseucht ['ʃtraːlənfɛrzɔʏçt] adj contaminé par la radioactivité, radioactif
Strahlung ['ʃtraːluŋ] f PHYS radiation f
Strand [ʃtrant] m plage f
stranden ['ʃtrandən] v 1. s'échouer, faire naufrage; 2. (fig: scheitern) échouer
Strang [ʃtraŋ] m cordon m
Strapaze [ʃtra'paːtsə] f fatigue f, peine f
strapazierfähig [ʃtrapa'tsiːrfɛːɪç] adj résistant, solide
Straße ['ʃtraːsə] f rue f, route f; auf der ~ sitzen être sur le pavé
Straßenbahn ['ʃtraːsənbaːn] f tramway m
Straßenbau ['ʃtraːsənbau] m construction des routes f
Straßengraben ['ʃtraːsəngraːbən] m fossé m
Straßenhändler ['ʃtraːsənhɛndlər] m marchand ambulant m
Straßennetz ['ʃtraːsənnɛts] n réseau routier m
Straßenverkehr ['ʃtraːsənfɛrkeːr] m circulation f, trafic routier m
Straßenverkehrsordnung ['ʃtraːsənfɛrkeːrsɔrdnuŋ] f code de la route m
sträuben ['ʃtrɔʏbən] v 1. sich ~ se dresser, se raidir; Da ~ sich ihm die Haare. Ses cheveux se dressent sur sa tête. 2. (sich widersetzen) se refuser à qc
Strauch [ʃtraux] m buisson m, arbuste m
Strauß [ʃtraus] m 1. BOT bouquet m; 2. ZOOL autruche f

strebsam [ˈʃtreːpzaːm] *adj* ambitieux
Strecke [ˈʃtrɛkə] *f* distance *f*, parcours *m; auf der ~ bleiben* rester sur le carreau
strecken [ˈʃtrɛkən] *v* étendre, allonger
Streich [ˈʃtraiç] *m 1. (Schlag)* coup *m; 2.* tour *m; jdm einen schlechten ~ spielen* jouer un mauvais tour à qn
streicheln [ˈʃtraiçəln] *v* caresser
streichen [ˈʃtraiçən] *v 1. (an-)* peindre; *2. (auf-)* tartiner; *3. (durch-)* barrer; *4. (annullieren)* annuler; *5. (berühren)* passer
Streichholz [ˈʃtraiçhɔlts] *n* allumette *f*
Streife [ˈʃtraifə] *f (Polizei)* patrouille *f*
Streifen [ˈʃtraifən] *m 1. (Band)* bande *f*, ruban *m; 2. (Linie)* rayure *f*
Streifenwagen [ˈʃtraifənvaːgən] *m* voiture de patrouille *f*
Streifzug [ˈʃtraiftsuːk] *m 1.* randonnée *f*, excursion *f; 2.* MIL raid *m*
Streik [ʃtraik] *m* grève *f*
streiken [ˈʃtraikən] *v* faire la grève
Streit [ʃtrait] *m* querelle *f*, contestation *f*
streitbar [ˈʃtraitbaːr] *adj* querelleur
streiten [ˈʃtraitən] *v* se quereller avec qn, se disputer avec qn
Streitgespräch [ˈʃtraitgəʃprɛːç] *n* débat *m*
Streitkräfte [ˈʃtraitkrɛftə] *pl* forces armées *f/pl*
streitlustig [ˈʃtraitlustiç] *adj* belliqueux
streitsüchtig [ˈʃtraitzyçtiç] *adj* querelleur, chicanier
streng [ʃtrɛŋ] *adj* sévère, austère
Streß [ʃtrɛs] *m* stress *m*
streuen [ˈʃtrɔyən] *v 1.* répandre, éparpiller; *2.* PHYS disperser
Strich [ʃtriç] *m 1.* trait *m; einen ~ unter die Vergangenheit ziehen* tourner la page; *2. (Linie)* ligne *f; 3. (Pinsel-)* coup de pinceau *m; 4. (fam: Prostitution)* tapin *m; auf den ~ gehen* faire le tapin/le trottoir
Strichcode [ˈʃtriçkoːd] *m* INFORM code barres *m*
Strichpunkt [ˈʃtriçpuŋkt] *m* point-virgule *m*
Strick [ʃtrik] *m* corde *f*
stricken [ˈʃtrikən] *v* tricoter
Strickwaren [ˈʃtrikvaːrən] *pl* tricotages *m/pl*, articles en tricot *m/pl*
strikt [ʃtrikt] *adj* strict, rigoureux
strittig [ˈʃtritiç] *adj* contestable, litigieux
Stroh [ʃtroː] *n* paille *f*, chaume *m; leeres ~ dreschen* battre l'eau avec un bâton

Strohhalm [ˈʃtroːhalm] *m* paille *f*
Strom [ʃtroːm] *m 1. (Fluß)* fleuve *m; 2. (elektrischer ~)* courant électrique *m; 3. (Strömung)* courant *m; gegen den ~ schwimmen* nager à contre-courant; *in Strömen regnen* pleuvoir à verse
strömen [ˈʃtrøːmən] *v 1.* couler; *2. (Menschenmenge)* se diriger vers
Stromkreis [ˈʃtroːmkrais] *m* circuit *m*
stromlinienförmig [ˈʃtroːmliːnjənfœrmiç] *adj* aérodynamique
Strömung [ˈʃtrøːmuŋ] *f 1.* courant *m; 2.* PHYS flux *m*
Strophe [ˈʃtroːfə] *f* strophe *f*
Struktur [ʃtrukˈtuːr] *f* structure *f*
strukturell [ʃtruktuˈrɛl] *adj* structurel
Strumpf [ʃtrumpf] *m* chaussette *f*, bas *m*
Strumpfband [ˈʃtrumpfbant] *n* jarretière *f*
Strumpfhose [ˈʃtrumpfhoːzə] *f* collants *m/pl*
Stube [ˈʃtuːbə] *f* chambre *f*, pièce *f*
Stubenarrest [ˈʃtuːbənarɛst] *m* consigne *f; ~ haben* être aux arrêts/ être consigné
Stück [ʃtyk] *n 1. (Teil)* partie *f*, morceau *m*, pièce *f; auf jdn große ~e halten* faire grand cas de qn; *in ~e reißen* tailler qc en pièces; *2. (Teil-)* section *f; 3.* THEAT pièce de théâtre *f*
stückweise [ˈʃtykvaizə] *adv* au détail
Stückzahl [ˈʃtyktsaːl] *f* nombre de pièces *m*
Student [ʃtuˈdɛnt] *m* étudiant *m*
Studie [ˈʃtuːdjə] *f* étude *f*, analyse *f*
Studienplatz [ˈʃtuːdjənplats] *m* place à l'université *f*
Studienrat [ˈʃtuːdjənraːt] *m* professeur *m*
studieren [ʃtuˈdiːrən] *v* étudier, faire des études
Studio [ˈʃtuːdjo] *n* studio *m*
Studium [ˈʃtuːdjum] *n* études *f/pl*
Stufe [ˈʃtuːfə] *f 1. (Treppen-)* marche *f; 2. (Phase)* niveau *m*, degré *m*, phase *f*
stufenweise [ˈʃtuːfənvaizə] *adv* progressivement, graduellement
Stuhl [ʃtuːl] *m* chaise *f; zwischen zwei Stühlen sitzen* être assis entre deux chaises
Stuhlgang [ˈʃtuːlgaŋ] *m* selle *f*
stumm [ʃtum] *adj* muet
stümperhaft [ˈʃtympərhaft] *adj* bousillé
stumpf [ʃtumpf] *adj 1. (nicht scharf)* émoussé, sans pointe; *2. (fig: glanzlos)* terne; *3. (fig: teilnahmslos)* indifférent

Stumpfsinn ['ʃtumpfzɪn] m stupidité f

Stunde ['ʃtundə] f 1. heure f; die - X l'heure H; 2. (Schule) cours m

Stundenkilometer ['ʃtundənki:lome:-tər] m kilomètre-heure (km/h) m

stundenlang ['ʃtundənlaŋ] 1. adj qui dure des heures; 2. adv pendant des heures

Stundenlohn ['ʃtundənlo:n] m salaire horaire m

Stundenplan ['ʃtundənplan] m emploi du temps m, horaire m

stündlich ['ʃtyntlɪç] adj par heure, horaire, toutes les heures

stur [ʃtu:r] adj têtu, obstiné

Sturm [ʃturm] m tempête f

Sturmflut ['ʃturmflu:t] f raz de marée m

stürmisch ['ʃtyrmɪʃ] adj 1. (Wetter) orageux, agité par la tempête; 2. (fig) impétueux

Sturz [ʃturts] m 1. chute f; 2. (Ein-) effondrement m

stürzen ['ʃtyrtsən] v 1. faire tomber; 2. (fallen) tomber; 3. (sich auf etw -) se précipiter sur

Sturzhelm ['ʃturtshɛlm] m casque m

Stütze ['ʃtytsə] f 1. appui m; 2. (fig: Unterstützung) soutien m

stützen ['ʃtytsən] v 1. (halten) (s')appuyer; 2. (fig: unter-) soutenir qc/qn

stutzig ['ʃtutsɪç] adj 1. (erstaunt) surpris; 2. (verwirrt) déconcerté; 3. (zögernd) hésitant; 4. adv (zögernd) avec hésitation

Subjekt [zup'jɛkt] n sujet m

subjektiv [zupjɛk'ti:f] adj subjectif

Substantiv [zupstan'ti:f] n substantif m, nom m

Substanz [zups'tants] f substance f

Suche ['zu:xə] f recherche f, quête f

suchen ['zu:xən] v 1. chercher, rechercher; Das hat hier nichts zu -. Cela n'a rien à voir ici. 2. (nach jdm verlangen) demander qn

Sucht [zuxt] f 1. MED manie f; Das ist zu einer regelrechten - geworden. C'est devenu un véritable vice. 2. (Drogen-) toxicomanie f; 3. (Abhängigkeit) dépendance f

süchtig [zyçtɪç] adj (drogen-) toxicomane

Südafrika ['zy:tafrɪka] n Afrique du Sud f

Südamerika ['zy:tamerɪka] n Amérique du Sud f

Süden ['zy:dən] m sud m

südlich ['zy:dlɪç] adj 1. du sud, du midi, méridional; 2. GEO austral; 3. adv au sud

Südpol ['zy:tpo:l] m pôle sud m

Sühne ['zy:nə] f 1. expiation f; 2. JUR conciliation f

Summe ['zumə] f somme f, total m

summen ['zumən] v 1. fredonner; 2. (vor sich hin-) chantonner; 3. (Insekten) bourdonner; 4. (Maschinen) ronfler

Sumpf [zumpf] m 1. marais m, marécage m; 2. (fig) fange f

Sünde ['zyndə] f péché m

Sündenbock ['zyndənbɔk] m bouc émissaire m

Sünder ['zyndər] m pécheur/pécheresse m/f

sündigen ['zyndɪgən] v pécher

Supermarkt [zuper'markt] m supermarché m

Suppe ['zupə] f soupe f

süß [zy:s] adj 1. (Geschmack) doux/-ce, sucré; zucker- sein être tout miel; 2. (niedlich) mignon

Süßigkeiten ['zu:sɪŋkaɪtən] pl sucreries f/pl, friandises f/pl

Süßspeise ['zy:sʃpaɪzə] f dessert m

Symbol [zym'bo:l] n symbole m

symbolisch [zym'bo:lɪʃ] adj symbolique

symmetrisch [zy'me:trɪʃ] adj symétrique

Sympathie [zympa'ti:] f sympathie f

sympathisch [zym'patɪʃ] adj sympathique; ungeheuer - vachement sympa

Symptom [zymp'to:m] n symptôme m

synchron [zyn'kro:n] adj synchrone

System [zys'te:m] n système m

systematisch [zyste'ma:tɪʃ] adj systématique

Szene ['ste:nə] f scène f; jdm eine - machen faire une scène à qn

T

Tabak ['taːbak] *m* tabac *m*
Tabelle [ta'bɛlə] *f* tableau *m*
Tablett [ta'blɛt] *n* plateau *m*
Tablette [ta'blɛtə] *f* comprimé *m*
Tachometer [taxo'meːtər] *m* compte-
-tours *m*, tachymètre *m*
Tadel ['taːdəl] *m* 1. blâme *m*, réprobation
f; 2. (*Vorwurf*) reproche *m*
tadellos ['taːdəlloːs] *adj* irréprochable
tadeln ['taːdəln] *v* blâmer, réprimander
Tafel ['taːfəl] *f* 1. (*Schul~*) tableau *m*; 2.
(*Schalt~*) tableau de commande *m*; 3. (*ge-
deckter Tisch*) table *f*; 4. (*Schokoladen~*) tablette de chocolat *f*
Täfelung ['tɛːfəluŋ] *f* lambrissage *m*
Taft [taft] *m* taffetas *m*
Tag [taːk] *m* jour *m*, journée *f*; *von einem ~
zum anderen* d'un jour à l'autre; *wie ~ und
Nacht sein* être comme le jour et la nuit; *an
den ~ kommen* éclater au grand jour; *~ für ~*
jour par jour; *pro ~* par jour; *den lieben langen ~* toute la sainte journée
Tagebuch ['taːgəbuːx] *n* journal *m*; *ein ~
führen* tenir un journal; *ein ~ schreiben*
écrire son journal
tagelang ['taːgəlaŋ] 1.*adj* qui dure des
jours; 2.*adv* des jours entiers
tagen ['taːgən] *v* siéger, délibérer; *Es tagt.*
Le jour se lève.
Tagesanbruch ['taːgəsanbrux] *m* pointe
du jour *f*, aube *f*
Tageslicht ['taːgəslɪçt] *n* lumière du jour *f*
Tagesordnung ['taːgəsɔrdnuŋ] *f* ordre
du jour *m*
Tageszeitung ['taːgəstsaituŋ] *f* quotidien
m
täglich ['tɛːklɪç] 1.*adj* journalier, quotidien; 2.*adv* par jour, tous les jours
tagsüber ['taːksyːbər] *adv* pendant la
journée, toute la journée
Tagung ['taːguŋ] *f* réunion *f*, congrès *m*
Taille ['taljə] *f* taille *f*
Takt [takt] *m* 1. (*Feingefühl*) tact *m*, discrétion *f*; 2.*MUS* mesure *f*
taktisch ['taktɪʃ] *adj* tactique
taktlos ['taktloːs] *adj* 1. sans tact, indélicat; 2. (*fam*) mufle; 3. *adv* sans tact, sans
délicatesse

taktvoll ['taktvɔl] *adj* 1. plein de tact, dis-
cret; 2. (*zuvorkommend*) prévenant; 3. *adv*
avec tact, avec délicatesse
Tal [taːl] *n* vallée *f*
Talent [ta'lɛnt] *n* talent *m*, don *m*
Talisman ['taːlɪsman] *m* talisman *m*
Talsohle ['taːlzoːlə] *f* 1. fond de la vallée
m; 2. (*fig: Tiefpunkt*) marasme *m*
Tampon ['tampɔn] *m* tampon *m*
Tang [taŋ] *m* varech *m*
Tank [taŋk] *m* 1. réservoir *m*; 2. (*Wasser~*)
citerne *f*; 3.*MIL* char d'assaut *m*
tanken ['taŋkən] *v* prendre de l'essence;
voll~ faire le plein
Tanker ['taŋkər] *m* pétrolier *m*
Tankstelle ['taŋkʃtɛlə] *f* station-service *f*
Tankwart ['taŋkvart] *m* pompiste *m*
Tanne ['tanə] *f* sapin *m*
Tannenzapfen ['tanəntsapfən] *m* pomme
de pin *f*
Tante ['tantə] *f* tante *f*
Tanz [tants] *m* danse *f*
tanzen ['tantsən] *v* danser
Tänzer ['tɛntsər] *m* danseur *m*
Tapete [ta'peːtə] *f* tapisserie *f*, papier
peint *m*
tapezieren [tapə'tsiːrən] *v* tapisser
tapfer ['tapfər] *adj* courageux, brave
Tapferkeit ['tapfərkait] *f* courage *m*
Tarif [ta'riːf] *m* tarif *m*, barème *m*
Tariflohn [ta'riːfloːn] *m* salaire contractuel
m
Tarifvertrag [ta'riːfvɛrtraːk] *m* accord
collectif *m*, convention collective *f*
tarnen ['tarnən] *v* camoufler
Tarnung ['tarnuŋ] *f* camouflage *m*
Tasche ['taʃə] *f* 1. (*Hand~*) sac à main *m*;
jdm auf der ~ liegen vivre aux crochets de
qn; 2. (*Akten~*) serviette *f*, porte-documents
m, attaché-case *m*; 3. (*Kleidung*) poche *f*;
jdn in die ~ stecken mettre qn dans sa poche
Taschenbuch ['taʃənbuːx] *n* livre de
poche *m*
Taschendieb ['taʃəndiːp] *m* pickpocket *m*
Taschengeld ['taʃəngɛlt] *n* argent de
poche *m*
Taschenlampe ['taʃənlampə] *f* lampe de
poche *f*

Taschenrechner ['taʃənrɛɲnər] *m* calculette *f*

Taschentuch ['taʃəntuːx] *n* mouchoir *m*

Tasse ['tasə] *f* tasse *f*

Tastatur [tasta'tuːr] *f* clavier *m*

Taste ['tastə] *f* touche *f*

tasten ['tastən] *v* toucher, palper

Tat [taːt] *f 1. (Handlung)* acte *m*, action *f; gute ~* bonne action; *jdn auf frischer ~ ertappen* prendre qn sur le fait; *2. (Straf-)* délit *m*, infraction *f*

Tatbestand ['taːtbəʃtant] *m* faits *m/pl*

Tatendrang ['taːtəndraŋ] *m* initiative *f*

tatenlos ['taːtənloːs] *adv* inactif

Täter ['tɛːtər] *m 1.* auteur d'un acte *m; 2. JUR* coupable *m*

tätig ['tɛːtɪç] *adj* actif, agissant, qui exerce l'activité de; *~ werden* entrer en action

Tätigkeit ['tɛːtɪçkaɪt] *f 1.* activité *f*, occupation *f; 2. (Beruf)* profession *f*

Tatkraft ['taːtkraft] *f* énergie *f*, activité *f*

tatkräftig ['taːtkrɛftɪç] *adj 1.* énergique; *2. (entschlossen)* résolu

Tatort ['taːtɔrt] *m* lieu du crime *m*

Tätowierung [tɛːtoˈviːruŋ] *f* tatouage *m*

Tatsache ['taːtzaxə] *f* fait *m*, réalité *f*

tatsächlich ['taːtzɛçlɪç] *adj* effectif, réel

Tatze ['tatsə] *f 1.ZOOL* patte *f; 2. (Kralle)* griffe *f*

Tau [tau] *1. m* rosée *f; 2. n* cordage *m*, câble *m*

taub [taup] *adj* sourd; *stock~ sein* être sourd comme un pot

Taube ['taubə] *f 1.ZOOL* pigeon *m; 2. (Symbol)* colombe *f*

Taubheit ['tauphaɪt] *f* surdité *f*

taubstumm ['taupʃtum] *adj* sourd-muet

tauchen ['tauxən] *v* plonger

Taucher ['tauxər] *m* plongeur *m*

Tauchsieder ['tauxziːdər] *m* chauffe-liquide *m*

tauen [tauən] *v* fondre, dégeler

Taufe ['taufə] *f* baptême *m*

taufen ['taufən] *v* baptiser

Taufpate/-in ['taufpaːtə] *m* parrain *m*, marraine *f*

taugen ['taugən] *v 1. (nützlich sein)* valoir, être utile à; *2. (passen)* convenir à

Taugenichts ['taugənɪçts] *m* vaurien *m*

tauglich ['tauklɪç] *adj 1. (passend)* convenable; *2. (geeignet)* apte à

taumeln ['tauməln] *v* tituber, chanceler

Tausch [tauʃ] *m* échange *m*, troc *m*

tauschen ['tauʃən] *v* échanger contre

täuschen ['tɔyʃən] *v 1. jdn ~* tromper qn, duper qn, abuser qn; *2. sich ~* se tromper sur/à propos de, faire erreur sur; *3. (sich Illusionen machen)* se faire des illusions sur

Täuschung ['tɔyʃuŋ] *f 1.* tromperie *f*, duperie *f; 2. (Irrtum)* erreur *f*

tausend ['tausənt] *num* mille

Tauwetter ['tauvɛtər] *n* dégel *m*

Tauziehen ['tautsiːən] *n 1.* lutte à la corde *f; 2. (fig: Kräftemessen)* épreuve de force *f*

Taxi ['taksi] *n* taxi *m*

Taxistand ['taksiʃtant] *m* station de taxis *f*

Teamarbeit ['tiːmarbaɪt] *f* travail d'équipe *m*

Technik ['tɛçnɪk] *f* technique *f*

technisch ['tɛçnɪʃ] *adj* technique

Technologie [tɛçnoloˈgiː] *f* technologie *f*

technologisch [tɛçnoˈloːgɪʃ] *adj* technologique

Tee [teː] *m 1.* thé *m; 2. (Kräuter-)* infusion *f*

Teekanne ['teːkanə] *f* théière *f*

Teelöffel ['teːlœfəl] *m* petite cuiller *f*

Teer [teːr] *m* goudron *m*

Teich [taɪç] *m* étang *m*, pièce d'eau *f*

Teig [taɪk] *m* pâte *f*

Teigwaren ['taɪkvaːrən] *pl* pâtes *f/pl*

Teil [taɪl] *m* partie *f*, part *f*, morceau *m*

Teilbetrag ['taɪlbətraːk] *m* quote-part *f*

teilen ['taɪlən] *v 1. (trennen)* diviser; *2. (gemeinsam haben)* partager qc avec qn

teilhaben ['taɪlhaːbən] *v* participer à

Teilhaber ['taɪlhaːbər] *m* associé *m*

Teilnahme ['taɪlnaːmə] *f* participation *f*

teilnahmslos ['taɪlnaːmsloːs] *1.adj* indifférent, apathique; *2.adv* avec indifférence

teilnehmen ['taɪlneːmən] *v 1.* participer à, prendre part à; *2. (sich anschließen)* s'associer à; *3. (mitarbeiten)* collaborer à

Teilnehmer ['taɪlneːmər] *m 1.* participant *m; 2.TEL* abonné *m*, correspondant *m*

Teilung ['taɪluŋ] *f* partage *m*, division *f*

teilweise ['taɪlvaɪzə] *adv* en partie

Teilzeitbeschäftigung ['taɪltsaɪtbəʃɛftɪguŋ] *f* travail à temps partiel *m*

Telefax ['telefaks] *n* télécopie *f*, téléfax *m*

Telefon [teleˈfoːn] *n* téléphone *m*

Telefonbuch [teleˈfoːnbuːx] *n* annuaire du téléphone *m*

telefonieren [telefoˈniːrən] *v* téléphoner à qn, appeler qn au téléphone

Telefonzelle [teleˈfoːntsɛlə] *f* cabine téléphonique *f*

telegrafieren [telegra'fi:rən] *v* télégraphier, envoyer un télégramme

Telegramm [tele'gram] *n* télégramme *m*

Teleobjektiv ['teleɔpjɛkti:f] *n* téléobjectif *m*

Teleskop [telɛs'ko:p] *n* télescope *m*

Teller ['tɛlər] *m* assiette plate *f*

Tempel ['tɛmpəl] *m* temple *m*

Temperament [tempera'mɛnt] *n* tempérament *m*

temperamentvoll [tempera'mɛntfɔl] *adj* dynamique, plein d'entrain

Temperatur [tempera'tu:r] *f* température *f*

Temperatursturz [tempera'tu:rʃturts] *m* baisse de température *f*

Tempo ['tɛmpo:] *n* 1. *(Geschwindigkeit)* vitesse *f*; 2. *(Gang)* allure *f*; 3.*MUS* tempo *m*

Tempolimit ['tɛmpo:limɪt] *n* limitation de vitesse *f*

Tendenz [tɛn'dɛnts] *f* tendance *f*

tendieren [tɛn'di:rən] *v* être orienté vers/à

Tennis ['tɛnɪs] *n* tennis *m*

Tennisplatz ['tɛnɪsplats] *m* court *m*

Tennisschläger ['tɛnɪsʃlɛ:gər] *m* raquette de tennis *f*

Tenor [te'no:r] *m* ténor *m*

Teppich ['tɛpɪŋ] *m* tapis *m*

Termin [tɛr'mi:n] *m* 1. *(Datum)* date *f*; 2. *(Frist)* délai *m*; 3. *(Verabredung)* rendez-vous *m*; 4. *(Verhandlung)* audience *f*

Terminkalender [tɛr'mi:nkalɛndər] *m* agenda *m*, carnet de rendez-vous *m*

Terrasse [tɛ'rasə] *f* terrasse *f*

Terrine [tɛ'ri:nə] *f* terrine *f*, soupière *f*

Terror ['tɛrɔr] *m* terreur *f*

Terrorismus [tɛrɔ'rɪsmus] *m* terrorisme *m*

Terrorist [tɛrɔ'rɪst] *m* terroriste *m*

Test [tɛst] *m* test *m*, épreuve *f*

Testament [tɛsta'mɛnt] *n* testament *m*

testamentarisch [tɛstamɛn'ta:rɪʃ] *1.adj* testamentaire; *2.adv* par testament

testen ['tɛstən] *v* tester, essayer

Tetanus ['tɛtanus] *m* tétanos *m*

teuer [tɔyər] *adj* cher, coûteux; *Das Leben wird teurer.* La vie augmente.

Teuerungsrate ['tɔyəruŋsra:tə] *f* taux de renchérissement *m*

Teufel ['tɔyfəl] *m* diable *m*, démon *m*; *Scheren Sie sich zum* -! Allez au diable! *Scher dich zum* -! Va te faire foutre! *den -*

im Leib haben avoir le diable au corps; *Hier hat der - seine Hand im Spiel.* Le diable s'en mêle.

teuflisch ['tɔyflɪʃ] *adj* diabolique

Text ['tɛkst] *m* texte *m*

Textilien [tɛks'ti:ljən] *pl* textiles *m/pl*

Textverarbeitung ['tɛkstfɛrarbaɪtuŋ] *f* *INFORM* traitement de textes *m*

Theater [te'a:tər] *n* 1. *(Schauspielhaus)* théâtre *m*; 2. *(fig: Aufregung)* comédie *f*; *Das ist doch nur -.* C'est du cinéma.

Theaterstück [te'a:tərʃtyk] *n* pièce de théâtre *f*

Theke ['te:kə] *f* comptoir *m*

Thema ['te:ma] *n* thème *m*, sujet *m*; *das - wechseln* changer de disque; *ein - anschneiden* aborder un sujet

Theologie [teolo'gi:] *f* théologie *f*

theoretisch [teo're:tɪʃ] 1. *adj* théorique; 2. *adv* en théorie

Theorie [teo'ri:] *f* théorie *f*

Therapeut [tera'pɔyt] *m* thérapeute *m*

Therapie [tera'pi:] *f* thérapie *f*

Thermalbad ['tɛrmalbat] *n* station thermale *f*

Thermometer [tɛrmo'me:tər] *n* thermomètre *m*

Thermosflasche ['tɛrmɔsflaʃə] *f* bouteille thermos *f*

Thron [tro:n] *m* trône *m*

Thronfolger ['tro:nfɔlgər] *m* dauphin *m*

Thunfisch ['tu:nfɪʃ] *m* thon *m*

Thymian ['ty:mja:n] *m* thym *m*

ticken ['tɪkən] *v* faire tic tac

tief [ti:f] *adj* 1. *(Abgrund)* profond; 2. *(-eingeschnitten)* encaissé; 3. *(Temperatur)* bas; 4. *(Schnee)* profond; 5. *(dicht)* épais

Tiefbau ['ti:fbau] *m* construction souterraine *f*

Tiefdruckgebiet ['ti:fdrukgəbi:t] *n* zone de basse pression *f*

Tiefe ['ti:fə] *f* profondeur *f*

Tiefflug ['ti:fflu:k] *m* rase-mottes *m*

Tiefgarage ['ti:fgara:ʒə] *f* parking souterrain *m*

Tiefkühlkost ['ti:fky:lkɔst] *f* surgelés *m/pl*

Tiefpunkt ['ti:fpuŋkt] *m* minimum *m*

tiefschürfend ['ti:fʃyrfənt] *adj* qui va au fond des choses

Tier [ti:r] *n* animal *m*, bête *f*; *ein hohes -* un gros bonnet

Tierarzt ['ti:rartst] *m* vétérinaire *m*

Tiergarten ['ti:rgartən] *m* jardin zoologique *m*

Tierheim ['ti:rhaɪm] *n* refuge de la SPA (société protectrice des animaux) *m*

Tierkreiszeichen ['ti:rkraɪstsaɪŋən] *n* signe du zodiaque *m*

Tierquälerei ['ti:rkvɛləraɪ] *f* cruauté envers les animaux *f*

Tierschutzverein ['ti:rʃutsfɛraɪn] *m* société protectrice des animaux (SPA) *f*

Tierversuch ['ti:rfɛrzu:x] *m* expérience sur les animaux *f*

Tiger ['ti:gər] *m* tigre *m*

tilgen ['tɪlgən] *v* effacer

Tinte ['tɪntə] *f* encre *f*; *in der ~ sitzen* être dans la purée

Tintenfisch ['tɪntənfɪʃ] *m* seiche *f*

tippen ['tɪpən] *v* 1. *(maschineschreiben)* taper; 2. *(vermuten)* supposer

Tippfehler ['tɪpfeːlər] *m* faute de frappe *f*

Tisch [tɪʃ] *m* table *f*; *den ~ abräumen* débarrasser la table; *Gehen wir zu ~!* Passons à table! *reinen ~ machen* faire table rase

Tischdecke ['tɪʃdeːkə] *f* nappe *f*

Tischler ['tɪʃlər] *m* menuisier *m*

Tischtennis ['tɪʃtɛnɪs] *n* ping-pong *m*

Titel ['ti:təl] *m* titre *m*

Titelseite ['ti:təlzaɪtə] *f* page de titre *f*

Toast [toːst] *m* 1. *(Brot)* toast *m*, pain grillé *m*; 2. *(Trinkspruch)* toast *m*; *einen ~ aussprechen auf jdn* porter un toast à qn

toben ['toːbən] *v* 1. *(sich entladen)* se déchaîner, faire rage; 2. *(wüten)* être furieux, tempêter; 3. *(wütend sein)* être furieux

Tochter ['tɔxtər] *f* fille *f*

Tochtergesellschaft ['tɔxtərgəzɛlʃaft] *f* filiale *f*

Tod [toːt] *m* 1. mort *f*, décès *m*; *jdn zum ~e verurteilen* condamner qn à la peine capitale; 2. *(poetisch)* trépas *m*

Todesangst ['toːdəsaŋst] *f* angoisse mortelle *f*

Todesanzeige ['toːdəsantsaɪgə] *f* 1. faire-part de décès *m*; 2. *(Zeitung)* avis de décès *m*

Todesfall ['toːdəsfal] *m* décès *m*; *im ~ en* cas de décès

Todeskampf ['toːdəskampf] *m* agonie *f*

Todesstrafe ['toːdəsʃtraːfə] *f* peine de mort *f*

tödlich ['tœːtlɪŋ] *adj* mortel, meurtrier

Toilette [twaˈlɛtə] *f* toilettes *f/pl*, WC *m/pl*

Toilettenpapier [twaˈlɛtənpapiːr] *n* papier hygiénique *m*

tolerant [tɔləˈrant] *adj* tolérant

tolerieren [tɔləˈriːrən] *v* tolérer

toll [tɔl] *adj* 1. *(verrückt)* fou/folle; 2. *(fam: super)* formidable, sensationnel

tollkühn ['tɔlkyːn] 1. *adj* téméraire 2. *adv* avec témérité

Tollwut ['tɔlvuːt] *f* rage *f*

tolpatschig ['tɔlpatʃɪŋ] *adj* maladroit

Tölpel ['tœlpəl] *m* rustre *m*, malotru *m*

Tomate [toˈmaːtə] *f* tomate *f*

Ton [toːn] *m* 1. *(Laut)* son *m*, sonorité *f*; *keinen ~ sagen* ne pas piper mot; 2. *MUS* sonorité *f*, timbre *m*; 3. *(Umgangs~)* ton *m*; *Wenn Sie so einen ~ anschlagen...* Si vous le prenez sur ce ton-là..., *den ~ angeben* faire la pluie et le beau temps; 4. *(Lehm)* argile *f*

Tonband ['toːnbant] *n* bande magnétique *f*

Tonbandgerät ['toːnbantgəreːt] *n* magnétophone *m*

tönen ['tøːnən] *v* 1. *(klingen)* sonner, résonner; 2. *(färben)* colorer, teindre

Tonne ['tɔnə] *f* 1. *(Maßeinheit)* tonne *f*; 2. *(Gefäß)* tonneau *m*, fût *m*, baril *m*; *dick wie eine ~ sein* être gros comme une vache

Tönung ['tøːnuŋ] *f* coloration *f*

Topf [tɔpf] *m* pot *m*, casserole *f*, marmite *f*

Töpferhandwerk ['tœpfərhantvɛrk] *n* poterie *f*

Tor [toːr] *n* 1. *(Tür)* portail *m*; 2. *(Treffer)* but *m*; 3. *(Hof)* porte cochère *f*

Torf [tɔrf] *m* tourbe *f*

töricht ['tøːrɪŋt] *adj* 1. fou/folle, sot; 2. *(sinnlos)* insensé

torkeln ['tɔrkəln] *v* tituber, chanceler

Torschlußpanik ['tɔrʃluspaːnɪk] *f* angoisse du temps qui passe *f*

Torte ['tɔrtə] *f* 1. gâteau *m*; 2. *(Obst~)* tarte *f*

Torwart ['toːrvart] *m* gardien de but *m*

tosen ['toːzən] *v* bruire, gronder

tot [toːt] *adj* mort, défunt, décédé; *auf der Stelle ~ umfallen* tomber raide

Tote ['toːtə] *m* mort *m*, défunt *m*

töten ['tøːtən] *v* tuer, mettre à mort

Totenkopf ['toːtənkɔpf] *m* tête de mort *f*

Totenschein ['toːtənʃaɪn] *m* acte de décès *m*

Totenstille ['toːtənʃtɪlə] *f* silence de mort *m*

Totgeburt ['to:tgəburt] f (Kind) mort-né m
Totschlag ['to:tʃla:k] m homicide m
Toupet [tu'pe:] n postiche m, moumoute f
Tour [tu:r] f tour m, promenade f
Tourismus [tu'rɪsmus] m tourisme m
Tourist [tu'rɪst] m touriste m
Touristenklasse [tu'rɪstənklasə] f classe économique f, classe touriste f
Trab [tra:p] m trot m
Trabantenstadt [tra'bantənʃtat] f ville nouvelle f, ville satellite f
Tracht [traxt] f costume m, habits m/pl
trachten ['traxtən] v 1. nach etw ~ aspirer à; 2. ~ etw zu tun chercher à faire qc
trächtig ['trɛntɪŋ] adj pleine
Tradition [tradits'jo:n] f tradition f
traditionell [traditsjo:'nɛl] adj traditionnel
Tragbahre ['tra:kbɑ:rə] f brancard m
tragbar ['tra:kbɑ:r] adj 1. (Apparat) portatif; 2. (Mode) portable, mettable; 3. (fig: er~) supportable
träge ['trɛ:gə] adj 1. paresseux, fainéant; 2. PHYS inerte; 3. (schlaff) mou/molle
tragen ['tra:gən] v porter
Träger ['trɛ:gər] m 1. (Person) porteur m; 2. (Stütze) support m, montant m; 3. (Kleidung) bretelle f
Tragfläche ['tra:kflɛnə] f voilure f
Tragflächenboot ['tra:kflɛnənbo:t] n hydrofoil m
Trägheit ['trɛ:khait] f 1. paresse f, fainéantise f; 2. PHYS inertie f
Tragödie [tra'gø:djə] f tragédie f
Tragweite ['tra:kvaitə] f portée f
Trainer ['trɛ:nər] m entraîneur m
trainieren [trɛ'ni:rən] v s'entraîner
Training ['trɛ:nɪŋ] n entraînement m
Trainingsanzug ['trɛ:nɪŋsantsu:k] m survêtement de sport m, jogging m
Traktor [trak'tɔr] m tracteur m
trampeln ['trampəln] v piétiner, trépigner
trampen ['trɛmpən] v faire du stop
Tramper ['trɛmpər] m auto-stoppeur m
Träne ['trɛ:nə] f larme f; Krokodils~n vergießen verser des larmes de crocodile
Tränengas ['trɛ:nəngɑ:s] n gaz lacrymogène m
tränken ['trɛnkən] v 1. (Tiere) abreuver; 2. (imprägnieren) imbiber, imprégner
Transfer ['transfe:r] m transfert m
Transfusion [transfu'zjo:n] f transfusion f

Transistorradio [tranzɪs'to:rra:djo] n transistor m
Transit ['tranzɪt] m transit m
Transparent [transpa'rɛnt] n banderole f
Transplantation [transplantats'jo:n] f greffe f
Transport [trans'pɔrt] m transport m
transportieren [transpɔr'ti:rən] v transporter
Transportmittel [trans'pɔrtmɪtəl] n moyen de transport m
Transportunternehmen [trans'pɔrtuntɛrne:mən] n entreprise de transport f
tratschen ['tra:tʃən] v (fam) bavarder
Traube ['traubə] f grappe f
Traubenzucker ['traubəntsukər] m sucre de raisin m, glucose m
trauen [trauən] v 1. (verheiraten) marier, unir; 2. (vertrauen) avoir confiance en qn, se fier à qn; seinen Augen/Ohren nicht ~ ne pas en croire ses yeux/oreilles; 3. sich ~ oser
Trauer [trauər] f 1. affliction f, désolation f; ~kleidung anlegen prendre le deuil; 2. (Todesfall) deuil m
Trauerfall ['trauərfal] m décès m, deuil m
trauern [trauərn] v être en deuil
Trauerspiel ['trauərʃpi:l] n THEAT tragédie f
Traum [traum] m rêve m, songe m
träumen ['trɔymən] v rêver de/à, songer à
Träumer ['trɔymər] m rêveur m
traumhaft ['traumhaft] adj 1. (fig) fantastique; 2. (unwirklich) irréel
traurig ['traurɪŋ] adj triste, affligé, désolé; Es ist ~ zu sehen. C'est pitié que de voir.
Traurigkeit ['traurɪŋkait] f tristesse f
Trauschein ['trauʃain] m acte de mariage m
Trauung ['trauuŋ] f 1. (kirchlich) bénédiction nuptiale f; 2. (standesamtlich) célébration du mariage f
Treffen ['trɛfən] n rencontre f
treffen ['trɛfən] v 1. atteindre, toucher; 2. (begegnen) rencontrer; 3. (fig: berühren) toucher
treffend ['trɛfənt] adj juste, exact
Treffer ['trɛfər] m 1. coup au but m, projectile bien placé m; 2. (fig) coup heureux m
Treffpunkt ['trɛfpuŋkt] m lieu de rendez-vous m
treiben ['traibən] v 1. (auf dem Wasser ~) flotter; 2. (an~) pousser; 3. (fig: betreiben) s'occuper de; 4. (wachsen) pousser

Treibhaus ['traɪphaus] n serre f
Treibhauseffekt ['traɪphausefɛkt] m effet de serre m
Treibjagd ['traɪpjaːkt] f battue f
Treibstoff ['traɪpʃtɔf] m carburant m
Trend [trɛnt] m tendance f, mode f
trennen ['trɛnən] v 1. séparer, détacher; 2. (abschneiden) couper; 3. (unterscheiden) distinguer
Trennung ['trɛnuŋ] f séparation f, rupture f
Treppe ['trɛpə] f escalier m
Treppenhaus ['trɛpənhaus] n cage d'escalier f
Tresor [trɛ'zoːr] m coffre-fort m
treten ['treːtən] v donner un coup de pied
treu [trɔy] adj fidèle, loyal, dévoué
Treue ['trɔyə] f fidélité f, loyauté f
treuherzig ['trɔyhɛrtsɪʃ] adj 1. cordial, franc; 2. (naiv) naïf
treulos ['trɔyloːs] adj infidèle, déloyal
Tribüne [tri'byːnə] f tribune f, estrade f
Trichter ['trɪçtər] m 1. entonnoir m, trémie f; 2. (Schall-) pavillon m
Trick [trɪk] m artifice m, truc m
Trickfilm ['trɪkfɪlm] m dessin animé m
Trieb [triːp] m 1. instinct m, pulsion f; 2. (Neigung) penchant m; 3. BOT pousse f
triebhaft ['triːphaft] adj instinctif
Triebkraft ['triːpkraft] f force motrice f
Triebtäter ['triːptɛːtər] m délinquant sexuel m
Triebwerk ['triːpvɛrk] n rouages m/pl
triefen ['triːfən] v tomber goutte à goutte
triftig ['trɪftɪʃ] adj pertinent, plausible
Trikot [tri'koː] n maillot m, tricot m
trinkbar ['trɪŋkbaːr] adj potable, buvable
trinken ['trɪŋkən] v boire
Trinker ['trɪŋkər] m buveur m, ivrogne m
Trinkgeld ['trɪŋkgɛlt] n pourboire m
Trinkspruch ['trɪŋkʃprux] m toast m; auf jdn einen ~ ausbringen porter un toast à qn
Trinkwasser ['trɪŋkvasər] n eau potable f
Trinkwasserknappheit ['trɪŋkvasərknaphaɪt] f pénurie en eau potable f
Tritt [trɪt] m coup de pied m
Triumph [tri'umf] m triomphe m
triumphal [trium'faːl] adj triomphal
Triumphbogen ['triumfboːgən] m arc de triomphe m
trocken ['trɔkən] adj 1. (nicht naß) sec/sèche; 2. (dürr) desséché, aride; 3. (herb) sec

Trockenhaube ['trɔkənhaubə] f casque m
Trockenheit ['trɔkənhaɪt] f sécheresse f, aridité f
trockenlegen ['trɔkənleːgən] v 1. (Land) assécher, drainer; 2. (Säugling) changer; ein Baby ~ changer un bébé/la couche d'un bébé
Trockenmilch ['trɔkənmɪlç] f lait en poudre m
trocknen ['trɔknən] v sécher, faire sécher
Trödelmarkt ['trøːdəlmarkt] m marché aux puces m, puces f/pl
trödeln ['trøːdəln] v 1. (sich nicht beeilen) musarder, prendre le chemin des écoliers; 2. faire de la brocante
Trog [troːk] m auge f, baquet m
Trommel ['trɔməl] f tambour m
trommeln ['trɔməln] v battre du tambour
Trompete [trɔm'peːtə] f trompette f
Tropen ['troːpən] pl tropiques m/pl
Tropf [trɔpf] m 1. (Dummkopf) benêt m, idiot m; 2. MED goutte-à-goutte m
Tropfen ['trɔpfən] m goutte f; Es fallen dicke ~. Il pleut de grosses gouttes.
tropfen ['trɔpfən] v goutter, dégoutter
Tropfsteinhöhle ['trɔpfʃtaɪnhøːlə] f grotte de stalactites/de stalagmites f
tropisch ['troːpɪʃ] adj tropical
Trost [troːst] m consolation f, réconfort m
trösten ['trøːstən] v consoler, réconforter
tröstlich ['trøːstlɪç] adj consolant
trostlos ['troːstloːs] adj 1. désolant; 2. (verzweifelnd) désespérant
Trostlosigkeit ['troːstloːzɪŋkaɪt] f 1. désolation f; 2. (Verzweiflung) désespoir m
Trostpreis ['troːstpraɪs] m prix de consolation m
Trott [trɔt] m (fig) train-train m
Trotz [trɔts] m bravade f, indocilité f
trotz [trɔts] prep malgré, en dépit de
trotzdem ['trɔtsdeːm] 1. adv tout de même, malgré tout; 2. konj bien que, quoique
trotzen ['trɔtsən] v 1. (widerstehen) braver, affronter, défier; 2. (sich auflehnen) se rebeller; 3. (schmollen) bouder
trotzig ['trɔtsɪç] adj entêté, boudeur
trüb [tryːp] adj 1. (undurchsichtig) opaque, trouble; 2. (matt) terne, sans éclat; 3. (regnerisch) gris, couvert
Trubel ['truːbəl] m brouhaha m, agitation f
trüben ['tryːbən] v 1. (Flüssigkeit) troubler, brouiller; 2. (fig: Stimmung) troubler

Trübsal ['try:pza:l] *f* affliction *f*, chagrin *m*; ~ *blasen* broyer du noir

trübselig ['try:pze:lıŋ] *adj* affligé

Trübsinn ['try:pzın] *m* morosité *f*

trübsinnig ['try:pzınıŋ] *adj* morose

Trüffel ['tryfəl] *m* truffe *f*

Trugbild ['tru:kbılt] *n* image trompeuse *f*

trügen ['try:gən] *v* tromper, abuser

trügerisch ['try:gərıʃ] *adj* trompeur

Trugschluß ['tru:kʃlus] *m* conclusion erronée *f*, sophisme *m*

Truhe ['tru:ə] *f* bahut *m*, coffre *m*

Trümmer ['trymər] *pl* ruines *f/pl*, décombres *m/pl*

Trumpf [trumpf] *m (fig)* atout *m; alle Trümpfe in der Hand haben* avoir toutes les cartes dans son jeu; *seinen letzten ~ ausspielen* jouer sa dernière carte

Trunkenheit ['truŋkənhait] *f* ivresse *f*

Trunksucht ['truŋkzuxt] *f* dipsomanie *f*

Truppe ['trupə] *f* 1.*MIL* troupe *f*; 2.*THEAT* compagnie *f*

Truthahn ['trutha:n] *m* dindon *m*

tschüs [tʃy:s] *interj* salut!

T-Shirt ['tə:ʃə:t] *n* tee-shirt *m*

Tube ['tu:bə] *f* tube *m*

Tuberkulose [tuberku'lo:zə] *f* tuberculose *f*

Tuch [tu:x] *n* 1. *(Lappen)* chiffon *m*; 2. *(Stoff)* serviette *f*, torchon *m*; 3. *(Hals~)* écharpe *f*, fichu *m*

tüchtig ['tyŋtıŋ] *adj* 1. capable; 2. *(gut)* bon; 3. *(qualifiziert)* qualifié; 4. *adv (fam)* très

Tüchtigkeit ['tyŋtıŋkait] *f* 1. *(Wert)* valeur *f*; 2. *(Fähigkeit)* capacité *f*; 3. *(Qualifikation)* qualification *f*

Tücke ['tykə] *f* malice *f*, sournoiserie *f*

tückisch ['tykıʃ] *adj* 1. sournois, méchant; 2. *(Tier)* vicieux

Tugend ['tu:gənt] *f* vertu *f*

tugendhaft ['tu:gənthaft] *adj* vertueux

Tüll [tyl] *m* tulle *m*

Tulpe ['tulpə] *f* tulipe *f*

Tumor ['tu:mɔr] *m* tumeur *f*

Tümpel ['tympəl] *m* flaque *f*, mare *f*

Tumult [tu'mult] *m* 1. tumulte *m*; 2. *(Lärm)* vacarme *m*, bruit *m*

Tun [tu:n] *n (Verhalten)* conduite *f*

tun [tu:n] *v* 1. faire, agir; *etw mit jdm zu ~ haben* avoir affaire à qn; *Ich habe zu ~.* J'ai à faire. *alle Hände voll zu ~ haben* être en plein boum; *Ich habe nichts damit zu ~.* Je n'y suis pour rien. *Das tut man nicht.* Ça ne se fait pas. *mit jdm nichts zu ~ haben wollen* ne pas s'y frotter; *so ~, als ob* faire semblant de; 2. *(verrichten)* accomplir; 3. *(hervorrufen)* produire un effet

Tunke ['tuŋkə] *f* sauce *f*

Tunnel ['tunəl] *m* tunnel *m*, souterrain *m*

Tupfen ['tupfən] *m* point *m*, pois *m*

tupfen ['tupfən] *v* tamponner

Tür [ty:r] *f* porte *f*; *sich eine Hinter~ offenhalten* se ménager une porte de sortie; *jdn vor die ~ setzen* mettre qn à la porte; *einer Sache ~ und Tor öffnen* ouvrir la porte à qc

Turbine [tur'bi:nə] *f* turbine *f*

turbulent [turbu'lɛnt] *adj* turbulent

Türkei [tyr'kai] *f* Turquie *f*

türkis [tyr'ki:s] *adj* turquoise

türkisch ['tyrkıʃ] *adj* turc/turque

Türklinke ['tu:rklıŋkə] *f* loquet *m*

Turm [turm] *m* 1. tour *f*; 2. *(Kirch~)* clocher *m*

türmen ['tyrmən] *v* 1. *(schichten)* amonceler, entasser; 2. *(fig: ausreißen)* s'enfuir

turnen ['turnən] *v* faire de la gymnastique

Turngerät ['turngərɛ:t] *n* agrès *m/pl*

Turnhalle ['turnhalə] *f* gymnase *m*, salle de gymnastique *f*

Turnier [tur'ni:r] *n* championnat *m*

Turnschuh ['turnʃu:] *m* chaussure de sport *f*

Türschloß ['tu:rʃlɔs] *n* serrure *f*

Türschwelle ['tu:rʃvɛlə] *f* seuil *m*, pas de porte *m*

Türstock ['ty:rʃtɔk] *m* chambranle *m*

turteln ['turtəln] *v* 1. *(Taube)* roucouler; 2. flirter

Tusche ['tuʃə] *f* encre de Chine *f*

tuscheln ['tuʃəln] *v* chuchoter

Tüte ['ty:tə] *f* 1. sac *m*, cornet *m*; 2. *(Eis~)* cornet de glace *m*

tuten ['tu:tən] *v* corner, klaxonner

Typ [ty:p] *m* type *m*, modèle *m*

Type ['ty:pə] *f* 1. *(Druckbuchstabe)* lettre *f*, caractère d'imprimerie *m*; 2. *(fam)* type *m*

Typhus ['ty:fus] *m* typhus *m*

typisch ['ty:pıʃ] *adj* typique, caractéristique

Typologie [typolo'gi:] *f* typologie *f*

Tyrann [ty'ran] *m* tyran *m*

tyrannisch [ty'ra:nıʃ] *adj* tyrannique

tyrannisieren [tyrani'zi:rən] *v* tyranniser

U

U-Bahn ['uːbaːn] *f* métro *m*
übel ['yːbəl] *adj* 1. mauvais; 2. *(ärgerlich)* fâcheux; 3. *(unangenehm)* désagréable; 4. *(unheilvoll)* funeste; 5. *adv* mal; *Mir wird ~.* J'ai mal au cœur. *Nicht ~.* Pas mal.
Übel ['yːbəl] *n* mal *m*; *sich für das geringere ~ entscheiden* se décider pour le moindre mal; *das ~ an der Wurzel packen* couper le mal à la racine
Übelkeit ['yːbəlkaɪt] *f* nausée *f*, mal de cœur *m*; *vor ~ ganz grün im Gesicht werden* être vert comme un poireau
übelnehmen ['yːbəlneːmən] *v* en vouloir à qn de qc, prendre mal qc
Übeltäter ['yːbəltɛːtər] *m* malfaiteur *m*
üben ['yːbən] *v* 1. (s')exercer; 2. *(ein-)* étudier; 3.SPORT entraîner; 4. *(aus-)* pratiquer
über ['yːbər] *prep* 1. *(örtlich)* au-dessus de, sur, par-dessus, au-delà de; *~ die Straße gehen* traverser la rue; *~ München fahren* passer par/via Munich; *~ jds Kräfte gehen* dépasser les forces de qn; 2. *(zeitlich)* durant, pendant; *die ganze Nacht ~* (pendant) toute la nuit; *~ 40 Jahre alt sein* avoir passé la quarantaine; *~ kurz oder lang* tôt ou tard; 3. *(fig: wegen)* à cause de; 4. *(fig: von)* au sujet de; 5. *(Art und Weise) ~ und ~* entièrement/ tout à fait; *~ Gebühr* à l'excès; *~ alle Maße* extrêmement; *es ~ haben* en avoir assez/ marre
überall ['yːbəral] *adv* partout
Überangebot ['yːbərangəboːt] *n* surplus *m*
Überanstrengung ['yːbəranʃtrɛnuŋ] *f* surmenage *m*, excès de travail *m*
überarbeiten ['yːbərarbaɪtən] *v* 1. *etw ~* retoucher, revoir; 2. *sich ~* se surmener
Überarbeitung ['yːbərarbaɪtuŋ] *f* 1. *(Überanstrengung)* surmenage *m*, fatigue *f*; 2. *(Korrektur)* révision *f*, retouche *f*
überbewerten ['yːbərbəvɛrtən] *v* surévaluer, surestimer
überbieten [yːbər'biːtən] *v* 1. *(Preis)* renchérir sur; 2. *(Leistung)* surpasser
Überbleibsel [yːbərblaɪpsəl] *m* reste *m*
Überblick ['yːbərblɪk] *m* 1. vue d'ensemble sur *f*; 2. *(Zusammenfassung)* exposé *m*, sommaire *m*

überblicken [yːbər'blɪkən] *v* embrasser d'un coup d'œil, parcourir des yeux
überbringen [yːbərbrɪŋən] *v* 1. *(aushändigen)* remettre à; 2. *(ausrichten)* porter à
Überbringer ['yːbərbrɪŋər] *m* porteur *m*
überbrücken [yːbər'brykən] *v* 1. *(vermitteln)* concilier; 2. *(fig: überwinden)* franchir
überdenken [yːbər'dɛŋkən] *v* réfléchir sur, méditer sur
überdies [yːbər'diːs] *adv* en outre, de plus
Überdosis ['yːbərdoːzɪs] *f* overdose *f*
Überdruck ['yːbərdruk] *m* surpression *f*
überdrüssig ['yːbərdrysɪŋ] *adj* dégoûté
Überdruß ['yːbərdrus] *m* dégoût *m*
übereifrig ['yːbəraɪfrɪŋ] *adj* trop zélé
übereinander [yːbəraɪn'andər] *adv* l'un sur l'autre
übereinanderlegen [yːbəraɪn'andərleːgən] *v* superposer
übereinkommen [yːbər'aɪnkɔmən] *v* se mettre d'accord sur, convenir de
übereinstimmen [yːbər'aɪnʃtɪmən] *v* 1. *(einig sein)* être d'accord sur; 2. *(gleich sein)* concorder avec, coïncider avec
Übereinstimmung [yːbər'aɪnʃtɪmuŋ] *f* 1. *(Einigkeit)* accord *m*; 2. *(Gleichheit)* concordance *f*, harmonie *f*
überfahren [yːbərfaːrən] *v* 1. *(Fluß)* traverser; 2. *(Mensch, Tier)* renverser
Überfahrt ['yːbərfaːrt] *f* traversée *f*
Überfall ['yːbərfal] *m* attaque par surprise *f*, agression *f*
überfallen [yːbər'falən] *v* 1. attaquer par surprise; 2. *(Land)* envahir; 3. *(bestürmen)* assaillir
überfällig ['yːbərfɛlɪŋ] *adj* en retard
überfliegen [yːbərfliːgən] *v* 1. survoler; 2. *(fig: Text)* parcourir
überflügeln [yːbər'flyːgəln] *v* surpasser
Überfluß ['yːbərflus] *m* surabondance (de) *f*; *im ~ leben* vivre dans l'abondance
überflüssig ['yːbərflysɪŋ] *adj* superflu; *Es ist ~ zu sagen, daß...* Il n'est pas besoin de dire...
Überflutung [yːbər'fluːtuŋ] *f* inondation *f*
überfordern [yːbər'fɔrdərn] *v* demander trop à qn, exiger trop de qn

überführen ['y:bərfy:rən] v 1. (transportieren) transférer; 2. (Schuldigen) convaincre de
Überführung ['y:bərfy:ruŋ] f 1. (Transport) transport m; 2. (Schuldnachweis) preuve convaincante f
überfüllt [y:bər'fylt] adj surchargé, bourré
Übergabe ['y:bərga:bə] f remise (à) f
Übergang ['y:bərgaŋ] m 1. passage m, franchissement m; 2. (fig) transition f
Übergangszeit ['y:bərgaŋtsait] f période de transition f
übergeben [y:bər'ge:bən] v 1. etw ~ remettre qc à qn; 2. sich ~ vomir
Übergewicht ['y:bərgəvɪɳt] n 1. excédent de poids m; 2. (fig) prépondérance f
Übergriff ['y:bərgrɪf] m empiètement m
überhandnehmen ['y:bərhantne:mən] v prendre le dessus sur, augmenter trop
überhäufen [y:bər'hɔyfən] v accabler
überhaupt [y:bər'haupt] adv 1. (~ nicht) absolument (pas); 2. (im allgemeinen) en général; 3. (eigentlich) somme toute
überheblich [y:bər'he:plɪɳ] 1.adj arrogant; 2.adv avec arrogance
Überheblichkeit [y:bər'he:plɪɳkait] f présomption f, outrecuidance f
überholen [y:bər'ho:lən] v 1. (vorbeifahren) doubler, dépasser; sich von jdm ~ lassen se laisser gagner de vitesse; 2. (überprüfen) contrôler, vérifier, réviser
überholt [y:bər'ho:lt] adj ~ werden (Maschine) être révisé
Überholverbot [y:bər'ho:lfɛrbo:t] n interdiction/défense de doubler f
überkochen ['y:bərkɔxən] v déborder
überladen [y:bər'la:dən] v surcharger
Überlänge ['y:bərlɛŋə] f excédent m
überlassen [y:bər'lasən] v 1. (verkaufen) laisser, céder; 2. (verlassen) abandonner; sich selbst ~ sein être abandonné à soi-même; 3. (anvertrauen) s'en remettre à qc/à qn
Überlastung [y:bər'lastuŋ] f surcharge f
überlaufen [y:bər'laufən] v 1. (Gefäß) déborder, inonder; v 2. (fig: zum Gegner) passer à; 3. MIL déserter; 4. adj (überfüllt) envahi par
überleben [y:bər'le:bən] v survivre
Überlebende [y:bər'le:bəndə] m 1. survivant m; 2. (Katastrophe) rescapé m
überlegen [y:bər'le:gən] 1. v réfléchir à, considérer; sich etw zweimal ~ y regarder à

deux fois; ohne zu ~ à tort et à travers; Das wäre zu ~. C'est à voie. 2. adj ~ sein (être) supérieur à
Überlegenheit [y:bər'le:gənhait] f supériorité f
Überlegung [y:bər'le:guŋ] f réflexion f
Überlieferung [y:bər'li:faruŋ] f 1. transmission f, legs m; 2. (Tradition) tradition f
überlisten [y:bər'lɪstən] v duper, tromper
Übermaß ['y:bərma:s] n excès m
übermäßig ['y:bərmɛ:sɪɳ] adj 1. excessif, démesuré; 2. (übertrieben) exagéré
übermitteln [y:bər'mɪtəln] v transmettre
Übermittlung [y:bər'mɪtluŋ] f transmission f, remise f
übermorgen ['y:bərmɔrgən] adv après-demain
Übermut ['y:bərmu:t] m exubérance f
übermütig [y:bər'my:tɪɳ] 1.adj exubérant, pétulant; 2. adv avec impertinence
übernachten [y:bər'naxtən] v passer la nuit
Übernachtung [y:bər'naxtuŋ] f nuit f
Übernahme [y:bər'na:mə] f 1. (Entgegennehmen) prise en charge f, reprise f; 2. (Amts~) entrée en fonction f
übernatürlich ['y:bərnaty:rlɪɳ] adj surnaturel
übernehmen [y:bər'ne:mən] v 1. (entgegennehmen) prendre en charge, reprendre; 2. (Amt) entrer en fonction
überprüfen [y:bər'pry:fən] v contrôler
Überprüfung [y:bər'pry:fuŋ] f contrôle m
überqueren [y:bər'kve:rən] v traverser
überragen [y:bər'ra:gən] v 1. surplomber, surmonter; 2. (fig) dépasser
überraschen [y:bər'raʃən] v surprendre; jdn unverhofft ~ prendre qn au dépourvu
überraschend [y:bər'raʃənt] 1.adj surprenant; 2.adv à l'improviste
überrascht [y:bər'raʃt] adj surpris, étonné; ~ werden être pris au dépourvu
Überraschung [y:bər'raʃuŋ] f surprise f; jdm eine ~ bereiten ménager une surprise à qn
überreden [y:bər're:dən] v persuader
überreichen [y:bər'raɪɳən] v présenter
Überrest ['y:bərrɛst] m reste m
überrumpeln [y:bər'rumpəln] v surprendre
überrunden [y:bər'rundən] v doubler

überschätzen [y:bər'ʃɛtsən] *v* surestimer
überschauen [y:bər'ʃauən] *v* percevoir
überschlagen [y:bər'ʃla:gən] *v 1. (Kosten)* calculer approximativement; *2. (Auto)* faire plusieurs tonneaux, se retourner; *3. (Buchseite)* sauter
überschneiden [y:bər'ʃnaidən] *v 1. sich -(kreuzen)* se croiser; *2. sich -(zusammentreffen)* coïncider
Überschneidung [y:bər'ʃnaiduŋ] *f 1. (Kreuzung)* croisement *m; 2.* coïncidence *f*
überschreiben [y:bər'ʃraibən] *v 1. (betiteln)* intituler; *2. INFORM* écraser
überschreiten [y:bər'ʃraitən] *v 1. (überqueren)* traverser, franchir; *2. (fig: übertreten)* dépasser
Überschrift ['y:bərʃrift] *f* titre *m*
Überschuß ['y:bərʃus] *m 1.* surplus *m*, excédent *m; 2. (Gewinn)* bénéfice *m*
überschwemmen [y:bər'ʃvɛmən] *v* inonder, submerger
Überschwemmung [y:bər'ʃvɛmuŋ] *f* inondation *f*
überschwenglich [y:bər'ʃvɛŋliŋ] *1.adj* exubérant, exalté; *2. adv* avec exaltation
Übersee ['y:bərze:] *f* outre-mer
übersehen [y:bər'ze:ən] *v (nicht sehen)* ne pas voir, omettre, laisser échapper
übersenden [y:bər'zɛndən] *v* envoyer
übersetzen [y:bər'zɛtsən] *v 1. (Gewässer)* faire traverser; *2. (Sprache)* traduire
Übersetzer [y:bər'zɛtsər] *m* traducteur *m*
Übersetzung [y:bər'zɛtsuŋ] *f 1. (Sprache)* traduction *f; 2.TECH* transmission *f*
Übersicht ['y:bərzɪçt] *f 1. (fig)* vue d'ensemble *f; 2. (Zusammenfassung)* résumé *m*
übersichtlich ['y:bərzɪçtliç] *adj* clair
übersiedeln [y:bər'zi:dəln] *v* émigrer
überspielen [y:bər'ʃpi:lən] *v (fig: nicht zugeben)* cacher
überstehen [y:bər'ʃte:ən] *v* surmonter
überstimmen [y:bər'ʃtɪmən] *v* l'emporter sur, avoir plus de voix que
Überstunde ['y:bərʃtundə] *f* heure supplémentaire *f*
überstürzen [y:bər'ʃtyrtsən] *v (se)* précipiter; *die Dinge - wollen* vouloir aller plus vite que les violons
übertragbar [y:bər'tra:kba:r] *adj 1. (ansteckend)* contagieux; *sexuell -e Krankheiten pl* maladies sexuellement transmissibles (MST) *f/pl; 2. (Papiere)* transmissible

übertragen [y:bər'tra:gən] *v 1. (Auftrag)* transmettre à; *2. (Rundfunk)* diffuser; *3. (anstecken)* transmettre; *4. (Papiere)* transférer; *5. (Wechsel)* endosser
Übertragung [y:bər'tra:guŋ] *f 1. (Auftrag)* transfert *m; 2. (Rundfunk)* diffusion *f; 3.MED* transmission *f; 4.ECO* transfert *m; 5. (Wechsel)* endossement *m*
übertreffen [y:bər'trɛfən] *v* surpasser, dépasser; *alles -* être hors de pair
übertreiben [y:bər'traibən] *v* exagérer
Übertreibung [y:bər'traibuŋ] *f* exagération *f*, outrance *f*
übertreten [y:bər'tre:tən] *v* enfreindre
Übertretung [y:bər'tre:tuŋ] *f* infraction *f*
übertrieben [y:bər'tri:bən] *adj* exagéré
Übertritt ['y:bərtrɪt] *m 1.REL* conversion *f; 2.POL* passage *m*
übervorteilen [y:bər'fo:rtailən] *v* léser
überwachen [y:bər'vaxən] *v* surveiller, contrôler; *scharf -* surveiller de près
Überwachung [y:bər'vaxuŋ] *f* surveillance *f*, contrôle *m*
überwältigen [y:bər'vɛltigən] *v 1.* maîtriser; *2. (besiegen)* vaincre
überwältigend [y:bər'vɛltigənt] *adj* impressionnant, grandiose
überweisen [y:bər'vaizən] *v* virer
Überweisung [y:bər'vaizuŋ] *f* virement *m*
überwiegen [y:bər'vi:gən] *v* prédominer
überwiegend [y:bər'vi:gənt] *1. adj* prépondérant; *2.adv* principalement
überwinden [y:bər'vɪndən] *v 1.* surmonter; *2. (besiegen)* vaincre; *3. sich -* se faire violence
Überwindung [y:bər'vɪnduŋ] *f* victoire *f*
überwuchern [y:bər'vuxərn] *v* pulluler
Überzahl ['y:bərtsa:l] *f* surnombre *m*
überzeugen [y:bər'tsɔygən] *v* convaincre
überzeugend [y:bər'tsɔygənt] *adj* convaincant, persuasif
Überzeugung [y:bər'tsɔyguŋ] *f 1.* conviction *f; 2. (Überredung)* persuasion *f*
überziehen ['y:bərtsi:ən] *v 1. (anziehen)* mettre, enfiler; *2. (verkleiden)* recouvrir de; *3. (Konto)* mettre un compte à découvert
üblich ['y:pliç] *adj* usuel, habituel, normal
üblicherweise ['y:pliçərvaizə] *adv* d'habitude
übrig ['y:brɪç] *adj* restant; *Das ist alles, was noch - ist.* C'est tout ce qui reste.

übrigbleiben ['y:brɪpblaɪbən] v rester
übrigens ['y:brɪgəns] adv d'ailleurs
übriglassen ['y:brɪblasən] v laisser de reste
Übung ['y:buŋ] f 1. exercice m; 2.SPORT entraînement m; 3. (Aus~) pratique f
Ufer ['u:fər] n 1. rive f, rivage m; 2. (Küste) littoral m
Uhr [u:r] f 1. horloge f; 2. (Armband~) montre f
Uhrmacher ['u:rmaxər] m horloger m
Uhrzeit ['u:rtsaɪt] f heure f
Ulk [ulk] m plaisanterie f, blague f
ulkig ['ulkɪŋ] adj 1. amusant, drôle; 2. (fam) rigolo/-ote
ultraviolett ['ultraviolɛt] adj ultraviolet
um [um] prep 1. (örtlich) autour de; 2. (zeitlich) à; 3. konj pour
umarmen [um'armən] v embrasser
Umarmung [um'armuŋ] f embrassement m
Umbau ['umbau] m transformation f
umblättern ['umblɛtərn] v tourner les pages
umbringen ['umbrɪŋən] v tuer
Umbruch ['umbrux] m (fig) révolution f
umbuchen ['umbu:xən] v 1. (Konto) transférer de compte à compte; 2. (Reservierung) changer la réservation
umdenken ['umdɛŋkən] v réviser ses conceptions, orienter autrement ses idées
umdisponieren ['umdɪsponi:rən] v prendre d'autres dispositions
umdrehen ['umdre:ən] v tourner
Umdrehung ['umdre:uŋ] f tour m
umfallen ['umfalən] v tomber (à la renverse); vor Müdigkeit ~ n'avoir plus de jambes
Umfang ['umfaŋ] m 1. (Flächeninhalt) circonférence f; 2. (fig: Ausmaß) étendue f
umfangreich ['umfaŋraɪŋ] adj très étendu
umfassen [um'fasən] v comprendre
Umfassung [um'fasuŋ] f 1. (Einzäunung) clôture f, enceinte f; 2. MIL encerclement m
Umfeld ['umfɛlt] n contexte m
Umfrage ['umfra:gə] f enquête f
Umgang ['umgaŋ] m 1. (sozialer ~) relations f/pl; 2. (Rundgang) tour m
umgänglich ['umgɛŋlɪŋ] adj sociable; Er ist ~. Il est facile à vivre.
Umgangsformen ['umgaŋsfɔrmən] pl savoir-vivre m, civilité f

Umgangssprache ['umgaŋsʃpra:xə] f langage familier m, langue de tous les jours f
umgeben [um'ge:bən] v entourer
Umgebung [um'ge:buŋ] f 1. (einer Stadt) alentours m/pl; 2. (Mensch) entourage m
umgehen ['umgə:ən] v 1. (behandeln) traiter, manier; 2. (vermeiden) éviter
umgehend ['umge:ənt] 1.adj immédiat; 2. adv par retour de courrier, sur le champ
Umgehungsstraße [um'ge:uŋsʃtra:sə] f rocade f
umgekehrt ['umgəke:rt] 1.adj inverse; 2. adv vice versa
umgraben ['umgra:bən] v bêcher
Umhang ['umhaŋ] m cape f
umhängen ['umhɛŋən] v sich etw ~ mettre qc sur ses épaules
umher [um'he:r] adv autour, ça et là
umherirren [um'he:rɪrən] v errer
umhören ['umhø:rən] v sich ~ se renseigner sur
Umhüllung [um'hyluŋ] f enveloppe f
Umkehr ['umke:r] f 1. retour m; 2. (Bekehrung) conversion f
umkehren ['umke:rən] v 1. tourner, faire demi-tour; 2. etw ~ inverser
umkippen ['umkɪpən] v 1. se renverser, basculer; 2. (Gewässer) renverser; 3. (fig: ohnmächtig werden) perdre connaissance
Umkleidekabine ['umklaɪdəkabi:nə] f 1. (Geschäft) cabine d'essayage f; 2. (Garderobe) vestiaire m
umknicken ['umknɪkən] v (Fuß) tordre
umkommen ['umkomən] v périr, mourir
Umkreis ['umkraɪs] m cercle m
umkreisen [um'kraɪzən] v encercler
umkrempeln ['umkrɛmpəln] v 1. (Ärmel) retrousser; 2. (fig: ändern) changer
umladen ['umla:dən] v transborder
Umlage ['umla:gə] f répartition des frais f
Umlauf ['umlauf] m in ~ (en) circulation f
umleiten ['umlaɪtən] v détourner, dévier
Umleitung ['umlaɪtuŋ] f déviation f
Umrahmung [um'ra:muŋ] f encadrement m
Umrandung [um'randuŋ] f bordure f
umrechnen ['umrɛçnən] v FIN convertir
Umrechnungskurs ['umrɛçnuŋskurs] m cours m, taux de change m
umreißen ['umraɪsən] v 1. (niederreißen) renverser; 2. (kurz schildern) esquisser

Umriß ['umrɪs] *m* contour *m*, silhouette *f*

umrühren ['umry:rən] *v* remuer

umrüsten ['umrystən] *v* 1. *(modernisieren)* moderniser; 2.*TECH* réadapter

Umsatz ['umzats] *m* chiffre d'affaires *m*

umschalten ['umʃaltən] *v* commuter

Umschlag ['umʃla:k] *m* 1. enveloppe *f*; 2. *MED* compresse *f*; 3. *(Umladung)* transbordement *m*; 4. *(fig: Wechsel)* changement *m*

umschlagen ['umʃla:gən] *v* 1. *(umblättern)* tourner; 2. *(umladen)* transborder; 3. *(fig: wechseln)* changer

umschreiben ['umʃraɪbən] *v* 1. *(ändern)* modifier un texte; 2. *(anders ausdrücken)* récrire, transcrire

umschulen ['umʃulən] *v* recycler

Umschulung ['umʃuluŋ] *f* recyclage *m*

Umschweife ['umʃvaɪfə] *pl ohne ~* sans détours *m/pl*, sans ambages *m/pl*

Umschwung ['umʃvuŋ] *m (fig)* revirement *m*

umsehen ['umze:ən] *v* 1. *sich ~* regarder autour de soi; 2. *(sich umdrehen)* se retourner; 3. *(suchen)* chercher

umsetzen ['umzɛtsən] *v* 1. *(verwandeln)* convertir en; 2. *(verkaufen)* vendre, réaliser

Umsicht ['umzɪçt] *f* circonspection *f*

umsichtig ['umzɪçtɪç] 1. *adj* prudent, circonspect; 2. *adv* avec précaution

umsiedeln ['umzi:dəln] *v* installer ailleurs

umsonst [um'zɔnst] *adv* 1. *(unentgeltlich)* gratuitement, à titre gracieux; 2. *(vergeblich)* en vain, inutilement, en pure perte; *sich ~ plagen* en être à ses frais

Umstände ['umʃtɛndə] *m/pl* 1. circonstances *f/pl*; *~ machen* faire des cérémonies; 2. *(Bedingungen)* conditions *f/pl*; 3. *in anderen ~n sein* être enceinte

umständlich ['umʃtɛndlɪç] *adj* 1. *(kompliziert)* compliqué; 2. trop minutieux

Umstandskleid ['umʃtantsklaɪt] *n* robe de grossesse *f*

umsteigen ['umʃtaɪgən] *v* changer de train

umstellen ['umʃtɛlən] *v* 1. *(Möbel)* changer de place; 2. *(umorganisieren)* réorganiser; 3. *(anpassen)* réadapter à

Umstellung ['umʃtɛluŋ] *f* 1. *(Umorganisierung)* réorganisation *f*; 2. *(Anpassung)* réadaptation *f*

umstimmen ['umʃtɪmən] *v (fig) jdn ~* faire changer qn d'avis

umstoßen ['umʃtosən] *v* renverser

umstritten ['umʃtrɪtən] *adj* contesté

Umsturz ['umʃturts] *m* 1. renversement *m*; 2. *(Revolution)* révolution *f*

Umtausch ['umtauʃ] *m* échange *m*, troc *m*, *beim ~ verlieren* perdre au change

umtauschen ['umtauʃən] *v* échanger

umwandeln ['umvandəln] *v* transformer

Umwandlung ['umvandluŋ] *f* 1. transformation *f*, changement *m*; 2.*FIN* conversion *f*

umwechseln ['umvɛkzəln] *v* changer

Umweg ['umve:k] *m* détour *m*

Umwelt ['umvɛlt] *f* 1. environnement *m*; 2. *(Menschen)* milieu *m*

umweltfreundlich ['umvɛltfrɔyndlɪç] *adj* écologique, favorable à l'environnement

Umweltschutz ['umvɛltʃuts] *m* protection de l'environnement *f*, écologie *f*

Umweltverträglichkeit ['umvɛltfɛrtrɛklɪçkaɪt] *f* compatibilité écologique *f*

umwerben ['umvɛrbən] *v* courtiser

umzäunen ['umtsɔynən] *v* clôturer

umziehen ['umtsi:ən] *v* 1. *(Wohnung wechseln)* déménager, changer d'adresse; 2. *(umkleiden)* se changer

Umzug ['umtsu:k] *m* 1. *(Wohnungswechsel)* déménagement *m*; 2. *(Festzug)* défilé *m*, cortège *m*; 3. *REL* procession *f*

unabänderlich ['unapɛndɛrlɪç] *adj* 1. invariable; 2. *(unwiderruflich)* irrévocable

unabdingbar ['unapdɪŋbar] *adj* indispensable, absolument nécessaire

unabhängig ['unaphɛŋɪç] *adj* indépendant de, autonome

Unabhängigkeit ['unaphɛŋɪçkaɪt] *f* indépendance *f*, autonomie *f*

unabkömmlich ['unapkœmlɪç] *adj* indisponible

unabsichtlich ['unapzɪçtlɪç] *adj* involontaire, non intentionnel/-lle

unabwendbar [unap'vɛntba:r] *adj* inévitable, inéluctable

unachtsam ['unaxtza:m] *adj* 1. inattentif; 2. *(unvorsichtig)* imprudent; 3. *(zerstreut)* distrait

Unachtsamkeit ['unaxtza:mkaɪt] *f* 1. inattention *f*; 2. *(Unvorsichtigkeit)* imprudence *f*; 3. *(Zerstreutheit)* distraction *f*

unangebracht ['unangəbraxt] *adj* déplacé, incongru

unangemeldet ['unangəmɛldət] 1. *adj* inattendu; 2. *adv* à l'improviste

unangenehm ['unangəne:m] *adj* désagréable; *Es wäre mir ~, wenn ich zu spät käme.* Cela m'ennuierait d'arriver en retard.

unannehmbar ['unanne:mba:r] *adj* inacceptable, intolérable

Unannehmlichkeit ['unanne:mlıŋkaıt] *f* désagrément *m*, ennui *m*; *jdm -en machen* faire des histoires à qn

unansehnlich ['unanze:nlıŋ] *adj* laid

unanständig ['unanʃtɛndıŋ] *adj* indécent

unappetitlich ['unapeti:tlıŋ] *adj* peu appétissant, dégoûtant

unartig ['una:rtıŋ] *adj* méchant, mal élevé

unauffällig ['unauffɛlıŋ] *adj* discret

unauffindbar ['unauffıntba:r] *adj* introuvable

unaufhaltsam ['unaufhaltza:m] *adj* irrésistible

unaufhörlich ['unaufhø:rlıŋ] *1. adj* continuel; *2. adv* sans cesse

unaufmerksam ['unaufmɛrkza:m] *adj* 1. inattentif; 2. *(zerstreut)* distrait

Unaufmerksamkeit ['unaufmɛrkza:mkaıt] *f* 1. manque d'attention *m*, inattention *f*; 2. *(Zerstreutheit)* distraction *f*

unaufrichtig ['unaufrıŋtıŋ] *adj* 1. insincère; 2. *(verstellt)* faux/-sse

unausstehlich ['unausʃte:lıŋ] *adj* insupportable, intolérable

unbarmherzig ['unbarmhɛrtsıŋ] *adj* 1. impitoyable; 2. *(grausam)* cruel; 3. *(hart)* dur; 4. *adv* sans pitié

Unbarmherzigkeit ['unbarmhɛrtsıŋkaıt] *f* 1. inflexibilité *f*; 2. *(Grausamkeit)* cruauté *f*

unbeabsichtigt ['unbəapzıŋtıŋt] *adj* non intentionnel, involontaire

unbedenklich ['unbədɛŋklıŋ] *adj* 1. sans danger; 2. *(ohne Nachteile)* qui n'a pas d'inconvénient; 3. *adv* sans hésiter

unbedeutend ['unbədɔytənt] *adj* insignifiant, négligeable

unbedingt ['unbədıŋt] *adj* absolu

unbefangen ['unbəfaŋən] *adj* 1. naturel, spontané, naïf/-ve; 2. *(unparteiisch)* impartial; 3. *adv* en toute impartialité

Unbefangenheit ['unbəfaŋənhaıt] *f* 1. impartialité *f*; 2. *(Natürlichkeit)* naturel *m*

unbefriedigend ['unbəfri:dıgənt] *adj* 1. insatisfaisant; 2. *(ungenügend)* insuffisant

unbefugt ['unbəfu:kt] *adj* non autorisé

Unbefugte ['unbəfu:ktə] *m* personnes non autorisées/étrangères au service *f/pl*

unbegabt ['unbəga:pt] *adj* peu doué

unbegreiflich ['unbəgraıflıŋ] *adj* incompréhensible, inconcevable

unbegrenzt ['unbəgrɛntst] *adj* illimité

unbegründet ['unbəgryndət] *adj* injustifié, non fondé

unbehaglich ['unbəha:klıŋ] *adj* 1. gêné; 2. *(unbequem)* incommode; 3. *adv* mal à l'aise

unbeherrscht ['unbəhɛrʃt] *adj* 1. qui ne sait pas se maîtriser; 2. *(unkontrolliert)* incontrôlé

unbeholfen ['unbəhɔlfən] *1. adj* maladroit, gauche; 2. *adv* avec gaucherie

unbekannt ['unbəkant] *adj* inconnu

unbekümmert ['unbəkymərt] *1. adj* insouciant; 2. *adv* avec insouciance

unbeliebt ['unbəli:pt] *adj* impopulaire

unbemerkt ['unbəmɛrkt] *adj* inaperçu

unbequem ['unbəkve:m] *adj* inconfortable, incommode

unberechenbar ['unbərɛɲənba:r] *adj* 1. incalculable; 2. *(unvorhersehbar)* imprévisible; 3. *(verwirrend)* déconcertant

unbeschränkt ['unbəʃrɛŋkt] *1. adj* illimité, absolu; 2. *adv* sans limites

unbeschreiblich ['unbəʃraıplıŋ] *adj* indescriptible, indicible

unbesetzt ['unbəzɛtst] *adj* inoccupé

unbesonnen ['unbəzo:nən] *1. adj* étourdi, irréfléchi; 2. *adv* à la légère, sans réfléchir

unbesorgt ['unbəzɔrgt] *adj* 1. insouciant; 2. *(ruhig)* tranquille; 3. *adv* sans souci

unbeständig ['unbəʃtɛndıŋ] *adj* 1. *(veränderlich)* changeant, inconstant

unbestechlich ['unbəʃtɛŋlıŋ] *adj* incorruptible

unbestimmt ['unbəʃtımt] *adj* indéfini

unbeteiligt ['unbətaılıŋt] *adj* 1. qui ne participe pas à; 2. *(gleichgültig)* indifférent

unbewacht ['unbəvaxt] *adj* non gardé

unbeweglich ['unbəve:klıŋ] *adj* 1. immobile; 2. *(fest)* fixe; 3. *(unbeugsam)* inflexible

unbewohnt ['unbəvo:nt] *adj* inhabité

unbewußt ['unbəvust] *adj* inconscient

unbrauchbar ['unbrauxba:r] *adj* 1. inutilisable, inutile; *etw als ~ wegwerfen* mettre qc au rebut; 2. *(ungeeignet)* inapte à

und [unt] *konj* et

undankbar ['undaŋkba:r] *adj* ingrat

undenkbar ['undɛŋkba:r] *adj* impensable

undeutlich ['undɔytlıŋ] *adj* indistinct

undicht ['undıŋt] *adj* perméable

Unding ['ʊndɪŋ] *n* absurdité *f*, non-sens *m*
undurchlässig ['ʊndʊrçlɛsɪŋ] *adj* imperméable
undurchsichtig ['ʊndʊrçzɪçtɪŋ] *adj* non transparent, opaque
Unebenheit ['uːneˑbənhaɪt] *f* inégalité *f*
unecht ['ʊnɛçt] *adj* faux/-sse, imité
unehelich ['uːneˑəlɪŋ] *adj* illégitime
unehrlich ['uːneˑrlɪŋ] *adj* malhonnête
uneigennützig ['ʊnaɪgənnytsɪŋ] 1. *adj* désintéressé; 2. *adv* avec désintéressement
uneinig ['ʊnaɪnɪŋ] *adj* désuni, divisé
Uneinigkeit ['ʊnaɪnɪŋkaɪt] *f* désunion *f*
unempfindlich ['ʊnɛmpfɪndlɪŋ] *adj* insensible
unendlich ['ʊnɛntlɪŋ] *adj* infini, sans fin
unentbehrlich ['ʊnɛntbeˑrlɪŋ] *adj* indispensable
unentgeltlich ['ʊnɛntgɛltlɪŋ] *adj* gratuit
unentschieden ['ʊnɛntʃiˑdən] *adj* 1. indécis; 2.*SPORT* (match) nul
unentschlossen ['ʊntɛntʃlɔsən] *adj* 1. indécis; 2. *(zögernd)* hésitant
unerbittlich ['ʊnɛrbɪtlɪŋ] *adj* inexorable
unerfahren ['ʊnɛrfaˑrən] *adj* 1. inexpérimenté; 2. *(neu)* novice
unerfreulich ['ʊnɛrfrɔylɪŋ] *adj* désagréable, pénible
unerhört ['ʊnɛrhøˑrt] *adj* (fig) inouï; *Das ist ja ~!* On n'a pas idée de cela!
unerklärlich ['ʊnɛrklɛrlɪŋ] *adj* inexplicable
unerlaubt ['ʊnɛrlaupt] *adj* illicite, défendu
unermeßlich ['ʊnɛrmɛslɪŋ] *adj* immense
unerschrocken ['ʊnɛrʃrɔkən] 1. *adj* intrépide; 2. *adv* avec intrépidité
unerschütterlich ['ʊnɛrʃytərlɪŋ] *adj* imperturbable, inébranlable
unerschwinglich ['ʊnɛrʃvɪŋlɪŋ] 1. *adj* exorbitant, hors de prix; 2. *adv* trop cher
unerträglich ['ʊnɛrtrɛːklɪŋ] *adj* insupportable, intolérable, intenable
unerwartet ['ʊnɛrvartət] *adj* 1. inattendu, imprévu; 2. *(plötzlich)* subit
unerwünscht ['ʊnɛrvynʃt] *adj* fâcheux
unfähig ['ʊnfɛːɪŋ] *adj* incapable de
Unfähigkeit ['ʊnfɛːɪŋkaɪt] *f* incapacité *f*
Unfall ['ʊnfal] *m* accident *m; einen ~ haben* avoir un accident
Unfallflucht ['ʊnfalfluxt] *f* délit de fuite *m*
unfaßbar ['ʊnfasbaːr] *adj* 1. insaisissable; 2. *(unverständlich)* incompréhensible

unfreiwillig ['ʊnfraɪvɪlɪŋ] *adj* involontaire
unfreundlich ['ʊnfrɔyndlɪŋ] *adj* 1. peu aimable; 2. *(Wetter)* maussade
unfruchtbar ['ʊnfruxtbaːr] *adj* stérile
Unfug ['ʊnfuːk] *m* bêtise *f*
Ungarn ['ʊŋgarn] *n* Hongrie *f*
ungeachtet ['ʊngaaxtət] *prep* malgré
ungebildet ['ʊngəbɪldət] *adj* inculte
ungedeckt ['ʊngədɛkt] *adj* 1. *(Scheck)* sans provision; 2. *MIL* découvert
Ungeduld ['ʊngədult] *f* impatience *f*
ungeduldig ['ʊngəduldɪŋ] *adj* impatient
ungeeignet ['ʊngəaɪgnət] *adj* impropre à
ungefähr ['ʊngəfɛːr] 1. *adj* approximatif; 2. *adv* à peu près
ungefährlich ['ʊngəfɛːrlɪŋ] *adj* inoffensif
Ungeheuer ['ʊngəhɔyər] *n* monstre *m*
Ungehorsam ['ʊngəhoˑrzaːm] *m* 1. désobéissance *f*, indiscipline *f*
ungelegen ['ʊngəleˑgən] 1.*adj* inopportun; ~ *kommen* venir comme un cheveu sur la soupe; 2. *adv* mal à propos
ungemütlich ['ʊngəmyˑtlɪŋ] *adj* peu confortable
ungenau ['ʊngənau] *adj* inexact
Ungenauigkeit ['ʊngənauɪŋkaɪt] *f* inexactitude *f*, imprécision *f*
ungenießbar ['ʊngəniˑsbaːr] *adj* 1. *(nicht eßbar)* immangeable; 2. *(nicht trinkbar)* imbuvable; 3. *(Pilze)* non comestible
ungenügend ['ʊngənyˑgənt] *adj* insuffisant
ungepflegt ['ʊngəpfleˑkt] *adj* négligé
ungerade ['ʊngəraˑdə] *adj* *(Zahl)* impair
ungerecht ['ʊngərɛçt] *adj* injuste
Ungerechtigkeit ['ʊngərɛçtɪŋkaɪt] *f* injustice *f*, iniquité *f*
ungern ['ʊngɛrn] *adv* à contre-cœur
ungeschickt ['ʊngəʃɪkt] 1. *adj* maladroit, malhabile, gauche; *sich ~ anstellen* ne pas savoir s'y prendre; 2. *adv* avec maladresse
ungesetzlich ['ʊngəzɛtslɪŋ] *adj* illégal
ungestört ['ʊngəʃtøˑrt] 1. *adj* paisible, tranquille; 2. *adv* sans être dérangé
ungestüm ['ʊngəʃtyˑm] *adj* impétueux
ungesund ['ʊngəzunt] *adj* 1. *(schädlich)* malsain; 2. *(nicht gesund)* maladif
Ungetüm ['ʊngətyˑm] *n* monstre *m*
ungewiß ['ʊngəvɪs] *adj* incertain, indécis; *im Ungewissen schweben* être comme l'oiseau sur la branche
Ungewißheit ['ʊngəvɪshaɪt] *f* 1. incertitude *f*; 2. *(Zweifel)* doute *m*

ungewöhnlich ['ungəvø:nlɪŋ] *adj 1.* inhabituel, insolite; *2. (seltsam)* étrange

Ungeziefer ['ungətsi:fər] *n* vermine *f*

ungezogen ['ungətso:gən] *1. adj* mal élevé, malappris; *2. adv* avec insolence

ungezwungen ['ungətsvuŋən] *1. adj (fig)* franc/-che; *2. adv (fig)* avec aisance

unglaublich ['unglauplɪŋ] *adj* incroyable

unglaubwürdig ['unglaupvyrdɪŋ] *adj 1.* sujet à caution; *2. (zweifelhaft)* douteux

Unglaubwürdigkeit ['unglaupvyrdɪŋkait] *f* incrédibilité *f*

ungleichmäßig ['unglaɪŋmɛ:sɪŋ] *adj* inégal, irrégulier

Unglück ['unglyk] *n 1. (Pech)* malheur *m*, malchance *f*; *Ein - kommt selten allein.* Un malheur n'arrive jamais seul. *2. (Mißgeschick)* infortune *f*; *3. (Unfall)* accident *m*

unglücklich ['unglyklɪŋ] *adj* malheureux, infortuné; *tod- sein* être malheureux comme les pierres

unglücklicherweise ['unglyklɪŋərvaɪzə] *adv* par malheur

Ungnade ['ungna:də] *f* disgrâce *f*

ungültig ['ungyltɪŋ] *adj 1.* non valable, nul; *2. (abgelaufen)* périmé

Ungültigkeit ['ungyltɪŋkait] *f* nullité *f*

ungünstig ['ungynstɪŋ] *adj* défavorable

unhandlich ['unhantlɪŋ] *adj 1.* peu maniable, encombrant; *2. (schwer)* lourd

Unheil ['unhail] *n* mal *m*, malheur *m*

unheilbar ['unhailba:r] *adj 1.* inguérissable, incurable; *2. (fig)* irrémédiable

unheilvoll ['unhailfɔl] *adj* sinistre, néfaste

unheimlich ['unhaɪmlɪŋ] *1.adj* étrange et inquiétant, angoissant; *2. adv (sehr)* très

unhöflich ['unhø:flɪŋ] *adj* impoli

Unhöflichkeit ['unhø:flɪŋkait] *f* impolitesse *f*, manque de courtoisie *m*

unhygienisch ['unhygje:nɪʃ] *adj* non hygiénique

Uniform [unɪ'fɔrm] *f* uniforme *m*

Universität [univɛrzi'tɛ:t] *f* université *f*

unkenntlich ['unkɛntlɪŋ] *adj* méconnaissable

Unkenntnis ['unkɛntnɪs] *f* ignorance *f*

unklar ['unkla:r] *adj 1. (trüb)* trouble; *2. (fig)* confus, embrouillé

Unklarheit ['unkla:rhait] *f* obscurité *f*

Unkosten ['unkɔstən] *pl* frais *m/pl*, dépenses *f/pl; Sie haben sich in - gestürzt.* Vous avez fait une folie. *sich in - stürzen* mettre les petits plats dans les grands

Unkostenbeitrag ['unkɔstənbaitra:k] *m* contribution aux frais *f*

Unkraut ['unkraut] *n* mauvaise herbe *f*

unkündbar ['unkyntba:r] *adj* perpétuel

unlängst ['unlɛŋst] *adv* dernièrement

unleserlich ['unle:zərlɪŋ] *adj* illisible

unlösbar ['unlø:sba:r] *adj* insoluble

unmäßig ['unmɛ:sɪŋ] *adj* immodéré

Unmensch ['unmɛnʃ] *m* monstre *m*

unmenschlich ['unmɛnʃlɪŋ] *adj 1.* inhumain, barbare; *2. (grausam)* cruel

unmerklich ['unmɛrklɪŋ] *adj* insensible

unmißverständlich ['unmisfɛrʃtɛndlɪŋ] *1. adj* clair; *2. adv* sans équivoque

unmittelbar ['unmɪtəlba:r] *adj* immédiat, direct

unmodern ['unmɔdərn] *adj* démodé

unmöglich ['unmø:klɪŋ] *adj* impossible

unmoralisch ['unmɔra:lɪʃ] *adj* immoral

unmündig ['unmyndɪŋ] *adj 1.* mineur

unnatürlich ['unnaty:rlɪŋ] *adj 1.* peu naturel, dénaturé; *2. (affektiert)* affecté

unnötig ['unnø:tɪŋ] *adj* inutile, superflu

unnütz ['unnyts] *adj* inutile, vain

unordentlich ['unɔrdəntlɪŋ] *adj* désordonné, débraillé

Unordnung ['unɔrdnuŋ] *f* désordre *m*

unparteiisch ['unpartaiɪʃ] *adj* impartial

unpassend ['unpasənt] *adj* inopportun

unpersönlich ['unpɛrzø:nlɪŋ] *adj 1.* impersonnel; *2. (unnahbar)* distant

unpünktlich ['unpyŋktlɪŋ] *1. adj* inexact, non ponctuel; *2. adv* ne pas …. à temps

unrecht ['unrɛçt] *adj 1.* impropre; *2. (ungelegen)* inopportun; *3. (ungerecht)* injuste

Unrecht ['unrɛçt] *n* injustice *f*, tort *m; im - sein* être en défaut

unrechtmäßig ['unrɛçtmɛ:sɪŋ] *adj* illégal, illégitime

unregelmäßig ['unre:gəlmɛ:sɪŋ] *adj* irrégulier, déréglé

unreif ['unraif] *adj 1.* pas mûr. immature; *2. (grün)* vert; *3. (zu jung)* trop jeune

Unreife ['unraifə] *f* immaturité *f*

Unreinheit ['unrainhait] *f* impureté *f*

Unruhe ['unru:ə] *f 1. (Störung)* agitation *f*, bruit *m; 2. (Besorgnis)* inquiétude *f*

Unruheherd ['unru:əhɛrt] *m* foyer de troubles *m*

unruhig ['unru:ɪŋ] *adj 1. (laut)* bruyant; *2. (bewegt)* agité; *3. (besorgt)* préoccupé

uns [uns] *pron* (à) nous

unschädlich ['unʃɛ:tlɪŋ] *adj* inoffensif

unscheinbar ['unʃaɪnbaːr] *adj* 1. discret, terne; 2. *(einfach)* simple
unschlüssig ['unʃlysɪç] *adj* irrésolu
Unschuld ['unʃult] *f* innocence *f*
unschuldig ['unʃuldɪç] *adj* innocent; *vollkommen* - *sein* être blanc comme neige
unselbständig ['unzɛlpʃtɛndɪç] *adj* dépendant
unser(e) ['unzər] *pron/sg* notre, le/la nôtre *m/f*
unsere ['unzərə] *pron/pl* nos, les nôtres
unsicher ['unzɪçər] *adj* 1. incertain; 2. *(zweifelhaft)* douteux; - *sein* branler dans le manche; - *werden* perdre les pédales
Unsicherheit ['unzɪçərhaɪt] *f* incertitude *f*
unsichtbar ['unzɪçtbaːr] *adj* invisible
Unsinn ['unzɪn] *m* non-sens *m*, absurdité *f*
unsinnig ['unzɪnɪç] *adj* insensé, absurde
Unsterblichkeit ['unʃtɛrplɪçkaɪt] *f* immortalité *f*
unstreitig ['unʃtraɪtɪç] *adj* incontestable
unsympathisch ['unzympaːtɪʃ] *adj* antipathique
Untat ['untaːt] *f* forfait *m*
untätig ['untɛːtɪç] *adj* 1. inactif; 2. *(passiv)* passif
untauglich ['untauklɪç] *adj* inapte à
unten ['untən] *adv* au-dessous, en bas
unter ['untər] *prep* 1. *(örtlich)* sous; 2. *(zwischen)* parmi
Unterarm ['untərarm] *m* avant-bras *m*
unterbrechen [untər'brɛçən] *v* 1. interrompre, arrêter; 2.TEL couper
Unterbrechung [untər'brɛçuŋ] *f* interruption *f*, cessation *f*
unterbringen ['untərbrɪŋən] *v* 1. *(schützen)* mettre à l'abri; 2. *(beherbergen)* loger
unterdrücken [untər'drykən] *v* 1. *etw* - réprimer, supprimer; 2. *jdn* - opprimer qn
Unterdrückung [untər'drykuŋ] *f* 1. répression *f*; 2. *(Menschen)* oppression *f*
untere(r,s) ['untərə] *adj* bas, du bas
untereinander [untəraɪn'andər] *adv* 1. entre eux; 2. *(gegenseitig)* réciproquement
unterentwickelt ['untərɛntvɪkəlt] *adj* sous-développé
unterernährt ['untərɛrnɛːrt] *adj* sous-alimenté
Unterführung [untər'fyːruŋ] *f* passage souterrain *m*, tunnel *m*
Untergang ['untərgaŋ] *m* 1. *(Zusammenbruch)* déclin *m*, décadence *f*; 2. *(Nieder-*

gang) ruine *f*, perte *f*; 3. *NAUT* naufrage *m*; 4. *(Sonne, Mond)* coucher *m*
Untergebene [untər'geːbənə] *m* subordonné *m*, subalterne *m*
untergehen ['untərgeːən] *v* 1. *(zusammenbrechen)* décliner; 2. *NAUT* sombrer; 3. *(Sonne, Mond)* se coucher
Untergeschoß ['untərgəʃos] *n* sous-sol *m*
Untergrund ['untərgrunt] *m* sous-sol *m*
Untergrundbahn ['untərgruntbaːn] *f* métro *m*
unterhalb ['untərhalp] *prep* au-dessous de
Unterhalt ['untərhalt] *m* 1. entretien *m*; 2. *(Scheidung)* pension alimentaire *f*
unterhalten ['untərhaltən] *v* 1. *(versorgen)* entretenir; 2. *sich* - *(vergnügen)* divertir, distraire; 3. *sich* - *(plaudern)* s'entretenir avec qn de qc
Unterhaltung [untər'haltuŋ] *f* 1. *(Vergnügen)* divertissement *m*, distraction *f*; 2. *(Plaudern)* conversation *f*, discussion *f*
Unterhemd ['untərhɛmt] *n* chemise *f*
Unterhose ['untərhoːzə] *f* caleçon *m*
unterkommen ['untərkɔmən] *v* 1. *(Unterkunft finden)* trouver un abri, se loger; 2. *(Stellung finden)* trouver une situation
Unterkunft ['untərkunft] *f* logis *m*
Unterlage ['untərlaːgə] *f* 1. base *f*; 2. *(Dokument)* document *m*; 3. couche *f*
unterlassen ['untərlasən] *v* omettre de
Unterleib ['untərlaɪp] *m* abdomen *m*
unterliegen ['untərliːgən] *v* 1. *(besiegt werden)* succomber; 2. *(betroffen sein)* être passible de
Untermieter ['untərmiːtər] *m* sous-locataire *m*
untermischen ['untərmɪʃən] *v* mêler à
Unternehmen [untər'neːmən] *n* entreprise *f*
unternehmen [untər'neːmən] *v* entreprendre, se charger de
Unternehmer [untər'neːmər] *m* entrepreneur *m*
unternehmungslustig [untərneːmuŋslustɪç] *adj* entreprenant
unterordnen ['untərɔrdnən] *v* subordonner à, soumettre à
Unterredung [untər'reːduŋ] *f* entretien *m*
Unterricht ['untərɪçt] *m* 1. *(Lehre)* enseignement *m*; 2. *(Kurs)* cours *m*
unterrichten ['untərɪçtən] *v* 1. *(lehren)* enseigner à, donner des cours à; 2. *(informieren)* informer, faire part de

Unterrichtsstunde ['unterɪntsʃtundə] f cours m, classe f, heure de cours f
Unterrock ['untərrɔk] m jupon m
untersagen [untər'za:gən] v interdire
unterschätzen [untər'ʃɛtsən] v sous-estimer, mésestimer
unterscheiden [untər'ʃaɪdən] v différencier, distinguer
Unterscheidungsmerkmal [untər'ʃaɪduŋsmɛrkma:l] n caractéristique f
Unterschied ['untərʃi:t] m différence f
unterschiedlich ['untərʃi:tlɪç] adj différent, divers
unterschlagen [untər'ʃla:gən] v soustraire
Unterschlagung [untər'ʃla:guŋ] f détournement m, malversation f
unterschreiben [untər'ʃraɪbən] v signer
Unterschrift ['untərʃrɪft] f signature f
Unterseite ['untərzaɪtə] f dessous m
unterste ['untərstə] adj le plus bas/ la plus basse
unterstreichen [untər'ʃtraɪçən] v 1. souligner; 2. (hervorheben) mettre en valeur
unterstützen [untər'ʃtytsən] v soutenir, appuyer, secourir, assister
Unterstützung [untər'ʃtytsuŋ] f appui m, soutien m, assistance f, aide f
untersuchen [untər'zu:xən] v 1. examiner; 2. (erforschen) faire des recherches
Untersuchung [untər'zu:xuŋ] f 1. examen m; 2. (Erforschung) recherche f
Untersuchungshaft [untər'zu:xuŋshaft] f détention préventive f
Untertasse ['untərtasə] f soucoupe f
untertauchen ['untərtauxən] v plonger
Unterteil ['untərtaɪl] n bas m, dessous m
unterteilen ['untərtaɪlən] v subdiviser
Untertitel ['untərtɪtəl] m sous-titre m
Unterwäsche ['untərvɛʃə] f sous-vêtement m
unterwegs [untər've:ks] adv en chemin
unterweisen [untər'vaɪzən] v instruire
Unterwelt ['untərvɛlt] f bas-fonds m/pl
unterwerfen [untər'vɛrfən] v soumettre
unterwürfig [untər'vyrfɪç] adj soumis
unterzeichnen [untər'tsaɪçnən] v signer
untragbar ['untra:kba:r] adj 1. importable; 2. (fig) insoutenable
untreu ['untrɔy] adj infidèle, perfide
Untreue ['untrɔyə] f infidélité f. perfidie f
untröstlich ['untrø:stlɪç] adj inconsolable

unüberlegt ['uny:bərle:kt] 1. adj irréfléchi, étourdi; 2. adv sans réfléchir
unübersichtlich ['uny:bərzɪçtlɪç] adj (ohne Sicht) peu clair, sans visibilité
ununterbrochen ['ununtərbrɔxən] 1. adj ininterrompu; 2. adv sans cesse
unveränderlich ['unfɛrɛndərlɪç] adj invariable, inaltérable
unverantwortlich ['unfɛrantvɔrtlɪç] 1. adj irresponsable; 2. adv à la légère
unverbesserlich ['unfɛrbɛsərlɪç] adj incorrigible, impénitent
unverbindlich ['unfɛrbɪntlɪç] 1.adj facultatif; 2.adv sans engagement
unvereinbar ['unfɛraɪnba:r] adj incompatible avec, inconciliable avec
Unvereinbarkeit ['unfɛraɪnba:rkaɪt] f incompatibilité f, désaccord m
unvergeßlich ['unfɛrgɛslɪç] adj inoubliable, ineffaçable
unverheiratet ['unfɛrhaɪra:tət] adj célibataire
unverkäuflich ['unfɛrkɔyflɪç] adj invendable
unvermeidlich ['unfɛrmaɪdlɪç] adj 1. inévitable; 2. (fatal) fatal
unvermittelt ['unfɛrmɪtəlt] adj immédiat
unvernünftig ['unfɛrnynftɪç] 1. adj déraisonnable; 2. adv avec déraison
unverschämt ['unfɛrʃɛ:mt] 1.adj impudent; ~ sein payer d'audace; 2. adv sans vergogne
Unverschämtheit ['unfɛrʃɛ:mthaɪt] f 1. impudence f, insolence f; 2. (fam) culot m
unversehrt ['unfɛrze:rt] adj indemne, intact
unverständlich ['unfɛrʃtɛntlɪç] adj 1. incompréhensible; 2. (dunkel) obscur
unverwüstlich ['unfɛrvy:stlɪç] adj inusable, inaltérable
unverzeihlich ['unfɛrtsaɪlɪç] adj impardonnable, inexcusable
unverzüglich ['unfɛrtsy:klɪç] 1. adj immédiat; 2. adv sur-le-champ, sans délai
unvollkommen ['unfɔlkɔmən] adj 1. imparfait; 2. (fehlerhaft) défectueux
unvollständig ['unfɔlʃtɛndɪç] adj incomplet, qui a des lacunes
unvorbereitet ['unfo:rbəraɪtət] 1. adj improvisé, non préparé; 2. adv sans être préparé
unvorhergesehen ['unfo:rhe:rgəze:ən] adj imprévu

unvorsichtig ['unfo:rzɪntɪŋ] *adj* imprudent, imprévoyant

unvorstellbar ['unfo:rʃtɛlba:r] *adj* inimaginable

unvorteilhaft ['unfo:rtaɪlhaft] *adj* désavantageux

unwahr ['unva:r] *adj* 1. mensonger; 2. *(falsch)* faux/fausse

Unwahrheit ['unva:rhaɪt] *f* mensonge *m*

unwahrscheinlich ['unva:rʃaɪnlɪŋ] *adj* invraisemblable, improbable

Unwetter ['unvɛtər] *n* 1. *(Sturm)* orage *m*; 2. *(Gewitter)* tempête *f*

unwichtig ['unvɪŋtɪŋ] *adj* 1. sans importance, insignifiant; 2. *(wertlos)* inutile

unwiderstehlich ['unvɪdərʃte:lɪŋ] *adj* irrésistible

unwillkürlich ['unvɪlky:rlɪŋ] *adj* involontaire

unwirksam ['unvɪrkza:m] *adj* inefficace

unwissend ['unvɪsənt] *adj* ignorant

Unwissenheit ['unvɪsənhaɪt] *f* ignorance *f*

unwohl ['unvo:l] *adv* souffrant, indisposé

unzerbrechlich ['untsɛrbrɛŋlɪŋ] *adj* incassable

unzertrennlich ['untsɛrtrɛnlɪŋ] *adj* inséparable, indissoluble

unzufrieden ['untsufri:dən] *adj* mécontent, insatisfait

Unzufriedenheit ['untsufri:dənhaɪt] *f* insatisfaction *f*, mécontentement *m*

unzugänglich ['untsugɛŋlɪŋ] *adj* 1. inaccessible; 2. *(fig: verschlossen)* inabordable

unzulänglich ['untsulɛŋlɪŋ] *adj* insuffisant

unzulässig ['untsulɛ:sɪŋ] *adj* 1. inadmissible; 2. *JUR* irrecevable

unzumutbar ['untsumu:tba:r] *adj* inadmissible, déraisonnable

Unzurechnungsfähigkeit ['untsureŋnuŋsfɛ:ɪŋkaɪt] *f* irresponsabilité *f*

unzuverlässig ['untsufɛrlɛsɪŋ] *adj* peu sûr, non fiable

unzweckmäßig ['untsvɛkmɛ:sɪŋ] *adj* impropre à, qui ne convient pas à

üppig ['ypɪŋ] *adj* luxuriant, abondant

Urahnen ['ura:nən] *pl* ancêtres *m/pl*

uralt ['u:ralt] *adj* très ancien, séculaire; – *sein* être vieux comme le monde

Uraufführung ['u:rauffy:ruŋ] *f* première *f*

Ureinwohner ['u:raɪnvo:nər] *pl* premiers habitants *m/pl*, autochtones *m/pl*

Urenkel ['u:reŋkəl] *m* arrière-petit-fils *m*, arrière-petite-fille *f*

Urgroßeltern ['u:rgro:sɛltərn] *pl* arrière-grands-parents *m/pl*, bisaïeux *m/pl*

Urheber ['u:rhe:bər] *m* auteur *m*

Urin [u'ri:n] *m* urine *f*

Urkunde ['u:rkundə] *f* document *m*

Urlaub ['u:rlaup] *m* 1. congé *m*; 2. *(Ferien)* vacances *f/pl*; 3. *MIL* permission *f*

Urlauber ['u:rlaubər] *m* vacancier *m*

Urne ['urnə] *f* urne *f*

Ursache ['u:rzaxə] *f* cause *f*, motif *m*, raison *f*; *Kleine –, große Wirkung.* Petites causes, grands effets. *Keine –!* De rien!

Ursprung ['u:rʃpruŋ] *m* 1. origine *f*; 2. *(Anfang)* principe *m*; 3. *(Quelle)* source *f*

ursprünglich ['urʃpryŋlɪŋ] *adj* originel

Urteil ['urtaɪl] *n* 1. opinion *f*, avis *m*; *Bilden Sie sich ein –!* Jugez-en par vous même! 2. jugement *m*

urteilen ['urtaɪlən] *v* juger de (qc)

Urwald ['u:rvalt] *m* forêt vierge *f*

Utensilien [utɛn'zi:ljən] *pl* ustensiles *m/pl*

utopisch [u'to:pɪʃ] *adj* utopique

V

Vagabund [vaga'bunt] *m* vagabond *m*

Vagina [va'giːna] *f* vagin *m*

Valuta [va'luːta] *f* monnaie étrangère *f*

Vanille [va'niːlə] *f* vanille *f*

Variété [varie'teː] *n* variétés *f/pl*

Vase ['vaːzə] *f* vase *m*

Vater ['faːtər] *m* père *m*

Vaterland ['faːtərlant] *n* patrie *f*

väterlich ['fɛːtərlɪŋ] *adj* paternel

Vaterschaft ['faːtərʃaft] *f* paternité *f*

vegetarisch [vege'taːrɪʃ] *adj* végétarien

Vegetation [vegetats'joːn] *f* végétation *f*

vehement [vehe'mɛnt] 1. *adj* véhément; 2. *adv* avec véhémence

Veilchen ['faɪlŋən] *n* violette *f*

Vene ['veːnə] *f* veine *f*

Ventil [vɛn'tiːl] *n* 1. TECH soupape *f*, clapet *m*, vanne *f*; 2. *(fig)* soupape *f*

Ventilator [vɛnti'laːtər] *m* ventilateur *m*

verabreden [fɛr'apreːdən] *v* 1. convenir de qc avec qn; 2. *sich ~* avoir rendez-vous avec; *sich mit jdm ~* donner rendez-vous à qn

Verabredung [fɛr'apreːduŋ] *f* *(Treffen)* rendez-vous *m*

verabscheuen [fɛr'apʃɔyən] *v* détester

verabschieden [fɛr'apʃiːdən] *v* 1. remercier, licencier; 2. *(Gesetz)* adopter une loi; 3. *sich ~* dire au revoir à

verachten [fɛr'axtən] *v* mépriser; *Das ist nicht zu ~.* Ce n'est pas à dédaigner.

verächtlich [fɛr'ɛŋtlɪŋ] 1. *adj* dédaigneux, méprisant; 2. *adv* avec mépris

verallgemeinern [fɛralgə'maɪnərn] *v* généraliser; *Man darf nicht ~.* Il ne faut pas généraliser.

veraltet [fɛr'altət] *adj* 1. vieilli, passé de mode; 2. *(ungültig)* périmé

verändern [fɛr'ɛndərn] *v* modifier, changer, transformer; *unverändert* tel quel

Veränderung [fɛr'ɛndəruŋ] *f* modification *f*, changement *m*, transformation *f*

verängstigt [fɛr'ɛŋstɪŋt] *adj* 1. apeuré; 2. *(erschreckt)* effrayé

Veranlagung [fɛr'anlaːguŋ] *f* 1. don pour *m*; 2. *(Fähigkeiten)* capacités *f/pl*

veranlassen ['fɛr'anlasən] *v* 1. amener à faire qc; 2. *(verurachen)* donner lieu à, causer

Veranlassung [fɛr'anlasuŋ] *f*, motif *m*

veranschaulichen [fɛr'anʃauliŋən] *v* représenter, illustrer

veranstalten [fɛr'anʃtaltən] *v* organiser, arranger

Veranstaltung [fɛr'anʃtaltuŋ] *f* 1. organisation *f*; 2. *(Fest)* fête *f*; 3. *(Protest~)* manifestation *f*

verantwortlich [fɛr'antvɔrtlɪŋ] *adj* responsable de; *jdn für etw ~ machen* s'en prendre à qn de qc

Verantwortung [fɛr'antvɔrtuŋ] *f* responsabilité *f*

verarbeiten [fɛr'arbaɪtən] *v* 1. *(bearbeiten)* traiter, façonner; 2. *(fig)* assimiler; 3. *(fam)* digérer; 4. *(Daten)* traiter des données

Verarbeitung [fɛr'arbaɪtuŋ] *f* 1. *(Bearbeitung)* traitement *m*, usinage *m*; 2. *(Daten)* traitement des données *m*

verärgern [fɛr'ɛrgərn] *v* énerver, irriter

Verarmung [fɛr'armuŋ] *f* appauvrissement *m*

Verätzung [fɛr'ɛtsuŋ] *f* brûlure par acide *f*

verausgaben [fɛr'ausgaːbən] *v* 1. *sich ~ (finanziell)* dépenser trop; 2. *sich ~ (körperlich)* se dépenser, s'épuiser; *Er hat sich nicht gerade verausgabt.* Il ne s'est pas fendu.

veräußern [fɛr'ɔysərn] *v* aliéner, vendre

Verb [vɛrp] *n* verbe *m*

Verband [fɛr'bant] *m* 1. *(Vereinigung)* association *f*; 2. MED pansement *m*

verbannen [fɛr'banən] *v* bannir

Verbannung [fɛr'banuŋ] *f* exil *m*

verbergen [fɛr'bɛrgən] *v* cacher

verbessern [fɛr'bɛsərn] *v* 1. améliorer; 2. *(korrigieren)* corriger, rectifier

Verbesserung [fɛr'bɛsəruŋ] *f* 1. amélioration *f*; 2. *(Korrektur)* correction *f*

Verbeugung [fɛr'bɔyguŋ] *f* révérence *f*

verbiegen [fɛr'biːgən] *v* tordre, plier

verbieten [fɛr'biːtən] *v* interdire à qn de faire qc, défendre à qn de faire qc

verbinden [fɛr'bɪndən] *v* 1. *(zusammenfügen)* joindre, relier; 2. TEL mettre en communication; 3. MED faire un pansement

Verbindung [fɛr'bɪnduŋ] *f* 1. *(Zusammenfügung)* liaison *f*; 2. *(Zug~)* correspondance *f*; 3. *(Beziehung)* relation *f*; 4. *CHEM* combinaison *f*; 5. *TEL* communication *f*

verbittert [fɛrˈbɪtərt] *adj* aigri, amer

Verbitterung [fɛrˈbɪtəruŋ] *f* amertume *f*

verblassen [fɛrˈblasən] *v* 1. pâlir; 2. *(Stoff)* se défraîchir; 3. *(Erinnerung)* s'effacer

Verbleib [fɛrˈblaɪp] *m* séjour *m*, endroit *m*; *Akten zum* ~ des dossiers à classer

verbleit [fɛrˈblaɪt] *adj (Benzin)* avec plomb

verblüffend [fɛrˈblyfənt] *adj* stupéfiant

Verblüffung [fɛrˈblyfuŋ] *f* stupéfaction *f*

verblühen [fɛrˈblyːən] *v* 1. (se) faner; 2. *(verwelken)* (se) flétrir

verbluten [fɛrˈbluːtən] *v* perdre tout son sang

verborgen [fɛrˈbɔrgən] *adj* caché

Verbot [fɛrˈboːt] *n* interdiction *f*, défense *f*; *das* ~ *aufheben* lever la consigne

verboten [fɛrˈboːtən] *adj* interdit, défendu

Verbrauch [fɛrˈbraux] *m* consommation *f*

verbrauchen [fɛrˈbrauxən] *v* consommer

Verbraucher [fɛrˈbrauxər] *m* consommateur *m*

Verbrechen [fɛrˈbrɛçən] *n* crime *m*

verbrechen [fɛrˈbrɛçən] *v etw* ~ commettre un délit

Verbrecher [fɛrˈbrɛçər] *m* criminel *m*

verbrecherisch [fɛrˈbrɛçərɪʃ] *adj* criminel

verbreiten [fɛrˈbraɪtən] *v* 1. répandre; *sich* ~ faire tache d'huile; 2. *(ausbreiten)* étendre

verbreitern [fɛrˈbraɪtərn] *v* élargir

Verbreitung [fɛrˈbraɪtuŋ] *f* 1. diffusion *f*; 2. *(Bekanntmachung)* divulgation *f*

verbrennen [fɛrˈbrɛnən] *v* brûler

Verbrennung [fɛrˈbrɛnuŋ] *f* 1. *(Müll-)* incinération des déchets *f*; 2. *(Einäscherung)* crémation *f*; 3. *MED* brûlure *f*; 4. *(Motor)* combustion *f*

verbringen [fɛrˈbrɪŋən] *v* passer

verbrühen [fɛrˈbryːən] *v sich* ~ s'ébouillanter

verbuchen [fɛrˈbuːxən] *v* comptabiliser

Verbund [fɛrˈbunt] *m TECH* jonction *f*

verbünden [fɛrˈbyndən] *v sich* ~ s'allier à/avec, se liguer à/avec

Verbundenheit [fɛrˈbundənhaɪt] *f* solidarité *f*, attachement *m*

Verbündete [fɛrˈbyndətə] *pl* alliés *m/pl*

verbürgen [fɛrˈbyrgən] *v sich* ~ garantir, se porter garant de qc pour qn

verbüßen [fɛrˈbyːsən] *v* subir une peine

Verdacht [fɛrˈdaxt] *m* soupçon *m*

verdächtig [fɛrˈdɛçtɪç] *adj* suspect

Verdächtige [fɛrˈdɛçtɪgə] *m* suspect *m*

verdächtigen [fɛrˈdɛçtɪgən] *v* soupçonner, suspecter

verdammen [fɛrˈdamən] *v* damner

verdampfen [fɛrˈdampfən] *v* s'évaporer

verdanken [fɛrˈdaŋkən] *v* devoir à

verdauen [fɛrˈdauən] *v* digérer

verdaulich [fɛrˈdaulɪç] *adj* digestible

Verdauung [fɛrˈdauuŋ] *f* digestion *f*

Verdauungsschnaps [fɛrˈdauuŋsʃnaps] *m* digestif *m*

Verdeck [fɛrˈdɛk] *n (Auto)* capote *f*

verdecken [fɛrˈdɛkən] *v* 1. *(zudecken)* couvrir; 2. *(einhüllen)* envelopper

verderben [fɛrˈdɛrbən] *v* 1. *(schlecht werden)* pourrir, se gâter; 2. *(fig: schlecht beeinflussen)* corrompre

Verderben [fɛrˈdɛrbən] *n* 1. *(Untergang)* perte *f*; 2. corruption *f*

verderblich [fɛrˈdɛrplɪç] *adj* 1. *(Lebensmittel)* périssable; 2. *(fig)* malfaisant

verdeutlichen [fɛrˈdɔytlɪçən] *v* préciser

verdienen [fɛrˈdiːnən] *v* 1. *(Geld)* gagner; *viel Geld* ~ gagner gros; 2. *(Lob)* mériter

Verdienst [fɛrˈdiːnst] 1. *m* gain *m*, rétribution *f*; 2. *n* mérite *m*; *Das ist alles sein* ~. Tout le mérite lui en revient.

verdoppeln [fɛrˈdɔpəln] *v* doubler

verdorben [fɛrˈdɔrbən] *adj* 1. *(ungenießbar)* pourri; 2. *(fig)* corrompu

verdrängen [fɛrˈdrɛŋən] *v* 1. déplacer; 2. *(verjagen)* chasser; 3. *(Gefühl)* refouler; 4. *(fig)* évincer

Verdrängung [fɛrˈdrɛŋuŋ] *f* 1. déplacement *m*; 2. *(Gefühl)* refoulement *m*; 3. *(Wohnung)* expulsion *f*; 4. *(fig)* éviction *f*

verdrehen [fɛrˈdreːən] *v* tordre

verdreifachen [fɛrˈdraɪfaxən] *v* tripler

verdrießlich [fɛrˈdriːslɪç] *adj* 1. de mauvaise humeur, renfrogné; 2. *(ärgerlich)* ennuyeux

Verdrossenheit [fɛrˈdrɔsənhaɪt] *f* 1. mauvaise humeur *f*; 2. *(Überdruß)* lassitude *f*

Verdruß [fɛrˈdrus] *m* ennui *m*, contrariété *f*

verdunkeln [fɛrˈduŋkəln] *v* 1. *(abdunkeln)* obscurcir; 2. *(fig: verschleiern)* camoufler

verdünnen [fɛrˈdynən] *v* 1. diluer, délayer; 2. *(Wein)* couper

verdunsten [fɛrˈdunstən] *v* s'évaporer

verdursten [fɛr'durstən] v mourir de soif

verdutzt [fɛr'dutst] adj déconcerté, décontenancé; ~ schauen rester bouche bée

Verehrer [fɛr'e:rər] m admirateur m

Verehrung [fɛr'e:ruŋ] f 1. vénération f, adoration f; 2. (Respekt) respect m

vereidigen [fɛr'aɪdɪgən] v assermenter qn

Verein [fɛr'aɪn] m association f, société f

vereinbaren [fɛr'aɪnbarən] v convenir de; wie vereinbart comme convenu

Vereinbarung [fɛr'aɪnba:ruŋ] f convention f, accord m

vereinen [fɛr'aɪnən] v unifier, réunir

vereinfachen [fɛr'aɪnfaxən] v simplifier

vereinigen [fɛr'aɪnɪgən] v 1. unifier, réunir, joindre; 2. (Fluß) confluer

Vereinigte Staaten [fɛr'aɪnɪɡtə 'ʃta:tən] pl Etats-Unis m/pl

Vereinigung [fɛr'aɪnɪgun] f 1. union f, réunion f; 2. POL unification f

Vereinte Nationen [fɛr'aɪntə nats'jo:nən] pl Nations unies (ONU) f/pl

vereinzelt [fɛr'aɪntsəlt] adj 1. isolé, séparé; 2. ECO dépareillé; 3. adv un par un

vereiteln [fɛr'aɪtəln] v empêcher

vereitert [fɛr'aɪtərt] adj 1. qui suppure; 2. (entzündet) infecté

verengen [fɛr'ɛŋən] v rétrécir, resserrer

Verengung [fɛr'ɛŋuŋ] f rétrécissement m

vererben [fɛr'ɛrbən] v 1. (Güter) léguer qc à qn, transmettre par héritage; 2. BIO se transmettre

Vererbung [fɛr'ɛrbuŋ] f 1. (Güter) transmission f par succession f; 2. BIO hérédité f

Verfahren [fɛr'fa:rən] n 1. (Methode) méthode f; 2. (Vorgehen) procédure f

verfahren [fɛr'fa:rən] v 1. (vorgehen) procéder; 2. sich ~ se tromper de chemin

Verfall [fɛr'fal] m 1. (Gebäude) dégradation f, écroulement m, ruine f; 2. (Untergang) chute f; 3. (Fristablauf) terme m

verfallen [fɛr'falən] v 1. (Gebäude) tomber en ruine; 2. (ungültig werden) être périmé; 3. (hörig werden) tomber dans

Verfallsdatum [fɛr'falsda:tum] n 1. date de péremption f; 2. ECO date d'échéance f

verfälschen [fɛr'fɛlʃən] v falsifier

Verfälschung [fɛr'fɛlʃuŋ] f falsification f

verfassen [fɛr'fasən] v composer, rédiger

Verfasser [fɛr'fasər] m auteur m

Verfassung [fɛr'fasuŋ] f 1. (Zustand) situation f, disposition f; 2. (Grundgesetz) POL constitution f; 3. (Text) composition f

verfassungswidrig [fɛr'fasuŋsvɪdrɪŋ] adj anticonstitutionnel

verfaulen [fɛr'faulən] v pourrir

verfehlen [fɛr'fe:lən] v (fam) manquer

Verfehlung [fɛr'fe:luŋ] f 1. manquement m, faute (morale) f; 2. JUR infraction f

verfeindet [fɛr'faɪndət] adj hostile

verfeinern [fɛr'faɪnərn] v affiner, raffiner

verfilmen [fɛr'fɪlmən] v filmer

Verfilmung [fɛr'fɪlmuŋ] f adaptation cinématographique f

Verflechtung [fɛr'flɛçtuŋ] f entrelacement m

verfliegen [fɛr'fli:gən] v 1. (Zeit) passer vite, s'enfuir; 2. (Duft) s'évaporer

verfluchen [fɛr'flu:xən] v maudire

verfolgen [fɛr'fɔlgən] v suivre, poursuivre

Verfolgung [fɛr'fo:lguŋ] f poursuite f

verformen [fɛr'fɔrmən] v déformer

verfrachten [fɛr'fraxtən] v affréter

verfrüht [fɛr'fry:t] adj prématuré

verfügbar [fɛr'fy:kba:r] adj disponible

verfügen [fɛr'fy:gən] v 1. (anordnen) décréter, ordonner; 2. ~ über disposer de

Verfügung [fɛr'fy:guŋ] f (Anordnung) décret m

verführen [fɛr'fy:rən] v 1. séduire; 2. (zu etw verleiten) pervertir

Verführung [fɛr'fy:ruŋ] f séduction f

Vergabe [fɛr'ga:bə] f attribution f

vergangene(r,s) [fɛr'gaŋənə] adj passé

Vergangenheit [fɛr'gaŋənhaɪt] f passé m; einen Strich unter die ~ ziehen tourner la page

vergänglich [fɛr'gɛŋlɪŋ] adj passager, éphémère; Alles ist ~. Le temps efface tout.

Vergänglichkeit [fɛr'gɛŋlɪŋkaɪt] f fragilité f, précarité f

Vergaser [fɛr'ga:zər] m carburateur m

vergeben [fɛr'ge:bən] v 1. (verzeihen) pardonner à; 2. (Auftrag) donner, passer

vergeblich [fɛr'ge:blɪŋ] 1. adj vain, inutile; 2. adv en vain

Vergebung [fɛr'ge:buŋ] f pardon m

vergegenwärtigen [fɛr'ge:gənvɛrtɪgən] v sich etw ~ rappeler, se rappeler qc

Vergehen [fɛr'ge:ən] n délit m

vergehen [fɛr'ge:ən] v 1. (Zeit) passer, s'écouler; 2. (Schmerz) passer, s'en aller, partir; 3. sich ~ an faillir à qc, violer

vergelten [fɛr'gɛltən] v récompenser

vergessen [fɛr'gɛsən] v oublier, omettre

Vergessenheit [fɛr'ge:sənhaɪt] f oubli m

vergeßlich [fɛr'gɛslɪŋ] *adj* 1. oublieux; 2. *(zerstreut)* distrait

Vergeßlichkeit [fɛr'gɛslɪŋkaɪt] *f* 1. oubli *m*; 2. *(Zerstreutheit)* distraction *f*

vergeuden [fɛr'gɔydən] *v* gaspiller

Vergeudung [fɛr'gɔyduŋ] *f* gaspillage *m*

vergewaltigen [fɛrgə'valtɪgən] *v* violer

Vergewaltigung [fɛrgə'valtɪguŋ] *f* viol *m*

vergewissern [fɛrgə'vɪsɜrn] *v* sich ~ s'assurer (de), vérifier

vergießen [fɛr'giːsən] *v* répandre, verser

vergiften [fɛr'gɪftən] *v* empoisonner

Vergiftung [fɛr'gɪftuŋ] *f* empoisonnement *m*, intoxication *f*

Vergißmeinnicht [fɛrgɪsmaɪnnɪçt] *n* myosotis *m*

Vergleich [fɛr'glaɪ̯] *m* 1. comparaison *f*; 2. *JUR* compromis *m*

vergleichbar [fɛr'glaɪ̯baːr] *adj* comparable

vergleichen [fɛr'glaɪ̯ən] *v* comparer

vergleichsweise [fɛr'glaɪ̯svaɪ̯zə] *adv* comparativement, à titre de comparaison

Vergnügen [fɛr'gnyːgən] *n* plaisir *m*, amusement *m*; Das ist alles andere als ein ~. Ce n'est pas une partie de plaisir.

vergnügen [fɛr'gnyːgən] *v* sich ~ s'amuser

vergnügt [fɛr'gnyːkt] *adj* gai, joyeux

vergöttern [fɛr'gœtɜrn] *v* adorer, idolâtrer

vergraben [fɛr'graːbən] *v* enterrer

vergriffen [fɛr'grɪfən] *adj (Buch)* épuisé

vergrößern [fɛr'grøːsɜrn] *v* agrandir

Vergrößerung [fɛr'grøːsəruŋ] *f* agrandissement *m*, accroissement *m*

Vergünstigung [fɛr'gynstɪguŋ] *f* faveur *f*

vergüten [fɛr'gyːtən] *v* rémunérer

verhaften [fɛr'haftən] *v* arrêter

Verhaftung [fɛr'haftuŋ] *f* arrestation *f*

Verhalten [fɛr'haltən] *n* comportement *m*

verhalten [fɛr'haltən] 1. *v* sich ~ se comporter, se conduire; *adj* 2. *(ruhig)* tranquille; 3. réservé

Verhältnis [fɛr'hɛltnɪs] *n* 1. relation *f*; 2. *(Umstand)* circonstance *f*, conditions *f/pl*; in bescheidenen ~sen leben traîner la savate

verhältnismäßig [fɛr'hɛltnɪsmɛːsɪ̯ŋ] *adv* proportionnellement à, par rapport à

verhandeln [fɛr'handəln] *v* négocier

Verhandlung [fɛr'handluŋ] *f* 1. négociation *f*, discussion *f*; 2. *JUR* débats *m/pl*; 3. *POL* pourparlers *m/pl*

verhängen [fɛr'hɛŋgən] *v* 1. *(verhüllen)* couvrir; 2. *(fig: Strafe)* ordonner

Verhängnis [fɛr'hɛŋnɪs] *n* fatalité *f*

verhängnisvoll [fɛr'hɛŋnɪsvɔl] *adj* fatal

verharren [fɛr'harən] *v* persister dans

verhärten [fɛr'hɛrtən] *v* durcir, tremper

verhaspeln [fɛr'haspəln] *v (fam)* sich ~ s'embrouiller (dans qc)

verhaßt [fɛr'hast] *adj* détesté, haï

verheerend [fɛr'heːrənt] *adj* dévastateur

Verheerung [fɛr'heːruŋ] *f* ravage *m*

verheilen [fɛr'haɪ̯lən] *v* guérir, se cicatriser

verheimlichen [fɛr'haɪ̯mlɪçən] *v* dissimuler, tenir secret

Verheimlichung [fɛr'haɪ̯mlɪçuŋ] *f* dissimulation *f*

verheiratet [fɛr'haɪ̯ratət] *adj* marié

verheißen [fɛr'haɪ̯sən] *v* promettre

verherrlichen [fɛr'hɛrlɪçən] *v* magnifier

Verherrlichung [fɛr'hɛrlɪçuŋ] *f* glorification *f*

verhindern [fɛr'hɪndɜrn] *v* empêcher de

Verhinderung [fɛr'hɪndəruŋ] *f* empêchement *m*, contretemps *m*

verhöhnen [fɛr'høːnən] *v* railler, bafouer

Verhör [fɛr'høːr] *n* 1. *JUR* interrogatoire *m*; 2. *(Zeugen)* audition *f*

verhören [fɛr'høːrən] *v* 1. *JUR* interroger; 2. sich ~ entendre de travers

verhüllen [fɛr'hylən] *v* voiler

verhungern [fɛr'huŋɜrn] *v* mourir de faim

verhüten [fɛr'hyːtən] *v* 1. empêcher; 2. *(Unglück)* prévenir

Verhütung [fɛr'hyːtuŋ] *f* 1. prévention *f*, empêchement *m*; 2. *MED* contraception *f*

Verhütungsmittel [fɛr'hyːtuŋsmɪtəl] *n* 1. contraceptif *m*; 2. *(Präservativ)* préservatif *m*

verirren [fɛr'ɪrən] *v* sich ~ s'égarer

Verirrung [fɛr'ɪruŋ] *f* égarement *m*

verjagen [fɛr'jaːgən] *v* chasser, expulser

Verjährung [fɛr'jɛːruŋ] *f* prescription *f*

verkabeln [fɛr'kaːbəln] *v* câbler

verkalken [fɛr'kalkən] *v* 1. *TECH* être calcifié; 2. *MED* se scléroser

Verkalkung [fɛr'kalkuŋ] *f* 1. *TECH* calcification *f*; 2. *MED* sclérose *f*

Verkauf [fɛr'kauf] *m* vente *f*

verkaufen [fɛr'kaufən] *v* vendre

Verkäufer [fɛr'kɔyfɜr] *m* vendeur *m*

verkäuflich [fɛr'kɔyflɪç] *adj* vendable

Verkehr [fɛr'keːr] *m* 1. circulation *f*, trafic *m*; 2. *(Beziehungen)* relations *f/pl*

Verkehrsampel [fɛr'ke:rsampəl] f feux m/pl

Verkehrsbüro [fɛr'ke:rsbyro:] n syndicat d'initiative m, office de tourisme m

Verkehrspolizei [fɛr'ke:rspolitsaɪ] f police de la route f

Verkehrsregel [fɛr'ke:rsre:gəl] f code de la route m

Verkehrsunfall [fɛr'ke:rsunfal] m accident de la route/de la circulation m

Verkehrszeichen [fɛr'ke:rstsaɪҫən] n panneau de signalisation m

verkehrt [fɛr'ke:rt] adj 1. (~ herum) inversé, inverse; 2. (falsch) faux/fausse; etw ~ auffassen prendre qc à contre-sens; alles ~ machen faire tout à rebours

verkennen [fɛr'kɛnən] v méconnaître

Verkettung [fɛr'kɛtuŋ] f enchaînement m

verklagen [fɛr'kla:gən] v porter plainte

verklappen [fɛr'klapən] v affubler

verkleben [fɛr'kle:bən] v coller, calfeutrer

verkleiden [fɛr'klaɪdən] v 1. (maskieren) déguiser, travestir; 2. (überziehen) revêtir

Verkleidung [fɛr'klaɪduŋ] f 1. (Maskierung) déguisement m, travestissement m; 2. (Überzug) revêtement m

verkleinern [fɛr'klaɪnərn] v réduire, rabaisser, amoindrir, diminuer

Verkleinerung [fɛr'klaɪnəruŋ] f réduction f, diminution f

verklemmt [fɛr'klɛmt] adj 1. coincé; 2. (fig) bloqué

verknacksen [fɛr'knaksən] v (Fuß) se fouler le pied

Verknappung [fɛr'knapuŋ] f pénurie f

verkneifen [fɛr'knaɪfən] v 1. sich etw ~ renoncer à qc; 2. (fam) faire ceinture

verknittern [fɛr'knɪtərn] v froisser

verknoten [fɛr'kno:tən] v nouer

verknüpfen [fɛr'knypfən] v 1. (verknoten) nouer; 2. (fig) associer à

verkommen [fɛr'kɔmən] v dépérir

verkorksen [fɛr'kɔrksən] v (fam) gâter, gâcher; einen verkorksten Magen haben avoir l'estomac barbouillé

verkörpern [fɛr'kœrpərn] v personnifier

Verkörperung [fɛr'kœrpəruŋ] f personnification f, incarnation f

verköstigen [fɛr'kœstɪgən] v nourrir

verkraften [fɛr'kraftən] v 1. (überwinden) surmonter; 2. (ertragen) endurer

verkrampfen [fɛr'krampfən] v sich ~ se crisper

verkriechen [fɛr'kri:ҫən] v sich ~ se cacher, se terrer

verkrüppelt [fɛr'krypəlt] adj estropié

Verkrüppelung [fɛr'krypəluŋ] f MED atrophie f

verkühlen [fɛr'ky:lən] v sich ~ prendre froid, s'enrhumer

verkümmern [fɛr'kymərn] v 1. dépérir, languir; 2. MED s'atrophier

verkünden [fɛr'kyndən] v 1. annoncer, publier; 2. (Urteil) prononcer

Verkündigung [fɛr'kyndɪguŋ] f 1. annonce f, proclamation f; 2. REL Annonciation f

verkürzen [fɛr'kyrtsən] v raccourcir

Verkürzung [fɛr'kyrtsuŋ] f raccourcissement m, abréviation f

verladen [fɛr'la:dən] v charger, embarquer

Verlag [fɛr'la:k] m maison d'édition f

verlagern [fɛr'la:gərn] v déplacer

Verlagswesen [fɛr'la:ksve:zən] n édition f

Verlangen [fɛr'laŋən] n demande f

verlangen [fɛr'laŋən] v exiger, demander; zuviel von jdm ~ demander trop à qn; Mehr verlange ich (gar) nicht. Je n'en demande pas plus. Sie werden verlangt. On vous demande.

verlängern [fɛr'lɛŋərn] v 1. rallonger, allonger; 2. (zeitlich) prolonger; 3. (verdünnen) étirer; 4. (Frist) proroger

Verlängerung [fɛr'lɛŋəruŋ] f 1. rallongement m, allongement m; 2. (zeitlich) prolongation f, prorogation f

Verlängerungskabel [fɛr'lɛŋəruŋska:bəl] n rallonge f

verlangsamen [fɛr'laŋzamən] v ralentir

verlassen [fɛr'lasən] 1. v quitter, abandonner, délaisser; 2. adj abandonné, seul

verläßlich [fɛr'lɛslɪҫ] adj sûr

Verläßlichkeit [fɛr'lɛslɪҫkaɪt] f sûreté f

Verlauf [fɛr'lauf] m 1. (Ablauf) déroulement m; 2. (Entwicklung) évolution f

verlaufen [fɛr'laufən] v 1. (ablaufen) se dérouler; 2. (sich entwickeln) se développer, évoluer; 3. sich ~ se perdre, s'égarer

Verlautbarung [fɛr'lautba:ruŋ] f divulgation f, communication f

verleben [fɛr'le:bən] v passer, vivre

verlegen [fɛr'le:gən] v 1. (Kabel) installer; 2. (Wohnsitz) déplacer, changer; 3. (Termin) reporter à; 4. (verlieren) égarer; 5. (Buch) éditer; 6. adj gêné, confus

Verlegenheit [fɛr'le:gənhaɪt] f embarras m, gêne f, confusion f; in große ~ bringen mettre au supplice

Verleger [fɛr'le:gər] m éditeur m

Verlegung [fɛr'le:guŋ] f 1. (Kabel) installation f, pose f; 2. (Wohnsitz) transfert m; 3. (Termin) report (à) m; 4. (Verlieren) perte f; 5. (Buch) édition f

Verleih [fɛr'laɪ] m location f

verleihen [fɛr'laɪən] v 1. (borgen) prêter; 2. (vermieten) louer; 3. (Preis) décerner

Verleihung [fɛr'laɪuŋ] f (Preis~) attribution f, remise d'un prix f

verleiten [fɛr'laɪtən] v entraîner à

verletzbar [fɛr'lɛtsba:r] adj vulnérable

verletzen [fɛr'lɛtsən] v 1. blesser; 2. (fig: übertreten) violer

Verletzung [fɛr'lɛtsuŋ] f 1. blessure f; 2. (fig: Übertretung) atteinte (à) f

verleugnen [fɛr'lɔyknən] v renier

verleumden [fɛr'lɔymdən] v calomnier

verlieben [fɛr'li:bən] v sich ~ tomber amoureux de, s'éprendre de

verliebt [fɛr'li:pt] adj amoureux, épris

verlieren [fɛr'li:rən] v perdre, égarer; das Gesicht ~ perdre la face; Noch ist nicht alles verloren. Il n'y a rien à perdre. den Boden unter den Füßen ~ perdre pied

verloben [fɛr'lo:bən] v sich ~ se fiancer

Verlobung [fɛr'lo:buŋ] f fiançailles f/pl

verlocken [fɛr'lɔkən] v attirer, séduire

Verlockung [fɛr'lɔkuŋ] f tentation f

Verlogenheit [fɛr'lo:gənhaɪt] f fausseté f

verlosen [fɛr'lo:zən] v mettre en loterie

Verlosung [fɛr'lo:zuŋ] f loterie f

Verlust [fɛr'lust] m perte f

vermachen [fɛr'maxən] v léguer qc à qn

Vermächtnis [fɛr'mɛçtnis] n legs m

Vermählung [fɛr'mɛ:luŋ] f mariage m

vermarkten [fɛr'marktən] v commercialiser

vermehren [fɛr'me:rən] v 1. augmenter; 2. (fortpflanzen) (se) propager

Vermehrung [fɛr'me:ruŋ] f 1. augmentation f; 2. (Fortpflanzung) propagation f

vermeidbar [fɛr'maɪtba:r] adj évitable

vermeiden [fɛr'maɪdən] v éviter (de)

vermeintlich [fɛr'maɪntlɪç] adj prétendu

vermengen [fɛr'mɛŋən] v (se) mêler

Vermerk [fɛr'mɛrk] m remarque f, note f

vermerken [fɛr'mɛrkən] v marquer

vermessen [fɛr'mɛsən] 1. adj téméraire, ~ audacieux; 2. v mesurer, arpenter

Vermessung [fɛr'mɛsuŋ] f mesurage m

vermieten [fɛr'mi:tən] v louer

Vermieter [fɛr'mi:tər] m loueur m

Vermietung [fɛr'mi:tuŋ] f location f

vermindern [fɛr'mɪndərn] v diminuer

Verminderung [fɛr'mɪndəruŋ] f diminution f, réduction f

vermischen [fɛr'mɪʃən] v 1. mélanger; 2. (Rasse) croiser

vermissen [fɛr'mɪsən] v 1. jdn ~ regretter l'absence de qn; 2. (nicht finden) ne pas retrouver qc

Vermißtenanzeige [fɛr'mɪstənantsaɪgə] f avis de disparition m

vermitteln [fɛr'mɪtəln] v 1. servir d'intermédiaire à; 2. (eingreifen) intervenir dans

Vermittler [fɛr'mɪtlər] m intermédiaire m

Vermittlung [fɛr'mɪtluŋ] f 1. (Vermitteln) médiation f; 2. (Telefon~) central téléphonique m; 3. (Stellen~) placement (de main-d'œuvre) m

vermodern [fɛr'mo:dərn] v pourrir

Vermögen [fɛr'mø:gən] n 1. (Können) capacité f, faculté f; 2. (Besitz) biens m/pl, fortune f; ein ~ kosten coûter les yeux de la tête

vermögen [fɛr'mø:gən] v pouvoir faire qc

vermummen [fɛr'mumən] v sich ~ s'emmitoufler

vermuten [fɛr'mu:tən] v supposer

vermutlich [fɛr'mu:tlɪç] adj probable

Vermutung [fɛr'mu:tuŋ] f supposition f

vernachlässigen [fɛr'naxlɛsɪgən] v négliger, abandonner

Vernachlässigung [fɛr'naxlɛsɪguŋ] f négligence f, abandon m

vernarben [fɛr'narbən] v cicatriser

vernehmbar [fɛr'ne:mba:r] adj perceptible

vernehmen [fɛr'ne:mən] v 1. (hören) entendre dire; 2. (verhören) interroger

Vernehmung [fɛr'ne:muŋ] f 1. (Angeklagter) interrogatoire m; 2. (Zeugen) audition f

verneigen [fɛr'naɪgən] v sich ~ s'incliner

Verneigung [fɛr'naɪguŋ] f 1. révérence f; 2. (Verbeugung) inclinaison f

Verneinung [fɛr'naɪnuŋ] f 1. (Nein sagen) négation f; 2. (Ablehnung) refus m

vernichten [fɛr'nɪçtən] v détruire, anéantir, annihiler; etw völlig ~ réduire qc à néant

Vernichtung [fɛr'nɪçtuŋ] f anéantissement m, destruction f

Vernunft [fɛr'nunft] f raison f, jugement m; jdn zur ~ bringen mettre à la raison qn/ faire entendre raison à qn; gegen jede ~ contraire à la raison

vernünftig [fɛr'nynftıŋ] adj 1. raisonnable, judicieux, sage; 2. (überlegt) réfléchi

veröden [fɛr'ø:dən] v 1. (Landschaft) changer en désert; 2. (entvölkern) (se) dépeupler

veröffentlichen [fɛr'œfəntlıŋən] v publier

Veröffentlichung [fɛr'œfəntlıŋuŋ] f parution f, publication f

verordnen [fɛr'ɔrdnən] v 1. (bestimmen) décréter, ordonner; 2. MED prescrire

Verordnung [fɛr'ɔrdnuŋ] f décret m, ordonnance f

verpachten [fɛr'paxtən] v donner à bail

verpacken [fɛr'pakən] v emballer

Verpackung [fɛr'pakuŋ] f emballage m

verpassen [fɛr'pasən] v 1. (versäumen) manquer, laisser échapper; 2. (fam: geben) donner, attribuer

verpfänden [fɛr'pfɛndən] v 1. donner en gage; 2. JUR hypothéquer

verpflanzen [fɛr'pflantsən] v transplanter

verpflegen [fɛr'pfle:gən] v nourrir

Verpflegung [fɛr'pfle:guŋ] f 1. nourriture f, alimentation f; 2. MIL intendance f

verpflichten [fɛr'pflıçtən] v obliger qn à faire qc, engager, avoir l'obligation de; Das verpflichtet zu nichts. Cela n'engage à rien.

verpflichtend [fɛr'pflıçtənt] adj obligatoire, impératif

Verpflichtung [fɛr'pflıçtuŋ] f 1. obligation f, engagement m; eine ~ eingehen prendre un engagement; 2. ECO redevance f

verprügeln [fɛr'pry:gəln] v 1. rouer de coups; jdn ~ casser la figure à qn/ passer qn à tabac; 2. (fam) rosser

Verputz [fɛr'puts] m enduit m, crépi m

Verrat [fɛr'ra:t] m trahison f, traîtrise f

verraten [fɛr'ra:tən] v trahir

Verräter [fɛr'rɛ:tər] m traître m

verrechnen [fɛr'rɛçnən] v 1. compenser; 2. sich ~ se tromper dans le calcul de

verreisen [fɛr'raızən] v partir en voyage

verrenken [fɛr'rɛŋkən] v luxer

Verrenkung [fɛr'rɛŋkuŋ] f MED luxation f

verrichten [fɛr'rıçtən] v accomplir, exécuter; unverrichteter Dinge wieder abziehen s'en retourner comme on est venu

verriegeln [fɛr'ri:gəln] v verrouiller

verringern [fɛr'rıŋərn] v 1. diminuer, réduire; 2. (abwerten) déprécier

Verringerung [fɛr'rıŋəruŋ] f diminution f, réduction f

verrosten [fɛr'rɔstən] v rouiller

verrucht [fɛr'ru:xt] adj scélérat, infâme

verrückt [fɛr'rykt] 1. adj fou/folle, extravagant; komplett ~ sein être fou à lier; 2. adv à la folie

Verruf [fɛr'ru:f] m mauvaise réputation f

verrufen [fɛr'ru:fən] adj louche, mal famé

Vers [fɛrs] m vers m

Versagen [fɛr'za:gən] n non-fonctionnement m

versagen [fɛr'za:gən] v 1. (scheitern) manquer, échouer; 2. (Maschine) lâcher; 3. (verweigern) refuser; 4. (verzichten) refuser

versammeln [fɛr'zaməln] v assembler

Versammlung [fɛr'zamluŋ] f réunion f

Versand [fɛr'zant] m envoi m, expédition f

Versandhaus [fɛr'zanthaus] n maison de vente par correspondance f

versäumen [fɛr'zɔymən] v négliger, omettre, manquer, perdre; Sie haben nichts versäumt! Vous n'avez rien manqué!

verschaffen [fɛr'ʃafən] v procurer

verschandeln [fɛr'ʃandəln] v 1. déparer, défigurer; 2. (fam) massacrer

verschärfen [fɛr'ʃɛrfən] v aggraver

verschätzen [fɛr'ʃɛtsən] v sich ~ se tromper dans une estimation

verschenken [fɛr'ʃɛŋkən] v offrir

verscheuchen [fɛr'ʃɔyŋən] v effaroucher

verschicken [fɛr'ʃıkən] v envoyer

verschieben [fɛr'ʃi:bən] v 1. (verrücken) déplacer, décaler; 2. (aufschieben) ajourner

verschieden [fɛr'ʃi:dən] adj différent, distinct; grund~ sein être comme le jour et la nuit

Verschiedenheit [fɛr'ʃi:dənhaıt] f diversité f, différence f

verschiedentlich [fɛr'ʃi:dəntlıç] adv plusieurs fois, à diverses reprises

verschimmeln [fɛr'ʃıməln] v moisir

verschlafen [fɛr'ʃla:fən] 1. adj mal réveillé, somnolent; 2. v se réveiller trop tard, ne pas entendre le réveil

Verschlagenheit [fɛr'ʃla:gənhaıt] f malice f, ruse f

verschlechtern [fɛr'ʃlɛçtərn] v 1. aggraver, détériorer; 2. sich ~ se dégrader

verschleiern [fɛr'ʃlaıərn] v voiler

Verschleiß [fɛr'ʃlaıs] m usure f

verschleißen [fɛr'ʃlaɪsən] v user, abîmer
verschließen [fɛr'ʃliːsən] v fermer (à clé)
verschlimmern [fɛr'ʃlɪmərn] v 1. etw - aggraver qc; 2. sich - empirer
verschlossen [fɛr'ʃlɔsən] adj (fig) renfermé
verschlucken [fɛr'ʃlukən] v 1. etw - avaler qc, absorber; Wörter beim Sprechen - manger ses mots; 2. sich - avaler de travers
verschlüsseln [fɛr'ʃlysəln] v chiffrer
Verschluß [fɛr'ʃlus] m 1. fermeture f; 2. (Schmuckstück) fermoir m; 3. (Kamera) obturateur m
verschmähen [fɛr'ʃmɛːən] v dédaigner, faire fi de; etw - faire fi de qc
verschmelzen [fɛr'ʃmɛltsən] v fusionner
verschmutzen [fɛr'ʃmutsən] v salir
Verschmutzung [fɛr'ʃmutsuŋ] f pollution f
verschollen [fɛr'ʃɔlən] adj disparu
verschonen [fɛr'ʃoːnən] v ménager, épargner; Verschone mich damit! Fais-moi grâce de cela!
verschönern [fɛr'ʃøːnərn] v embellir
verschränken [fɛr'ʃrɛŋkən] v 1. entrecroiser, entrelacer; 2. (Arme, Beine) croiser
verschreiben [fɛr'ʃraɪbən] v 1. (verordnen) prescrire, ordonner; 2. sich - faire un lapsus; 3. sich - (widmen) se vouer à
verschrotten [fɛr'ʃrɔtən] v mettre à la ferraille, mettre à la casse
verschüchtert [fɛr'ʃʏntərt] adj timide
Verschulden [fɛr'ʃuldən] n faute f
verschulden [fɛr'ʃuldən] v (verursachen) être responsable de
verschütten [fɛr'ʃʏtən] v 1. renverser, répandre; 2. (bedecken) couvrir
verschwägert [fɛr'ʃvɛːgərt] adj parent par alliance
verschweigen [fɛr'ʃvaɪgən] v taire qc, omettre de dire qc; jdm etw - cacher qc à qn
verschwenden [fɛr'ʃvɛndən] v gaspiller
Verschwendung [fɛr'ʃvɛnduŋ] f gaspillage m, dilapidation f
verschwiegen [fɛr'ʃviːgən] adj discret-
Verschwiegenheit [fɛr'ʃviːgənhaɪt] f discrétion f, réserve f
verschwinden [fɛr'ʃvɪndən] v 1. disparaître, se perdre; 2. (weggehen) s'en aller
verschwommen [fɛr'ʃvɔmən] adj 1. estompé, vague; 2. (Foto) flou
verschwören [fɛr'ʃvøːrən] v sich - comploter contre qn, conspirer contre qn

Verschwörung [fɛr'ʃvøːruŋ] f conspiration f, conjuration f
Versehen [fɛr'zeːən] n erreur f
versehentlich [fɛr'zeːəntlɪç] adv par inadvertance, par mégarde
versenden [fɛr'zɛndən] v envoyer
Versendung [fɛr'zɛnduŋ] f envoi m
versenken [fɛr'zɛŋkən] v 1. (Schiff) couler; 2. (fig) sich - in etw se plonger dans qc
versessen [fɛr'zɛsən] adj acharné à
versetzen [fɛr'zɛtsən] v 1. (Beamter) déplacer, muter; 2. (Schüler) passer dans la classe supérieure; 3. (verpfänden) mettre en gage; 4. (fig) jdn - plaquer qn
Versetzung [fɛr'zɛtsuŋ] f 1. (Beamter) déplacement m, mutation f; 2. (Schüler) passage m; 3. (Verpfändung) mise en gage f
verseuchen [fɛr'zɔʏnən] v infecter
Verseuchung [fɛr'zɔʏnuŋ] f infection f
versichern [fɛr'zɪçərn] v 1. jdn - assurer (qn contre qc); 2. affirmer, garantir
Versicherung [fɛr'zɪçəruŋ] f assurance f
versickern [fɛr'zɪkərn] v s'infiltrer dans
versiegeln [fɛr'ziːgəln] v cacheter, sceller
versiert [vɛr'ziːrt] adj versé (dans)
versilbern [fɛr'zɪlbərn] v argenter
versinken [fɛr'zɪŋkən] v 1. (s')enfoncer, s'enliser; vor Scham am liebsten in den Boden - vouloir rentrer sous terre; 2. (fig) se perdre dans, s'abîmer dans
versöhnen [fɛr'zøːnən] v (se) réconcilier avec
Versöhnung [fɛr'zøːnuŋ] f réconciliation f
versorgen [fɛr'zɔrgən] v 1. (unterhalten) entretenir; 2. (beliefern) approvisionner, fournir; 3. (pflegen) prendre soin de
Versorgung [fɛr'zɔrguŋ] f 1. (Belieferung) fourniture f, approvisionnement m; 2. (Pflege) soins donnés à qn m/pl
verspäten [fɛr'ʃpɛːtən] v sich - se mettre en retard, être en retard
Verspätung [fɛr'ʃpɛːtuŋ] f retard m
versperren [fɛr'ʃpɛrən] v 1. barrer, barricader; 2. (Aussicht) masquer, boucher; 3. (Weg) barrer, couper
verspotten [fɛr'ʃpɔtən] v se moquer de
Verspottung [fɛr'ʃpɔtuŋ] f moquerie f
Versprechen [fɛr'ʃprɛçən] n promesse f
versprechen [fɛr'ʃprɛçən] v 1. promettre (qc à qn); 2. sich - faire un lapsus
Verstaatlichung [fɛr'ʃtaːtlɪçuŋ] f nationalisation f

Verstand [fɛrˈʃtant] *m* raison *f*, intelligence *f*, sens *m; nicht über gesunden Menschen- verfügen* ne pas avoir le sens commun
verständigen [fɛrˈʃtɛndɪgən] *v* 1. informer qn de qc; 2. *sich ~ mit* s'entendre avec
Verständigung [fɛrˈʃtɛndɪguŋ] *f* 1. entente *f*, arrangement *m;* 2. *(Benachrichtigung)* avis *m*
verständlich [fɛrˈʃtɛntlɪŋ] *adj* intelligible, compréhensible
Verständnis [fɛrˈʃtɛntnɪs] *n* compréhension *f*
verständnislos [fɛrˈʃtɛntnɪsloːs] 1. *adj* incompréhensif; 2. *adv* sans comprendre
verständnisvoll [fɛrˈʃtɛntnɪsfɔl] *adj* compréhensif, entendu
verstärken [fɛrˈʃtɛrkən] *v* 1. renforcer, fortifier; 2. *(fig)* augmenter
Verstärkung [fɛrˈʃtɛrkuŋ] *f* renforcement *m*
verstauchen [fɛrˈʃtauxən] *v* se faire une entorse
Verstauchung [fɛrˈʃtauxuŋ] *f* foulure *f*
Versteck [fɛrˈʃtɛk] *n* cachette *f*, cache *f*
verstecken [fɛrˈʃtɛkən] *v* cacher
Versteckspiel [fɛrˈʃtɛkʃpiːl] *n* cache-cache *m*, partie de cache-cache *f; ~ spielen* jouer à cache-cache
verstehen [fɛrˈʃteːən] *v* 1. comprendre, saisir, concevoir; *Das versteht sich von selbst.* Cela va sans dire. *Ich verstehe nichts.* Je n'y comprends rien. *Das versteht sich.* Cela se comprend. *Was ~ Sie darunter?* Qu'entendez-vous par là? *nicht die Bohne davon ~* s'y entendre comme à ramer des choux; 2. *(wissen)* savoir
versteigern [fɛrˈʃtaɪgərn] *v* vendre aux enchères
Versteigerung [fɛrˈʃtaɪgəruŋ] *f* vente aux enchères *f*
verstellbar [fɛrˈʃtɛlbaːr] *adj* réglable
verstellen [fɛrˈʃtɛlən] *v* 1. déplacer, déranger; 2. *(regulieren)* régler, ajuster; 3. *(fig) sich ~* faire semblant de
versteuern [fɛrˈʃtɔyərn] *v* déclarer
verstimmt [fɛrˈʃtɪmt] *adj* 1. *MUS* désaccordé; 2. *(fig)* de mauvaise humeur
Verstimmung [fɛrˈʃtɪmuŋ] *f* mauvaise humeur *f*, contrariété *f*
verstohlen [fɛrˈʃtoːlən] *adj* 1. furtif, dérobé; 2. *(fam)* en coulisse; 3. *adv* à la dérobée

verstopft [fɛrˈʃtɔpft] *adj* 1. bouché, encrassé; 2. *MED* constipé
Verstopfung [fɛrˈʃtɔpfuŋ] *f* 1. encrassement *m*, obstruction *f;* 2. *MED* constipation *f*
Verstorbene [fɛrˈʃtɔrbənə] *m* défunt *m*
Verstoß [fɛrˈʃtoːs] *m* infraction *f*
verstoßen [fɛrˈʃtoːsən] *v* 1. *(verjagen)* chasser; 2. *(zuwiderhandeln)* enfreindre
verstreuen [fɛrˈʃtrɔyən] *v* disperser
verstümmeln [fɛrˈʃtyməln] *v* mutiler
Verstümmelung [fɛrˈʃtymәluŋ] *f* 1. mutilement *m;* 2. *(fig)* détérioration *f*
Versuch [fɛrˈzuːx] *m* 1. essai *m*, tentative *f;* 2. *(Experiment)* test *m*
versuchen [fɛrˈzuːxən] *v* 1. essayer de, tenter de; 2. *(kosten)* essayer, goûter
versuchsweise [fɛrˈzuːxsvaɪzə] *adv* à titre d'essai
Versuchung [fɛrˈzuːxuŋ] *f* tentation *f*
vertagen [fɛrˈtaːgən] *v* ajourner (à)
vertauschen [fɛrˈtauʃən] *v* échanger
verteidigen [fɛrˈtaɪdɪgən] *v* défendre
Verteidiger [fɛrˈtaɪdɪgər] *m JUR* avocat *m*
Verteidigung [fɛrˈtaɪdɪguŋ] *f* 1. défense *f;* 2. *JUR* plaidoyer *m*
verteilen [fɛrˈtaɪlən] *v* 1. *(austeilen)* distribuer à; 2. *(aufteilen)* répartir (entre)
Verteiler [fɛrˈtaɪlər] *m* distributeur *m*
Verteilung [fɛrˈtaɪluŋ] *f* 1. *(Austeilen)* distribution *f;* 2. *(Verteilen)* répartition *f*
Verteuerung [fɛrˈtɔyəruŋ] *f* renchérissement *m*
vertiefen [fɛrˈtiːfən] *v* approfondir
vertikal [vɛrtiˈkaːl] *adj* vertical
vertilgen [fɛrˈtɪlgən] *v* 1. *(vernichten)* anéantir; 2. *(fig: essen)* consommer
Vertrag [fɛrˈtraːk] *m* 1. *ECO* contrat *m;* 2. *POL* traité *m*
vertragen [fɛrˈtraːgən] *v* 1. *etw ~* supporter qc; 2. *sich ~ (gut/schlecht)* s'entendre
verträglich [fɛrˈtrɛklɪŋ] *adj* 1. *(umgänglich)* conciliant; 2. *(bekömmlich)* digeste
Verträglichkeit [fɛrˈtrɛklɪŋkaɪt] *f* 1. *(Umgänglichkeit)* caractère accommodant *m;* 2. *(Bekömmlichkeit)* digestibilité *f*
Vertragsabschluß [fɛrˈtraːksapʃlus] *m* conclusion de contrat *f*
Vertrauen [fɛrˈtrauən] *n* confiance *f*
vertrauen [fɛrˈtrauən] *v* se fier à
vertrauensvoll [fɛrˈtrauənsfɔl] 1. *adj* confiant; 2. *adv* avec confiance
vertraulich [fɛrˈtraulɪŋ] *adj* confidentiel

vertraut [fɛr'traut] *adj* intime, familier
Vertrautheit [fɛr'trauthaıt] *f* intimité *f*
vertreiben [fɛr'traıbən] *v* 1. *(verjagen)* chasser; 2. *(Zeit)* passer; 3. *(verkaufen)* vendre; 4. *(aus der Wohnung)* déloger
vertreten [fɛr'tre:tən] *v* 1. *(repräsentieren)* représenter; 2. *(ersetzen)* remplacer; 3. *(Meinung -)* être d'avis (que)
Vertreter [fɛr'tre:tər] *m* 1. *(Repräsentant)* représentant *m*; 2. *(Stellvertreter)* remplaçant *m*; 3. *(Verfechter)* défenseur *m*
Vertretung [fɛr'tre:tuŋ] *f* 1. *(Repräsentanz)* représentation *f*; 2. *(Stellvertretung)* remplacement *m*
Vertrieb [fɛr'tri:p] *m* vente *f*
vertrösten [fɛr'trø:stən] *v* consoler qn, faire prendre patience à qn
verübeln [fɛr'y:bəln] *v* en vouloir à qn de qc, tenir rigueur à qn de qc
verüben [fɛr'y:bən] *v* commettre
verunglücken [fɛr'unglykən] *v* avoir un accident, être victime d'un accident
verunreinigen [fɛr'unraınıgən] *v* salir
verunstalten [fɛr'unʃtaltən] *v* défigurer
veruntreuen [fɛr'untrɔyən] *v* soustraire
verursachen [fɛr'u:rzaxən] *v* causer
Verursacher [fɛr'u:rzaxər] *m* auteur *m*
verurteilen [fɛr'urtaılən] *v* 1. condamner (qn à qc); 2. *(mißbilligen)* désapprouver
Verurteilung [fɛr'urtaıluŋ] *f* condamnation *f*, sentence *f*
vervielfältigen [fɛr'fi:lfɛltıgən] *v* multiplier, polycopier
vervollkommnen [fɛr'fɔlkɔmnən] *v* perfectionner
vervollständigen [fɛr'fɔlʃtɛndıgən] *v* compléter
verwahren [fɛr'va:rən] *v* 1. garder, tenir en lieu sûr; 2. *sich gegen etw* - protester contre
verwahrlost [fɛr'va:rlɔst] *adj* négligé
Verwahrung [fɛr'va:ruŋ] *f* garde *f*, dépôt *m*
verwalten [fɛr'valtən] *v* administrer
Verwalter [fɛr'valtər] *m* administrateur *m*
Verwaltung [fɛr'valtuŋ] *f* administration *f*
verwandeln [fɛr'vandəln] *v* changer, transformer
Verwandlung [fɛr'vandluŋ] *f* transformation *f*, changement *m*
verwandt [fɛr'vant] *adj* parent, allié
Verwandte [fɛr'vantə] *m* parent *m*

Verwandtschaft [fɛr'vantʃaft] *f* parenté *f*
verwarnen [fɛr'varnən] *v* avertir
Verwarnung [fɛr'varnuŋ] *f* avertissement *m*
verwechseln [fɛr'vɛksəln] *v* confondre
Verwechslung [fɛr'vɛksluŋ] *f* 1. confusion *f*, méprise *f*; 2. *(Irrtum)* erreur *f*
verwegen [fɛr've:gən] *adj* téméraire
verwehren [fɛr've:rən] *v* défendre à qn de faire qc, empêcher qn de faire qc
verweigern [fɛr'vaıgərn] *v* refuser (de)
Verweigerung [fɛr'vaıgəruŋ] *f* refus *m*
Verweis [fɛr'vaıs] *m* 1. *(Rüge)* réprimande *f*, blâme *m*; 2. *(Hinweis)* référence *f*, renvoi *m*
verweisen [fɛr'vaızən] *v* 1. *(- auf)* renvoyer à, attirer l'attention de qn sur qc; 2. *(des Landes -)* exiler, bannir
verwelken [fɛr'vɛlkən] *v* se faner
verwenden [fɛr'vɛndən] *v* utiliser, employer
Verwendung [fɛr'vɛnduŋ] *f* emploi *m*
verwerflich [fɛr'vɛrflıç] *adj* 1. condamnable, répréhensible; 2. *JUR* récusable
verwerten [fɛr've:rtən] *v* 1. *(benutzen)* utiliser; 2. *(wieder-)* récupérer, recycler; 3. *(auswerten)* exploiter, faire valoir
Verwertung [fɛr've:rtuŋ] *f* 1. *(Benutzung)* utilisation *f*, emploi *m*; 2. *(Wieder-)* récupération *f*, réutilisation *f*; 3. *(Auswertung)* exploitation *f*, réalisation *f*
verwickeln [fɛr'vıkəln] *v (fig)* engager (qn dans)
verwirklichen [fɛr'vırklıçən] *v* réaliser
Verwirklichung [fɛr'vırklıçuŋ] *f* réalisation *f*
verwirren [fɛr'vırən] *v* embrouiller
verwirrt [fɛr'vırt] *adj* confus, troublé
Verwirrung [fɛr'vıruŋ] *f* confusion *f*
verwitwet [fɛr'vıtvət] *adj* veuf/veuve
verwöhnen [fɛr'vø:nən] *v* gâter, choyer, dorloter; *Sie - mich!* Vous me comblez!
verworren [fɛr'vɔrən] *adj* confus
verwundbar [fɛr'vuntba:r] *adj* vulnérable
verwunden [fɛr'vundən] *v* blesser
verwunderlich [fɛr'vundərlıç] *adj* 1. étonnant, surprenant; *Das ist nicht* -. Il n'y a rien d'étonnant à cela. 2. *(seltsam)* étrange
Verwunderung [fɛr'vundəruŋ] *f* étonnement *m*, surprise *f*
Verwundung [fɛr'vunduŋ] *f* blessure *f*
verwüsten [fɛr'vy:stən] *v* dévaster, ravager

verzagen [fɛr'tsa:gən] v perdre courage
verzählen [fɛr'tsɛ:lən] v sich - se tromper
en comptant
verzaubern [fɛr'tsaubərn] v 1. enchanter,
ensorceler; 2. in etw - changer en
Verzehr [fɛr'tse:r] m consommation f
verzehren [fɛr'tse:rən] v 1. (essen) manger, consommer; 2. (aufbrauchen) manger,
consommer; 3. (fig) sich - se consumer de
verzeichnen [fɛr'tsaɪŋnən] v noter
Verzeichnis [fɛr'tsaɪŋnɪs] n liste f, inventaire m, index m, registre m
verzeihen [fɛr'zaɪən] v pardonner (qc à
qn), excuser; Das werde ich mir nie -! Je ne
me le pardonnerais jamais!
verzeihlich [fɛr'tsaɪlɪç] adj pardonnable
Verzeihung [fɛr'tsaɪʊŋ] 1. f pardon m,
excuse f; 2. interj excuse-moi! excusez
-moi! pardon!
Verzicht [fɛr'tsɪçt] m renoncement (à qc)
m, renonciation (à) f
verzichten [fɛr'tsɪŋtən] v renoncer à qc
verzieren [fɛr'tsi:rən] v orner, décorer
Verzierung [fɛr'tsi:rʊŋ] f ornement m
verzinsen [fɛr'tsɪnzən] v payer des intérêts
verzögern [fɛr'tsø:gərn] v retarder
Verzögerung [fɛr'tsø:gərʊŋ] f retard m
verzollen [fɛr'tsɔlən] v dédouaner, payer la
douane, payer des droits de douane
Verzug [fɛr'tsu:k] m retard m, délai m
verzweifeln [fɛr'tsvaɪfəln] v désespérer
(de), se désespérer; Man könnte -! C'est
désespérant! Es ist zum -! Il y a de quoi se jeter à l'eau!
verzweifelt [fɛr'tsvaɪfəlt] 1. adj désespéré
(de); 2. adv avec désespoir
Verzweiflung [fɛr'tsvaɪflʊŋ] f désespoir
m
Vetter ['fɛtər] m cousin m
Videokassette ['videokase:tə] f cassette
vidéo f, vidéo-cassette f
Videorecorder ['videorɛkɔrdər] m magnétoscope m
Vieh [fi:] n bétail m, bêtes d'élevage f/pl
viel(e) ['fi:l(ə)] 1. adj beaucoup (de), nombreux; 2. adv beaucoup, très
vielfach ['fi:lfax] 1. adj multiple, divers;
adv2. de diverses manières; 3. (oft) souvent
vielleicht [fi'laɪçt] adv peut-être
vielmals ['fil:ma:ls] adv souvent, bien des
fois; Danke -! Merci beaucoup!
vielseitig ['fi:lzaɪtɪç] adj 1. varié, complexe; 2. MATH polygonal

Vielzahl ['fi:ltsa:l] f grand nombre de m
vier [fi:r] num quatre; die Treppe, - Stufen
auf einmal nehmend, hinauf-/hinunterge-
hen descendre/monter l'escalier quatre à
quatre
viereckig ['fi:rɛkɪç] adj quadrangulaire
Viertel ['fɪrtəl] n 1. MATH quart m; 2.
(Stadtteil) quartier m
vierteljährlich ['fɪrtəljɛ:rlɪç] 1. adj tri-
mestriel; 2. adv chaque trimestre
Viertelstunde ['fɪrtəlʃtʊndə] f quart
d'heure m
violett [vio'lɛt] adj violet, violacé
Violine [vio'li:nə] f violon m
Virus/Viren ['vi:rus] n virus m
Visitenkarte [vi'zi:tənkartə] f carte de vi-
site f
Visum/Visa ['vi:zum] n visa m
Vizepräsident ['fi:tsəprɛzɪdənt] m vice-
-président m
Vogel ['fo:gəl] m oiseau m
Vogelbauer ['fo:gəlbauər] m cage f
Vogelscheuche ['fo:gəlʃɔynə] f épouvan-
tail m
Vokabel [vo'ka:bəl] f vocable m, mot m
Vokal [vo'ka:l] m voyelle f
Volk [fɔlk] n 1. peuple m, nation f; sich un-
ters - mischen se mêler à la foule; 2. (Men-
ge) foule f; 3. (Leute) gens m/pl
Völkerrecht ['fœlkərrɛçt] n droit interna-
tional m
Volksabstimmung ['fɔlksapʃtɪmʊŋ] f
référendum m
Volksbegehren ['fɔlksbəge:rən] n initiative de plébiscite f
Volksfest ['fɔlksfɛst] n fête populaire f
Volkshochschule ['fɔlkshoxʃu:lə] f université populaire f
Volkslied ['fɔlksli:t] n chanson populaire f
volkstümlich ['fɔlksty:mlɪç] adj populaire, folklorique
Volkswirtschaft ['fɔlksvɪrtʃaft] f économie nationale f
Volkszählung ['fɔlkstsɛ:lʊŋ] f recensement de la population m
voll [fɔl] 1. adj plein, rempli, comble, entier; gesteckt - sein être bourré; brechend -
plein à craquer; 2. adv complètement
Vollbart ['fɔlbart] m grande barbe f
vollbringen ['fɔlbrɪŋən] v accomplir
vollenden ['fɔlɛndən] v terminer, achever
völlig ['fœlɪç] adj entier, complet
volljährig ['fɔljɛ:rɪç] adj majeur

vollkommen ['fɔlkəmən] *adj* parfait
Vollkommenheit [fɔl'kɔmənhaɪt] *f* perfection *f*
Vollkornbrot ['fɔlkɔrnbro:t] *n* pain complet *m*
Vollmacht ['fɔlmaxt] *f* procuration *f*,
Vollmilch ['fɔlmɪlç] *f* lait entier *m*
Vollmond ['fɔlmo:nt] *m* pleine lune *f*
Vollpension ['fɔlpɛnzjo:n] *f* pension complète *f*
vollständig [fɔl'ʃtɛndɪç] *adj* complet
vollstrecken [fɔl'ʃtrɛkən] *v* exécuter
volltanken ['fɔltaŋkən] *v* faire le plein
vollwertig ['fɔlvɛrtɪç] *adj* complet
Vollwertkost ['vɔlvɛrtkɔst] *f* nourriture diététique *f*
vollzählig ['fɔltsɛ:lɪç] 1.*adj* complet; 2. *adv* au complet
Volontariat [volɔta'rja:t] *n* volontariat *m*
Volumen [vo'lu:mən] *n* volume *m*
von [fɔn] *prep* 1. (örtlich) de; 2. (zeitlich) de; 3. (Herkunft) de, en provenance de; 4. (über) de, au sujet de
vor [fɔr] *prep* 1. (örtlich) devant; 2. (zeitlich) avant; 3. (kausal) de, contre
Vorabend ['fo:ra:bənt] *m* veille *f*
Vorahnung ['fo:ra:nuŋ] *f* pressentiment *m*
vorangehen [fo'range:ən] *v* précéder
vorankommen [fo'rankɔmən] *v* avancer
voraus [fo'raus] *adv* 1. (örtlich) en tête, devant; 2. (zeitlich) en avance, par avance
vorausgehen [for'ausge:ən] *v* précéder
vorausgesetzt [for'ausgəzɛtst] à condition (que)
voraussagen [for'ausza:gən] *v* prédire
voraussehen [for'ausze:ən] *v* prévoir
voraussetzen [for'auszɛtsən] *v* supposer
Voraussetzung [for'auszɛtsuŋ] *f* supposition *f*, hypothèse *f*
voraussichtlich [for'auszɪçtlɪç] *adj* probable
Vorbehalt ['fo:rbəhalt] *m* réserve *f*, restriction *f*; -e machen faire ses réserves
vorbehalten ['fo:rbəhaltən] *v* 1. réserver; 2. sich ~ se réserver de
vorbehaltlich ['fo:rbəhaltlɪç] *prep* sauf
vorbei [fo:r'baɪ] *adv* 1. (örtlich) devant; 2. (zeitlich) passé, fini, écoulé
vorbeifahren [fo:r'baɪfa:rən] *v* passer devant
vorbeigehen [fo:r'baɪge:ən] *v* 1. (entlanggehen) passer devant; 2. (vergehen) passer; 3. (nicht stehenbleiben) passer sans s'arrêter

vorbeikommen [fo:r'baɪkɔmən] *v* passer (chez qn)
vorbereiten ['fo:rbəraɪtən] *v* 1. préparer; 2. sich auf etw - se préparer à
Vorbereitung ['fo:rbəraɪtuŋ] *f* préparation *f*, préparatifs *m/pl*
vorbestellen ['fo:rbəʃtɛlən] *v* retenir
Vorbestellung ['fo:rbəʃtɛluŋ] *f* commande préalable *f*, réservation *f*
vorbeugen ['fo:rbɔygən] *v* 1. pencher en avant; 2. sich - se pencher en avant
vorbeugend ['fo:rbɔygənt] *adj* préventif
Vorbeugung ['fo:rbɔyguŋ] *f* prévention *f*
Vorbild ['fo:rbɪlt] *n* modèle *m*, idéal *m*
vorbildlich ['fo:rbɪltlɪç] *adj* exemplaire
vorbringen ['fo:rbrɪŋən] *v* présenter
vordatieren ['fo:rdati:rən] *v* antidater
vordere(r,s) ['fɔrdərə] *adj* de devant
Vorderfront ['fɔrdərfrɔnt] *f* façade *f*
Vordergrund ['fɔrdərgrunt] *m* premier plan *m*
vordergründig [fɔrdərgryndɪç] *adj* 1. qui se trouve au premier plan; 2. (sichtbar) visible; 3. (offensichtlich) apparent
Vorderseite ['fɔrdərzaɪtə] *f* 1. façade *f*; 2. (Papier) recto *m*
Vorderteil ['fɔrdərtaɪl] *n* partie avant *f*
vordrängen ['fo:rdrɛŋən] *v* sich - jouer des coudes, se faufiler pour passer devant
vordringen ['fo:rdrɪŋən] *v* avancer
vordringlich ['fo:rdrɪŋlɪç] 1. *adj* très urgent, prioritaire; 2. *adv* de toute urgence
Vordruck ['fo:rdruk] *m* formulaire *m*
voreilig ['fo:raɪlɪç] 1. *adj* précipité, prématuré; *adv* 2. à la légère; 3. (zu schnell) trop vite
voreingenommen ['fo:raɪngənɔmən] 1. *adj* prévenu contre/en faveur de; 2. *adv* avec parti pris
vorenthalten ['fo:rɛnthaltən] *v* retenir
vorerst ['fo:r'e:rst] *adv* d'abord
Vorfahr ['fo:rfa:r] *m* ancêtre *m*
Vorfahrt ['fo:rfa:rt] *f* (Straße) priorité *f*
Vorfall ['fo:rfal] *m* événement *m*
Vorfeld ['fo:rfɛlt] *n* im - dans ce qui précède
vorfinden ['fo:rfɪndən] *v* trouver
Vorfreude ['fo:rfrɔydə] *f* joie anticipée *f*
vorführen ['fo:rfy:rən] *v* 1. (präsentieren) présenter; 2. (Angeklagten) faire paraître
Vorführung ['fo:rfy:ruŋ] *f* 1. (Präsentation) présentation *f*; 2. (Film) projection *f*; 3. (Zeugen) production de témoins *f*

Vorgang ['foːrgaŋ] *m 1. (Geschehen)* événement *m*, incident *m*; 2. *(Akte)* procédé *m*

Vorgänger ['foːrgɛŋər] *m* prédécesseur *m*

vorgeben ['foːrgeːbən] *v (fig)* prétendre

Vorgehen ['foːrgeːən] *n* procédé *m*

vorgehen ['voːrgeːən] *v 1. (handeln)* procéder, agir, faire; 2. *(vorausgehen)* prendre les devants; 3. *(wichtiger sein)* avoir la priorité; 4. *(Uhr)* avancer

Vorgesetzte ['foːrgəzɛtstə] *m* supérieur *m*

vorgestern ['foːrgɛstərn] *adv* avant-hier

vorgreifen ['foːrgraifən] *v jdm/einer Sache* ~ anticiper

Vorhaben ['foːrhaːbən] *n* projet *m*

vorhaben ['foːrhaːbən] *v* avoir l'intention de; *Wenn Sie heute Abend nichts* ~... Si vous n'êtes pas pris ce soir...

vorhalten ['foːrhaltən] *v (fig: vorwerfen)* reprocher qc à qn

Vorhaltung ['foːrhaltuŋ] *f* remontrance *f*

vorhanden [for'handən] *adj* existant

Vorhang ['foːrhaŋ] *m* rideau *m*

vorher ['foːrheːr] *adv* avant, auparavant

vorhergehend ['foːrheːrgeːənt] *adj* mentionné ci-dessus, précédent, antérieur

vorherig ['foːrheːrɪç] *adj* précédent

vorherrschen ['foːrhɛrʃən] *v* prédominer

Vorhersage [foːr'heːrzaːgə] *f* prévision *f*

vorhersagen [foːr'heːrzaːgən] *v* prédire

vorhin [foːr'hɪn] *adv* à l'instant, tantôt

vorig ['foːrɪç] *adj 1. (vergangen)* précédent, antérieur; 2. *(vorhergegangen)* passé, dernier; 3. *(letzter)* dernier

Vorjahr ['foːrjaːr] *n* année précédente *f*

Vorkehrung ['foːrkeːruŋ] *f* disposition *f*

Vorkenntnisse ['foːrkɛntnɪsə] *pl* connaissances préliminaires *f/pl*

vorkommen ['foːrkɔmən] *v 1. (erscheinen)* apparaître; 2. *(geschehen)* arriver, se passer; *Daß das nicht wieder vorkommt!* Que cela ne se répète pas! 3. *(vorhanden sein)* se trouver

Vorkommnis ['foːrkɔmnɪs] *n* événement *m*

vorladen ['foːrlaːdən] *v* citer

Vorlage ['foːrlaːgə] *f 1. (Vorlegen)* présentation *f*; 2. *(Muster)* modèle *m*; 3. *(Entwurf)* projet *m*

Vorläufer ['foːrlɔyfər] *m* précurseur *m*

vorläufig ['foːrlɔyfɪç] 1. *adj* provisoire, temporaire; 2. *adv* pour l'instant

vorlaut ['foːrlaut] *adj* impertinent

vorlegen ['foːrleːgən] *v* présenter, montrer

vorlesen ['foːrleːzən] *v* lire (à haute voix)

Vorlesung ['foːrleːzuŋ] *f (Universität)* cours *m*; *-en hören* suivre les cours

vorletzte(r,s) ['foːrlɛtstə] *adj* avant-dernier

Vorliebe ['foːrliːbə] *f* préférence *f*

vorliebnehmen ['foːrliːpneːmən] *v se* contenter de

vorliegend ['foːrliːgənt] *adj* présent

vormachen ['foːrmaxən] *v (fig)* montrer à qn comment faire qc; *sich etw* ~ prendre ses désirs pour des réalités; *Machen Sie sich nichts vor.* Ne vous faites pas d'illusions. *jdm ein X für ein U* ~ faire prendre des vessies pour des lanternes

Vormachtstellung ['foːrmaxtʃtɛluŋ] *f* prépondérance *f*, position dominante *f*

vormerken ['foːrmɛrkən] *v* retenir

Vormittag ['foːrmɪtaːk] *m* matinée *f*

vormittags ['foːrmɪtaːks] *adv* le matin, dans la matinée

Vormund ['foːrmʊnt] *m 1. (Kinder)* tuteur *m*; 2. *(Erwachsene)* curateur *m*

vorn(e) [fɔrn] *adv* devant, en tête

Vorname ['foːrnaːmə] *m* prénom *m*

vornehm ['foːrneːm] 1. *adj* distingué, noble, élégant; 2. *adv* avec distinction

vornehmen ['foːrneːmən] *v 1. (tun)* entreprendre, s'occuper de; 2. *sich etw* ~ se promettre de faire qc; 3. *sich jdn* ~ reprendre qn

Vorort ['foːrɔrt] *m* banlieue *f*, faubourg *m*

Vorrang ['foːrraŋ] *m* préséance *f*, priorité *f*

vorrangig ['foːrraŋɪç] 1. *adj* prioritaire; 2. *adv* en premier lieu, en priorité

Vorrat ['foːrraːt] *m* provisions *f/pl*

vorrätig ['foːrrɛːtɪç] *adj* en stock

Vorrecht ['foːrrɛçt] *n* privilège *m*

Vorrichtung ['foːrrɪçtuŋ] *f* dispositif *m*

Vorsaison ['foːrzɛzõ] *f* avant-saison *f*

Vorsatz ['foːrzats] *m* projet *m*, dessein *m*

vorsätzlich ['foːrzɛtslɪç] 1. *adj* volontaire, délibéré; 2. *adv* exprès

Vorschau ['foːrʃau] *f 1.* aperçu *m*; 2. *CINE* bande-annonce *f*

Vorschein ['foːrʃain] *m zum* ~ *kommen* apparaître, venir au jour

Vorschlag ['foːrʃlaːk] *m* proposition *f*

vorschlagen ['foːrʃlaːgən] *v* proposer

vorschreiben ['foːrʃraibən] *v* prescrire

Vorschrift ['foːrʃrɪft] *f* prescription *f*, ordre *m*; *Es ist* ~. Il est de rigueur.

vorschriftsmäßig ['foːrʃrɪftsmɛːsɪç] 1.

adj conforme au règlement; 2. *adv* en bonne et due forme

Vorschub ['foːrʃup] *m jdm ~ leisten* aider qn; *etw ~ leisten* favoriser qc

Vorschule ['voːrʃuːlə] *f* école préparatoire *f*

Vorschuß ['voːrʃus] *m* avance *f*, acompte *m*

vorsehen ['foːrzeːən] *v* 1. prévoir; 2. *sich ~* prendre des précautions, prendre garde à

Vorsicht ['foːrzɪçt] *f* prudence *f*, précaution *f*

vorsichtig ['foːrzɪçtɪç] 1. *adj* prudent, précautionneux; 2. *adv* avec précaution

Vorsitz ['foːrzɪts] *m* présidence *f*

Vorsitzende ['foːrzɪtsəndə] *m* président *m*

Vorsorge ['foːrzɔrgə] *f* prévoyance *f*

vorsorgen ['foːrzɔrgən] *v* pourvoir à

vorsorglich ['foːrzɔrklɪç] 1. *adj* prévoyant; 2. *adv* par précaution

Vorspeise ['foːrʃpaɪzə] *f* hors-d'œuvre *m*

vorspiegeln ['foːrʃpiːgəln] *v jdm etw ~* faire miroiter qc aux yeux de qn

Vorsprung ['foːrʃpruŋ] *m* 1. *(Fels~)* saillie *f*, rebord *m*; 2. *(Haus~)* avancée *f*; 3. *(fig)* avance *f*

Vorstadt ['foːrʃtat] *f* proche banlieue *f*

Vorstand ['foːrʃtant] *m* 1. *ECO* comité directeur *m*, directoire *m*; 2. *(Einzelperson)* président *m*

vorstehen ['foːrʃteːən] *v* 1. *(leiten)* présider, diriger; 2. *(hervorragen)* saillir, être proéminent

vorstellen ['foːrʃtɛlən] *v* 1. *(fig) sich ~ se* présenter; 2. *(fig: sich etw ~)* se figurer; *Stell' dir das mal vor!* Tu te rends compte!

Vorstellung ['foːrʃtɛluŋ] *f* 1. *(Bekanntmachen)* présentation *f*; 2. *(Gedanke)* notion *f*, idée *f*; *Was für eine ~!* Quelle idée! 3. *THEAT* représentation *f*

Vorstrafe ['foːrʃtraːfə] *f* antécédents *m/pl*

vortäuschen ['foːrtɔyʃən] *v* feindre

Vortäuschung ['foːrtɔyʃuŋ] *f* feinte *f*

Vorteil ['fɔrtaɪl] *m* avantage *m*, profit *m*, intérêt *m*; *nur auf seinen ~ bedacht sein* tirer la couverture à soi; *im ~ sein* avoir le dessus; *~ aus etw ziehen* mettre à profit

vorteilhaft ['fɔrtaɪlhaft] *adj* avantageux

Vortrag ['foːrtraːk] *m* conférence *f*

vortragen ['foːrtraːgən] *v (fig)* exposer

vortrefflich ['foːrtrɛflɪç] *adj* excellent

vortreten ['foːrtreːtən] *v* s'avancer

Vortritt ['foːrtrɪt] *m* préséance *f*

vorüber [fɔrˈyːbər] *adv (zeitlich)* passé

vorübergehen [fɔrˈyːbərgeːən] *v* passer

vorübergehend [fɔrˈyːbərgeːənt] *adj* 1. passager, transitoire, éphémère; 2. *(zeitlich)* temporaire; 3. *adv* à titre provisoire

Vorurteil ['foːrurtaɪl] *n* préjugé *m*

Vorverkauf ['foːrfɛrkauf] *m THEAT* location des places *f*

vorverlegen ['foːrfɛrleːgən] *v* 1. *(Treffen)* avancer; 2. *MIL* allonger le tir

Vorwahl ['foːrvaːl] *f TEL* indicatif *m*

Vorwand ['foːrvant] *m* prétexte *m; etw zum ~ nehmen* prendre de prétexte qc

vorwärts ['fɔrvɛrts] *adv* en avant

vorwärtskommen ['fɔrvɛrtskɔmən] *v* avancer (dans); *rasch ~* brûler les étapes

vorwegnehmen [fɔrˈvɛkneːmən] *v* anticiper

vorweisen ['foːrvaɪzən] *v* montrer

vorwerfen ['foːrvɛrfən] *v* reprocher à

vorwiegend ['foːrviːgənt] 1. *adj* prépondérant; 2. *adv* en majorité

Vorwort ['foːrvɔrt] *n* préface *f*

Vorwurf ['foːrvurf] *m* reproche *m; Das soll kein ~ sein.* Je ne vous reproche rien.

Vorzeichen ['foːrtsaɪxən] *n* 1. *MATH* signe *m*; 2. *(fig)* indice *m*

vorzeigen ['foːrtsaɪgən] *v* montrer

vorzeitig ['foːrtsaɪtɪç] 1. *adj* prématuré, anticipé; 2. *adv* avant l'heure, avant terme

vorziehen ['foːrtsiːən] *v* 1. tirer, avancer; 2. *(fig)* préférer

Vorzimmer ['foːrtsɪmər] *n* vestibule *m*

Vorzug ['foːrtsuːk] *m* 1. *(Vorteil)* avantage *m*, privilège *m*; 2. *(Vorrang)* préférence *f*, priorité *f*; 3. *(gute Eigenschaft)* qualité *f*

vorzüglich ['foːrtsyːklɪç] *adj* excellent

vorzugsweise ['foːrtsuːksvaɪzə] *adv* de préférence, à titre préférentiel

vulgär [vulˈgɛːr] *adj* vulgaire

Vulkan [vulˈkaːn] *m* volcan *m*

W

Waage ['va:gə] *f* balance *f*, bascule *f*; *das Zünglein an der* ~ *sein* faire pencher la balance

waagrecht ['va:grɛnt] *adj* horizontal

wach [vax] *adj* éveillé, réveillé

Wache ['vaxə] *f* garde *f*, faction *f*

wachen ['vaxən] *v* veiller

Wachhund ['vaxhunt] *m* chien de garde *m*

Wacholderbeere ['vaxɔldərbe:rə] *f* baie de genévrier *f*

Wachs [vaks] *n* 1. cire *f*; 2. *(Ski~)* fart *m*

wachsam ['vaxza:m] *adj* vigilant, attentif

Wachsamkeit ['vaxza:mkait] *f* vigilance *f*

wachsen ['vaksən] *v* 1. croître, grandir, pousser; 2. *(zunehmen)* croître, augmenter, s'accroître; 3. *(polieren)* cirer, encaustiquer

wachsend ['vaksənt] *adj* croissant

Wachstum ['vakstu:m] *n* croissance *f*

Wächter ['vɛntər] *m* gardien *m*, veilleur *m*

wackelig ['vakəliç] *adj* branlant, vacillant

Wackelkontakt ['vakəlkɔnta:kt] *m* contact intermittent *m*

wackeln ['vakəln] *v* branler

Wade ['va:də] *f* mollet *m*

Wadenwickel ['va:dənvikəl] *m* compresses humides *f/pl*

Waffe ['vafə] *f* arme *f*; *die -n strecken* rendre les armes

Waffel ['vafəl] *f* gaufre *f*

Waffenschein ['vafənʃain] *m* permis de port d'armes *m*

Waffenstillstand ['vafən'ʃtilʃtant] *m* armistice *f*

Wagen ['va:gən] *m* 1. *(Auto)* voiture *f*; 2. *(Kinder~)* landau *m*; 3. *(Leiter~)* chariot *m*

wagen ['va:gən] *v* oser, risquer

Waggon [va'gɔ] *m* wagon *m*

Wagnis ['va:knis] *n* entreprise risquée *f*

Wahl [va:l] *f* 1. *(Auswahl)* choix *m*, sélection *f*; *Ich habe keine* ~. Je n'ai pas le choix. *seine* ~ *treffen* faire son choix; 2. POL vote *m*

wahlberechtigt ['va:lbərɛntiɳt] *adj* qui a le droit de vote

wählen ['vɛ:lən] *v* 1. *(auswählen)* choisir, sélectionner; 2. POL élire, voter; 3. *(Telefon)* composer

Wähler ['vɛ:lər] *m* électeur *m*

wählerisch ['vɛ:lərɪʃ] *adj* 1. sélectif; 2. *(schwierig)* difficile; ~ *sein* faire le/la difficile

Wahlkampf ['va:lkampf] *m* campagne électorale *f*

Wahllokal ['va:lloka:l] *n* bureau de vote *m*

wahllos ['va:llo:s] 1. *adj* sans discernement; 2. *adv* au hasard, sans discernement

Wahlrecht ['va:lrɛnt] *n* droit de vote *m*

wahlweise ['va:lvaizə] *adv* au choix

Wahnsinn ['va:nzin] *m* folie *f*, démence *f*

wahnsinnig ['va:nziniɳ] *adj* 1. fou/folle, dément; 2. *(fam: furchtbar)* effroyable, terrible; 3. *adv (fam: sehr)* très

wahr [va:r] *adj* vrai, véritable, authentique

wahren ['va:rən] *v* 1. *(schützen)* protéger, garder; 2. *(bewahren)* conserver

während ['vɛ:rənt] 1. *prep* pendant; 2. *konj* pendant que, tandis que, alors que

Wahrheit ['va:rhait] *f* vérité *f*; *um die* ~ *zu sagen* pour dire vrai; *jdm die* ~ *ins Gesicht sagen* dire ses quatre vérités à qn

wahrnehmen ['va:rne:mən] *v* 1. *(bemerken)* remarquer; 2. *(nutzen)* mettre au profit

Wahrnehmung ['va:rne:muɳ] *f* 1. perception *f*; 2. *(Verteidigung)* défense *f*

wahrsagen ['va:rza:gən] *v* prédire l'avenir

Wahrsagerin ['va:rza:gərin] *f* voyante *f*

wahrscheinlich [va:r'ʃainliɳ] *adj* vraisemblable, probable

Wahrscheinlichkeit [va:r'ʃainliɳkait] *f* vraisemblance *f*, probabilité *f*

Währung ['vɛ:ruɳ] *f* devise *f*, monnaie *f*

Währungsreform ['vɛ:ruɳsreform] *f* réforme monétaire *f*

Währungssystem ['vɛ:ruɳssistɛm] *n* système monétaire *m*

Wahrzeichen ['va:rtsaiʃən] *n* emblème *m*

Waise ['vaizə] *m* orphelin *m*

Wal [va:l] *m* baleine *f*

Wald [valt] *m* forêt *f*, bois *m*

Waldsterben ['valtʃtɛrbən] *n* mort des forêts *f*

Wall [val] *m* rempart *m*

Wallfahrer ['valfa:rər] *m* pèlerin *m*

Wallfahrt ['valfa:rt] *f* pèlerinage *m*

Walnuß ['valnus] *f* noix *f*

Walroß ['valrɔs] *n* morse *m*

Walze ['valtsə] *f (Dampf-)* cylindre *m*

wälzen ['vɛltsən] *v* 1. *(rollen)* rouler; 2. *(nachschlagen)* compulser; 3. sich ~ se rouler dans, se vautrer dans

Walzer ['valtsər] *m* valse *f*

Wand [vant] *f* mur *m; Das ist zum die Wände hochgehen.* C'est à se taper la tête contre la mur.

Wandel ['vandəl] *m* changement *m*

wandeln ['vandəln] *v* 1. *(ändern)* transformer, changer; 2. *(gehen)* aller son chemin

Wanderer ['vandərər] *m* randonneur *m*

wandern ['vandərn] *v* faire une randonnée

Wanderung ['vandərʊŋ] *f* excursion *f*

Wandlung ['vandlʊŋ] *f* 1. transformation *f*, changement *m;* 2. REL élévation *f*

Wange ['vaŋə] *f* joue *f*

wankelmütig ['vaŋkəlmy:tɪŋ] *adj (unentschlossen)* indécis, irrésolu

wanken ['vaŋkən] *v* chanceler

wann [van] *adv* quand

Wanne ['vanə] *f* cuve *f*, baignoire *f*

Wanze ['vantsə] *f* punaise *f*

Wappen ['vapən] *n* armoiries *f/pl*

wappnen ['vapnən] *v* sich ~ s'armer de

Ware ['va:rə] *f* marchandise *f*, article *m*

Warenhaus ['va:rənhaus] *n* grand magasin *m*

Warenzeichen ['va:rəntsaɪçən] *n* marque de fabrication *f*, label *m; eingetragenes ~* marque déposée

warm [varm] *adj* 1. chaud; 2. *(-herzig)* chaleureux

Wärme ['vɛrmə] *f* chaleur *f*

wärmen ['vɛrmən] *v* chauffer, réchauffer

Wärmflasche ['vɛrmflaʃə] *f* bouillotte *f*

warmherzig ['varmhɛrtsɪç] *adj* 1. chaleureux; 2. *(begeistert)* enthousiaste

Warnblinkanlage ['varnblɪŋkanla:gə] *f (Auto)* feux de détresse *m/pl*

Warndreieck ['varndraɪɛk] *n (Auto)* triangle de signalisation *m*

warnen ['varnən] *v* avertir, prévenir

Warnsignal ['varnzɪkna:l] *n* signal avertisseur *m*

Warnung ['varnʊŋ] *f* avertissement *m*

warten ['vartən] *v* 1. attendre (qn/qc); *Darauf wartet er nur.* Il ne demande que ça. *Das wird nicht lange auf sich ~ lassen.* Ça ne va pas traîner. 2. *(instandhalten)* entretenir, assurer la maintenance

Wärter ['vɛrtər] *m* surveillant *m*, garde *m*

Wartesaal ['vartəza:l] *m* salle d'attente *f*

Wartung ['vartʊŋ] *f* TECH entretien *m*

warum [va'rum] *adv* pourquoi?

Warze ['vartsə] *f* 1. MED verrue *f;* 2. *(Brust-)* mamelon *m*

was [vas] *pron* 1. *(interrogativ)* quoi? que? qu'est-ce que? ~ *ist los?* Qu'est-ce qu'il y a? 2. ce que, ce qui; ~ *für ein schönes Wetter!* Quel beau temps! ~ *man auch immer sagen mag.* Quoi qu'on dise.

Waschbecken ['vaʃbɛkən] *n* lavabo *m*

Wäsche ['vɛʃə] *f* 1. *(Waschen)* lessive *f*, lavage *m;* 2. *(Gewaschenes)* linge *m;* 3. *(Unter-)* lingerie *f*

waschecht ['vaʃɛçt] *adj* 1. grand teint; 2. *(fig)* cent pour cent

Wäscheklammer ['vɛʃəklamər] *f* pince à linge *f*

waschen ['vaʃən] *v* 1. *etw* ~ laver; 2. *sich* ~ se laver, faire sa toilette

Wäscherei [vɛʃə'raɪ] *f* laverie *f*

Wäschetrockner ['vɛʃətrɔknər] *m (Maschine)* sèche-linge *m*

Waschmaschine ['vaʃmaʃi:nə] *f* machine à laver *f*, lave-linge *m*

Waschmittel ['vaʃmɪtəl] *n* lessive *f*

Wasser ['vasər] *n* eau *f; jdm nicht das ~ reichen können* ne pas arriver à la cheville de qn; *nah ans ~ gebaut haben* avoir la larme facile

wasserdicht ['vasərdɪçt] *adj* étanche

Wasserfall ['vasərfal] *m* chute d'eau *f*

Wasserhahn ['vasərha:n] *m* robinet *m*

Wasserleitung ['vasərlaɪtʊŋ] *f* conduite d'eau *f*, canalisation *f*

Wasserstoff ['vasərʃtɔf] *m* hydrogène *m*

Watte ['vatə] *f* ouate *f*

Wattebausch ['vatəbauʃ] *m* tampon d'ouate *m*

weben ['ve:bən] *v* tisser

Weberei [ve:bə'raɪ] *f* tissage *m*

Wechsel ['vɛksəl] *m* 1. *(Änderung)* changement *m;* 2. *(Geld-)* change *m;* 3. *(Zahlungsmittel)* lettre de change *f*

Wechselgeld ['vɛksəlgɛlt] *n* monnaie *f*

wechselhaft ['vɛksəlhaft] *adj* changeant

Wechseljahre ['vɛksəlja:rə] *pl* ménopause *f*

wechseln ['vɛksəln] *v* 1. changer, modifier; 2. *(aus-)* échanger

Wechselstrom ['vɛksəlʃtrɔm] *m* courant alternatif *m*

Wechselstube ['vɛksəlʃtu:bə] *f* bureau de change *m*

wecken ['vɛkən] *v* 1. *(aufwecken)* réveiller; 2. *(hervorrufen)* susciter

Wecker ['vɛkər] *m* réveil *m*

weder ['ve:dər] *konj* - ... noch ni ... ni ...

weg [vɛk] *adv* 1. *(abwesend)* absent; 2. *(weggegangen)* parti; 3. *(verschwunden)* disparu

Weg [vɛk] *m* 1. chemin *m; auf dem richtigen* ~ *sein* être en bonne voie; *seinen* ~ *machen* faire son chemin; 2. *(Strecke)* trajet *m*

Wegbereiter ['vɛkbəraitər] *m* pionnier *m*

wegbleiben ['vɛkblaibən] *v* manquer

wegbringen ['vɛkbriŋən] *v* 1. *(fortbringen)* emmener; 2. *(entfernen)* emporter

wegen ['ve:gən] *prep* à cause de

wegfallen ['vɛkfalən] *v* être supprimé

weggehen ['vɛkge:ən] *v* partir, s'en aller

weglassen ['vɛklasən] *v* 1. *(auslassen)* omettre; 2. *(gehen lassen)* laisser partir

weglaufen ['vɛklaufən] *v* se sauver

wegnehmen ['vɛkne:mən] *v* ôter, enlever

wegräumen ['vɛkrɔymən] *v* ranger

Wegweiser ['ve:kvaizər] *m* panneau indicateur *m*, guide *m*

wegwerfen ['vɛkvɛrfən] *v* jeter

Wegwerfgesellschaft ['vɛkvɛrfgəzɛlʃaft] *f* société de consommation *f*

weh [ve:] 1. *adj* douloureux; ~ *tun* faire mal; 2. *interj* hélas!, misère!

Wehen ['ve:ən] *pl* douleurs de l'accouchement *f/pl*

wehen ['ve:ən] *v* souffler

Wehmut ['ve:mut] *f* mélancolie *f*

wehmütig ['ve:my:tiç] *adj* mélancolique

Wehrdienst ['ve:rdi:nst] *m* service militaire *m*

Wehrdienstverweigerer ['ve:rdi:nstfɛrvaigərər] *m* objecteur de conscience *m*

wehren ['ve:rən] *v sich* ~ se défendre contre, lutter contre

wehrlos ['ve:rlo:s] *adj* sans défense

Wehrpflicht ['ve:rpfliçt] *f* obligations militaires *f/pl*

Weib [vaip] *n* 1. femme *f*, épouse *f*; 2. *(abwertend)* commère *f*

weiblich ['vaipliç] *adj* 1. féminin; *Sie ist sehr* ~. Elle est très femme. 2. *ZOOL* femelle

weich [vaiç] *adj* mou/molle, tendre, doux, moelleux; *jdn windel-* *schlagen* battre qn comme plâtre

weichen ['vaiçən] *v* 1. *(zurück~)* céder, reculer; 2. *(er~)* fléchir

Weide ['vaidə] *f* 1. *(Baum)* saule *m*; 2. *(Wiese)* pâturage *m*

weigern ['vaigərn] *v sich* ~ refuser de

Weigerung ['vaigəruŋ] *f* refus *m*

weihen ['vaiən] *v* 1. *(Ding)* bénir; 2. *(Kirche)* consacrer; 3. *(Priester)* ordonner qn

Weiher ['vaiər] *m* étang *m*

Weihnachten ['vainaxtən] *n* Noël *m*

Weihnachtsbaum ['vainaxtsbaum] *m* arbre/sapin de Noël *m*

Weihnachtsmann ['vainaxtsman] *m* père Noël *m*

Weihrauch ['vairaux] *m* encens *m*

Weihwasser ['vaivasər] *n* eau bénite *f*

weil [vail] *konj* parce que

Weile ['vailə] *f* moment *m*, laps de temps *m*

Wein [vain] *m* 1. vin *m*; 2. *(Rebe)* vigne *f*

Weinberg ['vainbɛrk] *m* vignoble *m*, vignes *f/pl*

Weinbrand ['vainbrant] *m* eau-de-vie *f*

weinen ['vainən] *v* pleurer, verser des larmes; *bitterlich* ~ pleurer à chaudes larmes; *Es ist zum* ~! C'est bête à pleurer!

Weinlese ['vainle:zə] *f* vendanges *f/pl*

Weintraube ['vaintraubə] *f* raisin *m*

weise ['vaizə] *adj* sage, avisé

Weise ['vaizə] *f* 1. *(Art und* ~*)* manière *f*, façon *f; auf die eine oder andere* ~ d'une manière ou d'une autre; 2. *(Lied)* mélodie *f*

Weisheit ['vaishait] *f* sagesse *f*

Weisung ['vaizuŋ] *f* ordre *m*, consigne *f*

weiß [vais] *adj* blanc/blanche; ~ *wie ein Leintuch sein* être blanc comme un linge; *kalk~ sein* être blanc comme plâtre

Weißbrot ['vaisbro:t] *n* pain blanc *m*

Weißkohl ['vaisko:l] *m* chou blanc *m*

Weißwein ['vaisvain] *m* vin blanc *m*

weit [vait] *adj* 1. *(breit)* large; 2. *(lang)* long; 3. *(fern)* éloigné; 4. *adv* ~ *entfernt* loin; *Das geht zu* ~! C'est un peu fort! *So* ~ *sind wir noch lange nicht.* Nous en sommes encore loin.

weitaus ['vaitaus] *adv* de loin

Weite ['vaitə] *f* 1. *(Breite)* étendue *f*, ampleur *f*; 2. *(Länge)* longueur *f*; 3. *(Ferne)* lointain *m; das* ~ *suchen* gagner le large

weiter ['vaitər] 1. *adj (zusätzlich)* autre, supplémentaire; *adv* 2. *(~ weg)* plus loin; 3. *(außerdem)* de plus, en outre

Weiterbildung ['vaitərbilduŋ] *f* formation complémentaire *f*

weitergeben ['vaɪtərgeːbən] v transmettre
weitergehen ['vaɪtərgeːən] v continuer, poursuivre; *Wenn das so weitergeht...* De ce train-là...
weiterleiten ['vaɪtərlaɪtən] v transmettre
weitermachen ['vaɪtərmaxən] v continuer
weitgehend [vaɪtgeːənt] adj 1. large, étendu; 2. *(bedeutend)* important
weitläufig ['vaɪtlɔyfɪŋ] adj 1. étendu, important; 2. *(fig: ausführlich)* détaillé
weitreichend ['vaɪtraɪŋənt] adj important, considérable
weitsichtig ['vaɪtzɪŋtɪŋ] adj 1. MED presbyte; 2. *(fig)* claivoyant
weitverbreitet ['vaɪtfɛrbraɪtət] adj 1. répandu; 2. *(geläufig)* courant
Weizen ['vaɪtsən] m blé m
welch [vɛlŋ] pron quel/quelle, quels/quelles
welche(r,s) ['vɛlŋə] pron lequel/laquelle, qui/que
welk [vɛlk] adj *(verblüht)* fané, flétri
welken ['vɛlkən] v se faner, se flétrir
Welle ['vɛlə] f 1. vague f; *-n schlagen* faire des vagues; 2. PHYS onde f
Wellenlänge ['vɛlənlɛŋə] f longueur d'onde f
Wellensittich ['vɛlənzɪtɪŋ] m perruche f
Welt [vɛlt] f monde m, univers m, terre f; *Das ist der Lauf der -.* Ainsi va le monde.
Weltall ['vɛltal] n univers m, cosmos m
Weltanschauung ['vɛltanʃauuŋ] f vision du monde f
Weltbank ['vɛltbaŋk] f banque mondiale f
weltbekannt ['vɛltbəkant] adj universellement connu, de renommée universelle
weltgewandt ['vɛltgəvant] adj habitué au monde
Weltkrieg ['vɛltkriːk] m guerre mondiale f
weltlich ['vɛltlɪŋ] adj 1. du monde, mondain; 2. *(nicht kirchlich)* laïque, séculier
Weltmacht ['vɛltmaxt] f puissance mondiale f
Weltmeisterschaft ['vɛltmaɪstərʃaft] f championnat(s) du monde m/(pl)
Weltraum ['vɛltraum] m espace cosmique m
Weltreise ['vɛltraɪzə] f tour du monde m
Weltrekord ['vɛltrɛkɔrt] m record mondial m
Weltsprache ['vɛltʃpraxə] f langue universelle f

weltweit ['vɛltvaɪt] adj mondial
wem [veːm] pron à qui
wen [veːn] pron qui
Wende ['vɛndə] f 1. virage m, changement de direction m; *eine ~ nehmen* prendre un virage; 2. *(Entwicklung)* évolution f
wenden ['vɛndən] v *sich - an* s'adresser à
wendig ['vɛndɪŋ] adj maniable
Wendung ['vɛnduŋ] f *(fig)* changement m, évolution f; *eine gute ~ nehmen* prendre une bonne tournure; *eine tragische ~ nehmen* tourner au tragique
wenig ['veːnɪŋ] 1. adj quelques, peu de; 2. adv peu, pas beaucoup; *wenn auch noch so ~* tant soit peu
weniger ['veːnɪgər] adv moins, pas tant
wenigstens ['veːnɪgstəns] adv du moins, au moins; *Man kann es ~ versuchen.* On peut toujours essayer.
wenn [vɛn] konj 1. *(zeitlich)* lorsque, quand; 2. *(falls)* si
wer [veːr] pron qui
Werbefernsehen ['vɛrbəfɛrnzeːən] n publicité télévisée f
Werbekampagne ['vɛrbəkampanjə] f campagne de publicité f
werben ['vɛrbən] v 1. *(Werbung machen)* faire de la publicité; 2. *(um etw ~)* rechercher
Werbung ['vɛrbuŋ] f publicité f
werden ['vɛrdən] v 1. *(Futur) Ich werde wegfahren.* Je partirai; 2. *(Passiv) Wir - gerufen.* Nous sommes appelés./ On nous appelle. 3. *(Beruf ergreifen)* devenir; *Sie wird Krankenschwester.* Elle devient infirmière. 4. *(Entwicklung)* faire; *alt - vieillir; besser -* s'améliorer; *selten - se* faire rare; *modern -* devenir la mode; *Ich werde verrückt.* Je deviens fou. *Mir wird Angst.* J'ai peur. *Mir wird schlecht.* J'ai mal au cœur. *Es wird spät.* Il se fait tard. 5. *(Beginn)* commencer à être; *Es wird hell/dunkel.* Il commence à faire jour/nuit. *Es wird Tag.* Le jour se lève. 6. *(geschehen) Was soll daraus -?* Qu'en adviendra-t-il? *Ich frage mich, was daraus - soll.* Je me demande ce que ça va donner. *Das muß anders -.* Il faut que cela change.
werfen ['vɛrfən] v jeter, lancer; *sich jdm an den Hals -* se jeter à la tête de qn
Werft [vɛrft] f chantier naval m
Werk [vɛrk] n 1. *(Kunst-)* œuvre f, ouvrage m; *rasch ans - gehen* aller vite en besogne; 2. *(Fabrik)* usine f, fabrique f

Werkstatt ['vɛrkʃtat] f atelier m
Werkstück ['vɛrkʃtyk] n pièce à usiner f
Werktag ['vɛrkta:k] m jour ouvrable m
werktags ['vɛrkta:ks] adv en semaine
Werkzeug ['vɛrktsɔyk] n outil m, instrument m
wert [vɛrt] adj 1. d'une valeur de; 2. (würdig) digne de, qui mérite; 3. (lieb) cher
Wert [vɛrt] m 1. valeur f; 2. (Preis) prix m
werten ['vɛrtən] v 1. (beurteilen) juger; 2. apprécier
Wertgegenstand ['vɛrtge:gənʃtant] m objet de valeur m
wertlos ['vɛrtlo:s] adj sans valeur
Wertpapier ['vɛrtpapi:r] n valeur f
Wertschätzung ['vɛrtʃɛtsuŋ] f estime f
Wertung ['vɛrtuŋ] f 1. (Beurteilung) jugement m; 2. évaluation f; 3. SPORT classement m
wertvoll ['vɛrtfɔl] adj précieux, de prix
Wesen ['ve:zən] n 1. (Lebewesen) être m; 2. (Charakter) nature f, caractère m
wesentlich ['ve:zəntlıŋ] adj essentiel, fondamental; Es handelt sich im -en darum. Voici en gros de quoi il s'agit.
weshalb [vɛs'halp] 1.adv pourquoi; 2.konj c'est la raison pour laquelle
Wespe ['vɛspə] f guêpe f
wessen ['vɛsən] pron de qui
Weste ['vɛstə] f gilet m
Westen ['vɛstən] m ouest m, occident m
Westeuropa ['vɛstɔyro:pa] n Europe de l'Ouest f
westlich ['vɛstlıŋ] 1.adj occidental, de l'ouest; 2.adv (-von) à l'ouest (de)
Wettbewerb ['vɛtbəvɛrp] m concours m, compétition f, concurrence f
Wette ['vɛtə] f pari m
wetteifern ['vɛtaɪfərn] v rivaliser avec qn
wetten ['vɛtən] v parier; Man könnte -. Il y a à gros à parier. mit jdm - mettre au défi
Wetter ['vɛtər] n temps m
Wettervorhersage ['vɛtərfo:rhe:rza:gə] f prévisions météorologiques f/pl
Wettkampf ['vɛtkampf] m compétition f, lutte f
wettmachen ['vɛtmaxən] v compenser
Wettrüsten ['vɛtrystən] n course aux armements f
Wettstreit ['vɛtʃtraɪt] m concours m
wichtig ['vıŋtıŋ] adj 1. important; Das ist nicht so -! Peu importe! zunächst einmal das Wichtigste erledigen aller au plus

pressé; 2. (wesentlich) essentiel; 3. (schwerwiegend) grave; 4. adv avec importance; sich - machen faire la mouche du coche
Wichtigkeit ['vıŋtıŋkaıt] f importance f
wickeln ['vıkəln] v 1. rouler, enrouler; 2. (Baby) langer, mettre une couche à
wider ['vi:dər] prep contre
widerfahren ['vi:dərfa:rən] v arriver à
widerlich ['vi:dərlıŋ] adj répugnant, repoussant; Das ist -. C'est dégoûtant.
widerrechtlich ['vi:dərrɛntlıŋ] adj illégal, inique
Widerrede ['vi:dərre:də] f contradiction f, opposition f; Keine -! Pas de discussion!
widerrufen ['vi:dərru:fən] v 1. (zurücknehmen) révoquer; 2. (dementieren) démentir
widersetzen ['vi:dərzɛtsən] v sich - s'opposer à, résister à
widerspenstig ['vi:dərʃpɛnstıŋ] adj récalcitrant, rebelle
widerspiegeln ['vi:dərʃpi:gəln] v refléter
widersprechen ['vi:dərʃprɛnən] v contredire
Widerspruch ['vi:dərʃprux] m 1. contradiction f, opposition f; 2. PHIL antinomie f
Widerstand ['vi:dərʃtant] m résistance f
widerstandsfähig ['vi:dərʃtantsfɛ:ıŋ] adj résistant, robuste
widerstandslos ['vi:dərʃtantslo:s] adv 1. sans résistance; 2. (passiv) passivement
widerstehen ['vi:dərʃte:ən] v résister à
widerwärtig ['vi:dərvɛrtıŋ] adj 1. (unangenehm) désagréable; 2. fâcheux
Widerwille ['vi:dərvılə] m dégoût m
widerwillig ['vi:dərvılıŋ] adv à contrecœur
widmen ['vıtmən] v dédier (à), consacrer (à); sich einer Sache - se consacrer à
Widmung ['vıtmuŋ] f dédicace f
wie [vi:] 1. adv (Frage) comment; - weit sind Sie? Où en êtes-vous? 2. konj comme, combien; 3. (Ausruf) comme
wieder ['vi:dər] adv de nouveau
Wiederaufbau ['vi:dəraufbau] m reconstruction f
wiederaufbereiten ['vi:dəraufbəraıtən] v (Atommüll) retraiter
Wiederaufbereitungsanlage ['vi:dəraufbəraıtuŋsanla:gə] f usine de retraitement des déchets nucléaires f
wiederbeleben ['vi:dərbəle:bən] v 1. ranimer, rappeler à la vie; 2. MED réanimer

Wiederbelebung ['vi:dərbəle:buŋ] *f*
MED réanimation *f*

wiedererkennen ['vi:dərɛrkɛnən] *v* reconnaître

wiedererlangen ['vi:dərɛrlaŋən] *v 1.* récupérer; *2. (wiederfinden)* retrouver

wiederfinden ['vi:dərfɪndən] *v* retrouver

Wiedergabe ['vi:dərga:bə] *f 1. (Rückgabe)* restitution *f*; *2. (Darstellung)* reproduction *f*

wiedergeben ['vi:dərge:bən] *v 1. (zurückgeben)* rendre; *2. (darstellen)* reproduire

wiedergutmachen ['vi:dərgu:tmaxən] *v* réparer, compenser

Wiedergutmachung ['vi:dərgu:tmaxuŋ] *f* compensation *f*, réparation *f*

wiederherstellen ['vi:dərhɛrʃtɛlən] *v* remettre en état, réparer

wiederholen [vi:dər'ho:lən] *v* répéter

Wiederholung [vi:dər'ho:luŋ] *f* répétition *f*

wiederkommen ['vi:dərkɔmən] *v* revenir

wiedersehen ['vi:dərze:ən] *v* revoir

Wiedervereinigung ['vi:dərfɛraɪnɪguŋ] *f* réunification *f*

Wiederverwertung ['vi:dərfɛrvɛrtuŋ] *f* recyclage *m*

Wiege ['vi:gə] *f* berceau *m*

wiegen ['vi:gən] *v 1. (Gewicht)* peser; *2. (schaukeln)* bercer; *3. (zerkleinern)* hacher

Wiese ['vi:zə] *f* prairie *f*, pré *m*

wieso [vi'zo:] *adv* comment cela?

wieviel [vi:'fi:l] *adv* combien?

wild [vɪlt] *adj* sauvage

Wild [vɪlt] *n* gibier *m*

Wildleder ['vɪltle:dər] *n* daim *m*

Wildnis ['vɪltnɪs] *f* désert *m*

Wildschwein ['vɪltʃvaɪn] *n* sanglier *m*

Wille ['vɪlə] *m* volonté *f*; *Es ist kein böser ~.* Ce n'est pas de la mauvaise volonté.

willenlos ['vɪlənlo:s] *adj 1.* sans volonté, passif; *2. (gelehrig)* docile; *3. adv* sans volonté

willensschwach ['vɪlənsʃvax] *adj* faible

willensstark ['vɪlənsʃtark] *adj* énergique, volontaire; *~er Mann* homme de caractère

willkommen [vɪl'kɔmən] *adj* bienvenu

Willkür ['vɪlky:r] *f* arbitraire *m*

willkürlich [vɪl'ky:rlɪŋ] *adj* arbitraire

Wimper ['vɪmpər] *f* cil *m*

Wind [vɪnt] *m* vent *m*; *viel ~ machen* faire du zèle

Windel ['vɪndəl] *f* couche *f*

windig ['vɪndɪŋ] *adj* venteux

Windkanal ['vɪntkana:l] *m* soufflerie *f*

Windmühle ['vɪntmy:lə] *f* moulin à vent *m*

Windpocken ['vɪntpɔkən] *pl* varicelle *f*

Windschutzscheibe ['vɪntʃutsʃaɪbə] *f (Auto)* pare-brise *m*

Windstärke ['vɪntʃtɛrkə] *f* force du vent *f*

Windstille ['vɪntʃtiːlə] *f* calme *m*

Winkel ['vɪŋkəl] *m 1.* MATH angle *m*; *2. (fig: Plätzchen)* coin *m*

winken ['vɪŋkən] *v* faire signe à

Winter ['vɪntər] *m* hiver *m*

winterlich ['vɪntərlɪŋ] *adj* hivernal, d'hiver

Wintersport ['vɪntərʃpɔrt] *m* sport d'hiver *m*

Winzer ['vɪntsər] *m* vigneron *m*

winzig ['vɪntsɪŋ] *adj* minuscule, infime

Wippe ['vɪpə] *f* balançoire *f*, bascule *f*

wir [vi:r] *pron* nous; *Also, gehen ~ hin?* Alors, on y va?

Wirbelsäule ['vɪrbəlsɔylə] *f* colonne vertébrale *f*

wirken ['vɪrkən] *v 1. (tätig sein)* exercer; *2. (wirksam sein)* avoir de l'effet sur; *3. (Eindruck erwecken)* faire l'effet de

wirklich ['vɪrklɪŋ] *adj* vrai, réel, effectif

Wirklichkeit ['vɪrklɪŋkaɪt] *f* réalité *f*

wirksam ['vɪrkza:m] *adj* efficace

Wirksamkeit ['vɪrkza:mkaɪt] *f 1.* efficacité *f*, effet *m*; *2. (Gültigkeit)* validité *f*

Wirkung ['vɪrkuŋ] *f 1.* effet *m*; *~ tun* faire son effet; *jdn um seine ~ bringen* couper ses effets à qn; *2. (Einfluß)* influence *f*

wirkungslos ['vɪrkuŋslo:s] *adj 1.* sans effet, inefficace; *2. (nutzlos)* inutile

wirkungsvoll ['vɪrkuŋsfɔl] *adj* efficace

Wirsing ['vɪrzɪŋ] *m* chou frisé *m*

Wirt [vɪrt] *m 1.* aubergiste *m*; *2. (Hotel)* hôtelier *m*; *3. (Café)* patron d'un café *m*

Wirtschaft ['vɪrtʃaft] *f 1. (Gasthaus)* auberge *f*; *2. (Café)* café *m*; *3.* ECO économie *f*

wirtschaftlich ['vɪrtʃaftlɪŋ] *adj 1.* économique, commercial; *2. (rentabel)* rentable

Wirtschaftlichkeit ['vɪrtʃaftlɪŋkaɪt] *f* rentabilité *f*, rendement économique *m*

Wirtschaftskrise ['vɪrtʃaftskri:zə] *f* crise économique *f*

Wirtschaftswunder ['vɪrtʃaftsvundər] *n* miracle économique *m*

Wirtshaus ['vɪrtshaus] *n* 1. auberge *f*; 2. *(Café)* café *m*

wischen ['vɪʃən] *v* essuyer, effacer

wispern ['vɪspərn] *v* murmurer

wißbegierig ['vɪsbəgi:rɪŋ] *adj* désireux de savoir, avide d'apprendre

Wissen ['vɪsən] *n* savoir *m*, connaissance *f*, conscience *f*; *ohne jds* ~ à l'insu

wissen ['vɪsən] *v* savoir, connaître, être au courant de; *Das ist gut zu* ~. C'est bon à savoir. *schon längst* ~ savoir le reste; *nicht, daß ich wüßte* pas que je sache; ~ *,woran man ist* savoir à quoi s'en tenir; *als ob man von nichts wüßte* sans avoir l'air d'y toucher

Wissenschaft ['vɪsənʃaft] *f* science *f*

Wissenschaftler ['vɪsənʃaftlər] *m* 1. scientifique *m*; 2. *(Gelehrter)* savant *m*

wissenschaftlich ['vɪsənʃaftlɪŋ] *adj* scientifique

wissentlich ['vɪsəntlɪŋ] 1. *adj* intentionnel; 2. *adv* en toute connaissance de cause

Witterung ['vɪtəruŋ] *f* 1. *(Wetter)* temps *m*; 2. *(Wittern)* flair *m*

Witwe ['vɪtvə] *f* veuve *f*

Witwer ['vɪtvər] *m* veuf *m*

Witz [vɪts] *m* 1. *(Geschichte)* blague *f*, histoire drôle *f*; 2. *(Scherz)* plaisanterie *f*

witzig ['vɪtsɪŋ] *adj* amusant, drôle

witzlos ['vɪtslo:s] *adj* 1. *(ohne Witz)* insipide; 2. *(zwecklos)* sans intérêt

wo [vo:] *adv* où? en quel endroit?

woanders [vo:'andərs] *adv* ailleurs

Woche ['vɔxə] *f* semaine *f*

Wochenblatt ['vɔxənblat] *n* journal hebdomadaire *m*, hebdomadaire *m*

Wochenende ['vɔxənɛndə] *n* week-end *m*

wochenlang ['vɔxənlaŋ] 1. *adj* qui dure des semaines; 2. *adv* à longueur de semaines

wochentags ['vɔxənta:ks] *adv* les jours ouvrables, en semaine

wöchentlich ['vœxəntlɪŋ] 1. *adj* hebdomadaire; 2. *adv* par semaine

wodurch [vo:'durŋ] *adv* par quoi, par où

wofür [vo:'fy:r] *adv* 1. *(Frage)* pourquoi? 2. en échange de quoi

Woge ['vo:gə] *f* 1. *(Welle)* vague *f*, lame *f*; 2. *(-der Begeisterung)* flot d'enthousiasme *m*

wogegen [vo:'ge:gən] *adv* contre quoi

woher [vo:'he:r] *adv* d'où?

wohin [vo:'hi:n] *adv* où?

wohl [vo:l] *adv* 1. *(gut)* bien; ~ *oder übel* de gré ou de force; *sich sehr* ~ *fühlen* se porter comme un charme; *alles* ~ *bedacht* tout bien compté; 2. *(etwa)* sans doute; 3. *(wahrscheinlich)* probablement; 4. *(sicher)* bien sûr, sûrement

Wohl [vo:l] *n* 1. bien *m*, salut *m*; 2. *(-ergehen)* prospérité *f*; 3. *(Gesundheit)* santé *f*; *Auf Ihr* ~! A votre santé!/ A la tienne!

Wohlbefinden ['vo:lbəfɪndən] *n* bien-être *m*

wohlerzogen ['vo:lɛrtso:gən] *adj* bien élevé

Wohlfahrt ['vo:lfa:rt] *f* prévoyance sociale *f*

Wohlgefallen ['vo:lgəfalən] *n* plaisir *m*

wohlgemerkt ['vo:lgəmɛrkt] *adv* bien entendu

wohlhabend ['vo:lha:bənt] *adj* aisé

wohlig ['vo:lɪŋ] *adj* agréable

wohlschmeckend ['vo:lʃmɛkənt] *adj* savoureux, délicieux

Wohlstand ['vo:lʃtant] *m* aisance *f*

Wohlstandsgesellschaft ['vo:lʃtantsgəzɛlʃaft] *f* société d'abondance *f*

Wohltat ['vo:lta:t] *f* bienfait *m*

Wohltäter ['vo:lte:tər] *m* bienfaiteur *m*

Wohltätigkeitsveranstaltung ['vo:lte:tɪŋkaɪtsferanʃtaltuŋ] *f* manifestation de bienfaisance *f*, manifestation de charité *f*

wohltuend ['vo:ltu:ənt] *adj* bienfaisant

Wohlwollen ['vo:lvɔlən] *n* bienveillance *f*

wohlwollend ['vo:lvɔlənt] 1. *adj* bienveillant, favorable; 2. *adv* avec bienveillance

wohnen ['vo:nən] *v* habiter, demeurer

Wohngemeinschaft ['vo:ngəmaɪnʃaft] *f* communauté *f*

wohnhaft ['vo:nhaft] *adv* domicilié (à)

wohnlich ['vo:nlɪŋ] *adj* confortable

Wohnmobil ['vo:nmobi:l] *n* camping-car *m*

Wohnort ['vo:nɔrt] *m* domicile *m*

Wohnung ['vo:nuŋ] *f* appartement *m*, logement *m*, habitation *f*

Wohnviertel ['vo:nfi:rtəl] *n* quartier *m*

Wohnwagen ['vo:nva:gən] *m* caravane *f*

Wohnzimmer ['vo:ntsɪmər] *n* salle de séjour *f*, salon *m*

Wolf [vɔlf] *m* loup *m*

Wolke ['vɔlkə] *f* nuage *m*, nuée *f*; *aus allen* -*n fallen* tomber des nues

Wolkenbruch ['vɔlkənbrux] *m* averse *f*, pluie torrentielle *f*

Wolkenkratzer ['vɔlkənkratsər] *m* gratte-ciel *m*

wolkenlos ['vɔlkənlo:s] *adj* sans nuages

wolkig ['vɔlkɪŋ] *adj* nuageux, couvert

Wolle ['vɔlə] *f* laine *f*, lainage *m*

wollen ['vɔlən] *v* vouloir, avoir la volonté de; *Wie Sie ~.* Comme vous voudrez.

womit [vo:'mɪt] *adv* avec quoi? en quoi?

wonach [vo:'na:x] *adv* après quoi? selon quoi?

woran [vo:'ran] à quoi? de quoi?

worauf [vo:'rauf] *adv* sur quoi? *~ wollen Sie hinaus?* Où voulez-vous en venir?

woraus [vo:'raus] *adv* de quoi?

worin [vo:'rɪn] *adv* en quoi? dans quoi?

Wort [vɔrt] *n* mot *m*, terme *m*, parole *f*; *das ~ an jdn richten* adresser la parole à qn; *Man hört sein eigenes ~ nicht.* On ne s'entend pas parler. *sein ~ brechen* manquer de parole; *~klauberei treiben* jouer sur les mots; *kein Sterbenswörtchen sagen* ne pas souffler mot; *Das ist ein ~!* Voilà une bonne parole! *jdn mit schönen ~en abspeisen* payer qn de mots

Wörterbuch ['vœrtərbu:x] *n* dictionnaire *m*

wortgewandt ['vɔrtgəvant] *adj* éloquent

wortkarg ['vɔrtkark] *adj* taciturne

Wortlaut ['vɔrtlaut] *m* texte *m*, termes *m/pl*

wörtlich ['vœrtlɪŋ] 1. *adj* littéral, textuel; 2. *adv* au pied de la lettre; *etw ~ nehmen* prendre qc à la lettre

wortlos ['vɔrtlo:s] 1. *adj* muet; 2. *adv* sans voix, sans mot dire

Wortschatz ['vɔrtʃats] *m* vocabulaire *m*

worüber [vo:'ry:bər] *adv* sur quoi?

worum [vo:'rum] *adv* de quoi?

wovon [vo:'fɔn] *adv* de quoi? d'où?

wovor [vo:'fo:r] *adv* de quoi?

wozu [vo:'tsu:] *adv* pour quoi?

Wrack [vrak] *n* épave *f*

Wucher ['vu:xər] *m* usure *f*

wuchern ['vu:xərn] *v* 1. faire l'usure; 2. *(Pflanzen)* proliférer

Wuchs [vu:ks] *m* 1. *(Wachsen)* croissance *f*, accroissement *m*; 2. *(Körperbau)* taille *f*

Wucht [vuxt] *f* puissance *f*, force *f*; *mit voller ~* de tout son poids

wühlen ['vy:lən] *v* 1. *(graben)* fouiller; 2. *(suchen)* retourner, bouleverser

Wunde ['vundə] *f* blessure *f*, plaie *f*

Wunder ['vundər] *n* miracle *m*, merveille *f*; *Das ist kein ~.* Ce n'est pas étonnant.

wunderbar ['vundərba:r] *adj* 1. merveilleux, prodigieux; 2. *(herrlich)* splendide

wundern ['vundərn] *v sich ~* s'étonner de

wundervoll ['vundərfɔl] *adj* merveilleux

Wundstarrkrampf ['vuntʃtarkrampf] *m* tétanos *m*

Wunsch [vunʃ] *m* 1. désir *m*, souhait *m*; *einen ~ hegen (verspüren)* éprouver un désir; *jdm jeden ~ von den Augen ablesen* être aux petits soins de qn; 2. *(Geburtstag)* vœux *m/pl*; 3. *(Hochzeit, Geburt)* félicitations *f/pl*

Wunschbild ['vunʃbɪlt] *n* idéal *m*

wünschen ['vynʃən] *v* souhaiter, désirer

Würde ['vyrdə] *f* dignité *f*, noblesse *f*

würdig ['vyrdɪŋ] *adj* digne de

würdigen ['vyrdɪgən] *v* estimer, apprécier

Würfel ['vyrfəl] *m* dé *m*, cube *m*

würgen ['vyrgən] *v* 1. serrer la gorge; 2. *(etw hinunter~)* faire des efforts pour avaler

Wurm [vurm] *m* ver *m*

Wurst [vurst] *f* saucisse *f*

Würze ['vyrtsə] *f* 1. assaisonnement *m*, goût *m*; 2. *(Gewürz)* épice *f*

Wurzel ['vurtsəl] *f* 1. racine *f*; 2. GRAMM radical *m*

würzen ['vyrtsən] *v* assaisonner

würzig ['vyrtsɪŋ] *adj* épicé, aromatique

wüst [vy:st] *adj* 1. *(öde)* désert, vide; 2. *(ausschweifend)* débauché, dépravé

Wüste ['vy:stə] *f* désert *m*

Wut [vu:t] *f* colère *f*, fureur *f*, rage *f*

wütend ['vy:tənt] 1. *adj* furieux, déchaîné; 2. *adv* avec fureur

X/Y/Z

X-Achse ['ıksaksə] *f* axe des abscisses *m*
X-Beine ['ıksbaınə] *pl* jambes en X *f/pl*
x-beliebig ['ıksbəli:bıŋ] *adj* quelconque
x-mal ['ıks ma:l] *adv* des centaines de fois
Xylophon [ksylo'fo:n] *n* xylophone *m*
Y-Achse ['ypsilɔnaksə] *f* axe des ordonnées *m*
Yacht [jaxt] *f* yacht *m*
Ypsilon ['ypzilɔn] *n* ypsilon *m*
Yuppie ['ju:pi:] *m* yuppie *m*
Zacke ['tsakə] *f* pointe *f*, dent *f*
zaghaft ['tsa:khaft] *adj* 1. *(ängstlich)* peureux; 2. *(zögernd)* hésitant; 3. craintif
zäh [tsɛ:] *adj* 1. tenace; 2. *(hart)* dur
Zahl [tsa:l] *f* nombre *m*, chiffre *m*
zahlen ['tsa:lən] *v* payer, acquitter, régler
zählen ['tsɛ:lən] *v* 1. compter, dénombrer; 2. *(gehören zu)* appartenir à
Zähler ['tsɛ:lər] *m* 1. TECH compteur *m*; 2. *(Bruch)* numérateur d'une fraction *m*
zahlreich ['tsa:lraıŋ] 1. *adj* nombreux, en grand nombre; 2. *adv* en grand nombre
Zahlung ['tsa:luŋ] *f* paiement *m*
zahlungsfähig ['tsa:luŋsfɛ:ıŋ] *adj* solvable
zahm [tsa:m] *adj* 1. apprivoisé, doux; 2. *(gefügig)* souple; 3. *(gelehrig)* docile
zähmen ['tsɛ:mən] *v* dompter, apprivoiser
Zahn [tsa:n] *m* dent *f*
Zahnarzt ['tsa:nartst] *m* dentiste *m*
Zahnbürste ['tsa:nbyrstə] *f* brosse à dents *f*
Zahnersatz ['tsa:nərzats] *m* prothèse dentaire *f*
Zahnfleisch ['tsa:nflaıʃ] *n* gencive *f*
Zahnpasta ['tsa:npasta] *f* dentifrice *m*
Zahnrad ['tsa:nra:t] *n* roue dentée *f*
Zahnschmerzen ['tsa:nʃmɛrtsən] *pl* mal aux dents *m*
Zahnstein ['tsa:nʃtaın] *m* tartre *m*
Zahnstocher ['tsa:nʃtɔxər] *m* cure-dents *m*
Zange ['tsaŋə] *f* pince *f*, tenailles *f/pl*
Zank [tsaŋk] *m* querelle *f*, dispute *f*
zanken ['tsaŋkən] *v* se disputer avec
zart [tsart] *adj* tendre, délicat, sensible
zärtlich ['tsɛrtlıŋ] 1. *adj* tendre, affectueux; 2. *adv* avec tendresse

Zärtlichkeit ['tsɛrtlıŋkaıt] *f* tendresse *f*
Zauber ['tsaubər] *m* 1. *(Magie)* magie *f*, enchantement *m*; 2. *(fig)* charme *m*
Zauberer ['tsaubərər] *m* magicien *m*
zauberhaft ['tsaubərhaft] *adj* *(fig)* merveilleux
zaubern ['tsaubərn] *v* faire de la magie
zaudern ['tsaudərn] *v* hésiter, tergiverser
Zaun [tsaun] *m* clôture *f*, enclos *m*
Zebra ['tse:bra] *n* zèbre *m*
Zebrastreifen ['tse:braʃtraıfən] *m* passage pour piétons *m*
Zecke ['tsɛkə] *f* tique *f*
Zeder ['tse:dər] *f* cèdre *m*
Zehe ['tse:ə] *f* orteil *m*; *auf -nspitzen* à pas de loup/ sur la pointe des pieds
zehn [tse:n] *num* dix
Zeichen ['tsaınən] *n* 1. signe *m*, marque *f*; *Das ist ein gutes -.* C'est bon signe.
zeichnen ['tsaınnən] *v* 1. dessiner, tracer; 2. *(markieren)* marquer
Zeichnung ['tsaınnuŋ] *f* 1. dessin *m*; 2. *(Plan)* plan *m*
Zeigefinger ['tsaıgəfıŋər] *m* index *m*
zeigen ['tsaıgən] *v* montrer, désigner; *Es wird sich -.* Qui vivra verra.
Zeiger ['tsaıgər] *m (Uhr-)* aiguille *f*
Zeile ['tsaılə] *f* 1. ligne *f*; 2. *(Reihe)* rangée *f*
Zeit [tsaıt] *f* 1. temps *m*; *genügend - vor sich haben* avoir du temps devant soi; *Haben Sie eine Stunde -?* Vous avez une heure libre? *mit der - gehen* être à la page; *Wie die - vergeht!* Comme le temps passe! *Es ist keine - zu verlieren.* Il n'y a pas de temps à perdre. *Das würde zu viel - in Anspruch nehmen.* Cela prendrait trop de temps. *Die - arbeitet für uns.* Le temps travaille pour nous. *die - totschlagen* tuer le temps; *Es war allerhöchste -.* Il était moins une. 2. *(Uhr-)* heure *f*; 3. *(Epoche)* époque *f*
Zeitalter ['tsaıtaltər] *n* siècle *m*, âge *m*
zeitgenössisch ['tsaıtgənøsıʃ] *adj* contemporain
Zeitgeschichte ['tsaıtgəʃıŋtə] *f* histoire contemporaine *f*
zeitig ['tsaıtıŋ] 1. *adj* précoce; 2. *adv* tôt, de bonne heure

Zeitpunkt ['tsaɪtpuŋkt] *m* moment *m*

zeitraubend ['tsaɪtraubənt] *adj* qui prend beaucoup de temps

Zeitraum ['tsaɪtraum] *m* laps de temps *m*

Zeitschrift ['tsaɪtʃrɪft] *f* revue *f*

Zeitung ['tsaɪtuŋ] *f* journal *m; Die -en waren voll davon.* Cette affaire a fait couler beaucoup d'encre.

Zeitvertreib ['tsaɪtfɛrtraɪp] *m* passe- -temps *m*, divertissement *m*

zeitweilig ['tsaɪtvaɪlɪŋ] *adj* temporaire

Zelle ['tsɛlə] *f* cellule *f; seine grauen -n anstrengen* faire travailler sa matière grise

Zellstoff ['tsɛlʃtɔf] *m* cellulose *f*

Zelt [tsɛlt] *n* tente *f*

zelten ['tsɛltən] *v* camper, faire du camping

Zeltplatz ['tsɛltplats] *m* terrain de camping *m*

Zement [tse'mɛnt] *m* ciment *m*

zensieren [tsɛn'ziːrən] *v* 1. *(Schule)* donner une note à un élève; 2. POL censurer

Zensur [tsɛn'zuːr] *f* 1. *(Schule)* note *f*; 2. POL censure *f*

Zentimeter ['tsɛntimeːtər] *m* centimètre *m*

Zentner ['tsɛntnər] *m* demi-quintal *m*

zentral [tsɛn'traːl] *adj* central

Zentralbank [tsɛn'traːlbaŋk] *f* banque centrale *f*

Zentrale [tsɛn'traːlə] *f* centrale *f*

Zentralheizung [tsɛn'traːlhaɪtsuŋ] *f* chauffage central *m*

Zentrum/Zentren ['tsɛntrum] *n* centre *m*

zerbrechen [tsɛr'brɛçən] *v* 1. casser, briser, mettre en morceaux; 2. *(fig)* se rompre

zerbrechlich [tsɛr'brɛçlɪç] *adj* fragile, cassant; *sehr ~ sein* casser comme du verre

zerdrücken [tsɛr'drykən] *v* écraser

Zeremonie [tseremo'niː] *f* cérémonie *f*

Zerfall [tsɛr'fal] *m* décadence *f*, décomposition *f*

zerfallen [tsɛr'falən] *v* tomber en ruines, se délabrer

zergehen [tsɛr'geːən] *v* fondre

zerkleinern [tsɛr'klaɪnərn] *v* broyer

zerknittern [tsɛr'knɪtərn] *v* froisser

zerlegen [tsɛr'leːgən] *v* décomposer

zerreißen [tsɛr'raɪsən] *v* déchirer, déchiqueter; *sich für jdn ~* se mettre en quatre pour qn

zerren ['tsɛrən] *v* tirer avec violence

Zerrissenheit [tsɛ'rɪsənhaɪt] *f* déchirement *m*, division *f*

Zerrung ['tsɛruŋ] *f* claquage *m*

zerschellen [tsɛr'ʃɛlən] *v* briser

zerschlagen [tsɛr'ʃlaːgən] *v* casser en pièces, mettre en pièces, fracasser

zerspringen [tsɛr'ʃprɪŋən] *v* 1. voler en éclats, se briser; 2. *(explodieren)* exploser

zerstören [tsɛr'ʃtøːrən] *v* détruire

Zerstörung [tsɛr'ʃtøːruŋ] *f* destruction *f*

zerstreuen [tsɛr'ʃtrɔyən] *v* 1. disperser, éparpiller; 2. *(fig)* distraire

zerstreut [tsɛr'ʃtrɔyt] *adj (fig)* distrait

Zerstreuung [tsɛr'ʃtrɔyuŋ] *f* distraction *f*

zertrampeln [tsɛr'trampəln] *v* écraser

Zerwürfnis [tsɛr'vyrfnɪs] *n* discorde *f*

Zettel ['tsɛtəl] *m* fiche *f*, billet *m*

Zeug [tsɔyk] *n* outils *m/pl*, matériel *m*, affaires *f/pl; sich ins ~ legen* s'y mettre; *dummes ~ reden* raisonner comme une pantoufle

Zeuge ['tsɔygə] *m* témoin *m*

zeugen ['tsɔygən] *v* 1. *(aussagen)* témoigner, déposer; 2. *(Kind)* engendrer, procréer

Zeugnis ['tsɔyknɪs] *n* 1. *(Bescheinigung)* certificat *m; ~ ablegen für jdn* témoigner en faveur de qn; 2. *(Schul-)* bulletin scolaire *m*

Zeugung ['tsɔyguŋ] *f* procréation *f*

Ziege ['tsiːgə] *f* chèvre *f*

Ziegel ['tsiːgəl] *m* 1. *(Backstein)* brique *f;* 2. *(Dach-)* tuile *f*

ziehen ['tsiːən] *v* 1. tirer, étirer; *Das zieht bei mir nicht.* Cela ne prend pas. 2. *(gehen)* passer, aller

Ziehharmonika ['tsiːharmɔnika] *f* accordéon *m*

Ziehung ['tsiːuŋ] *f* tirage *m*

Ziel ['tsiːl] *n* 1. *(örtlich)* but *m;* 2. SPORT ligne d'arrivée *f;* 3. *(fig: Absicht)* but *m; sein ~ erreichen* en venir à ses fins; *sein ~ verfehlen* manquer son coup; 4. MIL cible *f*

zielbewußt ['tsiːlbəvust] *adj* 1. qui sait ce qu'il veut; 2. *(entschlossen)* décidé

zielen ['tsiːlən] *v* viser qc

Zielgruppe ['tsiːlgrupə] *f* groupe ciblé *m*

ziellos ['tsiːlloːs] *adj* sans but

Zielscheibe ['tsiːlʃaɪbə] *f* cible *f*

zielstrebig ['tsiːlʃtreːbɪç] *adj* 1. qui poursuit son but; 2. *(entschlossen)* déterminé; 3. *adv* avec détermination

ziemlich ['tsiːmlɪç] *adv* assez

Zierde ['tsiːrdə] *f* ornement *m*, parure *f*

zieren ['tsiːrən] *v sich ~* minauder

zierlich ['tsiːrlɪç] *adj* gracile, fin

Ziffer ['tsɪfər] f chiffre m, nombre m
Zifferblatt ['tsɪfərblat] n cadran m
Zigarette [tsiga'rɛtə] f cigarette f
Zigarre [tsi'ga:rə] f cigare m
Zigeuner [tsi'gɔynər] m gitan m
Zimmer ['tsɪmər] n pièce f, salle f, chambre f
Zimmermädchen ['tsɪmərmɛːtʃən] n femme de chambre f
Zimmermann ['tsɪmərman] m charpentier m
Zimt [tsɪmt] m cannelle f
Zink [tsɪŋk] m zinc m
Zinn [tsɪn] m étain m
Zinsen ['tsɪnzən] pl intérêts m/pl
Zinssatz ['tsɪnsats] m taux d'intérêt m
Zirkel ['tsɪrkəl] m 1. compas m; 2. (Kreis) cercle m
Zirkus ['tsɪrkus] m cirque m
zischen ['tsɪʃən] v siffler
Zisterne [tsɪs'tɛrnə] f citerne f, réservoir m
Zitat [tsi'ta:t] n citation f
Zitrone [tsi'tro:nə] f citron m
Zitrusfrüchte ['tsɪtrusfryntə] pl agrumes m/pl
zitterig ['tsɪtəriç] adj tremblant
zittern ['tsɪtərn] v trembler, frémir; ~ wie Espenlaub trembler comme une feuille
zivil [tsi'vi:l] adj civil
Zivilcourage [tsi'vi:lkura:ʒə] f courage civique m
Zivildienst [tsi'vi:ldi:nst] m service civil m
zögern ['tsøːgərn] v hésiter; ~ Sie nicht länger! N'hésitez plus! ~ Sie nicht! Ne tardez pas!
zögernd ['tsøːgərnt] adj hésitant
Zoll [tsɔl] m douane f
Zollbeamte ['tsɔlbəamtə] m douanier m
Zollerklärung ['tsɔlɛrklɛːruŋ] f déclaration en douane f
zollfrei ['tsɔlfrai] adj exempt de douane
Zollkontrolle ['tsɔlkontrolə] f contrôle douanier m
zollpflichtig ['tsɔlpflɪçtiç] adj soumis aux droits de douane
Zone ['tso:nə] f zone f
Zoo [tso:] m zoo m
Zopf [tsɔpf] m tresse f, natte f, queue f
Zorn [tsɔrn] m colère f, irritation f
zornig ['tsɔrniç] adj en colère, furieux
zu [tsu:] 1. prep à, vers, dans, pour; adv 2. (Richtung) vers; 3. (zuviel) trop

Zubehör ['tsu:bəhøːr] n accessoire m
zubereiten ['tsu:bəraitən] v préparer
Zubereitung ['tsu:bəraituŋ] f préparation f
zubinden ['tsu:bɪndən] v lier, fermer
Zucht [tsuxt] f 1. (Tier~) élevage m; 2. (Pflanzen~) culture f; 3. (Disziplin) discipline f; 4. (Erziehung) éducation f
züchten ['tsyntən] v 1. (Tiere) élever, faire l'élevage de; 2. (Pflanzen) cultiver
Zuchthaus ['tsuxthaus] n pénitencier m
zucken ['tsukən] v tressaillir, sursauter
Zucker ['tsukər] m sucre m; Das ist kein ~schlecken. Ce n'est pas de la petite bière.
Zuckerdose ['tsukərdo:zə] f sucrier m
zuckern ['tsukərn] v sucrer
Zuckerrohr ['tsukərro:r] n canne à sucre f
Zuckerrübe ['tsukərry:bə] f betterave sucrière f
zudecken ['tsu:dɛkən] v couvrir, recouvrir
zudem ['tsude:m] adv de plus, en outre
zudrehen ['tsudre:ən] v 1. fermer en tournant; 2. (zuschrauben) visser
zudringlich ['tsu:drɪŋliç] adj importun
zuerst [tsu'e:rst] adv en premier lieu
Zufahrt ['tsufa:rt] f accès m
Zufall ['tsu:fal] m hasard m, sort m, fortune f; durch ~ par hasard; nichts dem ~ überlassen ne rien laisser au hasard
zufällig ['tsu:fɛliç] 1. adj occasionnel, fortuit; 2. adv par hasard
Zuflucht ['tsu:fluxt] f refuge m, asile m
zufrieden [tsu'fri:dən] adj content
Zufriedenheit [tsu'fri:dənhait] f satisfaction f, contentement m
zufriedenstellen [tsu'fri:dənʃtɛlən] v satisfaire
zufügen ['tsu:fy:gən] v jdm etw ~ infliger qc à qn, faire
Zufuhr ['tsu:fu:r] f 1. (Lebensmittel) approvisionnement m, ravitaillement m; 2. CHEM apport m; 3. PHYS amenée f
Zug [tsu:k] m 1. (Eisenbahn) train m; 2. (Umzug) cortège m, défilé m; 3. (Luft~) courant d'air m; 4. (Wesens~) trait m
Zugabe ['tsu:ga:bə] f supplément m
Zugabteil ['tsu:kaptail] n compartiment m
Zugang ['tsu:gaŋ] m 1. (Eingang) entrée f; 2. (Zutritt) accès m; ~ haben zu avoir accès à
zugänglich ['tsu:gɛŋliç] adj 1. (erreichbar) accessible (à); ~ sein être d'un abord facile; 2. (verfügbar) accessible, disponible

zugeben ['tsu:ge:bən] v *(einräumen)* admettre

Zügel ['tsy:gəl] m bride f, rênes f/pl

zügellos ['tsy:gəllo:s] adj *(fig)* déchaîné

zügeln ['tsy:gəln] v *(fig)* refréner

Zugeständnis ['tsu:gəʃtɛntnɪs] n concession f, aveu m

zugestehen ['tsugəʃte:ən] v admettre

Zugführer ['tsu:kfy:rər] m conducteur de train m

zugig ['tsu:gɪŋ] adj exposé aux courants d'air

zügig ['tsy:gɪŋ] 1. adj rapide; 2. adv vite

zugleich [tsu'glaɪn] adv en même temps

Zugluft ['tsu:kluft] f courant d'air m

zugrunde [tsu'grundə] adv 1. ~ gehen périr; 2. ~ legen prendre pour base; 3. ~ liegen être à la base de qc; 4. ~ richten ruiner

zugunsten [tsu'gunstən] prep en faveur de, au profit de

Zugverbindung ['tsu:kfɛrbinduŋ] f correspondance f

zuhalten ['tsu:haltən] v tenir fermé, boucher

Zuhälter ['tsu:hɛltər] m souteneur m

Zuhause [tsu'hauzə] n chez-soi (chez-moi, chez-lui etc) m

zuhören ['tsu:hø:rən] v écouter

Zuhörer ['tsu:hø:rər] m auditeur m

zukleben ['tsu:kle:bən] v coller, cacheter

zuknöpfen ['tsu:knœpfən] v boutonner

Zukunft ['tsukunft] f 1. avenir m; die ~ vor sich haben avoir l'avenir devant soi; 2. GRAMM futur m

zukünftig ['tsu:kynftɪŋ] adj futur

Zulage ['tsu:la:gə] f allocation f

zulassen ['tsu:lasən] v 1. *(geschlossen lassen)* laisser fermé; 2. *(gestatten)* autoriser, permettre; 3. *(Auto)* immatriculer

zulässig ['tsu:lɛsɪŋ] adj autorisé, permis

Zulassung ['tsu:lasuŋ] f 1. *(Erlaubnis)* permission f, autorisation f; 2. *(Auto)* immatriculation f

zuleide [tsu'laɪdə] adv Er könnte keiner Fliege etw ~ tun. Il ne ferait pas de mal à une mouche.

zuletzt [tsu'lɛtst] adv enfin

zuliebe [tsu'li:bə] adv pour l'amour de

zumachen ['tsu:maxən] v fermer

zumeist [tsu'maɪst] adv pour la plupart

zumindest [tsu'mindəst] adv au moins

zumuten [tsu'mu:tən] v exiger qc de qn

Zumutung ['tsumu:tuŋ] f exigence f

zunächst [tsu'nɛ:xst] adv tout d'abord

Zunahme ['tsu:na:mə] f augmentation f

Zuname ['tsu:na:mə] m nom de famille m

zünden ['tsyndən] v allumer, s'enflammer

Zündholz ['tsynthɔlts] n allumette f

Zündkerze ['tsyntkɛrtsə] f bougie d'allumage f

zunehmen ['tsu:ne:mən] v 1. croître, augmenter; 2. *(an Gewicht)* grossir

Zuneigung ['tsu:naɪguŋ] f penchant (pour) m, inclination (pour) f

Zunge ['tsuŋə] f langue f; Das Wort liegt mir auf der ~. J'ai le mot sur le bout de la langue.

zunutze [tsu'nutsə] adv sich ~ machen profiter de

zurechtfinden [tsu'rɛntfindən] v sich ~ s'orienter, se reconnaître; sich in allen Lagen ~ savoir se retourner

zurechtmachen [tsu'rɛntmaxən] v arranger

zürnen ['tsyrnən] v *(jdm ~)* être en colère (contre), être irrité (contre)

zurück [tsu'ryk] adv en arrière, en retard, de retour; Ich bin gleich wieder ~. Je ne fais qu'aller et retour.

zurückbringen [tsu'rykbrɪŋən] v rapporter

zurückdrängen [tsu'rykdrɛŋən] v repousser, refouler

zurückerstatten [tsu'rykɛrʃtatən] v rembourser, rendre

zurückfahren [tsu'rykfa:rən] v retourner

zurückführen [tsu'rykfy:rən] v 1. ramener; 2. *(fig)* être dû à

zurückgeben [tsu'rykge:bən] v rendre qc à qn, restituer

zurückgehen [tsu'rykge:ən] v 1. revenir, rentrer; 2. *(sinken)* diminuer, baisser

zurückgezogen [tsu'rykgətso:gən] adj retiré; sehr ~ leben vivre en vase clos

zurückhalten [tsu'rykhaltən] v 1. etw ~ retenir; 2. sich ~ se retenir; sich jdm gegenüber ~ faire le réservé avec qn

zurückhaltend [tsu'rykhaltənt] 1. adj réservé, discret; 2. adv avec réserve

Zurückhaltung [tsu'rykhaltuŋ] f réserve f

zurückkommen [tsu'rykkɔmən] v revenir; wieder auf etw ~ revenir à la charge

zurücklassen [tsu'ryklasən] v laisser derrière soi, laisser là

zurücklegen [tsu'rykle:gən] v 1. mettre en arrière; 2. (sparen) épargner, mettre de côté; 3. (reservieren) réserver

zurücknehmen [tsu'rykne:mən] v 1. reprendre; 2. (widerrufen) révoquer

zurücksenden [tsu'rykzɛndən] v renvoyer

zurücktreten [tsu'ryktre:tən] v 1. reculer; 2. (Rücktritt erklären) démissionner

zurückweisen [tsu'rykvaizən] v rejeter, refuser

zurückzahlen [tsu'ryktsa:lən] v rembourser

zurückziehen [tsu'ryktsi:ən] v sich - se retirer

zurufen ['tsu:ru:fən] v crier qc à qn

Zusage ['tsu:za:gə] f 1. acceptation f, engagement m; 2. (Versprechen) promesse f

zusagen ['tsu:za:gən] v 1. accepter; 2. (versprechen) promettre; 3. (gefallen) plaire (à)

zusammen [tsu'zamən] adv ensemble

Zusammenarbeit [tsu'zamənɛrbait] f collaboration f, coopération f

zusammenbrechen [tsu'zamənbrɛʃən] v s'effondrer

Zusammenbruch [tsu'zamənbrux] m 1. effondrement m; 2. MED crise de nerfs f

zusammenfallen [tsu'zamənfalən] v 1. (verfallen) tomber en ruine; 2. (fig: zeitlich) coïncider (avec)

zusammenfassen [tsu'zamənfasən] v 1. (verbinden) réunir; 2. (fig) résumer

zusammenfügen [tsu'zamənfy:gən] v assembler

zusammengehören [tsu'zaməngəhø:rən] v aller ensemble

Zusammenhalt [tsu'zamənhalt] m 1. cohésion f; 2. (fig) solidarité f

Zusammenhang [tsu'zamənhaŋ] m rapport (à) m, relation (avec) f

zusammenhangslos [tsu'zamənhaŋslo:s] adj sans suite, incohérent

Zusammenkunft [tsu'zamənkunft] f réunion f, assemblée f

zusammenlegen [tsu'zamənle:gən] v 1. (vereinigen) réunir; 2. (falten) plier

zusammenschließen [tsu'zamənʃli:sən] v sich - s'associer à/avec, fusionner avec

Zusammenschluß [tsu'zamənʃlus] m association f, fusion f

Zusammensetzung [tsu'zamənzɛtsuŋ] f composition f

zusammenstellen [tsu'zamənʃtɛlən] v 1. mettre ensemble; 2. (fig) établir

Zusammenstellung [tsu'zamənʃtɛluŋ] f (fig) établissement m

Zusammenstoß [tsu'zamənʃto:s] m collision f, choc m

zusammenstoßen [tsu'zamənʃto:sən] v entrer en collision avec, heurter

zusammentreffen [tsu'zaməntre:fən] v rencontrer, concorder

zusammenzählen [tsu'zaməntsɛ:lən] v additionner

zusammenziehen [tsu'zaməntsi:ən] v 1. resserrer; 2. (zusammenzählen) additionner

Zusatz ['tsu:zats] m supplément m

zusätzlich ['tsuzɛtslıŋ] 1. adj supplémentaire, additionnel; 2. adv de plus, en outre

zuschauen ['tsu:ʃauən] v regarder

Zuschauer ['tsu:ʃauər] m spectateur m

zuschicken ['tsu:ʃikən] v envoyer

Zuschlag ['tsu:ʃla:k] m supplément m

zuschließen ['tsu:ʃli:sən] v fermer à clé

Zuschrift ['tsu:ʃrift] f lettre f

Zuschuß ['tsu:ʃus] m supplément m

zusehen ['tsu:ze:ən] v regarder

zusehends ['tsu:ze:ənts] adv à vue d'œil

zusichern ['tsu:ziɣərn] v assurer, garantir

zuspitzen ['tsu:ʃpitsən] v 1. (Pfahl) tailler; 2. (fig) sich - s'aggraver

Zustand ['tsu:ʃtant] m état m, situation f

Zustandekommen ['tsu:ʃtandəkomən] n 1. réalisation f; 2. (Erfolg) réussite f

zuständig ['tsu:ʃtɛndıŋ] adj 1. compétent (pour); 2. (verantwortlich) responsable (pour)

zustellen ['tsu:ʃtɛlən] v 1. distribuer le courrier; 2. (liefern) livrer

Zustellung ['tsu:ʃtɛluŋ] f remise à domicile f, distribution f

zustimmen ['tsu:ʃtimən] v consentir à

Zustimmung ['tsu:ʃtimuŋ] f accord m; seine - geben donner son accord

zustoßen ['tsu:ʃto:sən] v arriver

Zutaten ['tsu:ta:tən] pl ingrédients m/pl

Zuteilung ['tsu:tailuŋ] f attribution f

Zutrauen ['tsu:trauən] n confiance f

zutrauen ['tsu:trauən] v jdm etw - croire qn capable de qc

zutraulich ['tsu:trauliŋ] adj confiant

zutreffen ['tsu:tre:fən] v 1. concorder avec; 2. (gelten für) être valable pour

Zutritt ['tsu:trɪt] *m* accès *m*, entrée *f*
zuverlässig ['tsu:fɛrlɛ:sɪŋ] *adj* sûr, fidèle
Zuverlässigkeit ['tsu:fɛrlɛ:sɪŋkaɪt] *f* sûreté *f*, solidité *f*
Zuversicht ['tsu:fɛrzɪçt] *f* confiance *f*
zuversichtlich ['tsu:fɛrzɪçtlɪŋ] 1. *adj* confiant; 2. *adv* avec confiance
zuviel [tsu'fi:l] *pron* trop
zuvor [tsu'fo:r] *adv* autrefois, avant
zuvorkommen [tsu'fo:rkɔmən] *v* devancer qn, prévenir qn/qc
zuvorkommend [tsu'fo:rkɔmənt] 1. *adj* prévenant; 2. *adv* avec prévenance
Zuwachs ['tsu:vaks] *m* 1. ECO accroissement *m*; 2. *(fam: Baby)* naissance *f*
zuweilen ['tsu:vaɪlən] *adv* parfois
zuweisen ['tsu:vaɪzən] *v* attribuer (à)
Zuweisung ['tsu:vaɪzuŋ] *f* attribution *f*
zuwenden ['tsu:vɛndən] *v* tourner
Zuwendung ['tsu:vɛnduŋ] *f* 1. *(Geld)* secours *m*, don *m*; 2. *(Gefühl)* affection *f*
zuwenig [tsu've:nɪç] *adv* trop peu
zuwider [tsu'vi:dər] 1. *adv* en opposition avec; 2. *prep* contrairement à
zuzüglich ['tsutsy:klɪç] *prep* en plus (de)
Zwang [tsvaŋ] *m* contrainte *f*, force *f*
zwanglos ['tsvaŋlo:s] *adj* sans contrainte
Zwangslage ['tsvaŋsla:gə] *f* nécessité *f*
Zwangsmaßnahme ['tsvaŋsmasna:mə] *f* mesure coercitive *f*
zwanzig ['tsvantsɪç] *num* vingt
zwar [tsva:r] *konj* certes, à la vérité
Zweck [tsvɛk] *m* but *m*, fin *f*; *Der ~ heiligt die Mittel.* La fin justifie les moyens.
zweckentfremdet ['tsvɛkəntfrɛmdət] *adj* détourné de sa fonction première, désaffecté
zwecklos ['tsvɛklo:s] *adj* inutile
zweckmäßig ['tsvɛkmɛ:sɪç] *adj* approprié
zwecks [tsvɛks] *prep* en vue de, pour
zwei [tsvaɪ] *num* deux
zweideutig ['tsvaɪdɔytɪç] *adj* ambigu, équivoque
zweifach ['tsvaɪfax] *adj* double
Zweifel ['tsvaɪfəl] *m* 1. doute *m*; *ganz oh-*

ne jeden ~ il n'y a pas d'erreur; *bei jdm ~ erwecken* mettre la puce à l'oreille de qn
zweifelhaft ['tsvaɪfəlhaft] *adj* douteux
zweifellos ['tsvaɪfɛllo:s] *adj* 1. indubitable; 2. *(gewiß)* certain
zweifeln ['tsvaɪfəln] *v* douter de
Zweig [tsvaɪk] *m* branche *f*, rameau *m*
Zweigstelle ['tsvaɪkʃtɛlə] *f* succursale *f*
Zweikampf ['tsvaɪkampf] *m* duel *m*
zweimal ['tsvaɪmal] *adv* deux fois; *es sich nicht ~ sagen lassen* ne pas se le faire redire
zweiseitig ['tsvaɪzaɪtɪç] *adj* bilatéral
Zweisitzer ['tsvaɪzɪtsər] *m* deux-places *f*
zweispurig ['tsvaɪʃpu:rɪç] *adj* à deux voies
zweite(r,s) ['tsvaɪtə] *adj* deuxième
zweitens ['tsvaɪtəns] *adv* deuxièmement
Zwerchfell ['tsvɛrçfɛl] *n* diaphragme *m*
Zwerg [tsvɛrk] *m* nain *m*
zwicken ['tsvɪkən] *v* pincer, tenailler
Zwickmühle ['tsɪkmy:lə] *f in einer ~ sein* être dans le pétrin
Zwieback ['tsvi:bak] *m* biscotte *f*
Zwiebel ['tsvi:bəl] *f* oignon *m*
Zwielicht ['tsvi:lɪçt] *n* demi-jour *m*
Zwietracht ['tsvi:traxt] *f* discorde *f*
Zwilling ['tsvɪlɪŋ] *m* jumeau *m*, jumelle *f*
zwingen ['tsvɪŋən] *v* forcer qn à faire qc, contraindre qn à faire qc; *Nichts zwingt Sie dazu.* Rien ne vous y oblige.
zwinkern ['tsvɪŋkərn] *v* cligner des yeux
Zwirn [tsvɪrn] *m* fil *m*
zwischen ['tsvɪʃən] *prep* entre, parmi
zwischendurch ['tsvɪʃəndurç] *adv (zeitlich)* entre-temps, quelquefois
Zwischenfall ['tsvɪʃənfal] *m* incident *m*
Zwischenlandung ['tsvɪʃənlanduŋ] *f* escale *f*
Zwischenzeit ['tsvɪʃəntsaɪt] *f* intervalle *m*
zwitschern ['tsvɪtʃərn] *v* gazouiller
zwölf [tsvœlf] *num* douze
Zylinder [tsy'lɪndər] *m* 1. *(Hut)* haut de forme *m*; 2. TECH cylindre *m*; 3. *(fam)* gibus *m*
zynisch ['tsy:nɪʃ] *adj* cynique
Zypresse [tsy'prɛsə] *f* cyprès *m*
Zyste ['tsystə] *f* kyste *m*

Französische Grammatik

Das Adjektiv

Das Adjektiv richtet sich in Geschlecht und Zahl nach dem Substantiv, zu dem es gehört *(Voilà ma jolie robe.* Das ist mein schönes Kleid.)
Die weibliche Form der meisten Adjektive wird mit der Endung *-e* gebildet. *(joli/ jolie)* Bei Endkonsonanten treten folgende Veränderungen ein:

Der Endkonsonant verdoppelt sich:		Der Endkonsonant verwandelt sich:	
-el	*-elle*	*-f*	*-ve*
-en	*-enne*	*-x*	*-se*
-on	*onne*	*-c*	*-que*
-t	*-tte*	*-teur*	*-trice*
		-eur	*-euse*

Die Pluralbildung des Adjektivs

Der Plural des Adjektivs wird durch Anhängen der Endung *-s* an die männliche oder weibliche Form gebildet.

Die Stellung des Adjektivs

Adjektive stehen in der Regel *nach* dem Substantiv, manche Adjektive können jedoch auch vorgestellt werden. Dabei ändert sich jedoch der Aussagewert des Adjektivs.

Die Steigerung des Adjektivs

Grundform	Komparativ	Superlativ
moderne	*plus moderne*	*le/la/les plus moderne(s)*

Das Adverb

Man leitet ein Adverb von einem Adjektiv ab, indem man an die weibliche Form — *ment* anhängt. *(sérieuse - sérieusement,* ernst; *franche - franchement,* offen)
Die meisten Adjektive auf *-ant* und *-ent* bilden das Adverb auf *-amment* bzw. — *-emment:*

constant	*constamment*	beständig
bruyant	*bruyamment*	lärmend
prudent	*prudemment*	besonnen

Folgende Adverbien werden unregelmäßig gebildet:

bon	*bien*	gut
mauvais	*mal*	schlecht
meilleur	*mieux*	besser

Der Artikel

Der bestimmte Artikel

Der bestimmte Artikel lautet im maskulin Singular *le*, feminin *la*, im Plural *les*.

Der unbestimmte Artikel

Der unbestimmte Artikel lautet männlich *un*, weiblich *une*. Im Plural ist er männlich und weiblich gleich. Im Deutschen gibt es keine entsprechende Form. *Des* bleibt also unübersetzt.

	maskulin	feminin
Singular	*un tableau*	*une table*
Plural	*des tableaux*	*des tables*

Der Teilungsartikel

Der Teilungsartikel ist eine Besonderheit der französischen Sprache. Er dient dazu, eine unbestimmte Menge eines Stoffes (z.B. Kaffee oder Mehl) oder einen abstrakten Begriff (z.B. Mut) auszudrücken. Er lautet männlich *du*, weiblich *de la*, vor Substantiven, die mit Vokal beginnen, männlich und weiblich *de l'*:

maskulin		feminin	
du vin	Wein	*de la limonade*	Limonade
du courage	Mut	*de la peine*	Mühe, Sorge
de l'alcool	Alkohol	*de l'eau*	Wasser

Das Possessivpronomen

Das adjektivische Possessivpronomen richtet sich in Zahl und Geschlecht nach dem Substantiv, zu dem es gehört:

Singular maskulin	Singular feminin	Plural maskulin/feminin
mon fils	*ma fille*	*mes fils/filles*
ton fils	*ta fille*	*tes fils/filles*
son fils	*sa fille*	*ses fils/filles*
notre fils	*notre fille*	*nos fils/filles*
votre fils	*votre fille*	*vos fils/filles*
leur fils	*leur fille*	*leurs fils/filles*

Der Satzbau

Die Wortstellung

Im Aussagesatz ist die Wortstellung immer Subjekt - Prädikat - Objekt. Das gleiche gilt für alle Nebensätze.

Hier j'ai rencontré Suzanne. - Gestern habe ich Susanne getroffen.

Das Substantiv

Das Geschlecht des Substantivs

Das Französische hat zwei grammatikalische Geschlechter: männlich und weiblich.

Männlich sind Substantive auf:		Weiblich sind Substantive auf:	
-age	le garage	-ade	la salade
-ail	le travail	-ance	la balance
-al	le cheval	-aison	la comparaison
-eau	le bureau	-ence	la diligence
-ège	le privilège	-elle	la semelle
-ent	l'argent	-esse	la sagesse
-et	le filet	-ette	la fourchette
-ier	l'épicier	-ion	la situation
-isme	le socialisme	-ise	la bêtise
-oir	le dortoir	-rie	la boulangerie
-on	le savon	-son	la chanson
-ment	le document	-té	la charité

Die regelmäßige Pluralbildung

Die Mehrzahl wird bei männlichen und weiblichen Substantiven durch Anhängen von -s gebildet. *(le jardin, les jardins; la fleur, les fleurs)*

Die unregelmäßige Pluralbildung

Substantive, die auf -s, -z oder -x enden, erhalten in der Mehrzahl kein s mehr:

le nez	die Nase	*les nez*	die Nasen
la croix	das Kreuz	*les croix*	die Kreuze

Substantive, die auf -au, -eau, -eu und -oeu enden, bilden die Mehrzahl mit -x:

le tuyau	die Röhre	*les tuyaux*	die Röhren
le bureau	das Büro	*les bureaux*	die Büros
le voeu	das Gelübde	*les voeux*	die Wünsche

Substantive auf -ou bilden die Mehrzahl teils mit -s, teils mit -x:

le cou	der Hals	*les cous*	die Hälse
le genou	das Knie	*les genoux*	die Knie

Die Deklination des Substantivs

Der Genitiv wird mit *de*,		der Dativ mit *à* konstruiert:	
de + le	du	à + le	au
de + la	de la	à + la	à la
de + l'	de l'	à + l'	à l'
de + les	des	à + les	aux

Die Uhrzeiten

Il est une heure.	Es ist 1.00 Uhr.
Il est deux heures cinq.	Es ist 2.05 Uhr.
Il est trois heures et quart.	Es ist 3.15 Uhr.
Il est une heure et demie.	Es ist 1.30 Uhr.
Il est cinq heures moins le quart.	Es ist 4.45 Uhr.
il est six heures moins dix.	Es ist 5.50 Uhr.
Il est midi.	Es ist 12.00 mittags.
Il est minuit.	Es ist 12.00 nachts.
Il est vingt-deux heures.	Es ist 22.00 Uhr.
Il est midi et demi.	Es ist 12.30 Uhr.
Quelle heure est-il?	Wieviel Uhr ist es?
un quart d'heure	eine Viertelstunde
une demi-heure	eine halbe Stunde
trois quarts d'heure	eine dreiviertel Stunde
vers cinq heures	gegen 5 Uhr
à six heures	um 6 Uhr

Das Verb

Die Hilfsverben avoir (haben) und être (sein)

Présent (Gegenwart)

j'ai (ich habe)	*je suis* (ich bin)
tu as	*tu es*
il a	*il est*
nous avons	*nous sommes*
vous avez	*vous êtes*
ils ont	*ils sont*

Imparfait (1. Vergangenheit)

j'avais (ich hatte)	*j'étais* (ich war)
tu avais	*tu étais*
il abait	*il était*
nous avions	*nous étions*
vous aviez	*vous étiez*
ils avaient	*ils étaient*

Passé Composé (2. Vergangenheit)

j'ai eu (ich habe gehabt)	*j'ai été* (ich bin gewesen)
tu as eu	*tu as été*
il a eu	*il a été*
nous avons eu	*nous avons été*
vous avez eu	*vous avez été*
ils ont eu	*ils ont été*

Plus-que-parfait (3. Vergangenheit):
j'avais eu (ich hatte gehabt)   *j'avais été* (ich war gewesen)
Passé Simple:
J'eus (ich hatte)   *je fus* (ich war)
Passé Antérieur:
j'eus eu (ich hatte gehabt)   *j'eu été* (ich war gewesen)

Futur I (Zukunft)
j'aurai (ich werde haben)   *je serai* (ich werde sein)
tu auras   *tu seras*
il aura   *il sera*
nous aurons   *nous serons*
vous aurez   *vous serez*
ils auront   *ils seront*

Futur II (vollendete Zukunft):
j'aurai eu (ich werde gehabt haben)   *j'aurai été* (ich werde gewesen sein)

Conditionnel I:
j'aurais (ich hätte)   *je serais* (ich wäre)
Conditionnel II:
j'aurais eu (ich hätte gehabt)   *j'aurais été* (ich wäre gewesen)

Subjonctif I (Möglichkeitsform) Présent (Gegenwart):
que j'aie (da ich habe)   *que je sois* (da ich sei)
Subjonctif II Imparfait (1. Vergangenheit):
que j'eusse (da ich hätte)   *que je fusse* (da ich wäre)

Infinitif Présent:
avoir (haben)   *être* (sein)
Infinitif Passé Composé:
avoir eu (gehabt haben)   *avoir été* (gewesen sein)

Impérativ Présent
aie (habe!)   *sois* (sei!)
ayons (haben wir!)   *soyons* (seien wir!)
ayez (habt!)   *soyez* (seid!)

Participe Présent (Mittelwort der Gegenwart)
ayant (habend)   *étant* (seiend)
Participe Passé (Mittelwort der Vergangenheit)
eu (gehabt)   *été* (gewesen)

Avoir und être bei der Bildung der Zeiten

Im Gegensatz zum Deutschen werden die zusammengesetzten Zeiten von reflexiven
Verben immer mit *être* gebildet. (*Je ne me suis pas ennuyé du tout.* Ich habe mich
überhaupt nicht gelangweilt.)
Das Participe Passé wird dem Subjekt in Geschlecht und Zahl angeglichen. (*Nadine
est allée à Nancy.* Nadine ist nach Nancy gefahren.)

Die Verben auf -er

Présent (Gegenwart)	Imparfait (1. Vergangenheit)
je parl-e (ich spreche)	*je parl-ais* (ich sprach)
tu parl-es	*tu parl-ais*
il parl-e	*il parl-ait*
nous parl-ons	*nous parl-ions*
vous parl-ez	*vous parl-iez*
ils parl-ent	*ils parl-aient*

Passé Simple	Passé Composé (2. Vergangenheit)
Je parl-ai (ich sprach)	*j'ai parl-é* (ich habe gesprochen)
tu parl-as …	*ils ont parl-é* (Konjugation *avoir*)

Futur I (Zukunft)	Conditionnel I
je parler-ai (ich werde sprechen)	*je parlerais* (ich würde sprechen)
tu parler-as	*tu parler-ais*
il parler-a	*il parler-ait*
nous parler-ons	*nous parler-ions*
vous parler-ez	*vous parler-iez*
ils parler-ont	*ils parler-aient*

Subjonctif I (Möglichkeitsform)	Subjonctif II
Présent (Gegenwart)	Imparfait (1. Vergangenheit)
que je parl-e (da ich spreche)	que je parl-asse (da ich spräche)

Infinitif Présent: *parl-er* (sprechen)
Impératif: *parl-e!* (sprich!); *parl-ons!* (sprechen wir!); *parl-ez!* (sprecht!)
Participe Présent (Mittelwort der Gegenwart): *parl-ant* (sprechend)
Participe Passé (Mittelwort der Vergangenheit): *parl-é* (gesprochen)

Die Verben auf -ir

Der Typ finir

Diese Verben haben im Plural des Présent eine sogenannte Stammerweiterung auf -iss, die auch im Imparfait und im Participe Présent weiterbesteht.

Présent	Imparfait
je fin-is (ich beende)	*je fin-issais* (ich beendete)
tu fin-is	*tu fin-issais*
il fin-it	*il fin-issait*
nous fin-issons	*nous fin-issions*
vous fin-issez	*vous fin-issiez*
ils fin-issent	*ils fin-issaient*

Passé Simple	Passé Composé
je fini-s (ich beendete)	*j'ai fini* (ich habe beendet)
tu fini-s	*…* (siehe Verben auf *-er*)

Futur I	Conditionnel I
je finir-ai (ich werde beenden)	*je finir-ais* (ich würde beenden)
tu finir-as	*tu finir-ais*
il finir-a	*il finir-ait*
nous finir-ons	*nous finir-ions*
vous finir-ez	*vous finir-iez*
ils finir-ont	*ils finir-aient*

Subjonctif I	Subjonctif II
que je fin-isse (da ich beende)	que je fin-isse (da ich beendete)

Der Typ dormir: Diese Verben haben *keine* Stammerweiterung.

Der Typ ouvrir: Diese Gruppe bildet das Présent wie die Verben auf *-er.*

Die Verben auf -re

Présent	Imparfait
je romp-s (ich breche)	je romp-ais (ich brach)
tu romp-s	*tu romp-ais*
il romp-t	*il romp-ait*
nous romp-ons	*nous romp-ions*
vous romp-ez	*vous romp-iez*
ils romp-ent	*ils romp-aient*

Passé Simple	Passé Composé
je romp-is (ich brach)	j'ai romp-u (ich habe gebrochen)
tu romp-is	... (siehe Verben auf *-er*)

Futur I	Conditionnel I
je rompr-ai (ich werde brechen)	*je rompr-ais* (ich würde brechen)
... (siehe Verben auf *-er*)	...

Infinitif Présent: *rompr-e* (brechen)
Impératif: *romp-s!* (brich!); *romp-ons!* (brechen wir!); *romp-ez!* (brecht!)
Participe Présent: *romp-ant* (brechend)
Participe Passé: *romp-u* (gebrochen)

Hinweise zur Ableitung der Verbformen

Bei den regelmäßigen Verben auf *-er, -ir, -re* werden vom Infinitiv das Futur I und der Conditionnel I abgeleitet. *(travailler – je travailler-ai/ais; vendre – je vendr-ai/ais; finir – je finir-ai/ais)*
Vom Stamm der 1. Person Präsens Plural werden Imparfait und Participe Présent abgeleitet. *(nous travaill-ons – je travaill-ais, travaill-ant; nous vend-ons – je vend-ais, vend-ant; nous finiss-ons – je finiss-ais, finiss-ant)*
Vom Stamm der 3. Person Präsens Plural wird der Subjonctif I abgeleitet. *(ils travaill-ent – que je travaill-e; ils vend-ent – que je vend-e; ils finiss-ent – que je finiss-e)*

Die Verneinung

Die Verneinung besteht aus zwei Teilen. *Ne ... pas* umschließen das konjugierte Verb und die davorstehenden Pronomen. (*Je ne lui ai pas répondu.* Ich habe ihm nicht geantwortet.)

Ebenso: *ne ... guère* kaum, *ne ... personne* niemand, *ne ... rien* nichts, *ne ... jamais* nie, *ne ... ni ... ni* weder ... noch, *ne ... plus* nicht mehr

Das Zahlwort

Die Grundzahlen

0	*zéro*	10	*dix*	20	*vingt*
1	*un*	11	*onze*	21	*vingt et un*
2	*deux*	12	*douze*	22	*vingt-deux*
3	*trois*	13	*treize*	23	*vingt-trois*
4	*quatre*	14	*quatorze*	24	*vingt-quatre*
5	*cinq*	15	*quinze*	30	*trente*
6	*six*	16	*seize*	31	*trente et un*
7	*sept*	17	*dix-sept*	40	*quarante*
8	*huit*	18	*dix-huit*	50	*cinquante*
9	*neuf*	19	*dix-neuf*	60	*soixante*

70	*soixante-dix*	91	*quatre-vingt-onze*
71	*soixante et onze*	92	*quatre-vingt-douze*
72	*soixante-douze*	99	*quatre-vingt-dix-neuf*
73	*soixante-treize*	100	*cent*
74	*soixante-quatorze*	101	*cent un*
80	*quatre-vingts*	110	*cent dix*
81	*quatre-vingt-un*	200	*deux cents*
82	*quatre-vingt-deux*	201	*deux cent un*
83	*quatre-vingt-trois*	210	*deux cent dix*
90	*quatre-vingt-dix*	289	*deux cent quatre-vingt-neuf*

1.000	*mille*
1.001	*mille un*
1.200	*mille deux cents*
1.238	*mille deux cent trente-huit*
2.000	*deux mille*
1.000.000	*un million*
2.240.792	*deux millions deux cent quarante mille sept cent quatre-vingt-douze*
1.000.000.000	*le milliard*

Die Ordnungszahlen

1er *le premier* (der erste); 1ère *la première* (die erste); 2nd/e, *le/la deuxième* oder *le second, la seconde;* 3e, *le/la troisième;* 4e, *le/la quatrième;* 20e, *le/la vingtième;* 21e, *le/la vingt et unième;* 80e, *le/la quatre-vingtième;* 90e, *le/la quatre-vingtdixième;* 100e, *le/la centième;* 200e, *le/la deux-centième;* 1000e, *le/la millième*

Die wichtigsten unregelmäßigen Verben

In der Auflistung werden folgende Abkürzungen verwendet:
Présent = P; Futur = F; Passé Simple = PS; Subjonctif = S; Participe Présent = PPr;
Participe Passé = PPa

absoudre j'absous, il absout, nous absolvons, ils absolvent P j'absoudrai F que
j'absolve S absolvant PPr absous/absoute PPa

aller je vais, tu vas, il va, nous allons, vous allez, ils vont P j'irai F j'allai PS que
j'aille, qu'il aille, que nous allions, qu'ils aillent S allant PPr allé,-e PPa

battre je bats, il bat, nous battons, ils battent P je battrai F je battis PS que je batte S
battant PPr battu,-e PPa

boire je bois, il boit, nous buvons, ils boivent P je boirai F je bus PS que je boive,
qu'il boive, que nous buvions, qu'ils boivent S buvant PPr bu,-e PPa

conclure je conclus, il conclut, nous concluons, ils concluent P je conclurai F je
conclus, nous conclûmes PS que je conclue, que nous concluions S concluant PPr
conclu,-e PPa

conduire je conduis, il conduit, nous conduisons, ils conduisent P je conduirai F je
conduisis PS que je conduise S conduisant PPr conduit,-e PPa

connaître je connais, il connaît, nous connaissons, ils connaissent P je connaîtrai F
je connus, nous connûmes PS que je connaisse S connaissant PPr connu,-e PPa

courir je cours, il court, nous courons, ils courent P je courrai F je courus, nous
courûmes PS que je coure S courant PPa couru,-e PPr

croire je crois, tu crois, il croît, nous croissons, ils croissent P je croîtrai F je crûs,
nous crûmes PS que je croisse S croissant PPr crû,-e PPa

croître je crois, tu crois, il croît, nous croissons, ils croissent P je croîtrai F je crûs,
nous crûmes PS que je croisse S croissant PPr crû,-e PPa

cueillir je cueille, il cueille, nous cueillions, ils cueillent P je cueillerai F je cueillis PS
que je cueille S cueilliant PPr cueilli,-e PPa

devoir je dois, il doit, nous devons, ils doivent P je devrai F je dus, nous dûmes PS
que je doive, qu'il doit, que nous devions, qu'ils doivent S devant PPr dû, due PPa

dire je dis, tu dis, il dit, nous disons, vous dites, ils disent P je dirai F je dis, nous
dîmes PS que je dise S disant PPr dit,-e PPa

écrire j'écris, il écrit, nous écrivons, ils écrivent P j'écrirai F j'écrivis PS que j'écrive
S écrivant PPr écrit,-e PPa

envoyer j'envoie, il envoie, nous envoyons, ils envoient P j'enverrai F j'envoyai PS
que j'envoie, qu'il envoie, que nous envoyons, qu'ils envoient S envoyant PPr envoyé,-e
PPa

faire je fais, tu fais, il fait, nous faisons, vous faites, ils font P je ferai F je fis PS que
je fasse S faisant PPr fait,-e PPa

falloir il faut P il faudra F il fallut PS Imparfait: il fallait; qu'il faille S fallu PPa

fuir je fuis, il fuit, nous fuyons, ils fuient P je fuirai F je fuis, nous fuîmes PS que je
fuie, qu'il fuie, que nous fuyons, qu'ils fuient S fuyant PPr fui,-e PPa

haïr je hais, il hait, nous haïssons, ils haïssent P je haïrai F je hais, nous haïmes PS
que je haïsse S haïssant PPr hai,-e PPa

lire je lis, il lit, nous lisons, ils lisent *P* je lirai *F* je lus *PS* que je lise *S* lisant *PPr* lu,-e *PPa*

maudire je maudis, il maudit, nous maudissons, ils maudissent *P* je maudissais *PS* que je maudisse *S* maudissant *PPr* maudit,-e *PPa*

mettre je mets, il met, nous mettons, ils mettent *P* je mettrai *F* je mis, nous mîmes *PS* que je mette *S* mettant *PPr* mis,-e *PPa*

mourir je meurs, il meurt, nous mourons, ils meurent *P* je mourrai *F* je mourus *PS* que je meure, qu'il meure, que nous mourions, qu'ils meurent *S* mourant *PPr* mouru,-e *PPa*

mouvoir je meus, il meut, nous mouvons, ils meuvent *P* je mouvrai *F* je mus, nous mûmes *PS* que je meuve, qu'il meuve, que nous mouvions, qu'ils meuvent S mouvant *PPr* mû, mue *PPa*

naître je nais, il naît, nous naissons, ils naissent *P* je naîtrai *F* je naquis *PS* que je naisse *S* naissant *PPr* né,-e *PPa*

plaire je plais, il plaît, nous plaisons, ils plaisent *P* je plairai *F* je plus, nous plûmes *PS* que je plaise *S* plaisant *PPr* plu *PPa*

pleuvoir il pleut *P* il pleuvra *F* il plut *PSImparfait:* il pleuvait; qu'il pleuve *S* pleuvant *PPr* plu *PPa*

pouvoir je peux, il peut, nous pouvons, ils peuvent *P* je pourrai *F* je pus, nous pûmes *PS* que je puisse *S* pouvant *PPr* pu *PPa*

prendre je prends, il prend, nous prenons, ils prennent *P* je prendrai *F* je pris, nous prîmes *PS* que je prenne, qu'il prenne, que nous prenions, qu'ils prennent *S* prenant *PPr* pris,-e *PPa*

resoudre je résous *P* je résoudrai *F* je résolus *PS* résolvant *PPr* résolu *PPa*

rire je ris, il rit, nous rions, ils rient *P* je rirai *F* je ris, nous rîmes *PS Imparfait:* nous riions; que je rie, que nous riions *S* raint *PPr* ri *PPa*

savoir je sais, il sait, nous savons, ils savent *P* je saurai *F* je sus, nous sûmes *PS* que je sache *S* sachant *PPr* su,-e *PPa*

suivre je suis, il suit, nous suivons, ils suivent *P* je suivrai *F* je suivis *PS* que je suive *S* suivant *PPr* suivi,-e *PPa*

vaincre je vaincs, il vainc, nous vainquons, ils vainquent *P* je vaincrai *F* je vainquis *PS* que je vainque *S* vainquant *PPr* vaincu,-e *PPa*

valoir je vaux, il vaut, nous valons, ils valent *P* je vaudrai *F* je valus *PS* que je vaille, qu'il vaille, que nous valions, qu'ils vaillent *S* valant *PPr* valu,-e *PPa*

venir je viens, il vient, nous venons, ils viennent *P* je viendrai *F* je vins, il vint, nous vînmes, vous vîntes, ils vinrent *PS* que je vienne, qu'il vienne, que nous venions, qu'ils viennent *S* venant *PPr* venu,-e *PPa*

vêtir je vêts, il vêt, nous vêtons, ils vêtent *P* je vêtirai *F* je vêtis *PS* que je vête *S* vêtant *PPr* vêtu,-e *PPa*

vivre je vis, il vit, nous vivons, ils vivent *P* je vivrai *F* je vécus *PS* que je vive *S* vivant *PPr* vécu,-e *PPa*

voir je vois, il voit, vous voyons, ils voient *P* je verrai *F* je vis, nous vîmes *PS* que je voie, qu'il voie, que nous voyions qu'ils voient *S* voyant *PPr* vu,-e *PPa*

vouloir je veux, il veut, nous voulons, ils veulent *P* je voudrai *F* je voulus *PS* que je veuille, qu'il veuille, que nous voulions, qu'ils veuillent *S* voulant *PPr* voulu,-e *PPa*

Grammaire allemande

Adjectif

L'emploi de l'adjectif

Quand l'adjectif est employé en tant qu'attribut, c'est-à-dire en tant que complément d'un nom, il s'accorde en genre, en nombre et en cas avec le nom. L'adjectif reste invariable, quand il est employé en tant que prédicatif (complément d'attribution) ou en tant qu'adverbial (complément de circonstance). *(Die neuen Fahrräder (neutre, pluriel, nominatif) waren wegen ihres niedrigen Preises (masculin, singulier, génitif) schnell verkauft. Diese Fahrräder sind neu und preiswert.)*

La déclinaison de l'adjectif

On distingue deux sortes de déclinaison de l'adjectif. L'adjectif est décliné fortement, quand il se trouve seul devant un nom, quand il suit l'article indéfini ou le pronom. *(kleiner Mann; ein kleiner Mann; ihr kleiner Mann)*

singulier	nominatif	génitif	datif	accusatif
masculin	*neuer Hut*	*neuen Hutes*	*neuem Hut(e)*	*neuen Hut*
féminin	*neue Frau*	*neuer Frau*	*neuer Frau*	*neue Frau*
neutre	*neues Auto*	*neuen Autos*	*neuem Auto*	*neues Auto*
pluriel	*neue*	*neue*	*neuen*	*neue*

L'adjectif est décliné faiblement, quand il suit l'article défini ou le pronom décliné. *(der kleine Mann; dieser kleine Mann; welcher große Junge?)*

singulier	nominatif	génitif	datif	accusatif
masculin	*neue Hut*	*neuen Hutes*	*neuen Hut(e)*	*neuen Hut*
féminin	*neue Frau*	*neuen Frau*	*neuen Frau*	*neue Frau*
neutre	*neue Auto*	*neuen Autos*	*neuen Auto*	*neue Auto*
pluriel	*neuen*	*neuen*	*neuen*	*neuen*

La comparaison de l'adjectif

Le comparatif se forme en ajoutant *-er* au radical ou en formant la voyelle infléchie et en ajoutant *-er* ensuite. Le superlatif se forme en ajoutant *-est* ou *-st* au radical. De plus il faut ajouter *am*, quand le superlatif ne précède pas le nom. *(weit, alt: weiter, älter; weiteste(-r, -s), älteste(-r, -s). Er lief am weitesten.)*

Adverbe

Les adverbes qui sont dérivés d'un adjectif figurent au radical (ils n'ont pas de terminaison). *(Das hast du gut gemacht!)*

La comparaison des adverbes correspond à celle des adjectifs (ils n'ont pas de terminaison).

Article

L'article défini

nombre	cas	masculin	féminin	neutre
singulier	nominatif	*der*	*die*	*das*
	génitif	*des*	*der*	*des*
	datif	*dem*	*der*	*dem*
	accusatif	*den*	*die*	*das*
pluriel	nominatif	*die*	*die*	*die*
	génitif	*der*	*der*	*der*
	datif	*den*	*den*	*den*
	accusatif	*die*	*die*	*die*

L'article indéfini

singulier	nominatif	*ein*	*eine*	*ein*
	génitif	*eines*	*einer*	*eines*
	datif	*einem*	*einer*	*einem*
	accusatif	*einen*	*eine*	*ein*

Il n'y a pas d'article indéfini pour le pluriel.

Heure

Les indications de minutes sont ou séparées par un point ou élevées. *9.30 Uhr;*
9.³⁰ Uhr. On n'emploie que les nombres cardinaux. On demande l'heure de la façon
suivante: *Wieviel Uhr ist es? Wie spät ist es?* On répond: *Es ist.../ Wir haben...*

12.00 Uhr zwölf Uhr (mittags)
12.01 Uhr zwölf Uhr eins/ eine Minute nach zwölf
12.15 Uhr zwölf Uhr fünfzehn/ Viertel nach zwölf
12.30 Uhr zwölf Uhr dreiig/ halb eins
12.45 Uhr zwölf Uhr fünfundvierzig/ Viertel vor eins
12.50 Uhr zwölf Uhr fünfzig/ zehn (Minuten) vor eins
13.00 Uhr dreizehn Uhr/ ein Uhr/ eins
15.00 Uhr fünfzehn Uhr/ drei Uhr nachmittags
23.00 Uhr dreiundzwanzig Uhr/ 11 Uhr nachts
24.00 Uhr vierundzwanzig Uhr/ Mitternacht

Majuscule et minuscule

Tous les mots qui font fonction de nom sont écrits avec une majuscule. Tous les noms
y font partie ainsi que: les adjectifs et les participes, quand ils sont conjoints aux
articles et aux pronoms indéfinis. *(das Schlechte, viel Erfreuliches, alles Gute.)*
Ainsi que: les adverbes, les conjonctions, les pronoms. *(das Heute zählt, ein großes*
Aber, das Warum und Wieso) ainsi que des verbes. *(das Telefonieren, kein Arbeiten)*

Nom

Le genre des noms

Il y a trois genres différents pour les noms. Normalement le genre grammatical correspond au genre naturel. *(der Mann, die Frau, das Haus)*

Les terminaisons régulières et leurs genres

masculin	féminin			neutre
-ant	*-ade*	*-ine*		*-at*
-ar	*-anz*	*-ion*		*-chen*
-är	*-atte*	*-ive*		*-ium*
-ent	*-ei*	*-keit*		*-lein*
-eur	*-elle*	*-schaft*		*-sel*
-ist	*-enz*	*-tät*		*-tiv*
-ius	*-ette*	*-ung*		
-ling	*-eurin*	*-ur*		
-mus	*-euse*			
-nom	*-heit*			
-rich	*-ie*			
-tiv	*-ik*			

Le cas des noms

Pour les noms il y a une déclinaison forte, une déclinaison faible et une déclinaison mixte. La déclinaison forte existe pour les noms masculins, féminins et neutres.

singulier	masculin	féminin	neutre
nominatif	*der Raum*	*die Wand*	*das Auto*
génitif	*des Raumes*	*der Wand*	*des Autos*
datif	*dem Raum(e)*	*der Wand*	*des Autos*
accusatif	*den Raum*	*die Wand*	*das Auto*
pluriel			
nominatif	*die Räume*	*die Wände*	*die Autos*
génitif	*der Räume*	*der Wände*	*der Autos*
datif	*den Räumen*	*den Wänden*	*den Autos*
accusatif	*die Räume*	*die Wände*	*die Autos*

La déclinaison faible n'existe que pour les noms masculins et féminins.

singulier	masculin	féminin
nominatif	*der Held*	*die Katze*
génitif	*des Helden*	*der Katze*
datif	*dem Helden*	*der Katze*
accusatif	*den Helden*	*die Katze*
pluriel		
nominatif	*die Helden*	*die Katzen*
génitif	*der Helden*	*der Katzen*
datif	*den Helden*	*den Katzen*
accusatif	*die Helden*	*die Katzen*

La déclinaison mixte n'existe que pour les noms masculins et neutres.

singulier	masculin	neutre
nominatif	*der Schmerz*	*das Ohr*
génitif	*des Schmerzes*	*des Ohr(s)*
datif	*dem Schmerz*	*dem Ohr*
accusatif	*den Schmerz*	*das Ohr*
pluriel		
nominatif	*die Schmerzen*	*die Ohren …*

L'emploi des cas

Le génitif fait fonction de cas du domaine. Il indique des appartenances, l'origine, la qualité et la possession. *(Die Studenten der Münchner Universität streiken. Die Pflanzen südlicher Zonen verderben. Das ist das Haus des Direktors.)*

Le datif en tant que complément d'objet désigne quelqu'un ou quelque chose à qui ou à quoi s'adresse une action, une affaire ou un événement. *(Sie gibt/schenkt dem Mann …)*

Le complément d'objet direct représente l'indication de l'objectif qui s'applique à quelque chose. *(Sie sieht ihn.)*

Nombres

nombres cardinaux

0	null
1	eins
2	zwei
3	drei
4	vier
5	fünf
6	sechs
7	sieben
8	acht
9	neun
10	zehn
11	elf
12	zwölf
13	dreizehn
14	vierzehn
15	fünfzehn
16	sechzehn
17	siebzehn
18	achtzehn
19	neunzehn
20	zwanzig
21	einundzwanzig
30	dreißig
40	vierzig

nombres ordinaux

1.	erste
2.	zweite
3.	dritte
4.	vierte
5.	fünfte
6.	sechste
7.	sieb(en)te
8.	achte
9.	neunte
10.	zehnte
11.	elfte
12.	zwölfte
13.	dreizehnte
14.	vierzehnte
15.	fünfzehnte
16.	sechzehnte
17.	siebzehnte
18.	achtzehnte
19.	neunzehnte
20.	zwanzigste
21.	einundzwanzigste
25.	fünfundzwanzigste
26.	sechsundzwanzigste

50	fünfzig	27.	siebenundzwanzigste
60	sechzig	28.	achtundzwanzigste
70	siebzig	29.	neunundzwanzigste
80	achtzig	30.	dreißigste
90	neunzig	40.	vierzigste
100	(ein)hundert	50.	fünfzigste
101	hundert(und)eins	60.	sechzigste
230	zweihundert(und)dreißig	70.	siebzigste
538	fünfhundert(und)	80.	achtzigste
	achtunddreißig	90.	neunzigste
1 000	(ein)tausend	100.	(ein)hundertste
10 000	zehntausend	230.	zweihundert(und)-
100 000	(ein)hunderttausend		dreißigste
1 000 000	eine Million	1 000.	(ein)tausendste

0 se prononce toujours *null*.

Les nombres et les adjectifs numéraux au-dessous d'un million sont écrits en un mot.

Phrase

L'ordre des différents compléments

Quand les compléments d'objet direct et indirect se composent de deux noms, le complément d'objet indirect précède le complément d'objet direct. Quand ils se composent d'un nom et d'un pronom, le complément d'objet direct précède le complément d'objet indirect. *(Sie schickt ihrer Freundin* (complément d'objet indirect) *ein Päckchen* (complément d'objet direct). *Sie schickt ihr* (complément d'objet indirect, pronom) *ein Päckchen* (complément d'objet direct, nom). *Sie schickt es* (complément d'objet direct, pronom) *ihr* (complément d'objet indirect, pronom).

La position dans la proposition affirmative

Dans la proposition affirmative la partie finie du prédicat est à la deuxième place. La position de la partie infinie du prédicat - s'il y en a - est à la fin de la phrase. Dans ce cas le prédicat composé fait fonction de parenthèse, entre les deux parties de laquelle d'autres membres de la phrase peuvent se présenter.
Quand un membre de la phrase précède le verbe principal, le sujet est placé après le verbe principal *(«Inversion»)*. *(Gestern arbeiteten sie an diesem Projekt. Das große Problem haben sie heute gelöst.)*

La position de la proposition subordonnée

Dans les propositions subordonnées le verbe se trouve normalement à la fin de la phrase. *(Der Student, der vorher die Universität betrat, besucht ein Seminar. Obwohl er damals nicht Deutsch sprach, reiste er nach München.)*

Le pronom relatif

Les pronoms relatifs *der, die, das* et *welcher, welche, welches* introduisent la proposition relative et ils s'accordent en genre et en nombre avec celle-ci, mais pas en cas! Ils se mettent au cas correspondant à leur fonction dans la proposition relative, pas au mot auquel ils se rapportent. (*Die Theaterbesucher, denen die Inszenierung nicht gefiel, verließen protestierend den Saal.*)

Séparation des syllabes

On divise les mots d'après les syllabes prononcées. On ne peut pas diviser des mots qui ne possèdent qu'une seule syllabe.Un *ck* est transformé en *k-k* à la division; un *st* ne doit pas être divisé. (*Zucker - Zuk-ker; Kiste - Ki-ste* (pas *Kis-te*)

Verbe

Les verbes à plein sens et leur formation

Les verbes à plein sens forment trois groupes selon leur type de conjugaison: les verbes forts, faibles et irréguliers (mixtes).Analogue à ce groupement on parle d'une conjugaison forte (1), faible (2) et irrégulière (3). Les radicaux du verbe (infinitif, imparfait, participe passé) déterminent le type de conjugaison.

infinitif	imparfait	participe II	
(1) *singen*	*sang*	*gesungen*	chanter, chantais, chanté
(2) *lachen*	*lachte*	*gelacht*	rire, ris, ri
(3) *bringen*	*brachte*	*gebracht*	apporter, apportais, apporté

La conjugaison régulière

Genre du verbe: actif

temps	nombre	indicatif	subjonctif I	subjonctif II
prés.	singulier	*ich stell-e*	*ich stell-e*	
		du stell-st	*du stell-est*	
		er/sie/es stell-t	*stell-e*	
	pluriel	*wir stell-en*	*wir stell-en*	
		ihr stell-t	*ihr stell-et*	
		sie stell-en	*sie stell-en*	
imparf.	singulier	*ich stell-t-e*		*ich stell-t-e*
		du stell-t-est		*du stell-t-est*
		er/sie/es stell-t-e		*stell-t-e*
	pluriel	*wir stell-t-en*		*wir stell-t-en*
		ihr stell-t-et		*ihr stell-t-et*
		sie stell-t-en		*sie stell-t-en*
fut. I	singulier	*ich werde stell-en*	*ich werde s.*	*ich würde s.*

Indicatif passé: *ich habe ge-stell-t, du hast ge-stell-t ...*
                                     ich bin ge-fahr-en ...; du bist ge-fahr-en ...
Subjonctif I passé: *ich habe ge-ste!l-t; du habest ge-stell-t ...*
                                     ich sei ge-fahr-en; du seist ge-fahr-en ...
Indicatif plus-que-parfait: *ich hatte ge-stell-t; du hattest ge-stell-t ...*
                                     ich war ge-fahr-en; du warst ge-fahr-en ...

Infinitif présent: *stell-en /fahr-en*
Infinitif passé: *ge-stell-t haben/ ge-fahr-en sein*
Participe I: *stell-end /fahrend*
Participe II: *ge-stell-t /ge-fahr-en*
Impératif singulier: *stell-e! /fahr-e!*
Impératif pluriel: *stell-t! /fahr-t!*

La conjugaison irrégulière

temps	nombre	indicatif	subjonctif
présent	singulier	*ich nehm-e*	*ich nehm-e*
		(fall-e, lieg-e)	*(fall-e, lieg-e)*
		du nimm-st	*du nehm-est*
		(fäll-st, lieg-st)	*(fall-est, lieg-est)*
		er/sie/es nimm-t	*nehm-e*
		(fäll-t, lieg-t)	*(fall-e, lieg-e)*
	pluriel	*wir nehm-en*	*wir nehm-en*
		(fall-en, lieg-en)	*(fall-en, lieg-en)*
		ihr nehm-t	*ihr nehm-et*
		(fall-t, lieg-t)	*(fall-et, lieg-et)*
		sie nehm-en	*sie nehm-en*
		(fall-en, lieg-en)	*(fall-en, lieg-en)*
imparf.	singulier	*ich nahm (fiel, lag)*	*ich nähm-e (fiel-e, läg-e)*
		du nahm-st (fiel-st, lag-st)	*du nähm-est (fiel-est, läg-est)*
		er/sie/es nahm (fiel, lag)	*nähm-e (fiel-e, läg-e)*
	pluriel	*wir nahm-en (fiel-en, lag-en)*	*wir nähm-en (fiel-en, läg-en)*
		ihr nahm-t (fiel-t, lag-t)	*ihr nähm-(e)t (fiel-et, läg-et)*
		sie nahm-en (fiel-en, lag-en)	*sie nähm-en (fiel-en, läg-en)*

Infinitif présent: *nehm-en/fall-en/lieg-en*
Présent (participe I): *nehm-end/fall-end/lieg-end*
Participe passé (participe II): *ge-nomm-en/ge-fall-en/ge-leg-en*
Impératif singulier: *nimm! falle! lieg-e!*
Impératif pluriel: *nehm-t! fall-t! lieg-t!*

Les auxiliaires

Les verbes suivants font partie des auxiliaires: *haben* et *sein*. A l'aide d'eux on peut former les formes temporelles composées des verbes à plein sens.

L'auxiliaire SEIN et HABEN

temps	sein	haben
présent	*ich bin*	*ich habe*
	du bist	*du hast*
	er/sie/es ist	*er/sie/es hat*
	wir sind	*wir haben*
	ihr seid	*ihr habt*
	sie sind	*sie haben*
imparfait	*ich war*	*ich hatte*
	du warst	*du hattest*
	er/sie/es war	*er/sie/es hatte*
	wir waren	*wir hatten*
	ihr wart	*ihr hattet*
	sie waren	*sie hatten*
passé composé	*ich bin gewesen*	*ich habe gehabt*
plus-que-parfait	*ich war gewesen*	*ich hatte gehabt*
futur I	*ich werde sein*	*ich werde haben*
(futur inaccompli)	*du wirst sein*	*du wirst haben*
	er/sie/es wird sein	*er/sie/es wird haben*
	wir werden sein	*wir werden haben*
	ihr werdet sein	*ihr werdet haben*
	sie werden sein	*sie werden haben*
Infinitif:	*sein*	*haben*
Participe passé:	*gewesen sein*	*gehabt haben*
Impératif du singulier:	*sei!*	*habe!*
Impératif du pluriel:	*seid!*	*habt!*

L'emploi des verbes

Le subjonctif I

Le subjonctif I désigne avant tout les contenus suivants:
un appel, un désir et le discours indirect. *(Man presse eine ganze Zitrone, gieße heißes Wasser darauf, ... Der Betriebsrat teilte mit, daß eine Verkürzung der Arbeitszeit z.Zt. nicht durchzusetzen sei.)*

Le subjonctif II

Le subjonctif II désigne les contenus suivants:
un appel poli, une demande polie, un désir qu'on ne peut pas exaucer et une condition qui n'est pas réelle. *(Könntet ihr euch bitte etwas leiser unterhalten? Würden Sie mir helfen, die Pakete aus dem Auto zu tragen? Könnte ich die Zeit doch noch einmal zurückdrehen! Wenn er nicht so müde gewesen wäre, hätte er sofort die Arbeit begonnen.)*

Les verbes irréguliers les plus importants

infinitif	imparfait	participe passé	présent sing. 1re/2e
befehlen	befahl	befohlen	ich befehle du befiehlst
beginnen	begann	begonnen	ich beginne du beginnst
beißen	biß	gebissen	ich beiße du beißt
bieten	bot	geboten	ich biete du bietest
bitten	bat	gebeten	ich bitte du bittest
bleiben	blieb	geblieben	ich bleibe du bleibst
brechen	brach	gebrochen	ich breche du brichst
brennen	brannte	gebrannt	ich brenne du brennst
bringen	brachte	gebracht	ich bringe du bringst
denken	dachte	gedacht	ich denke du denkst
dürfen	durfte	gedurft	ich darf du darfst
erschrecken	erschrak	erschrocken	ich erschrecke du erschrickst
essen	aß	gegessen	ich esse du ißt
fahren	fuhr	gefahren	ich fahre du fährst
fallen	fiel	gefallen	ich falle du fällst
fangen	fing	gefangen	ich fange du fängst
finden	fand	gefunden	ich finde du findest
fliegen	flog	geflogen	ich fliege du fliegst
fliehen	floh	geflohen	ich fliehe du fliehst
fließen	floß	geflossen	ich fließe du fließt
gehen	ging	gegangen	ich gehe du gehst
haben	hatte	gehabt	ich habe du hast
heben	hob	gehoben	ich hebe du hebst

können	konnte	gekonnt	ich kann
			du kannst
kommen	kam	gekommen	ich komme
			du kommst
liegen	lag	gelegen	ich liege
			du liegst
messen	maß	gemessen	ich messe
			du mißt
mögen	mochte	gemocht	ich mag
			du magst
nehmen	nahm	genommen	ich nehme
			du nimmst
reißen	riß	gerissen	ich reiße
			du reißt
sehen	sah	gesehen	ich sehe
			du siehst
stoßen	stieß	gestoßen	ich stoße
			du stößt
streiten	stritt	gestritten	ich streite
			du streitest
tragen	trug	getragen	ich trage
			du trägst
treffen	traf	getroffen	ich treffe
			du triffst
treiben	trieb	getrieben	ich treibe
			du treibst
treten	trat	getreten	ich trete
			du trittst
trinken	trank	getrunken	ich trinke
			du trinkst
tun	tat	getan	ich tu(e)
			du tust
vergessen	vergaß	vergessen	ich vergesse
			du vergißt
verlieren	verlor	verloren	ich verliere
			du verlierst
wachsen	wuchs	gewachsen	ich wachse
			du wächst
waschen	wusch	gewaschen	ich wasche
			du wäschst
werden	wurde	geworden	ich werde
			du wirst
wissen	wußte	gewußt	ich weiß
			du weißt
wollen	wollte	gewollt	ich will
			du willst
ziehen	zog	gezogen	ich ziehe
			du ziehst

Wichtige Abkürzungen

A	*Ampère*	Ampere
AF	*Allocations Familiales*	Familienbeihilfe
AJ	*Auberge de Jeunesse*	Jugendherberge
AM	*Ante meridiem (avant midi)*	vormittags
ANPE	*Agence Nationale pour l'Emploi*	Arbeitsamt
AR	*Accusé de Réception*	Quittung
Arr.	*Arrondissement*	Arrondissement
Av	*Avenue*	Avenue
Bd.,Boul.	*Boulevard*	Boulevard
B.D.F.	*Banque de France*	Französische Bank für den Außenhandel
B.O.	*Bulletin Officiel*	Amtsblatt
BP	*Boîte Postale*	Postfach
BR	*Brut*	Brutto
c.àd	*c'estàdire*	d.h.
C.C.C.	*Copie Certifiée Conforme*	beglaubigte Abschrift
C.E.	*Communauté Européenne*	Europäische Gemeinschaft
CEE	*Communauté Economique Européenne*	Europäische Wirtschaftsgemeinschaft EWG
C.E.I.	*Communauté des Etats Indépendants*	Gemeinschaft Unabhängiger Staaten GUS
CIO	*Comité International Olympique*	Internationales Olympisches Komitee IOC
CRF	*Croix Rouge Française*	Französisches Rotes Kreuz
C.E.S.	*Collège d'Enseignement Supérieur*	Gymnasium
C.H.	*Centre Hospitalier*	Krankenhauszentrum
chap.	*chapitre*	Kapitel
CRI	*Croix Rouge Internationale*	Internationales Rotes Kreuz
Dépt.	*Département*	Departement
E	*Est*	Osten
F	*Franc*	Franc
FLN	*Front de Libération nationale*	Nationale Befreiungsfront
FMI	*Fonds Monétaire International*	Internationaler Währungsfonds
HF	*Haute Fréquence*	Hochfrequenz
HLM	*Habitation à Loyer Modéré*	Sozialwohnung
JO	*Jeux Olympiques*	Olympische Spiele
M	*Monsieur*	Herr
Mgr.	*Monseigneur*	Mein Herr
Mlle	*Mademoiselle*	Fräulein
Mme.	*Madame*	Frau
O	*Ouest*	Westen
ONU	*Organisation des Nations Unies*	Organisation der Vereinten Nationen UNO

OS	*ouvrier Spécialisé*	Facharbeiter
OVNI	*Objet Volant Non Identifié*	unbekanntes Flugobjekt UFO
PC	*Parti Communiste*	Kommunistische Partei
PIB	*Produit Intérieur Brut*	Bruttosozialprodukt
PR	*Poste Restante*	postlagernd
PTT	*Postes, Télégraphes, Téléphones*	Post,Telegraph,Telefon
R	*Rue*	Straße Str.
Rte.	*Route*	Straße
RTF	*Radiodiffusion Télévision Française*	französisches Radio und Fernsehen
SA	*Société Anonyme*	Aktiengesellschaft
SARL	*Société à responsabilité limité*	Gesellschaft mit beschränkter Haftung GmbH
SI	*Syndicat d'Initiative*	Fremdenverkehrsamt
SMIG	*Salaire Minimum Interprofessionnel Garanti*	festgesetzter Mindestlohn für alle Berufe
SNCF	*Société des Chemins de Fer Français*	französische Eisenbahn
SVP	*s'il vous plaît*	bitte
t	*tonne*	Tonne
t	*tome*	Band Bd.
TOM	*Territoires d'OutreMer*	französische Überseegebiete
TTC	*Toutes Taxes Comprises*	alles inklusive
TVA	*Taxe sur la Valeur Ajoutée*	Mehrwertsteuer
AG	*Aktiengesellschaft*	société anonyme
a.d.	*an der/dem (Fluß)*	sur le/la(rivière)
AZUBI	*Auszubildender*	apprenti
BLZ	*Bankleitzahl*	code bancaire
CDU	*Christlich-Demokratische Union*	union chrétienne démocratique
CSU	*Christlich-Soziale Union*	union chrétienne sociale
DB	*Deutsche Bundesbahn*	Chemins de fer allemands
DIN	*Deutsche Industrienorm*	norme industrielle allemande
Dipl.Ing.	*Diplomingenieur*	ingénieur diplômé
Dipl.Kfm.	*Diplomkaufmann*	diplômé de l'école de commerce
Dr.	*Doktor*	docteur
Dr.med.	*Doctor Medicinae*	docteur en médecin
dt.	*deutsch*	allemand
EDV	*Elektronische Datenverarbeitung*	informatique
EG	*Europäische Gemeinschaft*	Communauté Européenne C.E.
ev.	*evangelisch*	protestant
e.V.	*eingetragener Verein*	société enregistrée
FCKW	*Fluorchlorkohlenwasserstoff*	clorofluorocarbone C.F.C

F.D.P.	Freie Demokratische Partei	parti libéraldémocrate
Fr.	Frau	Madame Mme.
Frl.	Fräulein	Mlle
geb.	geboren	né
Ges.	Gesellschaft	société
GmbH	Gesellschaft mit beschränkter Haftung	SARL
GUS	Gemeinschaft Unabhängiger Staaten	C.E.I.
Hbf	Hauptbahnhof	gare centrale
inkl.	inklusive	compris
Kfz	Kraftfahrzeug	véhicule
KG	Kommanditgesellschaft	société en commandite
Kripo	Kriminalpolizei	police judiciaire
Kto.	Konto	compte
led.	ledig	célibataire
Lkw	Lastkraftwagen	poids lourd
MEZ	Mitteleuropäische Zeit	heure de l'Europe centrale
Mrd.	Milliarde	milliard
MwSt	Mehrwertsteuer	taxe à la valeur ajoutée
n.Chr.	nach Christus	après J.C.
Nr.	Nummer	numéro
öff.	öffentlich	public
Pf	Pfennig	pfennig
Pkw	Personenkraftwagen	voiture de tourisme
PLZ	Postleitzahl	code postal
PS	Pferdestärke	chevalvapeur
rd.	rund	environ
SPD	Sozialdemokratische Partei Deutschlands	parti socialdémocrate allemande
Std.	Stunde	heure
Str.	Straße	Rue
TÜV	Technischer Überwachungs-Verein	service de contrôle technique
u.	und	et
usw.	und so weiter	etc
u.v.a.	und viele(s) andere	et autres
verh.	verheiratet	marié
vgl.	vergleiche	comparez
z.B.	zum Beispiel	p.ex.
z.Hd.	zu Händen	à l'attention de
z.T.	zum Teil	en part
zus.	zusammen	ensemble
z.Zt.	zur Zeit	à présent

Maße und Gewichte

Längenmaße

km	Kilometer *m*	kilomètre *m*
m	Meter *m*	mètre *m*
dm	Dezimeter *m*	décimètre *m*
cm	Zentimeter *m*	centimètre *m*
mm	Millimeter *m*	millimètre *m*

Flächenmaße

km²	Quadratkilometer *m*	kilomètre carré *m*
ha	Hektar *n* 100 Ar 10.000 qm²	hectare *m*
a	Ar *n* 100 qm²	are *m*
m²	Quadratmeter *m*	mètre carré *m*
dm²	Quadratdezimeter *m*	décimètre carré *m*
cm²	Quadratzentimeter *m*	centimètre carré *m*
mm²	Quadratmillimeter *m*	millimètre carré *m*

Hohlmaße

km³	Kubikkilometer *m*	kilomètre cube *m*
m³	Kubikmeter *m*	mètre cube *m*
dm³	Kubikdezimeter *m*	décimètre cube *m*
cm³	Kubikzentimeter *m*	centimètre cube *m*
mm³	Kubikmillimeter *m*	millimètre cube *m*

Flüssigkeitsmaße

l	Liter *m*	litre *m*
hl	Hektoliter *m*	hectolitre *m*

Gewichte

t	Tonne *f*	tonne *f*
dz	Doppelzentner *m* 100 kg	100 kilos
Ztr.	Zentner *m* 50 kg	quintal *m* 100 livres
kg	Kilogramm *n*	kilogramme *m*
Pfd.	Pfund *n* 0,5 kg	livre *f*
g	Gramm *n*	gramme *m*
mg	Milligramm *n*	milligramme *m*